J. RIZZI

DER BROCKHAUS IN FÜNFZEHN BÄNDEN

DER BROCKHAUS

in fünfzehn Bänden

Siebter Band

Is – Kon

F.A. BROCKHAUS
Leipzig · Mannheim

Redaktionelle Leitung: Marianne Strzysch, Dr. Joachim Weiß

In Band 15 ist die Redaktion vollständig genannt.

Einbandgestaltung: James Rizzi

Einbandtypographie: Jürgen Sauerhöfer

Herstellung: Günter Schwab

Typographische Konzeption: Norbert Wessel

Satz: Bibliographisches Institut & F. A. Brockhaus AG
(PageOne Siemens Nixdorf)
und Mannheimer Morgen Großdruckerei
und Verlag GmbH

Druck: Neue Stalling GmbH, Oldenburg

Bindearbeit: Großbuchbinderei Lachenmaier, Reutlingen

Papier: 120 g/m² holzfrei, mattgestrichen, chlorfrei
der Papierfabrik Aconda Paper S. A., Spanien

Die Deutsche Bibliothek – CIP-Einheitsaufnahme
Der **Brockhaus**: in 15 Bänden /
[red. Leitung: Marianne Strzysch; Joachim Weiß]. –
Leipzig; Mannheim: Brockhaus.
Bd. 7. Is – Kon. – 1999
ISBN 3-7653-2357-8

ISBN für das Gesamtwerk 3-7653-2350-0
Band 7: 3-7653-2357-8

Printed in Germany

Is

Isaac, Heinrich, fläm. Komponist, *in den Niederlanden um 1450, †Florenz 26. 3. 1517; um 1480 Organist und Musiklehrer am Hof von Lorenzo I. de' Medici, 1497–1514 Hofkomponist Kaiser Maximilians I.; einer der bedeutendsten Komponisten seiner Zeit, beherrschte die Polyphonie in seinen Messen, Motetten und Instrumentalsätzen ebenso wie schlichte, tief empfundene Liedsätze (»Innsbruck, ich muß dich lassen«).

Isaak [hebr. »(Gott) möge lachen«], bibl. Gestalt; Sohn Abrahams und Saras, Erzvater Israels, Vater Jakobs und Esaus.

Isaak, byzantin. Kaiser: **1) Isaak I. Komnenos** (1057–59), †Konstantinopel 1061; erster Kaiser aus der Dynastie der Komnenen nach Aussterben der makedon. Dynastie; nach seiner Abdankung (1059) Mönch im Studioskloster.

2) Isaak II. Angelos (1185–95 und 1203/04), †Konstantinopel 28. 1. 1204; 1195 von seinem Bruder Alexios III. entthront und geblendet; 1203 wieder eingesetzt. Sein Sohn Alexios IV. wurde Mitkaiser. I. bekämpfte Ämterkauf und Steuermissbrauch, geriet aber in Abhängigkeit von den Kreuzfahrern, wurde deshalb zus. mit seinem Sohn durch einen Aufstand gestürzt.

Isabella, Königinnen von Spanien: **1) Isabella I., die Katholische** (1474–1504), *Madrigal de las Altas Torres (Prov. Avila) 22. 4. 1451, †Medina del Campo 26. 11. 1504; heiratete 1469 den Thronerben (seit 1479 König) von Aragonien, Ferdinand II., den Katholischen, und konnte bis 1479 ihre Interessen als kastil. Thronerbin gegen die Tochter ihres Stiefbruders Heinrich IV. durchsetzen. Die Doppelreg. schuf die Grundlage für ein gesamtspan. Königreich. I. baute in Kastilien ein neuzeitl. Staatswesen auf. 1492 eroberten Ferdinand und I. – denen der Papst 1496 den Titel »Kath. Könige« verlieh – das letzte Maurenreich im Feldzug gegen Granada und beendeten damit die »Reconquista«. I. unterstützte die Entdeckungsfahrten von Kolumbus.

📖 LEICHT, H.: *I. von Kastilien (1451–1504). Regensburg 1994.*

2) Isabella II. (1833–70), *Madrid 10. 10. 1830, †Paris 9. 4. 1904; Tochter Ferdinands VII. und seiner 4. Gemahlin Maria Christina; bis 1843 unter Regentschaft ihrer Mutter und General B. Espartero; verteidigte ihre Thronansprüche gegen ihren Onkel Don Carlos (→Karlisten). Seit 1846 ⚭ mit ihrem Vetter Franz von Assisi (*1822, †1902). Heftige Parteikämpfe füllten ihre Reg. aus, bis sie im Sept. 1868 gestürzt wurde. 1870 verzichtete I. zugunsten ihres Sohnes →Alfons XII. auf den Thron.

Isabella II.,
Königin von Spanien (Ausschnitt aus einer Lithographie, um 1850)

Isabey [iza'bɛ], **1)** Eugène, frz. Maler und Lithograph, *Paris 22. 7. 1803, †Lagny (bei Paris) 25. 4. 1886, Sohn und Schüler von 2); romantisch stimmungsvolle Genre-, Architektur- und bes. Seestücke sowie histor. Szenen; bed. Lithographien.

2) Jean-Baptiste, frz. Miniaturmaler und Lithograph, *Nancy 11. 4. 1767, †Paris 18. 4. 1855, Vater von 1); Schüler von J.-L. David, vertrat einen elegant-gefälligen Klassizismus; bedeutendster Miniaturmaler seiner Zeit, Hofmaler Napoleons I.; schuf zahlr. Porträts, auch Gemälde auf Porzellan (Sèvres) und Elfenbein.

Isai, *Vulgata:* →Jesse.

Isar *die,* rechter Nebenfluss der Donau in Bayern, entspringt in einem Hochtal des Karwendelgebirges (Österreich), 295 km lang (davon 263 km in Dtl.), mündet bei Plattling unterhalb von Deggendorf. Nördlich von Mittenwald wird ein großer Teil des Wassers über einen Druckstollen dem Walchensee (Kraftwerk) zugeleitet und über die Loisach wieder zugeführt. Nördlich von München zweigt der 50 km lange **Mittlere I.-Kanal** ab (zur Versorgung mehrerer Speicherseen im Erdinger Moos), mündet bei Landshut wieder in die Isar.

Isabella I., die Katholische,
Königin von Spanien (Ausschnitt aus einem zeitgenössischen Gemälde; Madrid, Museo Naval)

Isaurien, Landschaft im antiken Kleinasien, im Taurusgebirge um den Suglasee. Die **Isaurier,** räuber. Wanderhirten, wurden 78/77 v. Chr. von den Römern unterworfen.

ISBN, Abk. für **I**nternationale **S**tandard-**B**uch**n**ummer, eine aus vier Zahlengruppen (Landes- bzw. Gruppennummer, Verlags-, Titelnummer

Ischia: Das zum großen Teil im 15. Jh. erbaute Kastell beherrscht den Hauptort der Insel

und Prüfzahl) bestehende 10-stellige Kennzahl, die jedes neu erscheinende Buch erhält.

ISBN: Aufschlüsselung der Kennzahl

Is|chämie [-sç-, grch.] *die,* →Blutleere.

Ischarioth, →Judas Ischarioth.

Ischewsk (1984–87 Ustinow), Hptst. von Udmurtien, Russ. Föderation, am Isch, 651 000 Ew.; Univ. u.a. Hochschulen; Stahlwerk, Maschinen-, Fahrzeugbau.

Ischia ['iskia], italien. Insel vulkan. Ursprungs am Eingang zum Golf von Neapel, 46,4 km², im Monte Epomeo 788 m ü.M., 50 400 Ew. (sechs Gemeinden); mildes Klima, Thermalquellen, Fremdenverkehr; Obst- und Weinbau, Fischfang. Hauptort: Ischia (16 300 Ew.); Bischofssitz, mit Kastell (hauptsächlich 15. Jh.). – I. wurde im 8. Jh. v. Chr. von Griechen aus Euböa, um 470 v. Chr. von Syrakusanern besiedelt.

Ischias [grch., zu ischíon »Hüftgelenk«] *der,* auch *das,* fachsprachl. *die* (Ischialgie, Ischiassyndrom, Hüftweh), ein- oder beiderseitige, teilweise sehr schmerzhafte Reizung des I.-Nervs infolge Entzündung, Wirbelsäulenveränderung (bes. bei Bandscheibenschäden), Verletzung u.a.; entsprechend der Lokalisation dieses Nervs werden Schmerzen im Gesäß, an der Hinterseite des Oberschenkels, in der Kniekehle und am Unterschenkel empfunden. – Die *Behandlung* besteht in Ruhigstellung, medikamentöser Schmerzlinderung, Wärmeanwendung, Massage und Krankengymnastik, bei Bandscheibenvorfall und organ. Ursachen in operativen Maßnahmen.

Ischiasnerv (Ischiadikus, Hüftnerv), stärkster und längster Nerv des menschl. Körpers; entsteht aus dem Kreuzbeinnervengeflecht, verläuft zw. den Gesäßmuskeln nahe dem Hüftgelenk zur Hinterseite des Beines und innerviert Haut und Muskeln bis zum Fuß.

Ischl, Bad, →Bad Ischl.

Ischtar, babylon. Göttin des Kampfes und der Liebe.

Ischtartor, Doppeltor (kleineres nördl. Außentor, größeres südl. Innentor) im NO der Stadt Babylon, durch das die Prozessionsstraße verlief; von Nebukadnezar II. (605–562 v. Chr.) errichtet. Am Fundament des I. reliefartig hervorgehobene Stier- und Drachendarstellungen (Symboltiere des Wettergottes Adad und des Stadt- und Staatsgottes Marduk) aus gebrannten unglasierten, oberhalb des Erdbodens aus farbigen glasierten Ziegeln, an der Prozessionsstraße Relieffiguren schreitender Löwen (Symboltier der Ischtar) aus glasierten Ziegeln. Eine teilweise Rekonstruktion (u.a. die N-Front des I.) befindet sich im Pergamon-Museum in Berlin.

Ischurie [isç-, grch.] *die,* →Harnverhaltung.

ISDN [aiesdi:'en; Abk. für engl. **i**ntegrated **s**ervices **d**igital **n**etwork »Dienste integrierendes digitales (Telekommunikations-)Netz«], Telekommunikationsnetz, in dem digitale Vermittlungstechnik und digitale Übertragungstechnik vereinigt und unterschiedl. Kommunikationsarten (Sprache, Text, Daten, Bild) in einem gemeinsamen öffentl. Netz übertragen werden können. Das 1988 eingeführte **Schmalband-ISDN** nutzt das vorhandene Fernsprechleitungsnetz und fasst das bisher getrennte analoge Fernsprechnetz und das integrierte Text- und Datennetz (IDN) zusammen. Die Nutzinformationen werden über die Basiskanäle (64 kBit/s, →Basisanschluss) übertragen.

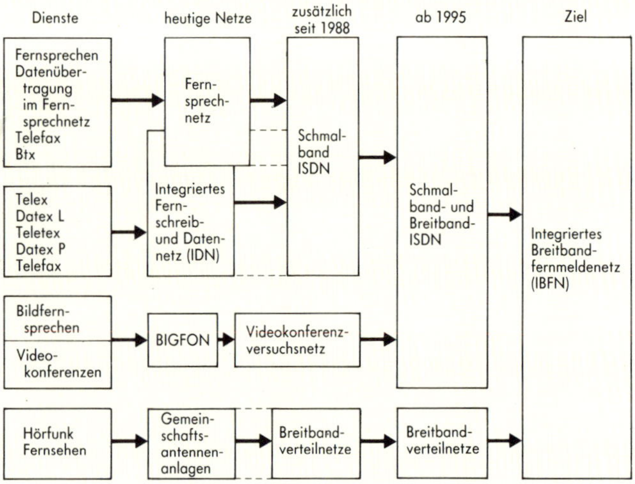

ISDN: Darstellung der Entwicklung von analogem Fernsprechnetz und IDN zum Dienste integrierenden Universalnetz ISDN

Ischtartor: Rekonstruktion des nördlichen Außentores mit Stier- und Drachenreliefs (um 570 v. Chr.; Berlin, Pergamonmuseum)

Vorteile des ISDN sind neben der Abwicklung einer Vielfalt von Diensten über einen Teilnehmeranschluss die Verbesserung der herkömml. Dienste (z. B. bessere Qualität beim Fernsprechen, Beschleunigung der Datenübermittlung, Verkürzung der Übertragungszeiten beim Fernschreiben und -kopieren), das erweiterte Angebot an Diensten (z. B. Bilddienste wie Fernzeichnen, Festbild, Bewegtbild) und Dienstmerkmalen (u. a. automat. Rückruf bei Besetztzeichen, Anrufanzeige und -umschaltung, Anrufliste, Vollsperre, Gebührenübernahme, Weckdienst, Konferenzverbindung), Dienstewechsel (z. B. Umstellung von Telefon auf Fax bei gleicher Rufnummer, Rufnummeranzeige beim angerufenen Teilnehmer).

1993 einigten sich Netzbetreiber aus 20 europ. Staaten auf einen gemeinsamen ISDN-Standard **(Euro-ISDN),** mit dem einheitl. Normen in der Richtlinie EDSS 1 (European digital subscriber signalling system No. 1) für das D-Kanal-Protokoll (D-Kanal = Daten-Kanal; Protokoll zur Übertragung von Daten und Steuerinformationen) festgelegt wurden. An den Basisanschluss des Euro-ISDN können bis zu acht Endgeräte angeschlossen werden. Allerdings sind das Euro-ISDN und einige nat. D-Kanal-Protokolle nicht kompatibel, d. h., es kann zwar eine Verbindung aufgebaut werden, bei der Datenübertragung kann es aber zu Schwierigkeiten kommen. In diesen Fällen ist ein spezieller Anschluss notwendig.

In der Entwicklung befindet sich derzeit das **Breitband-ISDN** mit Übertragungsgeschwindigkeiten bis zu 140 MBit/s. Es nutzt anstelle von Kupferkabeln Glasfaserkabel. Als Transportverfahren soll **ATM** (Asynchroner-Transfer-Modus) dienen. Bei ATM werden die zu übermittelnden Informationen digitalisiert und in einheitlich große »Pakete« von 53 Byte zerlegt, wobei 48 Byte die inhaltl. Information und 5 Byte die Steuerinformationen enthalten. Diese paketierten Informationen werden in »Container« geladen, die das ATM-Netz in ununterbrochener Folge bereitstellt. Die Einspeisung der Informationspakete ins Netz erfolgt nicht in regelmäßigen Zeitabständen, sondern asynchron, abhängig im Wesentl. von der Bitrate des Nutzsignals und der Verfügbarkeit freier Container. Die am Anschluss bereitgestellte Netzkapazität ist flexibel und richtet sich automatisch nach der Anwendung.

📖 KANBACH, A. *u.* KÖRBER, A.: *ISDN. Die Technik. Heidelberg* ^{2}*1991.* – BOCKER, P.: *ISDN, digitale Netze für Sprach-, Text-, Daten-, Video- und Multimediakommunikation. Berlin u. a.* ^{4}*1996.* – *ISDN – Grundlagen und Anwendungen, hg. v.* H. THIERBACH *u. a. Bonn u. a. 1996; CD-ROM mit Begleitheft.*

Ise (bis 1955 Ujiyamada), Stadt auf Honshū, Japan, 104 200 Ew.; bed. Wallfahrtsort und höchstes shintoist. Heiligtum Japans mit zwei der wichtigsten Schreinanlagen (3.–5. Jh.; der »Innere Schrein« ist der Ahnenschrein der kaiserl. Familie, der »Äußere Schrein« der Reisgottheit gewidmet); die Holzbauten werden seit 685 alle 20 Jahre abgetragen und wieder errichtet. BILD S. 8

Isel, Berg in Innsbruck, →Bergisel.

IS-Elemente (Insertionselemente, Insertionssequenzen), *Molekulargenetik:* relativ kurze DNS-Sequenzen (800–1 400 Basenpaare), die ihren In-

Ischtar

Die bedeutendste babylonische Göttin, Ischtar, hat verschiedene Gesichter. Sie ist Göttin der Liebe und des Geschlechtslebens; ihr Verschwinden (ein Mythos erzählt von ihrem Gang in die Unterwelt, in der ihre Schwester und Gegenspielerin herrscht) bewirkt Unfruchtbarkeit. Obwohl sie »Jungfrau« genannt wird, hat sie doch zahlreiche Liebhaber, unter ihnen vor allem den Vegetationsgott Dumuzi oder Tammuz. Ihre Herkunft wird von dem Himmelsgott Anu oder dem Mondgott Sin abgeleitet; ihr Bruder ist Schamasch, der Sonnengott. Ischtar hat – neben dem erotischen Aspekt – auch noch eine kriegerische und eine astrale, die Gestirne betreffende Funktion. Sie ist Göttin des Venussterns und wird durch eine achtstrahlige Rosette symbolisiert. Ischtar ist damit in allen drei Bereichen Himmel, Erde und Unterwelt beheimatet und ist in nahezu allen größeren Orten Babyloniens verehrt worden. Aufgrund ihrer besonderen Bedeutung konnte ihr Name auch einfach »Göttin« bedeuten.

tegrationsort im Bakterienchromosom verändern (Transposition, →transponierbare Elemente) und dadurch Mutationen hervorrufen. Einige IS-E. enthalten Start- oder Stoppsignale für die →Transkription.

Isenbrant (Ysenbrant), Adriaen, niederländ. Maler, ab 1510 in Brügge nachweisbar, †ebd. Juli 1551; knüpfte an die Tradition der altniederländ. Malerei, bes. an G. David, an; schuf zahlr. Madonnenbilder und Porträts; das einzige datierte Werk, der »Dreikönigsaltar« (1518) für die Marienkirche in Lübeck, wurde durch Brand zerstört.

Isenburg (Ysenburg), rheinisch-hess. Fürsten- und Grafengeschlecht, ben. nach der Stammburg I. (heute Ruine) bei Neuwied, seit 1442 Reichsgrafen. Seit 1684 bestehen nur noch die beiden Hauptlinien I.-Birstein (1744 in den Reichsfürstenstand erhoben) und I.-Büdingen (1865 in den hess. Fürstenstand erhoben).

Iserlohn Stadtwappen

Isenheimer Altar, Wandelaltar aus dem Antoniterkloster in Isenheim im Elsass, entstanden zw. 1512 und 1516, Meisterwerk von M. →Grünewald; die Schreinfiguren (um 1490) werden N. Hagenauer zugeschrieben; heute im Unterlindenmuseum in Colmar. BILD Grünewald

Christopher Isherwood

Iseosee (italien. Lago d'Iseo, Sebino), Alpenrandsee in der Lombardei, Italien, 185 m ü.M., 65 km², 25 km lang, bis 251 m tief, mit der bis 599 m ansteigenden Felseninsel Monte Isola; an seinen Ufern Wein- und Obstanbau; Fremdenverkehr.

Iser *die* (tschech. Jizera), rechter Nebenfluss der Elbe in der Tschech. Rep., 170 km lang, entspringt im Isergebirge, mündet nordöstlich von Prag.

Isère [i'zɛ:r], **1)** *die,* linker Nebenfluss der Rhône in den frz. Alpen, 290 km lang, entspringt an der italien. Grenze am Col de l'Iseran; mündet oberhalb von Valence; im Oberlauf mehrere Stauwerke.

2) Dép. in SO-Frankreich, 7431 km², (1990) 1,016 Mio. Ew.; Hptst.: Grenoble.

Ise: Der »Äußere Schrein« des shintoistischen Heiligtums ist der Reisgottheit gewidmet

Isis: Thronende Isis mit dem Horusknaben, Bronze, Höhe 22,5 cm (6. oder 5. Jh. v. Chr.; Leiden, Rijksmuseum von Oudheden)

Isergebirge (tschech. Jizerské hory, poln. Izerskie Góry), Teil der Sudeten, der sich im NW an das Riesengebirge anschließt, hauptsächlich aus Granit; der **Hohe Iserkamm** ist im Hinterberg (Polen) bis 1127 m, in der Tafelfichte (Tschech. Rep.) bis 1124 m hoch; auf Hochflächen Moore.

Iserlohn, Stadt im Märk. Kr., NRW, im westl. Sauerland, 99500 Ew.; Abteilung der FH Hagen, Evang. Akademie; Nadelmuseum, Maschinenbau; Metallverarbeitung, Textil-, Kunststoff- u.a. Industrie. – Spätgot. Marienkirche mit Schnitzaltar (um 1400). – Entstand nach 1220 (Loon), 1278 Stadt, seit dem 18. Jh. I. genannt.

Isernia, 1) Provinz in der italien. Region Molise, 1529 km², (1995) 92200 Einwohner.

2) Hptst. von 1), am Fuß der Abruzzen, 21100 Ew.; Bischofssitz; Nahrungsmittel-, Baustoff- u.a. Ind.; Kunsthandwerk (Spitzen).

Isfahan (Esfahan, früher Ispahan), Provinz-Hptst. in Iran, in einer Oase auf einer wüstenhaften Hochebene, 1,13 Mio. Ew.; Univ., Museen; Textilind., Kunstgewerbe, Nahrungsmittelind., Erdölraffinerie, 40 km südwestlich Stahlwerk; Flughafen. – I. wurde unter Schah Abbas d. Gr. (1587–1629) prachtvoll ausgebaut: Anlage des Festplatzes Meidan-e Schah (UNESCO-Weltkulturerbe), Lotfollah- (1602–16), Schah- (1612–38) u.a. Moscheen und Paläste (Ali Kapu, Tschehel Soton); bed. auch die 33-Bogen-Brücke über den Sajende Rud; die Freitagsmoschee (11./12. Jh.) wurde oft verändert und restauriert. – Das antike **Aspadana** wurde im 7. Jh. von den Arabern erobert, 1386 von Timur zerstört; unter den Safawiden 1598 Hptst. Irans (bis Mitte 18. Jh.).

Isherwood ['ɪʃəwʊd], Christopher, eigtl. C. William Bradshaw-I., engl. Schriftsteller, *Disley (Cty. Cheshire) 26. 8. 1904, †Santa Monica (Calif.) 4. 1. 1986; Journalist; gab in seinen Romanen, im Stil sachlich registrierender und ironisch untertreibender Reportagen, Ausschnitte aus dem Zeitgeschehen. Seine Deutschlanderfahrung (1929–33) ging u.a. in seinen Roman »Leb' wohl, Berlin« (1939) ein.

Ishiguro [ɪʃi-], Kazuo, engl. Schriftsteller japan. Herkunft, *Nagasaki 8. 11. 1954; lebt seit 1960 in England. Seine ersten Romane (»Damals in Nagasaki«, 1982; »Der Maler der fließenden Welt«, 1986) setzen sich prägnant, evokativ und ironisch mit der Begegnung der japan. Nachkriegsgesellschaft mit westl. Kultur auseinander; der Roman »Was vom Tage übrig blieb« (1989; verfilmt) offenbart im Protokoll eines Butlers Mechanismen der Verdrängung von Emotionen und Erinnerung; auch Kurzprosa und Filmskripte.

Isidorus Mercator, → Pseudoisidorien.

Isidor von Sevilla [-se'βiʎa], Bischof und Kirchenlehrer, *Cartagena (?) um 560, †Sevilla 4. 4. 636; seit 600 Erzbischof ebd.; seine »Etymologiae« (auch »Origines« genannt) enthalten enzyklopädisch das gesamte Wissen seiner Zeit und waren im MA. eine Hauptquelle der Kenntnis über Antike und christl. Altertum. Heiliger, Tag: 4. 4.

Isis (ägypt. Ese), altägypt. Göttin, Schwester und Gemahlin des Osiris, Mutter des Horus. Ihr Kult verbreitete sich auch in Griechenland und Rom; z. T. als Mysterienkult. Dargestellt wurde sie meist als Frau mit Kuhhörnern, zw. denen sich die Sonne befindet; das bekannteste Heiligtum ist das auf der Nilinsel Philae. Das Motiv der I., die auf ihrem Schoß den Horusknaben trägt, wurde zum Vorbild der Darstellung Marias mit dem Kinde.

Iskander, Fasil Abdulowitsch, russ. Schriftsteller abchas. Abstammung, *Suchumi 6. 3. 1929; Lyrik, heitere satir. Prosa (»Das Sternbild des Ziegentur«, 1966; »Tschik. Geschichten aus dem Kaukasus«, 1981; »Onkel Sandro aus Tschegem«, 1973).

İskenderun, Hafenstadt in der Prov. Hatay, Türkei, am östl. Mittelmeer, am Fuß des Amanos, 174 000 Ew.; Ausfuhr von Baumwolle, Häuten, Chromerz; Superphosphat-, Zementwerk; nördlich von İ. Eisen- und Stahlwerk; Erdölverladehafen Dörtyol; Marinehafen, Eisenbahnendpunkt. – Gegr. als **Alexandreia** auf Befehl Alexanders d. Gr., später **Alexandrette** gen., 1920–39 zum frz. Mandatsgebiet Syrien, seit 1939 zur Türkei.

Isker *der* (bulgar. Iskar), rechter Nebenfluss der Donau in Bulgarien, 368 km lang, entspringt im Rilagebirge; im Oberlauf der **I.-Stausee** (30 km^2).

Islam [arab. »Hingabe an Gott«] *der,* von Mohammed zw. 622 und 632 in Medina (erste Gemeindeordnung) gestiftete monotheist. Weltreligion; ihre Anhänger bezeichnen sich als Muslime. Seinem Wesen nach ist der I. eine Offenbarungsreligion, gekennzeichnet durch die unbedingte Ergebung in den Willen Gottes (Islam), wie er im

Isfahan: Die außen und innen mit kostbaren Fliesen verkleidete Kuppel der Lotfollah-Moschee (1602–16) gilt als eine der schönsten in der persischen Baukunst

→ Koran, dem hl. Buch des I., niedergelegt ist. Als Urkunde der göttl. Offenbarung, Quelle des Glaubens und Norm des Handelns in der islam. Gemeinde (Umma) kommt ihm höchste und absolute Autorität zu. Er ist (mit dem → Hadith) religiöses und weltl. Gesetzbuch zugleich, die Umma (theologisch) religiöse und polit. Gemeinde. Als Mitgl. der Umma ist der Muslim Angehöriger des universalen »Hauses des I.« (»Dar al-Islam«). Jedem Muslim sind die fünf Hauptpflichten des I. (»Säulen des I.«) vorgeschrieben: das Glaubensbekenntnis zu dem einen Gott (Allah) und Mohammed als seinem Propheten (die Schahada); das tägl. fünfmalige Gebet (Salat); das Fasten während des Fastenmonats Ramadan (Saum); das Almosengeben für soziale, karitative und missionar. Zwecke (Zakat) und die Wallfahrt nach Mekka einmal im Leben (Hadjdj). Der Genuss von Schweinefleisch und Wein ist verboten, da das Gebet im Zustand der kult. Reinheit zu verrichten ist. Die enge Verbindung von Staat und Religion (das erste islam. Gemeinwesen war Glaubensgemeinschaft und Staat zugleich) wirkt in der islam. Welt bis heute fort.

Islam
Symbol

Islam

Sure 6 des Korans bezeugt das Selbstverständnis Mohammeds, das auch für die Lebensführung eines jeden Muslims wegweisend wurde:

»Siehe, mein Gebet, meine Verehrung und mein Leben und mein Tod gehören Allah, dem Herrn der Welten. Er hat keine Gefährten, und solches ist mir geheißen, und ich bin der erste der Muslime.«

Die beiden Hauptrichtungen des I. vertreten die →Sunniten (rd. 90%) und die →Schiiten (rd. 10%). Letztere leben v.a. in Iran, wo der schiit. I. seit 1502 Staatsreligion ist, sowie in Irak, in Syrien und Pakistan. Die **Sunniten** verstehen sich als die islam. Orthodoxie; ihre unterschiedl. Auslegungstraditionen führten zur Herausbildung von vier Rechtsschulen (Hanbaliten, Hanefiten, Malikiten, Schafiiten); die **Schiiten** (zu Shia »Partei Alis«) sehen allein in Ali, dem Schwiegersohn Mohammeds, und seinen Nachkommen den rechtmäßigen Nachfolger des Propheten und Leiter der islam. Gesamtgemeinde (→Kalif).

Der I. verbreitete sich noch im 7. Jh. über Arabien und N-Afrika; im 8. Jh. eroberten die Mauren Spanien, im 10. Jh. erfolgte die Islamisierung der Türken Zentralasiens; im 11. Jh. errichtete der I. die muslim. Herrschaft in Indien; das Osman. Reich trug den I. weit nach Europa (Balkanhalbinsel, Ungarn, 1683 Belagerung Wiens); in der Gegenwart gewinnt der I. bes. in Afrika an Einfluss; seit 1991 gibt es starke Tendenzen der Reislamisierung in den mittelasiat. Rep. der ehem. UdSSR.

Mit dem Zusammenbruch des Osman. Reiches und der Gründung des modernen türk. Nationalstaates nach dem 1. Weltkrieg und der Abschaffung des Kalifats (1924) geriet der I. in eine Krise; seine Renaissance setzte nach dem 2. Weltkrieg im Zusammenhang mit verstärkten panislam. und panarab. Bestrebungen ein. Seit den 60er-/70er-Jahren gewinnt der »islam. Fundamentalismus« zu-

Islamabad: Die 1976–84 erbaute Faisal-Moschee

nehmend an Einfluss, v.a. in den arab. Staaten, in der Türkei, im Sudan, in Pakistan, zuletzt (seit 1992) in Afghanistan. Sein Ziel ist die Einheit von Politik und Religion auf dem Fundament islam. Rechts (→Scharia) und die Errichtung eines »islam. Staates« (1979 im Iran durch Ayatollah Khomeini verwirklicht). Geistiges Zentrum des islam. Fundamentalismus ist die El-Azhar-Univ. in Kairo, einer ihrer einflussreichsten Träger die Muslimbruderschaft. – In Europa gibt es größere islam. Gemeinden in Frankreich und Großbritannien; in Dtl. leben gegenwärtig rd. 1,7 Mio. Muslime.

📖 ENDRESS, G.: *Der I. München* ²*1991*. – HARTMANN, R.: *Die Religion des Islam. Neuausg. Darmstadt 1992*. – *Lexikon der islam. Welt, hg. v.* K. KREISER *u.* R. WIELANDT. *Neuausg. Stuttgart u.a.*

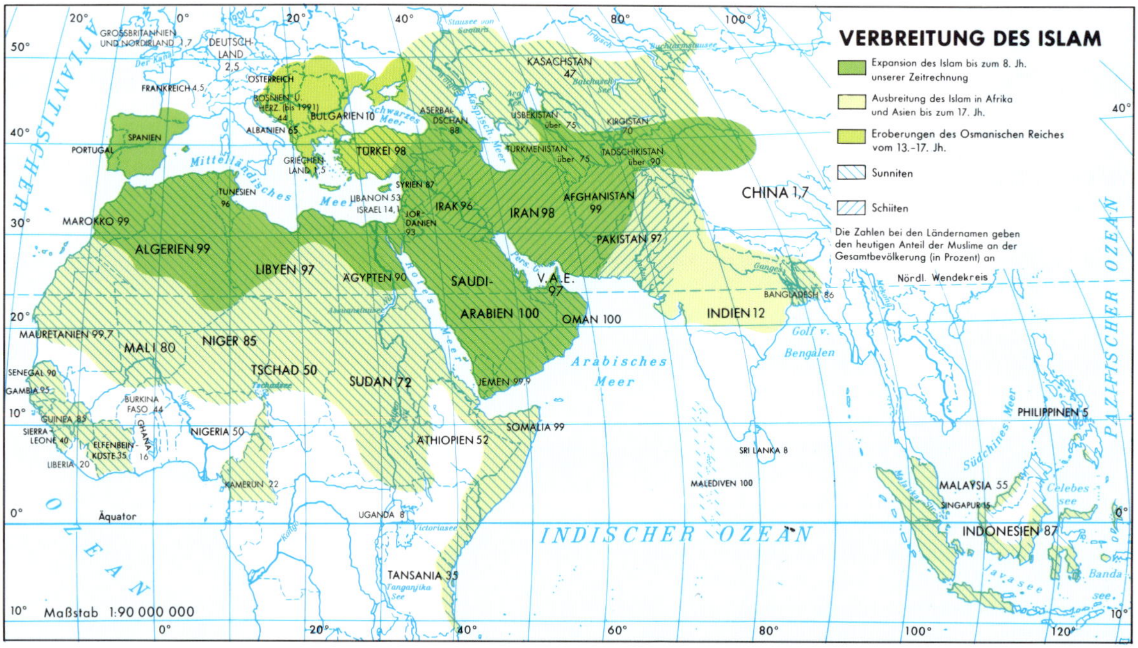

1992. – Khoury, R. G.: *Der I. Mannheim u.a. 1993.* – Schimmel, A.: *Der I. Stuttgart 1995.* – *Der I. in der Gegenwart, hg. v.* W. Ende *u.* U. Steinbach. *München ^{4}1996.* – Khoury, A. T.: *Der I. Freiburg im Breisgau u.a. ^{4}1996.* – Tibi, B.: *Der wahre Imam. Der I. von Mohammed bis zur Gegenwart. München u.a. 1996.*

Islamabad, Hptst. Pakistans, auf einer Hochebene bei Rawalpindi, rd. 500 m ü. M., 236 000 Ew. (im Hptst.-Bezirk, 906 km^2, 500 000 Ew.); drei Univ., Akademien für Wiss. und Literatur, Forschungsinstitute, Nationalbibliothek. – Faisal-Moschee (1976–84), eine der größten der Erde. – I., ab 1959 geplant, entstand ab 1961 nach einem Entwurf des grch. Stadtplaners C. Doxiades und des japan. Landschaftsarchitekten K. Kondō.

islamische Kunst, die Kunst derjenigen Völker, deren Mehrheit oder herrschende Minderheit dem ihre Kultur bestimmenden und ihre Einheit stiftenden Islam anhängen. Durch das Vordringen des Islam seit dem 7. Jh. erstreckte sich das Gebiet der i. K. über Syrien in westl. Ausdehnung bis nach N-Afrika und Spanien und in östlicher über Irak und Iran einerseits bis nach N-Indien und andererseits nach Anatolien. Die beherrschenden Gattungen sind Architektur und Kunsthandwerk, die gegen Ende des 7. Jh. in der Begegnung mit der byzantinisch-spätantiken Kunst des alten Syrien ihren Anfang nahmen. Als sakrale Bauwerke entwickelten sich die Moschee (Cami), Klosterfestungen (Ribat), das Mausoleum, islam. Hochschulen (Medrese), zu den profanen Bauformen gehören Palast (mit Moschee), Bad (Hammam), Sternwarte, Festung (Stadtburg), Stadtmauern, Stadttor, Brücke, Staudamm, Äquadukt, Zisterne, Markt (Basar), Hospital, Wohnhaus, Handelshaus, Karawanserei (Han). Ein Charakteristikum der islam. Architektur ist der flächendeckende Dekor, der die Struktur der Bauwerke meist völlig überspielt. Zur Ausstattung der Moscheen entstanden holzgeschnitzte Predigtstühle (Minbar) und Koranständer, später mit Einlegearbeit, Glasampeln mit Email- und Goldmalerei, geknüpfte Teppiche, die man auch im Wohnhaus ausbreitete. Kissen und kleine bewegliche Möbelstücke ergänzten den Wohnkomfort. Bronze-, Silber- und Goldgefäße, seit dem 12. Jh. abgelöst durch tauschierte Metallgefäße, Bergkristalle, geblasene Gläser, Keramikteller und -gefäße dienten als Gebrauchs- und Ziergerät. Holz- und Elfenbeinschnitzerei, Buchkunst und Miniaturmalerei erlebten eine Blütezeit. Mit Seide applizierte Stoffe, Seidenstoffe und Brokate waren auch in Europa begehrt. Das in den Aussprüchen des Propheten (Hadith) begründete Verbot, lebende Wesen darzustellen, ist zwar nur in der religiösen Kunst strikt befolgt worden (und selbst hier gibt es einige Ausnahmen), führte aber doch zu einer breiten Entfaltung nichtfiguraler Darstellungsformen wie Schriftkunst (Kalligraphie), Ornamentik (Stern- und Flechtmuster, Arabeske) sowohl in der sakralen wie in der profanen Kunst. Im höf. und bürgerl. Bereich wurde das Bilderverbot jedoch mit wechselnder Intensität durchbrochen, im Osten mehr als im Westen (ausgenommen die Hofkunst der Omaijaden). Stilprägende Dynastien und führende ethn. Gruppen haben den Epochen der i. K. ihren Namen gegeben:

islamische Kunst

Der Koran enthält kein Bilderverbot. Erst mit der Entstehung der Hadith, der Sammlung der Mohammed zugeschriebenen Aussprüche und Handlungen, wurden im 8. Jahrhundert deutliche Einschränkungen formuliert. Die Handhabung solcher Verbote variiert jedoch sehr stark: Generell wird die bildliche Darstellung lebender Wesen in Kunst und Architektur umso stärker vermieden, je näher das Kunstwerk dem religiösen Bereich steht, je glaubensstrenger Künstler, Auftraggeber oder Herrscher sind und je mehr Menschen das Kunstwerk zugänglich ist. Extreme Beispiele der Beachtung oder der Vernachlässigung des Bilderverbots sind die Verstümmelung vor- oder nichtislamischer Bildwerke und der figurenreichen Miniaturmalerei. In den Moscheen verwendete Gegenstände sind nur mit Schrift und nichtfigürlichen Ornamenten verziert.

Omaijadenstil (661–750): Erste einfache Moscheen nahmen den Bautypus des arab. Wohnhofes auf. Nach der Verlegung der Kalifenresidenz nach Damaskus entstanden Prachtbauten in Auseinandersetzung mit den vorgefundenen nichtchristl. und christl. Kultbauten (→Felsendom in Jerusalem, 691/692; Große Moschee (Omaijadenmoschee) in Damaskus, 705–715). Der in Damaskus entwickelte Typ der Hofmoschee mit mehrschiffigem Betsaal und Arkadenhof (syr. Basilikatradition) wurde verbindlich für alle späteren omaijad. Moscheen (Basra und Kufa in Mesopotamien, Fustat [heute Kairo] in Ägypten, Tunis und Kairouan in N-Afrika). Höhepunkt ist die 785 begonnene Moschee von Córdoba. Mosaiken und Inkrustationen nahmen hellenist. Stilformen auf. Erst in den Wüstenschlössern von Mschatta und Kusair Amra (Mitte 8. Jh.) entwickelte sich ein eigener Ornamentstil. Im Westen lebte die Kunst der Omaijadenzeit im maurischen Stil in N- und NW-Afrika sowie Spanien weiter (11.–15. Jh.).

Abbasidenstil (749/750–1258): Die Übersiedlung der Kalifen nach Bagdad (762) brachte die Aufnahme von mesopotam. Ziegelbauweise mit Stuckdekoration (Große Moschee von Samarra, 838–852; Ibn-Tulun-Moschee im heutigen Kairo, 876/877–879); Palastbauten erhielten die offene sassanid. Halle (Iwan); erste Mausoleen; Lüsterglasur, Seidenweberei und Metalltauschierung.

islamische Kunst

1

2

3

4

| **1** Aus Herat stammender Isfahan-Teppich, Detail (17. Jh.) | **2** Luftaufnahme der Freitagsmoschee von Isfahan (11./12. Jh.)
| **3** Innenraum der Sultan-Ahmed-Moschee in Istanbul, wegen der blauen Fayencen auch Blaue Moschee genannt (Anfang 17. Jh.)
| **4** Mit Koransuren verzierte Kuppel im Mausoleum von Mahan in der Provinz Kerman in Iran (1431–1437)

Fatimidenstil (909–1171): 969 Eroberung von Ägypten, Gründung von Kairo (Ashar- und Al-Akmar-Moschee). Fatimid. Bergkristalle, Gläser, Stoffe, Lüsterkeramik und Bronzen machten Kairo und Alexandria zu zentralen Handelsplätzen. Elfenbeinkästen, reliefierte Hörner und Kästen aus Sizilien und Unteritalien vermittelten als sarazen. Arbeiten den fatimid. Stil nach Europa.

Seldschukenstil (11.–13. Jh.): Mit den Seldschuken drangen seit der Jahrtausendwende zentralasiat. Elemente in die i. K. des Iran (1037), des Irak (1055), Anatoliens (1071) und Syriens (1094) ein. Neue Bautypen wie der monumentale Grabbau, Medrese, Vier-Iwan-Anlage (Isfahan, Freitagsmoschee) sowie neue Formen der Kleinkunst (Miniaturen, Knüpfteppiche u. a.) wurden entwickelt.

Persisch-mongolischer Stil (13.–15. Jh.) in Iran und Transoxanien (Buchara): Die Ilkhane (1256 bis um 1335) in Persien bzw. die Timuriden (seit 1369) in Samarkand führten die urspr. seldschuk. Vier-Iwan-Moschee weiter; reich der Stuckdekor (die wohl in samanid. Zeit, Ende des 10. Jh., zurückreichenden Stalaktiten; z. B. der Mihrab in der Freitagsmoschee in Isfahan, 1310) und der Fayencedekor (Gur-Emir-Mausoleum in Samarkand, 1404; Blaue Moschee in Täbris, 1465/66); Miniaturmalerei (Herat), Teppichkunst.

Mameluckenstil (1250–1517) in Ägypten und Syrien: Die (seldschuk.) Vier-Iwan-Höfe wurden aufgegriffen, nicht aber der Fliesenschmuck. Es entstanden strenge Steinbauten, u. a. in Kairo Sultan-Hasan-Moschee (1356–62), Ibn-Barkuk-Grabkloster (1400 bis 1410), das Hof und Stützenhallen

| 5

| 6

| 7

| 8

| **5** Ein Meisterwerk persischer Kleinkunst: eine Bronzekanne mit in Gold und Silber eingehämmerten Tierfriesen und Bordüren, die eine in Medaillons eingefügte Darstellung des Zodiakuszyklus umrahmen, Höhe 39,9 cm (Ende 12./Anfang 13. Jh.; London, British Museum) | **6** Das Detail aus den Wandmalereien im Festraum eines Hauses in Aleppo, eine der ältesten Städte des Orients, zeigt ein christliches Motiv aus orientalischer Sicht: eine von osmanischem Blütenwerk umgebene Madonna mit Kind mit islamischer Flammenaureole | **7** persische Fliese mit Jagdszene (um 1200; Berlin, Staatliche Museen) | **8** Miniatur aus einer prachtvoll ausgestatteten Handschrift der Gedichte des Khwasdschu Kirmani aus Persien (1. Hälfte des 15. Jh.; Paris, Musée des Arts Décoratifs)

mit Kuppeln und Minarett verbindet; Schmuck erhielten v.a. die Minaretts, Kuppeln und Portale; Prachthandschriften, Emailgläser.

Maurischer Stil (11.–15. Jh.) in Spanien und N-Afrika: Hier wurde die alte Hofmoschee, ergänzt durch reiche Minaretts über quadrat. Grundriss, beibehalten (Fes, Marrakesch, Sevilla, Rabat). Die →Alhambra von Granada ist der bedeutendste erhaltene Profanbau in einem höchst verfeinerten Dekorationsstil (13./14. Jh.).

Safawidenstil (1501–1722) in Persien: Der Palastbau löste sich in Pavillonsysteme auf; Moscheen mit vollständigen Mosaikverkleidungen (Lotfollah-Moschee, Isfahan, 1602–19); Schrift und Arabeske bestimmten den Dekor. In Isfahan entstand auch eine bed. Miniaturistenschule. Das 16. Jh. brachte für den klass. pers. Teppich die Blütezeit.

Mogulstil (16.–18. Jh.) in Hindustan: Die Verbindung von ind. und islam. Formen im Grabbau (Taj Mahal in Agra, 1632–48) und im Palastbau führte zu reich dekorierten luftigen Kuppelbauten (Fatehpur Sikri, 16. Jh.).

Osmanischer Stil (14.–19. Jh.) in der Türkei: Die Moschee mit Zentralkuppel über quadrat. Grundriss wurde durch den Baumeister Sinan in immer neuen Varianten gestaltet (Prinzenmoschee, 1544–48; Süleiman-Moschee, 1550–56, beide Istanbul; die Moschee Selims II. in Edirne, 1568–74). Im Baudekor herrschten ab 1525 farbige Fliesen vor, die bevorzugt mit Blüten bemalt wurden.

📖 Enderlein, V.: *I. K. Dresden 1990. – Kleine Geschichte der i. K., hg. v.* H.-T. Gosciniak. *Köln 1991.*

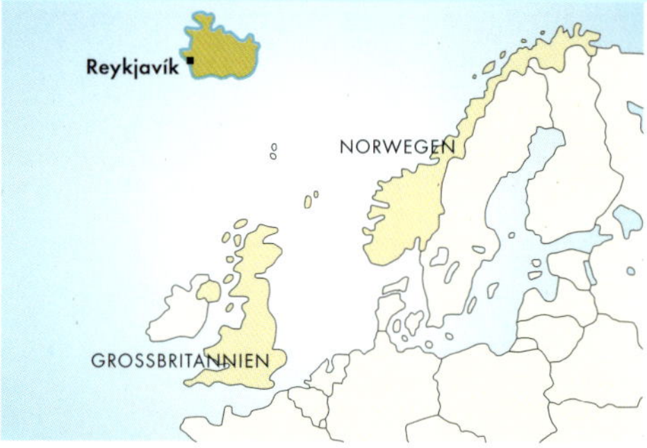

Island

Fläche: 103 000 km²
Einwohner: (1995) 269 000 Ew.
Hauptstadt: Reykjavík
Verwaltungsgliederung: 7 Prov.
Amtssprache: Isländisch
Nationalfeiertag: 17. 6.
Währung: 1 Isländische Krone (ikr) = 100 Aurar (aur.)
Zeitzone: WEZ

Staatswappen

IS

Internationales Kfz-Kennzeichen

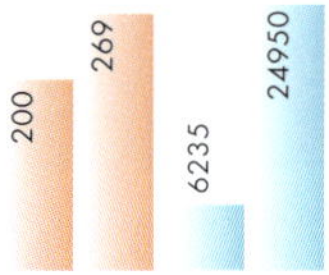

Bevölkerung (in Mio.)
Bruttosozialprodukt je Ew. (in US-$)

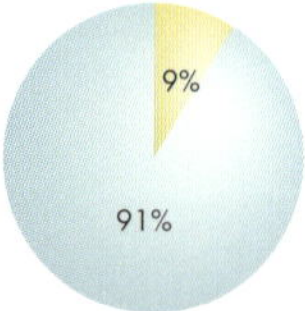

Bevölkerungsverteilung 1993

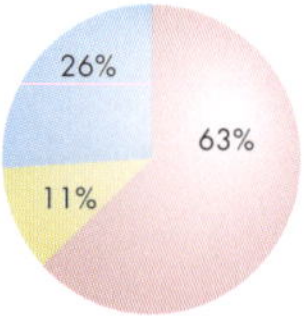

Bruttoinlandsprodukt 1993

islamische Philosophie, der Versuch, die Grundgedanken des Korans von der Allmacht Gottes und der Endlichkeit alles Geschaffenen darzustellen und mit allg. philosoph. Fragestellungen zu verbinden, bei Aufnahme hellenist., pers. und ind. Gedankengutes. Im 9. Jh. stand neben al-Kindi der Geheimbund der »Getreuen von Basra« mit einer Emanationslehre. Im 10. Jh. wirkten u. a. der pers. Arzt und Philosoph Ar-Rasi (* 865, † 925) mit der Lehre vom Hervorgehen der Welt aus fünf Urprinzipien (Gott, Materie, Seele, Raum, Zeit) und al-Farabi, der die Philosophie über die Religion stellte. Ibn Sina (lat. Avicenna) schuf im 11. Jh. die für die Folgezeit maßgebende Form der aristotelisch-neuplaton. Metaphysik. Sein Gegner war al-Ghasali, der größte Theologe des Islam, der eine Einheit zw. der religiösen Pflichtenlehre, der spekulativen Theologie und der Mystik zu stiften suchte. In Spanien entfaltete sich die i. P. seit 900 n. Chr. in enger Verbindung mit der jüd. Philosophie. Ibn Badjdja (Avempace) war der erste Aristoteliker des islam. Spanien. V. a. Ibn Ruschd (Averroes) beeinflusste von hier aus die scholast. Philosophie des christl. Abendlandes.

islamisches Recht, → Scharia.

Island [isländ. »Eisland«] (amtlich isländ. Lýðveldið Ísland; dt. Republik I.), Staat im Europ. Nordmeer, umfasst außer der Hauptinsel I. einige kleine vorgelagerte Inseln (v. a. Westmännerinseln, Surtsey, Grímsey).

Staat und Recht: Nach der Verf. von 1944 (mehrfach modifiziert) ist I. eine parlamentarisch-demokrat. Rep. Staatsoberhaupt und oberster Inhaber der Exekutive ist der Präs. (auf vier Jahre direkt gewählt); er ernennt und entlässt die Mitgl. des Kabinetts unter Vorsitz des MinPräs. und verfügt über ein beschränktes Vetorecht. Die Legislative liegt beim Zweikammerparlament (Althing, 63 Abg., auf vier Jahre gewählt), bestehend aus Ober- und Unterhaus. Einflussreichste Parteien: Unabhängigkeitspartei (SF), Fortschrittspartei (FF), Sozialdemokrat. Partei (AF), Volksallianz (AL).

Landesnatur: I. liegt auf dem untermeer. Mittelatlant. Rücken südlich des Polarkreises (nur die Insel Grímsey liegt auf ihm), 330 km von Grönland und 800 km von Skandinavien entfernt. Die Insel ist vulkan. Usprungs, aufgebaut aus tertiären und quartären Basaltdecken, die von einer 100–200 km breiten jungvulkan. Zone in SW-NO-Richtung gequert werden: Hier herrschen pleistozäne Basalte, Rhyolithe und Hyaloklastite vor. Hinzu treten nacheiszeitl. Laven, Tuffe und postvulkan. Erscheinungen (Solfataren, heiße Quellen, → Geysire). Die oft von Erdbeben begleitete vulkan. Tätigkeit dauert an (v. a. Heimaey, Surtsey, Hekla, Askja). Der jüngste Ausbruch war im Sept. 1996 der des Bárdarbunga unter dem Vatnajökull. Über der Küstenregion mit Tiefländern, bes. im S und dem Hauptsiedlungsgebiet im SW, erhebt sich von 300 bis 800 m ü. M. eine unbewohnte Hochfläche, in Stufen gegliedert, über die die Flüsse in großen Wasserfällen (Dettifoss, Gullfoss) herabstürzen. Darüber ragen zahlr. Gebirgsstöcke und Einzelberge (im Hvannadalshnúkur 2119 m ü. M.) sowie als Reste des pleistozänen, einst ganz I. verhüllenden Inlandeises mehrere Eiskappen auf (rd. 12 300 km², davon Vatnajökull 8 410 km²). An einigen Eiskappen treten von Zeit zu Zeit durch subglaziale Eruptionen riesige Schmelzwasserströme (Jökulhlaup) auf; dadurch im S breite Aufschüttungsebenen (Sanderflächen). Im W, N und O Fjärd- und Fjordküste. Das kühle und feuchte Klima wird durch Ausläufer des Golfstroms bestimmt (milde Winter), Stürme, Nebel und Regen sind häufig.

Bevölkerung: Die Bewohner I. sind fast ausschl. Isländer skandinav. Abstammung. Über 92 % gehören der evang.-luth. »Isländ. Nationalkirche« (Staatskirche), 4 % luther. Freikirchen an, die kath. Kirche hat rd. 2 500 Mitgl. Mit einer Bev.dichte von 2,6 Ew. je km² ist I. das am dünnsten besiedelte Land Europas. Über die Hälfte der Bev. lebt im Raum Reykjavík. – Allg. Schulpflicht vom 7. bis 15. Lebensjahr; staatl. Univ. in Reykjavík (gegr. 1909, eröffnet 1911).

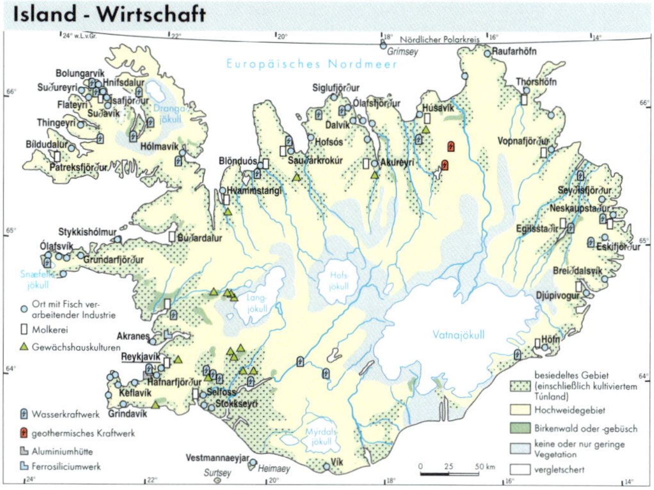

Wirtschaft, Verkehr: Lebenswichtige wirtsch. Grundlage sind Fischfang (Kabeljau, Dorsch, Rotbarsch, Schellfisch) und -verarbeitung (Gefrier-, Salz-, Stockfisch, Fischkonserven, -mehl, -öl); sie erbringen 79% des Exportwerts; die Fischereigrenze wurde mehrfach, zuletzt 1975 auf 200 Seemeilen ausgedehnt. Die Landwirtschaft kann nur etwa 22% der Gesamtfläche nutzen, es überwiegt Weidewirtschaft. I. ist Selbstversorger bei Fleisch, Milch, Geflügel und Eiern. Angebaut werden auf 2% der Gesamtfläche Kartoffeln und Futtermittel. Große Bedeutung hat die Nutzung der heim. Energiequellen Wasserkraft und geotherm. Energie; Ind.zweige sind: Aluminiumerzeugung, Metallverarbeitung, Nahrungsmittel-, Leder-, Textil-, Möbel- und Wollindustrie. Auch der Fremdenverkehr hat als Devisenquelle große Bedeutung. – Ausgeführt werden neben Fischereierzeugnissen v.a. Aluminium, Metallwaren, Fleisch, Häute, Wolle, Käse; eingeführt Erdöl und Erdölprodukte, Fahrzeuge, Maschinen, Geräte, Kunststoffe, Getreide. Haupthandelspartner: Großbritannien, USA, Dtl., skandinav. Länder, GUS-Staaten. – I. besitzt keine Eisenbahn. Neben ausgedehnter Küstenschiffahrt und dem Straßenverkehr, v.a. im SW (12500 km Straßen), spielt der inländ. Luftverkehr eine große Rolle; internat. Flughäfen sind Keflavík und Reykjavík; die nat. Flugges. Icelandair bedient In- und Auslandsverkehr; wichtigster Hafen: Reykjavík.

Geschichte: Die ersten Siedler waren vermutlich im 8. Jh. iroschott. Mönche. Seit 870/874 kamen norweg. Wikinger auf die Insel. 930 trat erstmals das Althing als zentrale Institution der Rechtsprechung und Gesetzgebung zusammen; es beschloss um 1000 die Annahme des Christentums. Die großbäuerl. Häuptlinge (Goden) bildeten die einflussreichste Schicht im isländischen Freistaat (960–1262), einer bauernaristokrat. Republik ohne Exekutivgewalt. Ab Ende des 10. Jh. unternahmen Isländer ausgedehnte Seefahrten, gründeten 986 in S-Grönland unter Führung Erichs des Roten Siedlungen und gelangten von hier aus mit ihren Schiffen bis nach Nordamerika (um 1000). 1117/18 begann die schriftl. Aufzeichnung des isländ. Rechts. Nach inneren Machtkämpfen unterstellte sich I. 1262 der Oberhoheit des norweg. Königs. Mit Norwegen kam I. 1380 an Dänemark. 1550 wurde die luther. Reformation eingeführt. Unter J. Sigurðsson erwachte im 19. Jh. eine Unabhängigkeitsbewegung: 1843 wurde das (1800 suspendierte) Althing als beratende Versammlung wieder eingesetzt, 1854 das dän. Handelsmonopol aufgehoben und 1874 eine Verf. gewährt. Am 1. 12. 1918 wurde I. ein selbstständiger Staat, blieb aber mit Dänemark durch Personalunion verbunden. Im 2. Weltkrieg war I. 1940/41 von brit., danach von amerikan. Truppen besetzt (Errichtung des Militärstützpunktes Keflavík). Am 24. 5. 1944 bestätigte die Bev. in einer Abstimmung die Auflösung der Union mit Dänemark. – Nach Ausrufung der Rep. (17. 6. 1944) wurde S. Björnsson Staatspräs. (1944–52); Nachfolger: A. Asgeirsson (1952–68), K. Eldjárn (1968–80), V. Finnbogadóttir (1980–96), O. R. Grimsson (seit 1996). I. trat 1946 den UN, 1949 der NATO bei; 1951 schloss es ein Schutzabkommen mit den USA. Die einseitige Erweiterung

Island: Durch Winderosion geformte Lavafelsen am Ostufer des Mývatn (Mückensee), eines an Fischen, Wasservögeln und Mücken (Zuckmücken) reichen Sees im Norden Islands; rechts daneben der Vulkan Askja

der Fischereigrenze durch I. (auf zuletzt 200 Seemeilen, 1975) führte seit 1958 wiederholt zu Fischereikonflikten (»Kabeljaukrieg«), bes. 1975/76 mit der Bundesrep. Dtl. und Großbritannien 1976. Die Reg. des Landes sind meist Koalitionskabinette. Im Jan. 1993 stimmte das Parlament für den Beitritt I.s zum Europ. Wirtschaftsraum (EWR). Im Jan. 1994 schloss die EU mit I. ein Abkommen über Fischerei und Umweltschutz. Im Mai 1994 trat I. dem Rat der Ostseestaaten bei.

📖 SCHUTZBACH, W.: *I. Feuerinsel am Polarkreis. Bonn ³1985.* – SCHRÖDER, P.: *I. München 1994.*

isländische Literatur. Nach der Blütezeit der altisländ. Literatur (→altnordische Literatur) lebten manche ihrer Stoffe und Formen durch Kompilationen und Sammelhandschriften noch weiter. Seit dem 14. Jh. wurden zahlr. Stoffe, insbesondere Sagas, unter Verwendung von Kunstmitteln der Skaldendichtung in erzählende Lieder (Rímur) umgedichtet. Höhepunkte geistl. Dichtung sind das Mariengedicht »Lilja« (»Lilie«) sowie die Werke des kath. Bischofs Jón Arason (*1484, †1550). Nach der Reformation entwickelte sich eine reiche theolog. Gebrauchslit.; bed. die vollständige Bibelübersetzung von Guðbrandur Thorláksson (1584). Nach der Auffindung des »Codex regius« und der Lieder-Edda (1643) begann eine systemat. Sammeltätigkeit, v.a. durch Árni Magnússon (*1663, †1730). Seit der 2. Hälfte des 18. Jh. setzte eine starke Übersetzertätigkeit ein; Hauptvertreter der Aufklärung war Magnús Stephensen (*1762, †1833). In der Romantik (ab 1835), mit dem Erstarken des Nationalbewusstseins bes. verbunden, entstand die grundlegende Samml. isländ. Volkssagen und Märchen. Im 19. und 20. Jh. begannen viele Autoren als Realisten, wurden jedoch später von Neuromantik und Nationalromantik beeinflusst, u.a. Gunnar Gunnarsson und Guðmundur Kamban. Nach dem 1. Weltkrieg wurde einerseits weiterhin in einer neuromant., nat.-konservativen und dem Traditionalismus verpflichteten Haltung geschrieben, andererseits eine bewusste Abkehr davon und eine Zuwendung zu sozialist. Vorstellungen vollzogen. Einer der wichtigsten Autoren der Zwischenkriegszeit war Ólafur J. Sigurðsson (*1918). Die sozialkrit. Tendenz setzte sich auch nach dem 2. Weltkrieg fort: zunehmendes Interesse an histor. Themen, stärkere Berücksichtigung der Form, Anwendung von freien Rhythmen oder einer komplizierten Metaphorik, wie z.B. durch die »atomskáld« (»Atomdichter«); internat. Bekanntheit erlangte Halldór Kiljan Laxness. Prosaauto-ren der 50er-Jahre sind Indriði Þorsteinsson (*1926), Thor Vilhjálmsson (*1925). Zur Neubelebung des Romans seit den 60er-Jahren trugen Guðbergur Bergsson (*1932) und die Autorinnen Jakobína Sigurðardóttir (*1918) und Svava Jakobsdóttir (*1930) bei.

📖 FRIESE, W.: *Nordische Literaturen im 20. Jh. Stuttgart 1971. – Nord. Literaturgeschichte, hg. v.* M. BRØNSTEDT *u.a., 2 Bde. A.d. Dän. München 1982–84. – Grundzüge der neueren skandinav. Literaturen, hg. v.* F. PAUL. *Darmstadt²1991.*

Isländisch(es) Moos (Brockenmoos, Cetraria islandica), Art der Flechten, verbreitet von der arkt. Tundra bis Mitteleuropa auf Sand- und Waldböden; wertvolles Winterfutter; getrocknet als Schleimdroge und Hustenmittel verwendet.

Isländisch(es) Moos (getrocknet)

isländische Sprache. Zus. mit Färöisch und den westnorweg. Mundarten bildet Isländisch die Gruppe der westnord. Sprachen (→altnordische Sprache). Sie geht auf die Sprache der Siedler (870/874–930), v.a. der Siedler aus dem westl. Norwegen, zurück und zeigt bis heute starke Beharrungskraft. Charakteristisch ist der Reichtum an Flexionsformen, dem eine relative Freiheit im Satzbau entspricht. Die isländ. Schrift kennt folgende von der dt. abweichende Zeichen: ð Đ, Þ þ (stimmhaftes oder stimmloses engl. th); æ Æ (wie dt. ai).

Isla y Rojo [-i'rrɔxo], José Francisco de, span. Aufklärer und Schriftsteller, Pseud. F. Lobón de Salazar, *Vidanes (Prov. León) 25. 4. 1703, †Bologna 2. 11. 1781; Jesuit, wurde mit dem Orden 1767 nach Italien ausgewiesen; verspottete die Sitten seiner Zeit und die Scholastik span. Prediger. Hauptwerk ist der Roman »Gesch. des berühmten Predigers Bruder Gerundio von Campazas, sonst Gerundio Zotes« (4 Bde., 1758–70).

Isle [i:l] *die,* rechter Nebenfluss der Dordogne, Frankreich, entspringt im Limousin, mündet bei Libourne, 250 km lang.

Isle of Wight [aɪl əv 'waɪt], Insel und Unitary Authority (bis 1997 Cty.) in England, →Wight.

Ismael [hebr. »Gott möge hören«], Sohn Abrahams und der ägypt. Sklavin Hagar (1. Mose 16,11), der beide aussetzte; legendärer Ahnherr arab. Stämme (der Ismaeliten).

Ismail, Hafenstadt in Bessarabien, Ukraine, im Donaudelta am Mündungsarm Kilia, 90000 Ew.; Nahrungsmittelind.; bei I. Weinbau. – Ehem. türk. Festung (16. Jh.).

Ismailia (Ismailija), Gouvernorats-Hptst. am W-Ufer des Sueskanals, Ägypten, 212500 Ew.; Sitz der Sueskanalbehörde; Elektroind., Aluminiumwerk; Verkehrsknotenpunkt. – 1863 von F. de Lesseps als Basislager für den Kanalbau gegründet.

Ismailiten, Richtung der →Schiiten.

Ismail Pascha, Vizekönig (Khedive) von Ägypten (1863–79), *Kairo 31. 12. 1830, †Konstantinopel 2. 3. 1895; förderte den europ. Kultureinfluss. 1869 eröffnete er den Sueskanal; 1879 abgesetzt.

Isny im Allgäu, Stadt und Kurort im Landkr. Ravensburg, Bad.-Württ., 704 m ü. M., 14500 Ew.; naturwiss.-techn. Akademie, Caravanmuseum; Textilind., Herstellung von Wohnwagen. – Klosterkirche (17./18. Jh.) der ehem. Benediktinerabtei; evang. Nikolaikirche (13. Jh., Chor 1455–1508), Rathaus (Ende 17. Jh.), mehrere Patrizierhäuser, gut erhaltene Stadtmauern. – Um 1171 gegr.; erhielt 1281 Lindauer Stadtrecht; 1365–1803 Reichsstadt; kam 1806 an Württemberg.

iso... [grch.], gleich...

ISO [engl. aɪesˈəʊ], Abk. für: **1)** **I**nfrared **S**pace **O**bservatory, 1995 gestartetes Infrarot-Weltraumobservatorium der ESA. Der Satellit entfernt sich auf einer hochexzentr. Bahn jeweils in 24 Stunden zw. 1000 und 70000 km von der Erde; untersucht die Infrarotstrahlung kosm. Objekte im Bereich von 2 bis 200 µm Wellenlänge.

2) →**I**nternational **O**rganization for **S**tandardization.

ISO 9000, →Qualitätsmanagement.

isobar [zu grch. báros »Schwere«, »Gewicht«], **1)** *Kernphysik:* gleiche Massen aufweisend.

2) *Meteorologie, Thermodynamik:* bei gleichem Druck verlaufend, gleichen Druck aufweisend.

Isobare, Atomkerne mit gleicher Massenzahl, aber versch. Ordnungszahlen, z. B. $^{16}_{7}N$, $^{16}_{8}O$ und $^{16}_{9}F$. Da die Kernkräfte unabhängig von der Ladungszahl sind, zeigen die I. kernphysikalisch eine größere Ähnlichkeit als die Isotope.

Isobaren, 1) *Meteorologie:* die →Isolinien gleichen Luftdrucks.

2) *Thermodynamik:* die Kurven in einem thermodynam. Zustandsdiagramm, auf denen der Druck konstant ist.

isochor [zu grch. chṓra »Platz«, »Stelle«], *Physik:* konstantes Volumen besitzend. **Isochoren,** →Isolinien gleichen Volumens.

Isochromasie [grch. »Gleichfarbigkeit«] *die,* gleichmäßige Lichtempfindlichkeit fotograf. Materials für alle Wellenlängen des sichtbaren Spektralbereichs.

isochron [grch.], von gleicher Zeitdauer, zu gleichen Zeitpunkten erfolgend.

Isocyanate, Salze und Ester der Isocyansäure, sehr reaktionsfähige organ. Verbindungen mit der funktionellen Gruppe –N=C=O. Nach der Anzahl der NCO-Gruppen im Molekül unterscheidet man Mono-, Di-I. usw. Verwendung v. a. zur Herstellung von Polyurethanen.

Isocyanide (früher Isonitrile), organ. Verbindungen mit der funktionellen Gruppe –C≡N; meist widerlich riechende, giftige Flüssigkeiten; dienen zum Nachweis primärer Amine **(Isonitrilreaktion).**

iso|elektrisch [grch.], zugleich positiv und negativ geladen, sodass die Summe der tatsächl. Ladung null ist und Moleküle ungeladen erscheinen; bes. Moleküle von Aminosäuren, in denen bas. und saure Gruppen einander abgesättigt haben.

Isogon [grch.] *das,* regelmäßiges Vieleck.

Isogonen, →Isolinien der erdmagnet. Deklination.

Isoklinen, →Isolinien der erdmagnet. Inklination.

Isokrates, athen. Redner, *Athen 436 v. Chr., †ebd. 338; gründete um 390 in Athen eine Rhetorikschule, die über die Grenzen Griechenlands hinaus berühmt war; rief in seinen Reden die Griechen zur Einheit und zum Krieg gegen Persien auf.

Isola Bella (Isola Madre), →Borromäische Inseln.

Isolani, Johann Ludwig Graf (seit 1634, nach seinem Abfall von Wallenstein) von, kaiserl. Reitergeneral zypr. Herkunft, *Görz 1586, †Wien März 1640; im Dreißigjährigen Krieg führte er die gefürchteten kroat. Reiter.

Johann Ludwig Graf von Isolani
(Ausschnitt eines Kupferstichs, um 1635, nach einem Gemälde des zeitgenössischen flämischen Malers Gaspar de Crayer)

Isolation [frz.] *die,* →Isolierung.

Isolationismus *der,* das Bestreben eines Staates, seine außenpolit. Aktivität auf bestimmte Gebiete der Welt zu beschränken und Bündnisverpflichtungen fernzubleiben. Eine entscheidende Rolle spielte der I. in der Außenpolitik der USA seit der Monroedoktrin (1823), die eine Politik der Nichteinmischung in Angelegenheiten nichtamerikan. Staaten begründete.

Isolator *der, Elektrotechnik:* Isolierkörper aus elektrisch nicht leitendem Stoff (→Isolierstoffe); in der Hochspannungstechnik elektrisch nicht leitendes Konstruktionselement zur Befestigung oder Durchführung spannungsführender Leiter, z. B. Stütz-, Hänge-, Durchführungsisolatoren.

Isolde, in der Tristansage Geliebte Tristans.

isolierende Sprachen, →Sprache.

Isolierstoffe, 1) *allg.:* Sammelbez. für Materialien zur Isolation gegen Feuchtigkeit, zur Wärmedämmung, zur Schalldämmung oder -dämpfung sowie i. e. S. gegen elektr. Strom.

2 B 15/7 E D C B

2) *Elektrotechnik:* nicht leitende Werkstoffe, d.h. ohne freie Ladungsträger und deshalb mit sehr hohem Widerstand. Die I. sind je nach Einsatz neben elektr. auch mechan., therm. und chem. Beanspruchungen ausgesetzt (z.B. hohe Festigkeit, Witterungs- und Wärmebeständigkeit). Wichtigste Kenngrößen der I. sind elektr. Widerstand und elektr. Durchschlagfestigkeit sowie mechan. Festigkeit, Temperatur- und Alterungsbeständigkeit. I. können fest, flüssig oder gasförmig sein. Eine ausreichende Isolation ist meist nur durch gleichzeitigen Einsatz unterschiedl. I. zu erreichen. Unterschieden werden anorgan. und organ. Isolierstoffe. Häufigste I. sind Glas, Keramik, Kunststoffe auf Phenolharz-, Polyamid-, Silicon- und Epoxidharzbasis, Glimmer, Papier, Hartpapier, Öl, Isolierlack, Luft, Wasserstoff, Stickstoff, Schwefelhexafluorid (SF_6); auch in Verbindung mit Trägermaterial wie Papier, Leinen, Glasseide, z.B. als Ölpapier, Isolierband. – In der Hochspannungstechnik werden Hartporzellan und Steatit, in der Hochfrequenztechnik Hochfrequenzkeramik sowie in der Elektrowärmetechnik poröse Sonderwerkstoffe (z.B. lithiumhaltige Keramik) eingesetzt.

Isolierung (Isolation) *die,* **1)** *allg.:* Absonderung, Getrennthaltung; Vereinzelung, Vereinsamung, Abgeschnittensein.

Isolinien (in Auswahl)

Bezeichnung	*bezogen auf*
Allgemeines, Physik	
Isochoren	konstantes Volumen (Zustandsdiagramm)
Isochronen	Zeitdauer bzw. Zeitpunkt des Eintreffens bestimmter Erscheinungen
Isodynen	Kraft
Isophoten	Energiestrahlung, Helligkeit oder Leuchtdichte (von Strahlungsgrößen)
Meteorologie	
Isobaren	Luftdruck
Isogonen	Windrichtung
Isohumiden	relative Luftfeuchtigkeit
Isohyeten	Niederschlagsmenge
Isotachen	Windgeschwindigkeit
Isothalpen	Maximaltemperatur
Isothermen	Temperatur
Isovaporen	Dampfdruck (Luftfeuchtigkeit)
Geographie, Geologie, Geophysik	
Isobasen	Hebung (tekton. Karten)
Isobaten	Wassertiefe
Isodynamen	erdmagnet. Feld
Isohypsen	Höhe (tekton. Karten)
Isokatabasen	Senkung (tekton. Karten)
Isoseisten	Erdbebenstärke
Sprachwissenschaft	
Isoglossen	sprachl. Erscheinungen (allg.)
Isolexen	Wörter
Isomorphen	grammat. Erscheinungen
Isophonen	Laute

2) *Bautechnik:* der Schutz von Räumen u.a. gegen Wärme, Kälte, Feuchtigkeit oder Lärm durch Einsatz von Sperr-, Dichtungs- oder Dämmstoffen.

3) *Biologie:* Aussonderung, z.B. bestimmter Bakterien aus dem Erdboden als Reinkultur **(Isolat).** Die natürl. **geograph. I.** verhindert durch räuml. Trennung den Austausch von Erbfaktoren und kann zur Bildung neuer Rassen oder Arten beitragen.

4) *Elektrotechnik:* Trennung spannungsführender elektr. Leiter durch →Isolierstoffe.

5) *Medizin:* (räuml.) Absonderung von Kranken, die vermutlich oder nachweislich an einer gefährl. Infektionskrankheit leiden, zum Schutz ihrer Umgebung vor Ansteckung. (→Quarantäne)

Isolinilen (Isarithmen), Linien, die v.a. auf Karten benachbarte Punkte gleicher Merkmale oder Werte einer bestimmten Größe (z.B. Luftdruck, Wassertiefe, Temperatur) miteinander verbinden. Sie werden bes. in der Geographie, Geophysik und Meteorologie, aber auch in der Sprachwissenschaft verwendet.

Isomerie [grch.] *die,* **1)** *Chemie:* das Auftreten von zwei oder mehreren Verbindungen **(isomere Verbindungen, Isomere)** mit derselben Bruttoformel, jedoch mit unterschiedl. Anordnung der Atome innerhalb der Moleküle (unterschiedl. Strukturformeln) und damit unterschiedl. physikal. und (mit Ausnahme der opt. I.) chem. Eigenschaften. I. tritt v.a. in der organ. Chemie auf, in der anorgan. Chemie bes. bei Koordinationsverbindungen. – Man unterscheidet zwei I.-Arten: 1) **Konstitutions-I. (Struktur-I.),** bei der die Atome in unterschiedl. Reihenfolge im Molekül angeordnet sind. Konstitutionsisomer zueinander sind u.a. Alkohole und Äther, Aldehyde und Ketone. Eine Art der Konstitutions-I. ist die **Skelett-** oder **Ketten-I.,** bei der ein unterschiedl. Aufbau des Kohlenstoffskeletts vorliegt (z.B. n-Butan und Isobutan). Bei der **Stellungs-** oder **Substitutions-I.** ist eine funktionelle Gruppe an versch. C-Atome des gleichen Skeletts gebunden (z.B. 1,2-, 1,3- und 1,4-Dihydroxybenzol). **Doppelbindungs-I.** entsteht durch unterschiedl. Lage der Doppelbindung im Molekül (z.B. 1-Buten und 2-Buten). Spezielle Möglichkeiten der Struktur-I. gibt es bei Komplexverbindungen. Können sich strukturisomere Moleküle bis zu einem Gleichgewicht schnell ineinander umlagern, so spricht man von →Tautomerie. 2) **Stereo-I. (räuml. I.)** entsteht durch unterschiedl. räuml. Anordnung der in gleicher Anzahl vorhandenen Atome im Molekül. Hierzu gehören die **cis-trans-I.** und die **opt. I. (Spiegelbild-I., Enantiomerie),** bei der sich die opt. Isomeren (oder opt. Antipoden) wie ein nicht deckungsgleiches Bild und Spiegelbild verhalten. Voraussetzung dafür ist meist ein asymmetrisches Kohlenstoffatom (→Asymmetrie).

2) *Kernphysik:* (Kern-I.) das Auftreten von Atomkernen gleicher Protonen- und Neutronenzahl, die außer im Grundzustand in relativ langlebigen (bis zu einigen Jahren) angeregten Zuständen **(isomere Zustände)** existieren. Die versch. Energiezustände unterscheiden sich z. B. in Spin, Parität, Halbwertszeit und Strahlungsenergie.

Isomerisierung *die,* Umlagerung chem. Verbindungen in Isomere (→Isomerie). Von techn. Bedeutung sind u. a. die I. von Maleinsäure zu Fumarsäure und von n-Paraffinen zu klopffesteren Isoparaffinen beim Reformieren.

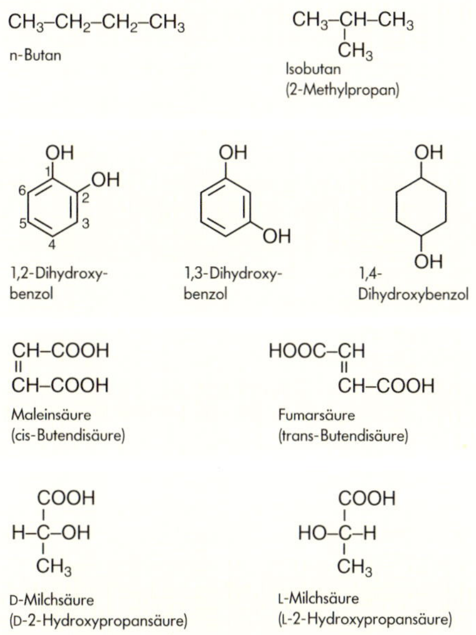

Isomerie 1): Kettenisomerie am Beispiel von Butan, Stellungsisomerie bei Dihydroxybenzol, Maleinsäure und Fumarsäure als Beispiel für cis-trans-Isomerie und optische Isomerie bei der Milchsäure (von oben)

Isomorphie [grch.] *die,* Strukturgleichheit oder -ähnlichkeit von Kristallen versch. chem. Zusammensetzung; sie beruht auf dem fast gleichen Raumbedarf der entsprechenden Atome und ähnl. Bindungsverhältnissen. Isomorphe chem. Verbindungen können sich beim Kristallaufbau gegenseitig ersetzen (Bildung von Mischkristallen).

Isomorphismus [grch.] *der,* Grundbegriff der modernen Algebra, umkehrbar eindeutiger →Homomorphismus. Zwei algebraische Strukturen, z. B. Gruppen, sind **isomorph,** wenn es eine umkehrbar eindeutige und operationentreue Abbildung der einen auf die andere gibt.

Isonzo (slowen. Soča), Zufluss zum Adriat. Meer, 138 km lang, entspringt in den Jul. Alpen, Slowenien, mündet in den Golf von Triest, Italien. – Um den I. fanden im 1. Weltkrieg von Juni 1915 bis Sept. 1917 zwölf Schlachten **(Isonzoschlachten)** zw. Österreich-Ungarn und Italien statt.

Isophoten, Linien gleicher Strahlungsintensität.

Isopren [grch.] *das* (2-Methyl-1,3-butadien), farblose, leicht flüchtige Flüssigkeit; in vielen Naturstoffen (z. B. Terpene, Naturkautschuk) enthalten; wird v. a. aus Produkten des Steamcrackens isoliert; Ausgangsstoff für Synthesekautschuk.

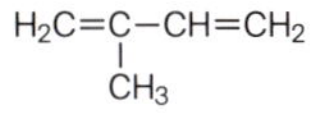

Isopren

Isopropyl|alkohol (Isopropanol), →Propanole.

Isospin [grch.-engl.] *der,* innere Quantenzahl zur Beschreibung des elektr. Ladungszustands von Elementarteilchen, die der starken Wechselwirkung unterliegen; sie wurde zur Unterscheidung der versch. Zustände **(I.-Multipletts)** sonst gleichartiger, fast gleich schwerer (isobarer) Hadronen eingeführt. Wie der Spin ist der I. gequantelt und kann nur wenige halb- und ganzzahlige Werte annehmen: $I = 0, \frac{1}{2}, 1, \frac{3}{2}, \ldots$ Zu jedem Wert von I gibt es $2I+1$ Eigenzustände, die durch die Quantenzahl I_3 unterscheidbar sind. $I_3 = I, I-1, \ldots -I$. So gehören zu den Nukleonen mit $I = \frac{1}{2}$ das Proton ($I_3 = +\frac{1}{2}$) und das Neutron ($I_3 = -\frac{1}{2}$).

Isostasie [grch.] *die,* der Vorgang des Einspielens auf einen Gleichgewichtszustand zw. der Schwere und der Dichte einzelner Schollen der Erdkruste und des darunter befindl. schwereren, zähflüssigen Untergrunds (Erdmantel); äußert sich in Hebungen und Senkungen. Bei der **Glazial-I.** wird durch Abschmelzen des Eises der Untergrund entlastet, er steigt langsam auf.

Isosterie [grch.] *die,* Gleichheit der Elektronenkonfiguration bei Molekülen oder Ionen gleicher Atom- und Gesamtelektronenzahl. Isoster sind z. B. das Stickstoff- |N≡N| und Kohlenmonoxidmolekül |C≡C|. Isostere Verbindungen haben oft ähnl. physikal. Eigenschaften.

Isothermen [grch.], **1)** *Meteorologie:* →Isolinien der Temperatur.

2) *Physik:* Linien, die die Abhängigkeit des Drucks vom Volumen eines Gases bei unveränderter Temperatur angeben. **Isotherme Zustandsänderungen** sind Änderungen von Druck und Volumen eines Gases bei unveränderter Temperatur.

Isothermschmieden, Schmiedeverfahren, bei dem Werkstück und Werkzeug während des Bearbeitungszeitraums dieselbe Temperatur aufweisen. Die Fließfähigkeit des Werkstoffs kann während der gesamten Umformung aufrechterhalten und dadurch die aufzuwendende Presskraft deutlich reduziert werden. Da beim I. keine Wärme vom Werkstück an das Werkzeug abgegeben wird, können bei niedrigen Fließspannungen sehr homogene Umformteile hergestellt werden.

Isotone [grch.], Atomkerne mit gleicher Neutronenzahl, aber unterschiedl. Protonenzahl.

isotonische Lösungen [grch.], i.w.S. Bez. für Lösungen mit gleichem osmot. Druck; i.e.S. Lösungen, die den gleichen osmot. Druck wie das menschl. Blut haben (z.B. →Ringer-Lösung).

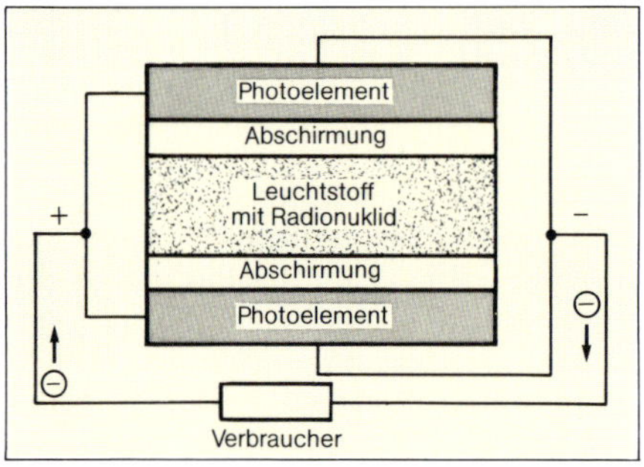

Isotopenbatterie: Schema einer indirekten (hier einer photoelektrischen) Isotopenbatterie, in der durch die radioaktive Strahlung des Radionuklids in einem Leuchtstoff Lumineszenzlicht angeregt und dieses über ein Photoelement in elektrische Energie umgewandelt wird

Isotope [grch.], physikalisch versch. Atomkerne (Nuklide) eines chem. Elements, mit gleicher Ordnungszahl, aber versch. Massenzahl, d.h. gleicher Protonenzahl bei versch. Neutronenzahlen des Kerns. Die I. werden durch Hinzufügen der Massenzahl zum chem. Symbol gekennzeichnet, z.B. ^{35}Cl (auch Cl 35). Physikalisch unterscheiden sich isotope Atomkerne außer in ihrer Masse auch durch Spin, magnet. Moment und Volumen. Häufig werden nicht nur die versch. Atomkernarten eines Elements, sondern auch die zugehörigen Atome als I. bezeichnet. Mit Ausnahme weniger →Reinelemente treten alle Elemente als natürliches I.-Gemisch auf, die relative Häufigkeit der I. ist i.d.R. jeweils konstant. Außer **stabilen I.** kennt man natürl. und durch Kernreaktionen künstlich hergestellte **radioaktive instabile I. (Radio-I.).** Die Elemente mit Ordnungszahlen über 83 weisen nur noch radioaktive I. auf. Von einigen Elementen sind heute bis zu 34 I. bekannt (z.B. von Osmium, Platin). – Die stabilen I. dienen v.a. in der chem., medizin. und biolog. Forschung als sog. **I.-Indikatoren** bzw. **Leit-I.** zur Herstellung →markierter Verbindungen, die zur Verfolgung von Reaktionsabläufen und zur Aufklärung komplizierter Stoffstrukturen eingesetzt werden.

Arata Isozaki: Wohnhaus Victoriahof in Berlin (1987)

Isotopenbatterie (Radionuklidbatterie), Gerät zur Umwandlung der Energie radioaktiver Strahlung bestimmter Radionuklide in elektr. Energie. In **direkten I.** wird die Energie der radioaktiven Strahlung unmittelbar, in **indirekten I.** zunächst in eine Zwischenenergie (chem. Energie, Wärme, Licht) und in einem zweiten Schritt in elektr. Energie umgewandelt. Am häufigsten werden die Radionuklide Strontium 90 und Kobalt 60 verwendet. Vorteile der I. sind lange Lebensdauer und Wartungsfreiheit; deshalb Einsatz u.a. in Satelliten und Herzschrittmachern.

Isotopendiagnostik, →Nuklearmedizin.

Isotopentherapie, →Nuklearmedizin.

Isotopentrennung, die vollständige Trennung versch. Isotope eines Elements oder die Anreicherung einzelner Isotope in einem Gemisch mithilfe physikal. Verfahren bzw. Geräte; hierzu gehören die Massenspektrometrie, die fraktionierte Destillation, die Diffusion, chemische Austauschreaktionen, Elektrolyse, die Thermodiffusion mit dem →Trennrohr, die Gegenstromzentrifuge (Gaszentrifuge) und die Ultrazentrifuge sowie die Methode des unterbrochenen Molekularstrahls, bei der man mittels einer **Isotopenschleuse** die sich an der Spitze eines beschleunigten Isotopenstrahles befindl. leichteren Isotope vom Rest des Strahles mit einer Blende trennt. Der Trenn- bzw. Anreicherungseffekt der einzelnen Methoden ist sehr unterschiedlich, weshalb die einzelnen Stufen der I. häufig kaskadenartig wiederholt werden.

isotrop [grch.] heißen Körper mit gleichen chem. und physikal., bes. opt. Eigenschaften in allen Richtungen. I. sind die amorphen Stoffe, z.B. Glas. – **Anisotrop,** d.h. nicht i., sind die meisten Kristalle und durchsichtigen Kunststoffe.

Isotypie [grch.] *die,* die Erscheinung, dass die Gitter von Kristallen versch. Verbindungen die gleiche Atomanordnung haben. Isotype Verbindungen bilden jedoch keine Mischkristalle.

Isozaki [-zaki] (Isosaki), Arata, japan. Architekt, *Oita 23. 7. 1931; 1954–63 Mitarbeiter von Kenzō Tange, schloss sich 1964 der Gruppe der Metabolisten an. In seinen Entwürfen der 60er-Jahre werden traditionelle Motive wie Stützen, Balken, Dach u.a. durch Überdimensionierung und Abstraktion

Israel

Fläche: 20770 km²
Einwohner: (1995) 5,629 Mio.
Hauptstadt: Jerusalem
Verwaltungsgliederung: 6 Distrikte
Amtssprachen: Hebräisch und Arabisch
Nationalfeiertag: 5. Ijjär (zw. Mitte April und Mitte Mai)
Währung: 1 Neuer Schekel (NIS) = 100 Agorot
Zeitzone: MEZ +1 Std.

zu formbildenden Elementen. Seit den 70er-Jahren entwickelt er Bauten aus versch. stereometr. Grundformen (u.a. Victoriahof in Berlin, 1987). In den letzten Jahren entstanden das Internat. Konferenzzenrum, Kitakyūshū (1987–90), eine Altbauumgestaltung für das Guggenheim-Museum Soho, New York (1991–92) und das Zentrum für japan. Kunst und Technologie in Krakau (1994).

Isparta, Provinz-Hptst. in der S-Türkei, 1035 m ü.M., 111700 Ew.; Textil-, chem. Ind., Rosenölgewinnung, Teppichherstellung.

Ispra, Ort in der Lombardei, Prov. Varese, am Ostufer des Lago Maggiore, Italien, 4700 Ew.; Standort eines EURATOM-Forschungszentrums.

Israel (hebr. Jisrael) [»er streitet mit Gott«], dem Stammvater Jakob von Gott verliehener Name (1. Mose 32,29; 35,10), der auf das Volk I. als seine Nachkommenschaft übergeht, die in 5. Mose 4,44 als »Kinder I.s« bezeichnet wird; die älteste außerbibl. Erwähnung findet sich auf der Siegesstele des Pharao Merenptah (letztes Drittel des 12. Jh. v. Chr.); nach dem Tod Salomos und der ihm folgenden Reichsteilung (926 v. Chr.) Bez. für das N-Reich im Unterschied zum S-Reich Juda. Die israelit. Stämme sind in mehreren Wellen vom 15. bis 13. Jh. v. Chr. von S und O allmählich in das von den Kanaanäern besiedelte Kulturland Palästina vorgedrungen und dort ansässig geworden. Nach der Überlieferung hat Moses die religiöse Einheit im Glauben an Jahwe geschaffen.

Die Anfänge einer polit. Einheit des Volks zeigten sich in einem religiös-polit. Schutzverband der 12 Stämme (→Richter). Die erste Staatenbildung erfolgte um 1050–1000 v. Chr. durch Saul, der die israelit. Stämme Galiläas, Mittelpalästinas und des Ostjordanlands im Kampf gegen ihre westl. und östl. Nachbarn (Philister und Ammoniter) vereinigte. Sein Nachfolger, König David (etwa 1004–965 v. Chr.), gründete dann von dem im S wohnenden Stamm Juda aus das Großreich I. und machte Jerusalem zum polit. Mittelpunkt. Unter seinem Sohn Salomo (965–926 v. Chr.) erlebte das Reich seine Glanzzeit (Tempelbau in Jerusalem). Nach seinem Tod kam es zur Teilung des Reichs (926 v. Chr.) in das S-Reich →Juda mit Jerusalem als Hptst. und das N-Reich I. mit der Hptst. Samaria. Nach dauernder Feindschaft dieser beiden Reiche und Reibungen mit den umliegenden Staaten vernichtete das erstarkte Assyrerreich 722 v. Chr. das N-Reich I. und machte es zur assyr. Prov.; die Bevölkerung wurde deportiert bzw. ging in neu angesiedelten Völkerschaften auf (→Juden). – In der israelit. Königszeit wirkten die großen alttestamentl. →Propheten; ihre Verkündigung bewahrte die Jahwe-Religion vor völliger Vermischung mit dem alteingesessenen kanaanäischen Baalsdienst (→Talmud, →Pentateuch).

📖 NOTH, M.: *Geschichte I.s. Göttingen* [10]*1986.* – DIETRICH, W.: *David, Saul u. die Propheten. Stuttgart* [2]*1992.* – LEMCHE, N. P.: *Die Vorgeschichte I.s von den Anfängen bis zum Ausgang des 13. Jh. v. Chr. Stuttgart 1996.*

Israel (amtlich hebr. Medinat Jisrael; dt. Staat I.), Staat in Vorderasien, grenzt im W an das Mittelmeer, im N an Libanon, im äußersten NO an Syrien, im O an Jordanien und im SW an Ägypten; die Südspitze reicht bis an den Golf von Akaba des Roten Meeres. I. hält Teile des →Westjordanlands und der →Golanhöhen besetzt.

Staat und Recht: I. ist eine parlamentar. Rep.; es besitzt keine geschriebene Verf., sondern nur eine Reihe verabschiedeter Grundgesetze. Staatsoberhaupt ist der vom Parlament auf fünf Jahre gewählte Präs., der im Wesentlichen repräsentative Funktionen erfüllt. Die Legislative liegt beim Einkammerparlament (Knesset; 120 für vier Jahre gewählte Abg.). Exekutivorgan ist die dem Parlament verantwortl. Reg. unter Vorsitz des Premiermin., der nach der Wahlrechtsreform vom 18. 3. 1992 direkt und unabhängig von den Kräfteverhältnissen in der Knesset gewählt wird. Ein von der Knesset für fünf Jahre gewählter Ombudsmann kontrolliert die Arbeit der Reg. u.a. Behörden und Institutionen. Einflussreichste Parteien des breit gefächerten Parteienspektrums sind die Israel. Arbei-

Staatswappen

IL

Internationales Kfz-Kennzeichen

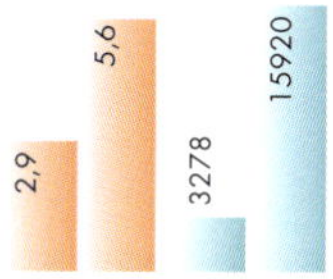

Bevölkerung (in Mio.)
Bruttosozialprodukt je Ew. (in US-$)

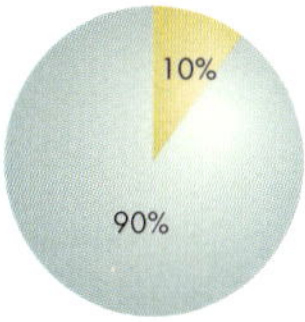

Bevölkerungsverteilung 1994

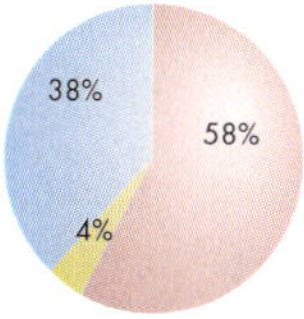

Bruttoinlandsprodukt 1994

Israel - Wirtschaft

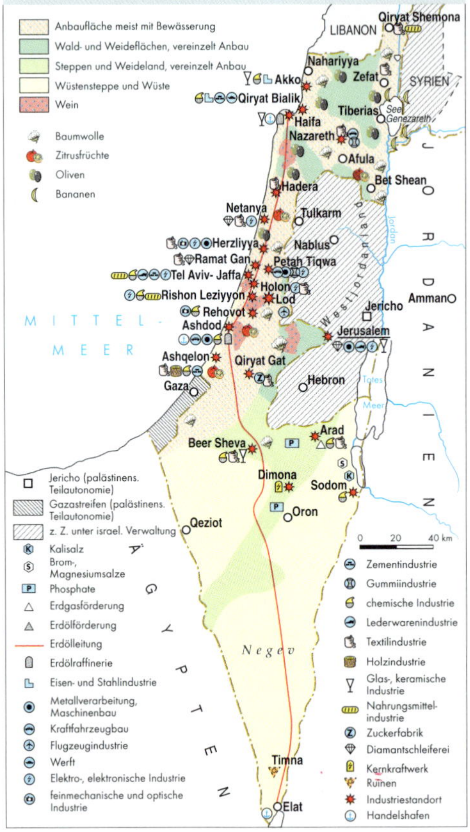

David Ben Gurion

Golda Meir

terpartei (seit 1992 »Avoda«), der aus mehreren Parteien bestehende Likud-Block, der Meretz-Block sowie die religiösen Parteien (Schas, Nationalreligiöse Partei u.a.).

Landesnatur: Das Land erstreckt sich von N nach S über 400 km; der S wird von der Wüste Negev eingenommen. Der N gliedert sich in drei Zonen: die Küstenebene mit Dünenrand zum Mittelmeer, das judäische, samaritan. und galiläische Bergland (im Hare Meron 1208 m ü.M.) und der Jordangraben. 75% der Bev. leben in der Küstenebene, die im Bewässerungsfeldbau genutzt wird. I. liegt im Übergangsgebiet von Mittelmeer- (Winterregen) zu Wüstenklima; der Sommer ist warm und trocken, der Winter ist im Bergland kühl bis kalt, in den Niederungen mild. Niederschlagsmengen: im N 500–700 mm, im S (Aravasenke) 50 mm jährlich. Die Vegetation reicht von mediterranen Pflanzengemeinschaften zu Wüstenflora; natürl. Wald steht nur auf dem Karmel; durch Aufforstungen wurden 116000 ha bepflanzt.

Bevölkerung: Staatstragendes Volk sind die Juden, die sich in Vatiqim (vor der Staatsgründung eingewandert), Olim (nach der Staatsgründung eingewandert) und Sabra (im Lande Geborene) gliedern. In I. leben etwa 0,65 Mio. Araber (»Palästinenser«); von den 40000 Beduinen sind nur noch wenige reine Nomaden. Die jüd. Einwanderer (seit 1882) kamen zunächst v.a. aus Mittel- und O-Europa (Aschkenasim), später aus islam. Ländern von N-Afrika bis Irak (Sephardim), gegen Ende der 1950er-Jahre aus O-Europa; seit 1970 bes. hoher Einwandereranteil aus der UdSSR, der sich seit 1989/90 noch sprunghaft verstärkt hat. Bis zum 1. Weltkrieg kamen etwa 50000–70000 Juden, 1919–48 weitere 500000, 1949 240000, 1980–88 jährlich 15000, 1989–93 754000. Für die Neueinwanderer wurden Entwicklungsstädte gegründet. Großstädte: Jerusalem, Tel Aviv-Jaffa, Haifa, Bat Yam, Holon u.a. – Allg. Schulpflicht vom 5. bis 14. Lebensjahr; Unterrichtssprache ist Hebräisch, in arab. Schulen Arabisch. Neben den öffentl. Pflichtschulen bestehen staatlich anerkannte religiöse Schulen; fünf Univ., u.a. in Jerusalem (gegr. 1918), Ramat Gan (1953), Haifa (1963); Weizmann-Institut in Rehovot (1949), TH in Haifa (1912). – In I. bekennen sich 81% der Bev. zur jüd. Religion, 14,4% der Ew. sind Muslime, 2,9% Christen und 1,7% Drusen. In I. befinden sich das internat. Zentrum (Haifa) und die wichtigsten Heiligtümer (Haifa, Akko) der Bahai-Religion.

Wirtschaft, Verkehr: I. hat unter ungünstigen Bedingungen (Wüsten, Wassermangel, Rohstoffknappheit, Kriege) einen modernen Ind.staat mit leistungsfähiger Landwirtschaft aufgebaut. Das größte wirtsch. Problem ist die Eindämmung der Inflation, die zu hohen Leistungsbilanzdefiziten und Auslandsschulden führte. I. hat mit rd. 40 Mrd. US-$ Auslandsschulden die weltweit höchste Pro-Kopf-Verschuldung, erhält aber auch die höchste öffentl. Entwicklungshilfe. 1990 wurden 24% des Staatshaushalts für militär. Zwecke verwendet. – Die Landwirtschaft ist hochintensiv, marktorientiert und stark mechanisiert; sie erbringt über 20% der Exporterlöse. Der Anbau ist v.a. auf die schmale, klimabegünstigte Küstenebene und auf die feuchteren nördl. Landesteile konzentriert. Auch im N der Wüste Negev wurden weite Teile durch Bewässerung für die Landwirtschaft nutzbar gemacht. Als Ackerland und für Dauerkulturen können etwa 25% der Gesamtfläche genutzt werden, davon wird fast die Hälfte bewässert (die Landwirtschaft verbraucht bis zu 85% des verfügbaren Wassers). Hauptwasserlieferant ist der See Genezareth. 40% der Fläche sind Naturweiden. Die ertragreichsten Zweige sind Milchwirtschaft und Geflügelzucht. Wichtigste Exportprodukte sind Frühgemüse, Obst und Blumen. Die bedeutendsten Erzeugnisse des Ackerbaus sind Weizen und Baumwolle, der Obstplantagen Zitrusfrüchte. Der von den jüd. Landwirten bewirtschaftete Boden ist zu rd. 90% Staatsbesitz, er wird an die Siedler in Erbpacht abgegeben. 90% der jüd. Landwirte sind entweder in Kollektivsiedlungen (Kibbuzim) oder »kooperativen« Dörfern (Moshavim) organisiert.

An Bodenschätzen werden v.a. Phosphate (im nördl. Negev; Region Arad), Kupfererze, Gips und Mineralsalze des Toten Meeres (Brom-, Magnesium-, Kalisalze) ausgebeutet. – Die verarbeitende Ind. erzeugt aus heim. sowie importierten Rohstoffen (2/3 der Importe) und Halbfabrikaten fast alle Güter des Inlandverbrauchs sowie Ausfuhrgüter. Bed. Zweige sind neben der Baustoff- und chem. Ind. die Metallverarbeitung (importierter Stahl), die feinmechan., Elektro- und Elektronikindustrie. Herausragende Bedeutung haben die rd. 650 Diamantenschleifereien, in denen 52% aller Rohdiamanten der Welt geschliffen werden; Diamantenbörse Ramat Gan. Ziele des Fremdenverkehrs sind antike Kulturdenkmäler, Stätten der Bibel, Kreuzfahrerburgen und Badeorte. – Wichtigste Handelspartner sind die EG-Länder, die USA, die Schweiz, Japan u.a. – Auf Straßen (13350 km) entfällt der größte Teil der Warentransporte und des Personenverkehrs. Die Eisenbahn (526 km) befördert v.a. Massengüter. Bed. Häfen sind Haifa und Ashdod am Mittelmeer, Elat am Roten Meer. Internat. Flughafen »Ben Gurion« südöstlich von Tel Aviv-Jaffa; nat. Flugges. EL AL.

Geschichte: Am 15. 5. 1948 erlosch das brit. Mandat über →Palästina. Am 14. 5. 1948 (5. Ijjar) rief der Jüd. Nationalrat den unabhängigen Staat I. aus, der 77% Palästinas umfasste; O-Palästina wurde am 24. 4. 1950 Jordanien angegliedert (»Westjordanland«). Es kam am 15. 5. 1948 zum 1. Israelisch-Arab. Krieg (»Palästina-Krieg«, in dem sich I. behauptete (Waffenstillstandsabkommen 1949). Durch die Flucht bzw. Vertreibung von 600000 bis 850000 Arabern (Palästinensern) aus I. 1947/48 entstanden in den arab. Nachbarstaaten große Flüchtlingslager. – Nach den ersten Wahlen (1949) wurde die sozialdemokrat. Mapai (Israel. Arbeiterpartei) führende Reg.partei (MinPräs. bis 1977: D. Ben Gurion, M. Scharrett, L. Eschkol, G. Meir, I. Rabin) und stellte bisher alle Staatspräs.: C. Weizmann, I. Ben Zwi, S. Schasar, I. Navon, E. Katzir, C. Herzog, E. Weizman (seit 1993).

Das Spannungsverhältnis zu den arab. Staaten, die I.s staatl. Existenz infrage stellen, und das Palästinenserproblem steigerten sich mit starken internat. Aspekten zum Nahostkonflikt, der sich zunächst im Sueskrieg (1956), dann im Sechstagekrieg (1967) militärisch entlud. 1967 besetzte I. das Westjordanland, die Sinaihalbinsel, den Gazastreifen und die syr. Golanhöhen. Im Okt. 1973 brachte der ägyptisch-syr. Angriff (»Jom-Kippur-Krieg«) I. in Bedrängnis. Unter Vermittlung des amerikan. Außenmin. H. A. Kissinger gab I. 1974 in einem Vertrag mit Ägypten einen Streifen am Sueskanal, in einem Abkommen mit Syrien das Gebiet um Kuneitra auf den Golanhöhen zurück. Guerillaaktionen der palästinens. Araber (→Palästinensische Befreiungsorganisation) suchte I. durch militär. Kommandounternehmen gegen palästinens. Basen (bes. im Libanon) entgegenzuwirken. Nach den Wahlen 1977 übernahm der Likud-Block die Regierung (MinPräs. bis 1983 M. Begin, dann Y. Schamir); er setzte eine intensive Siedlungspolitik in den besetzten Gebieten in Gang. Mit seiner Reise nach Jerusalem leitete der ägypt. Präs. A. as-Sadat

Israel: Kibbuz Tel Yosef im Jordantal südlich des See Genezareth, im Hintergrund links die Gilboaberge

Israel: David Ben Gurion, der spätere Ministerpräsident, ruft am 15. 5. 1948 den Staat Israel aus

Israel: Der historische Händedruck zwischen Itzhak Rabin (links) und Jasir Arafat anlässlich der Unterzeichnung des Gaza-Jericho-Abkommens am 13. September 1993 in Washington; in der Mitte der amerikanische Präsident Bill Clinton

Yitzhak Schamir

Shimon Peres

1977 eine Friedensinitiative gegenüber I. ein; sie führte über die Verträge von Camp David zum ägyptisch-israel. Friedensvertrag von 1979. Beide Staaten leiteten Verhandlungen über die Autonomie der palästinens. Araber ein. Ende Juli 1980 erklärte die Knesset ganz Jerusalem zur Hauptstadt Israels. Bis April 1982 gab I. die Sinaihalbinsel an Ägypten zurück (Taba erst Febr. 1989). Mit dem Einmarsch seiner Truppen in den S-Libanon (Juni 1982) suchte I. den Libanon als palästinens. Angriffsbasis auszuschalten (Abzug der PLO).

Die vorgezogenen Parlamentswahlen am 23. 7. 1984 führten zur großen Koalition von Likud-Block und Arbeiterpartei; nach dem Rotationsprinzip amtierte zunächst S. Peres (Sept. 1984 bis Okt. 1986), danach Y. Schamir als MinPräs. Die nach den Wahlen am 1. 11. 1988 fortgesetzte Koalition zerbrach im März 1990 an der Frage der Beteiligung der PLO an Friedensgesprächen (nach einem von USA-Außenmin. J. Baker im Herbst 1989 vorgelegten Friedensplan). Die im Juni 1990 v.a. vom Likud-Block gebildete Regierung unter Schamir betonte ihre Ablehnung von Verhandlungen mit der PLO ebenso wie des von dieser 1988 proklamierten Staates Palästina. Der im Dez. 1987 ausgebrochene Palästinenseraufstand (»Intifada«) wurde im Jan. 1991 durch den 2. →Golfkrieg überdeckt. Im Okt. 1991 begannen die ersten israelisch-arab. Friedensverhandlungen (Nahostfriedenskonferenz); dennoch setzte I. zunächst seine z. T. stark kritisierte Siedlungspolitik in den besetzten Gebieten fort. Nach den Parlamentswahlen vom 23. 6. 1992 übernahm die in »Avoda« umbenannte Israel. Arbeitspartei (→Mapai) die Regierungsverantwortung. Premiermin. an der Spitze einer Mitte-Links-Koalition wurde im Juli 1992 I. Rabin (Avoda). Im März 1993 wählte die Knesset E. Weizman zum Staatspräs. Unter dem Leitwort »Land für Frieden« brachte diese Regierung einen Friedensprozess im Nahostkonflikt in Gang (u.a. im Juli 1992 Einschränkung der israel. Siedlungstätigkeit in den besetzten Gebieten; Jan. 1993 Aufhebung des Verbots von Kontakten mit der PLO). Mit der gegenseitigen Anerkennung sowie dem Gaza-Jericho-Abkommen (Sept. 1993) erreichten I. und die PLO eine neue Stufe ihrer Beziehungen. Am 26. 10. 1994 schlossen I. und Jordanien einen Friedensvertrag. Radikale Gegner auf israel. und arab. Seite suchen den Friedensprozess zu stören. Nach der Ermordung Rabins (Nov. 1995, durch einen israel. Extremisten) setzte der bisherige Außenminister S. Peres nunmehr im Amt des Min.-Präs. dessen Politik fort.

Bei der ersten Direktwahl eines MinPräs. am 19. 5. 1996 siegte der Vors. des Likud-Blocks, B. Netanjahu. An der Spitze einer Koalition des Likud mit religiösen und rechtsgerichteten Parteien brachte er den Friedensprozess auf einen Tiefpunkt, schloss aber im Nov. 1998 das Wye-Abkommen. Nach vorgezogenen Neuwahlen (Mai 1999) wurde Ehud Barak (*1942, Israel. Arbeiterpartei) MinPräs.; er steht vor der Aufgabe, den Friedensprozess im Sinne Rabins fortzusetzen (u. a. Endstatusverhandlungen mit PLO, Friedensvertrag mit Syrien, Jerusalem-Frage).

📖 GUNNEWEG, A. H. J.: *Geschichte I.s von den Anfängen bis Bar Kochba u. von Theodor Herzl bis zur Gegenwart. Stuttgart u. a. 61989.* – GLASNECK, J. *u.* TIMM, A.: *I. Die Geschichte des Staates seit seiner Gründung. Bonn 21994.* – KARMON, Y.: *I. Eine geograph. Landeskunde. Darmstadt 21994.* – WOLFFSOHN, M. *u.* BOKOVOY, D.: *I. Geschichte, Politik, Gesellschaft, Wirtschaft (1882–1996). Opladen 51996.*

israelisch-arabischer Konflikt (israelisch-arabischer Krieg), →Nahostkonflikt.

Israëls, 1) Isaac, niederländ. Maler und Grafiker, *Amsterdam 3. 2. 1865, †Den Haag 7. 10 1934, Sohn von 2); verband Anregungen des frz. Impressionismus mit dem Realismus niederländ. Tradition. Nach 1904 setzt er sich mit der Malerei der →Nabis auseinander.

2) Jozef, niederländ. Maler und Radierer, *Groningen 27. 1. 1824, †Den Haag 12. 8. 1911, Vater von 1); schuf zunächst romant. Historienbilder. Kontakte mit Malern der Schule von →Barbizon führten ihn zur Freilichtmalerei.

Issa (Isa), Stamm der →Somal in →Djibouti; überwiegend Nomaden.

Issos (lat. Issus), alte Seestadt in Kilikien (Kleinasien) am Golf von İskenderun, bekannt durch den Sieg Alexanders d. Gr. über den Perserkönig Dareios III. (333 v. Chr.).

Issykkul [kirgis. »heißer See«] *der,* abflussloser Hochgebirgssee (1608 m ü. M.) im Tienschan, Kirgistan, 6236 km² (in jüngerer Zeit durch Austrocknung verkleinert), 178 km lang, bis 60 km breit und 668 m tief, eisfrei (Zufluss heißer Quellen), schwach salzhaltig, fischreich, Naturschutz- und Erholungsgebiet.

Istanbul (türk. İstanbul, 330–1930 Konstantinopel, vorher Byzanz), mit 6,29 Mio. Ew. die größte Stadt der Türkei, bis 1923 Hptst. des Osman. Reiches, seitdem Provinz-Hptst. I. liegt auf Hügeln beiderseits des Südausganges des Bosporus und am Marmarameer, am Schnittpunkt des Seeweges durch die Meerengen vom Schwarzen Meer zum Mittelmeer mit dem Landweg von der Balkanhalbinsel nach Kleinasien. Zum Stadtgebiet zählen auch die der asiat. Küste vorgelagerten Prinzeninseln im Mamarameer. Seine Lage sowie der Naturhafen des Goldenen Horns, eines 7 km langen, bis 1 km breiten und 40 m tiefen Seitenarms des Bosporus, machen I. zum größten Markt- und Umschlagplatz des Landes. Über 50 % der Bev. leben in Gecekondusiedlungen. I. ist Sitz des ökumen. Patriarchen und zahlr. anderer hoher Geistlicher der Ostkirchen; 6 Univ., TU, mehrere FH, Forschungs- und Kulturinstitute (u.a. Goethe-Inst., Abteilung des Dt. Archäolog. Inst.), Bibliotheken, Archive, Museen (v.a. Archäolog. Museum); mehrere Theater. Im Wirtschaftsleben herrschen Dienstleistungen vor; Hauptsitz von Großhandel, Verkehrs-, Bank-, Agentur- und Verlagswesen; Wertpapierbörse. Bed. sind noch Kleingewerbe und Handel in mehreren Basaren. Neben der Leichtind. (Holz-, Textil-, Leder-, Tabak-, Lebensmittelind.) Fahrzeug-, Maschinenbau, elektrotechn., chem., Glas-, Zementindustrie. Neue Hafenanlagen am Bosporus und am Marmarameer; die Galata- (1992 fertiggestellt, ersetzt die 1912 errichtete) und die Atatürkbrücke über das Goldene Horn verbinden das alte I. mit den jüngeren Stadtteilen Galata und Beyoğlu; zwei Hängebrücken (Spannweiten 1074 m [seit 1973], 1090 m [seit 1988]) führen über den Bosporus zum asiat. Teil I.s (Üsküdar). Internat. Flughafen: Yeşilköy.

Stadtbild: Kern der Stadt ist Alt-I. auf einer vom Goldenen Horn und dem Marmarameer umschlossenen Halbinsel; auf der Landseite, im W, wird dieser Stadtteil von der antiken Landmauer (zum größten Teil unter Theodosius II. [* 401, † 450] etwa zw. 412 und 422 erneuert) begrenzt. Hier liegen zahlr. Baudenkmäler, v.a. aus der Zeit nach der osman. Eroberung 1453, aber auch Zeugen byzantin. Architektur (meist in Moscheen verwandelte Kirchen) sind erhalten, bedeutendstes Bauwerk die →Hagia Sophia; ihr Einfluss auf die osman. Baukunst (Moschee Bajasids II.), bes. in den Schöpfungen →Sinans, ist unübersehbar. Sinan errichtete im 16. Jh. die prächtigsten Moscheen der Stadt, darunter die Şehzade-Moschee, die Moscheen Süleimans d. Gr., Rüstem Paşas und der Prinzessin Mihrimah;

Isaac Israëls: »Eselreiten am Strand« (1900/01; Amsterdam, Rijksmuseum)

seine Schüler erbauten die Yeni-Valide-Moschee und die Sultan-Ahmed-Moschee (»Blaue Moschee«) mit sechs Minaretten. Im O, auf der Spitze der Halbinsel, liegt der Sultanspalast (Topkapı-Serail), etwa 1465 unter Sultan Mehmed II. angelegt, unter Süleiman d. Gr. und seinen Nachfolgern zu einer Palaststadt ausgebaut, heute Museum. Im Stadtteil Eyüp befindet sich die Eyüpmoschee (Neubau 1800, Wallfahrtsziel). Die histor. Bereiche von I. gehören zum UNESCO-Weltkulturerbe. Weiteres BILD S. 26

Geschichte: →Byzanz, →Konstantinopel.

📖 HOTZ, W.: *Byzanz, Konstantinopel, I. Handbuch der Kunstdenkmäler. Sonderausg. München 1989.* – ODENTHAL, J.: *I. Köln ²1992.*

Isthmus [grch.] *der,* **1)** *Anatomie:* schmale Stelle von Organen, z.B. I. aortae (Aortenenge).

2) *Geographie:* Landenge, urspr. die von Korinth, wo im Altertum beim Heiligtum des Poseidon die **Isthm. Spiele (Isthmien)** mit sportl. und mus. Wettkämpfen gefeiert wurden.

Istanbul: Reste der antiken, von Theodosius II. Anfang des 5. Jh. erneuerten Landmauer von Konstantinopel

Istanbul: Hagia Sophia

İstranca Dağları [is'trandʒa da:la'ri] (bulgar. Strandscha), Gebirge im N des türk. Thrakien und im SO Bulgariens, bis 1031 m hoch.

Istrati, Panait, rumän. Schriftsteller, *Baldovinești (bei Brăila) 11. 8. 1884, †Bukarest 16. 4. 1935; schrieb in frz. Sprache realist. Romane mit teils grch.-oriental., teils rumän. Milieuschilderungen, u.a. »Kyra Kyralina« (1924), »Die Haiduken« (1925), »Die Disteln des Baragan« (1928).

Istrilen (serbokroat. und slowen. Istra, italien. Istria), Halbinsel an der Küste der Adria, zu Kroatien, im nördl. Teil zu Slowenien gehörig, zw. dem Golf von Triest und der Bucht des Kvarner, etwa 4000 km², rd. 300000 Ew. I. besteht großenteils aus verkarsteten Kalkgebieten (Učka, 1396 m ü.M.); Ackerbau (Getreide, Wein, Oliven) und Viehhaltung. An der buchtenreichen niederen Felsküste bed. Fremdenverkehr (Pula, Rovinj, Poreč); Hafenstädte sind Koper und Pula. – I. wurde zw. 229 und 50 v.Chr. von den Römern unterworfen. Es kam 539/44 unter byzantin., 789 unter fränk. Herrschaft, wurde 952 dem Herzogtum Bayern, 976 dem Herzogtum Kärnten angegliedert. 1040 wurde I. eine eigene Markgrafschaft und fiel Ende des 13.Jh. größtenteils an Venedig, der NO an die Grafschaft Görz. Das venezian. I. wurde 1797 österr., ganz I. 1805–14 frz., 1814 wieder österr., 1919/20 italien., 1947 (ein kleiner Rest, Zone B, 1954) jugoslawisch (außer Triest).

📖 ZÜRCHER, R.: *Friaul u. I. München* ²*1989.*

Istwäonen (Istävonen), nach Tacitus einer der drei großen Stammesverbände der →Germanen. Die I. siedelten im Gebiet zw. Rhein, Main und Weser; zu ihnen zählten u.a. die Bataver, Brukterer, Chamaven, Chatten, Sugambrer.

Iswestija [russ. »Nachrichten«], einflussreiche russ. Tageszeitung; gegr. 1917; war Regierungsorgan in der UdSSR; Auflage 556000 (1996).

Itabira (1944–48 Presidente Vargas), Stadt im brasilian. Staat Minas Gerais, nördlich von Belo Horizonte; rd. 40000 Ew.; Bischofssitz; Zentrum des brasilian. Eisenerzbergbaus, Manganerzabbau; Export der Erze über Tubarão.

Itabirite, wichtige Eisenerze (bis 68% Fe); Bändereisenerze: meist Eisenquarzite.

Itai-Itai-Krankheit [japan. itai »schmerzhaft«], chron. Cadmiumvergiftung mit häufig tödl. Ausgang; infolge Einbaus von Cadmium in die Knochensubstanz kommt es zu Knochenerweichung; erstmals 1955 als Massenvergiftung durch Industrieabwässer auf Honshū (Japan) aufgetreten.

Itaipu (span. Itaipú), Wasserkraftwerk am I.-Staudamm (6,4 km lang, bis 195 m hoch) im Paraná, oberhalb der brasilian. Stadt Foz do Iguaçu und Ciudad del Este (früher Puerto Presidente Stroessner, Paraguay), gemeinsames Projekt von Brasilien und Paraguay; mit (endgültig) 12600 MW eines der größten Wasserkraftwerke der Erde. Im Stausee versanken die Guaírafälle (span. Salto das Sete Quedas).

Itala [spätlat., zu Italus »aus Italien«] *die,* alte Sammelbez. der ältesten, der →Vulgata vorausgehenden lat. Bibelübersetzungen.

Itaipu: Das Kraftwerk am Itaipustaudamm (Länge des Staudamms 6,4 km, Höhe 195 m) wurde 1984 eingeweiht

Italilen (amtlich Repubblica Italiana; dt. Italien. Rep.), Staat in S-Europa; Nord-I. grenzt im W an Frankreich, im N an die Schweiz und Österreich, im O an Slowenien, im S umgibt das Mittelmeer das übrige Staatsgebiet.

Staat und Recht: Nach der Verf. von 1948 ist I. eine parlamentarisch-demokrat. Republik. Staatsoberhaupt ist der auf sieben Jahre indirekt (vom Parlament sowie je drei Vertretern der Regionen) gewählte Präs. Er ernennt den MinPräs. und hat das Recht, das Parlament aufzulösen; durch aufschiebendes Veto kann er Einfluss auf die Gesetzgebung nehmen. Exekutivorgan ist die dem Parlament verantwortl. Reg. unter Vorsitz des Min.-

Italien

Fläche: 301 268 km²
Einwohner: (1995) 57,2 Mio.
Hauptstadt: Rom
Verwaltungsgliederung: 20 Regionen, 103 Prov.
Amtssprachen: Italienisch, im Aostatal auch Französisch, in der Prov. Bozen auch Deutsch
Nationalfeiertag: 1. Sonntag im Juni
Währung: 1 Italienische Lira (Lit) = 100 Centesimi (Cent.)
Zeitzone: MEZ

Präs., der die Richtlinien der Politik bestimmt. Die Legislative liegt beim Zweikammerparlament, bestehend aus Abg.kammer (630 Abg., für fünf Jahre gewählt) und Senat (325 Senatoren, 315 für fünf Jahre gewählt, 10 auf Lebenszeit ernannte). Aufgrund der Wahlrechtsreform von 1993 werden die Senatoren in 232, die Abg. der Kammer in 475 Wahlkreisen (relative Mehrheit genügt) gewählt. Die restl. Sitze der Kammer werden in 27 Wahlregionen im Verhältniswahlsystem nach Parteilisten vergeben, wobei eine Sperrklausel von 4% gilt. Der Senat gilt als Vertretungsorgan der Regionen; jede Region, mit Ausnahme des Aostatals (1 Sitz) darf mindestens sieben Senatoren entsenden: Im Übrigen verfügen die Regionen über eigene legislative und exekutive Körperschaften.

Die Vertrauenskrise zu Beginn der 1990er-Jahre hat das nach dem 2. Weltkrieg in I. etablierte Parteiensystem erschüttert. Die bisher tonangebenden Parteien Christdemokraten (DC), Sozialist. Partei (PSI), Sozialdemokrat. Partei (PSDI), Liberale Partei (PLI), Republikan. Partei (PRI) änderten Namen, Struktur oder wurden nach Wahlen bedeutungslos. Das gegenwärtige Parteienspektrum verzeichnet die Demokrat. Partei der Linken (PDS, 1991 aus der Kommunist. Partei hervorgegangen), die PPI (Italien. Volkspartei), die Liste Dini (geführt von dem ehem. MinPräs.) und die Grünen, die Kommunist. Erneuerung (RC), die Südtiroler Volkspartei (SVP) und die Parteien der im »Freiheitspol« verbündeten Forza Italia (FI), die Nat. Allianz, die Nachfolgepartei der Christdemokraten CCD-CDU (Christlich-Demokrat. Zentrum – Christlich-Demokrat. Union) sowie die Lega Nord.

Landesnatur: I. umfasst den südl. Teil des Alpenbogens, die Poebene, die Apenninhalbinsel, die großen Inseln Sardinien und Sizilien sowie mehrere kleinere Inseln. Seine Landgrenze verläuft, abgesehen von der gegen San Marino, meist auf den wasserscheidenden Kämmen der Alpen; nur die Schweiz reicht mit dem Tessingebiet bis dicht an die Poebene heran. Am Alpenrand liegt ein Moränenhügelland, das die von eiszeitl. Gletschern geschaffenen Alpenrandseen von S abschließt. Die Poebene (etwa 46000 km²) und die anschließende Ebene Venetiens sind die einzigen bed. Flachlandgebiete Italiens. Am Rand gegen Alpen und Apennin ziehen sich durchlässige quartäre Schotter hin, als »Fontanili-Zone« Quellgebiet zahlreicher Flüsse. Festland-I. und Inseln sind vorwiegend gebirgig. Hauptgebirge ist der Apennin, der die Halbinsel der Länge nach durchzieht und im mittleren Teil (Abruzzen) im Gran Sasso d'Italia 2912 m ü.M. erreicht. Der Apennin trennt die breite, reich gegliederte W-Seite der Halbinsel von der hafenarmen und schmalen O-Seite. I. besitzt mehrere, z.T. noch tätige Vulkane (Vesuv, Ätna, Stromboli); Erdbeben sind relativ häufig. Unter den Flüssen sind Po, Etsch, Arno und Tiber die bedeutendsten. Außer den landschaftlich reizvollen Alpenrandseen (Lago Maggiore, Comer See, Gardasee) hat I. einige vulkan. Seen und als größten See den Trasimen. See. In Nord-I. vollzieht sich der Übergang vom sommerfeuchten Klima Mitteleuropas zum sommertrockenen Mediterranklima des Südens. Bei milden Wintern und heißen Sommern ist es gekennzeichnet durch Herbst- und Frühjahrsregen, die südlich von Rom in Winterregen übergehen; in Sizilien 4–6 aride Monate. Bes. geschützt gegen N-Winde sind die oberitalien. Seen und einige Täler der S-Alpen sowie die Riviera. Die Pflanzenwelt ist im N und in den Gebirgen, abgesehen von den oberitalien. Seen, noch vorwiegend mitteleuropäisch. An der Küste und im S herrschen immergrüne Gewächse und Macchie vor.

Bevölkerung: Der Hauptteil der Bev. besteht aus Italienisch sprechenden Italienern; in →Südtirol leben mehrheitlich Deutsch sprechende Ew. (1991: 281800, weitere 15000 verstreut im übrigen Alpenraum) und Ladiner (insgesamt 40000), im Aostatal eine Französisch sprechende Minderheit, in Friaul-Julisch-Venetien Slowenisch (53100) und Serbokroatisch sprechende Volksgruppen (3000), im südl. I. und auf Sizilien kleine Gruppen von Al-

Staatswappen

I

Internationales Kfz-Kennzeichen

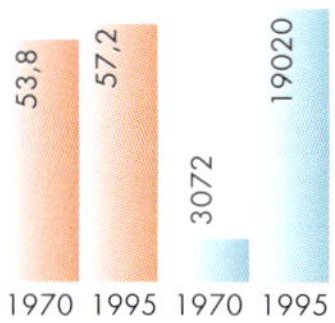

Bevölkerung (in Mio.)

Bruttosozialprodukt je Ew. (in US-$)

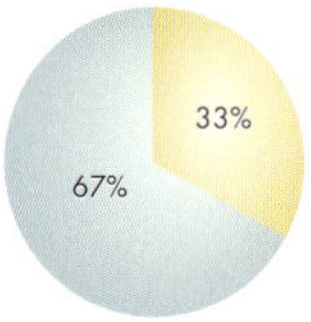

Stadt
Land

Bevölkerungsverteilung 1994

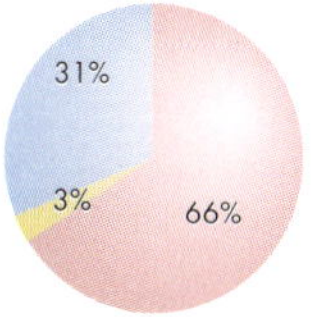

Industrie
Landwirtschaft
Dienstleistung

Bruttoinlandsprodukt 1993

Italien, Verwaltungsgliederung (1995)

Region (Hauptstadt) Provinz	Fläche in km²	Ew. in 1 000	Ew. je km²
Piemont (Turin)	25 399	4 292,1	169
Alessandria	3 560	433,9	122
Asti	1 511	209,7	139
Biella	913	190,8	209
Cuneo	6 903	550,3	80
Novara	1 339	339,0	253
Turin	6 830	2 224,6	326
Verbano-Cusio-Ossola	2 255	161,3	71
Vercelli	2 088	182,5	87
Aostatal*) (Aosta)	3 264	118,6	36
Ligurien (Genua)	5 420	1 658,5	306
Genua	1 838	931,8	507
Imperia	1 155	217,4	188
La Spezia	882	225,7	256
Savona	1 545	283,6	183
Lombardei (Mailand)	23 872	8 911,7	373
Bergamo	2 771	932,9	337
Brescia	4 784	1 061,9	222
Como	1 251	530,3	424
Cremona	1 770	330,6	187
Lecco	816	301,4	369
Lodi	782	189,2	242
Mantua	2 339	368,5	157
Mailand	1 983	3 720,8	1 876
Pavia	2 965	493,3	166
Sondrio	3 212	177,0	55
Varese	1 199	805,8	672
Trentino-Südtirol*) (Trient)	13 607	910,7	67
Bozen	7 400	450,3	61
Trient	6 207	460,4	74
Venetien (Venedig)	18 364	4 426,7	241
Belluno	3 678	211,8	57
Padua	2 141	833,3	389
Rovigo	1 789	245,6	137
Treviso	2 477	755,6	305
Venedig	2 460	818,3	333
Verona	3 097	799,6	258
Vicenza	2 722	762,5	280
Friaul-Julisch-Venetien*) (Triest)	7 844	1 189,5	152
Görz	466	137,9	296
Pordenone	2 273	276,0	121
Triest	212	255,5	1 205
Udine	4 893	520,1	106
Emilia-Romagna (Bologna)	22 124	3 920,8	177
Bologna	3 702	904,1	244
Ferrara	2 632	356,2	135
Forlì-Cesena	2 376	350,2	147
Modena	2 690	608,6	226
Parma	3 449	391,5	113
Piacenza	2 589	267,1	103
Ravenna	1 859	349,8	188
Reggio nell' Emilia	2 293	428,6	187
Rimini	534	264,7	496
Toskana (Florenz)	22 993	3 522,1	153
Arezzo	3 232	316,3	98
Florenz	3 514	954,6	272
Grosseto	4 504	217,1	48
Livorno	1 213	337,0	278
Lucca	1 773	375,6	212
Massa-Carrara	1 157	200,3	173
Pisa	2 448	384,6	157
Pistoia	965	265,7	275
Prato	366	219,9	601
Siena	3 821	251,0	66
Umbrien (Perugia)	8 456	824,1	97
Perugia	6 334	600,3	95
Terni	2 122	223,8	105
Marken (Ancona)	9 694	1 441,6	149
Ancona	1 940	439,9	227
Ascoli Piceno	2 087	365,4	175
Macerata	2 774	297,9	107
Pesaro e Urbino	2 893	338,4	117
Latium (Rom)	17 227	5 197,7	302
Frosinone	3 264	489,2	150
Latina	2 250	495,9	220
Rieti	2 749	150,0	54
Rom	5 352	3 774,3	705
Viterbo	3 612	288,3	80
Abruzzen (L'Aquila)	10 795	1 268,4	117
Chieti	2 588	387,3	150
L'Aquila	5 034	303,3	60
Pescara	1 225	292,1	238
Teramo	1 948	285,7	147
Molise (Campobasso)	4 438	331,7	75
Campobasso	2 909	239,4	82
Isernia	1 529	92,3	60
Kampanien (Neapel)	13 595	5 754,8	423
Avellino	2 792	441,5	158
Benevent	2 071	295,8	143
Caserta	2 639	838,7	318
Neapel	1 171	3 095,1	2 643
Salerno	4 922	1 083,7	220
Apulien (Bari)	19 362	4 078,6	211
Bari	5 138	1 557,4	303
Brindisi	1 839	413,3	225
Foggia	7 189	699,1	97
Lecce	2 759	816,5	296
Tarent	2 437	592,3	243
Basilicata (Potenza)	9 992	609,6	61
Matera	3 447	204,1	59
Potenza	6 545	405,5	62
Kalabrien (Catanzaro)	15 080	2 075,4	138
Catanzaro	2 391	384,2	161
Cosenza	6 650	753,4	113
Crotone	1 717	179,8	105
Reggio di Calabria	3 183	578,6	182
Vibo Valentia	1 139	179,4	157
Sizilien*) (Palermo)	25 707	5 090,9	198
Agrigent	3 042	475,9	156
Caltanissetta	2 128	282,5	133
Catania	3 552	1 085,6	306
Enna	2 562	186,4	73
Messina	3 248	683,8	210
Palermo	4 992	1 240,9	248
Ragusa	1 614	296,7	184
Syrakus	2 109	406,8	193
Trapani	2 460	432,3	176
Sardinien*) (Cagliari)	24 090	1 659,3	69
Cagliari	6 895	769,2	111
Nùoro	7 044	272,7	39
Oristano	2 631	158,0	60
Sassari	7 520	459,4	61
Italien	301 323	57 282,8	190

*) autonome Region

banern (100 000) und Griechen (30 000), auf Sardinien außer den Sardisch Sprechenden (1,35 Mio.) auch Katalanen (15 000). Die Küstengebiete und die Ebenen sind sehr dicht besiedelt, das innere Gebirgsland und Sardinien dagegen nur dünn. Armut, Arbeitslosigkeit und hohe Geburtenüberschüsse im unterentwickelten S sind die Ursache für eine bis Mitte der 1970er-Jahre starke Auswanderung (seit 1870 über 10 Mio. Auswanderer); ferner besteht Binnenwanderung von S nach N, aus den Gebirgen in die Ebene und vom Land in die Stadt. 67 % der Bev. leben in Städten; Millionenstädte sind Rom, Mailand, Neapel, Turin; daneben über 80 Großstädte. – Es besteht allg. Schulpflicht vom 6. bis 14. Lebensjahr. Die Schulen sind kommunal, kirchlich oder privat. An die 5-jährige Primarschule schließt sich eine 3-jährige Mittelschule und das 5-jährige Gymnasium oder eine fachl. Schule an. Es gibt 35 staatl. und neun private Univ. sowie die Europ. Univ. Fiesole bei Florenz; die größten Univ. befinden sich in Rom, Neapel und Padua, zu den ältesten Univ. in Europa zählen

Italien - Wirtschaft

Italien

1

2

3

4

| **1** Abruzzischer Apennin; Blick von Osten auf das Massiv La Maiella | **2** Cadinispitzen in den Sextener Dolomiten | **3** Landschaft in Kalabrien | **4** Tallandschaft bei Rieti in Latium; im Bildhintergrund der Monte Terminillo

Parma und Bologna (gegr. im 11. Jh.); ferner viele Univ.kollegs und Inst.; Analphabetenquote rd. 2 %. – Die kath. Kirche war seit den Lateranverträgen von 1929 bis zur Revision des Konkordats 1984 Staatskirche; ihr gehören 85–90 % der Bev. an; die rd. 320 000 Protestanten (Pfingstkirchler, Waldenser, Methodisten u. a.) bilden eigene Gemeinden; die rd. 62 000 alban. Katholiken in Süd-I. gehören der italoalban. Kirche des byzantin. Ritus an. Die Zahl der Muslime wird auf 150 000 geschätzt. Die jüd. Gemeinden haben 32 000 Mitglieder.

Wirtschaft, Verkehr: I. hat einen grundlegenden Strukturwandel vom Agrar- zum Ind.staat durchgemacht. Trotz der Fortschritte durch staatl. Förderungsmaßnahmen und private Investitionen sind die Unterschiede zw. dem hoch industrialisierten nördl. I. und dem vergleichsweise zurückgebliebenen Süden (→Mezzogiorno) nicht wesentlich verringert worden. In der Landwirtschaft (rd. 8 %) geht der Anteil der Beschäftigten zurück.

Landwirtschaftlich genutzt werden rd. 56 % der Fläche, davon 73 % als Acker- und Gartenland, Dauerkulturland, Brache, 27 % sind Wiesen und Weiden. Wälder (z. T. Macchie) nehmen 21 % ein. Wichtiges Anbauprodukt ist Weizen (auf fast 40 % des Ackerlands, beste Erträge in der Poebene), ferner Reis, Mais, Gerste, Zuckerrüben, Gemüse (v. a. Tomaten), Kernobst (S-Tirol), Tabak, Oliven u. a.; Weinbau ist in fast ganz I. verbreitet (I. ist der größte Weinerzeuger in Europa). Mit der Mechanisierung der Landwirtschaft geht die Abnahme der Huftier-, der Schaf- und Ziegenhaltung einher. Intensive Rinder- und Schweinezucht gibt es in Norditalien. Die Fleischerzeugung reicht jedoch für den Bedarf nicht aus. Die Betriebsstruktur in der Landwirtschaft wird weiterhin von der Realerbteilung, den Kleinbetrieben und von den Kleinpachtsystemen bestimmt. Die Forstwirtschaft deckt etwa 13 % des Nutzholzbedarfs. Um Aufforstungsprogramme nicht zu gefährden, bleibt der

| 5

| 6

| 7

| 8

| **5** Weinanbaugebiet im Hügelland von Chianti in der Toskana | **6** Industrieanlagen in Neapel | **7** Castelsardo an der Nordküste Sardiniens | **8** Olivenbaumkulturen in Sizilien

Holzeinschlag gering. Der Fischfang deckt nicht den Eigenbedarf.

Wichtige Bodenschätze sind die Erdölvorkommen SO-Siziliens, bei Pescara und in der Poebene, die von Erdgas in der Poebene, am O-Rand des Apennins, auf Sizilien und in der Basilicata sowie untermeerisch in der nördl. Adria und im Ion. Meer. Dazu kommen Braunkohle, Eisenerz von Cogne und Elba, Quecksilber und Antimonerz vom Monte Amiata, Blei- und Zinkerze im SW Sardiniens (Iglesiente). Kalisalz wird in ehem. Schwefelbergbaugebieten Innersiziliens gefördert. Die Marmorgewinnung von Carrara hat noch steigende Tendenz. – Kennzeichnend für die Ind. ist die starke Beteiligung des Staates. Die wachsende Finanznot führte jedoch zur Reprivatisierung ehem. verstaatlichter Betriebe. Großunternehmen sind v.a. in Nord-I. und in Latium konzentriert. Daneben herrschen Kleinbetriebe in der mechan., Bekleidungs-, Holz-, Textil-, Nahrungsmittel-, Schuh- und Möbel-Ind. vor. Zur Überwindung dieses strukturellen Dualismus wurden zahlreiche staatl. Maßnahmen getroffen. Im Mezzogiorno (Süd-I.) sind industrielle »Entwicklungspole« mit großer staatl. Hilfe gegründet worden, überwiegend hoch automatisierte Teilfertigungsbetriebe, z.B. das große Stahlwerk in Tarent, die Großunternehmen der Petrochemie von Augusta-Syrakus, Cagliari und Sassari. Von großer Bedeutung sind Eisen und Metall verarbeitende Ind., Elektrotechnik, die chem. Industrie sowie der Kfz-Bau. Die Nahrungsmittelind. beliefert vorwiegend den inländ. Markt. Die Textil-, Schuh- und Bekleidungsind. haben ihre internat. Stellung bewahren können. Alte Tradition hat die Seidenind. um Como (inländ. Seidenraupenzucht in Venetien und in der Lombardei). Berühmt ist das italien. Kunsthandwerk, bes. in Florenz und Venedig. Ausgeführt werden Maschinen, Kfz, chem. Erzeugnisse, Eisen und Stahl, Schuhe, Strick- und Wirkwaren, Obst und Gemüse, Wein, Liköre, Teig- und Süßwaren u.a., eingeführt Rohöl, Maschinen, Kfz, Kohle, Schnittholz, Nahrungsmittel u.a. Wichtigste Handelspartner sind Dtl., Frankreich und die USA. Der Fremdenverkehr ist die wichtigste Devisenquelle (jährlich über 55 Mio. ausländ. Touristen). Am meisten besucht werden die Badeorte an der oberen Adria mit Venedig sowie Rom und Südtirol. – Die Energieversorgung basiert auf importierter Steinkohle sowie importiertem Rohöl und Erdgas. Die installierte Leistung der Kraftwerke beträgt (1992) 61,6 GW. Davon entfallen fast 69% auf Wärmekraftwerke und 31% auf Wasserkraftwerke, ein geringer Anteil auf Erdwärme.

Von den (1994) 19453 km Eisenbahnstrecken sind 9799 km elektrifiziert. Das Straßennetz umfasst 305800 km, davon 2% Autobahnen und 15% Nationalstraßen. Seit 1976 gibt es neben der Autostrada del Sole (Mailand–Neapel–Reggio di Calabria) eine zweite durchgehende Autobahnverbindung vom Brenner entlang der Adriaküste. Wichtigste Handelshäfen sind die Ölimporthäfen Genua und Triest, gefolgt von Augusta, Tarent, Porto Foxi, Venedig, Ravenna, Livorno, Neapel, Savona, Syrakus, La Spezia. Der größte Passagierhafen ist Neapel. Staatl. Luftfahrtges. im internat. Verkehr ist Alitalia. Die wichtigsten der 24 internat. Flughäfen: Rom-Fiumicino, Mailand-Linate und -Malpensa, Neapel-Capodichino, Turin-Caselle, Venedig-Marco Polo, Rimini, Catania-Fontanarossa.

Geschichte

Vorgeschichte →Mittelmeerraum; Geschichte I.s im Altertum →römische Geschichte.

Italien im frühen Mittelalter (476–951): Seit dem Sturz des letzten weström. Kaisers Romulus Augustulus durch Odoaker (476 n.Chr.) war I. jahrhundertelang ein Kampfplatz auswärtiger Mächte (Ostgoten unter Theoderich, Byzanz, Langobarden). Die Päpste riefen gegen die langobard. Bedrohung die Franken zu Hilfe. Unter deren Schutzherrschaft sicherte die Pippinsche Schenkung (754) dem Papsttum außer Rom den Besitz des byzantin. Ravenna u.a. Gebiete zu; sie wurde zur Grundlage des →Kirchenstaats. Karl d. Gr. eroberte 774 das langobard. Königreich. Nach dem Tod (875) Ludwigs II., des letzten karoling. Königs in I., kämpften in- und ausländ. Fürsten um die Kaiserwürde und die Krone von Ober- und Mittel-I. (seit dem 8. Jh. »Reichs-I.« gen.). Unter-I. wurde von den Sarazenen bedroht, die 810 Sardinien und Korsika, von 827 an Sizilien erobert hatten (Palermo 831, zuletzt Syrakus 878).

Italien unter den römisch-deutschen Kaisern (951–1254): 951 griff Otto I. ein und zwang König Berengar II. zur Lehnsnahme. Nach dessen Zwist mit dem Papst krönte Johannes XII. Otto 962 zum Kaiser. Damit blieb das Langobardenreich unter kaiserl. Herrschaft. – Unter-I. und Sizilien wurden im Laufe des 11. Jh. von den Normannen erobert, die 1059 das Land vom Papst zu Lehen nahmen. Als 1075 der →Investiturstreit ausbrach, traten die Normannen und die aufstrebenden lombard. Städte auf die Seite des Papstes. Venedig, Genua und Pisa gewannen, bes. seit dem 1. Kreuzzug, die Vorherrschaft im Mittelmeer. Der Versuch Friedrichs I. Barbarossa, die kaiserl. Herrschaft in Ober- und Mittel-I. durchzusetzen, misslang. Nachdem Heinrich VI. 1186 durch Heirat mit der normann. Erbtochter Konstanze das unteritalien. Königreich gewonnen hatte, war der Kirchenstaat von der kaiserl. Macht umklammert. Die Kraftprobe erreichte ihren Höhepunkt unter Kaiser Friedrich II., der auf Sizilien einen gut organisierten Staat begründet hatte, aber bei dem Versuch, die kaiserl. Gewalt in ganz I. durchzusetzen, scheiterte. Mit dem Tod des Kaisers (1250) und seines Sohnes Konrad IV. (1254) gewannen die Päpste die Oberhand. Reste der stauf. Reichsverwaltung blieben lange nach deren Untergang wirksam.

Mittel- und Kleinstaaten (1254–1494): Der von Papst Klemens IV. herbeigerufene Karl von Anjou besiegte den Staufer Manfred bei Benevent (1266) und gewann nach der Hinrichtung Konradins (1268) das süditalien. Königreich, verlor aber 1282 durch eine Volkserhebung (Sizilian. Vesper) Sizi-

Italien: Staatsoberhäupter und Präsidenten

Könige:	
Viktor Emmanuel II.	1861–1878
Humbert I.	1878–1900
Viktor Emmanuel III.	1900–1946
Humbert II.	1946
Staatspräsidenten:	
Luigi Einaudi	1948–1955
Giovanni Gronchi	1955–1962
Antonio Segni	1962–1964
Giuseppe Saragat	1964–1971
Giovanni Leone	1971–1978
Sandro Pertini	1978–1985
Francesco Cossiga	1985–1992
Oscar Luigi Scalfaro	seit 1992

Italien

Ihre Selbsteinschätzung zeigten die mittelalterlichen italienischen Städte in einem Geschichtsbewusstsein, das stets eine eigene antike Gründungslegende propagiert: Siena führte sich auf Senius, den Sohn des Remus, zurück, die Pisaner stammten angeblich von den Trojanern ab und Florenz nannte Herkules seinen Stadtgründer. Diese Fixierung auf die »ruhmreiche« Vergangenheit hatte teilweise paradoxe Folgen für die Kunst: Wohlhabende Bürger von Pisa ließen sich in antiken Sarkophagen beisetzen oder gaben, in Ermangelung der Originale, Imitate in Auftrag.

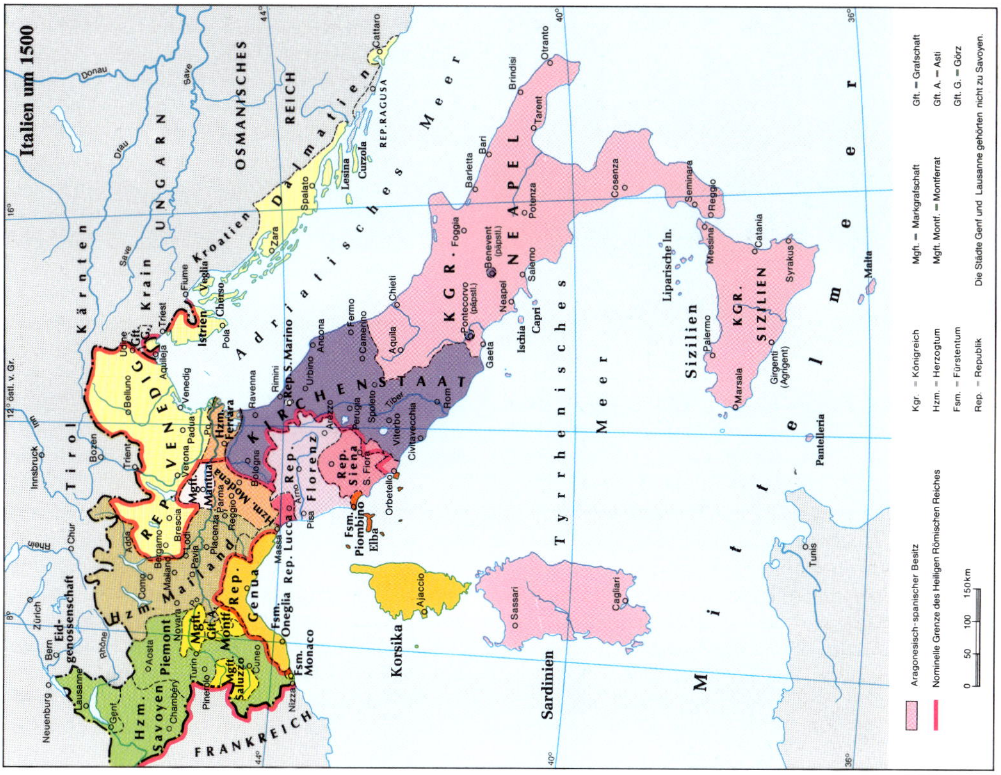
Italien um 1500
Aragonesisch-spanischer Besitz
Nominelle Grenze des Heiligen Römischen Reiches
0 50 100 150 km
Kgr. = Königreich
Hzm. = Herzogtum
Fsm. = Fürstentum
Rep. = Republik
Mgft. = Markgrafschaft
Mgft. Montf. = Montferrat
Gft. = Grafschaft
Gft. A. = Asti
Gft. G. = Görz
Die Städte Genf und Lausanne gehörten nicht zu Savoyen.

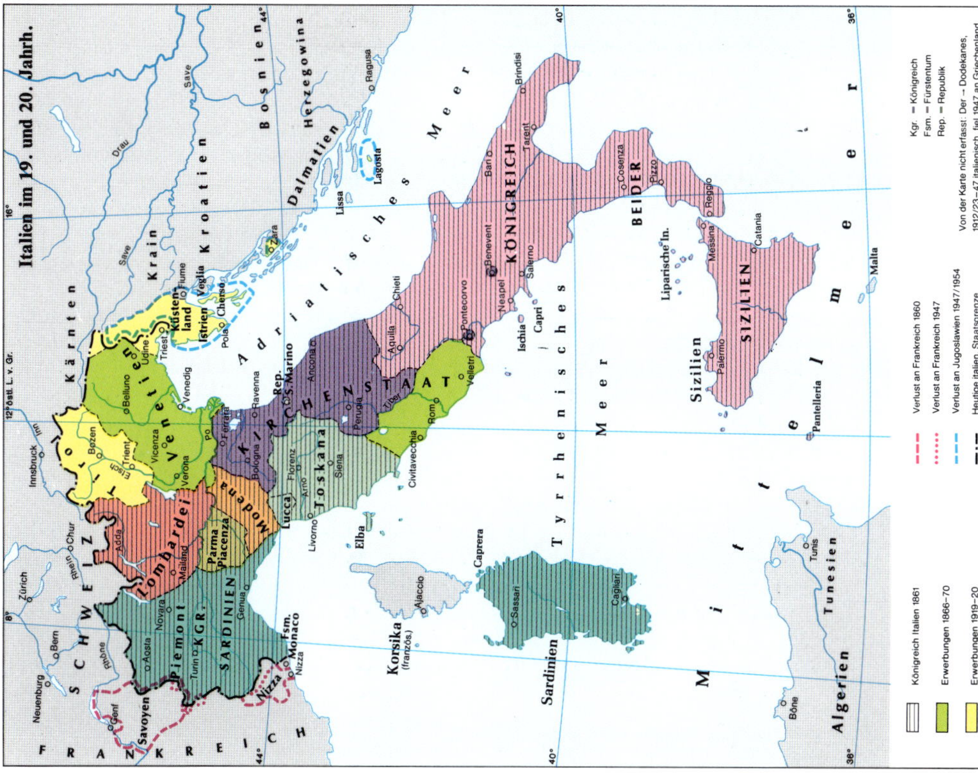
Italien im 19. und 20. Jahrh.
Königreich Italien 1861
Erwerbungen 1866–70
Erwerbungen 1919–20
Verlust an Frankreich 1860
Verlust an Frankreich 1947
Verlust an Jugoslawien 1947/1954
Heutige italien. Staatsgrenze
Kgr. = Königreich
Fsm. = Fürstentum
Rep. = Republik
Von der Karte nicht erfasst: Der → Dodekanes, 1912/23–47 italienisch, fiel 1947 an Griechenland.

lien an das Haus Aragón, das Königreich Neapel blieb beim Haus Anjou. Die Machtpolitik Papst Bonifatius' VIII. scheiterte am Widerstand des frz. Königtums (Philipp der Schöne); das Papsttum geriet durch die Übersiedlung nach Avignon (1309 bis 1376) ganz unter frz. Einfluss. Die Parteikämpfe zw. → Guelfen und Ghibellinen verhinderten in Reichs-I. den Aufbau einer übergreifenden Ordnung. Die Stadtherren erhielten größere Macht, erst im Laufe des 14. Jh. verringerte sich die Zahl der Stadtstaaten mit der Ausweitung der Territorialfürstentümer, die die Stadtrepubliken ablösten. In Genua und Venedig bestanden Adelsrepubliken, in Piemont regierten die Herzöge von Savoyen. In Mittel-I. stellte Kardinal Albornoz nach 1354 durch eine Verf. den Kirchenstaat wieder her. In Unter-I. konnten die aragones. Herrscher 1442 Sizilien wieder mit Neapel vereinigen. Trotz seiner polit. Zerrissenheit war I. im 15. Jh. Mittelpunkt des Humanismus und der Renaissance und in Kunst und Wiss. führend in Europa. Seine Vormacht in Handel und Geldverkehr ging erst zurück, als sich im 16. Jh. der Handel vom Mittelmeer zum Atlant. Ozean verlagerte.

Italien (Geschichte): Zeitgenössische Darstellung von Giuseppe Garibaldis Einzug in Neapel am 7. 9. 1860

Von 1494 bis zur Einigung: Ende des 15. Jh. wurde I. erneut Schauplatz der Eroberungspolitik fremder Mächte. Der frz. König Karl VIII. eröffnete durch seinen Zug gegen Neapel 1494 den Kampf um die Vorherrschaft in I. zwischen Frankreich und Habsburg, bis Frankreich (nach der Schlacht von Pavia 1525) im »Damenfrieden von Cambrai« (1529) und im Frieden von Cateau-Cambrésis (1559) verzichten musste. Mailand, Sardinien und Neapel-Sizilien kamen nach der Teilung der habsburg. Lande an Spanien, das so die Vorherrschaft auf der Halbinsel erlangte. Im Mantuanischen Erbfolgekrieg (1628–31) und durch den Pyrenäenfrieden (1659) gewann Frankreich in Ober-I. Einfluss.

Die führende kulturelle Stellung in Europa verlor I. im Zeitalter des Barock und der Aufklärung an Frankreich. Venedig konnte seine Besitzungen in der Levante (Zypern, Kreta, Morea) nicht gegen die Türken behaupten. Das Aussterben der einheim. Dynastien führte zur Neuordnung der Machtverhältnisse und zur Vorherrschaft Österreichs. Nur Savoyen-Piemont konnte durch Gewinn der sizilian. Krone 1713 (1720 gegen das österr. Sardinien eingetauscht) seine Stellung ausbauen. Während der Friedensperiode im 18. Jh. wurden die Lombardei und die Toskana durch Reformen auf allen Gebieten zu Musterländern im Sinne des aufgeklärten Absolutismus und zu Trägern eines neuen Nationalbewusstseins.

In den → Französischen Revolutionskriegen vertrieb 1796 Napoleon Bonaparte die Österreicher aus der Lombardei; sie wurden im Frieden von Campoformio (1797) mit dem Gebiet der zusammengebrochenen Republik Venedig abgefunden. Die Franzosen errichteten in I. eine Reihe abhängiger Freistaaten (u. a. Italien. Republik, seit 1805 Königreich I., als dessen König sich Napoleon krönen ließ). 1806 wurden die Bourbonen aus dem Königreich Neapel vertrieben, das an Napoleons Bruder Joseph, 1808 an seinen Schwager J. Murat kam. Nur auf den Inseln Sizilien und Sardinien behaupteten sich unter dem Schutz der brit. Flotte die früheren Herrscher. 1814/15 brach die napoleon. Herrschaft in I. zusammen. Der Wiener Kongress stellte den Kirchenstaat wieder her, vergrößerte das Königreich Sardinien (Piemont) durch Genua und machte Österreich durch den Besitz Venetiens und der Lombardei zur vorherrschenden Macht.

Nach 1815 wuchs im gebildeten Bürgertum und beim fortschrittl. Adel der Wunsch nach grundsätzl. Reformen, deren Ziel die nat. Einheit und die Rückgewinnung der führenden Stellung I.s in Europa war (»Risorgimento«). Neu gegründete Geheimgesellschaften (u. a. die »Carbonari« und G. Mazzinis »Junges Italien«) und offene Unruhen (1820/21 Neapel, Piemont, 1830/31 Modena, Romagna) zeigten den Widerstand gegen die Restauration unter österr. Hegemonie. Mazzini, der eine demokrat. Republik anstrebte, organisierte in den 1830er-/40er-Jahren mehrere Aufstände, die jedoch fehlschlugen. 1848 schloss sich I. der Revolution in Europa an: Die Österreicher wurden aus Mailand und Venedig vertrieben; König Karl Albert von Sardinien stellte sich an die Spitze der nat. Bewegung. Doch wurde er bei Custoza (25. 7. 1848) und Novara (23. 3. 1849) geschlagen. Rom, wo Mazzini und Garibaldi die Rep. ausgerufen hatten, wurde von einem frz. Hilfskorps des Papstes erobert. Zuletzt fiel Venedig (24. 8.). Fast überall zog die Reaktion ein, nur Piemont-Sardinien unter

König Viktor Emanuel II. (1849–78) und C. Benso Graf Cavour als MinPräs. (1852–61) behielt Parlament und Verf.; damit übernahm es die Führung im Kampf um die italien. Einheit. Cavour gelang es, auch die meisten Republikaner auf seine Seite zu bringen, zudem schloss er 1858 ein Bündnis mit Napoleon III. gegen Österreich; Frankreich erhielt dafür Nizza und Savoyen. 1859 brach der Sardin.-Frz.-Österreichische Krieg aus, der zu den Niederlagen der Österreicher bei Magenta (4. 6.) und Solferino (24. 6.) führte. Durch den Waffenstillstand von Villafranca (11. 7.) und den Frieden von Zürich (10. 11.) erhielt Piemont die Lombardei, Venetien blieb bei Österreich. Inzwischen waren die Herrscher von Toskana, Parma und Modena aus ihren Ländern vertrieben worden; die kirchenstaatl. Romagna schüttelte die päpstl. Herrschaft ab. Die Bourbonenherrschaft in Neapel-Sizilien wurde dann durch die kühne Unternehmung G. Garibaldis vom Sommer 1860 (»Zug der Tausend«) gestürzt. In allen diesen Gebieten führte Cavour Volksabstimmungen durch, die sich für die Angliederung an Piemont aussprachen. Savoyen und Nizza wurden gemäß dem Bündnisvertrag an Frankreich abgetreten. Nach ersten Parlamentswahlen wurde am 17. 3. 1861 das Königreich I. unter Viktor Emanuel II. proklamiert. Frz. Truppen hielten Rom besetzt; die Hptst. I.s wurde daher 1865 Florenz. Im Bunde mit Preußen gewann I. 1866 Venetien. Der Abzug der frz. Truppen aus Rom nach Ausbruch des Dt.-Frz. Krieges ermöglichte die Besetzung Roms (20. 9. 1870), das mit dem Rest des Kirchenstaats I. eingegliedert und zur Hauptstadt erhoben wurde. Der Papst nahm, obwohl ihm Unabhängigkeit zugesichert wurde, bis in die 1960er-Jahre als »Gefangener im Vatikan« eine feindselige Haltung gegenüber dem italien. Staat ein. Die frz. Vorbild folgende Verf. Sardiniens wurde auf ganz I. übertragen. Die neue Ordnung wurde v. a. in Süd-I. nicht überall akzeptiert (u. a. die Wehrpflicht); dies und das Ausbleiben einer Landreform führten dort zu einem politisch motivierten Brigantenwesen.

Der liberale Einheitsstaat (1870–1918): Die seit Cavour regierende Rechte wurde 1876 durch die liberale Linke abgelöst. Protektionist. Außenhandelspolitik brachte Gegensätze zu Frankreich, die durch die frz. Kolonialpolitik (Besetzung von Tunis 1881) verstärkt wurden. Der Anschluss I. an das Bündnis Dtl.s mit Österreich-Ungarn 1882 (→ Dreibund) gegen den Widerstand der → Irredenta sollte v. a. eine aktive italien. Kolonialpolitik stützen, die mit der Besetzung von Eritrea und der Somaliküste begann (seit 1881). Die Reg. Crispi (1887–91, 1893–96) versuchte erfolglos die Eroberung Äthiopiens (Niederlage bei Adua 1896). Im Inneren wurden die Anfänge der sozialist. (1892 Gründung der Sozialist. Partei) und kath. Arbeiterbewegung durch Einschränkung der Presse- und Versammlungsfreiheit unterdrückt; soziale Unruhen, Generalstreiks (Mailand 1898, Genua 1900) und die Ermordung König Umbertos I. führten schließlich 1903 zum Machtantritt G. Giolittis (mit Unterbrechungen bis 1914). Seine Reformpolitik bemühte sich u. a. um Abbau des Antiklerikalismus, Sozialgesetzgebung, Änderung des Wahlrechts. Parallel dazu entwickelte sich die Wirtschaft günstig. Gegner der Politik Giolittis war eine starke nationalist. Bewegung, die von Irredenta und Großmachtstreben bestimmt war. Auf ihr Drängen wurde 1911 Libyen (Tripolitanien und die Cyrenaica) annektiert, 1912 der Dodekanes. Im Inneren wurden die extremen rechten und linken Gruppierungen gestärkt.

Als der 1. Weltkrieg ausbrach, erklärte die Reg. A. Salandra die Neutralität Italiens. Die Nationalisten verlangten den Anschluss an die Gegner des bisherigen Dreibundes; unter ihnen trat der einstige Sozialist B. Mussolini in den Vordergrund. MinPräs. Salandra ließ sich im Londoner Geheimvertrag (26. 4. 1915) alle gegen Österreich gerichteten irredentist. Wünsche bewilligen und erklärte am 23. 5. 1915 Österreich-Ungarn, erst am 28. 8. 1916 dem Dt. Reich den Krieg. (→ Weltkrieg)

Von 1919 bis zum Ende des Faschismus 1945: Im Friedensvertrag von Saint-Germain (10. 9. 1919) erhielt I. nur einen Teil seiner Forderungen: das Trentino und Südtirol bis zum Brenner, Görz, Triest, Istrien und Zara (Zadar). Die Enttäuschung verschärfte die inneren Gegensätze, die I. an den Rand des Bürgerkriegs brachten. Die Umsturzbestrebungen der Sozialisten und bes. der Kommunisten trafen auf eine scharfe Reaktion der von B. Mussolini 1919 in Mailand gegründeten faschist. Bewegung; mit dem »Marsch auf Rom« (28. 10. 1922) zwang Mussolini den König, ihn an die Spitze der Reg. zu berufen (31. 10.). Durch rücksichtslosen Machtgebrauch und Terror gelang es der faschist. Minderheit, die Staatsgewalt vollständig zu übernehmen und den Staat allmählich totalitär umzuformen (→ Faschismus). Nach der Angliederung Fiumes (Rijeka, 1924) war Mussolini, der als Reg.chef und Führer der faschist. Partei (Duce) als Diktator herrschte, zunächst auf eine friedl. Außenpolitik bedacht (Völkerbund, Locarno-Pakt, Kellogg-Pakt), doch suchte er die italien. Vormachtstellung im Mittelmeerraum zu sichern (Besetzung Korfus 1923). Mit der kath. Kirche verständigte er sich durch die Lateranverträge vom 11. 2. 1929. In der Adriafrage verschärfte sich der alte Gegensatz zu Jugoslawien, als I. seit 1926/27 starken Einfluss in Albanien gewann. Mit Ungarn und Österreich kam durch die Röm. Protokolle (17. 3. 1934) eine engere Verbindung zustande, eine

Viktor Emanuel II.,
König von Italien

Camillo Benso Graf von Cavour
(Ausschnitt aus einem Gemälde des italienischen Malers Francesco Hayez; 1861, Mailand, Pinacoteca di Brera)

Giovanni Giolitti

Italien (Geschichte): Adolf Hitler im verbündeten Italien 1938, neben ihm Benito Mussolini

Alcide De Gasperi

Aldo Moro

Giulio Andreotti

Annäherung an Frankreich im Kolonialabkommen vom 7. 1. 1935. Dem nat.-soz. Dt. Reich stand I. wegen machtpolit. Rivalitäten anfänglich ablehnend gegenüber. Im Okt. 1935 begann der Krieg gegen Äthiopien, das eroberte Land wurde 1936 mit den Kolonien Eritrea und Somaliland zu Italien.-Ostafrika vereinigt. Die durch die Teilnahme I.s am Span. Bürgerkrieg aufseiten Francos begonnene Annäherung an Dtl. wurde durch die →Achse Berlin–Rom (25. 10. 1936), den Beitritt zum Antikomintern-Pakt und den Austritt aus dem Völkerbund (11. 12. 1937) gefestigt. I. war am →Münchener Abkommen beteiligt und schloss nach der Besetzung Albaniens (7.–13. 4. 1939) ein Militärbündnis mit Dtl. (»Stahlpakt«, 22. 5. 1939). In den 2. →Weltkrieg griff I. erst am 10. 6. 1940 auf dt. Seite ein. Am 27. 9. 1940 schloss es mit Dtl. und Japan den Dreimächtepakt ab.

Die infolge der Niederlagen zunehmende antifaschist. Stimmung in der Bev. verschärfte sich (Streiks in Ober-I., März 1943); am 24. 7. 1943 erklärte sich auch der faschist. Großrat gegen Mussolini, der vom König gefangen gesetzt wurde; mit der Reg.bildung wurde P. Badoglio beauftragt, die faschist. Partei wurde aufgelöst; das faschist. Regime brach zusammen, ohne Widerstand zu leisten. Am 3. 9. schloss Badoglio nach Geheimverhandlungen einen Waffenstillstand mit den Alliierten (verkündet 8. 9. 1943). Die italien. Truppen in den von Dtl. besetzten Gebieten wurden daraufhin entwaffnet oder gefangen genommen; der König und Badoglio flohen zu den in Sizilien gelandeten Alliierten. Der am 12. 9. von den Deutschen befreite Mussolini trat an die Spitze der auf das dt. Besatzungsgebiet beschränkten »Rep. von Salò« (offiziell Repubblica Sociale Italiana). In Mittel- und Ober-I. unterstützten Partisanen die Alliierten hinter der dt. Front. Seit 1942 waren im Untergrund die Parteien neu gegr. worden (u. a. Kommunist. Partei [PCI], Sozialist. Partei [PSIUP], Christlich-Demokrat. Partei [DC]). Sie bildeten im Sept. 1943 ein Nat. Befreiungskomitee. Nach der Besetzung Roms durch die Alliierten (4. 6. 1944) trat Badoglio zurück; der Kronprinz trat als Umberto II. an die Spitze des Staates, das Nat. Befreiungskomitee bildete eine Übergangsregierung. Am 28. 4. 1945 wurde Mussolini von Partisanen erschossen. Mit der Kapitulation der dt. Streitkräfte (29. 4./2. 5. 1945) endete die Rep. von Salò.

Die Republik Italien: Nach einer Volksabstimmung (2. 6. 1946) zugunsten der Republik (proklamiert am 18. 6. 1946) verließ Umberto II. das Land. Die am 2. 6. 1946 gewählte Verfassunggebende Nat.versammlung bestimmte E. De Nicola zum Staatspräs. und verabschiedete eine Verf., die am 1. 1. 1948 in Kraft trat. Seit den Wahlen von 1946 bis 1994 war die DC stärkste Partei. Mithilfe des Marshallplanes leitete die Reg. A. De Gasperi (1945–53) den Wiederaufbau ein und begann eine Sozial- und Agrarreform, die jedoch das Problem jeder Reg. blieb (bes. im S des Landes). Nach dem Verlust der absoluten Mehrheit (1953) bildete die DC zunächst Koalitions-Reg. mit den Mitte-rechts-Parteien. Nach der Neuorientierung der kath. Kirche durch das 2. Vatikan. Konzil öffnete sich die DC ab 1962 auch Bündnissen mit linken Parteien. Nach einer Zeit innenpolit. Stabilität unter der 1. Reg. A. Moro (1963–68) führten Inflation, Stagnation, Arbeitslosigkeit Anfang der 70er-Jahre zu polit. Polarisierung, die in rechts- und linksterrorist. Anschlägen gipfelte (Ermordung A. Moros durch die »Roten Brigaden« 1978), und schnell wechselnden Regierungen. 1976 schloß die DC unter MinPräs. G. Andreotti ein Bündnis mit fünf Parteien, u.a. den Kommunisten, deren gemeinsames Programm der wirtsch. und sozialen Sanierung dienen sollte. Nach dem Bruch dieses Bündnisses (1979) und Neuwahlen musste die DC 1981 erstmals das Amt des MinPräs. einer anderen Partei überlassen (G. Spadolini, PRI, 1981/82; B. Craxi, PSI, 1983–87). Seit Beginn der 90er-Jahre zeichneten sich innenpolit. Umbrüche ab: Die Kommunist. Partei, seit 1946 die zweitstärkste Partei, änderte 1991 ihren Namen in »Demokrat. Partei der Linken« (PDS) und beschloss ein neues Programm. Staatspräs. F. Cossiga trat 1992 vorzeitig zurück; ihm folgte O. L. Scalfaro. Durch die hohe Staatsverschuldung, das unveränderte Nord-Süd-Gefälle verloren die etablierten polit. Kräfte ihre Glaubwürdigkeit. Die Parlamentswahlen 1992 brachten für die DC nur 29,7% der Stimmen; dagegen gewannen Regionalparteien (v.a. die Lega Nord) mit ihren z.T. separatist. Programmen viele Anhänger. Die von G. Amato (PSI) geführte Koalitionsregierung (DC, PSI, PSDI und PLI) bemühte sich zwar, das Vertrauen in den Staat wiederherzustellen, doch mündeten Korruptionsskandale führender Politiker, Morde der Mafia an hohen Justizbeamten, der Verdacht der Verstrickung von Politik und Mafia im Frühjahr 1993 in eine Staatskrise. Es kam zu staatsanwaltl. Ermittlungen gegen Spitzenmanager versch. Staatskonzerne und führende Politiker, u.a. gegen G. Andreotti (DC) und B. Craxi (PSI). In einem Referendum (April 1993) sprach sich die Bev. mit großer Mehrheit für umfassende polit. Reformen aus. Nach dem Rücktritt der Reg. Amato (Jan. 1994) und Neuwahlen (März 1994) bildete sich ein stark verändertes polit. Kräftefeld heraus. Bereits im Jan. 1994 hatte sich die DC selbst aufgelöst. Nach dem Wahlsieg seines von ihm geschaffenen Rechtsbündnisses »Freiheitspol« (Forza Italia, Nat. Allianz, Lega Nord) übernahm S. Berlusconi als MinPräs. im Mai 1994 die Regierung, musste aber im Dez. 1994 unter Korruptionsvorwürfen zurücktreten. Bei vorgezogenen Neuwahlen im April 1996 siegte das Mitte-links-Bündnis »L'Ulivo« (Ölbaum; PDS, PPI, Liste Dini, Grüne) und stellte mit R. Prodi (parteilos) den MinPräs.; nach einer parlamentar. Niederlage trat er im Okt. 1998 zurück, die Reg.-Koalition blieb aber erhalten, MinPräs. wurde M. D'Alema (PDS).

Durch den Pariser Friedensvertrag (10. 2. 1947) verlor I. den Dodekanes an Griechenland, Istrien an Jugoslawien; Triest wurde Freistaat. I. musste auf alle Kolonien verzichten, erhielt jedoch 1950 die Treuhandschaft über Italienisch-Somaliland. Die Triestfrage (→Triest), die das Verhältnis zu Jugoslawien belastete, wurde 1954 in einem De-facto-Abkommen (Teilung des umstrittenen Gebietes) entschieden. I. schloss sich früh dem westl. Bündnissystem an (u.a. Gründungsmitglied der NATO und der WEU). Seit 1949 gehört es dem Europarat, seit 1955 der UNO und ihren Sonderorganisationen an. Mit dem Beitritt zur Europ. Gemeinschaft für Kohle und Stahl (1952), zur EWG und EURATOM (1958) förderte es aktiv den europ. Integrationsprozess und die Erweiterung der EG in den folgenden Jahrzehnten. 1992 stimmten beide Häuser des Parlaments dem Vertrag von Maastricht zu. Im selben Jahr erklärte Österreich den Konflikt mit I. um →Südtirol für beendet.

📖 Goez, W.: *Geschichte I.s in Mittelalter u. Renaissance. Darmstadt ³1988.* – Lill, R.: *Geschichte I.s in der Neuzeit. Darmstadt ⁴1988.* – Seidlmayer, M.: *Geschichte I.s vom Zusammenbruch des Röm. Reiches bis zum ersten Weltkrieg. Mit einem Beitrag v.* T. Schieder: *I. vom ersten zum zweiten Weltkrieg. Stuttgart ²1989.* – Hausmann, F.: *Kleine Geschichte I.s seit 1943. Neuausg. Berlin 1994.* – *I., Beiträge v.* C. Chiellino *u.a. A.d. Italien. München ³1995.* – *I.-Lexikon, hg. v.* R. Brütting. *Berlin 1995.* – Petersen, J.: *Quo vadis, Italia? München 1995.*

Oscar Luigi Scalfaro

Italien (Geschichte): Zusammen mit seinen Verbündeten vom Mitte-Links-Bündnis »L'Ulivo« (Ölbaum) zeigt sich Romano Prodi (Bildmitte) im April 1996 auf einer Wahlkampfveranstaltung in Rom; neben ihm (von links) Walter Veltroni (PDS), Lamberto Dini (Italienische Erneuerung) und Massimo D'Alema (PDS)

Italiener (italien. Italiani), roman. Volk, das Staatsvolk Italiens; I. leben auch in den USA (9 Mio.), in Südamerika (4,2 Mio.) und in der Schweiz (420000). – Die ursprüngl. Bevölkerung wurde in Mittelitalien am Ende der Jungsteinzeit von den Italikern, in Oberitalien von Ligurern und Kelten, gegen Ende des 9. Jh. v. Chr. von Etruskern und wenig später in S-Italien von grch. Kolonisten überlagert; die Vormachtstellung Roms brachte Angehörige der versch. Völker auf die Halbinsel. In der Völkerwanderungszeit drangen Germanen ein, Goten und v.a. Langobarden, im 9. Jh. Araber (Sizilien), im 11. Jh. Normannen.

italienische Kunst. Die auf der italien. Halbinsel entstandene Kunst nach dem Niedergang des röm. Imperiums ist einerseits gekennzeichnet durch die individuelle Ausbildung lokaler Schulen, zeigt andererseits seit ihren Anfängen übergreifende Gemeinsamkeiten in der Bewahrung mittelmeer. Traditionen. Sie wirkte für Jahrhunderte impulsgebend auf die abendländ. Kunst.

Architektur

Der Beitrag der i. K. zur Ausbildung der **Romanik** war geringer als der Dtl.s und Frankreichs. Die aus der frühchristl. Kunst hervorgegangene Baukunst entwickelte sich seit dem 11. Jh. in landschaftlich stark voneinander abweichenden Stilvarianten. Dt. und burgund. Bauten verwandt sind die lombard. Kirchen Oberitaliens: Sant'Abbondio in Como, Sant'Ambrogio in Mailand, San Zeno in Verona, Dome von Modena, Parma, Ferrara. Der antiken Überlieferung verbunden blieben die toskan. Kirchenbauten, deren Fassaden bes. in Florenz durch farbige Marmorinkrustationen (Baptisterium; San Miniato), in Pisa (Dom) und Lucca durch Säulenarkaden gegliedert sind. In Unteritalien und auf Sizilien verbanden sich byzantin., lombard., normann. und sarazen. Einflüsse (Dome in Bari, Brindisi, Tarent und Cefalù; Martorana und Cappella Palatina in Palermo; Dom von Mon-

italienische Kunst

1

2

3

4

| **1** Der 1288–1399 erbaute Palazzo Pubblico mit dem aus den Jahren 1338–48 stammenden Torre del Mangia an der Piazza del Campo in Siena | **2** Piero della Francesca, »Der Besuch der Königin von Saba bei Salomon«, Ausschnitt aus dem 1451–66 entstandenen Freskenzyklus der Legende des Heiligen Kreuzes im Chor von San Francesco in Arezzo | **3** Canaletto, »Die Piazetta gegen Süden« (1733–35; Rom, Galleria Nazionale d'Arte Antica) | **4** Die von dem Barockbaumeister Niccolò Salvi 1732 gestaltete Brunnenanlage Fontana di Trevi in Rom wurde nach seinem Tod 1762 vollendet

reale). Rein byzantinisch ist der Zentralkuppelbau der Markuskirche in Venedig (1063 begonnen).

Die ersten Bauten der **Gotik** waren nach burgund. Art errichtete Zisterzienserkirchen (Chiaravalle bei Ancona, 1172 ff.). Doch setzte sich im 13. Jh. bes. in den Kirchen der Bettelorden bald italien. Formwille durch, dem die Auflösung der Mauerflächen widerstrebte (San Francesco in Assisi, Santa Maria Novella und Santa Croce in Florenz). In italienisch abgewandelter Gotik wurden die Dome von Florenz, Siena, Orvieto und Mailand erbaut. Der Profanbau wurde seit dem 13. Jh. bedeutend: Palazzo della Ragione, Mailand; Bargello, Florenz u.a. Gegenüber der nord. Gotik blieben auch im Wohnbau die Wandflächen sehr viel geschlossener. Typisch sind die offenen, großbogigen Hallen; Loggien in Florenz, Bologna (Ende 14. Jh.). Eine dem architektonisch Fantastischen zuneigende Abwandlung der Gotik entstand in Venedig: Dogenpalast, Casa d'Oro (1421–40).

5

6

5 Gino Severini, »Glas und Flasche« (1913; Genf, Galerie Jan Krugier) | 6 Vittorio Gregotti, Innenansicht des Gebäudes der naturwissenschaftlichen Fakultät in Palermo (1969–88); der Bau ist ein typisches Beispiel für die von Gregotti entwickelte »Brückenarchitektur«

Die **Frührenaissance** setzte mit dem 15. Jh. ein. Führend war Florenz, wo Brunelleschi, der Vollender der noch gotisch bestimmten Kuppel des Doms, an die Antike anknüpfend, die Baukunst der Neuzeit begründete (San Lorenzo, Pazzikapelle; Santo Spirito). L. B. Alberti, der nächst ihm bedeutendste Baumeister der Zeit, ging auch als Theoretiker von der Antike aus. Michelozzo baute in Florenz den Palazzo Medici, der maßgebend für den Palastbau wurde. In Urbino schuf L. Laurana den Herzogspalast. In der Lombardei entstanden Ende des Jh. die noch der Frührenaissance angehörenden Bauten Bramantes.

Die **Hochrenaissance** des 16. Jh. sammelte alle künstler. Kräfte in Rom. 1506 erhielt Bramante den Auftrag für den Neubau der →Peterskirche. Sein Entwurf eines ganz in sich ruhenden, alle Teile harmonisch zusammenschließenden Zentralbaus war der vollkommenste Ausdruck des Ideals der Renaissance, wurde aber in veränderter Form ausgeführt. Unter den ihm in der Bauleitung folgenden Architekten (Raffael, G. da Sangallo, B. Peruzzi, A. da Sangallo d. J.) bestand im Widerstreit mit neu aufkommenden Langhausplänen lange Ungewissheit über die Fortführung des Baus. Michelangelo, der in Florenz die Grabkapelle der Medici und die Biblioteca Laurenziana geschaffen hatte, wurde 1547 Bauleiter der Peterskirche. Von den röm. Palastbauten ist der großartigste der Palazzo Farnese (von A. da Sangallo d. J. und Michelangelo). Der führende Baumeister Venedigs war J. Sansovino. A. Palladio begründete mit seinen in Vicenza und Venedig geschaffenen Bauten die klassizist. Richtung der Spätrenaissance, die vorbildlich für ganz Europa wurde.

Die Baukunst des **Barock** begann in Rom mit G. da Vignolas Jesuitenkirche »Il Gesù« (Fassade von Giacomo Della Porta) Ende des 16. Jh. Der Versuch, dynamische Bewegtheit in der Architektur zum Ausdruck zu bringen, setzte sich fort bei G. L. Bernini (Sant'Andrea al Quirinale, Gestaltung des Petersplatzes, Rom) und steigert sich bei F. Borromini (San Carlo alle Quattro Fontane, Rom). Neben ihnen wirkten C. Rainaldi und P. da Cortona. Über Borromini hinaus führte G. Guarini mit seinen Hauptwerken in Turin. Der Palastbau spielte eine bed. Rolle, u.a. Palazzo Barberini (Entwurf von C. Maderna), die Paläste Montecitorio und Propaganda Fide (Borromini), alle in Rom.

Im **18. Jahrhundert** schuf F. Iuvara in Turin und Piemont eindrucksvolle Kirchen. In Rom entstanden die Span. Treppe von A. Specchi und F. de Sanctis und die Fontana di Trevi von N. Salvi. Vertreter des Klassizismus im letzten Drittel des 18. Jh. und im frühen **19. Jahrhundert** sind G. Piermarini in der Lombardei und G. Valadier in Rom. Allg. herrschte ein Eklektizismus vor.

Zu den Wegbereitern der Architektur des **20. Jahrhunderts** gehörten L. Figini, G. Terragni und A. Sant'Elia. Der Neoklassizismus der faschist. Zeit hemmte vorerst die weitere Entwicklung. Nach dem 2. Weltkrieg ergaben sich neue und interessante Lösungen (F. Albini, INA-Gebäude Parma, 1954; P. L. Nervi, Sportpalast, Rom 1958–60; G. Ponti, Pirelliturm, Mailand, 1956–59; G. Michelucci, Autobahnkirche bei Florenz, 1964). Vertreter der in den 60er-Jahren begründeten Richtung der →rationalen Architektur sind A. Rossi, C. Aymonino u. a. Die Architektur der 1980er- und 90er-Jahre ist v. a. von einem maßvollen Rückgriff auf traditionelle italien. Bauformen (Viertel »Campo di Mare« auf der Insel Giudecca in Venedig, 1985; Avelino-Theater in Rom, 1987; Piazza Kennedy in Matera, 1988–91). Portoghesi baute 1976–78 das Islam. Zentrum und eine Moschee am Stadtrand von Rom. Die behutsame Umgestaltung des Umfeldes des Fußballstadions »Santa Nicola« in Bari (1987–90) gelang R. Piano.

Bildhauerkunst

Romanik: Die Plastik des 11. Jh. war schilderungsfreudig (Bronzetüren San Zeno, Verona), aber den Sinn für Körperlichkeit und Monumentalität weckte erst um 1100 Meister Wiligelmus von Modena (Portalskulpturen des Domes). Nach ihm wirkte sein Schüler Niccolò, dessen Gewändefiguren (Hauptportal des Doms von Ferrara, 1135) in die Gotik weisen. In den Werken B. Antelamis begann die Auseinandersetzung mit der frz. Plastik. Die Bronzetüren des Barisanus von Trani stehen unter byzantinischem Einfluss. Ihn überwand erst jene die Antike erneuernde Plastik, die Friedrich II. um 1230 ins Leben rief (Tor in Capua, →staufische Kunst).

Mit G. Pisano setzte sich gegen Ende des 13. Jh. die **Gotik** durch, die mit seinen Werken auch ihren Höhepunkt erreichte (Brunnen in Perugia, 1278, Kanzeln in Pistoia, 1301, und Pisa, 1310). Begrenzter in ihren Möglichkeiten waren A. Pisano und sein Schüler A. Orcagna. An der Antike geschult sind N. Pisano und Arnolfo di Cambio.

Ein neuer Wirklichkeitssinn bestimmte die **Frührenaissance** des 15. Jh. Got. Erbe wirkte in den Werken L. Ghibertis und auch noch in der Kunst Donatellos fort, dessen Aktstatue des David (um 1430, Florenz), sein Reiterdenkmal des Gattamelata (1447, Padua) ebenso wie sein maler. Reliefstil Neuschöpfungen in antikem Geiste sind. Unter den in Florenz tätigen Bildhauern ragen als Meister farbig glasierter Tonbildwerke L. und A. della Robbia hervor, als Marmorbildhauer die Brüder A. und B. Rossellino und Desiderio da Settignano, als Bronzeplastiker A. del Pollaiuolo und A. del Verrocchio (Reiterdenkmal des Colleoni in Venedig). Iacopo della Quercia war in Siena tätig.

Die Plastik der **Hochrenaissance** kann sich an Fülle der Begabungen mit der des 15. Jh. nicht messen. In Florenz und Rom arbeitete A. Sansovino. Alle übertraf Michelangelo, der über die Renaissance und ihr klass. Maß weit hinausreichende Bildwerke schuf, seine gewaltigen Pläne (Medici-Gräber, Florenz; Grabmal Papst Julius' II., Rom) aber nur z. T. verwirklichen konnte. Das unvollendete Werk bei Leonardo und Michelangelo war charakteristisch für die Suche nach der vollkommenen Form, die im **Manierismus** infrage gestellt wurde (B. Cellini, Giambologna).

Im **Barock** des 17. Jh. wurde der die gesamte europ. Bildhauerkunst bestimmende neue Stil von G. L. Bernini in Rom geschaffen (Ausstattung in St. Peter; Brunnen: Vier-Ströme, Il Moro, Fontana Tritone). An Bernini orientierten sich auch die Bildhauer des 18. Jh., bis sich gegen Ende des Jh. mit der Kunst A. Canovas der **Klassizismus** durchsetzte. Die überragende Persönlichkeit am Ende des 19. Jh. war M. Rosso.

In der **Moderne** erreichte die italien. Bildhauerkunst internat. Bedeutung durch Arbeiten von A. Martini, M. Marini, G. Manzù und A. Pomodoro. L. Fontana beeinflusste u. a. die seit Mitte der 60er-Jahre entstandene →Arte povera (M. Merz, G. Paolini, G. Penone). Heute ist die Bildhauerei fast vollständig in der Objekt- und Installationskunst aufgegangen.

Malerei

In der **Romanik** herrschte byzantin. Einfluss vor. Ihn suchte gegen Ende des 13. Jh. Cimabue in Florenz zu überwinden. Eine neue Epoche begann in der **Gotik** mit Giottos Werken; mit seinen im Monumentalstil geschaffenen Fresken der Arena-Kapelle in Padua (um 1305) eröffnete er der Malerei neue Wege. Zu seinen unmittelbaren Nachfolgern in Florenz gehören T. und A. Gaddi. Gleichzeitig wirkte, der Vergangenheit enger verbunden, Duccio in Siena, wo nach ihm Simone Martini, P. und A. Lorenzetti tätig waren. In Pisa entstanden die großen Freskenfolgen des →Camposanto.

Die wirklichkeitsnahe Malerei der **Frührenaissance** kam mit den Fresken Masaccios in Florenz zum Durchbruch (Brancacci-Kapelle, 1426/27). Während P. Uccello und A. del Castagno die plastisch-räuml. Erscheinung mit den Mitteln der Perspektive realistisch erfassten, lebte in den zarten Bildern Fra Angelicos noch die Gotik fort. Spätgot. Elemente verbanden sich mit dem neuen Wirklichkeitssinn in der Kunst Fra Filippo Lippis und seines Schülers S. Botticelli, neben dem in der 2. Hälfte des 15. Jh. D. Ghirlandaio und Filippino Lippi wirkten. Die bedeutendsten Maler außerhalb von Florenz waren in Mittelitalien Piero della Francesca, Melozzo da Forì, L. Signorelli, P. Perugino und Pinturiccho, in Padua A. Mantegna, in Venedig die Brüder Bellini und V. Carpaccio.

Die frühesten Werke der **Hochrenaissance** sind die mit zarter Verschmelzung von Licht und Schatten gemalten Werke Leonardo da Vincis. Raffael verwirklichte in seinen Fresken (Stanzen des Vatikans) und Tafelbildern (→Sixtinische Madonna) am reinsten das Ideal der Hochrenaissance, das sich in den Fresken Michelangelos (Sixtin. Kapelle) bereits zu barocken Gestaltungen wandelte. Die Malerei der venezian. Hochrenaissance ging von Giorgione aus und gipfelte in den Werken Tizians, neben dem Palma Vecchio zu nennen ist. In Parma wurde A. Correggio durch illusionist. Kuppelfresken ein Wegbereiter des Barock.

Schon in den 20er-Jahren des 16. Jh. setzte der Wandel zum Stil des **Manierismus** ein, so v.a. in Florenz bei I. da Pontormo und A. Bronzino, in Parma bei Parmigianino. Das überragende Werk Tintorettos drückte die religiöse Ergriffenheit jener Zeit (Gegenreformation) am stärksten aus, während P. Veronese davon unberührt blieb. Die Malerei des **Barock** entstand an der Wende zum 17. Jh. in Rom; Caravaggio entwickelte die in ganz Europa fortwirkende Helldunkelmalerei (Matthäus-Bilder in San Luigi dei Francesi in Rom, um 1598–1601). Die akadem. Richtung der europ. Barockmalerei ging v.a. von A. Carracci und seinen Fresken im Palazzo Farnese in Rom aus (1597–1604). Unter den zahlr. v.a. in Rom tätigen Malern ragen Domenichino, Guercino, G. Reni, G. Lanfranco und P. da Cortona, die Meister illusionist. Deckenfresken, hervor, in Neapel der Spanier J. de Ribera und S. Rosa. Im **18. Jahrhundert** war in der Malerei Venedig führend, wo S. Ricci, G. Piazzetta und G. B. Tiepolo wirkten. Venezian. Stadtansichten schufen die beiden Canaletto und F. Guardi; nachhaltige Wirkung übte G. Piranesi mit seinen Kupferstichfolgen (»Carceri«) aus. G. M. Crespi malte in Bologna, A. Magnasco in Genua. Im **19. Jahrhundert** war die Malerei in Italien von geringer Bedeutung; das Werk von G. Segantini ist eher der schweizer. Kunst zuzuordnen.

Zu Anfang des **20. Jahrhunderts** suchte der Futurismus einen neuen Beginn (U. Boccioni). G. De Chirico und C. Carrà gaben mit ihrer →Pittura metafisica das Vorbild neuer Bildgesetzlichkeiten, deren weitreichende Folgen u.a. bei der Entstehung der surrealist. Malerei sichtbar sind. Der Rückgriff auf die Sachlichkeit frühitalien. Meister bestimmte nachdrücklich auch die lyr. Schöpfungen G. Morandis. In den Bereich der École de Paris gehört A. Modigliani. Der italien. Beitrag zur gegenstandslosen Malerei ist bedeutend: Afro, S. Santomaso, A. Corpora, E. Vedova. Den polit. Realismus repräsentiert R. Guttuso. Der experimentellen Kunst wandte sich L. Fontana zu. Die Grenzen zw. Malerei und Plastik sind wie überall in der zeitgenöss. Kunst aufgehoben. Die Objekte von M. Merz, G. Penone und J. Kounellis gehören zur Arte povera. Seit Ende der 1970er-Jahre entwickelten sich avantgardist. Richtungen wie z.B. Arte cifra (Transavanguardia) mit den Künstlern M. Paladino, S. Chia, E. Cucchi und W. de Maria. Im Anschluss daran entwickelt sich eine Kunstrichtung, die im Zuge der postmodernen Diskussion spielerisch die bestehenden Formen kombiniert.

📖 Chastel, A.: *Die Kunst Italiens. Neuausg. München 1987.* – *I. K. Eine neue Sicht auf ihre Geschichte, Beiträge v.* L. Bellosi *u.a., 2 Bde. A. d. Italien. Neuausg. München 1991.* – *Die Kunst der italien. Renaissance, hg. v.* R. Toman. *Köln 1994.*

italienische Literatur. Obwohl die Eigenständigkeit des Italienischen gegenüber dem Lateinischen zumindest seit dem 10. Jh. anzusetzen ist, bildeten sich die Anfänge einer selbstständigen i. L. erst mit großer Verspätung im Vergleich zu anderen roman. Literaturen heraus. Zum einen existierte ein umfangreiches mittellat. Schrifttum bes. in den Klöstern Bobbio und Montecassino, zum

italienische Literatur: Dante Alighieri erklärt die »Göttliche Komödie«, Ausschnitt eines Freskos von Domenico di Michelino (1461); im Dom von Florenz

italienische Literatur: Giovanni Boccaccio, Beginn der 20. Novelle aus dem »Decamerone« in französischer Übersetzung, Seitenausschnitt aus einer Handschrift (um 1415; Heidelberg, Schlossbibliothek)

anderen verhinderten jahrhundertelang Invasionen die Entwicklung einer zentralist. Sozialstruktur; dadurch wurde zwar die Herausbildung der italien. Stadtstaaten begünstigt und das mehrsprachige Schrifttum gefördert, eine besondere Herausbildung der nat. Literatur zunächst jedoch erheblich behindert. Erste schriftlich überlieferte Zeugnisse der literar. Verwendung italien. Dialekte sind in dem »Ritmo laurenziano«, dem Bittgedicht eines Spielmanns an den Bischof von Pisa, aus dem 12. Jh. und bei dem provenzal. Troubadour Raimbaut de Vaqueiras nachweisbar; durch ihn wurde in der 1. Hälfte des 13. Jh. das Provenzalische zur Literatursprache in Italien, seine Vorherrschaft endete durch die Sizilian. Dichterschule und die umbr. Laudendichtung (Franz von Assisi). Neben dieser Dichtung entwickelte sich zw. 1250 und 1260 der →Dolce stil nuovo.

Niccolò Machiavelli

Trecento (14. Jh.): Den noch unsicheren Versuchen der Gestaltung einer Literatur in italien. Sprache folgte Dante Alighieri, dessen »Göttl. Komödie« (»Divina Commedia«, vollendet 1321, gedruckt 1472) eine umfassende literar. Deutung des Verhältnisses von Individuum und Gesellschaft, privater Passion und öffentl. Engagement im geistigen Kosmos des MA. gibt; sie gehört zu den wichtigsten Werken der Weltliteratur. Sein Traktat »Über die Volkssprache« (entstanden nach 1305), ein Lehrbuch der Poetik, handelt vom Ursprung und Wesen der Sprache, von Stil und Metrik einer literar. Hochsprache, deren Würde und Kraft auch das Toskanische erreichen könne. Obwohl damit auch theoretisch eine sichere Basis für die Verwendung der Volkssprache in der Lit. gegeben war, schätzte F. Petrarca sein umfangreiches Werk in lat. Sprache selbst stets höher ein als seine in italien. Sprache geschriebenen Gedichte an die Geliebte Laura. G. Boccaccio gehörte mit seiner Dantebiographie, seinem Dantekommentar und seinen mythologisch-histor. Schriften zu den italien. Frühhumanisten. Sein Hauptwerk, das »Decamerone« (entstanden 1348–53, gedruckt 1470), bereitete den Weg der Kurzerzählung nicht nur in Italien, sondern in allen westeurop. Literaturen, denen es zugleich ein unerschöpfl. Stoffreservoir wurde.

Quattrocento und *Cinquecento* (15. und 16. Jh.): Die philologische Wiederentdeckung der Antike prägte die geistesgeschichtliche Entwicklung des 15. Jh., den Humanismus. Der neuen Hochschätzung des klass. Lateins folgte die zunehmende Ablehnung der mittelalterl. Latinität sowie die Infragestellung der literar. Eignung der Volkssprache. Durch L. B. Alberti, der als Begründer eines volkssprachl. Humanismus gilt, gewann die Volkssprache, das Italienische, in der 2. Hälfte des 15. Jh. ihr früheres Ansehen zurück. Seit dem 15. Jh. entwickelten sich die italien. Städte zu kulturellen Zentren der Renaissance; die italien. Kultur wurde führend in Europa, damit erhielt auch die Lit. Vorbildfunktion. Dies gilt für die literaturtheoret. Diskussionen um die »Poetik« des Aristoteles ebenso wie

italienische Literatur: Carlo Goldoni, Ausschnitt eines Kupferstichs (um 1650)

für die historisch-staatspolit. Schriften N. Machiavellis und F. Guicciardinis, die burlesk-parodist. Verarbeitung der nordfrz. Epik bei L. Pulci, M. M. Boiardo, L. Ariosto und sogar T. Tasso, die Erneuerung der arkadischen Traditionen durch I. Sannazaro oder die Commedia dell'Arte. Auch die skurrile →makkaronische Dichtung wurde in anderen europ. Ländern nachgeahmt. Die Normierung der Literatursprache begann mit der Gründung der Accademia della Crusca (1582).

Seicento (17. Jh.): Die polit. und geistige Unterdrückung seit der 2. Hälfte des 16. Jh. hatte im lite-

italienische Literatur: Alessandro Manzoni, Titelblatt der 1840–42 erschienenen zweiten Auflage des Romans »I promessi sposi« (»Die Verlobten«)

rar. Schaffen zu Unsicherheit und Resignation geführt. So wurde die barocke Dichtung v.a. durch die mytholog. Welt des G. Marino bestimmt und den nach ihm ben. schwülstigen Stil seiner Nachahmer (Marinismus). Wiss. Prosa verfassten G. Galilei, G. Bruno und T. Campanella. Sehr umfangreich war die Mundartdichtung (G. Basile).

Settecento (18. Jh.): Um die Wende zum 18. Jh. brachte die 1690 in Rom gegr. Accademia dell'Arcadia eine Abmilderung und Wendung der barocken Formen ins Spielerische, zur Rokokolyrik, z.B. bei C. I. Frugoni und dem Dramatiker P. Metastasio. Neben wirkungsvollen Dichtungen wie den Komödien C. Goldonis, den Märchenspielen C. Gozzis, den klass. Tragödien V. Alfieris und den satirisch-didakt. Gedichten G. Parinis stand in diesem Jh. v.a. die wiss. Lit., die in Philosophie und Geschichtswiss. die Ideale der Aufklärung vertrat.

Ottocento (19. Jh.): Die Romantik in Italien war enger als in anderen europ. Ländern mit polit. Zielen verbunden (Kampf gegen die österr. Besetzung, nat. Befreiung Italiens) und von ihnen inspiriert. Ihren Beginn markierte ein Artikel Madame de Staëls 1816, der den Italienern nahe legt, fremde Literaturen durch Übersetzungen kennen zu lernen und pedant. Gelehrsamkeit, Mythologie und Rhetorik aus der Dichtung zu verbannen. Bedeutendstes Werk der italien. Romantik und wesentlich für die Weiterentwicklung der Gattung ist A. Manzonis histor. Roman »Die Verlobten« (1827); seinem Vorbild folgten u.a. T. Grossi und M. d'Azeglio. Der Lyriker G. Leopardi schuf von Weltschmerz beherrschte Dichtungen in klass. Formen. Eine 2. Generation romant. Dichter versuchte nach 1848 die Intentionen der ersten zu intensivieren, v.a. die Mailänder Gruppe Scapigliatura, die dazu Anregungen C. Baudelaires und der Dekadenzdichtung verarbeitete. Die Entwicklungen in der frz. Lit., v.a. der Einfluss des Positivismus, prägten die italien. auch gegen Ende des Jh.: G. Verga verarbeitete Elemente von Realismus (H. de Balzac) und Naturalismus (É. Zola) in seinen Gegenwartsromanen, die die typisch italien. Variante des Naturalismus, den Verismus, verkörpern.

Novecento (20. Jh.): G. D'Annunzio setzte der harten Sozialkritik des Verismus eine von F. Nietzsches Übermenschenideal geprägte ästhetizistisch-dekadente Lit. entgegen. Ideologisch geriet er dabei in die Nähe des Faschismus, ebenso wie F.-T. Marinetti, der mit dem →Futurismus eine den industriellen und sozialen Veränderungen des 20. Jh. adäquate Lit. schaffen wollte. Der Positivismus wurde in Philosophie und Literaturkritik durch B. Croce überwunden, der seine bed. Position im öffentl. Leben nutzte, um sich dem faschist. Staat entgegenzustellen. Die Lyrik reagierte auf den gesellschaftl. Umbruch mit dem Hermetismus, dessen Werke bewusst Vieldeutigkeit anstreben (G. Ungaretti, E. Montale, U. Saba, S. Quasimodo). In den Romanen des Triesters I. Svevo tauchten – wie gleichzeitig bei M. Proust und J. Joyce – Elemente der Psychoanalyse auf. An den Verismus anknüpfend, verarbeitete L. Pirandello in seinem dramat. und erzähler. Werk individuelle Erfahrungen mit psych. Grenzsituationen und deren psychoanalyt. und existenzielle Durchdringung.

Hatte schon vor dem 2. Weltkrieg A. Moravia mit sozialkrit. Romanen, v.a. »Die Gleichgültigen« (1929), den Auftakt zum Neorealismus gegeben, so setzte sich dieser nach Kriegsende v.a. mit der Gestaltung des antifaschist. Widerstandes und der sozialen Verhältnisse in Stadt und Land als relativ geschlossene literar. Richtung durch; auf diese Poetik sozialer Wirklichkeit, bes. vertreten durch E. Vittorini, C. Pavese, V. Pratolini, C. Levi, P. P. Pasolini und I. Silone, psychologisch thematisiert bei C. E. Gadda, folgten Introversion und Melancholie (z.B. bei G. Piovene) oder Experiment, Allegorie und Zerstörung vertrauter Romanstrukturen (z.B. bei D. Buzzati, I. Calvino). Lyrik und Drama (U. Betti, D. Fabbri) bewegen sich seither gleichfalls zw. diesen Polen. Einflussreich für die Erzähllit. war der

italienische Literatur: Umschlag zu Filippo-Tommaso Marinettis »Futuristischen Dichtungen« mit einem Titelporträt von Carlo Carrà

Alessandro Manzoni

Giovanni Verga

Alberto Moravia

Carlo Emilio Gadda

»Gruppo 63«, der frz. theoret. und prakt. Anregungen rezipierte. Er forderte von der Kunst, sich unabhängig von Normen zu entfalten, z.B. mit dem bewusst vollzogenen Abbau strukturierten Erzählens (E. Sanguineti). Die philosoph. Basis boten T.W. Adorno, W. Benjamin, G.W. Hegel, K. Marx

Pier Paolo Pasolini

Umberto Eco

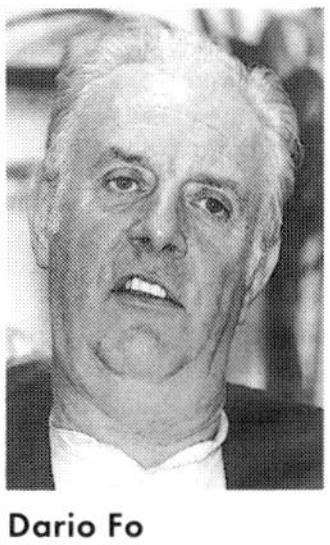

Dario Fo

Dacia Maraini

und Vertreter des Nouveau Roman. Im Zusammenhang mit der polit. und sozialen Situation der Zeit nimmt die Darstellung von Arbeiterschicksalen einen wichtigen Platz ein (N. Balestrini, C. Bernari, P. Volponi). Daneben tritt die Auseinandersetzung mit der faschist. Vergangenheit (G. Bassani, Primo Levi) sowie die Spiegelung der Gegenwart und ihre Kritik (P. V. Tondelli, A. De Carlo). Probleme Siziliens behandelte L. Sciascia. Die Tradition des histor. Romans, seit Manzoni weitergeführt u.a. von R. Bacchelli und G. Tomasi di Lampedusa, nahm U. Eco in den 80er-Jahren wieder auf und verschaffte mit virtuos gehandhabten semiot. Techniken und universaler Gelehrsamkeit der i. L. erneut Weltgeltung. Weitere wichtige Erzähler der Gegenwart sind u.a. A. Tabucchi, D. Del Guidice, F. Camon, S. Benni. Daneben hat sich in herausragender Weise die Literatur von Frauen entwickelt, deren Vertreterinnen (Rosetta Loy, Dacia Maraini, Fabrizia Ramondino, Susanna Tamaro, Paola Capriolo, Lara Cardella, Mariateresa Di Lascia u.a.) Formen emanzipator. Selbstverwirklichung vor histor., zeitgenöss. oder überzeitlich-ortlosem Hintergrund gestalten. Gegenüber dieser facettenreichen Erzählliteratur spielen Lyrik (vertreten u.a. durch G. Conte, M. De Angelis, A. Zanzotto, A. Cenni) und Drama (N. Balestrini, E. Sanguineti) eine geringere Rolle in der Literatur des zeitgenöss. Italien; innovativ wirkten die satirisch-burlesken Stücke D. Fos.

📖 FRIEDRICH, H.: *Epochen der italien. Lyrik. Frankfurt am Main 1964.* – ELWERT, W.-T.: *Die i. L. des Mittelalters. München 1980.* – WITTSCHIER, H. W.: *Die i. L. Einführung u. Studienführer. Tübingen ^{3}1985.* – PETRONIO, G.: *Geschichte der i. L., 3 Bde. A. d. Italien. 1992–93.* – *Italien. Literaturgeschichte, hg. v.* V. KAPP. *Stuttgart ^{2}1994.* – HÖSLE, J.: *Kleine Geschichte der i. L. München 1995.* – HARDT, M.: *Geschichte der i. L. von den Anfängen bis zur Gegenwart. Düsseldorf u. a. 1996.*

italienische Musik. Während von der alten italien. Volksmusik nur wenig überliefert ist, gibt es dagegen umfangreiche Zeugnisse liturg. Musik der röm. Kirche. Der für die Entstehung des abendländ. Musikschaffens bedeutsame gregorian. Gesang ging von Italien aus. Im 11. Jh. entstand aus der Neumenschrift die abendländ. Notenschrift (→ Guido von Arezzo). Im Trecento (etwa 1330 bis Anfang des 15. Jh.) entstanden die Gattungen Madrigal, Ballata (→ Ballade) und Caccia, mehrstimmige, weltl. Liedmusik. Im 15. Jh. und in der 1. Hälfte des 16. Jh. waren auch in der i. M. die »Niederländer« (Frankoflamen) bestimmend, z.B. G. Dufay, H. Isaac, A. Willaert, C. de Rore, Josquin Desprez, später O. di Lasso. Aus der päpstl. Kapelle in Rom, der fast alle diese Musiker angehört hatten, entstand im 16. Jh. eine röm. Schule. Im selben Jh. führte G. da Palestrina die mehrstimmige A-cappella-Musik zu ihrem klass. Höhepunkt. Unabhängig von der röm. Schule schufen in Oberitalien mit dem Zentrum Venedig u.a. A. Willaert, C. de Rore und ihre italien. Schüler wie A. und G. Gabrieli eine Musik, deren besondere Merkmale die Mehrchörigkeit, die Farbigkeit im Klang und die Verwendung von Instrumenten waren. Auch die Gattungen selbstständiger Instrumentalmusik wie Ricercare und Fantasia (→ Fantasie) entstanden in der venezian. Schule. In Venedig wirkte

italienische Musik: Claudio Monteverdi, Ausschnitt eines anonymen zeitgenössischen Gemäldes (Innsbruck, Tiroler Landesmuseum Ferdinandeum)

auch der bed. Theoretiker G. Zarlino. Das Madrigal, das die mehr volkstüml. Formen u.a. der Frottola und der Villanella abgelöst hatte, wurde bes. gepflegt und erlebte seine höchste Blüte in den Werken L. Marenzios, Don C. Gesualdos und des frühen C. Monteverdi. Ende des 16. Jh. entstand in Florenz, aus dem Bestreben, die antike Tragödie zu erneuern, die Oper mit einem neuen Gesangsstil, der Monodie, dem aus der Sprache abgeleiteten Sologesang mit harmon. Akkordbegleitung.

italienische Musik: Theaterzettel zur Uraufführung von Giuseppe Verdis Oper »Otello« aus dem Jahre 1887

Die ersten Vertreter sind J. Peri (»Dafne«, 1598) und G. Caccini. Monteverdi brachte die von Peri und Caccini begonnene Entwicklung der Oper zur Vollendung mit seiner vom Affektausdruck des Wortes getragenen theatral. Musik. Chorsätze und Liedformen drangen in die Oper ein; gegenüber dem Sprechgesang (Rezitativ) entstand die in sich geschlossene reine Gesangsform der generalbassbegleiteten Arie. Die Nachfolger Monteverdis waren F. Cavalli und M. A. Cesti. Allmählich eroberte die Oper ganz Italien und Europa.

Neben der Oper entstanden das geistl. Oratorium (E. de' Cavalieri, G. Carissimi) und das Concerto (zuerst vokal, dann instrumental). In der Instrumentalmusik wurde v. a. die Toccata entwickelt. G. Frescobaldi wurde zu einem Vorbild der Organisten in Europa. Das 18. Jh. brachte eine Weiterentwicklung der bestehenden musikal. Formen, so auch der neapolitan. Oper, deren Hauptmeister A. Scarlatti, F. Durante, N. Jomelli, N. Piccinni, G. B. Pergolesi, G. Paisiello, B. Galuppi, D. Cimarosa waren. Die durch P. Metastasio geprägte Opera seria rief eine Reaktion in Gestalt der Opera buffa hervor, die aus der Commedia dell'Arte und den in die Opera seria eingeschobenen kom. Intermezzi entstand. Eigentl. Schöpfer der Opera buffa war G. B. Pergolesi. Es folgten Meister wie Piccinni, Galuppi, Paisiello, Cimarosa. In der Instrumentalmusik wurden bes. Concerto grosso, Kirchen- und Kammersonate, Violinsonate und Violinkonzert gepflegt (A. Corelli, A. Vivaldi, G. Tartini). Hauptmeister der Klaviersonate war D. Scarlatti. Außerhalb Italiens wirkte bes. A. Salieri (Wien).

Antonio Vivaldi (Ausschnitt eines Kupferstichs, 1725)

Die italien. Oper behielt bis ins 19. Jh. hinein ihre bed. Stellung: G. Rossini, V. Bellini, G. Donizetti, G. Spontini. Die überragende Erscheinung in der 2. Hälfte des 19. Jh. war G. Verdi, der größte Dramatiker unter den italien. Opernkomponisten. Den musikal. Naturalismus (»Verismo«) vertraten P. Mascagni, R. Leoncavallo, G. Puccini.

Die Wandlungen der Musik seit dem Ende des 19. Jh. griffen auch auf die i. M. über und ließen die reine Instrumentalmusik wieder an Bedeutung gewinnen. O. Respighis Werke weisen impressionist. Züge und eine besondere Bildhaftigkeit auf. Eine Synthese zw. der Moderne und der i. M. der Vergangenheit erstrebten I. Pizzetti, F. Malipiero, A. Casella. An Bach und Liszt anknüpfend, suchte F. Busoni mit neuen Mitteln sein ästhet. Ideal der »Klassizität« zu verwirklichen. Um 1940 wandte sich L. Dallapiccola der Zwölftonmusik zu. Mit seriellen und elektron. Kompositionstechniken befasste sich in den 50er-Jahren B. Maderna. Internat. Anerkennung fanden v. a. L. Nono, L. Berio, S. Bussotti, F. Evangelisti, F. Donatoni, G. Manzoni und N. Castiglioni.

Luciano Berio

📖 Fischer, K. von: *Studien zur italien. Musik des Trecento u. frühen Quattrocento. Bern 1956.* – Einstein, A.: *The Italian madrigal, 3 Bde. Princeton, N. J., ²1971.* – *Zwischen Opera buffa u. Melodrama. Italien. Oper im 18. u. 19. Jh., hg. v.* J. Maehder *u.* J. Stenzl. *Frankfurt am Main u. a. 1994.*

italienische Musik: Bruno Maderna (links) und **Luigi Nono**

italienische Sprache, eine der →romanischen Sprachen. Sie ist in viele stark voneinander abweichender Mundarten gegliedert und hat in Italien rd. 55 Mio. Sprecher. Die italien. Schriftsprache hat sich im Wesentlichen aus der toskan. Mundart entwickelt. Außerhalb der Grenzen Italiens ist die i. S. eine der Amtssprachen der Schweiz; Amtssprache ist sie auch in San Marino und im Vatikanstaat. Italien. Mundarten werden im schweizer. Kanton Tessin und in den südl. Talschaften Graubündens gesprochen sowie auf Korsika, in Teilen Istriens, in Dalmatien, im Gebiet um Nizza und in Monaco. Die italien. Mundarten lassen sich in drei Großgruppen einteilen: 1. Die norditalien. Dialekte in Piemont, der Lombardei, in der Emilia-Romagna, in Ligurien (dem Französischen nahe stehende sog. galloitalien. Mundarten) und in Venetien; 2. die mittelitalien. Dialekte südlich einer Linie La Spezia–Rimini: das Toskanische (mit den kors. Dialekten) und das Umbrische; 3. die Mundarten S-Italiens südlich einer Linie Ancona–Rom.

Italienisch-Ostafrika (italien. Africa Orientale Italiana), das 1936–41 bestehende italien. Kolonialterritorium; umfasste →Äthiopien, →Eritrea und Italienisch-Somaliland (→Somalia).

Italiker, Gruppe indogerman. Völker, die gegen Ende des 2. Jt. v. Chr. wahrscheinlich aus Mitteleuropa in Italien einwanderte. Die I. waren zunächst Bauern und Hirten, hatten tempellose Heiligtümer und verehrten Totemtiere (Wolf, Stier).

italische Sprachen, eine Gruppe der →indogermanischen Sprachen, die im Altertum auf dem Apennin beheimatet war: 1) das Latinofaliskische, mit den Dialekten von Latium; die →lateinische Sprache, die Sprache Latiums, verdrängte mit der Ausbreitung der Herrschaft Roms alle anderen ital. Sprachen; 2) das Sabellische (auch oskisch-umbr. Gruppe gen.) mit den Mundarten der Samniten, der Osker, der Umbrer sowie kleinerer Stämme im mittleren Apennin, u. a. der Volsker. Das Oskische ist durch zahlr. kleinere Inschriften, u. a. aus Pompeji, bekannt, das Umbrische durch die →Iguvinischen Tafeln; 3) das »Ausonosikulische« im südl. Apenningebiet und O-Sizilien; 4) das Venetische in der östl. Poebene; andere Forscher sehen in ihm einen selbstständigen Zweig des Indogermanischen. Für die Grundsprache sind enge Beziehungen zum Keltischen anzunehmen.

Hirobumi Itō

Itami, japan. Stadt auf Honshū, nordwestlich von Ōsaka, 186 100 Ew.; elektrotechn. u. a. Ind.; internat. Flughafen von Ōsaka.

ITAR-TASS [ITAR, Abk. für **I**nformations-**T**elegrafen**a**gentur **R**usslands], russ. Nachrichtenagentur, Sitz: Moskau, gegr. 1904, seit 1925 als TASS internat. Agentur. 1991 wurden TASS, die »Russ. Informationsagentur« (RIA, gegr. 1990) sowie der Wirtschaftsdienst von »Nowosti« (gegr. 1961) unter jetzigem Namen zusammengeschlossen.

Itazismus *der, Sprache:* →Etazismus.

Itelmen, Volk mit paläoasiat. Sprache auf der Halbinsel Kamtschatka und in NO-Sibirien, Russland, etwa 2 500 Menschen; Fischfang, Jagd; Schamanismus, Bärenkult. Die durch Heirat in das russ. Volk integrierten I. heißen Kamtschadalen.

ITER [Abk. für engl. **I**nternational **T**hermonuclear **E**xperimental **R**eactor »internat. thermonuklearer Versuchsreaktor«], 1985 begonnene europäisch-amerikan.-japan.-russ. Gemeinschaftsprojekt auf dem Gebiet der kontrollierten Kernfusion. ITER soll demonstrieren, dass die wiss. und technolog. Voraussetzungen für die Energiegewinnung durch Kernfusion erfüllt werden können. ITER soll nach dem »Tokamak«-Prinzip (→Tokamak) arbeiten. Nach Vorstudien und Planungsphase (1992–96) soll ITER bis 2005 in Betrieb gehen.

Iteration [lat. »Wiederholung«] *die,* **1)** *Mathematik:* wiederholte Anwendung desselben Rechenverfahrens auf dabei gewonnene Zwischenwerte, um sich von einer Näherungslösung der exakten Lösung einer Gleichung anzunähern.

2) *Sprache:* Verdopplung einer Silbe oder eines Wortes oder einer Wortgruppe im Satz. (→Epanalepse)

Ith *der,* Höhenzug im nördl. Weserbergland, Ndsachs., im Lauensteiner Kopf 439 m ü. M.

Ithaka (ngrch. Ithaki), eine der Ion. Inseln vor der W-Küste Griechenlands, 96 km², rd. 3 100 Ew.; mit bis 806 m hohem Kalkgebirge, z. T. mit Macchie bewachsen; Hauptort ist I., mit Naturhafen. – Nach der »Odyssee« gilt I. als die Heimat des Odysseus; dagegen sah W. Dörpfeld die Insel Leukas als Homers I. an.

Itinerar [lat.] *das* (Itinerarium), ein nach Straßen geordnetes Reisebuch der röm. Zeit mit Angaben über Routen, Raststationen und Ortsentfernungen in röm. Meilen (1 röm. Meile = 1480 m) sowie Schifffahrtslinien; eine der bekanntesten röm. I.-Karten der antiken Topographie ist die »Peutingersche Tafel«.

Itō, Hirobumi, Fürst (seit 1907), japan. Staatsmann, *Chōshū (heute in der Präfektur Yamaguchi) 2. 9. 1841, †(ermordet) Harbin 26. 10. 1909; begründete das moderne japanische Staatswesen (Schöpfer der Verfassung von 1889); als MinPräs. (1885–88, 1892–96, 1898, 1900/01) und Präs. des Geheimen Staatsrats (wiederholt seit 1888) maßgeblich am Aufstieg Japans zur asiat. Großmacht beteiligt; 1906–09 Generalgouv. von Korea.

Itschang, chines. Stadt, →Yichang.

Itsukushima [-ʃi-], japan. Insel, →Miyajima.

ITT Corp. [aiti:ˈti: kɔ:pəˈreɪʃn, engl.], Abk. für **I**nternational **T**elephone & **T**elegraph Corp., bed. amerikan. Mischkonzern, gegr. 1920, Sitz: New York; tätig in den Bereichen Hotels, Dienstleistungen (ITT Corp.), Kfz-Teile, Elektronik (ITT Industries, Inc.) Versicherungen (ITT Hartford Group, Inc.).

Itten, Johannes, schweizer. Maler, Pädagoge, *Schwarzenegg (bei Thun) 11. 11. 1888, †Zürich 25. 3. 1967; lehrte 1919–23 am Bauhaus, wurde v. a. als Lehrer und Farbtheoretiker bekannt. Sein maler. Werk durchläuft die Stufen des Kubismus, Orphismus, Futurismus und der geometr. Abstraktion. Als Theoretiker entwickelte I. strukturelle Prinzipien der künstler. Gestaltung unter systemat. Einbeziehung der Farbe in ihrer spezifisch wahrnehmungspsycholog. Wertigkeit. Die Zwölftonmusik regte ihn zum Entwurf eines zwölfteiligen Ton- und Farbenkreises an.

Johannes Itten: Farbkugel, Farbdruck des 1921 in Weimar erschienenen Jahrbuchs »Utopia«

Itúrbide [-ðe], Agustín de, Kaiser von Mexiko, *Valladolid (heute Morelia) 27. 9. 1783, †Padilla (Tamaulipas) 19. 7. 1824, ließ sich 1822, gestützt auf Armee und Kirche, als Augustin I. zum Kaiser ausrufen; ein Aufstand unter der Führung von A. López de Santa Anna zwang I. 1823 zur Abdankung; bei der Rückkehr aus dem Exil erschossen.

Ituri *der,* Fluss in Afrika, →Aruwimi.

Itzehoe [-'ho:], Kreisstadt des Landkr. Steinburg, Schlesw.-Holst., an der Stör, 34300 Ew.; Inst. für Siliziumtechnologie; Verlage, Druckereien, Metall- u.a. Ind.; Hafen. – Barocke Laurentiuskirche, Prinzesshof (16.–18. Jh.). – Entstand vor einer um 1180 angelegten Burg, seit 1238 Stadtrecht.

Itzehoe Stadtwappen

IUCN [aɪju:si:'en, engl.], Abk. für **I**nternational **U**nion for **C**onservation of **N**ature and Natural Resources, →Internationale Union für Naturschutz.

IUE [aɪju:'i:; Abk. für engl. **I**nternational **U**ltraviolet **E**xplorer »internat. Forschungssatellit für Ultraviolett(strahlung)«], 1978 gestarteter Satellit zur Untersuchung der ultravioletten Strahlung von Sternen, Quasaren und Galaxien.

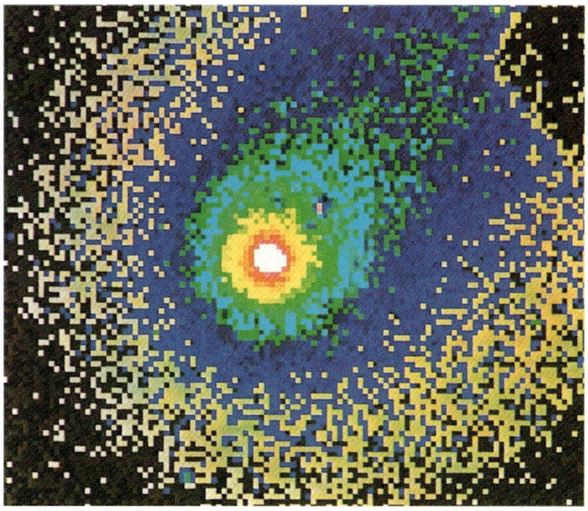

IUE: Ultraviolettaufnahme des Halley-Kometen; in der Bildmitte ist der von einer leuchtenden Hülle aus Staub und Gas (Koma) umgebene Kern zu erkennen

IUPAC, Abk. für →**I**nternational **U**nion of **P**ure and **A**pplied **C**hemistry.

IUPAP, Abk. für →**I**nternational **U**nion of **P**ure and **A**pplied **P**hysics.

Ius [lat. »Recht«] *das* (Jus), der römisch-rechtl. Ausdruck für →Recht, von der lat. Gelehrtensprache in vielen Zusammensetzungen in das dt. und kirchl. Recht übernommen: **Ius aequum,** billiges, auf Treu und Glauben beruhendes Recht; **Ius canonicum,** das Kirchenrecht; **Ius civile,** Zivilrecht; **Ius cogens,** zwingendes Recht, das eine abweichende Regelung durch Vereinbarung der Beteiligten nicht zulässt; **Ius dispositivum,** nachgiebiges Recht; **Ius divinum,** das göttl. Recht; **Ius gentium,** Völkerrecht; **Ius honorarium,** Amtsrecht; **Ius naturale,** Naturrecht; **Ius privatum,** Privatrecht; **Ius publicum,** öffentl. Recht.

Iustitia (Justitia), altröm. Göttin und Personifikation der Gerechtigkeit. Kennzeichen: Ölzweig, Zepter, Waage und Füllhorn; in neueren Darstellungen Waage und Schwert, oft auch verbundene Augen.

Iustitia et Pax [lat. »Gerechtigkeit und Friede«], 1967 gegr. päpstl. Studienkommission für die kirchl. Entwicklungshilfe.

Iuvara (Juvarra), Filippo, italien. Baumeister, *Messina 27. 3. 1678, †Madrid 31. 1. 1736; schulte sich zunächst bei spätbarocken Baumeistern in Rom, 1714 königl. Architekt in Turin; weite Reisen, u.a. nach Madrid und Lissabon. Planungen von additiven, leicht überschaubaren Grundrissen, mehrfach im Kern ein Zentralbau mit hoher Kuppel, großzügige Innenräume, betonte Schauseiten.

Iuventas (Juventas), altröm. Göttin der Jugend, später mit der grch. Göttin Hebe gleichgesetzt.

Iveco N.V., Kurzbez. für **I**ndustrial **Ve**hicles **Co**rporation, Produzent von Nutzfahrzeugen mit Produktionsstätten und Tochterges. in zahlr. westeurop. Staaten (u.a. Iveco Magirus AG, Ulm); Sitz: Amsterdam; entstanden 1975 durch Zusammenschluss der Nutzfahrzeugbereiche der Fiat SpA und der Klöckner-Humboldt-Deutz AG **(Magirus-Deutz AG);** 1986 erweitert um Iveco Ford Truck, Großbritannien, und Astra, Italien.

Charles E. Ives (Zeichnung)

Ives [aɪvz], Charles Edward, amerikan. Komponist, *Danbury (Conn.) 20. 10. 1874, †New York 19. 5. 1954. Seine Werke (4 Sinfonien, Violin- und Klaviersonaten, Chöre, Lieder u. a.) sind in ihrer Mischung aus Modernem (Atonalität, Polyrhythmik und Polymetrie) und Konventionellem von großer Originalität.

Ivory [ˈaɪvərɪ], James, amerikan. Filmregisseur, *Berkeley (Calif.) 7. 6. 1928; arbeitete ab 1963 in Indien; seit 1970 wieder in den USA; drehte u. a. »Zimmer mit Aussicht« (1986), »Maurice« (1987), »Wiedersehen in Howards End« (1992).

Ivrea, Stadt in Piemont, Prov. Turin, Italien, an der Dora Baltea, 25 100 Ew.; Bischofssitz; Büromaschinenind., Silberschmieden, Wachsfabrikation. – Reste eines Amphitheaters und der röm. Stadtmauer; das Castello (14. Jh.) ist eine die Stadtsilhouette bestimmende Höhenburg. Der Dom, urspr. ein frühchristl. Bau, wurde im 11. Jh. neu errichtet, Umbau im 18. Jh., Fassade 1854. – I., das röm. **Eporedia,** wurde Hauptort eines langobard. Herzogtum, dann einer karoling. Markgrafschaft; 1313 kam es an Savoyen.

Ivry-sur-Seine [ivrisyrˈsɛːn], Stadt im Dép. Val-de-Marne, Frankreich, Vorstadt von Paris, 53 600 Ew.; Elektrizitäts- und Wasserwerke für Paris; Metallverarbeitung, Fahrzeug-, pharmazeut. Ind., Herstellung von Fernseh- und Hörfunkgeräten; Flusshafen.

Iwan I. Danilowitsch, genannt Kalita, Fürst von Moskau und Großfürst von Wladimir

Ivy League [ˈaɪvɪ ˈliːg; engl. »Efeuliga«], Bez. für acht exklusive und angesehene Univ. im NO der USA, die gemeinsam organisierte sportl. Veranstaltungen durchführen; u. a. Harvard Yale University, Princeton University, Columbia University.

Iwaki, Hiroyuki, japan. Dirigent, *Tokio 6. 9. 1932; wurde 1969 ständiger Dirigent des Sinfonieorchesters des Japan. Rundfunks; übernahm daneben 1974 die Leitung des Melbourne Symphony Orchestra sowie 1988 die Musikdirektion des neugegr. Orchester-Ensembles von Kanazawa.

Iwan [pers.-arab.] *der* (veraltet: Liwan), im Orient ein hoher, meist überwölbter Raum, dessen eine Außenseite offen ist und einen großen Bogeneingang bildet. Der I. kommt an Bauten der Parther und Sassaniden vor (→Ktesiphon) und wurde von der islam. Baukunst übernommen.

Iwan IV. Wassiljewitsch, genannt Iwan der Schreckliche, Großfürst und Zar von Russland

Iwan, russ. Herrscher: **1) Iwan I. Danilowitsch,** gen. Kalita (»Geldbeutel«), Fürst von Moskau (seit 1325) und Großfürst von Wladimir (seit 1328), *1304 (?), †Moskau 31. 3. 1340; setzte im Kampf gegen Twer die Vorherrschaft Moskaus in NO-Russland durch; gliederte, z. T. durch Kauf, mehrere Teilfürstentümer seinem Herrschaftsbereich an (»Sammeln der russ. Erde«); verlegte den Sitz des Metropoliten »von ganz Russland« von Wladimir nach Moskau.

2) Iwan III. Wassiljewitsch, gen. I. der Große, Großfürst von Moskau (seit 1462), *Moskau 22. 1. 1440, †ebd. 27. 10. 1505; vollendete die Vereinigung der großruss. Gebiete unter Führung Moskaus und erreichte 1480 die formelle Beendigung der tatar. Oberherrschaft; ließ 1497 ein Gesetzbuch ausarbeiten.

3) Iwan IV. Wassiljewitsch, gen. I. der Schreckliche (russ. Grosny, eigtl. »der Gestrenge«), Großfürst (seit 1533) und erster russ. Zar (1547–84), *Kolomenskoje (heute zu Moskau) 25. 8. 1530, †Moskau 18. 3. 1584; stärkte durch Reformen in Verwaltung, Recht und Armee die Zentralgewalt. Mit der »Opritschnina«, einer 1565 von ihm geschaffenen militär. Truppe, bekämpfte er den russ. Hochadel (Bojaren); gleichzeitig förderte er den Kleinadel (Dworjane), den er zur staatstragenden Schicht machte. I. eroberte die Khanate Kasan (1552) und Astrachan (1556), leitete die russ. Expansionspolitik in Sibirien ein und führte 1558–82/83 einen erfolglosen Krieg um Livland. Er neigte zu Grausamkeit (brutale Strafgerichte) und maßlosem Jähzorn (erschlug 1581 seinen ältesten Sohn), war aber einer der gebildetsten Russen seiner Zeit.

📖 NEUMANN-HODITZ, R.: *I. der Schreckliche. Reinbek 1990.* – SKRYNNIKOV, R. G.: *I. der Schreckliche u. seine Zeit. A. d. Russ. München 1992.*

Ivrea: Das im 14. Jh. über den Resten einer Festung aus dem 10. Jh. für Graf Amadeus VI. von Savoyen erbaute Castello

Iwanenko, Dmitri Dmitrijewitsch, russ. Physiker, *Poltawa 29. 7. 1904, †Moskau 31. 12. 1994; entwickelte unabhängig von W. Heisenberg die Vorstellung eines aus Protonen und Neutronen aufgebauten Atomkerns.

Iwankowo-Stausee (Moskauer Meer), →Wolga.

Iwano-Frankowsk (ukrain. Iwano-Frankiwsk, bis 1962 Stanislaw), Hauptstadt des Gebiets I.-F., Ukraine, im nördl. Vorland der Waldkarpaten, 234 000 Ew.; medizin. Hochschule, Hochschule für

Erdöl und Erdgas; Maschinenbau, chem., Konsumgüterindustrie. – Gegr. 1662.

Iwanow, 1) Alexandr Andrejewitsch, russ. Maler, *Sankt Petersburg 28. 7. 1806, †ebd. 15. 7. 1858; lebte seit 1830 in Rom, wo er mit den Nazarenern in Verbindung stand; klassizistisch orientierte Darstellungen bibl. Sujets (Hauptwerk: Christus erscheint dem Volke, 1837–57, Moskau, Tretjakow-Galerie).

2) Wjatscheslaw Iwanowitsch, russ. Dichter und Altphilologe, *Moskau 28. 2. 1866, †Rom 16. 7. 1949; Theoretiker und Dichter der zweiten Generation der russ. Symbolisten; schrieb Gedichte, Essays und Tragödien mit mythologisch-symbol. und myst. Gehalt in neuklassizist. Form sowie literar. und kunstgeschichtl. Abhandlungen.

Iwanowo, 1) Dorf im Gebiet Rasgrad, N-Bulgarien, 20 km südlich von Russe; bekannt durch einen Felsenklösterkomplex. Die Höhlenkirche Johannes' des Täufers (gen. Zarkwata »die Kirche«) ist im frühen 13. Jh. zum ersten Mal urkundlich erwähnt. Die Wandmalereien (13. und 14. Jh.) im byzantin. Stil sind bed. Werke der höfischen bulgar. Monumentalmalerei. Die Felskirchen von I. wurden zum UNESCO-Weltkulturerbe erklärt.

2) (1871–1932 I.-Wosnessensk), Hauptstadt des Gebiets I., Russland, nordöstlich von Moskau, 478000 Ew.; Univ. u.a. Hochschulen; Baumwollverarbeitung, chem. Ind., Maschinenbau, Holz-, Nahrungsmittelind.; Flughafen.

Iwaszkiewicz [ivaʃˈkjɛivitʃ], Jarosław, poln. Schriftsteller, *Kalnik (Ukraine) 20. 2. 1894, †Stawiska (bei Warschau) 2. 3. 1980; Mitbegründer der Dichtergruppe »Skamander« (1920); 1945/46 und ab 1959 Präs. des Poln. Schriftstellerverbandes; schrieb bes. histor. und zeitgeschichtl. Romane (»Die roten Schilde«, 1934; »Ruhm und Ehre«, Trilogie, 1956–62) und Erzählungen (»Mutter Johanna von den Engeln«, 1946).

Iwein, Ritter aus der Tafelrunde des Königs →Artus.

IWF, Abk. für →**I**nternationaler **W**ährungs**f**onds.

Iwo, Stadt in S-Nigeria, 335200 Ew.; Yorubastadt; Webereien, Goldschmieden u.a. Handwerksbetriebe; in der Umgebung Kakaoanbau.

Iwrit (Iwrith) [hebr.] *das,* →hebräische Sprache.

Ixelles [ikˈsɛl] (niederländ. Elsene), belg. Stadt in der Region Brüssel, 72300 Ew.; got. Kirche (14. Jh.) einer 1201 gegr. Zisterzienserabtei.

Ixion, *grch. Mythos:* König der Lapithen, begehrte Hera; zur Strafe auf ein sich drehendes glühendes Rad gefesselt.

Izetbegović [-vitç], Alija, bosnisch-herzegowin. Politiker, *Bosanski Samać 8. 8. 1925; Rechtsanwalt, 1990 Gründer und Vors. der muslim. »Partei der Demokrat. Aktion« (SDA), seit Dez. 1990 Vors. des Staatspräsidiums von Bosnien und Herzegowina, seit Sept. 1996 Staatsoberhaupt.

Alexandr Iwanow: »Christus erscheint dem Volke«, Skizze zum Bild mit demselben Titel in der Moskauer Tretjakow-Galerie (1834; Sankt Petersburg, Russisches Museum)

İzmir [-ˈiz-] (früher Smyrna), Provinz-Hptst. in W-Anatolien, drittgrößte Stadt der Türkei, 2,32 Mio. Ew. (40% in Gecekondu-Siedlungen); Sitz eines kath. Erzbischofs, des NATO-Kommandos Landstreitkräfte Südosteuropa; zwei Univ., archäolog. Forschungsinstitut und Museum u.a. Museen; wichtigster türk. Hafen am Ägäischen Meer; internat. Messe; Stahlwerk, Fahrzeugmontage, chem., Teppich-, Textil-, Tabakind., Erdölraffinerie. – Reste der hellenistisch-röm. Agora. – Das grch. Smyrna, eine Gründung der Äolier (um 1000 v. Chr.), war auch unter röm. und byzantin. Herrschaft ein bed. Handelsplatz; um 1425 endgültig osmanisch; im grch.-türk. Krieg 1920–22 grch. besetzt (schon seit 1919) und größtenteils zerstört.

İzmit [-ˈiz-] (Kocaeli), Hauptstadt der türk. Prov. Kocaeli, am Golf von İ., am Marmarameer, 254800 Ew.; Erdölraffinerie, chem., Seiden- und Papierind., Schiffbau; Hafen. – İ. ist das alte **Nikomedia** in Bithynien.

İznik [-ˈiz-], Stadt in NW-Anatolien, Türkei, am İ.-See, 16000 Ew.; archäolog. Museum; Herstellung von Kacheln und Fliesen. – Gut erhaltene Stadtmauer aus hellenist. und röm. Zeit; Reste frühchristl. und byzantin. Kirchen; Moscheen (14. Jh.). – İ. ist das antike →Nikaia.

Iztaccíhuatl [istakˈsiu̯atl; aztek. »Weiße Frau«] (Ixtaccíhuatl), Vulkan im zentralen Hochland von Mexiko, in der Sierra Nevada der Cordillera Neovolcánica, südöstlich der Stadt Mexiko, 5286 m ü. M.; letzter Ausbruch 1868; drei kleine Gletscher.

Dmitri Iwanenko

Jarosław Iwaszkiewicz

Alija Izetbegović

j, J [jɔt, in Österreich je], **1)** Konsonant, der den stimmhaften, palatalen Reibelaut [j] bezeichnet (→Laut); der 10. Buchstabe des dt. Alphabets; im Französischen und Türkischen hat j den Lautwert [ʒ], im Englischen meist [dʒ], im Spanischen [x].

2) *Einheitenzeichen:* **J,** für →Joule.

3) *Formelzeichen:* **j,** für die imaginäre Einheit in der Elektrotechnik.

4) *Münzwesen:* **J,** Kennbuchstabe auf dt. Münzen für die Münzstätte Hamburg (seit 1873).

5) *Nationalitätenzeichen:* **J,** für Japan.

Druckschriftenvarianten des Buchstabens **J**

Jabal [dʒ-], arabisch für Berg, Gebirge; →Djebel.

Jabalpur [ˈdʒʌbalpʊə] (engl. Jubbulpore), Stadt im Bundesstaat Madhya Pradesh, Indien, im nördl. Dekhan, 740 000 Ew.; kath. Bischofssitz; zwei Univ., vielseitige Ind.; Garnisonstadt.

Jablonec nad Nisou [ˈjablɔnɛts ˈnadnjisɔu], Stadt in der Tschech. Rep., →Gablonz an der Neiße.

Jablonowygebirge, bewaldeter Gebirgszug in Transbaikalien, Russland, bis 1702 m ü. M.; von der Transsibir. Eisenbahn gequert.

Eberhard Jäckel

Jablunkapass (tschech. Jablunkovský průsmyk), Pass in den Westbeskiden, 550 m ü. M.; der von Straße und Eisenbahn überquerte J. verbindet das Waag- (Slowakei) mit dem Odertal (Tschech. Republik).

Jabotinski, Wladimir, zionistischer Politiker russ. Herkunft, *Odessa 17. 10. 1880, †Camp Betar (N. Y.) 3. 8. 1940; Journalist, forderte einen jüd. Staat in den Grenzen des bibl. Palästina (→Zionismus). Er schuf 1920 die →Haganah. 1925–36 war J. Präs. der Weltunion der Zionisten-Revisionisten, seit 1937 Führer der →Irgun Zwai Leumi.

Jacaranda [ʒa-; engl. aus Tupí] *die,* Gattung der Bignoniengewächse in den amerikan. Tropen. Der 15–20 m hohe **Palisanderbaum** (Jacaranda mimosifolia) mit doppelt gefiederten Blättern und blauen, glockenförmigen Blüten ist in Brasilien beheimatet und wird heute in den Tropen weltweit als Zierbaum gepflanzt.

Jacht [niederländ.] *die* (Yacht), urspr. schneller Handelssegler, heute Sport- und Freizeitschiff mit Deck (oberer Abschluss des Rumpfes) und Kajüte. Man unterscheidet Hochsee- und Binnen-J., nach Antrieb Motor-, Dampf- und Segel-J.; Letztere sind Segelboote mit Flossenkiel und Kajüte (in den internat. Wettsegelbestimmungen gelten alle Segelboote einschl. der Segelbretter als Segel-J.). Nach der Bauart des Unterwasserteils unterscheidet man die relativ breite **Schwert-J.** (mit ein oder mehreren klapp- oder steckbaren Holz- oder Metallplatten, sog. Schwertern) und **Kiel-J.** (**Hochsee-J.,** mit einem nach unten ragenden, mit Ballast versehenen Flossenkiel). **Kielschwert-J.** nehmen eine Mittelstellung zw. Kiel- und Schwert-J. ein (Flossenkiel mit geringerem Tiefgang, Ballast und Schwert).

Jáchymov [ˈjaːximɔf] (dt. Sankt Joachimsthal), Stadt im Westböhm. Gebiet, Tschech. Rep., 635–750 m ü. M., im Erzgebirge, nahe der Grenze zu Dtl. (Grenzübergang Oberwiesenthal), rd. 3 000 Ew.; Heilbad mit radioaktiven Quellen; Heimatmuseum; Seilbahn auf den Keilberg (1244 m ü. M.). Das Gebiet um J. wurde nach 1945 zum Mittelpunkt des tschech. Uranerzbergbaus (jetzt aufgegeben). – Der Ort wurde 1516 gegründet und 1520 Bergstadt; im 16. Jh. Zentrum des böhm. Silberbergbaus. Die in riesigen Stückzahlen hier geprägten silbernen Guldengroschen (→Joachimstaler) waren für den Taler namengebend.

Jacke [von altfrz. jacque »Waffenrock«], im 15. Jh. als Bez. für Wams und für Schecke belegt; das Wort bürgerte sich allmählich für den vorn geknöpften Überrock des Bürgers ein; schließlich wurde es Bez. für ein hüftlanges, langärmliges Teil der Oberbekleidung (als Teil des Anzugs **Jackett** oder **Sakko**).

Jäckel, Eberhard, Historiker, *Wesermünde (heute Bremerhaven) 29. 6. 1929; wurde 1967 Prof. in Stuttgart; forscht v. a. zur nat.-soz. Herrschaft in Dtl. und zur dt. Frage: u. a. »Hitlers Weltanschauung« (1969, erweitert 1981), »Hitlers Herrschaft – Vollzug einer Weltanschauung« (1986), »Der Tod ist ein Meister aus Dtl.« (1990, mit L. Rosh).

Jacketkrone ['dʒækɪt-, engl.], →Zahnkronenersatz.

Jackett [ʒa'kɛt, frz.] *das,* Teil des Herrenanzugs; →Jacke.

Jackpot ['dʒæk-, engl.] *der,* **1)** *Poker:* Einsatz, der in eine gemeinsame Kasse kommt.

2) *Toto, Lotto:* bes. hoher Gewinn nach Spielen ohne Gewinner im ersten Rang.

Jacht: Hochseejacht

Jackson ['dʒæksn], Hptst. des Staates Mississippi, USA, 196600 Ew.; Colleges, Museen; bed. Baumwollmarkt; in der Umgebung Erdgas- und Erdölfelder; petrochem., Textil-, Holz-, Glasindustrie. – J. wurde 1822 als Hptst. gegründet.

Jackson ['dʒæksn], **1)** Andrew, 7. Präs. der USA (1829–37), *Waxhaw Settlement (S. C.) 15. 3. 1767, †The Hermitage (bei Nashville, Tenn.) 8. 6. 1845. In Kämpfen 1814 gegen die Indianer (1814) und durch seinen Sieg über die Briten bei New Orleans 1815 erlangte J. nat. Ruhm (Beiname »Old Hickory«), der durch kühne Unternehmungen gegen das span. Florida (Unterwerfung der Seminolen, Besetzung von Pensacola 1817/18) noch gesteigert wurde. Als Präs. betrieb J. eine gemäßigt liberale und antimonopolist. Politik; partikularist. Bestrebungen der Südstaaten (→Nullifikation) trat er 1832 entschieden entgegen. Weder sein Regierungsstil (Einführung des →Spoils-System) noch die von ihm betriebene harte Indianerpolitik schadeten seinem Ansehen als demokrat. Führer.

2) Janet, amerikan. Popsängerin, *Gary (Ind.) 16. 5. 1966, Schwester von 4); bed. Popstar in den USA; auch Schauspielerin in Fernsehserien.

3) Mahalia, amerikan. Sängerin, *New Orleans (La.) 26. 10. 1911, †Chicago (Ill.) 27. 1. 1972; trat bes. mit Negrospirituals und Gospelsongs hervor.

Mahalia Jackson

4) Michael, amerikan. Popsänger, *Gary (Ind.) 29. 8. 1958, Bruder von 2); unternahm als singender und tanzender Kinderstar zus. mit seinen Geschwistern (»The Jackson Five«) Tourneen durch die USA. Als Solist erzielte er mit LPs Umsatzrekorde; der Film »Moonwalker« (1989) dokumentiert seine Karriere.

Michael Jackson

5) Milt (Milton), amerikan. Jazzmusiker (Vibraphonist), *Detroit (Mich.) 1. 1. 1923; gehörte seit 1953 dem »Modern Jazz Quartet« an; gilt als der führende Vertreter seines Instruments im Modernjazz.

Milt Jackson

6) Robert Houghwout, amerikan. Bundesrichter, *Spring Creek (Pa.) 13. 2. 1892, †Washington (D. C.) 9. 10. 1954; war 1940/41 Justizmin. und seit 1941 Richter am Supreme Court; 1945/46 Hauptankläger der USA in den Nürnberger Prozessen.

7) Thomas Jonathan, gen. Stonewall, amerikan. General, *Clarksburg (Va.) 21. 1. 1824, †Guiney's Station (Va.) 10. 5. 1863; im Sezessionskrieg (1861–65) nach R. E. Lee der bedeutendste General der Südstaaten.

Jacksonville ['dʒæksnvɪl], Hafenstadt am Saint John's River in NO-Florida, USA, 676700 Ew.; Univ., Kunstmuseen, -galerie; Holzind., Schiffbau, Konservenherstellung; Fremdenverkehr; Marinestützpunkt.

Jacob, 1) [ʒa'kɔb], François, frz. Genetiker, *Nancy 17. 6. 1920; erhielt 1965 mit A. Lwoff und J. Monod für die Entdeckung von Regulatorgenen bei der Enzym- und Virussynthese den Nobelpreis für Physiologie oder Medizin.

2) Heinrich Eduard, Schriftsteller, *Berlin 7. 10. 1889, †Salzburg 25. 10. 1967; Journalist, schrieb Lyrik, Romane, Novellen, Dramen, kulturhistor. Sachbücher (»6000 Jahre Brot«, 1944) und Musikerbiographien (»Joseph Haydn«, 1950).

3) [ʒa'kɔb], Max, frz. Dichter und Maler, *Quimper 11. 7. 1876, †KZ Drancy (bei Paris) 5. 3. 1944; trat 1915 vom jüd. zum kath. Glauben über und lebte ab 1921 im Kloster Saint-Benoît-sur-Loire; gehörte mit G. Apollinaire, B. Cendrars u. a. zur Gruppe jener Dichter, die die Verschmelzung von Vers und Prosa anstrebten und das Bild zum wichtigsten poet. Element erklärten. J. war Wegbereiter des Surrealismus (»Le cornet à dés«, Prosaged., 1917, 2 Tle. hg. 1955, dt. Ausw. u. d. T. »Der Würfelbecher«).

Max Jacob

Carl Gustav Jacobi: Lithographie (um 1840)

Friedrich Heinrich Jacobi (zeitgenössischer Kupferstich)

Moritz von Jacobi (Holzstich um 1865)

Jacobi, 1) Carl Gustav Jacob, Mathematiker, *Potsdam 10. 12. 1804, †Berlin 18. 2. 1851, Bruder von 5); entwickelte die Theorie der ellipt. Funktionen, arbeitete über Differenzialgleichungen, Variationsrechnung, analyt. Mechanik und Himmelsmechanik; wichtige Beiträge zur Zahlentheorie.

2) Friedrich Heinrich, Schriftsteller und Philosoph, *Düsseldorf 25. 1. 1743, †München 10. 3. 1819, Bruder von 3); 1807–12 Präs. der Bayer. Akademie der Wiss.; schrieb, in Auseinandersetzung mit dem Geniekult des jungen Goethe, die Briefromane »Aus Eduard Allwills Papieren« (1775/76, vollständig 1781) und »Woldemar« (1779); vertrat als Philosoph eine der Aufklärung entgegenwirkende Gefühls- und Glaubensphilosophie.

3) Johann Georg, Dichter, *Düsseldorf 2. 9. 1740, †Freiburg im Breisgau 4. 1. 1814, Bruder von 2); gab 1774–76 die Ztschr. »Iris« heraus; schrieb anmutig-spieler. Lyrik unter dem Einfluss engl. und frz. Vorbilder im Stil der Anakreontik.

4) Lotte, eigtl. Johanna Alexandra J., amerikan. Fotografin dt. Herkunft, *Thorn 17. 8. 1896, †Havenwood (N. H.) 6. 5. 1990; arbeitete nach ihrer Ausbildung in München (1925–27) in Berlin; emigrierte 1935 in die USA, wo sie ein Atelier in New York eröffnete; schuf Porträtaufnahmen bedeutender Persönlichkeiten des öffentlichen Lebens, auch Landschaftsaufnahmen und Photogramme (»photogenics«).

5) Moritz Hermann von (seit 1842), Physiker, *Potsdam 21. 9. 1801, †Sankt Petersburg 10. 3. 1874, Bruder von 1); entwickelte die Galvanoplastik, benutzte ab 1834 Elektromotoren zum Antrieb von Fahrzeugen; förderte die Einführung des metr. Einheitensystems.

Carl Gustav Jacob Jacobi

15

Seine Freunde hatten ihm mehrfach vorausgesagt, er würde an »Überarbeitung« zugrunde gehen. Er pflegte dann zu erwidern:

»Gewiss habe ich zuweilen meine Gesundheit in Gefahr gebracht, aber was ist schon dabei? Nur Kohlköpfe haben keine Nerven, keinen Kummer. Und was haben sie schon von ihrem absoluten Wohlbefinden?« – Jacobi starb tatsächlich sehr früh: mit 46 Jahren an den Pocken.

Jacobsen, 1) Arne, dän. Architekt und Designer, *Kopenhagen 11. 2. 1902, †ebd. 24. 3. 1971; gelangte, beeinflusst von Le Corbusier, L. Mies van der Rohe und G. Asplund, zum Funktionalismus; schuf Bauten von klarer Form, ausgewogener Gliederung und sorgfältiger Innenraumgestaltung; entwarf auch Möbel, Textilien und Bestecke.

2) Jens Peter, dän. Dichter, *Thisted 7. 4. 1847, †ebd. 30. 4. 1885; studierte Botanik und war ein Anhänger Darwins; bereiste 1873 Italien, wo er unheilbar an Tuberkulose erkrankte. J. entwickelte seit seiner Novelle »Mogens« (1872) einen feinfühligen Impressionismus, so in den Romanen »Frau Marie Grubbe« (1876) und »Niels Lyhne« (1880); schrieb auch Gedichte und Novellen.

Lotte Jacobi: Lotte Lenya (1930)

Jacobsohn, Siegfried, Publizist, *Berlin 28. 1. 1881, †ebd. 3. 12. 1926; gründete 1905 die Theaterzeitschrift »Die Schaubühne« (seit 1918 »Die →Weltbühne«).

Jacobs Suchard AG [-syˈʃaːr-], schweizer. Nahrungs- und Genussmittelkonzern, Sitz: Zürich; gegr. 1826; 1990 von Philip Morris Inc. übernommen.

Jacobus de Benedictis, →Iacopone da Todi.

Jacobus de Voragine [-voˈraːdʒine; nach dem Geburtsort], mlat. Schriftsteller, *Viraggio (heute Varazze, bei Savona) 1228 oder 1229, †Genua 13. oder 14. 7. 1298; seit 1292 Erzbischof von Genua; Verfasser der Legendensammlung »Legenda sanctorum« (→Legenda aurea).

Jacoby, Günther, Philosoph, *Königsberg (Pr) 21. 4. 1881, †Greifswald 4. 1. 1969; begründete neben N. Hartmann eine die Relativitätstheorie A. Einsteins einbeziehende Ontologie (»Allg. Ontologie der Wirklichkeit«, 2 Bde., 1925/55) in Gegenbewegung zum Neukantianismus.

Jacotot [ʒakɔ'to], Jean Joseph, frz. Pädagoge, *Dijon 4. 3. 1770, †Paris 30. 7. 1840; entwickelte eine international beachtete Lehrmethode für den Sprachunterricht, die er auch auf andere Fächer ausdehnte. Ausgehend von einer gründl. Aneignung eines Texts bzw. eines Lernstoffs schloss er durch assoziative Verknüpfung neue Unterrichtsgegenstände an. Sein Leseunterricht ist als Vorläufer der Ganzheitsmethode anzusehen.

Jacquardgewebe [ʒa'kaːr-, frz.], Sammelbez. für figürlich gemusterte Webware in großen →Rapporten (z.B. Bett- und Tischwäsche, Brokate, Damaste), die auf der von J. M. Jacquard (*1752, †1834) 1805 erfundenen **Jacquardmaschine** hergestellt werden. Diese besteht v.a. aus Platinen, die mit Harnischfäden (→Harnisch) verbunden sind, Einlesenadeln, einer Lochkarte (Jacquardkarte; oder einem elektron. Datenträger) und einem Messersystem. Mithilfe der Lochkarte, in dem das Gewebemuster gespeichert ist, werden die Einlesenadeln und damit die Platinen so individuell gesteuert, dass durch die oszillierende Bewegung des Messersystems die in den Harnischlitzen eingefädelten Kettfäden mustergerecht in das Ober- und Unterfach (→Fach) gebracht werden.

Jacquemart de Hesdin [ʒak'maːr də e'dɛ̃], frz. Miniaturmaler, →Hesdin, Jacquemart de.

Jacques [ʒak], Norbert, Schriftsteller, *Luxemburg 6. 6. 1880, †Koblenz 15. 5. 1954; schrieb Reisebücher und Abenteuerromane (u.a. »Dr. Mabuse, der Spieler«, 1921; 1922 verfilmt von F. Lang).

Jade [frz. von span. (piedra de la) ijada »Kolikstein«] *der,* auch *die,* zusammenfassende Bez. für die fein verfilzten, dichten Aggregate der zu den Pyroxenen zählenden Minerale Jadeit, Chloromelanit (dem Jadeit ähnlich, dunkelgrün) und →Nephrit, Schmucksteine von grünl. Farbe. – J. wurde wegen seiner Härte, seiner verhaltenen Farben und seines reinen Klanges in China schon im

Jade: Chinesische Schale (um 1690; Lissabon, Museu Calouste Gulbenkian)

2. Jt. v.Chr. sehr geschätzt, zu dekorativen und rituellen Gegenständen verarbeitet, später zunehmend zu profanem Gerät (Kleiderschmuck, Gefäße u.a.). Auch in den mesoamerikan. Kulturen galt J. seit frühester Zeit (La-Venta-Kultur) als bes. kostbares Material zur Herstellung von Kultgegenständen. In der europ. Jungsteinzeit wurden Nephrit und Jadeit zu Beilen verarbeitet.

Jade *die,* Küstenfluss in Ndsachs., 22 km lang, Abfluss des Vareler Hochmoors, mündet in den 190 km^2 großen **Jadebusen,** eine durch Meereseinbrüche während starker Sturmfluten im MA. entstandene Bucht der Nordsee.

Jadeit *der,* zu den →Pyroxenen gehörendes weißl. bis grünes, undurchsichtiges monoklines Mineral der chemischen Zusammensetzung $NaAl[Si_2O_6]$.

Jadeit (geschnitten und geschliffen)

Jadida [dʒ-] (El-J., Al-Djadida), Provinz-Hptst. an der W-Küste Marokkos, 81 500 Ew.; Seebad; Fischverarbeitung, Fischereihafen; Flughafen. 15 km südlich liegt der neue Hafen →Jorf Lasfar. – Ummauerte und von vier mächtigen Eckbastionen geschützte Altstadt. – 1502 als portugies. Fort angelegt; seit 1506 Festungsstadt **Mazagão;** wurde 1580 spanisch **(Mazagan).**

Jade

Beschreibung der Jade gemäß dem ältesten chinesischen Wörterbuch »Shuo-wen jie-zi« aus dem 2. Jahrhundert n. Chr.:

»Jade ist Schönheit in Stein mit fünf Tugenden: Ihr warmer Glanz steht für Menschlichkeit, ihre makellose Reinheit für sittliche Lauterkeit, ihr angenehmer Klang für Weisheit, ihre Härte für Gerechtigkeit und ihre Beständigkeit für Ausdauer und Tapferkeit.«

Jaeger ['jɛː-], **1)** Henry, eigtl. Karl-Heinz J., Schriftsteller, *Frankfurt am Main 29. 6. 1927; war Anführer einer Gangsterbande, wurde 1955 verhaftet und 1956 zu 12 Jahren Zuchthaus verurteilt, 1963 vorzeitig entlassen; schreibt gesellschaftskrit. Zeitromane: »Die Festung« (1962), »Jakob auf der Leiter« (1973), »Ein Mann für eine Stunde« (1979), »Amoklauf« (1982), »Kein Erbarmen mit den Männern« (1986).

2) Werner, klass. Philologe, *Lobberich (heute zu Nettetal) 30. 7. 1888, †Boston (Mass.) 19. 10. 1961; seit 1939 Prof. an der Harvard University; Textausgaben sowie Forschungen zur grch. Philosophie, Patristik und Geistesgeschichte (»Paideia«, 3 Bde., 1934–47; »Die Theologie der frühen grch. Denker«, engl. 1947; dt. 1953).

Jaeggi ['jɛgi], Urs, schweizer. Soziologe und Schriftsteller, *Solothurn 23. 6. 1931; 1966–72 Prof. in Bochum, danach in Berlin; veröffentlichte Arbeiten über Strukturprobleme der Industriegesellschaft (Hg. »Sozialstruktur und polit. Systeme«, 1976). Seine Romane »Brandeis« (1978) und »Grundrisse« (1981) sind kritisch-satir. Auseinandersetzungen mit konservativ-restaurativen Tendenzen in Dtl.; wie diese enthält auch der Roman

Urs Jaeggi

Jagd: Frans Snyders, »Stillleben mit Geflügel und Wildbret« (1614; Köln, Wallraf-Richartz-Museum)

»Soulthorn« (1990) autobiograph. und dokumentar. Material.

Jaén [xa'en], **1)** Provinz in Andalusien, Spanien, 13 496 km^2, (1991) 637 600 Einwohner.

2) Hptst. von 1), südlich des Guadalquivir, 109 300 Ew.; Univ.kolleg, Museen; keram., Aluminium-, Nahrungs- und Genussmittelind., Metallverarbeitung. – Die unterhalb von einer mächtigen maur. Burganlage liegende Stadt hat einen maur. Grundriss. Die Kathedrale gehört zu den bedeutendsten Renaissancebauten Spaniens (16., 18./19. Jh.); zahlr. Kirchen im Mudéjarstil, maur. Bäder. – J. war bis 1246 Hptst. einer arab. Herrschaft.

Jạffa (grch. Joppe, hebr. Yafo), seit 1949 Teil der israel. Doppelstadt →Tel Aviv-Jaffa, am Mittelmeer. – Die ältesten Siedlungsreste stammen aus dem 5. Jt. v. Chr. Nach dem A. T. (Jos. 19, 46) gehörte J. den Philistern und Kanaanäern; 144 v. Chr. kam es an die Juden und 63 v. Chr. unter röm. Oberhoheit. Der (im Altertum bed.) Hafen ist einer der ältesten der Erde.

Jagdfasan: Männchen (Größe bis 97 cm)

Jaffna ['dʒæfnə], Stadt auf der gleichnamigen Halbinsel im N Ceylons, Sri Lanka, 129 000 Ew.; Hauptort der tamil. Bev.; Univ., zahlr. Hindutempel; bewässerte Gartenbaukulturen.

Jagd (Weidwerk), Aufsuchen, Nachstellen, Erlegen, Fangen jagdbarer Tiere durch Jagdausübungsberechtigte. Heute gelten im Allg. die Regeln des →Jagdrechts und des J.-Gebrauchs (Weidgerechtigkeit). Wesentl. Teil des J.-Rechts ist die Hege. Nach altem Herkommen werden hohe und niedere J. unterschieden. Zum Hochwild gehören Schalenwild (außer Rehwild), Auerwild, Stein- und Seeadler; alle anderen Wildarten sind Niederwild. Jagdbar sind die im J.-Gesetz so bezeichneten frei lebenden Tiere. – J.-Arten sind die »Suche« (auf Hasen, Federwild und Kaninchen), das »Pirschen« auf Schalenwild, der »Ansitz« und der »Anstand«, die »Treib-J.« (Kessel-J., Drück- und Riegel-J.), die »Fang-J.« (von Raubwild), das »Graben« (von Dachs und Fuchs), das »Frettieren« (von Kaninchen), die »Beize« (mit Falken, Adlern, Habichten und Sperbern) und die »Hütten-J.«. – Die J.-Ausübung unterliegt aus Gründen des Wildschutzes und der Weidgerechtigkeit vielfachen Beschränkungen. So ist die Verwendung bestimmter automat. Waffen, künstl. Lichtquellen, von Schlingen, Giften, die Veranstaltung von Hetz-J. u. a. untersagt. Die J. darf nur während der J.-Zeiten ausgeübt werden, die durch VO vom 2. 4. 1977 generell, durch Bestimmungen der Länder in Einzelfällen festgelegt sind.

Geschichte: Das Jagen von Wildtieren bildete zus. mit dem Sammeln von Samen, Früchten, Wurzeln u. a. Pflanzenteilen sowie von Larven und Insekten während der frühen Menschheitsgeschichte die Grundlage der menschl. Ernährung. Anfangs benutzten die Menschen zur J. hölzerne, knöcherne oder steinerne Gegenstände, die von Natur aus scharf oder spitz waren, später stellten sie speziell für die J. geeignete Waffen und Werkzeuge selbst her. Sie erlegten sogar Großwild, wobei sie Holzlanzen oder -speere, später Speerschleudern und seit Ende der Altsteinzeit Bogenwaffen verwendeten. Durch die Ausbildung von Ackerbau und Viehhaltung verlor die J. ihre lebenserhaltende Bedeutung.

Kunst: Steinzeitl. Darstellungen von J.-Szenen finden sich bes. in Höhlen und an durch Überhänge geschützen Felswänden (→Felsbilder). In der Kunst des Alten Orients war die J. ein wesentl. Thema; bes. die J. auf Großkatzen galt offenbar als angemessene Unterhaltung und Vorrecht der Herrscher; schon aus der Zeit um 3000 v. Chr. sind Darstellungen erhalten. Bes. großartige Gestaltungen der J.-Tiere finden sich dann auf Reliefs und Rollsiegeln der assyr. Kunst. In der griech. Vasenmalerei war die J. mytholog. Gestalten wie Artemis oder Herakles beliebt. Auch von den Etruskern sind J.-Szenen überliefert (Vogel-J. aus dem 6. Jh. v. Chr.). J.-Reliefs auf röm. Sarkophagen zeigen häufig die Löwen-J. als Lebenssymbol. Vom MA. an finden sich viele Darstellungen der Treib-, Hetz- und Beiz-J. Gegenüber den realitätsbezogenen J.-Bildern des 16. Jh.

(R. Savery, P. Bruegel d. Ä.) können Darstellungen des 17. Jh., bes. des P. P. Rubens, reine Fantasieschöpfungen sein. P. Wouwerman schilderte die J.-Gesellschaft. F. Snyders, J. Fyt, J. Weenix pflegten bes. J.-Stücke mit dekorativ drapiertem Wildbret. Unter den Deutschen ragte J. E. Ridinger mit Stichen hervor. Für das 19. Jh. sind L. F. von Rayski, G. Courbet, W. Leibl zu nennen. In seinen J.-Stücken nahm E. Delacroix die Thematik der Raubtier-J. von Rubens wieder auf.

📖 *Quellen u. Studien zur Geschichte der J., hg. v.* K. LINDNER, *11 Bde. Berlin 1954–67.* – FREVERT, W.: *Das jagdl. Brauchtum, bearb. v.* F. TÜRCKE. *Hamburg* [12]*1995.*

Jagdbezirk, dasjenige Gebiet, in dem die Jagd ausgeübt werden darf (→Jagdrecht).

Jagdbomber, Abk. **Jabo** (engl. Strikefighter), Flugzeug, das durch entsprechende Bewaffnung (Bomben, Luft-Boden-Raketen) zur Luftunterstützung des Feldheeres als Bomber dient und z. T. nach Abwurf der Bomben zur Bekämpfung gegner. Flugzeuge als Jagdflugzeug einsetzbar ist.

Jagdfasan (Edelfasan, Phasianus colchicus), urspr. in Asien beheimatete Fasanenart, bis 97 cm

Jagd- und Schonzeiten in Deutschland
(nach der Verordnung des Bundesministers für Ernährung, Landwirtschaft und Forsten vom 2. 4. 1977)

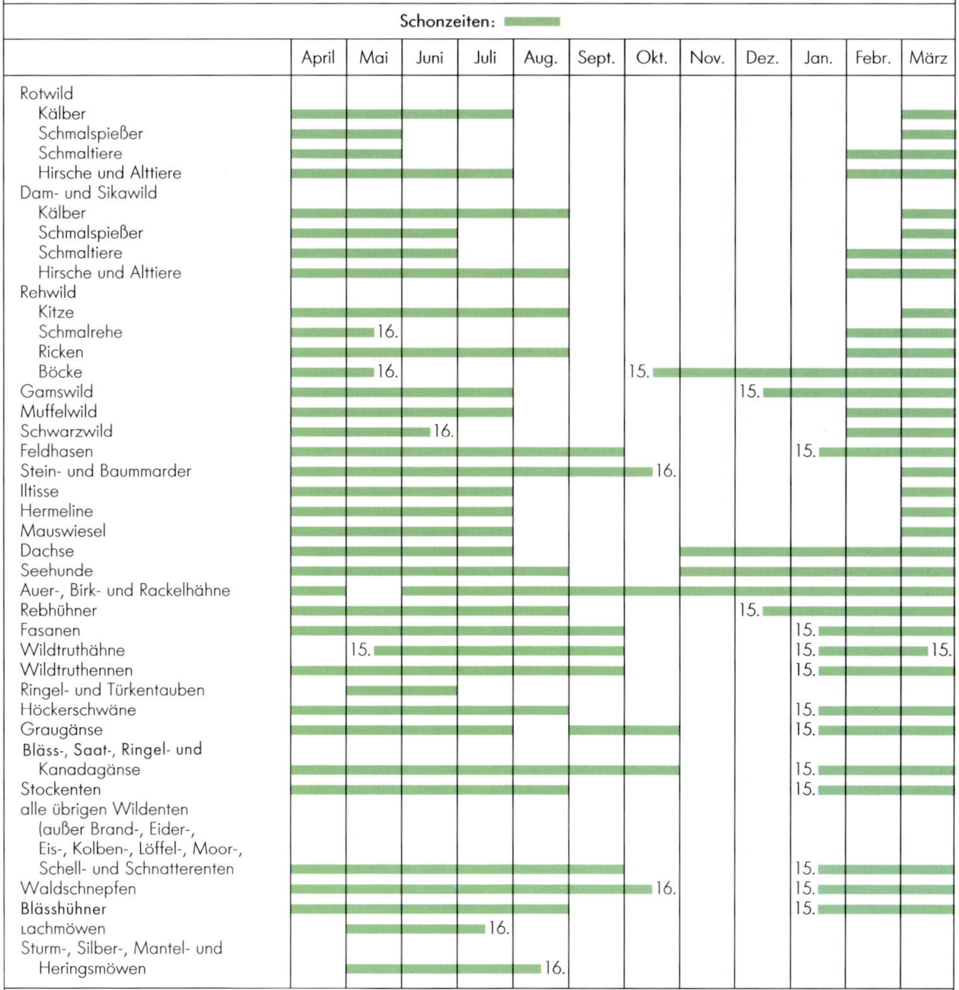

Jagdbare Tiere, für die eine Jagdzeit nicht festgesetzt ist, sind während des ganzen Jahres mit der Jagd zu verschonen. In den Bundesländern gelten darüber hinaus Verordnungen, die die bundeseinheitlichen Jagdzeiten teilweise erheblich einengen. Ganzjährig dürfen beim Schwarzwild Frischlinge und Überläufer, Wildkaninchen und Füchse bejagt werden. Während der Setzzeit sind die zur Aufzucht der Jungen notwendigen Elterntiere von der Jagd zu verschonen.

lang, Gefieder beim Männchen metallisch schillernd, beim Weibchen rebhuhnbraun.

Jagdflugzeug (Jäger, engl. Fighter), schnelles, wendiges, ein- bis zweisitziges, allwettertaugl. Kampfflugzeug zur Bekämpfung gegner. Flugzeuge oder Marschflugkörper mit Maschinenwaffen und Luft-Luft-Raketen.

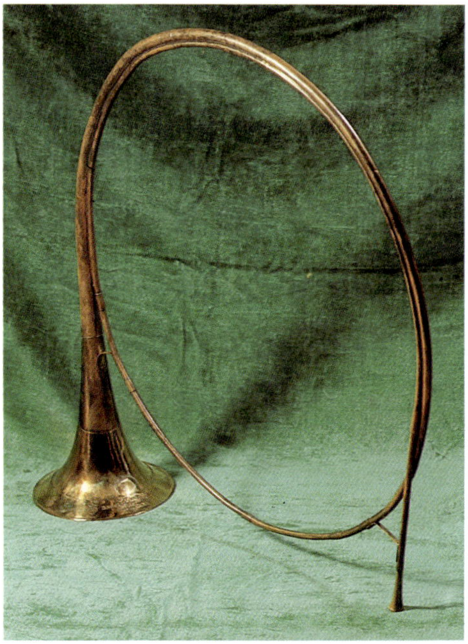

Jagdhorn: Parforcehorn des deutschen Hornbauers Johannes Leichamschneider (1710; Wien, Sammlung der Gesellschaft der Musikfreunde)

Jagdgenossenschaft, → Jagdrecht.

Jagdgewehr, zum Erlegen jagdbarer Tiere bestimmte Handfeuerwaffe; für Kleinwild mit Schrotschuss aus **Flinten** mit glattem Lauf (einläufigen, meist aber zweiläufigen oder Doppelflinten). Für die Jagd auf Schalenwild verwendet man **Kugelgewehre** (**Büchsen;** gezogene Gewehre), und unterscheidet einläufige Pirsch-(Birsch)Büchsen und zweiläufige oder Doppelbüchsen bzw. Bockdoppelbüchsen; kurze Büchsen heißen **Stutzen.** Es gibt auch kombinierte J. (Büchsflinte, Bockbüchsflinte, Drilling, Vierling).

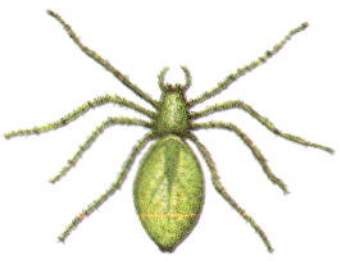

Jagdspinnen: Grüne Huschspinne (Größe 8–15 mm)

Jagdhorn (italien. Corno da Caccia), das zur Jagd geblasene, mehrfach kreisförmig gewundene Horn aus Metall; gehört zu den Signalinstrumenten. Gebräuchlich sind heute v.a. das lederumwickelte kleine Pleßhorn in B (nach Herzog Heinrich XI. von Pleß) sowie das großwindige, eng mensurierte Parforcehorn.

Jagdhunde, 1) *Astronomie:* (lat. Canes Venatici) Sternbild des nördl. Himmels, mit Spiralnebel.

2) *Zoologie:* Gruppe der → Hunde.

Jagdrecht, die Gesamtheit der sich auf die Jagd beziehenden Rechtsvorschriften, v.a. Bundesjagd-Ges. (BJG) i.d.F.v. 29. 9. 1976 und die Jagd-Ges. der Länder. Nach dem BJG ist der Grundstückseigentümer Inhaber des J., der die Jagd nur in **Jagdbezirken** ausüben kann. Hierbei wird zw. Eigenjagdbezirken (zusammenhängende Grundflächen einer Person oder Personengemeinschaft von mindestens 75 ha) und gemeinschaftl. Jagdbezirken (mindestens 150 ha) unterschieden. In letzterem Fall sind die versch. Grundeigentümer zu einer **Jagdgenossenschaft** als Körperschaft des öffentl. Rechts, deren oberstes Organ die Versammlung der Jagdgenossen ist, zusammengeschlossen. Die Geschäfte der Genossenschaft führt der gewählte Jagdvorstand. I.d.R. wird die Ausübung des J. durch schriftl., der Behörde anzeigepflichtigen Pachtvertrag an Dritte übertragen, die nicht Jagdgenossen sein müssen. Die Jagdgenossenschaft trifft eine verschuldensunabhängige Haftung für bestimmte Wildschäden. – An der Spitze der Jagdbehörden stehen die Landesmin. für Landwirtschaft und Forsten, untere Jagdbehörde sind die Landratsämter und Kreise.

In *Österreich* gelten im Grundsatz ähnl. Regeln. In der *Schweiz* ist das J. im Bundes-Ges. vom 20. 6. 1986 und kantonal geregelt.

Jagdreiten, aus der heute verbotenen Parforcejagd auf lebendes Wild hervorgegangene reitsportl. Veranstaltungen von Reitklubs im Herbst, geritten als **Fuchsjagd,** wobei das Wild durch einen Reiter dargestellt wird, der einen Fuchsschwanz an der Schulter trägt, oder als **Schleppjagd** hinter der Meute. Hierbei legt ein Reiter (auch Fuchs gen.) aus einem Tropfbeutel mit Losung eine künstl. Spur (Schleppe), der die Meute von Hunden (Foxhounds oder Beagles), zusammengehalten vom Master (Huntsman), unterstützt von Pikören (Whippers) folgt. In beiden Fällen folgen die Jagdteilnehmer in eingeteilten Gruppen (Feldern), jeweils geführt von einem Master und zwei Pikören.

Jagdrennen, *Pferdesport:* → Hindernisrennen.

Jagdschein, zeitlich befristeter, behördl. Ausweis über die Erlaubnis zur Ausübung der Jagd; setzt eine erfolgreich abgelegte Jägerprüfung voraus. Ähnlich in *Österreich* als **Jagdkarte** und in der *Schweiz* als **Jagdberechtigung** bezeichnet.

Jagdsignale, auf dem Jagdhorn geblasene Signale und Fanfaren, mit denen die Treibjagd geleitet und erlegtes Wild »verblasen« wird sowie räumlich getrennte Jäger sich verständigen.

Jagdspinnen (Eusparassidae), Familie großer Spinnen, die ihre Beute ohne Netz im Lauf oder Sprung ergreifen. Einzige Art in Mitteleuropa ist die 8–15 mm große **Grüne Huschspinne** (Micromata virescens).

Jagdstück (Jagdstillleben), *Kunst:* Darstellung von Jagdbeute, -hunden, -waffen u.Ä.; v.a. in der niederländ. Malerei des 17. Jh.

Jagdwaffen, Sammelbez. für alle bei der Jagd verwendeten Waffen zum Erlegen, Abfangen, Aufbrechen und Zerlegen von Wild; man unterscheidet zw. →Jagdgewehren und **blanken Waffen** (Hieb- und Stichwaffen wie z.B. Hirschfänger).

Jagdzauber, bei fast allen Naturvölkern verbreitete Bräuche, die den Jagderfolg begünstigen sollen, v.a. durch bildl. Darstellung von Tieren oder Jagdszenen, Zaubersprüche oder Talismane. In Jagdtänzen, z.T. mit Tiermasken, soll das Wild durch tänzer. Nachahmen beschworen werden.

Jagellonen, die →Jagiellonen.

Jagemann, Karoline, Schauspielerin und Sängerin, *Weimar 25. 1. 1777, †Dresden 10. 7. 1848; spielte seit 1797 in Weimar; Geliebte des Herzogs Karl August. Ihre Intrigen waren v.a. die Ursache für Goethes Rücktritt vom Theater (1817).

Jagen *das,* regelmäßige Forstabteilung der Ebene, durch gerade, unbeholzte Geländestriche (Gestelle, Schneisen) begrenzt.

Jäger, *allg.:* jemand, der die →Jagd rechtmäßig und weidgerecht ausübt.

Jäger 90, →Eurofighter 2000.

Jägerlatein, scherzhaft für übertreibende oder erfundene Erzählungen der Jäger von ihren Jagderlebnissen.

Jägerndorf, Stadt in der Tschech. Republik, →Krnov.

Jägersprache (Weidmannssprache), Fachsprache (Standessprache) der Jäger, umfasst etwa 6000 oft alttradierte Begriffe zur Beschreibung von Jagdtieren, Jagdvorgängen und Jagdbetrieb.

Jagdsignale

Jägertruppe, in der Bundeswehr Truppengattung der Infanterie, bes. geeignet für den Orts- und Häuserkampf sowie den Einsatz in unübersichtl. Gelände (z.B. in Wäldern); ausgestattet mit Radfahrzeugen und/oder Transportpanzern sowie mit Infanteriewaffen aller Art.

Jäger und Sammler (Wildbeuter, nach ihrer Wirtschaftsweise), Bez. für Naturvölker mit aneignender Wirtschaftsform. Sie leben vom Jagen (mit Pfeil und Bogen, Speer, Blasrohr) und Fangen wild lebender Tiere (i.d.R. von den Männern betrieben) und vom Sammeln von Kleinsttieren und Wurzeln (mit dem →Grabstock), Früchten und Beeren durch die Frauen; Vorratswirtschaft wird nicht betrieben. Als J. u. S. leben heute noch einige Gruppen der Eskimo, Buschmänner, Pygmäen und Australier (Aborigines).

Jagger ['dʒægə], Mick, eigtl. Michael Philip J., brit. Rockmusiker, *Dartford (Cty. Kent) 26. 7. 1943; Mitbegründer (1962) und Leadsänger der Gruppe »The Rolling Stones«; spielte auch in Filmen mit (u.a. »Performance«, 1970); versuchte Mitte der 80er-Jahre eine Solokarriere, seit 1989 wieder bei den »Rolling Stones«.

Jagić [-tɕ], Vatroslav, kroat. Slawist, *Varaždin 6. 7. 1838, †Wien 5. 8. 1923; Prof. in Odessa, Berlin, Sankt Petersburg und Wien; Begründer der modernen Slawistik, seit 1876 Hg. des »Archivs für Slaw. Philologie«.

Jagiełło [ja'gjɛu̯u̯ɔ, poln.] (litauisch Jogaila), Großfürst von Litauen (seit 1377) und, als **Wladislaw II.,** König von Polen (1386–1434), *um 1351, †Gródek (Wwschaft Białystok) 1. 6. 1434; schloss 1385 mit Polen die Union von Krewo und bestieg nach seinem Übertritt zum Christentum und seiner Vermählung mit der poln. Königin Hedwig den poln. Thron. Die Großfürstenwürde von Litauen überließ er 1401 seinem Vetter Witold (Vytautas). 1410 siegte er in der Schlacht von Tannenberg über den Dt. Orden.

Jagiellonen (Jagellonen), litauisch-poln. Dynastie, ben. nach →Jagiełło; herrschte 1377/86 bis 1572 in Polen und Litauen, 1471–1526 in Böhmen, 1440–44 und 1490–1526 in Ungarn.

Jagniątków [jag'njɔntkuf] (dt. Agnetendorf), Luftkurort in Niederschlesien, in der Wwschaft Jelenia Góra (Hirschberg), Polen, am N-Fuß des Riesengebirges; ehem. Haus Wiesenstein (Wohn- und Sterbehaus von G. Hauptmann), heute Kinderheim. – Der Ort wurde 1654 von böhm. Protestanten gegründet.

Jagoda, 1) [-'go:-], Bernhard, Politiker (CDU), *Kirchwalde (heute Chudoba, bei Olesno) 29. 7. 1940; 1980–87 und seit 1990 MdB, 1987–90 Staatssekretär im Bundesministerium für Arbeit und Sozialordnung; seit 28. 1. 1993 Präs. der Bundesanstalt für Arbeit.

2) ['ja-], Genrich Georgijewitsch, sowjet. Politiker, *Lodz 1891, †(hingerichtet) Moskau 15. 3. 1938; wurde 1924 stellv. Vors. der GPU, leitete 1934–36 als Volkskommissar des Innern die erste Phase der »Großen Säuberung« (→Tschistka). 1937 verhaftet und 1938 zum Tode verurteilt.

Jagst *die,* rechter Nebenfluss des Neckars, 203 km lang, entspringt am östl. Albrand in den Ellwanger Bergen, mündet bei Bad Friedrichshall.

Karoline Jagemann (Lithographie, um 1825)

Mick Jagger

Genrich Jagoda

Jagsthausen, Gemeinde im Landkreis Heilbronn, Bad.-Württ., an der Jagst, 1500 Ew. – In der Götzenburg, einem ehemaligen Wasserschloss, wurde 1480 Götz von Berlichingen geboren (Schlossmuseum); Burgfestspiele.

Jaguar (Kopf-Rumpf-Länge bis zu 2 m)

Jaguar [indian. (Tupí) jagwár(a) »Fleisch fressendes Tier«] *der* (Onza, Unze, Panthera onca), vom südlichsten Teil der USA bis Südamerika verbreitete Großkatze; Kopf-Rumpf-Länge bis zu 2 m; Fell rötlich gelb mit großen schwarzen Ringelflecken, gelegentlich auch ganz schwarz; lebt v. a. in Waldgebieten; er klettert und schwimmt gut und jagt überwiegend am Boden. Wegen seines begehrten Fells sind seine Bestände in den meisten Gebieten bedroht.

Jahangir [dʒ-], ind. Großmogul (1605–27), *Fatehpur-Sikri 31. 8. 1569, †auf dem Weg von Kaschmir nach Lahore 28. 10. 1627; Sohn und Nachfolger Akbars. Als kluger und tatkräftiger Herrscher übte er religiöse Toleranz.

Jahn, 1) Friedrich Ludwig, genannt Turnvater J., Pädagoge und Politiker, *Lanz (bei Wittenberge) 11. 8. 1778, †Freyburg (Unstrut) 15. 10. 1852; Gymnasiallehrer in Berlin, Vorkämpfer einer nat. Erziehung, bes. des Turnens (1811 Errichtung eines Turnplatzes in der Berliner Hasenheide); später als »Demagoge« verfolgt, 1848 in die Nationalversammlung gewählt. J. schrieb »Die dt. Turnkunst« (1816, mit E. Eiselen).

2) Helmut, amerikan. Architekt dt. Herkunft, *Zirndorf 1. 1. 1940; trat 1967 in das Architekturbüro C. F. Murphy Associates in Chicago ein, das er seit 1981 unter dem Firmennamen Murphy/Jahn leitet; profilierte sich v. a. beim Hochhausbau, u. a. Eingangshalle City, Messehalle 1 und Messeturm auf dem Messegelände in Frankfurt am Main (vollendet 1989) und Sony Center am Potsdamer Platz in Berlin (1992 ff.).

Jähn, Sigmund, Fliegeroffizier und Kosmonaut, *Rautenkranz (heute zu Morgenröthe-Rautenkranz, Vogtlandkreis) 13. 2. 1937; nahm 1978 mit der russ. Mission Sojus 31/Saljut 6/Sojus 29 als erster Deutscher an einem Weltraumflug teil.

Jahnn, Hans Henny, Schriftsteller und Orgelbauer, *Stellingen (heute zu Hamburg) 17. 12. 1894, †Hamburg 29. 11. 1959; 1915–18 als Pazifist im Exil in Norwegen; baute rd. 100 Orgeln und verfasste mehrere musikwiss. Abhandlungen; auch Musikverleger (seit 1921). Sein Werk, z. T. schwer deutbar und heftig umstritten, wird durch Psychoanalyse, Expressionismus, Naturalismus sowie eine verzweifelte Suche nach Sinn in einer von J. als durch Verlogenheit und Schmerz bestimmt gesehenen Welt geprägt (»Perrudja«, R., 2 Bde., 1929; »Fluß ohne Ufer«, R., 3 Tle., 1949–61; »Die Nacht aus Blei«, R., 1956). Aus Protest gegen Zivilisation,

Hans Henny Jahnn

Konvention, mechanist. Denken propagierte J. einen heidn. Vitalismus und entwarf die Utopie eines neuheidn. Reiches. Sein bedeutendstes Drama ist »Armut, Reichtum, Mensch und Tier« (1948).

Jahr (lat. Anno, Abk. A und a), Einheitenzeichen **a,** die Zeitdauer eines Umlaufs der Erde um die Sonne, dessen Länge von der Wahl des Bezugspunktes abhängt: Dem **bürgerl. J.** des jetzigen Kalenders (365 Tage) liegt das trop. J. zugrunde. Der restl. Tagesbruchteil wird durch Einschalten des Schalttages (Schaltjahr mit 366 Tagen) ausgeglichen (→Kalender). Das **trop. J. (Sonnen-, Äquinoktial-J.)** ist die Zeit zw. zwei aufeinander folgenden Durchgängen der Erde durch den Frühlingspunkt (365,2422 mittlere Sonnentage). Die →Nutation hat eine geringe Schwankung der Länge des trop. J. zur Folge. Sieht man von ihr ab, so spricht man vom **mittleren trop. J.** Das **sider.**

Jaguar

Der Jaguar ist mit bis zu 2 m Kopf-Rumpf-Länge die größte Katzenart der Neuen Welt. Wegen seines begehrten Fells sind seine Bestände jedoch heute in den meisten Gebieten bedroht. Im Kult der vorkolumbischen Indianer Mittel- und Südamerikas spielte der Jaguar eine große Rolle und findet sich daher häufig als Motiv in Reliefkunst, Vollplastik, Keramikbemalung und Wandmalerei. Bei den Azteken tritt der Jaguar häufig als Symbol eines hohen Kriegerranges auf. In einigen Kulturen kommen Darstellungen vor, die verschiedene Mischformen aus Mensch und Jaguar zeigen.

J. (Stern-J.) ist die wahre Umlaufperiode der Erde um die Sonne, d.h. die Zeit zw. zwei aufeinander folgenden gleichen Stellungen der Sonne (bezogen auf einen Fixstern) auf ihrer scheinbaren Bahn an der Himmelskugel. Es dauert 365,2564 mittlere Sonnentage. Das **anomalist. J.** ist die Zeit zw. zwei Periheldurchgängen der Erde (365,2596 mittlere Sonnentage). Das **Mond-J.**, entstanden durch Zusammenfassung von 12 Mondumläufen, ist mit 354 Tagen etwa 11 Tage kürzer als das Sonnen-J. Als **julian. J.** (365,25 Tage) und **gregorian. J.** (365,2425 Tage) bezeichnet man die durchschnittl. Länge der J. in den beiden Kalendern. Der **Jahresanfang,** der im gregorian. Kalender mit dem 1. Januar zusammenfällt, lag noch bis in die Neuzeit an sehr versch. Daten. Im Röm. Reich fiel er zunächst auf den 1. März (daher die Bezeichnung z.B. des September als »siebter« Monat), seit 153/146 v.Chr. ist es der 1. Januar; im MA. wurde er u.a. auch auf den 25. März (England bis 1752), den 1. September (u.a. Bereich der byzantin. Kultur) oder den 25. Dezember gelegt. (→Kirchenjahr)

Jahrbücher, 1) *Astronomie:* **astronom. J.** enthalten jeweils für ein Jahr die wichtigsten Angaben über Kalender, Bewegungen der Sonne, des Mondes, der Planeten, Örter der Sterne des Fundamentalkatalogs und Tabellen für Orts- und Zeitbestimmung.

2) *Geschichte:* **histor. J.,** →Annalen.

Jahresabschluss, von einem Unternehmen nach handelsrechtl. Vorschriften zum Ende des Geschäftsjahres aufzustellender Abschluss der Buchführung, bestehend aus →Bilanz sowie →Gewinn- und Verlustrechnung.

Jahresarbeitsverdienst, im Kalenderjahr bezogenes Entgelt eines Arbeitnehmers; bes. steuer- und sozialversicherungsrechtlich bedeutsam, da häufig Bemessungsgrundlage für Beiträge und Leistungen.

Jahresringe (Jahrringe), konzentr. Wachstumsringe des Baumstamms (im Längsschnitt als Maserung erkennbar). →Holz

Jahresschichtung, *Geologie:* dem jährl. Klimarhythmus entsprechende Wechsellagerung von Sedimenten, die sich aus einem Gewässer absetzten. Eine bes. deutl. J. zeigen die in eiszeitl. Stauseen abgelagerten Bändertone.

Jahresüberschuss, Begriff der handelsrechtl. Gewinn- und Verlustrechnung (§275 HGB) sowie der Bilanz (§266 HGB) von Kapital-Ges.; ergibt sich als positive Differenz zw. den Erträgen und Aufwendungen des betreffenden Geschäftsjahres. Unterschreiten die Erträge die Aufwendungen, spricht man von **Jahresfehlbetrag.** Bei der Ermittlung des J. werden Gewinn- und Verlustvortrag, Entnahmen und Einstellungen aus bzw. in offene Rücklagen nicht berücksichtigt.

Helmut Jahn: Die Eingangshalle City und Messehalle 1 auf dem Messegelände in Frankfurt am Main (1989 vollendet)

Jahreswirtschaftsbericht, nach dem Stabilitäts-Ges. jährlich im Januar dem Bundestag und -rat von der Bundesreg. vorzulegender Bericht, der die Stellungnahme zum Jahresgutachten des Sachverständigenrats zur Begutachtung der gesamtwirtsch. Entwicklung sowie die Jahresprojektion (Darlegung der von der Bundesreg. für das laufende Jahr angestrebten wirtschafts- und finanzpolit. Ziele) beinhaltet.

Jahreszeiten, die Einteilung des (trop.) Jahres in vier durch die scheinbare Sonnenbahn an der Sphäre gegebene Zeitabschnitte: Frühling, Sommer, Herbst, Winter; sie werden durch die Äquinoktien und die Solstitien festgelegt. Die unterschiedl. Länge der J. ist bedingt durch die unterschiedlich schnelle Bewegung der Erde in ihrer

Friedrich Ludwig Jahn

Die Bedeutung des »Turnvaters Jahn«, wie er schon zu Lebzeiten genannt wurde, liegt v.a. in der Entwicklung des Turnens, das ihm im Kampf gegen die napoleonische Herrschaft nützlich zu sein schien, da es Wehrhaftigkeit der Deutschen stärkte. Das Turnen umfasste nicht nur Übungen an – von Jahn entwickelten – Geräten wie Barren und Reck, auch Fechten, Schwimmen, Laufen, Spiel und Tanz gehörten dazu. Die Turnbewegung wollte volkstümlich sein und viele Menschen ansprechen, aber auch die Freiheit und Einheit Deutschlands befördern. (Das Turnermotto »Frisch, Fromm, Fröhlich, Frei« war also ursprünglich eine politische Parole.)
So geriet Jahn nach 1815 in Gegensatz zum restaurativen preußischen Regime. 1819 wurde er als angeblicher geistiger Urheber der Ermordung des Dramatikers August von Kotzebue in Haft genommen. Nach Schließung der Turnplätze und Beschränkungen der Turnbewegung durch die Karlsbader Beschlüsse (1819) wurde Jahn angeklagt, aber 1825 freigesprochen; dennoch war ihm bis 1840 politische Betätigung untersagt. 1848 wurde Jahn als Befürworter einer Demokratisierung der Monarchie in die Deutsche Nationalversammlung gewählt.

Jahreszeiten: Der italienische Maler Sandro Botticelli stellte die Jahreszeiten in allegorisch-mythologischen Bildern dar, wie hier den Frühling (um 1478; Florenz, Uffizien)

Bahn um die Sonne; Frühling und Sommer haben auf der Nordhalbkugel der Erde eine Länge von zus. 186 Tagen und 10 Stunden, Herbst und Winter hingegen eine Länge von zus. 178 Tagen und 20 Stunden. Die Dauer der einzelnen J. ist infolge der Apsidendrehung und der Präzession leicht veränderlich. Die **meteorolog. J.** sind nach Witterungsablauf gegliedert. Zur Begrenzung der **astronom. J.** (bis auf geringe Verschiebungen durch die Anpassung an das astronom. Jahr) siehe Übersicht.

Die klimat. Unterschiede der J. beruhen auf der Neigung der Erdbahnebene gegen den Äquator (Schiefe der Ekliptik); die Sonne erreicht nämlich in ihren Solstitialpunkten eine Deklination von +23° 27' (zur Sommersonnenwende der Nordhemisphäre) bzw. von –23° 27' (zur Wintersonnenwende der Nordhemisphäre). Da die Lage des Himmelsäquators über dem Horizont von der geograph. Breite des Beobachtungsortes abhängig und für ein und denselben Ort immer gleich ist, erreicht die Sonne zu versch. J. unterschiedl. Höhen über dem Horizont (und steht damit auch unterschiedlich lange über ihm). Dieser Unterschied der Höhe ergibt einen unterschiedlich schrägen Einfall der Sonnenstrahlen auf der Erde sowie die unterschiedl. Länge der Tage (und damit der Dauer der Sonneneinstrahlung), woraus sich die klimat. Unterschiede der J. ergeben. – In den Tropen, also zw. den Wendekreisen (der Sonne), wo die genannten Unterschiede unerheblich sind, werden J. durch die Niederschläge geschaffen: Hier wechseln eine Regenzeit (zentrale Tropen) oder zwei (Randtropen) mit einer oder zwei Trockenzeiten.

Kunst: Die J. wurden bereits in der Antike dargestellt als weibl. Halbfiguren oder Genien, oft auch mit unterscheidenden Attributen. Die frühchristl. Kunst übernahm die Personifikationen der J. als Sinnbilder des menschl. Lebens. Zu den frühesten erhaltenen Darstellungen des MA. gehören die des 11. Jh. an der Bronzetür des Augsburger Doms und den Kapitellen von Cluny. Aus späterer Zeit stammen z. B. der »Frühling« von S. Botticelli, der »Herbst« von F. Cossa, Grotesken von G. Arcimboldo, Gemälde von P. Bruegel d. Ä. und N. Poussin, Statuetten von A. Vittoria, W. Jamnitzer und B. Permoser.

Jahreszeiten

Nordhalbkugel	Zeit	Südhalbkugel
Frühling	20./21. 3.–21./22. 6.	Herbst
Sommer	21./22. 6.–22./23. 9.	Winter
Herbst	22./23. 9.–21./22. 12.	Frühling
Winter	21./22. 12.–20./21. 3.	Sommer

Jahrhundertvertrag, Bez. für die Vereinbarung zw. den Bergwerksunternehmen und den Stromerzeugern in der Bundesrep. Dtl. über die Verwendung einer festgelegten Menge einheim. Steinkohle zur Energieerzeugung. Der J. wurde 1977 geschlossen und 1980 durch Zusatzvereinbarung bis 1995 verlängert. Ab 1989 galt die Abnahmemenge von jährlich 40,9 Mio. t heim. Steinkohle für die Verstromung. (→ Kohlepfennig)

Jahrmarkt (Kirmes, Messe, Kirbe, Kerb, Kerwe, schweizer. Kilbi), volkstüml. Vergnügungsveranstaltung mit Verkaufs- und Schaubuden, Karussells, Volksbelustigungen u. Ä. (→ Kirchweihe)

Jahr und Tag, Maximalfrist des alten dt. Rechts, die ein Jahr, sechs Wochen und drei Tage umfasste. »Tag« bedeutet Gerichtstag (Ding), der im Abstand von sechs Wochen (Dingfrist) stattfand und drei Tage dauerte.

Jahrwoche, im A. T. (3. Mose 25,4–7) ein Zyklus von sieben Jahren, von denen das letzte als Sabbatjahr gefeiert wurde.

Jahwe (Jahve), hebr. Eigenname des Gottes Israels; Herkunft und Bedeutung sind umstritten. Die Selbstoffenbarung des Gottesnamens in 2. Mose 3,14 wird (meist) übersetzt: »Ich werde sein, der ich sein werde«; unzutreffend wurde J.

Jahwe

Nach einem sehr alten biblischen Text aus dem Deboralied kam Jahwe »aus Seir« (Richter 4,4), einem Gebiet südlich Palästinas (und östlich des Sinai). Dies ließe sich mit der These verbinden, dass Jahwe ursprünglich ein Vulkangott war, denn dort gab es tatsächlich Vulkanberge; auf der Sinaihalbinsel, die als möglicher Ursprungsort des Jahwekults infrage kommt, da die Mosegruppe sie während des Exodus durchquerte, gibt es dagegen keine Vulkane.

nach der Vokalisation des hebr. Bibeltextes **Jehova** gelesen; seit (spätestens) dem 1. Jh. v. Chr. vermeiden die Juden das Aussprechen des Gottesnamens und lesen für J. **Adonai** (hebr. »mein Herr«). – Als lat. Umschrift der hebr. Schreibweise ist JHWH (Tetragramm) gebräuchlich.

Jahwist *der* (Jahvist), Quellenschrift im →Pentateuch.

Jailagebirge [türk. »Sommerweide«], Hauptkette des Krimgebirges, Ukraine, im S der Halbinsel Krim, im Roman-Kosch 1545 m ü. M.; fällt steil zum Schwarzen Meer ab.

Jaina [dʒ-], Angehörige der ind. Religion des →Dschainismus.

Jaipur [dʒ-], Hptst. des Bundesstaates Rajasthan, NW-Indien, am Arawalligebirge, 1,46 Mio. Ew.; Univ., Kunstschule; chem., Textil-, Nahrungsmittel-, Metall verarbeitende Ind., Edelsteinschleiferei und Goldschmuckherstellung; Fremdenverkehr. – J. wurde planmäßig angelegt mit rechtwinkligem Straßennetz; bekannteste Bauwerke sind die Sternwarte (1713–38) und der fünfgeschossige »Palast der Winde« (1751–68). – J. wurde 1728 als Hauptsitz des Staates Rajputana gegründet, der 1949 in Rajasthan aufging.

Jajce [ˈjaːjtsɛ], Stadt in Bosnien und Herzegowina, an der Pliva, die hier in einem 30 m hohen Wasserfall in den Vrbas stürzt, 11900 Ew.; Carbidfabrik. – Orientalisch anmutendes Stadtbild mit Moscheen, bosn. Erkerhäusern, Wohntürmen; Ruine der bosn. Königsburg (15. Jh.); unterird. Felsenkirche (»Katakomben«) des 14. Jh. – J. wurde 1396 erstmals erwähnt.

Jak, →Yak.

Jak., Abk. für **Jak**obusbrief (N. T.).

Jakarta: Blick über die alte Siedlung auf die neuen Hochhäuser der Stadt

Jakarta [dʒ-] (Djakarta, bis 1950 Batavia), Hptst. von Indonesien, an der westl. N-Küste Javas, bildet eine eigene Provinz mit 590 km² und 8,23 Mio. Ew.; kath. Erzbischofssitz, Univ. u. a. Hochschulen, Goethe-Inst., Nationalarchiv, Bibliotheken, Museen, Theater; Ind.zentrum des Landes u. a. mit Düngemittelind., Kraftfahrzeugmontage und Schiffbau; wichtigster Handelsplatz im Malaiischen Archipel; Hafen Tanjung Priok mit Containerterminal, internat. Flughafen. – Von Kolonialbauten geprägtes Stadtbild. – 1619 entstanden ein niederländ. Fort und die Siedlung Batavia als asiat. Hauptstützpunkt der niederländ. Ostind. Kompanie.

Jakob, 1) *A. T.:* zweiter Sohn Isaaks und dritter der Stammväter Israels; erkauft sich von seinem Bruder Esau das Erstgeburtsrecht (1. Mose 25, 29–34) und erschleicht sich den väterl. Erstgeburtssegen (1. Mose 27); erhält nach dem nächtl. Kampf am Jabbok (1. Mose 32, 23–31) den Namen **Israel;** seine Söhne gelten als die Ahnherren der zwölf Stämme Israels.

2) *N. T.:* →Jakobus.

Jakob (engl. James, span. Jaime, katalan. Jaume), Herrscher:

Aragonien: **1) J. I., der Eroberer,** König (1213–76), *Montpellier 22. 2. 1208, †Valencia 27. 7. 1276; eroberte von den Mauren 1229–35 die Balearen und 1232–38 das Königreich Valencia. Seine Autobiographie ist die erste bed. Chronik in katalan. Sprache. J. ließ das Seerecht kodifizieren.

England: **2) J. I.,** König (1603–25), als **J. VI.** König von Schottland (seit 1567), *Edinburgh 19. 6. 1566, †Theobalds Park (bei Cheshunt, Cty. Hertfordshire) 27. 3. 1625; Sohn Maria Stuarts und Lord Darnleys; gelangte nach dem Tod Elisabeths I. als erster Stuart auf den engl. Thron; entschiedener Vertreter eines absoluten Königtums, der sich bes. auf die anglikan. Staatskirche stützte. Die Aussöhnung mit den Katholiken wurde durch die →Pulververschwörung vereitelt.

3) J. II., König (1685–88), als **J. VII.** König von Schottland, *London 14. 10. 1633, †Saint-Germain-en-Laye 16. 9. 1701; Sohn Karls I.; wurde 1672 Katholik. Da er die Rekatholisierung Englands betrieb, rief das Parlament 1688 Wilhelm von Oranien, den Schwiegersohn J.s, ins Land. J. floh nach Frankreich und wurde vom Parlament für abgesetzt erklärt (sog. »Glorreiche Revolution«). Der Versuch, mit frz. Hilfe von Irland aus seinen Thron zurückzuerobern, endete 1690 mit der Niederlage am Boyne. Sein Sohn aus 2. Ehe, **J. Eduard** (**J. III.;** *London 1688, †Rom 1766), scheiterte 1708 und 1715/16 bei Unternehmungen zur Gewinnung des Throns.

Schottland: **4) J. IV.,** König (1488–1513), *17. 3. 1473, ⚔ Flodden Field (bei Branxton, Cty. Northumberland) 9. 9. 1513; erreichte die endgültige Einigung Schottlands; schloss 1512 ein Bündnis mit Frankreich gegen Heinrich VIII. von England; erlitt beim Einfall in N-England eine vernichtende Niederlage bei Flodden Field.

Jakob I., König von England (zeitgenössische Miniatur)

Jakob II., König von England (Ausschnitt aus einem Kupferstich nach einem Gemälde des deutsch-englischen Malers Sir Godfrey Kneller aus dem Jahr 1684/85)

Jakobiner mit der als Freiheitssymbol getragenen Jakobinermütze (zeitgenössische Darstellung)

Jakobiner (frz. Jacobins), die Mitgl. des wichtigsten polit. Klubs (gegr. Mai 1789) der Frz. Revolution, ben. nach ihrem Tagungsort, dem ehem. Dominikanerkloster Saint-Jacques in Paris. Seit Mitte 1791 war der Klub Sammelpunkt der radikalen Republikaner, beherrscht zunächst von den Girondisten, später von den Mitgl. der Bergpartei. Unter Führung Robespierres organisierten sie die Schreckensherrschaft 1793/94. Nach Robespierres Sturz wurde der Klub am 11. 11. 1794 geschlossen.

📖 REINALTER, H.: *Die Frz. Revolution u. Mitteleuropa. Erscheinungsformen u. Wirkungen des Jakobinismus. Frankfurt am Main 1988.*

Jakobinermütze, der →phrygischen Mütze nachgebildete rote Mütze mit überhängendem Zipfel, von den →Jakobinern getragen, Symbol der Frz. Revolution von 1789.

Jakobiten, 1) Bez. der →Monophysiten in Syrien; im 6. Jh. durch den syr. Mönch Jakobus Baradaios (†578) kirchlich reorganisiert; heute Bez. für die Mitgl. der westsyr. Kirche (→syrische Kirchen).

2) die Anhänger des 1688 im Zuge der Glorreichen Revolution aus England vertriebenen Stuartkönigs Jakob II. und seiner Nachkommen, bes. in Schottland.

Jakobshavn [-haʊn], grönländ. Stadt, →Ilulissat.

Jakobsleiter, 1) *A. T.:* die Himmelsleiter, die →Jakob im Traum sah (1. Mos. 28,12).

2) *Botanik:* die Gattung →Himmelsleiter.

3) *Seefahrt:* (Seefallreep) ein →Fallreep.

Jakobsmuschel, eine →Kammmuschel.

Jakobson, Roman Ossipowitsch, amerikan. Sprach- und Literaturwissenschaftler russ. Herkunft, *Moskau 11. 10. 1896, †Boston (Mass.) 18. 7. 1982; gehörte zur russ. literarkrit. Schule des →Formalismus, Mitbegründer der →Prager Schule, seit 1943 in den USA; bed. Strukturalist und Slawist.

Jakobsstab, 1) *Astronomie:* Name für die drei in gerader Linie stehenden Sterne δ, ε, ζ im »Gürtel« des Sternbildes Orion.

2) *Messwesen:* (Gradstock, Kreuzstab) mittelalterl. Winkelmessgerät zur Höhenbestimmung der Gestirne, bestehend aus einem mit einer Skala versehenen Längsstab, auf dem ein kürzerer, senkrecht dazu gerichteter Querstab verschoben werden kann; vor der Erfindung des Sextanten wichtigstes naut. Instrument zur Schiffsortbestimmung.

Jakobsweg, →Pilgerstraßen.

Jakobus, *N. T.:* **1)** einer der Brüder Jesu (Mk. 6,3); führend in der Jerusalemer Urgemeinde (Gal. 1,19) und auf dem →Apostelkonzil; 62 gesteinigt; Heiliger, Tag: 11. 5.

2) J. der Ältere (später Jakob von Compostela), Apostel, Sohn des Zebedäus, Bruder des Apostels Johannes (Mk. 1,19; 3,17); 44 unter Herodes Agrippa I. hingerichtet (Apg. 12,2). Nach einer Überlieferung wurden seine Gebeine nach Spanien gebracht (nach anderer Version gelangten sie auf wunderbare Weise dorthin) und dort beigesetzt. Um sein angebl. Grab entstand die Stadt Santiago de Compostela; Patron Spaniens. Heiliger, Tag: 25. 7.

3) J. der Jüngere, Apostel, Sohn des Alphäus; außer seinem Namen (Mk. 3,18; Apg. 1,13) ist nichts überliefert; Heiliger, Tag: 3. 5.

Jakobusbrief, *N. T.:* →Katholische Briefe.

Jakuten (Eigenbez. Sacha), Turkvolk in NO-Sibirien, Russland, etwa 382 000 Menschen; betreiben im S Rinder- und Pferdezucht sowie Fischerei

Jakuten: Jäger mit erbeuteten Wasservögeln

und Ackerbau (seit dem 19. Jh.), im N Rentierzucht und Pelztierjagd. Sie haben ein hoch entwickeltes Eisen- und Silberschmiedehandwerk.

Jakutilen (jakut. Sacha), Teilrep. der Russ. Föderation, im NO Sibiriens, 3103200 km², (1994) 1,06 Mio. Ew. (33% Jakuten, 50% Russen); Hptst. ist Jakutsk. J. erstreckt sich beiderseits der Lena, umfasst das Mittelsibir. Bergland und den NW der Ostsibir. Gebirge. Das Klima ist extrem kontinental, der Dauerfrostboden reicht bis in Tiefen von 1500 m; Nadelwald (Lärchentaiga) bedeckt rd. 40% der Fläche. Zu den reichen Bodenschätzen gehören v.a. Diamanten (aus J. stammen rd. 95% der russ. Diamantenförderung; eine Bearbeitungsind. ist im Aufbau), Kohle, Gold, NE-Metalle, Erdgas. Von der Transsibir. Eisenbahn und der Baikal-Amur-Magistrale führen Stichbahnen in die Bergbaugebiete. Weitere Wirtschaftszweige sind Holzeinschlag, -verarbeitung, Pelztierzucht.

Jakutsk, Hptst. von Jakutien, Russland, an der Lena, 187000 Ew.; Univ., Forschungsinst. für Dauerfrostboden; Holz-, Leder-, Nahrungsmittelind.; Pelzhandelsplatz; Hafen an der Lena, Flughafen. – 1632 als militär. Vorposten gegründet.

Jalalabad [dʒ-], Provinz-Hptst. in O-Afghanistan, am Kabul, 55000 Ew.; medizin. Fakultät der Univ. Kabul; Handelszentrum einer Bewässerungsoase. – Südöstlich von J. wurde beim Dorf **Hadda** eine buddhist. Klosterstadt ausgegraben.

Jalandhar ['dʒa-] (früher Jullundur), Stadt im Bundesstaat Punjab, NW-Indien, zw. Sutlej und Beas im Pandschab, 520000 Ew.; Zuckerraffinerien, Konserven-, Textil-, Metallind., traditionelle Elfenbeinschnitzerei.

Jalapa Enríquez [xa'lapa en'rrikes], Hptst. des mexikan. Staates Veracruz, im zentralen Hochland, 325000 Ew.; kath. Erzbischofssitz; Univ.; archäolog. Museum; Anbau und Verarbeitung von Kaffee, Tabak, Zitrusfrüchten; Textilind., Zuckerraffinerie. – Stadtbild mit kolonialzeitl. Gepräge.

Jalisco [xa'lisko], Staat Mexikos, 80137 km², (1990) 5,303 Mio. Ew.; Hptst. ist Guadalajara; erstreckt sich vom Pazifik weit ins Landesinnere.

Jalousie [ʒalu'zi; frz., eigtl. »Eifersucht«] *die,* bewegl. Sonnenschutz- und Verdunklungseinrichtung, bes. vor Fenstern, aus Holz-, Kunststoff- oder Leichtmetalllamellen.

Jalta, Hafenstadt und Kurort an der Südküste der Krim, Ukraine, 90000 Ew.; Forschungsinst. für Weinbau und -bereitung, botan. Garten; Nahrungs- und Genussmittelindustrie; Fischfang und -verarbeitung, Schiffsreparaturanlagen. – Seit 1145 als **Dschalita** bekannt; im 14./15. Jh. genues. Kolonie.

Jaltakonferenz, vom 4. bis 11. 2. 1945 zw. Roosevelt, Stalin und Churchill abgehaltene Gipfelkonferenz in Jalta auf der Schwarzmeerhalbinsel Krim, über die militär. Besetzung Dtl.s und dessen Einteilung in vier Besatzungszonen, über die poln. Ostgrenze, die Bildung von demokrat. Regierungen für Polen und Jugoslawien, die Organisation der Vereinten Nationen (bes. das Vetorecht), die Bestrafung von Kriegsverbrechern und über militär. Maßnahmen zur Beendigung des Kriegs und anderer Nachkriegsfragen. In einem Geheimabkommen verpflichtete sich die UdSSR gegen territoriale und polit. Zugeständnisse zum baldigen Eintritt in den Krieg gegen Japan und zu einem Bündnis mit China.

Jaltakonferenz: Winston Churchill, Franklin D. Roosevelt und Jossif Stalin (von links) nach der Schlussbesprechung der Konferenz

Jalu, Grenzfluss zw. Korea und China, → Yalu.

Jaluit ['dʒælʊɪt], größtes Atoll der Marshallinseln im Pazif. Ozean, über 80 kleine Inseln um eine tiefe Lagune, 17 km² Landfläche, rd. 600 Ew.; Ausfuhr von Kopra; Fischfang und -verarbeitung; Hauptort ist Jabor.

Jamagata, Stadt in Japan, → Yamagata.

Jamagutschi, Stadt in Japan, → Yamaguchi.

Jamaika (amtlich engl. Jamaica), Staat im Karib. Meer, umfasst außer der Hauptinsel Jamaika, die drittgrößte Insel der Großen Antillen, einige kleine vorgelagerte Inseln.

Staat und Recht: Nach der Verf. von 1962 ist J. eine parlamentar. Monarchie im Commonwealth. Staatsoberhaupt ist der brit. Monarch, vertreten durch den Generalgouverneur. Die Legislative liegt beim Zweikammerparlament, bestehend aus Senat (21 ernannte Mitgl.) und Repräsentantenhaus (60 Abg., für fünf Jahre gewählt). Oberstes Exekutivorgan ist die Reg. unter Vorsitz des Premiermin. Wichtigste Parteien sind die Nat. Volkspartei (PNP) und die Arbeiterpartei (JLP).

Landesnatur: Abgesehen von teilweise versumpften Küstenebenen bestehen etwa zwei Drittel der Insel aus bis zu 900 m hohen Kalksteinpla-

Jamaika

Fläche: 10 990 km²
Einwohner: (1995) 2,447 Mio.
Hauptstadt: Kingston
Verwaltungsgliederung: 14 Bezirke
Amtssprache: Englisch
Nationalfeiertag: 1. Montag im August
Währung: 1 Jamaika-Dollar (J$) = 100 Cents (c)
Zeitzone: MEZ −6 Std.

Staatswappen

JA

Internationales Kfz-Kennzeichen

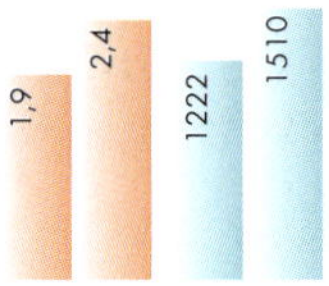

1970 1995 Bevölkerung (in Mio.)
1970 1995 Bruttosozialprodukt je Ew. (in US-$)

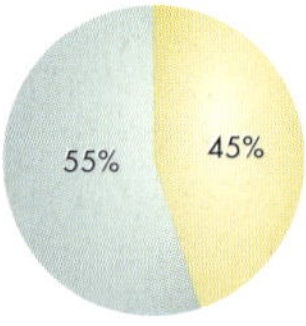

Bevölkerungsverteilung 1994

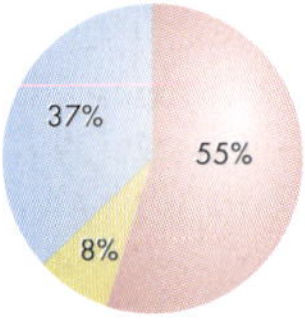

Bruttoinlandsprodukt 1994

teaus, die stark verkarstet sind. In Karsthohlformen konnte sich Bauxit bilden. Im O liegen in den Blue Mountains die höchsten Erhebungen des Landes (Blue Mountain Peak mit 2292 m ü. M.). Das Klima ist tropisch mit hohen Niederschlägen (im Jahresmittel 800–3000 mm), bes. an der N-Küste; es treten häufig Wirbelstürme auf. Abgesehen von den mit Regen-, Berg- und Nebelwald bedeckten Blue Mountains wurde die ursprüngl. Vegetation weitgehend vernichtet. An den Küsten bestimmen Mangroven und Kokospalmen das Bild.

Bevölkerung: Die Bev. besteht aus Schwarzen (rd. 75 %), Mulatten (rd. 13 %) sowie Indern, Europäern und Chinesen. Landflucht, Arbeitslosigkeit und Übervölkerung führten zu starker Auswanderung (in den letzten Jahren v. a. nach Nordamerika). – Allg. Schulpflicht besteht vom vom 7. bis 15. Lebensjahr, der Unterricht ist unentgeltlich; es gibt eine Univ. in Kingston. – Die Mehrheit der Ew. gehört den über 100 christl. Religionsgemeinschaften an. Wachsende Bedeutung kommt der politisch-religiösen Bewegung der Rastafari zu.

Wirtschaft, Verkehr: Fremdenverkehr, Bauxitabbau und Landwirtschaft bilden die Grundlage der Wirtschaft. J. ist nach Australien und Guinea drittgrößter Bauxitexporteur der Erde. Die 1942 entdeckten Vorkommen (Reserven rd. 1 Mrd. t) werden seit 1952 durch multinat. Unternehmen im Tagebau abgebaut, das Bauxit wird zu Tonerde verarbeitet. In der Landwirtschaft arbeiten etwa 13 % der Beschäftigten. Ihr Anteil am Bruttoinlandprodukt liegt bei rd. 8 %. Hauptnahrungsmittel sind Jams, Bataten, Reis und Gemüse, doch müssen weitere Nahrungsmittel eingeführt werden. Für den Export werden in wenigen Großplantagen Zuckerrohr, Bananen, Kakao und Zitrusfrüchte angebaut. Die Zucker- und Melasseherstellung dominiert in der Nahrungsmittelindustrie. Im Raum Kingston und in Montego Bay bestehen freie Produktionszonen, hier siedelten sich ein Stahlwerk, eine Erdölraffinerie sowie Textil-, Düngemittel- und Kunststoffind. an. Wichtigster Devisenbringer ist der Fremdenverkehr. 1988 wurden durch einen Hurrikan sowohl die tourist. Infrastruktur als auch die Landwirtschaft beeinträchtigt. – Ausgeführt werden v. a. Bauxit und Tonerde (65 %), Zucker, Bananen, Rum und Gewürze. Die wichtigsten Handelspartner sind die USA, die EU-Länder und Kanada. – Das Eisenbahnnetz ist 339 km lang, 130 km sind Privatbahnen für den Bauxitabbau. Es besteht ein Straßennetz von rd. 16 500 km Länge. Neben den Importhäfen Kingston, Port Royal und Montego Bay gibt es mehrere Exporthäfen. J. verfügt über je einen internat. Flughafen bei Kingston und bei Montego Bay.

Geschichte: J. wurde 1494 von Kolumbus entdeckt. Die eingeborenen Indianer gingen unter der span. Herrschaft zugrunde. Die Insel wurde später von wenigen reichen Familien, die afrikan. Sklaven einführten, aufgekauft, aber 1655 von den Engländern erobert. Gegen Ende des 17. Jh. war J. einer der größten Umschlagplätze des Sklavenhandels. Die Ausbeutung der Schwarzen änderte sich auch nach der Aufhebung der Sklaverei um 1836 nicht wesentlich. Nach einem Aufstand 1865 wurde J. 1866 Kronkolonie, ab 1944 mit innerer Selbstverw., 1958–61 war es Mitgl. der Westind. Föderation. Nach einem Referendum erhielt J. 1962 die volle Unabhängigkeit. 1972–80 verfolgte die Reg. unter M. Manley (PNP) einen sozialist. Kurs mit Anlehnung an Kuba. Die folgende Regierung unter E. Seaga (JLP, 1980–89) orientierte sich an der Marktwirtschaft. Als Manley 1989 erneut gewählt wurde, setzte er diesen Kurs fort, obwohl die hohe Inflationsrate zu Unruhen führte. Er trat im März 1992 zurück, sein Nachfolger wurde P. J. Patterson.

📖 STONE, C.: *Democracy and clientelism in Jamaica. New Brunswick, N. J., 1980.* – STEPHENS, E. H.: *Democratic socialism in Jamaica. Princeton, N. J., 1986.* – BOYD, D.: *Economic management, income distribution and poverty in Jamaica. New York 1988.*

Jamaikapfeffer, Gewürz, → Piment.

Jamal [samojed. »Ende der Welt«] (früher Samojedenhalbinsel), Halbinsel im NW Sibiriens, zw. Obbusen und Karasee, gehört zum Autonomen Kreis der Jamal-Nenzen, Gebiet Tjumen, Russland, 122 000 km²; seenreiches Tiefland, von Tundra bedeckt; Rentierzucht. Die Erdgaslager von J. gehören zu den größten der Erde.

Jamal-Nenzen, Autonomer Kreis der, autonomer Kreis im Gebiet Tjumen der Russ. Föderation, im N des Westsibir. Tieflands mit den Halbinseln Jamal und Gydan; 750 300 km², (1994) 468 800 Ew. (Russen, Nenzen u. a.); Hptst. ist Salechard. Bed. Erdgasgewinnung, außerdem Fischfang und -verarbeitung, Rentierzucht, Pelztierjagd. – Das Gebiet wurde 1930 eingerichtet.

Jamato, Landschaft in Japan, → Yamato.

Jambi, früherer Name der indones. Stadt → Telanaipura.

Jambol, Stadt im Gebiet Burgas, Bulgarien, an der Tundscha, 91 100 Ew.; Herstellung von Chemiefasern, Maschinenbau, Textil-, Nahrungsmittelind.; Handelszentrum eines Agrargebietes; Weinkellereien.

Jamboree [dʒæmbə'ri:, engl.] *das,* internat. Pfadfindertreffen.

Jambus [grch.-lat.] *der* (Iambus, grch. Iambos), grch. Metrum der Form ∪–∪–. Außer der an 3. Stelle stehenden Kürze kann jeder Teil jeweils durch Doppelkürzen ersetzt werden. Bei mehrmaliger Wiederholung entstehen jamb. Dimeter, Trimeter usw. Die hellenist. Theorie verstand unter J. schon die Gruppe ∪–; sie liegt den Nachbildungen des jamb. Versmaßes in der neueren Dichtung zugrunde, so beim nicht gereimten fünffüßigen J. oder → Blankvers. (Übersicht Metrik)

Jambuse [angloind.] *die* (Rosenapfel), bis 4 cm große grünl. oder weißl., wohlschmeckende Obstfrucht des ind. Myrtengewächses Syzygium jambos.

James [dʒeɪmz], **1)** Harry, amerikan. Jazztrompeter, * Albany (Ga.) 15. 3. 1916, † Las Vegas (Nev.) 5. 7. 1983; gehört zu den technisch brillantesten Trompetern der Swingzeit.

Henry James

2) Henry, amerikan. Schriftsteller, * New York 15. 4. 1843, † London 28. 2. 1916, Bruder von 4); lebte 1875/76 in Paris (Kontakte zu G. Flaubert, I. Turgenjew, É. Zola u. a.), danach meist in London (seit 1915 brit. Staatsbürger); Meister der psychologisch-realist. Erzählkunst, in der die Handlung zugunsten von Dialog und Monolog (→ innerer Monolog, Stream of Consciousness) zurücktritt. J. entwickelte später eine einflussreiche Erzähltechnik, die den Leser das Geschehen aus der Perspektive (»point of view«) der Hauptgestalt erfassen lässt (»Der Amerikaner«, R., 1877; »Bildnis einer Dame«, R., 1881; »Die Damen aus Boston«, R., 3 Bde., 1886; »Die Gesandten«, R., 1903; »Tagebuch eines Schriftstellers«, hg. 1947). Bes. sein Spätwerk ist gekennzeichnet durch dichten, symbol- und anspielungsreichen Stil. J. gilt heute als Klassiker der engl. Prosa.

Jamaika: Bewaldete Berglandschaft der Blue Mountains im Osten der Hauptinsel

📖 Kaplan, F.: *H. J., the imagination of genius. A biography. London 1992.* – Botta, G.: *H. J.' Heldinnen. Würzburg 1993.*

3) P. D. (Phyllis Dorothy), engl. Schriftstellerin, * Oxford 3. 8. 1920; schreibt wirklichkeitsnahe Kriminalromane (u. a. »Ende einer Karriere«, 1982; »Devices and Desires«, 1990).

William James

4) William, amerikan. Philosoph und Psychologe, * New York 11. 1. 1842, † Chocorua (N. H.) 26. 8. 1910, Bruder von 2); Prof. an der Harvard University; Mitbegründer des → Pragmatismus und Verfechter eines »radikalen Empirismus«, entwickelte die Grundlagen der amerikan. Psychologie, eine Lehre von den seel. Vorgängen als kontinuierl. »Strom von Bewusstheitszuständen« sowie eine eigene Religionspsychologie (Allbeseelungslehre).

Werke: Prinzipien der Psychologie, 2 Bde. (1890); Die religiöse Erfahrung in ihrer Mannigfaltigkeit (1902); Der Pragmatismus (1907).

James Bay [ˈdʒeɪmz ˈbeɪ], Bucht im S der Hudsonbai, Kanada, 400 km lang, bis 220 km breit, bis 12 m tief. Die Nutzung der Energiereserven einiger einmündender Flüsse ist im J.-B.-Projekt geplant. Am Flusssystem von La Grande Rivière in Quebec entstand ein Kraftwerkskomplex mit einer Gesamtleistung von 10500 MW (geplante Erweiterung).

James Bond [dʒeɪmz -], Geheimagent (»007«) in Romanen von I. →Fleming; die J.-B.-Filme wurden zu Klassikern des Agentenfilms.

Jameson Raid [ˈdʒeɪmsn ˈreɪd], der bewaffnete Einfall am 29. 12. 1895 des Briten Leander Jameson (*1853, †1917) mit Freischärlern in Transvaal zum Sturz des Buren-Präs. P. Krüger; scheiterte bereits am 2. 1. 1896. Der J. R. war Anlass der →Krügerdepesche und führte zum Burenkrieg.

Leoš Janáček

James River [ˈdʒeɪmz ˈrɪvə] *der,* **1)** linker Nebenfluss des Missouri in den USA, entspringt in North Dakota, mündet bei Yankton, South Dakota, 1143 km lang.

2) Fluss in Virginia, USA, 547 km lang, entspringt im Alleghenygebirge, mündet in die Chesapeakebai (Hampton Roads).

Jammes [ʒam(s)], Francis, frz. Schriftsteller, *Tournay (Dép. Hautes-Pyrénées) 2. 12. 1868, †Hasparren (Dép. Pyrénées-Atlantiques) 1. 11. 1938. Sinnenfrohe Weltbejahung und franziskan. Frömmigkeit bestimmen seine Gedichte (»Gebete der Demut«, 3 Bde., 1911/12) und Romane (»Der Roman der drei Mädchen«, 3 Tle., 1899–1904; »Der Hasenroman«, 1903).

Ernst Jandl

Jammu [ˈdʒæmu:], Winterhauptstadt des Bundesstaates J. and Kashmir, NW-Indien, am Himalajarand, nahe der Grenze zu Pakistan, 206100 Ew.; Univ.; pharmazeut. und Metall verarbeitende Ind., Kunsthandwerk.

Jammu and Kashmir [ˈdʒæmu: ənd kæʃˈmɪə], Bundesstaat in Indien, →Kaschmir.

Jamnitzer, Wenzel, Goldschmied, *Wien 1508, †Nürnberg 19. 12. 1585; bedeutendster Goldschmied des Manierismus in Dtl., führte neue Goldschmiedetechniken ein, z.B. Naturabgüsse von Tieren und Pflanzen; diese bilden neben an der Antike geschulten Zierformen den wesentl. Dekor seiner Werke. J. arbeitete mit seinem Bruder Albrecht J. (†1555), später seinen Söhnen und Schwiegersöhnen zusammen. Sein Enkel Christoph J. (*1563, †1618) führte mit der Entwicklung des Rollwerks und der Grotesken bereits zum Barock. J. gab ein Ornamentwerk in Radierungen heraus.

Jamsession [ˈdʒæmseʃn, engl.] *die,* urspr. eine zwanglose Zusammenkunft von Jazzmusikern zum gemeinsamen Improvisieren; später auch organisiert und Programmteil von Konzerten.

Jamshedpur [ˈdʒɑmʃedpʊə], Stadt im Bundesstaat Bihar, NW-Indien, westlich von Kalkutta, 461100 Ew.; kath. Bischofssitz; 1909 zus. mit einem Stahlwerk gegründet, auch Lokomotiv-, Waggon- und Lastkraftwagenbau.

Jamswurzel [afrikan.-portugies.] (Yamswurzel, Dioscorea), Gattung der Jamswurzelgewächse in den Tropen und den wärmeren Bereichen der gemäßigten Zone; z.T. wichtige trop. Nutzpflanzen, z.B. die **Brotwurzel** (Dioscorea batatas), deren bis 20 kg schwere, stärkereiche Knollen **(Jams, Yams)** gekocht wie Bataten und Kartoffeln verwendet werden.

Jämtland, Landschaft und Provinz (Län) in N-Schweden, 49443 km^2, (1995) 136300 Ew., wald- und seenreiches Gebirgsland; Landwirtschaft, von Lappen betriebene Rentierzucht, Fremdenverkehr; Provinz-Hptst. ist Östersund.

Janáček [ˈjana:tʃɛk], Leoš, tschech. Komponist, *Hukvaldy (bei Příbor, Nordmähr. Gebiet) 3. 7. 1854, †Mährisch-Ostrau (heute zu Ostrau) 12. 8. 1928; verarbeitete mähr. Volksmusikgut mit Anregungen der Neuen Musik; entwickelte einen spezif., von Tonfall und Rhythmus der tschech. Sprache ausgehenden musikal. Stil. J. schrieb Opern (»Jenufa«, 1904; »Katja Kabanowa«, 1921; »Das schlaue Füchslein«, 1924; »Aus einem Totenhaus«, 1930), Orchesterwerke, Kammermusik, Chorwerke (»Glagolit. Messe«, 1926) und Lieder.

Janbo (Yenbo, Yanbu al-Bahr), Hafenstadt in Saudi-Arabien, am Roten Meer; 100000 Ew.; Erdölraffinerie, petrochem. Ind.; Pipelines von den Erdölfeldern am Pers. Golf; drittwichtigster Hafen des Landes. Seit 1975 wird J. zu einem Ind.zentrum ausgebaut.

Jandl, Ernst, österr. Schriftsteller, *Wien 1. 8. 1925; schreibt mit akust. und visuellen Möglichkeiten experimentierende Gedichte (»Laut und Luise«, 1966; »Der gelbe Hund«, 1980; »stanzen«, 1992) und Hörspiele; er gilt als einer der führenden Vertreter der experimentellen Literatur Österreichs im Umfeld der →Wiener Gruppe; 1985 erschien »Das Öffnen und Schließen des Mundes. Frankfurter Poetik-Vorlesungen«. J. erhielt 1984 den Georg-Büchner-Preis, 1993 den Kleist-Preis.

Janequin [ʒanˈkɛ̃] (Jannequin), Clément, frz. Komponist, *wahrscheinlich Châtellerault um 1485, †Paris Jan. 1558 (?); Meister des weltl. frz. Chansons (etwa 250 erhalten) im 16. Jh.; schrieb außerdem Messen, Motetten und Psalmen.

Janet [ʒaˈnɛ], Pierre, frz. Psychologe, *Paris 29. 5. 1859, †ebd. 24. 2. 1947; veröffentlichte grundlegende Beiträge zur Intelligenz-, Gedächtnis- und Persönlichkeitsforschung.

Jangtsekiang *der* (Yangzi Jiang, oft nur Chang Jiang, »Langer Strom«, gen.), mit rd. 6000 km längster und wasserreichster Strom Chinas und Asiens, entspringt im Kunlun Shan im NO Tibets, durchbricht im Oberlauf (**Jinsha Jiang,** »Goldsand-Strom«) das osttibet. Randgebirge, fließt durch Sichuan und das mittelchines. Bergland **(Jangtseschluchten),** mündet als breiter Tieflandstrom im NO von Schanghai in das Ostchines. Meer. Das Stromsystem des J. ist auf rd. 2800 km schiffbar für Dampfer (regelmäßiger Passagierverkehr Chongqing–Schanghai; 2495 km). Mit seinem Wasser bietet der J. eine ausbaufähige Energiequelle und die größte Ernährungsbasis des Landes. Die Überschwemmungsgefahr wird durch Wasserbauten (Überlaufbecken, Deiche, Kanäle) immer mehr gebannt. Seit 1994 ist der umstrittene →Drei-Schluchten-Staudamm zur Energiegewinnung im Bau. Im J.-Delta liegt der Hochseehafen von Schanghai.

Janiculum (lat. Ianiculus mons), Hügel in Rom, rechts des Tiber, im heutigen Stadtteil Trastevere, nach einem Heiligtum des Gottes Janus benannt.

Janitscharen [türk. »neue Truppe«], türk. Fußtruppe, im 14. Jh. aus christl., zum Islam übergetretenen Kriegsgefangenen und ausgehobenen christl. Jugendlichen (v.a. vom Balkan), die zu Muslimen erzogen wurden, gebildet; in der Blütezeit des Osman. Reichs die Kerntruppe des Heeres; 1826 aufgelöst.

Janitscharenmusik, alttürk. Militärmusik der Janitscharen, deren charakterist. Schlaginstrumentarium (große und kleine Trommel, Becken, Tamburin, Triangel, Schellenbaum) durch die Türkenkriege bekannt wurde. Die J. fand im 18. Jh. Eingang in die europ. Militärmusik, dann auch in die Kunstmusik (z.B. in W. A. Mozarts Oper »Die Entführung aus dem Serail«).

Janka, Walter, Verlagsleiter, *Chemnitz 29. 4. 1914, †Potsdam 17. 3. 1994; schon früh Mitgl. der KPD; 1933–35 im Zuchthaus und KZ; Teilnehmer am span. Bürgerkrieg (1936–39), dann in Frankreich, dort interniert; floh 1941 nach Mexiko, dort Leiter eines Verlages für dt. Exilliteratur (u.a. H. Mann, A. Seghers, L. Feuchtwanger). 1947 siedelte J. in die DDR über und war ab 1952 Leiter des Aufbau-Verlags; 1956 verhaftet, 1957 wegen angebl. konterrevolutionärer Tätigkeit zu fünf Jahren Zuchthaus verurteilt, 1960 entlassen; ab 1962 Dramaturg bei der DEFA. Anfang 1990 wurde J. auch juristisch rehabilitiert. Schrieb »Schwierigkeiten mit der Wahrheit« (1989; erweitert »Spuren eines Lebens«, 1991).

Jan Mayen, zu Norwegen gehörende Insel im Nordatlantik, 380 km², aus jungen vulkan. Gesteinen aufgebaut, im Beerenberg (letzter Ausbruch 1970) bis 2277 m ü.M.; meteorolog. und Radarstation, Landeplatz. 1607 von H. Hudson entdeckt, seit 1929 zu Norwegen.

Jänner, *der,* oberdt., bes. österr. Bez. für Januar.

Jannings, Emil, Schauspieler, *Rorschach (Schweiz) 23. 7. 1884, †Strobl (am Sankt-Wolfgang-See) 2. 1. 1950; bed. Charakterdarsteller, bes. bekannt durch die Filme »Der letzte Mann« (1924), »Tartuffe« (1925), »Faust« (1926), »Der blaue Engel« (1930), »Traumulus« (1936), »Der zerbrochene Krug« (1937), »Robert Koch« (1939), »Die Entlassung« (1942).

Janosch: Illustration aus dem 1981 erschienenen Buch »Post für den Tiger«

Janosch, eigtl. Horst Eckert, Schriftsteller und Maler, *Hindenburg O. S. (heute Zabrze) 11. 3. 1931; bekannt v.a. durch seine zahlr. selbst illustrierten Kinder- und Jugendbücher (»Oh, wie schön ist Panama«, 1978; »Die Maus hat rote Strümpfe an«, 1978; »Die Tigerente und der Frosch«, 1988); schrieb auch Märchen, Kurzgeschichten, Comics und Romane (»Sacharin im Salat«, 1975).

Janowitz, Gundula, Sängerin (Sopran), *Berlin 2. 8. 1937; wurde 1962 Mitgl. der Wiener Staatsoper; trat v.a. als Mozart-, Strauss- und Wagnerinterpretin sowie als Liedsängerin hervor.

Walter Janka

Janowski, Marek, Dirigent poln. Herkunft, *Warschau 18. 2. 1939; übernahm 1983 die Leitung des Royal Liverpool Philharmonic Orchestra und 1986 des Gürzenichorchesters in Köln; wurde 1984 Chefdirigent, 1988 musikal. Direktor des Nouvel Orchestre Philharmonique de Radio France in Paris.

Emil Jannings

Jansenismus *der,* eine von Cornelius Jansen (Jansenius) (*1585, †1638) ausgehende kath. Reformbewegung im 17./18. Jh., die v.a. in Frankreich Theologie und Spiritualität stark geprägt hat. Theolog. Kernstück des J. ist die auf einer strengen Augustinusauslegung basierende, in Auseinandersetzung mit der scholast. und jesuit. Theologie (mit ihrer Abschwächung der Bedeutung der Erbsünde) entstandene Gnadenlehre, die jegl. →Synergismus ablehnt und neben der Vertiefung der Frömmigkeit einen theolog. und moral. Rigoris-

Horst Janssen: »Mondnacht«, Aquarell, 1982

mus zur Folge hat. Wegen der Überbetonung der Gnade wurde der J. 1653, 1705 und 1713 päpstlich verurteilt. Da der J. Gewissensfreiheit über jegl. Machtwillkür setzte, stand ihm auch der frz. Absolutismus misstrauisch gegenüber. Das Kloster Port-Royal, Sammelpunkt des frz. J., wurde 1709 aufgehoben. In der Aufklärung spielte der J. als Gegenbewegung zu den Jesuiten eine wichtige Rolle. Nach deren Vertreibung aus Frankreich 1761 verlor er an Bedeutung. In den Niederlanden war der J. gleichfalls verbreitet (→Utrechter Kirche); in Dtl. konnte er nicht Fuß fassen.

Janus: Zwischen 225 und 217 v. Chr. gegossene Bronzemünze mit dem doppelköpfigen römischen Gott der Eingänge und Durchgänge sowie des Anfangs (Originalgröße)

Jansky [-ki; nach dem amerikan. Entdecker der kosm. Strahlung K. G. Jansky, *1905, †1950] *das,* Einheitenzeichen **Jy,** in der Radioastronomie gebräuchl. Einheit der spektralen Energieflussdichte elektromagnet. Strahlung: $1\,Jy = 10^{-26}\,Ws/m^2$.

Janssen, Horst, Zeichner und Grafiker, *Hamburg 14. 11. 1929, †ebd. 31. 8. 1995; suchte in sarkast. figürl. Darstellungen und Porträts psych. Deformationen sichtbar zu machen; schuf auch Illustrationen zu literar. Vorlagen und eigenen Texten.

Jantarny (dt. Palmnicken), Fischerdorf an der Samlandküste, im Gebiet Kaliningrad (Königsberg), Russland, 8200 Ew.; Bernsteinbergbau und -museum; einst bed. Ostseebad in Ostpreußen.

Januar [nach dem röm. Gott Janus] (oberdt. Jänner; veraltet: Eismond, Hartung) *der,* der erste Monat des Jahres, mit 31 Tagen.

Januarius (italien. Gennaro), Märtyrer, †Pozzuoli 305; bekannt durch das seit 1389 belegte **Blutwunder des J.** (Verflüssigung seines Reliquienblutes an bestimmten Tagen); Heiliger, Tag: 19. 9.

Janus, 1) *altröm. Mythos:* (Ianus) altröm. Gott des Torbogens, Schützer des Ein- und Ausgangs sowie Gott des Anfangs; nach der Sage erster König von Latium; dargestellt mit Doppelantlitz.

2) *Astronomie:* Name des größeren der beiden auf derselben Umlaufbahn befindl. koorbitalen Monde des Saturns; der Begleitmond erhielt den Namen Epimetheus.

Jao, Bantuvolk in Ostafrika, →Yao.

Jap (Yap), Hauptinsel der →Yap Islands, Karolinen.

Japan (Nippon, amtl. japan. Nihon Koku), Inselstaat in Ostasien, umfasst die zw. Ochotsk. und Ostchines. Meer vor der asiat. Festlandküste gelegene Inselkette mit den Hauptinseln Honshū, Hokkaidō, Kyūshū und Shikoku. Nächste Nachbarn sind Russland (mit der Insel Sachalin und den von J. beanspruchten Kurilen) und Korea, nach SW erstreckt sich das Staatsgebiet mit den Ryūkyūinseln bis nach Taiwan.

Staat und Recht: Nach der 1947 in Kraft getretenen Verf. ist J. eine parlamentarisch-demokrat. Monarchie. Staatsoberhaupt mit überwiegend repräsentativen Aufgaben ist der Kaiser (Tenno). Oberstes Legislativorgan ist das Zweikammerparlament, bestehend aus Oberhaus (252 auf sechs Jahre gewählte Mitgl.) und Unterhaus (512 Abg., für vier Jahre gewählt). Ges.vorlagen bedürfen der Zustimmung beider Kammern, jedoch kann das Unterhaus Einwendungen des Oberhauses zurückweisen. Die Exekutive liegt bei der Reg. unter Vorsitz des von beiden Kammern gewählten MinPräs. An der Spitze der Präfekturen stehen direkt gewählte Gouverneure. Einflussreichste Parteien: Liberaldemokrat. Partei (LDP), Sozialdemokrat. Partei (SDP), Neue Fortschrittspartei (NFP, gegr. 1994), Kommunist. Partei (KPJ), Neue Initiative (Sakigake, gegr. 1993).

Japan

Fläche: 377 801 km²
Einwohner: (1995) 125,1 Mio.
Hauptstadt: Tokio
Verwaltungsgliederung: 43 Präfekturen
Amtssprache: Japanisch
Nationalfeiertag: 23. 12.
Währung: 1 Yen (¥) = 100 Sen
Zeitzone: MEZ + 8 Std.

Landesnatur: J. besteht aus 3922 Inseln. Der japan. Hauptinselbogen, der sich nach S in den Ryūkyūinseln, nach N in den Kurilen fortsetzt, ist die Gipfelreihe eines kompliziert gebauten Gebirgssystems, das aus über 12 000 m Tiefe vom Meeresboden aufsteigt. Die Inseln sind im Innern sehr gebirgig und in Südwest-J. durch Meeresbuchten reich gegliedert. Höchster Berg ist der Vulkankegel Fuji (3776 m ü. M.). Von den mehr als 240 Vulkanen sind 36 tätig; es gibt etwa 12 000 heiße Quellen. J. ist eines der erdbebenreichsten Länder der Erde (durchschnittlich 1450 leichte Erdbeben pro Jahr, auch häufige Seebeben). 80 % der Landfläche sind gebirgig, mehr als 380 Gipfel liegen über 2000 m. Tiefländer treten nur im Bereich der Küste auf, das größte ist die Kantōebene an der Tokiobucht. Die Flüsse sind kurz und sehr wasserreich, meist infolge starken Gefälles nicht schiffbar, jedoch für die Bewässerung der Reisfelder, die Flößerei und Energieerzeugung wichtig. Die Seen sind mit Ausnahme des Biwasees (675 km²) meist klein. – Breitenlage und der Wechsel der Monsunwinde (im Sommer S- oder SO-Monsun, im Winter N- oder NW-Monsun) bestimmen das Klima; die Monsunwinde bringen den ihnen zugewandten Gebirgen reiche Niederschläge, im Winter z. T. Schnee. Der S ist subtropisch heiß, der N warm bis kühl gemäßigt, im N von Hokkaidō herrscht subpolares Klima. Im Spätsommer treten an der SO-Küste häufig verheerende Taifune auf. – Die Pflanzenwelt ist sehr artenreich. Wälder bedecken rd. 70 % der Fläche; auf die borealen Nadelwälder im N folgen sommergrüne Laubwälder, in denen nach S zunehmend Lorbeergehölze vertreten sind. Im südl. J. sind immergrüne Laubwälder verbreitet mit z. T. hohem Anteil an Bambus. Auf den Ryūkyūinseln wächst immergrüner Regenwald, an den Küsten wachsen Mangroven.

Bevölkerung: Die Bev. besteht fast ausschließlich aus Japanern. Der Anteil der Ureinwohner (→Ainu) ist gering. Eine noch heute unterprivilegierte und diskriminierte Bev.gruppe sind die vielfach in eigenen Siedlungen lebenden, seit 1869 so bezeichneten Burakumin (über 3 Mio.), Nachkommen der Hinin (ehem. Ausgestoßene: Bettler, Prostituierte, Schausteller) und Eta (Angehörige »unreiner Berufe«: Schlachter, Gerber, Totengräber, Henker). Stärkste ausländ. Gruppe sind die Koreaner. Die Bev.verteilung ist sehr unterschiedlich; am dünnsten besiedelt ist Hokkaidō, dagegen leben in den Ballungsgebieten an der SO-Küste von Honshū bis zu 4000 Ew./km²; der Bev.zuwachs ist aufgrund von Maßnahmen zur Familienplanung sehr gering (0,34 %). Es gibt elf Millionenstädte (Tokio, Yokohama, Ōsaka, Nagoya, Sapporo, Kōbe, Kyōto, Fukuoka, Kawasaki, Hiroshima, Kitakyūshū) und über 140 Großstädte. – Es besteht allg. Schulpflicht vom 6. bis 15. Lebensjahr; Hochschulbildung wird von rd. 550 Univ., Hochschulen, Fachhochschulen und Colleges vermittelt. – Etwa 87 % der Bev. sind Shintoisten, über 77 % Buddhisten (die meisten Japaner gehören beiden Gemeinschaften gleichzeitig an), etwa 1 % sind Christen.

Wirtschaft, Verkehr: Obwohl ein rohstoffarmes Land, gehört J. zu den führenden Ind.staaten der Erde und hat seit dem 2. Weltkrieg einen beispiellosen Aufstieg zur zweitgrößten Wirtschaftsmacht nach den USA und vor Dtl. vollzogen. J. ist auch Zentrum des in der Weltwirtschaft neu entstandenen pazif. Wirtschaftsraumes. Die rasche ökonom. Entwicklung und der tief greifende Strukturwandel nach dem 2. Weltkrieg wurden u. a. durch Förderungs- und Finanzierungsprogramme der Reg., durch eine hohe Inlandsnachfrage bei gleichzeitig hoher persönl. Sparquote (u. a. dadurch bedingt hohe Kapitalinvestitionen), durch Technologieimport und hohe Aufwendungen für die Entwicklung eigener Technologien sowie durch hoch qualifizierte Erwerbstätige und einen geringen Mitteleinsatz für die Landesverteidigung ermöglicht. Die nach 1945 strukturell grundlegend umgewandelte Ind. konzentriert sich zu etwa 80 % im pazif. Ind.gürtel, v. a. in den Ind.gebieten Keihin (um Tokio), Chūkyō (um Nagoya), Hanshin (um Ōsaka und Kōbe) und Kitakyūshū

Staatswappen

J

Internationales Kfz-Kennzeichen

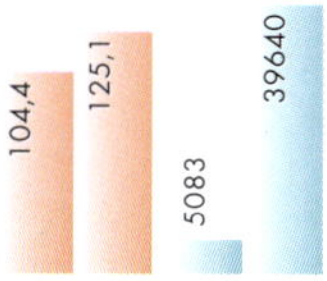

Bevölkerung (in Mio.) Bruttosozialprodukt je Ew. (in US-$)

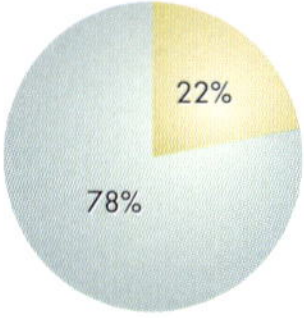

Bevölkerungsverteilung 1994

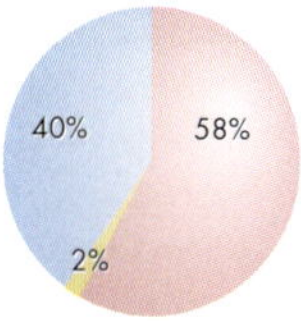

Bruttoinlandsprodukt 1993

Japan - Wirtschaft

(im N von Kyūshū). Bestimmend sind die Zweige der Metallverarbeitung, darunter die elektrotechn. und elektron. Ind. mit dem Bau von elektron. Teilen, Computern, Erzeugnissen der Unterhaltungselektronik (Hörfunk-, Fernseh-, Videogeräte) und Ind.robotern, der Werkzeugmaschinen-, Fahrzeug- und Schiffbau. Im Schiffbau ist J. seit 1956 führend in der Welt (acht Großwerften), im Automobilbau seit 1979. In der Produktion von synthet. Fasern und synthet. Kautschuk nimmt es ebenso wie in der Erzeugung von Eisen und Stahl den zweiten Platz ein. Eine Spitzenposition besteht auch in der Herstellung von Nähmaschinen, bei Uhren und bei opt. Geräten. In der Flugzeugind. liegt das Schwergewicht auf Passagier- und Leichtflugzeugen. In der chem. Ind. zählt J. zu den vier größten Produzenten chem. Grundstoffe. Die Leichtind. verliert zunehmend an Bedeutung, doch zählt die Textilind. nach wie vor zu einer der in der Welt führenden Branchen. J. ist arm an Bodenschätzen. Abgebaut werden Kohle, Blei- und Zinkerze, Kupfer- und Eisenerze sowie Eisensande. Die Erdöl- und Erdgasvorkommen sind gering. Die Elektrizitätserzeugung ist stark von Erdölimporten abhängig. 47 Kernkraftwerke sind in Betrieb (installierte Leistung: 28 024 MW). Neun Kraftwerke nutzen die reichen Reserven an geotherm. Energie. Aufgrund der gebirgigen Landesnatur sind nur 14 % der Gesamtfläche landwirtschaftlich nutzbar. Der Boden wird deshalb intensiv bewirtschaftet (z. T. Terrassenanbau), die Hektarerträge gehören zu den höchsten der Erde. Zwar werden noch immer die vorherrschenden Kleinbetriebe (40,4 % unter 0,5 ha; 29,2 % mit 0,5 bis 1 ha) äußerst intensiv genutzt, doch ist trotz erhebl. Subventionen und einer stark protektionist. Agrarpolitik die Erzeugung rückläufig. Die Änderung der Ernährungsgewohnheiten und erhöhte Nahrungsmitteleinfuhr bedingen eine Veränderung des Anbaus. Es werden mehr Obst und Gemüse, mehr Weizen und Sojabohnen und weniger Reis angebaut. Da die Viehzucht unbedeutend ist, muss die Fischerei das nötige Eiweiß liefern. J. gehört zu den führenden Fischfangnationen der Erde. Im Küstenbereich haben Seetanggewinnung und Perlmuschelzucht Bedeutung; die Produktivität ist jedoch rückläufig, v. a. wegen Verschmutzung der Küstengewässer. J. gehört zu den Ländern mit der geringsten Waldfläche je Ew.; der hohe Holzbedarf (Holzkohle, traditioneller Hausbau, Papierherstellung) kann daher von der eigenen Forstwirtschaft nicht gedeckt werden. – Hauptantriebskraft des Aufschwungs war der Export. Aufgrund des Wirtschaftsgefälles gegenüber den anderen asiat. Ländern sind ergiebige Märkte mit geringen Transportbelastungen vorhanden; aber auch der Handel mit den USA und den europ. Ind.ländern wuchs ständig. Wichtigste Handelspartner sind die USA, die EU-Länder, Süd-Korea, Indonesien, Australien, die Vereinigten Arab. Emirate. – Der steigende Wohlstand äußert sich im wachsenden Anteil des Dienstleistungssektors an der Beschäftigtenzahl sowie am Sozialprodukt. Internat. bes. wichtig ist das japan. Bank-, Börsen- und Versicherungswesen. Tokio ist neben New York und London dritter internat. Finanzplatz. Forschungs- und

Japan

Chinesische Quellen zur japanischen Frühgeschichte:

Die japanische Frühgeschichte lässt sich in Ermangelung eigener schriftlicher Quellen nur aus archäologischen Artefakten und den chinesischen Dynastiegeschichten rekonstruieren, in denen Japan in den Abschnitten über die benachbarten Barbarenvölker beschrieben wird. Folgende Werke enthalten genauere Angaben: Das »Wei-zhi« (»Geschichte des Staates Wei«, entstanden 297) nennt im Anhang des Biographienteils die Japaner »Wa«, eine abwertende Bezeichnung mit der Bedeutung »Gnome«, deren Land von einer Königin durch Zauberei regiert wird und aus hundert Königreichen besteht. Im »Hou Hanshu« (»Buch der Späteren Han«, um 440) wird das Land Nu von Wa erwähnt. Im »Song-shu« (»Buch der Liu-Song-Dynastie«, um 510) wird über fünf Könige im Lande Wa geschrieben. Über eine Tributdelegation von 413 berichtet das »Jin-shu« (»Buch der Jin-Dynastie«, um 630).

Entwicklungsbereiche, bes. in der Technologie, werden vom Wirtschaftsministerium intensiv gefördert.

Das Eisenbahnnetz ist 20255 km lang. Die Eisenbahntechnologie ist hoch entwickelt. Superexpresszüge (→Shinkansen) verkehren mit Höchstgeschwindigkeiten von 210 km/h. In den großen städt. Ballungsräumen sind Untergrundbahnen vorhanden oder im Ausbau. Das Straßennetz hat eine Länge von 1,11 Mio. km (das Schnellstraßensystem soll im Jahr 2000 9000 km lang sein). J. besitzt die drittgrößte Handelsflotte der Welt. Die wichtigsten Seehäfen sind Kōbe, Yokohama, Nagoya und Ōsaka. Den Inlandsflugverkehr besorgen zwei Flugges.; die nat. Ges. Japan Air Lines und Japan Asia Airways bedienen den Auslandsflugverkehr. Größte internat. Flughäfen befinden sich bei Tokio (seit 1978 Großflughafen Narita) und Ōsaka (Kansai in der Bucht von Ōsaka, seit 1994, der weltweit erste Offshoreflughafen).

Geschichte

Vor- und Frühgeschichte: Der Beginn der Einwanderung und die ethn. Herkunft der ersten Siedler auf den japan. Inseln sind unbekannt; neuere archäolog. Funde bezeugen altsteinzeitl. Leben bereits für die Zeit vor 20000 Jahren, als es möglicherweise noch eine Landverbindung zum Festland gab. Um 7500 v. Chr. bildete sich die nach dem Schnurmuster ihrer Keramik als Jōmon-Kultur bezeichnete Wildbeuterkultur heraus; ihr folgten die Yayoi-Kultur (etwa 300 v. Chr. bis 300 n. Chr.), die u. a. den Metallgebrauch und den Nassfeldreisanbau kannte, und die Kofun-(Grabhügel-)Periode (etwa 3.–7. Jh.). Die Entstehung eines japan. Staatswesens bringt man in Zusammenhang mit dem vermuteten Eindringen eines innerasiat. Reitervolkes über S-Korea. Im Gefolge von Eroberungszügen wurden die japan. Teilstaaten bis um 400 n. Chr. zum Staat Yamato vereint, dessen gesellschaftl. Struktur (Geschlechterverband, Zusammenschluss von Elitefamilien) trotz des Einflusses der chines. Kultur (etwa seit 100 v. Chr.) in den folgenden Jh. unverändert blieb. Im 6. Jh. kam der Buddhismus über Korea nach J.; der Ggs. zur einheim. Religion Shintō führte zw. den Adelsparteien zu heftigen Auseinandersetzungen, aus denen die probuddhist. Soga als stärkste Macht hervorgingen.

Das Zeitalter des Absolutismus: Kronprinz Shōtoku (*574, †622), der 593 Regent wurde, setzte den Buddhismus als Staatsreligion ein, übernahm chines. Verwaltungseinrichtungen und verkündete 604 einen Kodex von 17 Reg.artikeln, mit denen er die theoret. Begründung eines »Kaisers« und »Himmelssohnes« als absolutes, göttlich legitimiertes Staatsoberhaupt gab (als legendärer erster Kaiser gilt Jimmu, der am 11. 2. 660 v. Chr. den Thron bestiegen haben soll). Ein Staatsstreich des späteren Kaisers Tenji (*626, †672) im Bunde mit Nakatomi no Kamatari (*614, †669; Ahnherr des Hauses Fujiwara) beendete die Herrschaft der Soga 645 (Rücktritt der Kaiserin Kōgyoku; 35. Tenno ab 642). Mit der danach einsetzenden Taika-Reform (Edikt vom 22. 1. 646) wurde der Kaiser alleiniger Eigentümer des gesamten Bodens; an die Stelle des lose gefügten Geschlechterverbandes trat ein straff organisierter kaiserl. Beamtenstaat. Kaiser Mommu (*683, †707, 42. Tenno 697–707) vollendete 701 die Reformen mit dem Taihō-Kodex. Durch die am chines. Recht orientierten Taihō-Gesetze war die Regierungsstruktur sowohl

Japanische Geschichte

Japan

1

2

3

4

| **1** Die 1602–27 erbaute Burganlage von Matsuyama auf dem dicht bewaldeten Katsuyama-Hügel an der Nordwestküste von Shikoku | **2** Blick auf den Eniwa südlich von Sapporo auf Hokkaidō | **3** Reisernte in der Nähe von Takayama auf Honshū | **4** Der Aso-Nationalpark im Zentrum von Kyūshū mit dem Aso-Vulkan

auf zentraler wie lokaler Ebene bis ins Detail festgelegt. Dem Großkanzleramt waren acht Ministerien nachgeordnet, das Reich in 66 Prov. mit 592 Distrikten eingeteilt.

710 wurde Heijō-kyō (Nara) die erste ständige Hauptstadt. Der polit. Einfluss buddhist. Priester nahm während dieser Epoche ständig zu. Kaiser Kammu (*737, †806, 50. Tenno 781–806) regierte unabhängiger von der buddhist. Geistlichkeit und verlegte 784 die Hauptstadt zunächst nach Nagaoka, 794 nach Heian-kyō (heute Kyōto). Er reorganisierte das Heerwesen, führte erfolgreiche Feldzüge v.a. gegen die Emishi (Ainu) im N der Hauptinsel und sicherte eine strenge Kontrolle der Lokalverwaltungen. Bald jedoch wurde die kaiserl. Macht durch den Aufstieg des Hofadels (Kuge) in den Hintergrund gedrängt. Als mächtigste Familie übernahmen die Fujiwara seit Mitte des 9. Jh. die Vormundschaftsregierung für den Tenno. Bedeutendster Regent war Fujiwara no Michinaga (*966, †1028), der die Reg.geschäfte durch seine Hauskanzlei leitete. Der Vormundschaft versuchten die Kaiser sich durch Abdankung zu entziehen und als Exkaiser den Staat zu lenken. Da der Hof jedoch kein stehendes Heer unterhielt, blieben Kaiser, Exkaiser und Regenten bei militär. Unternehmungen auf die Hilfe der Kriegergeschlechter (Bushi) angewiesen; diese gewannen an Macht und Ansehen, bis Mitte des 12. Jh. die Familie Taira die Vorherrschaft ausübte. In den nachfolgenden Kämpfen zw. den Schwertadelsfamilien Taira und Minamoto (Gempeikrieg, 1180–85) setzten sich die Minamoto durch; ihr Führer Minamoto no Yoritomo trug seit 1192 den Titel Shogun (Kronfeldherr).

Die Herrschaft der Shogune: Die wichtige Rolle, die die Militäraristokratie aus den Provinzen in den Staatsgeschäften zu spielen begann, und das Entstehen einer zentralen Militärbehörde mit weiten Machtbefugnissen im zivilen Bereich (Shogunat) brachten gegen Ende des 12. Jh. grundlegende

5

6

7

8

| **5** Industriegebiet von Muroran an der Südküste Hokkaidōs | **6** Reisanbau in der Umgebung des Fuji (im Bildhintergrund) auf Honshū | **7** Küstengebiet im Süden von Kyūshū | **8** Agrarlandschaft auf der Insel In-no-Shima in der Inlandsee zwischen Honshū und Shikoku

Veränderungen der Gesellschaft und Reg.form. Zur Umgehung des Hofes errichteten die Shogune in Kamakura ein neues Militärhauptquartier. Die Zeit der ersten Shogunate war gekennzeichnet durch innere Auseinandersetzungen und äußere Gefahren (Abwehr der Mongolen 1274, 1281). Erst das Interregnum der Heerführer Oda Nobunaga (*1534, †1582) und Toyotomi Hideyoshi (*1536, †1598) schuf die Basis, auf der Tokugawa Ieyasu (*1542, †1616) das Tokugawa- oder Edoshogunat (1603–1867) errichtete. Damit begann eine Friedensperiode, in der Verw. und Lehenswesen neu geordnet wurden; Residenz war Edo (heute Tokio). 1542/43 waren Portugiesen als erste Europäer in J. gelandet. Das Christentum (Missionierungsbeginn 1549 durch den span. Jesuiten Franz Xaver) breitete sich zunächst aus, wurde aber bald unterdrückt; der Christenaufstand von Shimabara 1637/38 löste eine Christenverfolgung aus und diente als Begründung für die Landesabschließung (Sakoku). Fortan durften neben Chinesen nur die Niederländer in J. landen, deren Handelstätigkeit 1641–1854 auf Nagasaki beschränkt blieb. Der wirtsch. Aufstieg J.s seit der Mitte des 17. Jh. ließ eine städtisch-bürgerl. Kultur entstehen. Die Bev. war in vier Stände gegliedert: 1) die schwerttragenden und einem Lehensstand angehörenden Samurai (Staats- und Kriegsdienst, Priester, Gelehrte, Ärzte, Künstler), 2) Bauern, die ihr Land pachteten und beträchtl. Abgaben zu entrichten hatten, 3) Handwerker, 4) Kaufleute. Den Versuchen auswärtiger Mächte, Zutritt in das Land zu erhalten, widersetzte sich J. lange Zeit. Erst als 1853 ein amerikan. Geschwader in der Bucht von Tokio erschien, war die japan. Reg. zu Verhandlungen bereit. Dem erzwungenen Freundschafts- und Handelsvertrag von Kanagawa (1854) folgten ähnl. Verträge mit europ. Großmächten; einige Häfen wurden zum Handel mit Ausländern freigegeben. Der letzte Shogun trat 1867 zurück.

Itō Hirobumi

Hirohito,
Kaiser von Japan

Das moderne Japan: Kaiser Mutsuhito (*1852, †1912, 122. Tenno 1867/68–1972) bildete eine provisor. Reg. und verlegte die Hauptstadt nach Edo (in Tokio umbenannt). Er gab seiner Reg.zeit den Namen »Meiji« (aufgeklärte Reg.) und führte eine Reihe umfassender Reformen durch. Mit Auflösung der Territorialherrschaften entstand anstelle des Feudalstaates die absolute Monarchie. Heerwesen, Justiz und Verw. wurden nach europ. Muster umgestaltet, Technik und kapitalist. Organisationsformen in kurzer Zeit übernommen. Schlussstein dieser Meijireform war die Einführung einer neuen, von Itō Hirobumi nach preuß. Vorbild ausgearbeiteten Verfassung (11. 2. 1889), die J. zur konstitutionellen Monarchie (jedoch noch mit einem sehr beschränkten Zensuswahlrecht) machte. 1890 wurde das erste Parlament einberufen, die parlamentar. Regierungsform konnte sich jedoch nicht durchsetzen. – Außenpolitisch verschärften sich die Spannungen mit China bis zum Krieg (1894/95), den J. gewann. China musste im Frieden von Shimonoseki (17. 4. 1895) die Unabhängigkeit Koreas anerkennen, Taiwan und die Pescadoresinseln abtreten und eine hohe Kriegsentschädigung zahlen. 1899 wurden die letzten Exterritorialrechte aufgehoben und J. von den Großmächten als gleichberechtigter Partner akzeptiert. Nach seinem Sieg im Russisch-Japan. Krieg (1904/05) konnte J. seine Position in O-Asien ausbauen und festigen (1910 Annexion Koreas, Einflusszone in der Mandschurei).

Im 1. Weltkrieg erweiterte J. als Verbündeter Großbritanniens seine Außenmärkte, wurde danach Mitgl. des Völkerbunds und übernahm ehem. dt. Besitzungen. Eine Intervention in Sibirien (1918–22) scheiterte (im Okt. 1922 Abzug der japan. Truppen aus Wladiwostok). Ein verheerendes Erdbeben 1923 zerstörte große Teile Tokios.

Ausschlaggebend für polit. Entscheidungen in J. waren der Geheime Staatsrat und der 1903 als Beratungsgremium für den Kaiser gegr. Militärsenat, über den der extreme Nationalismus der Militärs und Geheimgesellschaften auf die Reg. einwirkte; gegen Opponenten richteten sich Repressivmaßnahmen. 1926 trat Kaiser Hirohito (*1901, †1989) die Reg. an (Thronbesteigung 1928) und stellte seine Reg.zeit unter die Devise »Shōwa« (Leuchtender Friede). Nach dem Zwischenfall bei Mukden (1931) kam es auf Betreiben der Militärs zum Mandschureikonflikt, in dessen Verlauf Mukden (heute Shenyang), Jilin und Heilong Jiang von J. besetzt wurden. Da die Konstituierung des von J. abhängigen Staates Mandschukuo (1932; ab 1934 Kaiserreich unter Pu Yi) nicht anerkannt wurde, trat J. 1933 aus dem Völkerbund aus. Ende 1934 kündigte es das Washingtoner Flottenabkommen zum 31. 12. 1936, erklärte seinen Austritt aus der Londoner Abrüstungskonferenz (15. 1. 1936) und unterzeichnete am 25. 11. 1936 den Antikominternpakt mit Deutschland. Extremist. Offiziere nutzten eine Schießerei zw. chines. und japan. Truppen bei Peking (1937), um China den Krieg zu erklären. 1938/39 kam es zu Zusammenstößen zw. japan. und sowjet. Truppen im mandschurisch-mongol. Grenzgebiet (1939 beigelegt; 1941 Abschluss eines Neutralitätsvertrages mit der UdSSR).

Mit dem Angriff auf Pearl Harbor (7./8. 12. 1941) und der Kriegserklärung an die USA und Großbritannien trat J. in den 2. Weltkrieg ein, in dem es zeitweilig große Gebiete in SO-Asien (u. a. Indochina) besetzte. Die japan. Großoffensive wurde jedoch im April 1942 gestoppt, als die amerikan. Luftwaffe erstmals die japan. Hauptinseln angriff, und kam in der Seeschlacht von Midway (4.–7. 6. 1942) und bei den Kämpfen auf Guadalcanal (bis Febr. 1943) völlig zum Erliegen. Nach Landungen der Alliierten auf Iwo Jima und Okinawa (Febr. bis Juni 1945) war der Krieg für J. verloren. Nach den Atombombenabwürfen auf Hiroshima und Nagasaki (6. bzw. 9. 8. 1945) sowie der sowjet. Kriegserklärung (8. 8. 1945) kapitulierte J. bedingungslos (2. 9. 1945 Unterzeichnung der Kapitulationsurkunde) und unterstand bis 1951 einer Militärreg. unter dem amerikan. General D. MacArthur.

Die von den USA geforderten Reformen begannen mit einer Rede Kaiser Hirohitos (1. 1. 1946), in der dieser die altjapan. Auffassung von der Göttlichkeit des Kaisers verneinte. Der Großgrundbesitz wurde an Kleinbauern aufgeteilt, die Großkapitalgesellschaften wurden entflochten. Am 3. 5. 1947 trat eine neue Verfassung in Kraft (nach ihr ist der Kaiser nur noch Symbol des Staates); die auf amerikan. Druck durchgeführte Demokratisie-

Japan (Geschichte): Der japanische Außenminister Mamoru Shigemitsu unterschreibt am 2. 9. 1945 an Bord des amerikanischen Schlachtschiffs »USS Missouri« die Urkunde über die bedingungslose Kapitulation; im Bild links der amerikanische General Douglas MacArthur

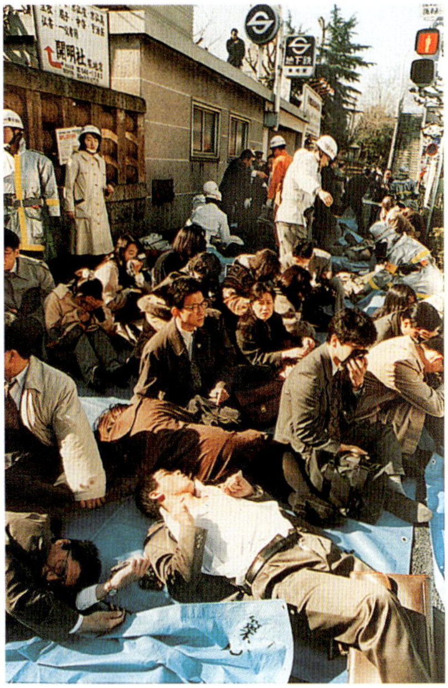

Japan (Geschichte): Nach den Giftgasanschlägen am 20. 3. 1995 in der U-Bahn von Tokio müssen rund 5 000 Menschen medizinisch versorgt werden

rung wurde durch die Einführung einer parlamentar. Reg.form vollendet. Vor einem internat. Militärtribunal in Tokio mussten sich führende Politiker und Militärs der Kriegsjahre verantworten (u.a. 1948 Todesurteil gegen den ehem. MinPräs. Tōjō). Am 8. 9. 1951 schlossen 48 Nationen (nicht die UdSSR) in San Francisco einen Friedensvertrag mit J., durch den das Land seine Souveränität wiedererlangte. 1956 wurde nach langwierigen Verhandlungen eine japanisch-sowjet. Erklärung unterzeichnet, die den Kriegszustand zw. beiden Ländern beendete. Im selben Jahr wurde J. Mitgl. der UN. Der am 19. 1. 1960 durch Premiermin. Kishi Nobusuke (1957–60) in Washington unterzeichnete japanisch-amerikan. Sicherheitspakt (am 23. 6. 1970 verlängert) ersetzte den Vertrag von 1951 und räumte den USA erneut ein Recht auf Stützpunkte ein, weshalb es zum Generalstreik und zu antiamerikan. Massendemonstrationen kam. 1971 bekräftigte MinPräs. Satō Eisaku den Willen seines Landes, niemals Kernwaffen herzustellen, zu besitzen oder einzuführen; 1972 erreichte er von den USA die Rückgabe Okinawas. Satōs Reg.zeit (1964–72) war von hohem Wirtschaftswachstum geprägt. Es folgte eine Periode häufiger Reg.krisen (Lockheed-Bestechungsskandal 1976/77) und Reg.wechsel innerhalb der seit Mitte der 50er-Jahre regierenden LDP. Unter MinPräs. Nakasone Yasuhiro (1982–87) errang die LDP 1986 einen überwältigenden Wahlsieg. Die von der Reg. Nakasone begonnene Erziehungsreform wurde unter MinPräs. Takeshita (1987–89) fortgesetzt.

Nach dem Tode Kaiser Hirohitos (1989) trat sein Sohn Akihito seine Nachfolge an. Er stellte seine Amtszeit unter das Leitwort »Heisei« (Frieden und Eintracht). Die MinPräs. Kaifu Toshiki (1989–91) und Miyazawa Kiichi (1991–92) suchten angesichts des stark verkrusteten polit. Systems in J. Reformen durchzusetzen. Nach einem erfolgreichen Misstrauensantrag gegen die Reg. Miyazawa (Vorwurf der Korruption) im Juni 1993 und der Auflösung des Parlaments verlor die LDP bei Neuwahlen (Juli 1993) erstmals in ihrer Geschichte die absolute Mehrheit im Parlament. Die Koalitionsregierung unter MinPräs. Hosokawa Morihiro (Neue Japan-Partei) setzte eine Wahlrechtsreform und Maßnahmen gegen die Korruption durch. Nachdem sich Hosokawa selbst mit Vorwürfen der Korruption konfrontiert sah, trat er im April 1994 als MinPräs. zurück. In der Zeit der Regierung des Sozialdemokraten Murayama Tomiichi, der neben den Sozialdemokraten u.a. auch wieder die LDP angehörte, stand anlässlich des 50. Jahrestags des Kriegsendes im Pazifik die japan. Besatzungspolitik im 2. Weltkrieg im Zentrum der Diskussion. Über J. hinaus bewegten Giftgasanschläge in der Tokioter U-Bahn (1995) die Weltöffentlichkeit. 1996 übernahm wieder die LDP die Führung der Reg. (MinPräs. 1996–98 Hashimoto Ryūtaro, ab 1998 Obuchi Keizō).

Japan (Geschichte): Hashimoto Ryūtaro (links) verbeugt sich nach seiner Wahl zum Ministerpräsidenten am 11. 1. 1996 vor den Abgeordneten des japanischen Unterhauses

Außenpolitisch entwickelte J. gute Beziehungen zu den ost- und südostasiat. Nachbarstaaten (u.a. Friedens- und Freundschaftsvertrag mit China, 1978). Wegen seiner expansiven Export- und als restriktiv empfundenen Importpolitik ergaben sich wiederholt Spannungen mit den USA und mit der EG/EU. Der langjährige japanisch-sowjet. Streit um die →Kurilen konnte auch nach der Auflösung der UdSSR (1991) mit dem nunmehrigen Verhandlungspartner Russland nicht beigelegt werden. Mit

Satō Eisaku

Akihito,
Kaiser von Japan

Bekenntnissen zur Kriegsschuld Japans und den in seinem Namen begangenen Verbrechen im 2. Weltkrieg verstärkten die MinPräs. Hosokawa, Murayama und Hashimoto die Aussöhnungspolitik (1994/95/96) mit den Nachbarstaaten.

📖 *J.-Hb.*, *hg. v.* H. HAMMITZSCH. *Stuttgart* [3]*1990.* – HARTMANN, J.: *Politik in J. Das Innenleben einer Wirtschaftsweltmacht. Frankfurt am Main u. a. 1992.* – DETTMER, H. A.: *Grundzüge der Geschichte J.s. Darmstadt* [5]*1992.* – KEVENHÖRSTER, P.: *Politik u. Gesellschaft in J. Mannheim u. a. 1993.* – NORA, D.: *Das Yen-Kartell. J.s globale Wirtschaftsstrategien. A. d. Frz. Hamburg 1993.* – WÄCHTER, S. *u.* RAMBATZ, G.: *J.s internat. Beziehungen u. seine Rolle in der neuen Weltordnung. Hamburg 1993.* – GREIN, M.: *J. heute u. gestern. Beiträge v.* S. BECKER *u. a. Mainz 1994.* – HALL, J. W.: *Das japan. Kaiserreich. A. d. Amerikan. Frankfurt am Main 1994.* – PASCHA, W.: *Die japan. Wirtschaft. Mannheim u. a. 1994.* – FOLTJANY-JOST, G.: *Ökonomie u. Ökologie in J. Opladen 1995.* – INOUE, K.: *Gesch. J.s A. d. Japan., Frankfurt am Main* [2]*1995.* – *J. u. Dtl. in der Welt nach dem kalten Krieg. hg. v.* D. THRÄNHARDT. *Münster 1996.* – POHL, M.: *Kleines J.-Lexikon. München 1996.* – SINGER, K.: *Spiegel, Schwert u. Edelstein. Strukturen des japan. Lebens. A. d. Engl. Sonderausg. Frankfurt am Main 1996.*

Japan Air Lines Co., Ltd.

Japan Air Lines Co., Ltd. [dʒəˈpæn ˈeəlaɪnz ˈkʌmpənɪ ˈlɪmɪtɪd, engl.], Abk. **JAL,** japan. Luftverkehrsgesellschaft, Sitz: Tokio; 1951 mit einer Staatsbeteiligung von 50% gegr.; Ende 1987 privatisiert. (ÜBERSICHT Luftverkehrsgesellschaften)

japanische Kunst

1

2

3

| **1** Sōtatsu Tawaraya, Ausschnitt eines Stellschirms (frühes 17. Jh.; Washington, Freer Gallery of Art) | **2** Das um 2 500 v. Chr. in Zentraljapan (Präfektur Nagano) geformte Gefäß ist mit seinen Randzinnen, Schnurmustern und gedrehten Tonwülsten dem Flechtwerk eines Korbes nachempfunden (Tokio, Nationalmuseum) | **3** Der im 11. Jh. erbaute buddhistische Byōdōin-Tempel in Uji bei Kyōto ist ein charakteristisches Beispiel heianzeitlicher Tempelbaukunst | **4** Der Ausschnitt aus einer Buchrolle zeigt den Unterricht im Konfuzianismus (17. Jh.; Köln, Museum für Ostasiatische Kunst)

Japaner, das Staatsvolk Japans, außerhalb des Mutterlandes bes. in den USA (Hawaii, Kalifornien), in Kanada und Brasilien lebend. Der Zeitpunkt der Erstbesiedlung der japan. Inseln ist unbekannt, jedoch scheint das japan. Volk schon früh aus tungiden, siniden, paläomongoliden Komponenten zu einer ethn. Einheit verschmolzen zu sein. – Altüberliefertes *Brauchtum* ordnet den Jahresablauf. Die wichtigsten Feste (Sekku) sind das Puppenfest (Hinamatsuri) am 3. 3., das Knabenfest (Tango no sekku) am 5. 5., das Sternenfest (Tanabata) am 7. 7. und das Herbstfest (Jūyō) am 9. 9., daneben das Totenfest (Urabon) am 15. 7. mit seinen Tänzen zum Beruhigen der Seelen der Abgeschiedenen (Bon-odori) sowie das Neujahrsfest. Shintoist., buddhist., z. T. auch daoist. Elemente bestimmen Ablauf und Gestaltung dieser Feste.

5

6

5 Ausschnitt aus den 1949 bei einem Brand fast vollständig zerstörten Wandmalereien aus dem 7. Jh. in der Goldenen Halle der Tempelanlage Hōryūji südwestlich von Nara
6 Hasegawa Itsuko, Bizan-Halle in Shizuoka (1983–84) an der Südküste von Honshū

Japanische Alpen, vulkanreiches Gebirge auf der japan. Insel Honshū, im Shirane 3192 m ü. M.

Japanische Inlandsee, das innerhalb der drei südwestl. Hauptinseln Japans gelegene Binnenmeer, rd. 500 km lang, 10–60 km breit, bis 241 m tief, von Inselschwärmen durchsetzt. Seit 1934 sind die Inseln und große Teile der Küsten Nationalpark (659 km²).

japanische Kunst. Trotz enger Anlehung an die korean. und die meist über Korea vermittelte chines. Kunst erhielt die j. K. durch eigene künstler. Konzeptionen und neue Techniken eine selbstständige Ausprägung. Als früheste Äußerungen japan. Kultur gelten grob geformte Tongefäße (Jōmon-Keramik, 8. Jt. bis 3. Jh. v. Chr.) mit markantem Dekor (Schnur- und Mattenabdrücke) und Tonidole der gleichen Epoche. In der ab 3. Jh. v. Chr. auftretenden feineren Keramik (Yayoi) sind festländ. Einflüsse unverkennbar. Der neben der Töpferscheibe als Errungenschaft chines. Kultur nach Japan gelangte Bronzeguss zeigt dagegen in den Bronzeglocken (Dōtaku) eine eigenständig japan. Entwicklung. Die Grabhügel-Periode (Kofun 3.–6. Jh.) schuf die nur das Wesentliche herausmodellierenden Grabfiguren (Haniwa).

Einführung des Buddhismus: Erst mit diesem Schritt vollzog sich der eigentl. Anschluss an die überlegene chines. Kunst, doch verrät die in Japan entstandene buddhist. Plastik des 6.–9. Jh. in Bronze oder Ton (und Trockenlack) bereits großes handwerkl. Können und hohen künstler. Rang. Die seit dem 8. Jh. entwickelte Holzplastik wurde bes. von Jōchō († 1057) durch neue Methoden der Zusammensetzung verschiedener Holzblöcke vervollkommnet (Amida-Buddha, in Byōdōin) und von Unkei (* 1148, † 1223) und seiner Schule zu hoher Blüte geführt; die ikonograph. Typen wurden bis ins 17./18. Jh. tradiert. Die in Japan erhaltenen Beispiele buddhist. Malerei zählen zu den bedeutendsten Zeugnissen der in ihrem Ursprungsland größtenteils untergegangenen chines. Figurenmalerei der Han- (Tamamushi-Schrein des → Hōryūji) oder des Stils der Tang-Zeit (Wandmalereien in der Goldenen Halle des Hōryūji, 1949 zerstört). Es entstanden indes auch japan. Sonderformen wie die Kultbilder volkstüml. Schutzgottheiten (Fudō) oder die aus dem Amida-Kult hervorgegangenen Totenbilder (Raigō).

Die Malerei seit der Heian-Zeit: Die höf. Kultur der Heian-Zeit (794–1185) legte den Grund zur Ausbildung des nat. japan. Stils (Yamato-e), mit einem Hang zum Verfeinerten, Ästhetischen und im besten Sinne Dekorativen. Neben der profanen Illustration der erzählenden Bilderrollen (Makimono) entwickelte sich in dieser Zeit auch eine realist. Porträtkunst, in der die japan. Vorliebe für die Betonung des Charakteristischen zum Ausdruck kommt. Während das von der Tosa-Schule verwaltete Erbe des Yamato-e eine der Hauptströmungen der j. K. blieb, setzte sich unter dem Einfluss des Zen eine neue Richtung durch, die sich an der chines. Tuschmalerei der Song- und Yuan-Zeit orientierte. Die japan. Tuschmalerei (Suiboku oder Sumi-e), die in Sesshū (1420–1506) ihren größten Meister fand, bestimmte den akadem. Stil der Kanō-Schule bis ins 19. Jh. Mit der der Ausschmückung von Schlössern und Tempeln kristallisierte sich im 16. Jh. aus der Verschmelzung von Suiboku-Technik und der Farbenmalerei des Yamato-e der große »dekorative Stil« heraus, der unter Ogata Kōrin (* 1658, † 1716) auf seinen Höhepunkt geführt wurde (Stellschirme). Durch den Aufstieg des wohlhabenden Kaufmannstandes der Tokugawa-Zeit (1603–1867) nahm sich die j. K. des neuen Bürgertums und seiner Vergnügungen an. Die »Bilder der flüchtigen Welt« (Ukiyo-e) gelangten im japan. Farbholzschnitt mit seinen Meistern Utamaro, Hiroshige, Hokusai zu weltweiter Berühmtheit. Seit der Öffnung Japans nach dem Westen in der Meiji-Ära (1868–1912) sind japan. Maler bemüht, den westl. Stil mit ihrer vom kalligraph. Duktus bestimmten Malerei zu verbinden.

Kunsthandwerk: Auf diesem Gebiet beschritt die j. K. überwiegend eigene Wege. Unübertroffen sind die zahlr. Lackmeister mit ihren äußerst raffinierten Techniken. Die bedeutende japan. Teekeramik bevorzugt das Ursprüngliche, Naturgewachsene in Form und Material. Japan. Porzellane aus den Öfen von Arita und Kutani wurden in alle Länder exportiert, und der Emailfarbendekor des großen Porzellanmalers Sakaida Kakiemon (* 1596, † 1666) beeinflusste den Stil des europ. Porzellans. Unter den Metallarbeiten erlangten bes. die kunstvoll verzierten Schwertstichblätter (→ Tsuba) große Berühmtheit. Für das Nō-Spiel wurden kostbare Brokate und Seidenstickereien angefertigt sowie expressive Masken geschnitzt.

Baukunst: Die Grundprinzipien, Harmonie der Proportionen und Reinheit der Materialwirkung, die sich schon in den Holzständerbauten der ältesten Zeit andeuten (Shintō-Schreine auf rechteckigem Grundriss mit umlaufender Veranda und weit überstehendem Dach), äußern sich auch bei der Übernahme des buddhist. Tempelbaus in weitgehendem Verzicht auf Schnitzwerk und Bemalung (Nara, 8. Jh.; Pagode des Hōryūji, Haupthalle des Tōshōdaiji) und werden in den von Zen-Buddhismus und Teezeremonie inspirierten, in kunstvolle Gartenanlagen eingebetteten Pavillonbauten des 14. Jh. (Goldener Pavillon, Kyōto) sowie dem »Studiostil« des japan. Hauses (Villa Katsura, bei Kyōto) in vollkommener Weise verwirklicht. Im 20. Jh. haben japan. Architekten versucht, japan. Elemente in die westl. moderne Bauweise einzubringen und erlangten damit weltweit Beachtung. Maekawa Kunio (* 1905, † 1986), Tange Kenzō und die durch ihre städteplaner. Entwürfe hervorgetretene Gruppe der Metabolisten (Isozaki Arata, Kurokawa Kishō u. a.) gehören heute zur internat. Architektenelite. Werke von Hara Hiroshi (Yamato International, Tokio, 1987) und Hasegawa Itsuko (Kulturzentrum, Fujisawa, 1989) sowie Andō Tadaō sind weitere Beispiele für die Vielfalt japan. Architektur.

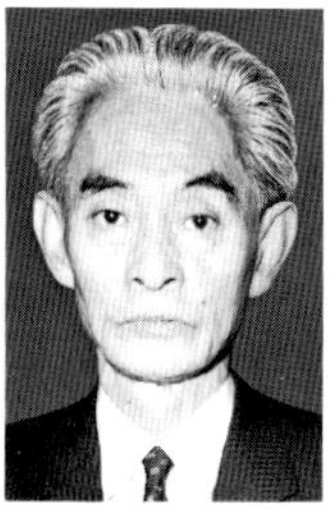

Kawabata Yasunari

📖 GOEPPER, R.: *Meisterwerke des japan. Farbenholzschnitts. Köln 1973.* – IMMOOS, T. *u.* HALPERN, E.: *Japan, Tempel, Gärten u. Paläste. Köln* [7]*1987.* – VIOLET, R.: *Einführung in die Kunst Japans. Leipzig* [2]*1987.* – *J. K. der achtziger Jahre, hg. v.* F. NANJO *u.* P. WEIERMAIR, *Ausst.-Kat. Frankfurter Kunstverein 1990.* – AKIYAMA TERUKAZU: *Die japan. Malerei A. d. Frz. Genf 1990.* – *Die neue japan. Architektur, hg. v.* B. BOGNAR. *A. d. Amerikan. Stuttgart 1991.* – *Japanisches Design seit 1950, bearb. v.* K. B. HIESINGER *u.* F. FISCHER, *Ausst.-Kat. Kunsthalle Düsseldorf 1995.*

japanische Literatur: Der undatierte Holzschnitt zeigt den berühmtesten Romancier der ausgehenden Tokugawazeit Takisawa Bakin (rechts) mit dem Zeichner Hokusai

japanische Literatur. Mythen, Ritualgebete, Lieder, Genealogien u. a. wurden von berufsmäßigen Erzählern überliefert. Erst nach Verbreitung der chines. Schrift (bekannt etwa seit dem 5. Jh. n. Chr.) sind ab dem 8. Jh. in dieser (Kambun)-Schrift Chroniken (Kōjiki), Topographien (Fudoki) und Gedichtsammlungen, deren früheste das »Manyōshu« war, erhalten. Aus der chines. Schrift

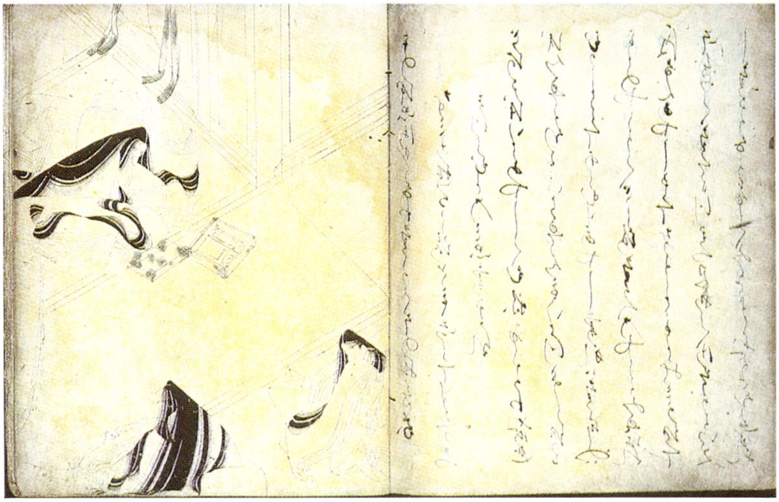

japanische Literatur: Illustration des Romans »Genji-monogatari« (zw. 1004 und 1011) von Murasaki Shikibu (undatiert; Nara, Museum Yamato Bunkakan)

entstandene Silbenschriften (Hiragana, Katakana) ermöglichten ab dem 10. Jh. die Fixierung der eigenen Sprache in Märchen (Taketori-monogatari), Erzählungen (Ise-monogatari), Tagebüchern (Tosa-nikki), volkstüml. Geschichten (Konjaku-monogatari) oder Gedichten (Waka) in offiziell zusammengestellten Anthologien; die meisten Gedichte sind Kurzgedichte, sog. »Tanka«. Im 11. Jh. traten erste realist. Erzählungen auf, die ihre Vollendung in dem höf. Roman »Genji-monogatari« (zw. 1004 und 1011) der Dichterin Murasaki Shikibu erfuhren, dessen Sprache und Stil bestimmend für die weitere Entwicklung des Japanischen wurde. Parallel dazu waren die Tagebuch- (Nikki) und Aphorismenliteratur (Zuihitsu) weitere Höhepunkte der bes. vom Adel und den Hofdamen geprägten klass. japan. Dichtung. Die polit. Umwälzungen des 12. Jh. fanden ihren literar. Niederschlag in den romant. Kriegsepen (»Gunkimono«), kennzeichnend steht dafür die Urfassung des »Heike-monogatari« aus dem 13. Jh., in denen höf. Ästhetizismus durch Spannung abgelöst wurde. Buddhist. Weltentsagung und konfuzian. Ideen durchdrangen die Literatur des MA., die zunehmend von lehrhaftem Schrifttum, z. B. dem »Jikkinshō« (1252), beherrscht wurde. In der Poesie war vom späten 12. bis zum 16. Jh. das Kettengedicht (Renga) weit verbreitet. Gleichzeitig entwickelte sich im 14. und 15. Jh. aus rituellen Tänzen und Pantomimen das lyr. Nō-Spiel. In der Poesie war das epigrammat. Haiku Ausdruck dieses neuen Lebensgefühls, das in der Tokugawazeit (1603 bis 1867) zur höchsten Vollendung geführt wurde. Als berühmtester Romancier der ausgehenden Tokugawazeit gilt Takisawa Bakin aus Edo (heute Tokio). Dramat. Texte wurden für die Theaterformen Kabuki, Jōruri und Bunraku verfasst (→japanisches Theater). Die moderne j. L. entfaltete sich v. a. seit Mitte des 19. Jh. in der Begegnung mit der Dichtung des Westens; zunächst beherrschten v. a. Übersetzungen und polit. Romane den literar. Markt, bis Tsubouchi Shōyō mit seinem Werk über das »Wesen des Romans« (»Shōsetsu shinzui«, 1885/86) neue Wertmaßstäbe setzte, die von Futabatei Shimei, Mori Ōgai, Natsume Sōseki und Akutagawa Ryūnosuke verwirklicht wurden. Vielfältige internat. Einflüsse (dt. Romantik, frz. Naturalismus, ein Humanismus tolstoischer Prägung) führten zur »proletar. Literatur« der 1920er-Jahre und zur Gegenwartsdichtung, deren Vertreter Kawabata Yasunari (Nobelpreis für Literatur 1968), Tanizaki Junichirō, Ōoka Shōhei, Mishima Yukio, Endō Shūsaku, Ōe Kenzaburō (Nobelpreis für Literatur 1994), Inoue Yasushi und Abe Kōbō weltweit bekannt wurden. Ihre Stoffe reichen von typ. japan. Themen, wie der Teezeremonie, bis zu allg. Problematik, wie Vereinsamung der Menschen in Massengesellschaften. In der Poesie überwiegen noch Tanka und Haiku, jedoch sucht man auch neuere Wege in ungebundener Metrik. In der japan. Gegenwartsliteratur ist auch eine stetig zunehmende Zahl von Schriftstellerinnen zu beobachten, die sich mit den unterschiedlichsten Themen (Krieg, Umweltverschmutzung, Rolle der Frau usw.) auseinander setzen (Kōno Taeko, Ōba Minako, Tsushima Yūuko u. a.). Charakteristisch für junge Romanautoren wie Murakami Haruki und Yoshimoto Banana ist ihre starke Prägung durch populäre Genres wie Comics und Film.

Ōe Kenzaburō

Inoue Yasushi

Abe Kōbō

📖 KEENE, D.: *J. L. Eine Einführung für westl. Leser. A. d. Engl. Zürich 1962.* – KATO, S.: *Gesch. der j. L. München 1990.* – *J. L. der Gegenwart, hg. v.* S. SCHAARSCHMIDT *u.* M. MAE. *München u. a. 1990.* – HIJIYA-KIRSCHNEREIT, I.: *Was heißt j. L. verstehen? Zur modernen j. L. u. Literaturkritik. Frankfurt am Main 1990.* – KARATANI, K.: *Ursprünge der modernen j. L. A. d. Japan. Basel 1996.*

japanische Musik. Archäolog. Funde (u. a. steinerne Kugelflöten, Bronzeglocken) sowie Schriftdokumente aus dem frühen 8. Jh., die Bambusflöten und einen größeren Liedschatz belegen, bezeugen eine bereits hoch entwickelte Musikkultur. Die altjapan. Musik war (wie noch heute die japan. Volksmusik) auf einer halbtonlosen Fünftonreihe (Pentatonik) aufgebaut. In der Kunstmusik wandelte sich die Pentatonik allmählich zu einer sieben, dann zwölf Stufen umfassenden Halbtönigkeit. Kulttänze und Gesänge (Kagura) werden mit Schlaghölzern (Shakubyōshi), Flöte (Kagurabue) und auch Wölbbrettzither (Koto) begleitet. Mit dem Buddhismus wurden die →chinesische Musik und ihre Instrumente eingeführt, für die Hofmusik (Gagaku) auch südasiat. Instrumente. Außerhalb der höf. Musik entstand seit dem 14./15. Jh. das Nō-Spiel, dessen Musik stark von buddhist. Hymnik beeinflusst ist. Weitere Theaterformen mit Musik entwickelten sich im 16./17. Jh. mit dem Kabukitheater und dem Puppentheater Bunraku, die meist von der dreisaitigen Langhalslaute Shamisen und von Schlaginstrumenten begleitet werden. Die Konzertmusik besteht aus Gesangsnummern, begleitet von Wölbbrettzither, Shamisen, der leicht gebogenen Längsflöte Shakuhachi und Trommeln; auch rein instrumentale Gruppenaufführungen kommen vor. Seit Ende des 19. Jh. geriet die j. M. unter den Einfluss europ. Musikkulturen. Die moderne j. M. greift jedoch häufig auf japanisch-asiat. Formen zurück, die wiederum z. T. die moderne westl. Musik beeinflussen. Einige Gruppen spezialisierten sich auf traditionelle chinesisch-japan. Instrumente für neue Kompositionen. Vertreter einer westlich instrumentierten modernen j. M. sind u. a. Toshiro Mayuzumi und Toru Takemitsu.

📖 GIESEN, W.: *Zur Geschichte des buddhist. Ritualgesangs in Japan. Kassel 1977.* – MATSUYAMA, Y.: *Studien zur Nō-Musik. Hamburg 1980.* – *Neue Musik in Japan, hg. v.* S. GUIGNARD. *München 1996.*

japanische Philosophie, das von Gedanken des Konfuzius, vom Buddhismus, vom Shintō sowie abendländ. Gedankengut bestimmte Denken und Verhalten in Japan. Das konfuzian. Gedankengut – im 4. Jh. vom Festland übernommen – hat das moral. und polit. Leben Japans bis weit über die Meijizeit bestimmt. Der von Zenmönchen in der Muromachizeit (1339–1573) eingeführte Neokonfuzianismus (Shushigaku) wurde bes. für das Japan der Tokugawazeit (1603–1867) in eth. und staatspolit. Hinsicht bedeutsam. Hauptvertreter: Fujiwara Seika, Hayashi Razan, Kinoshita Jun'an. Ihrer Lehre liegen die Gedanken des chines. Songphilosophen Zhu Xi (japan. Shushi; 12. Jh.) zugrunde. Sie lehnten den Buddhismus ab und bevorzugten einen Synkretismus von Shintō und Konfuzianismus. Neben dem zur orth. Staatslehre gewordenen Shushigaku standen andere Schulen (Yōmeigaku, Kogaku, Shingaku). Die buddhist. Philosophie hatte ihre japan. Anfänge in der Narazeit (710–784). Eine bed. Rolle in der japan. Geistesgeschichte spielte die Philosophie des →Zen, die auch heute und in der westl. Welt von Einfluss ist. Die Nat. Schule (Kokugaku), als wiss. Schule in der Tokugawazeit entstanden, war eine Gegenbewegung zu den konfuzian. und buddhist. Schulen; sie be-

japanische Musik: Kammermusik auf der Wölbbrettzither (Koto), Ausschnitt eines Wandschirms (nach 1615; New York, Burke Collection) tonte das eigenständig Japanische und forderte die »Rückkehr zum Alten«, dem →Shintō. – Die europ. Philosophie wurde Japan von den Niederländern vermittelt. Der eigentl. Begründer der modernen j. P. ist Nishi Amane. Die Überbetonung westl. Denkens in der ersten Hälfte der Meijizeit (1868–1912) führte zu heftigen Reaktionen, die sich bes. in der Ethik abzeichneten (Nishimura Shigeki, Inoue Tetsujirō). Kantianismus und Neukantianismus, daneben die japan. Sozialisten, bestimmten die j. P. der ersten Hälfte des 20. Jh. Eine eigene Stellung nimmt Nishida Kitarō ein, der die j. P. zu einem originalen Philosophieren zurückführte und in die Weltphilosophie eingliederte. Die bestimmenden philosoph. Richtungen nach 1945 sind Existenzialismus, Marxismus, Pragmatismus, Sozialphilosophie sowie die analyt. Philosophie. Der Einfluss der nordamerikan. Philosophie hat gegenüber der europ. zugenommen.

📖 BRÜLL, L.: *Die j. P. Eine Einführung. Darmstadt ²1993.* – HAMADA, J.: *J. P. nach 1868. Leiden u. a. 1994.* – PÖRTNER, P. u. HEISE, J.: *Die Philosophie Japans von den Anfängen bis zur Gegenwart. Stuttgart 1995.*

japanische Philosophie: Darstellung buddhistischer Mönche, Malerei auf Seide (13. Jh.; T'aipei, Nationales Palastmuseum)

japanische Schrift, eine Mischschrift aus chines. Wortzeichen und japan. Silbenzeichen. Wahrscheinlich um 400 n. Chr. wurde die bereits voll entwickelte chines. Schrift in Japan eingeführt und im Laufe der Zeit um etwa 250 gleichartige Ideogramme (Kanji) erweitert. Da das Japanische nicht angemessen mit chines. Wortzeichen dargestellt werden konnte, behalf man sich, indem man die Kanji ungeachtet ihrer Bedeutung nur zur Wiedergabe japan. Lautwerte phonetisch »entlehnt« gebrauchte (Kana). Die häufige Benutzung von Zeichengruppen für bestimmte japan. Silben führte im 9. Jh. zur Herausbildung von z. T. stark kursiv verkürzten Formen (Hiragana, »glatte, vollständige Kana«). Ebenfalls im 9. Jh. wurde die zweite Form des Kana entwickelt, die als »Teilstück entlehnten Zeichen«, das Katakana. – Die Anzahl der gegenwärtig gebräuchlichsten Kanji beträgt rd. 1945. Bei der heute übl. Mischschreibweise werden gewöhnlich die Begriffswörter mit Kanji und die morphologisch-syntakt. Elemente (Suffixe, Postpositionen usw.) mit Kanagana geschrieben. Katakana wird für Fremdwörter und fremde Namen benutzt. Die Lateinschrift (Rōmaji, »römische Schriftzeichen«) konnte sich in Japan nicht durchsetzen; sie wird nur für Transkriptionszwecke benutzt. Die 47 Silbenzeichen, zu denen noch das Silben schließende Zeichen für »n« tritt, werden generell in Form einer 50-Laute-Tafel (Gojūonzu) in zehn senkrechten Reihen von rechts nach links von je fünf Zeichengruppen von oben nach unten angeordnet. Geschrieben wird traditionell von oben nach unten (die Zeilen reihen sich von rechts nach links), moderne Texte auch waagerecht von links nach rechts.

📖 GREIN, M.: *Einführung in die Entwicklungsgeschichte der j. S. Mainz 1994.*

Japanisches Meer, Randmeer des Pazif. Ozeans vor der O-Küste Asiens, bis 3742 m tief, im O vom japan. Inselbogen, im W vom asiat. Festland

	ワ わ wa	ラ ら ra	ヤ や ya	マ ま ma	ハ は ha	ナ な na	タ た ta	サ さ sa	カ か ka	ア あ a
	ヰ ゐ (w)i	リ り ri		ミ み mi	ヒ ひ hi	ニ に ni	チ ち chi	シ し shi	キ き ki	イ い i
		ル る ru	ユ ゆ yu	ム む mu	フ ふ fu	ヌ ぬ nu	ツ つ tsu	ス す su	ク く ku	ウ う u
	ヱ ゑ (w)e	レ れ re		メ め me	ヘ へ he	ネ ね ne	テ て te	セ せ se	ケ け ke	エ え e
ン ん n	ヲ を (w)o	ロ ろ ro	ヨ よ yo	モ も mo	ホ ほ ho	ノ の no	ト と to	ソ そ so	コ こ ko	オ お o

japanische Schrift (von oben): Katakana, Hiragana und die Lateinumschrift (Rōmaji) in der Anordnung der »50-Laute-Tafel« (Gojūonzu); die freien Felder, für die es keine eigenen Zeichen gibt, werden häufig mit dem Zeichen in der jeweils rechten Außenspalte aufgefüllt begrenzt, im S durch die Koreastraße mit dem Ostchines. Meer, im N durch den Tatarensund mit dem Ochotsk. Meer verbunden.

japanisches Theater

Das Kabuki-Theater

Im Unterschied zum Nō-Spiel, das besonders bei Hof und Adel geschätzt wurde, war das Kabuki, das sich Anfang des 17. Jahrhunderts aus den Darbietungen einer Tempeltänzerin entwickelte (Kabuki bedeutet eigentlich »Sing-Tanz-Spiel«), ein Theater des Volkes. Wie das Nō hat das Kabuki einen lehrhaften Charakter, es ist jedoch auf ein bürgerliches Publikum zugeschnitten. Im Gegensatz zum Nō traten im Kabuki ursprünglich auch Frauen auf, bis nach einem Verbot (1628) auch die Frauenrollen von Männern gespielt wurden.

japanisches Theater

Das Nō-Theater

Das Nō-Spiel ist die seit dem 14. Jahrhundert überlieferte, strengste Form der klassischen japanischen Bühnenkunst. Es ist ein Sing- und Tanzspiel mit Orchesterbegleitung, das ausschließlich von männlichen Schauspielern auf überdachter Bühne in prächtigen Gewändern und Masken mit stark stilisierten Requisiten und unverändertem Bühnenbild (mit jeweils dem Gemälde einer Kiefer auf der Rückwand) aufgeführt wird. Die Stoffe entstammen größtenteils der älteren japanischen Literatur und Geschichte, eine Rolle spielt daneben auch buddhistisches Gedankengut (zum Beispiel die Idee der Verstrickung von Schuld und Sühne). Die Nō-Tradition wird seit dem Mittelalter von verschiedenen Schulen nach strengen Regeln gepflegt. Seit der Nachkriegszeit gibt es auch moderne Nō-Spiele, in denen etwa traditionelle Themen in die Gegenwart versetzt werden.

japanische Sprache, isolierte Sprache, deren Herkunft noch nicht völlig geklärt ist; direkter verwandtschaftl. Bezug besteht nur zu der Sprache der Ryūkyūinseln, die auch als Dialekt des Japanischen gilt. Die j. S. ist wohl aus einer Mischung austrones., austroasiat. und altaischer Komponenten entstanden. Die ältesten schriftl. Aufzeichnungen stammen aus dem 8. Jh. – Die j. S. gehört zum Typ der agglutinierenden Sprachen. Tempus, Aspekt, Genus Verbi und Modus werden durch Verbalsuffixe gekennzeichnet. Die Nomina sind ohne Genus, Numerus und Kasusflexion. Interpersonale Bezüge werden durch spezif. Prädikatsformen ausgedrückt. Lautlich ist die j. S. eine Abfolge offener Silben (Konsonant plus Vokal). Der Grundwortschatz ist zwei- oder dreisilbig, Zusammensetzungen sind zahlreich. Neben die sinojapan. Lehnwörter sind Wörter angloamerikan. Herkunft getreten. Es gibt viele regionale und soziale Dialekte. Zur heutigen standardisierten Verkehrssprache entwickelte sich die Stadtsprache von Tokio. (→japanische Schrift)

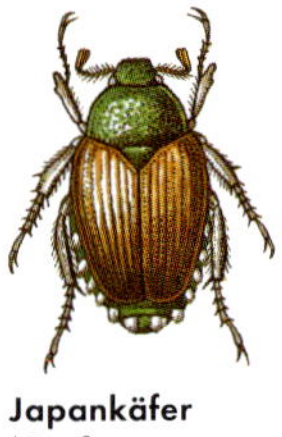

Japankäfer
(Größe etwa 1,2 cm)

📖 MILLER, ROY A.: *Die j. S. Geschichte u. Struktur. A. d. Engl. München 1993.* – LEWIN, B.: *Abriß der japan. Grammatik. Wiesbaden ^{4}1996.*

japanisches Theater. Aus kult. Tänzen, in Annalen des 8. Jh. erwähnt, gehen unter kontinentalem Einfluss höf. Zeremonialtänze hervor; parallel dazu kommen auf dem Lande Erntetänze und ab 12. Jh. akrobat. Tanzschwänke zur Belustigung bei Festen auf, die sich zu Tanzspielen weiterentwickeln. Aus der Zusammenfassung dieser Vorformen entsteht im 14. und 15. Jh. das lyr. Nō-Spiel (→Nō). Aus Musik, Schauspiel und Tanz entwickelt sich Anfang des 17. Jh. das dramat. **Kabuki-Theater,** das anfänglich z. T. recht drastisch und in übersteigertem Stil seine Themen dem Samurai- und Großstadtleben entnahm und von dem Dramatiker Chikamatsu Monzaemon (*1653, †1725) zu literarisch anspruchsvoller Schaukunst geführt wurde. Daneben erreicht das **Bunraku-Puppenspiel** große Popularität. – Lösung von der Formelhaftigkeit und Ästhetik des späten Kabuki führt in der Meijizeit zum Shimpa-Theater (»Neue Richtung«) sowie unter westl. Einfluss 1906 zur Gründung des Shingeki (»Neues Theater«), in denen neben europ. Klassikern zeitgenöss. Autoren aufgeführt werden. Seit 1945 finden auch avantgardist. Experimentaltheater Beachtung.

📖 BARTH, J.: *Japans Schaukunst im Wandel der Zeiten. Wiesbaden 1972. – Kabuki. Das klass. jap. Volkstheater, hg. v.* T. LEIMS *u. a. Weinheim u. a. ^{2}1987.* – BANU, G.: *Der Schauspieler kehrt nicht wieder. J. T. heute. A. d. Frz. Berlin 1990.*

Japankäfer (Popillia japonica), aus Japan stammender, etwa 1,2 cm langer Blatthornkäfer; seit 1916 in Nordamerika als Schädling an Blättern, Knospen, Früchten vieler Kultur- und Wildpflanzen. Seine Larve (Engerling) zerstört Rasenflächen durch Wurzelfraß an Gräsern.

Japanpapier, →chinesisches Papier.

Japanseide (Japon), feinfädige Seidengewebe ohne Noppen urspr. japanischer Herkunft (im Ggs. zu den noppigen Chinaseiden); Verwendung v. a. für Kleider, Blusen und Lampenschirme.

Japetus (Iapetus), Mond des Planeten →Saturn.

Japhet, Sohn →Noahs (1. Mose 5, 32); nach der Völkertafel 1. Mose 10, 2 Stammvater indogerman. (bes. der kleinasiat.) Völker.

Japurá, Rio [rriu ʒa-] *der,* linker Nebenfluss des Amazonas, 2500 km lang, entspringt als Río Caquetá in Kolumbien, mündet im brasilian. Bundesstaat Amazonas; in Brasilien schiffbar.

Jaques-Dalcroze [ʒakdal'kro:z], Émile, eigtl. Jakob Dalkes, schweizer. Musikpädagoge, *Wien 6. 7. 1865, †Genf 1. 7. 1950; entwickelte die »rhythmische Gymnastik«, in der durch Körperrhythmik Gestalt und Wesen der Musik erlebt und dadurch gleichzeitig alle seelisch-schöpfer. Kräfte gelöst

japanisches Theater: Blick auf eine Aufführung im Kabukitheater, bei dem das Publikum in das Bühnengeschehen einbezogen wird, Farbholzschnitt von Utagawa Toyokuni (um 1800; Paris, Musée National des Arts Asiatiques Guimet)

und gesteigert werden sollen; gründete 1911 in Hellerau bei Dresden die »Bildungsanstalt für Musik und Rhythmus«, arbeitete nach 1914 in Genf.

Jargon [ʒarˈgɔ̃, frz.] *der,* Sondersprache bestimmter sozialer Gruppen, die im Wortschatz, nicht aber in der Grammatik von der Hochsprache abweicht.

Jari̯, Rio [rriu ʒ-] *der,* linker Nebenfluss des Amazonas, Brasilien, rd. 600 km lang; nahe seiner Mündung, gegenüber der Insel Gurupá, auf 16 000 km² ein großes land- und forstwirtsch. Projekt **(Jarilandia):** Aufforstung mit schnell wachsenden Baumarten zur Versorgung einer im J. verankerten schwimmenden Cellulosefabrik.

Jarkend, chines. Stadt, → Yarkand.

Jạrl [altnord., engl. »Earl«] *der,* in Skandinavien urspr. ein freier Mann von hoher Geburt, in Norwegen (bis 1308) und Schweden (bis 1266) höchster Kronbeamter.

Jạrmo, frühneolith. Fundstätte in NO-Irak (7. Jt. v. Chr.), älteste bisher bekannte Siedlung sesshafter Bauern, die Lehmhäuser bauten und Getreideanbau und Viehhaltung (Ziege, Schaf, Schwein) betrieben; Keramikfunde in den obersten drei Siedlungsschichten.

Jarmụk *der* (Yarmouk), wichtigster (linker) Nebenfluss des Jordan, 80 km lang, entspringt im S Syriens, bildet die Grenze zw. Syrien und Jordanien; 10 km oberhalb der Einmündung in den Jordan wird sein Wasser durch einen Tunnel in den Ost-Ghor-Kanal zur Bewässerung des östl. Jordangrabens abgeleitet.

Jarmusch [ˈʒɑːmʊʃ], Jim, amerikan. Filmregisseur, *Akron (Ohio) 1953; dreht konzentrierte, z. T. episodenhaft untergliederte Filme, u. a. »Stranger than Paradise« (1982), »Down by Law« (1986), »Night on Earth« (1991), »Dead Man« (1995).

Jạrnach, Philipp, Komponist spanisch-fläm. Herkunft, *Noisy-le-Sec (bei Paris) 26. 7. 1892, †Bornsen (heute zu Bienenbüttel, bei Lüneburg) 17. 12. 1982; war 1949–59 Direktor der Musikhochschule in Hamburg, schuf zw. F. Busoni und der Moderne stehende Klavier-, Kammermusik- und Orchesterwerke.

Émile Jaques-Dalcroze

Jạroff (Jarow), Serge (Sergei Alexejewitsch), russ. Chordirigent, *im Gouv. Kostroma 1. 4. 1896, †Lakewood (N. J.) 5. 10. 1985; gründete 1921 den Donkosakenchor, mit dem er 1939 in die USA emigrierte.

Jarosịt *der* (Gelbeisenerz), ockergelbes bis schwarzbraunes, meist derb als Krusten vorkommendes trigonales Mineral der chem. Zusammensetzung $KFe_3[(OH)_6|(SO_4)_2]$, spröd mit starkem Glasglanz; verbreitet in der Oxidationszone pyritreicher Erzlager.

Jim Jarmusch

Jarosław [jaˈrɔsu̯af], Stadt in der Wwschaft Przemyśl, SO-Polen, am San, 42 000 Ew.; Textil-, Glasind., Papierfabrik. – Klöster aus dem 16. und 17. Jh., Bürgerhäuser aus der Zeit der Spätrenaissance und des Frühbarock. – Von Jaroslaw dem Weisen im 11. Jh. gegr., erhielt 1351 Stadtrecht, nach Brand 1625 wieder aufgebaut.

Jạroslaw der Weise (J. Mudryj), Großfürst (seit 1019) von Kiew, *978, †Wyschgorod (bei Kiew) 1054; herrschte bis 1036 zus. mit seinem Bruder Mstislaw; veranlasste die erste Aufzeichnung russ. Rechts (»Russkaja Prawda«); teilte das Reich unter seine fünf Söhne und verursachte damit trotz des einigenden **Senioratsprinzips** die Aufsplitterung des Reichs.

Serge Jaroff

Jaroslạwl, Gebietshauptstadt in Russland, an der Wolga, 633 000 Ew.; Univ., Hochschulen, Planetarium und ältestes russ. Theater (1750), Museen; Maschinen-, Motoren-, Kranbau, Erdölraffinerie, Reifenherstellung, Holzverarbeitung, Nah-

Jaroslawl: Die Eliaskirche (1647-50) mit Zwiebelkuppeln und zwei Türmen mit Zeltdach

rungsmittel-, Textilind., Druckereien; wichtiger Wolgahafen. - Zahlr. Kirchen und Klöster mit wertvoller Innenausstattung aus dem 16.–18. Jh., u.a. die Eliaskirche (1647–50). Im Vorort Korowniki die Fünfzehnkuppelkirche Johannes des Täufers (1671–87). - Gegr. um 1024 von Jaroslaw dem Weisen.

Keith Jarrett

Jarowisation [von russ. jarowoje »Sommergetreide«] *die,* die →Vernalisation.

Jarrah [dʒ-] *das,* dunkelrotbraunes Holz der Eukalyptusart **Eucalyptus marginata** aus W-Australien; schweres Konstruktionsholz.

Jarre [ja:r], Maurice, frz. Komponist, *Lyon 13. 9. 1924; lebt seit 1963 in den USA; schrieb Orchesterwerke, Ballette (u.a. »Armida«, 1953; »Notre-Dame de Paris«, 1965), Bühnen- und v.a. Filmmusik (u.a. zu »Lawrence von Arabien«, 1962; »Doktor Schiwago«, 1965).

Jarrett [ˈdʒærɪt], Keith, amerikan. Jazzpianist und Komponist, *Allentown (Pa.) 8. 5. 1945; spielt in Gruppen, tritt aber auch als Solist auf; bed. Vertreter des Freejazz.

Alfred Jarry

Jarry [ʒaˈri], Alfred, frz. Schriftsteller, *Laval 8. 9. 1873, †Paris 1. 11. 1907. Sein Stück »König Ubu« (1896), ein Skandalerfolg wegen der außergewöhnlich derben Sprache und der satirisch beißenden Gesellschaftskritik, gilt als erstes Beispiel des »absurden Theaters«. Die Romane, u.a. »Der Supermann« (1902), »Heldentaten und Ansichten des Dr. Faustroll, Pataphysiker« (hg. 1911), tragen surrealist. Züge.

Wojciech Jaruzelski

Jaruzelski [-z-], Wojciech, poln. General (seit 1956) und Politiker, *Kurów (Wwschaft Lublin) 6. 7. 1923; war 1968–83 Verteidigungsmin., 1981–85 MinPräs. und 1981–89 Erster Sekr. des ZK der Poln. Vereinigten Arbeiterpartei, 1981–83 Vors. des »Militärrates für nationale Rettung«. Im Dez. 1981 verhängte er das Kriegsrecht in Polen (bis 1983) und verbot die Gewerkschaft Solidarność (bis 1989). Erfolglos versuchte er, durch vorsichtige Reformen die innenpolit. Lage zu entspannen. 1985–89 war er Vors. des Staatsrats und 1989–90 Staatspräsident.

Jasło [ˈjasu̯ɔ], Stadt in der Wwschaft Krosno, Polen, am N-Rand der Beskiden, 36 000 Ew.; Erdölraffinerie, Glashütte, Holz-, Nahrungsmittelindustrie; bei J. Erdöl- und Erdgasgewinnung.

Jasmin [pers.-arab.-span.] *der,* **1)** (Jasminum) Gattung der Ölbaumgewächse, meist in trop. und subtrop. Gebieten; Sträucher mit langröhrigen weißen, rosa oder gelben Blüten, z.T. stark duftend. Mehrere Arten werden als Zierpflanzen kultiviert, z.B. der winterharte, gelb blühende **Winterjasmin (Echter J.,** Jasminum nudiflorum) aus N-China, ein ab Januar blühender, bis 3 m hoher Strauch.

2) (Falscher J.) svw. →Pfeifenstrauch.

Jasminöl, äther. Blütenöl versch. Jasminarten für die Feinparfümerie und Seifenherstellung.

Jasmon *das,* äther. Öl im Jasmin- und Orangenblütenöl, wird auch synthetisch hergestellt.

Jasmund, Teil der Halbinselkette im NO der Insel →Rügen; seit 1990 Nationalpark (30 km²).

Jasnaja Poljana, Ort in Ostpreußen, →Trakehnen.

Jason, *grch. Mythos:* →Iason.

Jasper National Park [ˈdʒæspə ˈnæʃnl ˈpɑ:k], kanad. Nationalpark, am O-Hang der Rocky Mountains, Prov. Alberta, etwa 11 000 km², Zentrum des Tourismus ist Jasper; Gletscher, heiße Mineralquellen, Wildschutzgebiet; 1907 eingerichtet.

Alfred Jarry: Illustration aus der Erstausgabe von »König Ubu« (1896)

Jaspers, Karl, Philosoph und Psychiater, *Oldenburg (Oldenburg) 23. 2. 1883, †Basel 26. 2. 1969; wurde 1916 Prof. der Psychologie in Heidelberg, 1922 Prof. für Philosophie ebd., 1948–61 Prof. für Philosophie in Basel; erhielt 1958 den Friedenspreis des Dt. Buchhandels. J. schuf eine hermeneutisch-geisteswissenschaftlich orientierte Psychopathologie (»Allg. Psychopathologie«, 1913). Mit seiner »Psychologie der Weltanschauungen« (1919) wandte J. sich gegen den Neukantianismus und entwarf, v.a. von S. Kierkegaard beeinflusst, in »Philosophie« (1932) seine Philosophie der Existenz (→Existenzphilosophie). Diese zielt v.a. auf »Existenzerhellung«, die in Grenzsituationen des Lebens wie Schuld, Kampf, Leid und Tod möglich werde. Angesichts dieser Situationen leuchte der Sinn unseres Daseins auf: Gelassenheit, Verantwortung, Liebe und Glück. – Der eth. Anspruch seiner Philosophie hat J. zur polit. Kritik geführt; so wandte er sich nach seinem Einspruch gegen die totalitären Systeme auch gegen die freiheitsgefährdende Atompolitik der Weltmächte (»Die Atombombe und die Zukunft des Menschen«, 1958) und die restaurativen Tendenzen der dt. Nachkriegszeit (»Wohin treibt die Bundesrepublik?«, 1966). – *Weitere Werke:* Die geistige Situation der Zeit (1931); Nietzsche (1936); Existenzphilosophie (1938); Von der Wahrheit (1947); Der philosoph. Glaube (1948); Vom Ursprung u. Ziel der Geschichte (1949); Einführung in die Philosophie (1950); Hoffnung u. Sorge (1965); Antwort (1967); Chiffren der Transzendenz (hg. 1970); Notizen zu Martin Heidegger (hg. 1978).

📖 *K. J. Werk u. Wirkung, hg. v.* K. PIPER. *München 1963. – K. J. in der Diskussion, hg. v.* H. SANER. *München 1973. – K. J. Philosoph, Arzt, polit. Denker, hg. v.* J. HERSCH *u. a. München u. a. 1986.* – SANER, H.: *K. J. mit Selbstzeugnissen u. Bilddokumenten. Reinbek 38.–40. Tsd. 1991.*

Jaspis [grch. aus assyr.] *der,* trüber, durch Fremdbeimengungen gefärbter →Chalcedon.

Jass, aus Polen stammendes, v. a. in der Schweiz beliebtes Kartenspiel zw. 2–4 Teilnehmern mit 36 Karten; zahlr. Varianten.

Jassen (ungar. Jászok), euras. Reitervolk, gemeinsam mit den →Kumanen im 13. Jh. in der ungar. Tiefebene angesiedelt. (→Jazygien)

Jassy, Stadt in Rumänien, →Iași.

Jastorfkultur (Jastorfgruppe), nach einem Urnenfriedhof in Jastorf (heute zu Bad Bevensen) ben. Kulturgruppe der vorröm. Eisenzeit (etwa 6./5. Jh. v. Chr. bis Christi Geburt), verbreitet von S-Jütland über Mecklenburg, Brandenburg bis nach N-Böhmen. Die J. wird mit den frühen Germanen in Verbindung gebracht; große Urnengräberfelder.

Jászberény ['ja:sbere:nj], Stadt im Bezirk Jász-Nagykun-Szolnok, Ungarn, an der Zagyva, 30 000 Ew.; Maschinenbau, Herstellung von Kühlschränken. – Der Sage nach die Residenz Attilas.

Jat [dʒ-] (Dschat), Stammeskaste in NW-Indien (30 Mio., meist Bauern; Sikh oder Hindu) und Pakistan (6,3 Mio., Kamelhirten, auch Händler; Muslime), sprechen indoarische Sprachen.

Jatagan [türk.] *der,* ostind., später bes. türk. Hiebwaffe mit teils konvex, teils konkav gekrümmter Klinge.

Jataka [dʒ-] *das,* buddhist. Sammlung von Legenden, die von früheren Existenzen des Buddha handeln; Zeugnis altbuddhist. Literatur und älteste Quelle vieler ind. Fabeln.

Karl Jaspers

Jauche, Harn der Tiere, mit Kot, Einstreuteilchen und Spülwasser vermischt; organ. Dünger.

Jauer, Stadt in Polen, →Jawor.

Jaufen *der* (italien. Passo del Giovo), Pass in Südtirol, Italien, zw. Sarntaler und Stubaier Alpen, 2 094 m ü. M.; die Straße über den J. verbindet Sterzing (Eisacktal) mit dem Passeiertal.

Jaunde, Hptst. der Rep. Kamerun, →Yaoundé.

Jaurès [ʒɔ'rɛs], Jean, frz. Sozialist, *Castres (Dép. Tarn) 3. 9. 1859, † (ermordet) Paris 31. 7. 1914; wurde 1883 Prof. der Philosophie in Toulouse, 1885 Abg. der radikalen Linken, gewann als glänzender Redner großes Ansehen (engagierte sich in der →Dreyfusaffäre). Als Pazifist trat er für eine dt.-frz. Verständigung ein; gründete 1904 die Zeitung »L'Humanité«. Schrieb u.a. »Sozialist. Studien« (1901).

Jasmin 1): Zweig mit Blättern und blühender Zweig des Winterjasmins

Jause [von slowen. južina »Mittagessen«] *die, österr.:* Imbiss, Vesper; Zwischenmahlzeit.

Java (Jawa, Djawa), kleinste, aber bedeutendste der Großen Sundainseln, Indonesien, im Malaiischen Archipel, 118 000 km², mit Madura 132 187 km², (1990) 107,5 Mio. Ew.; Hptst.: ist Jakarta. J. ist polit. und wirtsch. Kernraum Indonesiens. Die Javaner sind Muslime (→Indonesier).

Die Insel ist überwiegend gebirgig; 17 tätige und zahlr. erloschene Vulkane sowie Vulkangruppen bilden die Längsachse der Insel. Im O ragen sie als Einzelkegel auf: Merapi, Semeru (mit 3 676 m ü. M. höchste Erhebung), Bromo. Die S-Küste weist die turmartigen Formen des trop. Kegelkarstes auf; die Küstenebene im N ist teilweise versumpft. Das Klima ist tropisch. Im W herrscht immergrüner Regenwald vor; im O überwiegt der Laub abwerfende Monsunwald mit wirtsch. bed. Teakholzbeständen (größtenteils Pflanzungen). Nur noch

Jean Jaurès

Java (von links): Der Nassfeldreisanbau beansprucht den größten Teil des Kulturlandes auf Java; südöstlich von Surabaya liegt der 2392 m hohe aktive Vulkan Bromo

23% der Fläche sind waldbedeckt. Große Städte sind neben Jakarta: Surabaya, Surakarta, Semarang, Bandung und Yogyakarta. Angebaut werden Reis, Kokospalmen, Mais, Maniok, Erdnüsse, Sojabohnen, Zuckerrohr, Tee, Kaffee, Tabak, Chinarinde, Kautschuk, Kakao. Im NO wird Erdöl gefördert, im Zentrum und im O Phosphat abgebaut, im SW Gold gewonnen. Ind. findet sich v.a. in den Hafenstädten; stark ausgeweitet wurde die Textilindustrie. Aus niederländ. Zeit besteht noch ein gut ausgebautes Straßen- und Schienennetz.

Die *Kunst* auf J. entwickelte sich im Dienst des Brahmanismus und Buddhismus als Zweig der ind. Kunst, die auch in den sich allmählich herausbildenden Stilen javan. Gepräges fortwirkte. Ihr Hauptwerk ist der Tempel →Borobudur (um 800) mit der Überfülle seiner Bildwerke, bes. Reliefs aus der Buddhalegende. Unter dem Islam erlosch die monumentale Kunst. Das Kunsthandwerk, das neue Verfahren im Färben und Mustern von Stoffen hervorbrachte (Batik), ist bis in die Gegenwart lebendig. Hoch entwickelt sind auch das Orchesterspiel (→Gamelan), der Tanz, das Theater und bes. die Schattenspielkunst (Wayang).

Zur Geschichte →Indonesien.

Alexej von Jawlensky (Selbstbildnis)

📖 *Das Sparschwein unter dem Reisfeld. J. zw. Gestern u. Heute, hg. v.* A. SIBETH. *Frankfurt am Main 1987.* – ROLF, A.: *J., Bali. München u. a. 1991.*

Java ['dʒɑ:və, engl.; umgangssprachl. Bez. für »Kaffee«], *Informatik:* von der amerikan. Firma Sun Microsystems entwickelte objektorientierte Programmiersprache, die vom verwendeten Betriebssystem unabhängig ist. J. wird v.a. für →Browser im →WWW eingesetzt.

javanische Sprache, westmalaiopolynes. (indones.) Sprache der austrones. Sprachfamilie, wird in versch. Dialekten in Zentral- und O-Java, einem Teil von W-Java und einigen Regionen von Sumatra, Borneo und Celebes gesprochen. Als Standardsprache des Neujavanischen gilt die von Surakarta und Yogyakarta. Kennzeichnend für die j. S. sind bes. die vier Rangsprachen, deren Anwendung vom sozialen Status, vom Verwandtschaftsgrad und vom Alter der Gesprächspartner abhängt. Altjavanisch (Kawi) war die höf. Lit.sprache in O-Java (9.–15. Jh.). Die **javan. Schrift** wurde von südind. Alphabeten abgeleitet.

Javasee, Teil des Australasiat. Mittelmeeres zw. Java, Sumatra, Borneo und Celebes; Schelfmeer mit bed. Fischerei vor der Küste.

Alexej von Jawlensky: Abstrakter Kopf (1932; Berlin, Nationalgalerie)

Jạvorníkgebirge [-njiːk-] (tschech. und slowak. Javorníky), Bergland der Westkarpaten, im Grenzbereich zw. Tschech. und Slowak. Rep., im Javorník 1071 m ü. M.

Jawata (Yahata), Teil von →Kitakyūshū.

Jawlẹnsky, Alexej von, russ. Maler, *Torschok (Gouv. Twer) 26. 3. 1864, †Wiesbaden 15. 3. 1941; zunächst Offizierslaufbahn in Sankt Petersburg; zog 1896 mit Marianne von Werefkin nach München, wo er den Künstlern des →Blauen Reiters (bes. Kandinsky) nahe stand; Bildnisse, Stillleben und Landschaft in intensiver, den Eigenwert der Farbe betonender Leuchtkraft; seit den 20er-Jahren konstruktivist. Bildaufbau, stark abstrahierende Darstellungen des menschl. Antlitzes, die J. seit 1934 »Meditationen« nennt.

Jạwor (dt. Jauer), Stadt in der Wwschaft Legnica (Liegnitz), Polen, in Niederschlesien an der Jauerschen (Wütenden) Neiße, 23 000 Ew.; Landmaschinenbau, chem., Nahrungsmittelindustrie. – Pfarrkirche (14. Jh.), Kirche des ehem. Bernhardinerklosters (1486–92); Reste der Stadtmauer (14. Jh.), am Marktplatz barocke Laubenganghäuser. – Vor 1242 gegr., 1275 urkundlich erwähnt; wurde 1278 Hptst. des Fürstentums Jauer, das 1392 an Böhmen, 1474 an Ungarn, 1526 an die Habsburger und 1742 an Preußen fiel; kam 1945 zu Polen.

Jaworzno [jaˈvɔʒnɔ], Ind.stadt in der Wwschaft Katowice (Kattowitz), Polen, 98 400 Ew.; Steinkohlenbergbau, chem., Glasind., Großkraftwerke.

Jayapụra [dʒ-] (Djajapura, urspr. indones. Kotabaru, niederländ. bis 1963 Hollandia, bis 1969 Sukarnapura), Hptst. von Irian Jaya, Indonesien, Hafen an der N-Küste von Neuguinea, 150 000 Ew.; Univ., kath. Bischofssitz; Fischerei; Flugplatz.

Jazygen (Iazygen), Stammesteil der iran. Sarmaten, der im 5. Jh. v. Chr. am unteren Don siedelte, im 2. Jh. v. Chr. den Dnjepr erreichte und sich 40–45 n. Chr. zw. Donau und Theiß (→Jazygien) niederließ.

Jazygi|en (ungar. Jászság), ehem. Siedlungsgebiet der →Jazygen und →Jassen mit Hauptort Jászberény, nördlich von Szolnok zw. Donau und Theiß, hatte bis 1867 Selbstverwaltung.

Jazz [jats, engl. dʒæz; engl.-amerikan., Herkunft ungeklärt] *der,* Ende des 19. Jh. von den Nachfahren der als Sklaven in die Südstaaten der USA gebrachten Afrikaner entwickelte Musik. Der J. bildete sich in einem Verschmelzungsprozess aus Elementen der afroamerikan. Volksmusik (Blues, Worksong, Spiritual) und der europ.-amerikan. Marsch-, Tanz- und Populärmusik. – Der urspr. volkstümliche J. entwickelte sich in drei sich oft überkreuzenden Grundlinien als Musik zu Unterhaltung und Tanz, als Kunstmusik und als Ausdruck sozialen Protests. – Charakteristisch ist die **Improvisation,** d. h., die Musiker haben die Möglichkeit, innerhalb einer vorgegebenen Form, die sie an Tonart, Grundrhythmus und Harmonienablauf bindet, gemeinsam oder solistisch Melodie und Rhythmus frei zu gestalten. Die innere Spannung des J.-Rhythmus entsteht durch die Überlagerung versch. improvisierter Rhythmen über einem festliegenden Grundrhythmus. Die J.-Melodik ist durch die Verwendung von kleinen Terzen, verminderten Quinten und kleinen Septimen **(Bluenotes)** und vorzugsweise der Durtonarten charakterisiert. J. wird in kleinen Ensembles (Combos) oder in Orchestern (Bands) gespielt. Innerhalb der **J.-Band** werden die Melodiegruppe und die Rhythmusgruppe unterschieden. In der Intonation besitzt der J.-Musiker weitgehende Freiheit. Daher setzten sich im J. solche Instrumente durch, die eine persönl. Phrasierungsweise zulassen: Trompete, Posaune, Klarinette, Vibraphon, Saxophon in der Melodiegruppe; Kontrabass, Klavier, Gitarre, Tuba, Banjo und Schlagzeug in der Rhythmusgruppe. In der originellen, nicht übertragbaren Spielleistung des J.-Musikers überwindet der J. weitgehend den Ggs. zw. vorgegebener Komposition und bloßer Ausführung.

Der erste ausgeprägte J.-Stil war der **New-Orleans-J.,** in den bereits der gesungene Blues einging. Nach der 1917 verfügten Schließung des Vergnügungsviertels (»Storyville«) in New Orleans wurde Chicago das Zentrum des J., der hier zur vollen Entwicklung kam **(Chicago-Stil).** Die 20er-Jahre brachten den Höhepunkt des **Vocal Blues,** zugleich entwickelten weiße Musiker den **Dixieland-J.,** in den 30er-Jahren kam der **Swing** auf. Es folgte in den 40er-Jahren der **Modern-J.** oder **Bebop** mit schnelleren, aggressiveren Improvisationen der J.-Themen und in den 50er-Jahren der **Cool-J.** Ein Seitenzweig des Modern-J. war der sich mit anderen modernen Musikrichtungen

Jawor: Die barocken Laubenganghäuser am Marktplatz sind zum Teil restauriert

Jeanne d'Arc verkündet Karl VII. ihre Mission, ihn in Reims krönen zu lassen; Ausschnitt aus einem Bildteppich aus dem 15. Jahrhundert

verbindende **Progressive-J.** Aus dem **Hardbop,** einer stilist. Rückkehr zum Bebop, entstand in den 60er-Jahren der frei experimentierende **Free-J.** In den 70er-Jahren entwickelte sich der **Electric-J.,** der viele Elemente der Rockmusik aufnahm. Ende der 70er-Jahre setzte, ausgehend von den USA, eine Wiederbelebung des J. der 50er-Jahre ein, das Bebop-Revival. In den 80er- und 90er-Jahren herrscht ein weit gehender stilist. Pluralismus (mit neoklassizist. und klassizistischen Tendenzen), verbunden mit einer verstärkten Kommerzialisierung.

🕮 JACOBS, M.: *All that J. Die Geschichte einer Musik. Stuttgart 1996.* – LANGE, H. H.: *J. in Deutschland. Die dt. J.-Chronik bis 1960. Hildesheim* ^{2}*1996.*

Jeanne d'Arc

Fünf Jahre nach ihrem Tod wurden die Feiern zu ihrem Gedenken abgeschafft. Warum?

Die beiden Brüder von Jeanne d'Arc kreuzten 1436 mit einer Frau in prächtiger Rüstung in Orléans auf und behaupteten, Johanna sei dem Scheiterhaufen entkommen und eine andere Frau sei an ihrer Stelle hingerichtet worden. Die Bürger von Orléans waren begeistert und sagten prompt die gerade anstehenden Gedenkfeiern für die Volksheldin ab. Vier Jahre lang ließ es sich das Trio in diversen Städten wohl ergehen. Schließlich gestand die falsche Johanna – ein »kriegerisches Weibsbild« namens Claude des Armoises, das schon in der päpstlichen Armee gedient hatte – den Betrug ein. Claude und die Brüder der echten Johanna kamen ungeschoren davon, und das Gerücht von Jeanne d'Arcs Überleben ist bis heute nicht verstummt.

Jazzdance [ˈdʒæzˈdɑːns] *der,* in den USA entstandene Form des zeitgenöss. Kunsttanzes afroamerikan. Ursprungs (Hauptquelle sind die Tanzstile aus Angola und dem Kongogebiet). Beim J. werden die einzelnen Körperteile isoliert voneinander bewegt; als musikal. Grundlage wird Jazzmusik verwendet. Bereits in den 1920er-Jahren wurde der J. von einigen weißen Tänzern übernommen, Ende der 40er-Jahre kamen Elemente des Moderndance und des klass. Balletts hinzu. Seit etwa 1960 verbreitete sich der J. in Europa.

Jazzrock [ˈdʒæzrɔk, engl.], musikal. Strömung der 1970er-Jahre, bei der versucht wurde, Elemente des Modernjazz in die Rockmusik einzubeziehen. Bekannte Gruppen des J. waren »Chicago« und »Blood, Sweat & Tears«.

Jdt., Abk. für **Judith** (A. T.).

Jean [ʒã], Großherzog von Luxemburg (seit 1964), *Schloss Berg (bei Mersch) 5. 1. 1921; aus dem Hause Nassau, ⚭ seit 1953 mit der belg. Prinzessin Josephine Charlotte.

Jean [ʒã], Raymond, frz. Schriftsteller, *Marseille 21. 11. 1925; Prof. für moderne Lit. in Aix-en-Provence. Sein umfangreiches erzähler. Werk untersucht die psycholog. Triebkräfte individuellen wie kollektiven Verhaltens (Romane »Linie 12«, 1973; »Die Vorleserin«, 1986; Erz. »Mademoiselle Bovary«, 1991).

Jeanne d'Arc [ʒanˈdark] (heilige Johanna, Jungfrau von Orléans), nannte sich selbst Jeanne la Pucelle, frz. Nationalheldin, *Domrémy-la-Pucelle (Dép. Vosges) zw. 1410 und 1412, †Rouen 30. 5. 1431; Bauernmädchen, fühlte sich durch »Stimmen« berufen, das seit Herbst 1428 von den Engländern belagerte Orléans zu befreien und den Dauphin (Karl VII.) in Reims krönen zu lassen. Am 25. 2. 1429 wurde sie von Karl empfangen, überzeugte ihn von ihrer Sendung und begleitete bewaffnet in Männerkleidung das frz. Heer. Die Befreiung von Orléans führte zur entscheidenden Wende im →Hundertjährigen Krieg. Nach der Krönung Karls (17. 7. 1429) stieß sie auf wachsenden Widerstand bei Hofe. Am 23. 5. 1430 geriet sie bei Compiègne in die Gefangenschaft der Burgunder, die sie gegen eine hohe Summe den Engländern auslieferten. Der frz. Hof unternahm nichts, um sie zu retten. Sie wurde nach Rouen gebracht, vom geistl. Gericht als Zauberin und Ketzerin verurteilt und auf dem Scheiterhaufen verbrannt. Schon von den Zeitgenossen verherrlicht, wurde ihre Verurteilung 1456 kirchlich aufgehoben. 1909 wurde sie selig, 1920 heilig gesprochen (Tag: 30. 5.) und zur 2. Patronin Frankreichs erklärt.

🕮 DUBY, G. *u.* A.: *Die Prozesse der J. d'A. A. d. Frz. Berlin 1985.* – KRUMEICH, G.: *J. d'A. in der Geschichte. Sigmaringen 1989.* – *J. d'A. oder wie Ge-*

Jean Paul: Gemälde des schweizerischen Malers Heinrich Pfenninger (1798; Halberstadt, Gleimhaus) und Autogramm

schichte eine Figur konstruiert, hg. v. H. RÖCKELEIN *u. a. Freiburg im Breisgau 1996.*

Jean Paul [ʒã-], eigtl. Johann Paul Friedrich Richter, Schriftsteller, * Wunsiedel 21. 3. 1763, † Bayreuth 14. 11. 1825; Pfarrerssohn, studierte Theologie, war dann Hauslehrer. In Weimar (1796; 1798–1800) schloss er Freundschaft mit Herder; 1801 Heirat mit Caroline Mayer (* 1777, † 1860), nahm 1804 seinen ständigen Wohnsitz in Bayreuth. Seine dichter. Weltauffassung ist ebenso geprägt von dem durch Rousseau geweckten schwärmer. Gefühl wie von der Erfahrung der herrschenden sozialen Verhältnisse und der Enttäuschung über den Verlauf der Frz. Revolution. Die in der Gestaltungsweise an L. Sterne und H. Fielding anknüpfenden Werke sind bestimmt vom Widerstreit zw. Idealität und Banalität, Ewigkeit und Vergänglichkeit (»Die unsichtbare Loge«, R., 1793, 2 Bde.; »Hesperus«, R., 1795, 3 Bde.). Eine Lösung bringt der Humor, der die Gebrechen der Welt ohne Bitterkeit annimmt (»Blumen-Frucht- und Dornenstücke oder Ehestand, Tod und Hochzeit des Armenadvokaten F. S. Siebenkäs im Reichsmarktflecken Kuhschnappel«, 1796, 3 Bde.; »Titan«, 1800–03, 4 Bde.; »Flegeljahre. Eine Biographie«, 1804/05, 2 Bde.). Das Gewicht der Darstellung liegt auf den seel. Vorgängen; in den meist fragmentar. Romanen wird der Fortgang der Handlung durchbrochen von Abschweifungen, Reflexionen, Kommentaren; Gegenständliches wird Chiffre für Seelisches. Außerordentlich ist der Reichtum der bildhaften Sprache (»Leben des Quintus Fixlein, aus fünfzehn Zettelkästen gezogen«, erschienen 1795; »J. P. biograph. Belustigungen unter der Gehirnschale einer Riesin«, erschienen 1796). Theoret. Schriften geben Einblicke in den Vorgang poet. Produktion (»Vorschule der Ästhetik ...«, 1804, 3 Bde.).

📖 BRUYN, G. DE: *Das Leben des J. P. Friedrich Richter. Eine Biographie. Tb-Ausg. Frankfurt am Main 6.–7. Tsd. 1993.* – UEDING, G.: *J. P. München 1993.* – MÜLLER, GÖTZ: *J. P. im Kontext, hg. v.* W. RIEDEL. *Würzburg 1994.*

Jeans [dʒiːnz; amerikan., von jean »geköperter Baumwollstoff«; wohl zu Genua, wichtiger Umschlaghafen für Baumwolle], zuerst aus Zellstoff, später aus Denim gefertigte Arbeitshose mit Kappnähten, Sattel und Taschen, urspr. blau (Bluejeans, Blue Jeans). 1850 von L. Strauss für Goldgräber hergestellt, fanden J. noch vor dem 2. Weltkrieg in Nordamerika, seit 1945 in Europa Eingang in die Jugend-, Freizeit- und Tageskleidung.

Jeans [dʒiːnz], Sir (seit 1928) James Hopwood, brit. Mathematiker, Physiker und Astronom, * Ormskirk (Cty. Lancashire) 11. 9. 1877, † Dorking (Cty. Surrey) 16. 9. 1946; hat v. a. auf dem Gebiet der Thermodynamik (Strahlungsgesetze), Stellardynamik und Kosmogonie bahnbrechend gewirkt; naturphilosophische und populärastronomische Schriften.

Jebel [dʒ-], → Djebel.

Jedermann, das Spiel vom reichen Mann, an den plötzlich der Tod herantritt. Freunde und Reichtum verlassen ihn, nur der Glaube und die guten Werke begleiten ihn vor Gottes Richterstuhl. Die beiden ältesten dramatisierten Fassungen stammen vom Ende des 15. Jh.: der niederländ.

Jedermann: Everyman und der Tod, Frontispiz in einem Druck des englischen Moralitätenspiels, Holzschnitt (um 1515)

Jean, Großherzog von Luxemburg

Sir James Hopwood Jeans

»Elckerlijk« (gedruckt 1495) und das engl. Moralitätenspiel »Everyman« (gedruckt 1509). Seither ist der Stoff oft bearbeitet worden; in Dtl. u.a. von H. Sachs (»Comedi von dem reichen sterbenden Menschen«, 1560); moderne Bearbeitungen von W. von Guérard (»Wir alle«, 1905), H. von Hofmannsthal (»J.«, 1911) und F. Hochwälder (»Donnerstag«, 1959).

Jeep® [dʒi:p; amerikan., nach den (engl. ausgesprochenen) Anfangsbuchstaben G. P. für General Purpose Vehicle »Mehrzweckfahrzeug«] *der,* Handelsname der **Jeep Corporation,** USA; urspr. für den in den 30er-Jahren entwickelten Vielzweckkraftwagen der US-Armee verwendet.

Jeetzel *die* (Jeetze), linker Nebenfluss der unteren Elbe, 80 km lang, entspringt in der Altmark, durchfließt Salzwedel und Lüchow, mündet in Hitzacker.

Jeffers [ˈdʒefəz], John Robinson, amerikan. Lyriker und Dramatiker, *Pittsburgh (Pa.) 10. 1. 1887, †Carmel (Calif.) 20. 1. 1962; von Nietzsche und Freud beeinflusst, Kritiker moderner Zivilisation; entwickelte in allegor. Verserzählungen ein düsteres Weltbild. Dramen nach Euripides, u.a. »Medea« (1946).

Thomas Jefferson

Jefferson [ˈdʒefəsn], Thomas, 3. Präs. der USA (1801–09), *Shadwell (Va.) 13. 4. 1743, †Monticello (Va.) 4. 7. 1826; verfasste die Unabhängigkeitserklärung vom 4. 7. 1776, war 1779–81 Gouv. von Virginia, 1785–89 Gesandter in Paris und 1790–93 Außenmin. unter G. Washington. Als polit. Gegenspieler der von A. →Hamilton geführten Föderalisten begründete er die Partei der Demokrat. Republikaner (Vorläufer der Demokrat. Partei). 1797–1801 Vizepräs. unter J. Adams. Während seiner Präsidentschaft Erwerb Louisianas durch Kauf von Frankreich (1803) und Förderung der Ausdehnung der USA nach W (Lewis and Clark Expedition 1804–06). Als polit. Ratgeber hatte der umfassend gebildete Aufklärer noch lange Einfluss auf das gesellschaftl. Leben seines Landes; trat auch als Architekt hervor.

Jefferson City [ˈdʒefəsn ˈsɪtɪ], Hauptstadt des Staates Missouri, USA, am Missouri; 35500 Ew.; Univ.; Druckereien und Verlage, Bekleidungsindustrie. – 1822 als zukünftige Hauptstadt gegründet.

Jehol [dʒ-] (Dschehol), **1)** ehem. Prov. Chinas, 1955 auf die Prov. Hebei und Liaoning sowie die Autonome Region Innere Mongolei aufgeteilt.

2) früherer Name der Stadt →Chengde.

Elfriede Jelinek

Jehoschua, Abraham Bar, hebr. Schriftsteller, *Haifa 19. 12. 1936; verfasste mythologisch geprägte, an F. Kafka und S. J. Agnon erinnernde Erzählungen (»Angesichts der Wälder«, 1968); seine Romane (»Der Liebhaber«, 1977; »Späte Scheidung«, 1982; »Die fünf Jahreszeiten des Molcho«, 1987) und Essays spiegeln in krit. Distanz die komplizierte polit. Realität der israel. Gesellschaft.

Jehova [hebr.], Lesart des Gottesnamens →Jahwe.

Jeisk [jejsk], Hafenstadt am Asowschen Meer, Russland, 77000 Ew.; Badeort; Druckmaschinenbau, Nahrungsmittel- und Bekleidungsindustrie.

Jekaterinburg (1924–91 Swerdlowsk), Hauptstadt des Gebiets Swerdlowsk, Russland, auf der O-Abdachung des Mittleren Ural am Isset, 1,37 Mio. Ew.; Univ., zahlr. Hochschulen, Zweigstelle der Akademie der Wiss., Museen, Gemäldegalerie, Philharmonie; wichtigstes Ind.zentrum des Ural (Hüttenwerke, Schwermaschinenbau, Rüstungs-, elektrotechn., chem., vielseitige Leichtind.); Eisenbahn-, Straßen- und Luftverkehrsknoten. – 1723 mit dem Bau einer Eisenhütte gegr. und als eine der ersten russ. Fabrikstädte planmäßig angelegt. In der Nacht zum 17. 7. 1918 wurde hier der letzte russ. Zar, Nikolaus II., mit seiner Familie von den Bolschewiki erschossen (Gedenkstätte).

Jekaterinodar, bis 1920 Name von →Krasnodar.

Jekaterinoslaw, bis 1926 Name von →Dnjepropetrowsk.

Jelängerjelieber, Art der Pflanzengattung Geißblatt.

Jelenia Góra [jɛˈlɛnja ˈgura] (dt. Hirschberg im Riesengebirge), Hauptstadt der Wwschaft Jelenia Góra, Polen, in Niederschlesien, am Zusammenfluss von Bober und Zacken im Hirschberger Kessel, 93200 Ew.; Chemiefaser-, pharmazeut., Bekleidungs-, Möbel-, Glas-, opt. Ind.; 1976 wurde der Kurort **Cieplice Śląskie Zdrój** (dt. Bad Warmbrunn), mit schwefelhaltiger Thermalquelle, eingemeindet (war seit 1381 im Besitz der Reichsgrafen Schaffgotsch). 1403–1810 bestand ein Zisterzienserkloster; spätbarocke Pfarrkirche (1712–14), barock-klassizist. Schloss (1784–89) der Schaffgotsch, Landschaftspark). In der Altstadt die kath. Pfarrkirche (14./15. Jh.) und die evang. Gnadenkirche (1709–18), am Markt barocke Giebelhäuser mit Lauben; Fremdenverkehr. – Das 1288 gegr. und dt. besiedelte J. G. erhielt 1299 Stadtrecht.

Jelgava (früher dt. Mitau), Stadt in Lettland, südwestlich von Riga, an der Kurländ. Aa, 73900 Ew.; Landwirtschaftsakademie; Zuckerfabrik, Kleinbuswerk, Konservenindustrie. – Entstand neben der vom Schwertbrüderorden 1265 erbauten Burg Mitawa und erhielt um 1580 Stadtrecht; 1561–1795 Residenz der Herzöge von Kurland, kam 1795 an Russland; 1918–40 Hptst. der lett. Provinz Kurzeme (Kurland).

Jelinek, 1) Elfriede, österr. Schriftstellerin, *Mürzzuschlag 20. 10. 1946; im Zentrum ihrer von provokativer, (sexual)tabubrechender Schärfe lebenden Romane und Theaterstücke stehen die experimentell auf den Punkt gebrachten und satirisch bloßgelegten Sprach- und Sprechschablonen von Figuren, die von den Gewohnheiten eines patriarchal. Herrschaftssystems gezeichnet sind; schreibt auch Hörspiele und Drehbücher.

Werke: Die Liebhaberinnen (R., 1975), Die Ausgesperrten (R., 1980), Clara S. (Dr., 1982), Die Klavierspielerin (R., 1983), Burgtheater (Dr., 1985), Oh Wildnis, oh Schutz vor ihr (R., 1986), Wolken. Heim (Dr., 1988), Lust (R., 1989), Totenauberg (Dr., 1991), Raststätte oder sie machens alle (Dr., 1994), Die Kinder der Toten (R., 1995), Stecken, Stab und Stangl (Dr., 1996).

2) Hanns, österr. Komponist, *Wien 5. 12. 1901, †ebd. 27. 1. 1969; arbeitete auf der Basis der Zwölftontechnik; komponierte u.a. »Das Zwölftonwerk« (1947–52, für versch. Instrumente), die Operette »Bubi Caligula« (1947–53) sowie Filmmusiken; schrieb »Anleitung zur Zwölftonkomposition ...« (2 Bde., 1952–58).

Jelisawetgrad, bis 1939 Name von →Kirowograd.

Jelisawetowskaja Staniza, russ. Dorf bei Rostow am Don; hier befindet sich eine vorgeschichtl. Befestigungsanlage, in der man früher das alte Tanais vermutete; in der Nähe Hügelgräber mit skyth. Goldfunden.

Jellicoe ['dʒelɪkəʊ], John Rushworth, 1. Earl (seit 1925), Viscount (seit 1918) J. of Scapa, brit. Admiral, *Southampton 5. 12. 1859, †London 20. 11. 1935; im 1. Weltkrieg 1914–16 Oberbefehlshaber der Großen Flotte (Grand Fleet), die er auch in der Schlacht vor dem Skagerrak führte; 1916–18 Erster Seelord, 1920–24 Generalgouv. von Neuseeland.

Jellinek, 1) Georg, Staatsrechtslehrer, *Leipzig 16. 6. 1851, †Heidelberg 12. 1. 1911, Vater von 2); vereinigte philosoph., histor. und jurist. Denken, maß zugleich den sozialen und polit. Gegebenheiten eine rechtswandelnde Wirkung bei (»normative Kraft des Faktischen«). Von bleibendem Einfluss sind seine Statuslehre (Status, in denen der Bürger dem Staat begegnet), die Dreielementelehre der Staatsqualität (Volk, Gebiet, Staatsgewalt) und die staatl. Selbstbindung durch Einräumung von subjektiven Rechten des Einzelnen gegenüber dem Staat. Schrieb u.a. »Allg. Staatslehre« (1900).

2) Walter, Staatsrechtslehrer, *Wien 12. 7. 1885, †Heidelberg 9. 6. 1955, Sohn von 1); 1935 in den Ruhestand gezwungen, hatte er nach 1945 maßgebenden Einfluss auf die Gestaltung der Verw.gerichtsbarkeit; schrieb u.a. »Der fehlerhafte Staatsakt und seine Wirkungen« (1908), »Verwaltungsrecht« (1928).

Jelling ['jɛleŋ], Gemeinde bei Vejle in Ostjütland, Dänemark, 5 000 Ew.; ist bekannt durch die imposanteste dän. Königsgrablege des 10. Jh. (UNESCO-Weltkulturerbe; nahe dem Königshof J.): zwei riesige Grabhügel von 60 bzw. 77 m Durchmesser (samt schiffsförmiger Steinsetzung), dazwischen eine Kirche und zwei Runensteine. In dem nördl. Hügel wurde der noch heidn. König Gorm der Alte (†um 950) mit seiner Gemahlin Tyra (Thyra) Danebod bestattet, für die Gorm den kleinen Runenstein setzte. Um 960 bettete ihr Sohn, der bereits christl. König Harald Blätand (»Blauzahn«), seine Eltern in eine neu errichtete Holzkirche um (an der Stelle der heutigen, 1874 errichteten Steinkirche), stellte für sie den größeren Runenstein auf (mit der ältesten Christusdarstellung N-Europas) und ließ den S-Hügel als reinen Memorialbau ausführen. Die charakterist. Ornamentik der Grabbeigaben (u.a. Silberbecher) wurde namengebend für den wikingerzeitl. **Jellingstil.**

Jelling: Der als »Taufstein Dänemarks« bezeichnete größere der beiden Runensteine

Jelzin, Boris Nikolajewitsch, russ. Politiker, *Butka (Gebiet Jekaterinburg) 1. 2. 1931; Bauingenieur, 1961–90 Mitgl. der KPdSU, 1985–87 Erster Sekretär der Moskauer Stadtparteiorganisation, 1990–91 Vors. des russ. Obersten Sowjets, wurde im Juni 1991 zum Präs. Russlands gewählt. 1991–92 war er auch MinPräs. Als Radikalreformer geriet er zunehmend in Gegensatz zu M. Gorbatschow und dessen Politik. Er organisierte im Aug. 1991 den Widerstand gegen den Putsch orthodox-kommunist. Kräfte und entmachtete nach dessen Scheitern die KPdSU. Im Dez. 1991 beteiligte er sich führend an der Gründung der →GUS. Im Okt. 1993 ließ er durch die Armee einen Aufstand altkommunist. und nationalist. Kräfte niederschlagen. Die von der Bev. im Dez. 1993 gebilligte neue Verf. stärkte seine Stellung. In der Auseinandersetzung der russ.

Hanns Jelinek

Boris Jelzin

Jemen

Fläche: 527968 km²
Einwohner: (1995) 14,50 Mio.
Hauptstadt: Sanaa
Verwaltungsgliederung: 17 Provinzen
Amtssprache: Arabisch
Nationalfeiertag: 22. 5.
Währung: 1 Jemen-Rial (Y. Rl) = 100 Fils
Zeitzone: MEZ +2 Std.

Staatswappen

ADN

Internationales Kfz-Kennzeichen

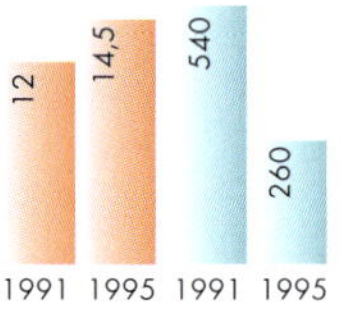

Bevölkerung (in Mio.)
Bruttosozialprodukt je Ew. (in US-$)

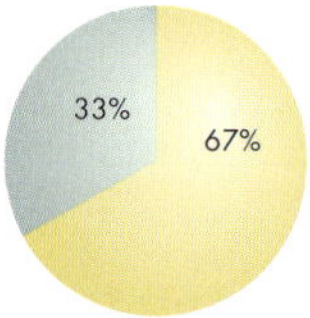

Stadt
Land

Bevölkerungsverteilung 1994

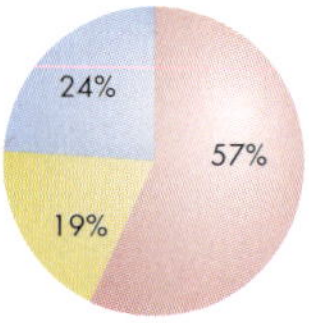

Industrie
Landwirtschaft
Dienstleistung

Bruttoinlandsprodukt 1994

Zentralregierung mit den Unabhängigkeitsbestrebungen →Tschetscheniens billigte er deren gewaltsame Wiedereingliederung. 1996 erneut zum russ. Präs. gewählt, sucht J. in seiner Außenpolitik Russlands Anspruch auf die Rolle einer Weltmacht zur Geltung zu bringen. Er lehnt die »Osterweiterung« der NATO ab, schloss aber mit ihr – in Konflikt mit seinen kommunist. und nationalist. Gegnern im Inneren – 1997 ein Sicherheitsabkommen.

Jemen (Yemen, amtlich arab. Al-Djumhurijja al-Jamanijja; dt. Rep. J.), Staat in Vorderasien, im SW und S der Arab. Halbinsel, grenzt im W an das Rote Meer, im N an Saudi-Arabien, im O an Oman und im S an den Golf von Aden. Die Grenze im N ist nicht genau festgelegt. Zum Staatsgebiet gehören die Koralleninseln Kamaran im Roten Meer, die vulkan. Insel Perim in der Meerenge Bab el-Mandeb sowie die Inselgruppe Sokotra vor dem Osthorn Afrikas.

Staat und Recht: Nach den Sezessionsversuchen des südl. J. wurde 1994 eine neue Verf. in Kraft gesetzt. Sie stellt den vom Volk für fünf Jahre direkt gewählten und mit weit gehenden Kompetenzen versehenen Staatspräs. an die Spitze von Staat und Exekutive. Die Gesetzgebung ist Sache des Parlaments, dessen 301 für vier Jahre gewählte Mitgl. (aktives und passives Wahlrecht auch für Frauen) auf das islam. Recht verpflichtet sind. Wichtigste der etwa 40 Parteien sind der Allg. Volkskongress, die Jemenit. Vereinigung für Reform (Islah) und die Jemenit. Sozialist. Partei.

Landesnatur: J. nimmt im W den südwestl. Hochgebirgskern der Arab. Halbinsel ein. Am Roten Meer liegt die schwülheiße Tihama, eine 40–70 km breite, halbwüstenhafte Küstenebene. Ihr folgt mit einem regenreicheren Steilanstieg das größtenteils aus vulkan. Trappdecken aufgebaute Hochland von J. (2000–2500 m ü. M.), an dessen W-Rand der Nabi Schuaib, mit 3760 m ü. M. die höchste Erhebung Arabiens, liegt. Eine intensive Landnutzung und relativ dichte Besiedlung machen es zum Kernraum des Landes. Weiter nach O senkt sich das Hochland allmählich zur vollariden Sandwüste Rub al-Chali. An der ebenfalls schwülheißen Küste am Golf von Aden breiten sich, soweit sie nicht Steilküste ist, z. T. Lavafelder mit aufgesetzten Vulkankegeln aus. Stadt und Hafen Aden liegen in einem aus Schlacken bestehenden Doppelkrater. Mit einer markanten Bruchstufe erhebt sich aus dieser Küstenebene die Arab. Tafel, die im N vom Djol, einem überwiegend aus tertiärem Kalkstein aufgebauten Hochplateau (bis 2185 m ü. M.) gebildet wird. Das von tiefen (über 300 m), steilwandigen Wadis (größtes ist das Wadi Hadramaut) zerschnittene Kalksteinplateau senkt sich nach N zur Rub al-Chali.

Bevölkerung: Den Hauptteil der Bev. bilden Araber, die in der Küstenebene Tihama wie auch in den Oasen des südl. J. einen stark negriden Einschlag zeigen, der auf die alten Beziehungen zu Ostafrika hinweist. Im Wadi Hadramaut wiederum ist der malaiische Einschlag unverkennbar; Inder und Somal haben sich an der Küste zum Golf von Aden niedergelassen. In der Tihama und am Gebirgsfuß lebt die Landbev. in geschlossenen Dörfern, im westl. Randgebirge wohnen die Bergbauern in mehrstöckigen Wohntürmen. In den städt. Siedlungen (rd. 10 % der Einwohner) sind die bis zu acht Stockwerke hohen, aus Lehmziegeln erbauten Häuser oft ornamental weiß verziert (z. B. Sanaa, Schibam). Etwa 5 % der Bev. sind Nomaden. – Die Analphabetenquote liegt bei 56 %. Im S besteht Schulpflicht vom 8. bis 15. Lebensjahr, die Einschulungsrate beträgt im Landesdurchschnitt 55 % (bei den Jungen 71 %; im N ist sie geringer). Univ. bestehen in Sanaa (gegr. 1970) und Aden (gegr. 1975). Lehrkräfte an allen Bildungseinrichtungen sind zum großen Teil Ausländer. – Der Islam ist Staatsreligion. Im nördl. J. sind etwa 50 % Schiiten (Zaiditen) und 50 % Sunniten (Schafiiten), im südl. J. etwa 95 % Muslime (davon 90 % Sunniten) und 5 % Hindus. Die genaue Zahl der als Arbeitsmigranten im Ausland lebenden Jemeniten ist nicht bekannt, viele mussten nach dem zweiten Golfkrieg wieder in ihre Heimat zurückkehren.

Wirtschaft, Verkehr: Die Rep. J. ist, gemessen an ihrem Sozialprodukt, wesentlich geringer entwickelt als ihre Erdöl exportierenden arab. Nachbarländer. Bedeutendster Wirtschaftszweig ist die Landwirtschaft, in der über die Hälfte der Erwerbstätigen in meist kleinbäuerl., 3–5 ha großen Betrieben arbeitet. Angebaut werden v.a. Hirse, daneben Weizen, Gerste, Sesam, Mais, Hülsenfrüchte, Weintrauben, Gemüse, Tabak; der Nahrungsmittelbedarf kann damit nicht gedeckt werden. Baumwolle wird auf entsalzten Böden der Tihamaebene angebaut; der Kaffeeanbau ging wegen des vermehrten Anbaus von Kathsträuchern zurück. (Für die Volkswirtschaft bedeutet der Kathgenuss der Bev. ein ernstes Problem; ein hoher Prozentsatz der über 10 Jahre alten männl. Bev. ist süchtig und daher nicht voll arbeitsfähig.) Bedeutung hat die Weidewirtschaft der Beduinen (Ziegen, Schafe, Rinder, Kamele und Esel). Im Roten Meer und im Golf von Aden werden Fischfang und Perlenfischerei betrieben. Größte Ind.betriebe sind die Erdölraffinerie in Aden und die Textilfabriken in Sanaa. Es dominiert das traditionelle Handwerk (Schmieden, Gerbereien, Lederverarbeitung). Seit 1984 wird im NO bei Marib, seit 1987 im S bei Schabwah Erdöl gefördert. Die Handelsbilanz ist ständig defizitär. – Das Straßennetz (Gesamtlänge der befestigten Straßen: 7265 km) konzentriert sich auf die Küstenregionen. Al-Ahmadi bei Hodeida am Roten Meer und Aden im S sind die wichtigsten Überseehäfen des Landes. Internat. Flughäfen haben Sanaa, Taiz, Hodeida und Aden; nat. Fluggesellschaft ist die Yemenia.

Geschichte: Im Altertum wegen seiner fruchtbaren Täler Arabia felix (»glückl. Arabien«) gen.; die im 5. Jh. v. Chr. entstandenen Reiche von Saba, Main und Kataban vereinigten sich im 3. Jh. n. Chr. unter der Führung von Saba. Im 6. Jh. n. Chr. zw. Äthiopien und Persien umkämpft, kam das Gebiet 632 zum Kalifat, aus dessen Herrschaftsbereich sich J. seit Ende des 9. Jh. zu lösen begann. 901 gründeten die Saiditen (→Schiiten) das Imamat. 1174–98 stand J. unter aijubid., 1517 und 1538–1635 (Aden, Lahedj) sowie 1849–1918 unter osman. Herrschaft (Sanaa, ab 1517 autonomes Sultanat, nur 1872–90). Danach verstärkt getrennte Entwicklung von N- und S-Jemen.

Nord-Jemen: 1911 Anerkennung des Imam Jahja (seit 1904; ermordet 1968) als Herrscher durch die Türken, 1918 Umwandlung des Imamats in ein Königreich. Mit dem Vertrag von Taif erkannte Saudi-Arabien im Mai 1934 die Unabhängigkeit an. 1945 Gründungs-Mitgl. der Arab. Liga. 1958–61 föderatives Mitgl. der Vereinigten Arab. Republik; 1962 Sturz des Imam Ahmed (seit 1948) durch einen Militärputsch und Ausrufung der **Arab. Republik J.** durch A. as-Sallal (*1917; Präs. bis 1967).

Jemen: Die Altstadt der Hauptstadt Sanaa mit den typischen, aus Lehmziegeln erbauten Hochhäusern

Der darauf folgende Bürgerkrieg zw. Republikanern (unterstützt von Ägypten) und Anhängern der Monarchie (bis 1967 unterstützt von Saudi-Arabien) um Imam M. al-Badre (*1920) endete erst 1969/70 mit dem endgültigen Sieg der Republikaner. 1974 kam es zu einem unblutigen Militärputsch, Präs. wurde Oberst I. al-Hamidi (ermordet Sept. 1977), danach H. al-Ghasmi (ermordet Juni 1978); im Juli 1978 übernahm A. Abdullah Saleh (*1942) dieses Amt.

Süd-Jemen: Aden gehörte 1839–1937 als Protektorat zu Britisch-Indien, 1947 wurde es brit. Kronkolonie; 1959 föderativer Zusammenschluss der Emirate im ehem. brit. Protektorat, 1963 Beitritt als Staat »Aden« zur »Südarab. Föderation«. Nach einem Umsturz im Sept. 1967 in zahlr. Emiraten folgte die Unabhängigkeitserklärung im Nov. 1967 und der Abzug der brit. Truppen; Umwandlung in einen kommunist. Einheitsstaat (VR Süd-J., seit

1970 **Demokrat. Volksrepublik J.**), seit 1978 unter der Einparteienherrschaft der Jemenit. Sozialist. Partei; Präs. wurde im April 1980 A. Nassir Muhammed (*1944); Jan. 1986 Bürgerkrieg und Flucht des Präs. nach Nord-J., im Febr. 1986 wurde H. Abu Bakr al-Attas (*1939) neuer Staatschef.

Das vereinigte Jemen: Nach offenen Feindseligkeiten (1970/1971) kam es zu Vereinigungsverhandlungen 1972 (Grundsatzvertrag, erneuert 1979), 1977, 1981 (Koordinierungs- und Kooperationsabkommen) und 1989 (Bildung eines Vereinigten polit. Organisationskomitees), die am 22. 5. 1990 zum Zusammenschluss beider J. führten, wodurch erstmals ein einheitl. Nationalstaat J., die **Islam. Republik J.**, entstand; erster Präs. wurde Saleh. Im Mai 1991 billigte die Bev. eine Übergangsverfassung. Die polit. Unterstützung des Irak im zweiten Golfkrieg (Folge: Ausweisung jemenit. Gastarbeiter aus Saudi-Arabien) sowie der Einstrom somal. Flüchtlinge 1991/92 brachte das Land in starke wirtschaftl. (hohe Arbeitslosigkeit und Inflation) und polit. Schwierigkeiten (u. a. blutige Auseinandersetzungen im Nov. 1992). Die nach den ersten Parlamentswahlen seit der Vereinigung (27. 4. 1993) gebildete Koalitionsregierung bemüht sich um eine Stabilisierung des Landes. Versch. noch stark wirksame Konfliktpotenziale zw. Nord- und Süd-J. (die Furcht im Süden vor einer Dominanz des streng konservativ islam. Nordens; Rivalitäten zw. den noch nicht zusammengeführten Armeen des Nordens und Südens) führten 1994 zum Aufstand im Süd-J. zur Wiederherstellung der Demokrat. Republik Jemen, der von Reg.truppen niedergeschlagen wurde. Im Sept. 1994 beschloss das jemenit. Parlament die Einführung der Scharia als einzige Grundlage der Gesetzgebung und bestätigte im Okt. 1994 Saleh für fünf weitere Jahre als Präsident.

Jena
Stadtwappen

📖 *J. Landschaft – Menschen – Kulturgeschichte, bearb. v.* P. WEIKENMEIER *u. a. Stuttgart u. a. 1994.* – FERCHL, D.: *J. u. Oman. München 1995.* – *Liberalisierung u. Demokratisierung in der Rep. J. 1990–1994, bearb. v.* I. GLOSEMEYER. *Hamburg 1995.*

Jẹna, kreisfreie Stadt im O von Thür., an der Saale, im breiten Taleinschnitt zw. den Hängen einer Kalkhochfläche, 100 900 Ew.; Friedrich-Schiller-Univ. (gegr. 1548), FH, Inst. für physikal. Hochtechnologie u. a. Forschungsinst.; Phylet. und Opt. Museum, Goethe-, Schiller-, Romantikergedenkstätte, Ernst-Haeckel-Haus, Sternwarte, Planetarium; Theaterhaus; botan. Garten; feinmechanisch-optisch-elektron. Ind., Glaswerk, Pharmaindustrie. – Nach Zerstörungen im 2. Weltkrieg Wiederaufbau der spätgot. Pfarrkirche Sankt Michael (14.–16. Jh.) und des spätgot. Rathauses (1775 barock umgebaut). Reste der Stadtbefestigung; Hauptgebäude der Univ. (1905–08, nach Entwürfen von T. Fischer; in der Aula Wandgemälde von F. Hodler, 1908), Ernst-Abbe-Denkmal (1909–11, von H. van de Velde entworfen; Innenausstattung mit Reliefs von C. Meunier und Abbe-Büste von M. Klinger). – Um 830/50 erstmals erwähnt, um 1230 Stadtrecht; kam 1331 an die Wettiner (1332 Gothaer Stadtrecht), 1485 an die Ernestiner; 1672–90 Residenz von Sachsen-J., 1691 an Sachsen-Eisenach, 1741 an Sachsen-Weimar(-Eisenach). – In der Doppelschlacht von J. und →Auerstedt vom 14. 10. 1806 unterlag die preußische Armee Napoleon I.

Roy Jenkins

📖 KALLIES, R. F.: *J. Ein histor. Führer. Sigmaringendorf 1991.* – *Evolution des Geistes. J. um 1800, hg. v.* F. STRACK. *Stuttgart 1994.*

Jẹnaer Glas®, Handelsname für gegenüber Temperaturwechsel und Chemikalien bes. widerstandsfähiges Glas, zuerst von O. Schott in Jena hergestellt. (→Glas)

Jẹnaer Glaswerk Schọtt & Gen., →Carl-Zeiss-Stiftung.

Jẹnaer Liederhandschrift, die älteste der mhd. Liederhandschriften, prachtvoll ausgestattete Sammlung mhd. Lyrik, v. a. Spruchdichtung, aus dem 14. Jahrhundert.

Jenạkijewo (ukrain. Jenakijewe), Stadt im Donezbecken, Ukraine, 121 000 Ew.; Steinkohlenbergbau, Eisenhütten-, Chemiewerk.

Jẹnatsch, Georg (Jürg), Graubündner Freiheitsheld, *im Engadin 1596, † (ermordet) Chur 24. 1. 1639; ref. Pfarrer im Veltlin, kämpfte im Mantuan. Erbfolgekrieg (1628–31) für die Unabhängigkeit Graubündens; um die Rückgabe des Veltlins zu erreichen, trat er 1635 zum Katholizismus über und zwang durch einen Aufstand 1637 den frz. Herzog Rohan zum Abzug.

Jẹnbach, Marktgemeinde in Tirol, Österreich, am Inn, 6 200 Ew.; Lokomotiv-, Eisenbahnwaggon-, Motorenbau, Holzverarbeitung, Achensee-Kraftwerk; Fremdenverkehr. Auf einer Höhe bei J. Schloss Tratzberg (1500; heute Museum).

Jenissẹi *der,* Strom in Sibirien, Russland, mit Großem J. 4 092 km lang; entsteht aus den Quellflüssen Großer und Kleiner J. in Tuwinien, mündet in die Karasee, Einzugsgebiet 2,58 Mio. km^2; wichtigste Zuflüsse sind Abakan, Angara, Steinige und Untere Tunguska; bis in das Minussinsker Becken schiffbar, bis Igarka für Seeschiffe zugänglich, v. a. ab Krasnojarsk wichtige Verkehrsader (etwa fünf Monate eisfrei). Stauseen mit Wasserkraftwerken bei Krasnojarsk (6 000 MW) und Sajan-Schuschenskoje (6 400 MW).

Jenkins [ˈdʒeŋkɪnz], Roy Harris, Lord (seit 1987) J. of Hillhead, brit. Politiker, *Abersychan (Wales) 11. 11. 1920; 1948–77 Unterhausabg. für die Labour Party, 1965–67 und 1974–76 Innenmin., 1967–70 Schatzkanzler, 1976–81 Präs. der EG-

Kommission, 1981 Mitbegründer und 1982/83 Vors. der Social Democratic Party.

Jenner ['dʒenə], Edward, brit. Arzt, *Berkeley (Cty. Gloucestershire) 17. 5. 1749, †ebd. 26. 1. 1823; führte 1796 die erste Pockenschutzimpfung mit Kuhpockenlymphe erfolgreich durch.

Edward Jenner: Stahlstich nach einem zeitgenössischen Gemälde

Jenney ['dʒenɪ], William Le Baron, amerikan. Architekt, *Fairhaven (Mass.) 25. 9. 1832, †Los Angeles (Calif.) 15. 6. 1907; baute u. a. das Home Insurance Building in Chicago (1883–85), das richtungweisend für die Verwendung von Stahlskeletten beim Bau von Hochhäusern war.

Jenny-Clark [ʒeni'klark], Jean-François, frz. Jazzmusiker (Kontrabassist), *Toulouse 1944, †Paris 6. 10. 1998; gehört zu den bedeutendsten Bassisten des europ. Jazz der Gegenwart.

Jens, Walter, Schriftsteller, Kritiker, Literaturwissenschaftler, *Hamburg 8. 3. 1923; seit 1956 Prof. für klass. Philologie und seit 1963 für Rhetorik in Tübingen; gehörte zur »Gruppe 47«; veröffentlichte zw. 1947 und 1955 Literatur gegen restaurative Tendenzen in der Bundesrep. Dtl. mit deutlicher Akzentuierung einer demokratisch-sozialist. Alternative; greift auf antike Stoffe zurück (»Das Testament des Odysseus«, Erz., 1957); verfasst neben (literar.) Essays (»Von dt. Rede«, 1969; »Zur Antike«, 1978; »Republikan. Reden«, 1976; »Einspruch«, 1992) auch Romane und Dramen; übersetzte grch. Klassiker und das Matthäusevangelium. 1976–82 war er Präs. des P. E. N.-Zentrums der Bundesrep. Dtl.; 1989-97 Präs. der Berliner Akademie der Künste.

Jenseits, in religiöser Vorstellung der die sichtbare Welt und ihre Erfahrung übersteigende Bereich (→Himmel, →Hölle).

Jenseitsführer (Unterweltbücher), illustrierte Texte des ägypt. Neuen Reichs (1552–1070 v. Chr.), an den Wänden der Gräber im Tal der Könige erhalten, später auch auf Särgen und Papyri; Thema ist v. a. die nächtl. Fahrt der Sonne von W nach O durch die Unterwelt mit dem verstorbenen König.

Jensen, 1) Adolf, Völkerkundler, *Kiel 1. 1. 1899, †Frankfurt am Main 20. 5. 1965; seit 1945 Direktor des Völkerkundemuseums in Frankfurt am Main; Forschungsreisen v. a. nach Indonesien und Äthiopien. – »Mythos und Kult bei Naturvölkern« (1951) u. a.

2) Hans Daniel, Kernphysiker, *Hamburg 25. 6. 1907, †Heidelberg 11. 2. 1973; Prof. in Hannover, Hamburg, Heidelberg, entwickelte zusammen mit O. Haxel das Schalenmodell der Atomkerne; 1963 zus. mit Maria Goeppert-Mayer und E. P. Wigner Nobelpreis für Physik.

3) Johannes Vilhelm, dän. Schriftsteller, *Farsø (Nordjütland) 20. 1. 1873, †Kopenhagen 25. 11. 1950; an Volkstum und Heimat gebundener Stil, der für die moderne dän. Literatur großen Einfluss gewann. Darwinist. Auffassungen kennzeichnen die 6-teilige Romanfolge »Die lange Reise« (1908–22); außerdem Novellen und Gedichte; 1944 Nobelpreis für Literatur.

Walter Jens

Jensen-Klint [-'klend], Peder Vilhelm, dän. Architekt, *Holsteinborg (bei Skælskør, Seeland) 21. 6. 1853, †Kopenhagen 1. 12. 1930. Sein Meisterwerk ist die Grundtvigkirche in Kopenhagen (1921 ff., 1940 vollendet) in einem gotisierenden expressionist. Stil.

Jephtha, Gestalt des A. T., →Jiftach.

Jepsen, Maria, evang.-luth. Theologin, *Bad Segeberg 19. 1. 1945; seit 1986 Mitgl. der Nordelb. Kirchenleitung; seit 1992 Bischöfin des Sprengels Hamburg der Nordelb. Kirche (erste evang.-luth. Bischöfin der Welt).

Maria Jepsen

Jer., Abk. für **Jer**emia (A. T.).

Jeremia (Vulgata: Jeremias), einer der großen Propheten des A. T.; *um 650 v. Chr. in Anatot (bei Jerusalem); entstammte einer Priesterfamilie; wurde 627 zum Propheten berufen und wirkte etwa 40 Jahre lang als solcher; stand mit seiner Botschaft im scharfen Gegensatz zur Politik der Könige und der Meinung des Volkes; wurde ange-

Peder Jensen-Klint: Die ab 1921 erbaute Grundtvigkirche in Kopenhagen wurde 1940 von seinem Sohn Kaare Klint vollendet

Nils Jerne

Jérôme Bonaparte
(Lithographie)

feindet, verfolgt und während der Belagerung Jerusalems 587 als Hochverräter gefangen genommen und nach Ägypten verschleppt, wo er starb. Seine Botschaft ist wesentlich Unheilsankündigung; er prophezeite den Untergang des S-Reiches Juda als gerechte Strafe Gottes für das untreue Gottesvolk und rief es zur Umkehr. Das Buch J. ist eine Sammlung unterschiedl., nicht ausschließlich von J. bzw. seinem Schüler und Sekretär Baruch verfasster Texte. Die fünf **Klagelieder Jeremias** stammen nicht von J.; sie entstanden nach 587, werden aber in der jüd. Tradition J. zugeschrieben.

Jeremias, Joachim, evang. Theologe, *Dresden 20. 9. 1900, †Tübingen 6. 9. 1979. Schwerpunkte seiner Forschung waren die Jesus-Überlieferung und die neutestamentl. Zeitgeschichte.

Jerewan (armen. Erewan, bis 1936 russ. Eriwan), Hptst. der Rep. Armenien, am N-Rand der vom Ararat überragten Araksebene, 850–1300 m ü. M., am Rasdan (Zufluss des Araks), 1,2 Mio. Ew.; Armen. Akademie der Wiss., Univ. und zahlr. andere Hochschulen, Staatsbibliothek, Handschriftensamml. »Matenadaran«, mehrere Museen und Theater, Gemäldegalerie, Philharmonie; Planetarium, zoolog. Garten; Maschinen- und Kfz-Bau, elektrotechn., chem. und pharmazeut., Textil-, Schuh-, Nahrungsmittel-, keram. Ind., Wein- und Sektkellereien, Weinbrandherstellung. – In den Ruinen der Burgen Arinberd und Kamir-Blur wurden bei Ausgrabungen bed. Funde gemacht. Von den Sakralbauten von J. sind u. a. die Kreuzkuppelkirchen Katogike (13. Jh.) und Zorawar (17. Jh.) sowie die Moschee von 1776 erhalten. Das Stadtbild wurde stark verändert durch den Städtebauplan von 1924. – 782 v. Chr. entstand hier die urartäische Festung Erebuni; zu Beginn des 7. Jh. n. Chr. schriftl. Ersterwähnung von J.; im 16. Jh. durch die Türken erobert, 1604 von den Persern zerstört; 1735–1827 Hptst. des pers. Khanats J., 1827 von Russland besetzt und 1828 offiziell von Persien abgetreten; wurde 1850 Gouv.zentrum, seit 1920 Landeshauptstadt.

Jerichow: Innenansicht der zum großen Teil in der zweiten Hälfte des 12. Jh. erbauten romanischen Kirche des ehemaligen Prämonstratenserstiftes

Jerez de la Frontera [xɛˈrɛð ðe -], Stadt in Andalusien, Spanien, am W-Rand der Bet. Kordillere, 183 300 Ew.; J. liegt inmitten von Weinbergen und ist bekannt durch seine Jerezweine (Sherry), Weinbrände und Liköre sowie durch seine Reitpferdezucht; Verkehrsknotenpunkt, Flugplatz; Fremdenverkehr. – Bed. Kirchen in der maur. geprägten Altstadt, zahlr. Adelspaläste. – 711 Sieg der Araber unter Tarik über die Westgoten.

Jerezwein, der →Sherry.

Jericho (arab. Eriha, Ariha), Oasenstadt im Westjordanland, 250 m u. M. im Jordangraben (tiefstgelegene Stadt der Erde), rd. 7000 Ew.; Flüchtlingslager; Bewässerungsfeldbau. – Das heutige J. geht mindestens auf die Kreuzfahrerzeit zurück. Die ältesten Überreste finden sich nahe der Quelle En es-Sultan, der Elisaquelle (2. Kön. 2,19–22), auf dem Tell es-Sultan, dessen Siedlungsgesch. bis ins 9. Jt. zurückreicht. Ausgrabungen (seit 1907) brachten eine der ältesten Stadtkulturen, das vorkeram. J., mit einer starken Festungsanlage (6 m hohe Mauer) zutage; datiert wird sie um 7000 v. Chr. Bis ca. 1580 v. Chr. dauernd besiedelt, war die Stadt zur Zeit der Einwanderung der israelit. Stämme (seit etwa 1250 v. Chr.) bereits zerstört. Der Bericht über die Eroberung und Zerstörung J. in Jos. 6 ist legendär. Eine feste Siedlung bestand erst wieder zw. 1100 und 600 v. Chr. (1. Kön. 16,34). Auf dem Hügel Tulul Abu l-Alajik sind Teile einer durch Titus zerstörten Palastanlage Herodes' d. Gr. (Winterpalast mit Hippodrom und Schwimmbecken) erhalten. – Zur neueren Entwicklung →Nahostkonflikt.

📖 Bieberstein, K.: *Josua – Jordan – J. Archäologie, Geschichte u. Theologie der Landnahmeerzählungen Josua 1–6. Fribourg 1995.*

Jerichorose (Rose von Jericho), Bez. einjähriger Pflanzen des östl. Mittelmeergebiets, die beim Vertrocknen ihre kurzen Äste kugelig einbiegen und vom Wind entwurzelt und davongerollt werden; in Wasser oder feuchter Luft breiten sie sich wieder aus; z. B. **Anastatica hierochuntica,** ein 10–20 cm hoher Kreuzblütler.

Jerichow [-o], Stadt im Kr. Jerichower Land, Sa.-Anh., an einem Altarm der Elbe, 2100 Ew. – Die Kirche des ehem. Prämonstratenserstifts (zum großen Teil 2. Hälfte des 12. Jh.) ist einer der bedeutendsten roman. Backsteinbauten in Dtl.; Klausurgebäude (12./13. Jh.; heute z. T. Museum) und Kreuzgang (13. Jh.) weitgehend erhalten.

Jerichower Land, Landkreis in Sa.-Anh., 1336 km², (1996) 101 200 Ew.; Krst. ist Burg.

Jermak Timofejewitsch, Kosakenführer, †(ertrunken im Irtysch) 16. 8. 1585 (oder 1584); stand im Dienste der →Stroganows und leitete

Jerusalem: Die mittelalterliche Altstadt wird in ihrem Ostteil vom Tempelberg beherrscht, auf dem sich die beiden wichtigsten islamischen Heiligtümer befinden: der Felsendom (7. Jh.) mit goldener Kuppel und die im 7. Jh. gegründete Al-Aksa-Moschee mit silberner Kuppel (links), deren heutiger Bau zum großen Teil aus dem 11. Jh. stammt

durch seinen Sieg über den Tatarenkhan des westsibir. Reiches (1582 Einnahme der Hptst. Isker) die russ. Eroberung Sibiriens ein.

Jẹrne, Nils Kaj, dän. Immunologe, *London 23. 12. 1911, †Castillon-du-Gard (Dep. Gard) 7. 10. 1994; erhielt 1984 für seine Arbeiten über Aufbau und Steuerung des Immunsystems und für die Entdeckung des Prinzips der Produktion von monoklonalen Antikörpern (mit C. Milstein und G. Köhler) den Nobelpreis für Physiologie oder Medizin.

Jerọbeam (Vulgata: Jeroboam), Könige von Israel: **1) J. I.** (926–907 v. Chr.); erster König des N-Reichs Israel; unter Salomo hoher Beamter, dann dessen Widersacher, nach seinem Tod Urheber der Reichsspaltung; gründete (gegen Jerusalem) eigene Reichsheiligtümer in Dan und Bethel.

2) J. II. (787–747 v. Chr.). Unter seiner Reg. erreichte Israel seinen polit. und wirtsch. Höhepunkt; die Propheten Amos und Hosea traten auf.

Jerofẹjew, Viktor, russ. Schriftsteller und Literaturkritiker, *Moskau 19. 9. 1947; als Mithg. des Almanachs »Metropol« (1979) Ausschluss aus dem Schriftstellerverband und Publikationsverbot; bekannt wurde sein Roman »Die Moskauer Schönheit« (1990), ferner die Erzählung »Leben mit einem Idioten« (1991; danach Oper von A. Schnittke, 1992).

Jérôme Bonapạrte [ʒe'ro:m -], König von Westfalen (1807–13), *Ajaccio 15. 11. 1784, †Schloss Villegenis (bei Paris) 24. 6. 1860; jüngster Bruder Napoleons I., zunächst Marineoffizier; in 2. Ehe mit der württemberg. Prinzessin Katharina verheiratet. Als König von Westfalen residierte er in Wilhelmshöhe bei Kassel (»König Lustig«). Nach dem Sturz Napoleons lebte er als Fürst von Montfort in Österreich, Italien und der Schweiz.

Jersey ['dʒœ:(r)zɪ; nach der engl. Kanalinsel] *der,* urspr. Strickware von einer Rundwirkmaschine, jetzt allg. Bez. für Gewebe mit maschenwarenähnl. Aussehen.

Jersey ['dʒə:zɪ], südlichste und größte der zu Großbritannien gehörenden →Kanalinseln, 116 km², 84 100 Ew., Hptst.: Saint Hélier; Amtssprache ist Französisch, Umgangssprache Englisch. Fremdenverkehr; daneben Milchviehzucht, Anbau von Frühkartoffeln, Tomaten, in Gewächshäusern Blumen- und Gemüsezucht; nach 1960 Entwicklung zu einem internat. Finanzzentrum.

Jersey Wappen

Flagge

Jersey City ['dʒə:zɪ 'sɪtɪ], zur Metropolitan Area von New York gehörende Stadt in New Jersey, USA, am Hudson River gegenüber Manhattan, 228 500 Ew.; Colleges; Teil des Hafens von New York, umfangreiche Industrie.

Jerụsalem (hebr. Jeruschalajim, arab. El-Kuds), seit 1950 Hauptstadt des Staates Israel, im Bergland von Judäa, 700–850 m ü. M., 578 800 Ew.; Reg.-, Kultur- und religiöses Zentrum des Landes. Darüber hinaus hat J. zahlr. traditionsreiche Kultstätten der Juden, Christen und Muslime und daher weltweit einmalige Bedeutung als heilige Stadt. J. ist Sitz der israel. Akademie der Wiss. und der Hebr. Univ. J., hat Kunst- und Musikhochschule, Bibliotheken, Archive und Museen.

GBJ

Internationales Kfz-Kennzeichen

Jerusalem: Die unter Konstantin dem Großen im 4. Jh. erbaute christliche Grabeskirche liegt im Christenviertel im Nordwesten der Altstadt

Jerusalem
Stadtwappen

Stadtbild: Die heutige Altstadt (UNESCO-Weltkulturerbe) hat größtenteils mittelalterlich-oriental. Charakter; sie ist von einer gewaltigen Mauer mit 34 Türmen und acht Toren umgeben (16. Jh.). Die Stadt ist seit dem MA. in vier Quartiere aufgeteilt: das Viertel der Muslime im O, das der Christen im NW, das Armenierviertel im SW und das Judenviertel im Süden. Der Haupteingang zur Altstadt führt im N durch das Damaskustor. Im NO, am St. Stephanstor, in dessen Nähe die St.-Anna-Kirche (12. Jh.) liegt, beginnt die Marientorgasse, fortgesetzt von der Via Dolorosa; dieser über mehrere Stationen führende Kreuzweg endet im Christenviertel an der Grabeskirche (→Heiliges Grab); in ihrer Nähe die 1898 geweihte evang. Erlöserkirche. Im armen. Viertel liegen die Zitadelle und die St.-Jakobs-Kirche (urspr. 11. Jh.). Fast der gesamte Ostteil der Altstadt wird vom Tempelberg eingenommen, der unter islam. Verwaltung steht; hier befinden sich die beiden wichtigsten islam. hl. Stätten: →Felsendom und Al-Aksa-Moschee (638 gegr.; heutige Gestalt zum großen Teil 11. Jh); außerdem Grabbauten, Medresen und Handelshäuser aus dem 13.–15. Jh. Unter den zahlreichen christl. Stätten sind die Grabeskirche und die »Via Dolorosa« die wichtigsten. Für die Juden gibt es nur eine heilige Stätte: die über 400 m lange Klagemauer, von den Juden »Westliche Mauer« genannt. In der Altstadt leben heute nur etwa 3 % der Bev. von Jerusalem. Außerhalb der Altstadt liegen im O, durch das Kidrontal getrennt, der →Ölberg und der Garten →Gethsemane, im S der Berg →Zion und der Berg Ophel. Die Neustadt legt sich im N, W und S als breiter Bogen um die Altstadt: Im N schließen sich die modernen arab. Geschäfts- und Wohnviertel an, während sich die jüd. Wohnviertel hauptsächlich nach W und NW erstrecken. Im W befindet sich das weiträumige Reg.viertel mit Parlament (Knesset), Ministerien, einem Teil der Univ., dem Komplex des Israel-Museums mit Skulpturengarten Billy Rose sowie das Kreuzkloster (grch. Gründung des 6. Jh.). Weiter im W der Hügel des Gedenkens (Har Hazikaron) mit der Gedenkstätte »Yad Vashem«, das Erinnerungsmal für die Ermordeten des Holocaust. Bei En Kerem die Synagoge des Medizin. Zentrums Hadassah mit zwölf Glasfenstern von M. Chagall (1959–61).

Geschichte: J., schon im 19. Jh. v. Chr. erwähnt, war als **Jebus** die Hptst. der Jebusiter, wurde um 1000 von David erobert und zu seinem Königssitz gemacht und von Salomo prächtig ausgeschmückt. 587 v. Chr. zerstörte Nebukadnezar II. die Stadt (nach der →Babylonischen Gefangenschaft wieder aufgebaut). 63 v. Chr. begann die röm. Oberherrschaft. Herodes d. Gr. entfaltete eine rege Bautätigkeit. 70 n. Chr. wurde J. von Titus völlig zerstört, 130 von Hadrian wiederhergestellt (Aelia Capitolina). Seit der Zeit Konstantins d. Gr. wurde J. eine christl. Stadt und blieb es, mit kurzer Unterbrechung, 300 Jahre. 637 wurde es von den Arabern, 1099 von den Kreuzfahrern erobert, seit 1100 Hptst. des Königreichs J. (Kreuzfahrerstadt), 1187 Eroberung durch den ägypt. Sultan Saladin, 1229 von Kaiser Friedrich II. kurzzeitig zurückerobert, ab 1244 islamisch, zunächst im Mameluckenreich, 1517–1917 osman. Provinzhptst.; 1920–48 Sitz der brit. Mandatsreg. für Palästina. Im 1. Israelisch-Arab. Krieg (1948/49; →Nahostkonflikt) fiel der

Jerusalem im 1. Jh. v. Chr. bis 1. Jh. n. Chr.

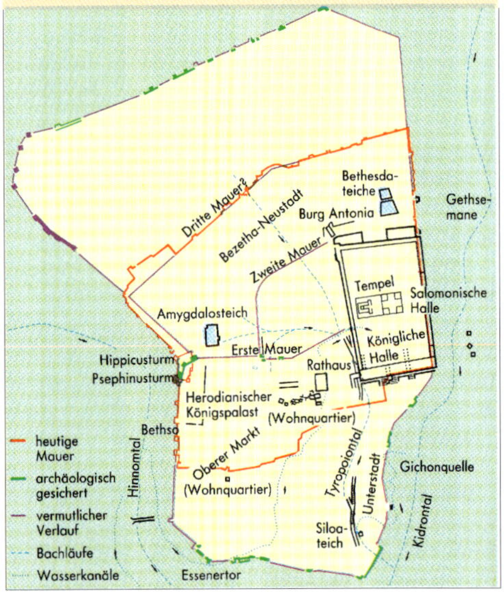

O-Teil der Stadt (bes. die Altstadt) an Jordanien, der W-Teil an Israel. Nach der Eroberung des jordan. Teils im 3. Israelisch-Arab. Krieg und der Bildung einer Gesamt-Jerusalemer Stadtreg. (1967) erklärte Israel, bes. gegen arab. Widerstand, 1980 Gesamt-J. zu seiner Hauptstadt. Der Status von J. gilt als Kern des Nahostkonflikts.

🕮 OTTO, E.: *J., die Gesch. der Heiligen Stadt. Stuttgart u. a. 1980.* – NAYHAUSS, H.-C. GRAF VON: *Heilige Stätten: Pilgerziel J. Pforzheim 1988. – Die Architektur J.s. 3 000 Jahre Heilige Stadt, bearb. v.* D. KROYANKER. *A. d. Amerikan. Stuttgart u. a. 1994.* – KOLLEK, T.: *J. u. ich. Memoiren. A. d. Hebr. Frankfurt am Main 1995.* – NIEMANN, I.: *J. im Spannungsfeld des israelisch-arab. Konflikts. Neuried 1996.*

Jerusalem, Siegfried, Sänger (Tenor), *Oberhausen 17. 4. 1940; seit 1978 Mitgl. der Dt. Oper Berlin; wirkte mit bei Festspielen (Bayreuth); v. a. Opernpartien von R. Wagner; auch Liedsänger.

Jerusalempreis, internat. Literaturpreis, 1963 von der Stadtverwaltung Jerusalem gestiftet und alle zwei Jahre während der internat. israel. Buchmesse an Schriftsteller für Verdienste um die Freiheit des Individuums in der Gesellschaft verliehen. Preisträger seit 1991: Z. Herbert (1991), S. Heym (1993), M. Vargas Llosa (1995), J. Semprún (1997).

Jes., Abk. für **Jes**aja (A. T.).

Jesaja (Vulgata: Isaias), einer der großen Propheten des A. T., *wohl in Jerusalem um 770 v. Chr.; soll nach dem babylon. Talmud unter Manasse den Märtyrertod erlitten haben; wirkte zw. 736 und 701, einer Zeit wachsender äußerer Bedrohung Judas und Israels, als Prophet in Jerusalem; klagte gesellschaftl. Missstände an, rief König Ahas zum Glauben und kündigte den Untergang des N-Reiches Israel an. Das **J.-Buch** gliedert sich in mehrere Teile: Kap. 1–39 gehen überwiegend auf J. selbst zurück, Kap. 40–55 **(Deutero-J.)** entstanden um 550 v. Chr. im babylon. Exil, Kap. 56–66 **(Trito-J.)** als Sammlung prophet. Einzelstücke nach dem Exil.

Jeschken *der* (tschech. Ještěd), Bergrücken in N-Böhmen, Tschech. Rep., bis 1012 m ü. M., Seilschwebebahn von Liberec (Reichenberg).

Jeschow, Nikolai Iwanowitsch, sowjet. Politiker *1895, † (hingerichtet) 1940; seit 1917 Bolschewik, ab 1934 Mitgl. des ZK der KPdSU, gewann das Vertrauen Stalins und leitete als Chef des NKWD (1936–38) die Große Säuberung (→Tschistka). 1938 wurde er seines Amtes enthoben.

Jesd, Stadt in Iran, →Yazd.

Jesi, Stadt in Italien, →Iesi.

Jesiden, Religionsgemeinschaft, →Kurden.

Jesreel|ebene, Ebene in N-Israel, eine tekton. Senke zw. den Bergländern von Galiläa und Samaria; bei künstl. Bewässerung Anbau von Gemüse, Obst und Baumwolle, im Regenfeldbau von Getreide; Milchvieh- und Geflügelwirtschaft.

Jesse (Isai), nach 1. Sam. 16, 10–13 Vater Davids. In der Kunst ist die Wurzel J. eine bildl. Darstellung des Stammbaums Christi (Mt. 1,5; Lk. 3,32), der in dem ruhenden J. wurzelt.

Jesselton ['dʒesltən], Stadt in Malaysia, →Kota Kinabalu.

Jessen (Elster), Stadt im Landkr. Wittenberg, Sa.-Anh., an der Schwarzen Elster, 11 300 Ew.; Metallwerke; Obstbau. – Erhielt vor 1350 Stadtrecht; war bis 1994 Kreisstadt.

Jessenin, Sergei Alexandrowitsch, russ. Lyriker, *Konstantinowo (heute Jessenino, Gouv. Rjasan) 4. 10. 1895, † (Selbstmord) Leningrad (heute Sankt Petersburg) 28. 12. 1925; schöpfte in Thematik und farbiger Bildlichkeit aus russ. bäuerlichen Tradition und Volksfrömmigkeit. Schloss sich 1918/19 den Imaginisten an; von der Revolution, die er als myst. Ereignis begrüßt hatte, war er bald enttäuscht; späte Gedichte zeigen seine Schwermut und die Neigung zur Provokation. 1922–23 ⚭ mit der Tänzerin Isadora →Duncan.

Jessi ['dʒesɪ; Abk. für engl. **J**oint **E**uropean **S**ubmicron **Si**licon], europ. Forschungsprogramm zur Halbleitertechnologie, an dem rd. 200 Institutionen und Unternehmen aus 16 Ländern in über 100 Projekten zusammenarbeiten. Forschungsschwerpunkte sind die Entwicklung von Prozesstechnologien, Entwurfs- und Simulationssoftware, Chiptests und Applikationen. Das Programm wird seit 1997 unter dem Namen →Medea weitergeführt.

Jeßner, Leopold, Regisseur, *Königsberg (Pr) 3. 3. 1878, †Los Angeles 13. 12. 1945; ab 1919 Intendant, 1928–30 Generalintendant der Staatl. Schauspiele Berlin; seit 1933 in Palästina, dann in den USA; Vertreter des expressionist. Theaters.

Ještěd ['jɛʃtjɛt], tschech. für den →Jeschken.

Jesuiten (Gesellschaft Jesu, lat. Societas Jesu, Abk. SJ), kath. Regularklerikerorden; 1539 durch Ignatius von Loyola gegr.; 1540 Bestätigung der ersten Regel durch Papst Paul III. Hauptziel des Ordens ist die Ausbreitung, Festigung und Verteidigung des kath. Glaubens durch Mission, Predigt, Seelsorge, Unterricht, wiss. Arbeit und geistl. Übungen (Exerzitien). Der Orden ist in einzelne Ordensprovinzen aufgeteilt und zentralistisch organisiert. Seine Leitung liegt bei dem auf Lebenszeit gewählten Generaloberen mit Sitz in Rom, der von der Generalkongregation gewählt und beraten wird. Seine Verf. beruht auf den Konstitutionen von 1558, den Beschlüssen der Generalversammlungen, den »Geistl. Übungen« (1548) des Ignatius von Loyola, den Weisungen der Generaloberen und päpstl. Erlassen. Die Mitgliedschaft unterscheidet zw. vier versch. Stufen: Novizen, Scholastiker (noch in der Ausbildung stehende

Siegfried Jerusalem

Sergei Jessenin

Mitgl.), Koadjutoren (Ausbildungszeit zehn Jahre, unterschieden in geistl. und weltl. Koadjutoren) und Professen (Ausbildungszeit 17 Jahre). Geistl. Koadjutoren und Professen sind zudem Priester. Die Professen bilden den eigentl. Kern des Ordens und legen neben den Gelübden Keuschheit, Armut und (Ordens-)Gehorsam das Gehorsamsgelübde gegenüber dem Papst ab. Die J. leben in offenen Häusern und Kollegien und tragen keine Ordenskleidung.

Im 16./17. Jh. breitete sich der Orden über ganz Europa aus. Er wurde zum wichtigsten Träger der →katholischen Reform und der Mission in Asien, Afrika und Amerika. Im 17./18. Jh. führte sein großer Einfluss verstärkt zu Konflikten. Nach Verboten in Portugal (1759), Frankreich (1762) und Spanien (1767) wurde er 1773 aufgehoben. Seine Wiederherstellung erfolgte 1814 durch Papst Pius VII. In Dtl. war der Orden als Folge des →Kulturkampfes zw. 1872 und 1917 verboten. Heute hat er rd. 26 000 Mitgl. in 112 Ländern mit 1800 Niederlassungen.

📖 Barthel, M.: *Die J. Neuausg. Frankfurt am Main 1984.* – Fischer, H. J.: *Der heilige Kampf. Geschichte u. Gegenwart der J. München ²1988.* – O'Malley, J. W.: *Die ersten J. A. d. Engl. Würzburg 1995.*

Jesus Christus

Der Begriff vom »Reich Gottes« im Zentrum der jesuanischen Botschaft wird in Jesu heilendem Handeln, in seiner Hinwendung und Annahme von Ausgegrenzten konkret: Seine Mahlfeiern mit den Sündern – die häufigen Mahlfeiern brachten ihm den Ruf eines »Fressers und Weinsäufers« (Matthäus 11, 19) ein – machten die von ihm intendierte Gemeinschaft gegenwärtig. Auch in seinen Gleichnissen, etwa vom guten Hirten und vom sich erbarmenden Vater, wird der Charakter der Königsherrschaft Gottes deutlich: Sie bedeutet vorrangige Sorge um die Verlorenen und bedingungslose Vergebung von Schuld.

Jesus Christus

Im Gegensatz zu biographischen Details ist die »Sache Jesu« genau zu rekonstruieren. Sie beinhaltet radikale Nächstenliebe (Matthäus 5, 53–54): »Ihr habt gehört, dass gesagt worden ist: Du sollst deinen Nächsten lieben und deinen Feind hassen. Ich aber sage euch: Liebt eure Feinde und betet für die, die euch verfolgen ...«

Jesuitenbaukunst, Bez. für die vom Jesuitenorden errichteten Kirchen- und Kollegiengebäude, v. a. die des ausgehenden 16. und des 17. Jh. Der im 19. Jh. geprägte, heute umstrittene Begriff **Jesuitenstil** bezieht sich auf eine einheitl., v. a. die Raumkonzeption betreffende, architekton. Lösung nach dem Vorbild der röm. Mutterkirche des Ordens Il Gesù (begonnen 1568). Vielfach vereint die J. eine nüchterne Fassade mit einem überaus prunkvollen Inneren. Verbreitet war die J. v. a. in S-Dtl., im Rheinland, in Belgien, Böhmen und Polen. Die barocke Raumform der J. fand Eingang in die lateinamerikan. Kunst.

Jesuitendrama, das lat. Drama der Jesuiten, Blütezeit etwa 1550–1650. Zunächst Anlehnung an das Humanistendrama; danach prunkvoll ausgestaltete sog. Bekehrungsstücke als Mittel der Gegenreformation. Hauptvertreter waren J. Pontanus, J. Gretser, J. Bidermann, N. Avancini, A. Fabricius und G. Agricola.

Jesuitenstaat, im 17. und 18. Jh. Missionsterritorien am Paraná mit jesuit. Selbstverwaltung (→Paraguay, Geschichte).

Jesus Christus, zentrale Gestalt des →Christentums, Mittelpunkt der Verkündigung im N. T. und in der christl. Predigt, zweite Person der →Trinität in der christl. Glaubenslehre, * (wohl) Nazareth um 4 (6?) v. Chr. (Bethlehem ist messian. Interpretation von Mi. 5,1), † (gekreuzigt) Golgatha (heute zu Jerusalem) um 30 n. Chr. Der Name setzt sich zusammen aus der grch. Form des jüd. Eigennamens Jeschua (hebr. »Jahwe ist Heil«) und dem Beinamen →Christus.

Historisch ist J. C. (auch Jesus von Nazareth gen.) nahezu ausschließlich über die zw. 65 und 100 n. Chr. verfassten Evangelien des N. T. (Mt., Mk., Lk., Joh.) zu erschließen, die jedoch nicht vorrangig historische Lebensbeschreibungen Jesu, sondern Glaubenszeugnisse der »Guten Botschaft« (→Evangelium) von Leben, Tod und Auferstehung Jesu Christi sind. Die wenigen außerbibl. Quellen (Josephus Flavius [?], Plinius d. J., Sueton, Tacitus) bestätigen die Existenz Jesu als histor. Persönlichkeit; nach Tacitus (»Annalen« 15,44) wurde er »unter dem Prokurator Pontius Pilatus« (26–36 n. Chr.) hingerichtet. Sein öffentl. Auftreten begann um 28/29 n. Chr. und dauerte etwa zwei Jahre; als Wanderprediger wirkte er v. a. in Galiläa.

Seine *Verkündigung* ist geprägt von einer radikalen und endgültigen Auslegung (exemplarisch in der Ethik der Bergpredigt [Mt. 5–7]) des jüd. Gesetzes, das »zu erfüllen er gekommen ist« (Mt. 5,17), und der Predigt des Reiches Gottes, das »nahe herbeigekommen ist« (Mk. 1,15). – Die im N. T. bezeugten Wunder Jesu sollen nur seine Botschaft verdeutlichen und seine Bevollmächtigung ausweisen und haben keinen eigenständigen, davon losgelösten mirakulösen Charakter. Sich selbst bezeichnet Jesus in seiner Verkündigung (indirekt in der dritten Person) als »Menschensohn«; als »Messias« wurde er nach neutestamentl. Zeugnis von vielen seiner Zuhörer angesehen. Mit seinem Wirken z. T. verbundene (antiröm.) nationaljüdisch-polit. Messiaserwartungen lehnte er ab, das von ihm verkündete »Reich Gottes« ist »nicht von dieser Welt« (Joh. 18,36). Vom jüd. Hohen Rat (→Synedrion) der Gotteslästerung beschuldigt (Mk. 14,61–64), wurde er der röm. Behörde übergeben und von ihr als »König der Juden« (Mt. 27,37) hingerichtet (aus röm. Sicht die Hinrichtung eines Hochverräters und polit. Unruhestifters).

Die im N. T. bezeugte *Auferstehung* Jesu (Osterereignis) offenbarte für seine Anhänger wie für die Christen überhaupt den Heilswillen Gottes und J. C. als endgültigen Heilsmittler. Sie ist Zentrum und grundlegendes heilsgeschichtl. Faktum des christl. Glaubens. – In den christl. Hauptfesten Weihnachten, Karfreitag und Ostern erfolgt die feierl. Vergegenwärtigung von Geburt, Kreuzestod und Auferstehung Jesu Christi im Glauben. – Zur *christl. Glaubenslehre* →Christentum, →Ephesos, →Gottebenbildlichkeit. – Zur *bildenden Kunst* →Christusbild.

📖 BULTMANN, R.: *Jesus. Tb.-Ausg. Tübingen 1988.* – BRAUN, H.: *Jesus – der Mann aus Nazareth u. seine Zeit. Neuausg. Gütersloh 1988.* – BERGER, K.: *Wer war Jesus wirklich? Stuttgart 1995.* – THEISSEN, G.: *Der histor. Jesus. Ein Lehrbuch. Göttingen 1996.*

Jesus People Movement ['dʒi:zəs 'pi:pl 'mu:vmənt], Anfang der 1970er-Jahre in den USA entstandene religiöse Bewegung v. a. unter Jugendlichen mit fundamentalist. Bibelverständnis, stark emotionale, z. T. ekstat. Jesusfrömmigkeit, spontane Gebetspraxis und moral. Rigorismus. Die Bewegung griff bald auf Europa über.

Jesus Sirach, A. T.: →Sirach.

Jet [dʒet, engl.] *der, Petrologie:* der →Gagat.

Jet [dʒet; engl. »Düse«, »Strahl«] *der,* **1)** *Astronomie:* Materiestrahl, der von manchen Himmelskörpern (z. B. von bestimmten Quasaren und Galaxien) ausgestoßen wird. Ihre Entstehung ist unklar.

2) *Luftfahrt:* Flugzeug, das durch ein →Strahltriebwerk angetrieben wird.

3) *Physik:* Bez. für Teilchenbündel, die beim Zerfall von Elementarteilchen auftreten können.

JET [dʒet, engl.], Abk. für **J**oint **E**uropean **T**orus, Vorhaben der Europ. Atomgemeinschaft zur Erforschung der physikal. und techn. Grundlagen der kontrollierten →Kernfusion. Standort der Forschungsanlage ist Culham bei Oxford, Zentrum des Projekts ein seit 1983 nach dem Tokamak-Prinzip arbeitender Fusionsreaktor (→Tokamak).

Jetelová [-va:], Magdalena, Bildhauerin tschech. Herkunft, *Semily (Ostböhm. Gebiet) 4. 6. 1946; wurde bekannt mit wuchtigen Skulpturen aus roh behauenem Holz, später hölzerne Konstruktionen, die häufig auf die sie umgebende Architektur bezogen sind und auch mit Laserlicht kombiniert sein können.

Magdalena Jetelová: »Das Leichte und das Schwere«; Holz mit Laserbildprojektion (nicht fotografierbar), 5 x 8 m (1988; Hamburg, Kunsthalle)

Jethro Tull ['dʒeθrəʊ 'tʊl; nach dem gleichnamigen engl. Schriftsteller, *1674, †1741], brit. Rockmusikgruppe, gegr. 1967 vom Komponisten, Texter, Sänger und Flötisten Ian Anderson (*1947). Sie verbindet Elemente der Rockmusik, Folkmusik und der klass. Musik (LP »Aqualung«, 1971).

Jeton [ʒə'tɔ̃, frz.] *der,* Rechen- oder Zahlpfennig, Spielmarke, Medaille; Münzersatz u. a. für Automaten und Telefon.

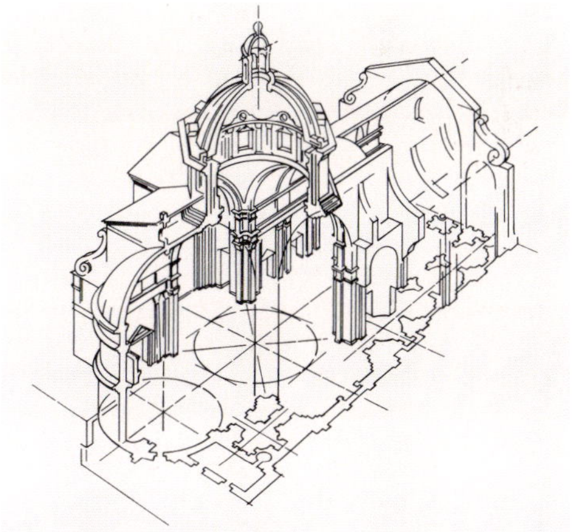

Jesuitenbaukunst: Axonometrische Ansicht der Ordenskirche Il Gesù in Rom (Baubeginn 1568), entworfen von dem italienischen Baumeister Vignola

Jetset ['dʒet-, engl.] *der,* Schicht der industriellen Wohlstandsgesellschaft, die danach strebt, bei den exklusiven Treffen und Vergnügungen der Prominenz in aller Welt dabei zu sein.

Jewgeni Jewtuschenko

Jiang Qing

Jiang Zemin

Jetstream ['dʒetstri:m, engl.] *der* (Strahlstrom), äußerst intensiver, bandförmiger, nicht beständiger, von W nach O gerichteter Luftstrom mit Geschwindigkeiten zw. 150 km/h und bis zu mehr als 600 km/h in der oberen Troposphäre im Übergangsgebiet zw. polaren Kaltluft- und subtrop. Warmluftmassen (Frontalzone), das mit starken horizontalen Temperatur- und Druckgradienten verbunden ist. Im J. herrscht, meist bei Wolkenlosigkeit, starke Turbulenz.

Jettmar, Rudolf, österr. Maler und Radierer, *Zawodzie (bei Krakau) 10. 9. 1869, †Wien 21. 4. 1939; ab 1898 Mitgl. der Wiener Sezession, ab 1910 Prof. an der Wiener Akademie; wichtiger Vertreter des europ. Symbolismus, v.a. Radierungen.

Jetway® ['dʒetweɪ, engl.] *der,* Markenname der ABEX Corporation, USA; Bez. für eine teleskopartig ausfahrbare, schwenkbare und überdachte Fluggastbrücke auf Flughäfen.

Jeune France [ʒœn 'frɑ̃s], 1936 in Paris gebildete Gruppe frz. Komponisten (Y. Baudrier, A. Jolivet, Daniel-Lesur und O. Messiaen), die sich gegen den damals in Paris herrschenden Neoklassizismus wandte.

Jeunesse dorée [ʒœ'nɛs dɔ're; frz. »goldene Jugend«] *die,* urspr. die großbürgerliche frz. Jugend, die nach dem Sturz der Jakobiner 1794 in Paris den Ton angab; später allg. vergnügungssüchtige reiche Großstadtjugend.

Jeunesses Musicales [ʒœ'nɛs myzi'kal, frz.], →Fédération Internationale des Jeunesses Musicales.

Jever, Kreisstadt des Landkreis Friesland, Ndsachs., zw. Marsch und Geest, 13 500 Ew.; Großbrauerei; Bundeswehrstandort (Luftwaffe). – Schloss (16. Jh., heute Museum). – Um 1370 bildete sich unter fries. Häuptlingen die selbstständige Herrschaft J.; diese kam 1575 an Oldenburg, 1667 an Anhalt-Zerbst, 1713 (durch Katharina II.) an Russland, 1818 wieder an Oldenburg.

Jevons ['dʒevənz], William Stanley, brit. Nationalökonom, *Liverpool 1. 9. 1835, †(ertrunken bei Bexhill, Sussex) 13. 8. 1882; Mitbegründer der Grenznutzenschule, führte mathemat. Methoden in die Volkswirtschaftslehre ein. Ausgehend vom wirtsch. Begriff des Nutzens, entwickelte J. eine neue Werttheorie, die die Arbeit als Quelle des Wertes negiert.

Jewish Agency for Palestine ['dʒu:ɪʃ 'eɪdʒənsɪ fɔ: 'pælɪstaɪn], im Mandatsvertrag für Palästina (1922) anerkannte öffentl. Vertretung des →Zionismus für Palästina, beriet 1929–48 die brit. Mandatsregierung und das jüd. Nationalkomitee im Interesse der jüd. Bevölkerung. Seit 1948 (Gründung des Staates Israel) ist sie als »Jewish Agency for Israel« bes. für die jüd. Einwanderung nach Israel tätig; Büros u.a. in Jerusalem, New York, London, Paris.

Jewpatorija (früher Eupatoria), Hafenstadt an der W-Küste der Krim, Ukraine, 115 000 Ew.; Seebad und Kurort; Weinkellerei, Fischfabrik.

Jewtuschenko, Jewgeni Alexandrowitsch, russ. Dichter, *Sima (Gebiet Irkutsk) 18. 7. 1933; errang als Verfechter einer politisch engagierten Poesie bes. bei der Jugend große Popularität. Die stalinist. Vergangenheit ist ein Hauptthema seiner Dichtungen (»Stalins Erben«, 1963); mit »Babi Jar« (1961) wandte er sich gegen den russ. Antisemitismus. J. schrieb auch formal bes. von B. Pasternak beeinflusste Liebes- und Naturlyrik; ferner Prosa (»Beerenreiche Gegenden«, R., 1981; »Fuku!«, Poem 1985); Regisseur der Filme »Kindergarten« (1984) und »Stalins Beerdigung« (1991).

JGG, Abk. für **J**ugend**g**erichts**g**esetz.

Jhansi [dʒ-], Stadt im Bundesstaat Uttar Pradesh, Indien, am N-Rand des Dekhan, 301 000 Ew.; Univ.; Eisenbahnwerkstätten; Eisenbahnknotenpunkt. – Als Marathenfestung 1613 gegründet.

Jhelum ['dʒeɪləm], westlichster der fünf größeren Flüsse des Pandschab, in Indien und Pakistan, 724 km lang, entspringt in Kaschmir und mündet in den Chenab; wichtig für die Bewässerung; Manglastaudamm (116 m hoch, 3,8 km lang).

Jhering ['je:rɪŋ], **1)** Herbert, →Ihering.

2) Rudolf von, Jurist, *Aurich 22. 8. 1818, †Göttingen 17. 9. 1892; Rechtslehrer, erster Vertreter eines jurist. Naturalismus, der das Recht kausalgesetzlich aus der Wirklichkeit der Gesellschaft erklärt und als durch die Zwecke des Einzelnen und der Gesetze begründet ansieht; Wegbereiter der →Interessenjurisprudenz.

Werke: Geist des röm. Rechts auf den versch. Stufen seiner Entwicklung, 4 Bde. (1852–65); Der Kampf ums Recht (1872).

Jiamusi [dʒja-] (Chiamussu, Kiamusze), Stadt in der Mandschurei, China, am unteren Songhua Jiang, 493 300 Ew.; Landmaschinenbau, chem., Papierind.; Flusshafen.

Jiang Jingguo [dʒjaŋ dʒ-], chines. Politiker, →Chiang Ching-kuo.

Jiang Qing [dʒjaŋtʃɪŋ] (Chiang Ch'ing), eigtl. Luan Shu Meng, chines. Politikerin, *Zhucheng (Prov. Shandong) März 1914, †(Selbstmord) Peking 14. 5. 1991; urspr. Schauspielerin, ab 1939 ⚭ mit Mao Zedong, war eine der treibenden Kräfte der Kulturrevolution (1966–69). 1969 wurde sie Mitgl. des Politbüros der KPCh. Ihr Versuch, nach dem Tod Mao Zedongs die Parteiführung zu übernehmen, scheiterte. 1976 wurde sie als Haupt der »Viererbande« verhaftet, 1981 wegen versch. Verbrechen zur Zeit der Kulturrevolution zum Tode verurteilt; 1983 zu lebenslanger Freiheitsstrafe begnadigt, 1984 aus der Haft entlassen.

Jiangsu [dʒjaŋ-] (Kiangsu), Provinz in O-China, 102 600 km^2, (1994) 70,2 Mio. Ew.; Hptst. Nanking; erstreckt sich in dem von Flüssen, Kanälen und Seen durchsetzten Tieflandgebiet an den Unterläufen von Jangtsekiang und Huai He; Anbau von Nassreis, Weizen, Kauliang, Hirse, Baumwolle; bed. Seidenraupenzucht. J. ist rohstoffarm, aber industriell hoch entwickelt (Elektronik, Maschinenbau, chem., Textilindustrie).

Jiangxi [dʒjaŋsji] (Kiangsi), Provinz in SO-China, südlich des Jangtsekiang, 167 000 km^2, (1994) 40,2 Mio. Ew.; Hptst. Nanchang. Waldreiches Bergland im O, S und W sowie der Jangtsekiang im N umschließen die fruchtbaren Ebenen des Gan Jiang und des Poyangsees; Anbau von Reis, Tee, Gerste, Weizen, Sesam, Zitrusfrüchten, Zuckerrohr; Bergbau auf Kohle (für das Stahlwerk Wuhan), Wolframerz und Kaolin (Porzellanherstellung in Jingdezhen).

Jiang Zemin [dʒjaŋ-], chines. Politiker, * Yangzhou (Prov. Jiangsu) Juli 1926; Ingenieur, seit 1982 Mitgl. des ZK und seit 1987 des Politbüros der KPCh, war 1983–85 Min. für Elektronik-Ind. und 1987–89 Parteisekretär von Shanghai. Als Verfechter einer ideologisch orthodoxen Linie bes. in Fragen der Alleinherrschaft der chines. KP war er zus. mit Deng Xiaoping und MinPräs. Li Peng mitverantwortlich für die Niederschlagung der Demokratiebewegung im Juni 1989. Seitdem ist er Gen.-Sekr. der KPCh, als Nachfolger Deng Xiaopings seit 1989 auch Vors. der Zentralen Militärkommission beim ZK der Partei und seit 1990 auch der staatl. Zentralen Militärkommission (d. h. Oberbefehlshaber). 1993 wurde er darüber hinaus Staatspräsident.

Jiangzi [dʒjaŋçi], Handelsplatz in Tibet, →Gyangtse.

Jiaozhou [dʒjaʊdʒɔʊ], chinesischer Name für →Kiautschou.

Jičín [ˈjitʃiːn] (dt. Jitschin, früher auch Gitschin), Stadt im Ostböhm. Gebiet, Tschech. Rep., an der Cidlina, 16 500 Ew.; Glasind., Landmaschinenbau. – Am Ringplatz barocke Dekanatskirche und Wallensteins Schloss (1624–34, heute Museum). – Seit 1438 königl. Stadt, ab 1620 Residenz Wallensteins als Hptst. des Herzogtums Friedland.

jiddische Literatur, die Literatur in jidd. Sprache, in hebräischer Schrift aufgezeichnet.

Ältere j. L.: Umfangreichere Texte sind erst in der Cambridger Handschrift von 1382/83 überliefert; schon hier zeigt sich die Bearbeitung sowohl spezifisch jüd. als auch dt. Erzählstoffe: dem »Josef ha-zadik« (»Der glaubensfeste Josef«) oder »Avroham ovinu« (»Unser Vater Abraham«) folgten später »Schmuelbuch« (Gesch. Davids), »Melochimbuch« (Salomo und Nachfolger) sowie mehrere »Esther«-Epen, während an den dem dt. »Kudrun«-Epos nahe stehenden »Dukus Horant« Heldenepen wie »Hildebrandt« oder »Sigenot« anknüpften. Zur Artusepik gehört »Widuwilt«, dessen Tradition im 16. Jh. die Ritterromane von E. Levita fortsetzten. Histor. und legendar. Kleinepik enthalten v. a. ein Wormser und ein Regensburger Zyklus (»Maaßebuch«, 1602). Seit dem 16. Jh. entstanden Bearbeitungen dt. Volksbücher und – unter Anlehnung an dt. Fastnachtsspiele – die Purimspiele. Um die Wende vom 17. zum 18. Jh. bezeugen die privaten Memoiren der Glückel von Hameln Einflüsse der älteren jidd. Literatur.

Moderne j. L.: Im Zuge der jüd. Aufklärung (Haskala) entstand im 19. Jh. eine sprachlich und inhaltlich zeitnahe Lit., in der die Konflikte zw. ostjüd. Traditionalismus und gesellschaftl. Umbruch verarbeitet wurden. Mit sozialpädagog. Intention bekämpften die Aufklärer bes. die mystisch gefärbte Volksfrömmigkeit (Chassidismus). Der Verbindung traditioneller Elemente mit rationalist. Lehrhaftigkeit verdanken A. Goldfadens (* 1840, † 1908) Volksstücke nachhaltigen Erfolg. V. a. mit seinen Romanen erreichte Mendele Mojcher Sforim eine realist. Darstellung des ostjüd. Alltags. Scholem Alejchem steigerte die Breitenwirkung mit der 1888 gegr. Reihe »Jidische Folksbibliotek«, in der u. a. Jizchak Lejb Perez erstmals jiddisch publizierte und zahlr. jüngere Autoren beeinflusste. Nach dem 1. Weltkrieg gewann die j. L. an Vielgestalt und Verbreitung. Ein Grundzug der jüngeren j. L. ist die Neigung zur Retrospektive. Verfolgung und Ausrottung durch den Nationalsozialismus spiegeln sich in der teils kämpfer., teils eleg. Ghettoliteratur. Zu den bed. neueren Autoren der j. L. gehören S. Asch, D. Bergelson, J. Opatoschu, I. B. Singer (Nobelpreis für Literatur 1978), I. Manger. Seit 1949 wurde Israel zunehmend zum Sammelbecken der neueren jidd. Literatur.

Schalom Asch
(Porträtskizze von Emil Orlik)

Isaac Singer

📖 DINSE, H. *u.* LIPTZIN, S.: *Einführung in die j. L. Stuttgart 1978.* – BEST, O. F.: *Mameloschen. Jiddisch. Eine Sprache u. ihre Literatur. Frankfurt am Main ²1988.*

jiddische Sprache, Volkssprache der nicht assimilierten aschkenas. Juden, früher auch als »Jüdisch« oder »Hebräisch-Deutsch« und im Jiddischen selbst oft als »Mame-loschn« (Muttersprache) bezeichnet; auch mit den Bez. »Jargon«, »Mauscheln« oder »Kauderwelsch« in jüd. Kontext ist meist die j. S. gemeint. Trotz der Vernichtung eines großen Teils (etwa 5 Mio. Sprecher) der jidd. Sprachgemeinschaft im Holocaust blieb Jiddisch bis heute die am weitesten verbreitete jüd. Sprache mit schätzungsweise noch 5–6 Mio. Sprechern (v. a. in Nordamerika und Israel, O- und W-Europa), denen Jiddisch zumindest als Zweitsprache geläufig ist.

Die Geschichte der j. S. begann im 10. Jh. mit der Einwanderung von Juden aus Gebieten mit roman.

Sprache in rhein. und donauländ. Regionen. Die wenigen Überlieferungen lassen erkennen, dass das **Altjiddische** (bis etwa 1500) an den sprachl. Veränderungen des mittelalterl. Deutsch im Wesentlichen teilnahm; trotzdem bewirkte die soziokulturelle Desintegration der Juden sprachl. Besonderheiten, bes. den ausschließl. Gebrauch des hebr. Alphabets. Die jüd. Flucht und Vertreibung seit den Kreuzzügen und der Pestzeit Mitte des 14. Jh. führte zur Verbreitung der j. S. nach S (Oberitalien) und O (Böhmen, Mähren, Polen). Im **Mitteljiddischen** (16.–18. Jh.) trat neben dem Deutschen die hebräisch-aramäische Komponente stärker hervor, die Aufnahme slaw. Sprachelemente und der gelockerte Kontakt zum dt. Sprachgebiet sonderten allmählich den östl. vom westl. Sprachzweig. Wachsender Assimilationsdruck reduzierte Letzteren auf lokal- und fachsprachl. Reste, sodass das **Neujiddische** (seit dem 19. Jh.) weitgehend mit dem Ostjiddischen identisch ist. Seine Verbreitung nahm nach der Auswanderungsbewegung nach Übersee seit den Pogromen 1881 zu; materielle und kulturelle Entwurzelung der Sprecher drängte den Gebrauch der j. S. zurück. Die seit Ende der 30er-Jahre, bes. ab 1949 in der UdSSR bestehenden Restriktionen und v. a. die weitgehende Vernichtung jüd. Kultur O-Europas im 2. Weltkrieg lassen den Fortbestand und die -entwicklung der j. S. problematisch erscheinen.

Juan Ramón Jiménez

📖 SIMON, B.: *Jidd. Sprachgeschichte. Neuausg. Frankfurt am Main 1993.* – LANDMANN, S.: *Jiddisch. Frankfurt am Main u. a. ⁵1994.* – *Gesprochenes Jiddisch, hg. v.* U. KIEFER. *Tübingen 1995.*

Jinan: Pagode des Klosters Shentong aus dem frühen 4. Jahrhundert

Jiftach [hebr. »(Gott) möge öffnen, retten«] (Jephtha), einer der großen →Richter Israels (Ri. 10,17–12,7), verteidigte als israelit. Heerführer das ostjordan. Gilead gegen die Ammoniter. Aufgrund eines Gelübdes (Ri. 11,30 f) musste er nach dem Sieg Jahwe seine Tochter opfern.

Jig [dʒɪg] *die,* in England, Schottland und Irland seit dem 16. Jh. verbreiteter Volkstanz; Vorläufer der →Gigue. Als Jigg wurde auch i. e. S. eine Posse mit Gesang und Tanz bezeichnet.

Jihlava [ˈjixlava], Stadt in der Tschech. Rep., →Iglau.

Jilin [dʒ-] (Kirin), **1)** Provinz in NO-China, an der Grenze zu Nordkorea, 187 400 km², (1994) 25,7 Mio. Ew.; Hptst.: Changchun. J. umfasst im SO waldreiches Bergland (bis 2 744 m ü. M.) mit Holzwirtschaft und Pelztierjagd, im NW einen Teil der fruchtbaren Nordostchines. Ebene mit bed. Landwirtschaft. Eisenerz-, Kohle-, Ölschiefer- und Molybdänabbau; Maschinen-, Fahrzeugbau, Metall-, chem., Papierindustrie.

2) Stadt in der Provinz J., China, am Songhua Jiang, 1,04 Mio. Ew.; Endpunkt der Schifffahrt auf dem Songhua Jiang; Papier-, chem., Metallind., Turbinen- und Landmaschinenbau.

Jiménez [xiˈmenɛθ], Juan Ramón, span. Lyriker, *Moguer (Prov. Huelva) 24. 12. 1881, †San Juan (Puerto Rico) 29. 5. 1958; lebte während des Span. Bürgerkriegs in Kuba und in den USA, ab 1951 in Puerto Rico; war zunächst Vertreter des Modernismus; als Lyriker und Ztschr.-Hg. von großem Einfluss auf die neuere span. und lateinamerikan. Dichtung (»Herz, stirb oder singe«, Ged., span. und dt. Ausw. 1958); Meister einer schwermütigen, stimmungsvollen Kunst, später im Sinne der »Poésie pure« dichtend; Prosa u. a. »Platero und ich« (1914, vollständig 1917). 1956 erhielt er den Nobelpreis für Literatur.

Jiménez de Cisneros [xiˈmenɛð ðe θizˈnerɔs], Francisco, span. Franziskaner, *Torrelaguna (Prov. Madrid) 1436, †Roa (Prov. Burgos) 8. 11. 1517; Beichtvater und Berater der Königin Isabella von Kastilien, wurde 1507 Kardinal und Großinquisitor, war 1506 und 1516–17 Regent von Kastilien; gründete die Univ. Alcalá de Henares (ehem. röm. Complutum) und gab eine mehrsprachige Bibelausgabe, die »Complutenser Polyglotte«, heraus; Erneuerer der religiösen und wiss. Kultur Spaniens.

Jimmu Tenno [ˈdʒɪmmu-], legendärer Gründer des japan. Kaiserhauses; soll 711–585 v. Chr. gelebt und 660 v. Chr. den Thron bestiegen haben.

Jinan [dʒ-] (Tsinan), Hptst. der Prov. Shandong, China, nahe dem unteren Hwangho, 1,48 Mio. Ew.; Fachhochschulen; Textil-, Nahrungsmittel-, chem., Eisen- und Stahlind., Maschinen-, Kraftfahrzeugbau; Binnenhafen; Flughafen. – Im S der Stadt der Tausend-Buddha-Hügel; im alten Tempelbezirk einige kunstvoll gefasste Quellen. 40 km südlich befindet sich das Kloster Shentong aus dem frühen 4. Jh. mit zahlr. Pagoden. – Seit der Mingzeit (1368–1644) Hptst. der Prov. Shandong.

Jingdezhen [dʒɪŋdedʒən] (Chingtechen, Kingtehchen, früher Fouliang), Stadt in SO-China, am Zhan Jiang, Prov. Jiangxi, 581 000 Ew.; Zentrum der Porzellanherstellung (seit 557 n. Chr.).

Jining [dʒ-] (Chining, Tsining), Stadt in der Prov. Shandong, China, am Kaiserkanal, 220 000 Ew.; Nahrungsmittelind., Landmaschinenbau.

Jịnismus [dʒ-] *der,* eine Religion, →Dschainismus.

Jinja ['dʒɪndʒɑ:] zweitgrößte Stadt in Uganda, Hafen, am N-Ufer des Victoriasees, 45 100 Ew.; kath. Bischofssitz; Ind.zentrum; Kraftwerk an den Owenfällen; Verkehrsknotenpunkt.

Jịnnah [dʒ-] (Dschinnah), Mohammed Ali, Führer der indisch-muslim. Nationalbewegung, *Karachi 25. 12. 1876, †ebd. 11. 9. 1948; ab 1916 Präs. der →Muslimliga; setzte die Teilung Indiens und die Errichtung des unabhängigen Staates Pakistan (1947) durch; 1947–48 Generalgouv. von Pakistan.

Jintschuan [dʒ-], chines. Stadt, →Yinchuan.

Jinzhou [dʒɪndʒəʊ] (Chinchow, Tschintschou), Stadt in der Prov. Liaoning, NO-China, älteste Stadt der Mandschurei, 569 500 Ew.; chem. Ind., Papier-, Porzellanherstellung; Braunkohlenabbau.

Jịtschin, Stadt in der Tschech. Rep., →Jičín.

Jitterbug ['dʒɪtəbʌg, engl.] *der,* um 1940 in den USA, nach 1945 in Europa populär gewordener nordamerikan. Gesellschaftstanz; im Rhythmus des Boogie-Woogie mit akrobat. Tanzbewegungen; im Tanzsport unter dem Namen Jive gepflegt.

Jiujiang [dʒjudʒiaŋ] (Chiuchiang, Kiukiang), Stadt am unteren Jangtsekiang, Prov. Jiangxi, China, 390 000 Ew.; Umschlagplatz für die Prov.hauptstadt Nanchang sowie für Porzellan aus Jingdezhen; Flusshafen.

Jiu-Jitsu ['dʒi:u'dʒitsu] *das,* →Jujutsu.

Jiuquan [dʒjutʃyan] (Chiuchüan, Kiutschüan), Oasenstadt in der Prov. Gansu, China, an der alten Seidenstraße und der Eisenbahn zu den Erdölfeldern Yumen und Karamai, 1 540 m ü. M., 280 000 Ew.; Ausbau zum Industriezentrum.

Jívaro ['xiβaro], Sammelbez. für etwa 53 000 indian. Waldbauern und Kleinviehhalter im Gebiet der O-Abdachung der Anden; bekannt sind ihre Kopftrophäen (→Tsantsa).

Jive ['dʒaɪv] *der,* →Jitterbug.

Jọab [hebr. »Jahwe ist Vater«], Neffe und Heerführer Davids; stellte sich gegen Salomo und wurde ermordet (1. Kön. 2,5 f; 28–34).

Jọachim, nach dem apokryphen Jakobusevangelium Vater Marias; Mann der →Anna; Heiliger, Tag: 26. 7.

Jọachim, Joseph, Violinist und Komponist, *Kittsee (Burgenland) 28. 6. 1831, †Berlin 15. 8. 1907; gefeierter Virtuose und Leiter eines berühmten Streichquartetts, u. a. ab 1868 Direktor der neu gegründeten Berliner Hochschule für Musik. R. Schumann und J. Brahms, seine Freunde und Förderer, widmeten ihm Violinkonzerte. Er komponierte u. a. Orchesterwerke (Ouvertüren) und Violinkonzerte.

Joseph Joachim wird von Clara Schumann begleitet, Zeichnung von Adolph von Menzel (1854; Zürich, Privatbesitz)

Jọachim, Kurfürsten von Brandenburg: **1) J. I. Nestor** (1499–1535), *21. 2. 1484, †Cölln (heute zu Berlin) 11. 7. 1535, Vater von 2); gründete 1506 die Univ. Frankfurt (Oder), 1516 das Kammergericht; Gegner der Reformation.

2) J. II. Hektor (1535–71), *9. 1. 1505, †Köpenick (heute zu Berlin) 3. 1. 1571, Sohn von 1), Großvater von 3); trat 1539 zur Reformation über, unterstützte aber im Schmalkald. Krieg den Kaiser. Durch die Erbverbrüderung mit den Herzögen von Liegnitz, Brieg und Wohlau (1537), die Aufhebung der Bistümer Brandenburg, Havelberg und Lebus (1539) gehört J. zu den Vätern des brandenburg.-preuß. Staats; 1569 wurde er Herzog von Preußen.

3) J. Friedrich (1598–1608), *27. 1. 1546, †(auf der Fahrt von Starkow nach Rüdensdorf) 28. 7. 1608, Enkel von 2); setzte 1599 den **Geraer Hausvertrag** über die Unteilbarkeit des hohenzollernschen Besitzes mit Ausnahme der fränk. Lande durch.

Joachimstaler: 1525 geprägter Guldengroschen, Durchmesser 43 mm (Vorder- und Rückseite)

Jọachimstaler, böhm. Silbermünze, von den Grafen von Schlick 1520–28 geprägter Guldengroschen aus dem Silber von →Sankt Joachimsthal in Böhmen; namengebend für →Taler und →Dollar.

Jọachimsthal, Stadt im Landkr. Barnim, Brandenburg, am NO-Rand der Schorfheide, zw. Grimnitz- und Werbellinsee, 3 100 Ew.

Eugen Jochum

Joachim von Floris (Joachim von Fiore), italien. Theologe, *Celico (bei Cosenza) um 1130, †San Giovanni in Fiore (bei Cosenza) 20. 3. 1202; zunächst Zisterzienser, gründete er um 1190 einen eigenen Orden (Florenser, Floriazenser; im 16. Jh. wieder mit den Zisterziensern vereint). Seine Lehre von den drei Zeitaltern wurde nach seinem Tod verurteilt, dennoch hatte sie weite Auswirkungen. (→Drittes Reich)

João Pessoa ['ʒuãum pe'soa], Hptst. des Staates Paraíba, Brasilien, am Rio Paraíba do Norte, 497300 Ew.; Erzbischofssitz; Univ.; Buntmetallerzverhüttung; Ausgangspunkt der Transamazônica, Flughafen. – Die Kirche São Francisco (18. Jh.) gilt als Meisterwerk des lusitan. Rokoko.

Job, in der Vulgata für →Hiob.

Job [dʒɔb, engl.] *der,* **1)** *allg.:* Stellung, Beschäftigung; Gelegenheit zum Geldverdienen.

2) *Datenverarbeitung:* eine in sich abgeschlossene Aufgabenstellung und ihre Abarbeitung durch einen Computer.

Jobber ['dʒɔbə, engl.] *der,* Wertpapierhändler an der brit. und amerikan. Börse, der im Ggs. zum Broker nur für eigene Rechnung kaufen und verkaufen darf.

Jobenlargement ['dʒɔbɪnlɑ:dʒmənt; engl. »Arbeitsfeldvergrößerung«] *das,* Arbeitsgestaltungsmaßnahme, die durch eine horizontale Erweiterung der Arbeit zu einer Erhöhung der Vielfältigkeit der Arbeitsaufgaben und -inhalte sowie zu einer Verringerung der Arbeitsteilung führt.

Jobenrichment ['dʒɔbɪnrɪtʃmənt; engl. »Arbeitsbereicherung«] *das,* Arbeitsgestaltungsmaßnahme, die durch eine vertikale Erweiterung der Arbeit (d.h. bisher getrennte Arbeitsinhalte werden zu einem neuen Arbeitsbereich zusammengestellt) zur Erhöhung des Verantwortungs- und Entscheidungsspielraums führt.

Jobrotation ['dʒɔbrəʊteɪʃn, engl.] *die,* vorübergehender oder regelmäßiger Arbeitsplatzwechsel, verbunden mit räuml. Wechsel; auch Schulungsmethode für Führungskräfte.

Jobsharing ['dʒɔbʃeərɪŋ, engl.] *das,* besondere Form der Teilzeitarbeit, bei der sich zwei oder mehrere Beschäftigte einen Arbeitsplatz mit vereinbarten Anwesenheitszeiten teilen. Gesetzl. Regelung: Beschäftigungsförderungs-Ges. §5.

Jobticket ['dʒɔb-, engl.], besondere Dauerkarte für Arbeitnehmer für den öffentl. Personennahverkehr; setzt eine entsprechende Vereinbarung zw. dem Arbeitgeber und dem Verkehrsunternehmen voraus.

Joch, 1) *Bautechnik:* Abschnitt zw. zwei Pfeilern einer Brücke; hölzernes Stützgerüst im Brücken- und Tunnelbau; waagerechtes Querholz zur Lastaufnahme.

2) *Elektrotechnik:* der unbewickelte Teil des magnet. Kreises bei elektr. Maschinen und Transformatoren.

3) *Geographie:* Einsattelung im Gebirge, →Pass.

4) *Kirchenbau:* durch vier Eckstützen bezeichnete, meist überwölbte Raumeinheit rechteckigen oder quadrat. Grundrisses.

5) *Landwirtschaft:* Zuggeschirr für Ochsen, auf der Stirn und über dem Nacken getragen.

6) *Messwesen:* (J.-Acker, Jauchert, Juch, Juchard) früheres süddt. Feldmaß: so viel Land, wie ein Gespann (Joch) Ochsen an einem Tag umpflügen kann (zw. 3000 und 6500 m^2).

Joch|algen (Conjugales, Conjugatae), Grünalgenordnung ohne begeißelte Fortpflanzungszellen. Bei der geschlechtl. Vermehrung vereinigen sich gleich gestaltete Gameten. J. leben fast ausnahmslos im Süßwasser, u.a. die **Zieralgen** (Desmidiaceae).

Jochbein (Wangenbein, Wangenknochen, Backenknochen), etwa viereckiger Schädelknochen (paariger Gesichtsknochen), der die obere Begrenzung der Wange und mit dem schmalen **Jochfortsatz** des Schläfenbeins den **Jochbogen** bildet.

Jochenstein, Staustufe und Kraftwerk an der Donau, unterhalb von Passau; erbaut 1952–56 als dt.-österr. Gemeinschaftsleistung.

Jochum, Eugen, Dirigent, *Babenhausen (Kr. Darmstadt-Dieburg) 1. 11. 1902, †München 26. 3. 1987; u.a. in Berlin, Hamburg, München und Amsterdam; bed. Brahms- und Bruckner-Interpret.

Jockey ['dʒɔkɪ; engl. zu schott. Jock »Jakob«, ältere Bez. für einen Stalljungen] *der, Pferdesport:* Berufsreiter bei Galopprennen, der 50 Rennen der Klasse A gewonnen hat; vorher ist er Rennreiter.

Jod [zu grch. iṓdēs »veilchenfarbig«, nach der Farbe seines Dampfes] *das,* chem. Symbol **I** (internat. Bez. **I**od), nichtmetall. Element aus der 7. Hauptgruppe des Periodensystems. Ordnungszahl 53, relative Atommasse 126,9045, mehr als 30 künstliche Isotope (^{110}I–^{140}I) mit Halbwertzeiten von 0,65 bis $1{,}57 \cdot 10^7$ Jahren; Dichte 4,93 g/cm^3, Schmelzpunkt 113,5 °C, Siedepunkt 184,5 °C. – Die glänzenden, grauschwarzen Kristalle sublimieren bei Raumtemperatur; der aus I_2-Molekülen bestehende giftige violette Dampf riecht charakteristisch und ist stark schleimhautreizend. J. ist chem. reaktionsträger als die anderen →Halogene, ist in Wasser nur sehr wenig löslich, gut löslich in Kaliumjodidlösung, Chloroform, Alkohol, Äther, Schwefelkohlenstoff, Benzol. Verbindungen des J. finden sich in geringen Mengen überall in der Natur, bes. in Meerwasser, Meeresalgen, Salzquellen, Mineralwasser. Das technisch wichtigste Vorkommen ist der Chilesalpeter. Gewonnen wird J. v.a. aus den Mutterlaugen des Chilesalpeters und jodhaltigen Salzsolen von Erdölquellen. Rd. 70% der

J.-Produktion wird für medizin. Zwecke (z.B. als Tracer für die Schilddrüsendiagnostik), rd. 20% als Spurenelementzusatz für Tierfutter, der Rest für Chemikalien verwendet. J. ist Nachweismittel für Stärke, die durch J. blau gefärbt wird. – In seinen Verbindungen ist J. überwiegend einwertig, z.B. in den **Jodiden,** den Salzen der J.-Wasserstoffsäure. Silberjodid, AgI, wird in der Fotografie verwendet. Fünfwertige J.-Verbindungen sind die **Jodate,** die Salze der J.-Säure. – Bekannte organ. J.-Verbindungen sind →Jodoform und **Alkyljodide** für Synthesen.

J. ist ein unentbehrl. Bestandteil des tier. und menschl. Organismus. Es wird mit der Nahrung aufgenommen. Am reichlichsten kommt es beim Menschen in der Schilddrüse vor (2–3,5 mg je 1 g trockener Drüse), und zwar in den Hormonen Thyroxin und Trijodthyronin und als Dijodtyrosin; der tägl. Bedarf an J. beträgt etwa 0,15 mg. – Jodmangel des Trinkwassers und der Nahrung spielen höchstwahrscheinlich eine Rolle beim Auftreten des →Kropfs in manchen Gebirgsgegenden; zur Vorbeugung wird **Jodsalz,** d.h. mit Natrium- oder Kaliumjodat jodiertes Speisesalz empfohlen.

Jöde, Fritz, Musikerzieher, *Hamburg 2. 8. 1887, †ebd. 19. 10. 1970; leitete u.a. 1952–63 das Internat. Inst. für Jugend- und Volksmusik in Trossingen; einer der bedeutendsten Pädagogen der →Jugendmusikbewegung.

Jodelle [ʒɔˈdɛl], Étienne, frz. Dichter, *Paris 1532, †ebd. Juli 1573; Mitgl. der →Pléiade; schrieb die erste frz. Renaissancetragödie.

Jodeln, das volkstüml. textlose Singen auf Lautsilben mit ständigem Wechsel zw. Brust- und Kopfstimme; v.a. im Alpengebiet verbreitet.

Jodhpur [ˈdʒɔdpʊə], Stadt im Bundesstaat Rajasthan, Indien, am O-Rand der wüstenhaften Thar, 648600 Ew.; Univ., Luftwaffenakademie; Metall-, Textilindustrie. – Hoch über der Stadt liegt auf einem Felsen die gewaltige Festungsanlage Meherangarh mit sieben Toren und bis zu 36 m hohen Mauern. – J. wurde 1459 gegründet.

Jodid *das,* →Jod.

Jodl, Alfred, Generaloberst (1944), *Würzburg 10. 5. 1890, †(hingerichtet) Nürnberg 16. 10. 1946; als Chef des Wehrmachtführungsstabs (seit 22. 8. 1939) Berater Hitlers in allen strateg. und operativen Fragen, unterzeichnete am 7. 5. 1945 in Reims die Kapitulation der dt. Wehrmacht. Am 1. 10. 1946 wurde er vom Internat. Militärtribunal in Nürnberg zum Tode verurteilt.

Jodoform *das* (Trijodmethan), CHI_3, die dem Chloroform entsprechende Jodverbindung, durchdringend riechende, gelbe kristalline Substanz. J. wurde früher als Antiseptikum bei der Wundbehandlung verwendet.

Jodometrie [grch.] *die,* →Oxidimetrie.

Jodquellen (Jodwässer), Heilquellen mit einem Mindestgehalt von 1 mg Jodid je Liter Wasser.

Jodrell Bank [ˈdʒɔdrəl bæŋk], Hügellandschaft 40 km südlich von Manchester (England), in der die Univ. Manchester ein radioastronom. Observatorium mit einem der größten steuerbaren Radioteleskope (Durchmesser 76,2 m) betreibt.

Jodhpur: Hoch über der Stadt liegt die mehrere alte Palastbauten umfassende Festungsanlage Meherangarh

Jod-Stärke-Reaktion, sehr empfindl. Nachweis von elementarem Jod durch Stärkelösung; dabei bildet sich eine blauschwarze Verbindung.

Jodwasserstoff, HI, farbloses, stechend riechendes, giftiges Gas, dessen wässrige Lösung als Jodwasserstoffsäure bezeichnet wird.

Jodzahl, Abk. **JZ,** Maßzahl für den Gehalt an ungesättigten Fettsäuren in Fetten; sie gibt an, wieviel Gramm Halogen (berechnet auf Jod) von 100 g Fett unter Entfärbung gebunden werden.

Joel [hebr. »Jahwe ist Gott«], Prophet der nachexil. Gemeinde in Jerusalem. Über sein Leben ist nichts bekannt. Das bibl. **Buch J.** gehört zu den →Kleinen Propheten; es hat apokalypt. Charakter; entstand wohl im 4. Jh. v. Chr.

Joensuu [ˈjɔɛnsu:], Provinz-Hptst. in N-Karelien, Finnland, 49400 Ew.; Univ. (seit 1969); Holzflößerei, Holz verarbeitende Ind., Fremdenverkehr; Karelienhaus (Museum); Stadthaus von E. Saarinen. J. liegt am Fluss Pielisjoki.

Fritz Jöde

Joest van Kalkar [ˈjo:st -], Jan, niederrheinisch-niederländ. Maler, →Kalkar, Jan Joest van.

Joffe (Joffé), Abram Fjodorowitsch, russ. Physiker, *Romny (Gouv. Poltawa) 29. 10. 1880, †Leningrad 14. 10. 1960; Schüler von W. C. Röntgen, ab 1918 Prof. in Leningrad, später Direktor des Inst. für Halbleiterphysik; arbeitete bes. über Kristallphysik, Dielektrika und Halbleiter-Thermoelemente, mitbeteiligt an der Entwicklung der ersten sowjet. Wasserstoffbombe. Unter dem **J.-Effekt** (1924) versteht man die Steigerung der Plastizität und Reißfestigkeit von Ionenkristallen bei Einwirkung eines Lösungsmittels.

Joseph Joffre

Joffre [ʒɔfr], Joseph Jacques Césaire, frz. Marschall, *Rivesaltes (Dép. Pyrénées-Orientales) 12. 1.

1852, †Paris 3. 1. 1931; 1914 Oberbefehlshaber an der N- und NO-Front, 1915 Oberkommandierender aller frz. Armeen; versuchte, den Einfluss der Reg. auf militär. Maßnahmen auszuschalten.

Jọga, das →Yoga.

Jogging ['dʒɔ-; engl. to jog »traben«] *das, Freizeitsport:* leichter Dauerlauf in mäßiger Geschwindigkeit.

Johann Sigismund, Kurfürst von Brandenburg (Ausschnitt eines zeitgenössischen Kupferstichs)

Jọghurt [türk.] *der* und *das,* ein durch Einwirkung von Bakterienkulturen aus Milch hergestelltes, sauermilchartiges Erzeugnis. Neben dem sog. Natur-J. ohne Zusätze sind zahlr. J.-Produkte mit Zugaben wie Früchten, Fruchtsaft, Müsli u.a. auf dem Markt. J. ist ein wichtiges diätet. Nahrungsmittel mit etwa 1–1,5% Milchsäuregehalt. Seit alten Zeiten bei den Völkern des Balkans, seit Anfang des 20. Jh. in Mitteleuropa bekannt.

Jogjakarta [dʒɔgdʒa'karta], veraltete Schreibung der indones. Stadt →Yogyakarta.

Joh., Abk. für →**Joh**annesevangelium, →**Joh**annesbriefe.

Jọhann, Herrscher:

Böhmen: **1) J. der Blinde** (J. von Luxemburg), König (1310–46), *10. 8. 1296, ⚔Crécy-en-Ponthieu 26. 8. 1346; Sohn Kaiser Heinrichs VII., Erbe der böhm. Przemysliden, mit Anspruch auf die poln. Krone; erwarb 1335 das Herzogtum Breslau sowie die Lehnshoheit über andere schles. Fürstentümer; 1340 erblindet; erreichte 1346 die Wahl seines Sohnes Karl (IV.) zum Röm. König.

Johann, Erzherzog von Österreich (zeitgenössische Lithographie)

Brandenburg: **2) J. Sigismund,** Kurfürst (1608–20), *Halle (Saale) 8. 11. 1572, †Berlin 2. 1. 1620; trat 1613 vom Luthertum zum Kalvinismus über; erwarb 1614 Kleve, Mark und Ravensberg. 1618 wurde er Herzog von Preußen.

Burgund: **3) J. ohne Furcht** (frz. Jean sans Peur), Herzog (1404–19), *Dijon 28. 5. 1371, †(ermordet) Montereau (Dép. Seine-et-Marne) 10. 9. 1419; Sohn Philipps des Kühnen; ließ im Streit um die Herrschaft am Hof des geisteskranken Königs Karl VI. von Frankreich Herzog Ludwig von Orléans 1407 ermorden; wurde in den Machtkämpfen des →Hundertjährigen Krieges von Anhängern des Dauphins (Karl VII.) ermordet.

Johann III. Sobieski, König von Polen (Ausschnitt eines zeitgenössischen Kupferstichs)

Dänemark: **4) J. I.,** König (1481–1513), *Ålborg 5. 6. 1455, †ebd. 20. 2. 1513, auch König von Norwegen (1483–1513) und Schweden (1497–1501; als **J. II.**); konnte sich in Schweden nur zeitweilig gegen den Reichsverweser Sten Sture d. Ä. durchsetzen.

England: **5) J. ohne Land** (engl. John Lackland), König (1199–1216), *Oxford 24. 12. 1167, †Schloss Newark (bei Nottingham) 19. 10. 1216, Sohn Heinrichs II.; folgte seinem Bruder Richard Löwenherz, verlor 1203–06 fast alle engl. Festlandsbesitzungen an König Philipp August von Frankreich. Die aufständ. engl. Barone erzwangen 1215 von ihm die →Magna Charta (libertatum).

Frankreich: **6) J. II., der Gute** (frz. Jean le Bon), König (1350–64), *Schloss Gué de Maulny (bei Le Mans) 16. 4. 1319, †London 8. 4. 1364; geriet in der Schlacht bei Maupertuis 1356 in engl. Gefangenschaft und musste 1360 im Frieden von Brétigny das ganze südwestl. Frankreich abtreten.

Österreich: **7) J.,** Erzherzog, *Florenz 20. 1. 1782, †Graz 10. 5. 1859; sechster Sohn Kaiser Leopolds II., unterstützte den Aufstand der Tiroler 1809; stiftete 1811 das steir. Landesmuseum (Joanneum) in Graz und gewann durch gemeinnützige, kulturelle und wirtsch. Unternehmungen sowie seine bürgerl. Lebensführung (seit 1827 ∞ mit Anna Plochl, Postmeisterstochter aus Aussee, später Gräfin von Meran) in den Alpenländern große Volkstümlichkeit. 1848/49 war er, gewählt von der Frankfurter Nationalversammlung, dt. Reichsverweser.

Johann II., der Gute, König von Frankreich: Ausschnitt aus einem zeitgenössischen Tafelgemälde (um 1360; Paris, Louvre)

Polen: **8) J. II. Kasimir** (poln. Jan II. Kazimierz), König (1648–68), *Krakau 21. 3. 1609, †Nevers 16. 12. 1672; verlor im Kampf gegen die Dnjepr-Kosaken unter B. →Chmelnizki und gegen Russland (1654–67) die Ukraine links des Dnjepr mit Kiew und Smolensk sowie im 1. Nord. Krieg (1655–60) Livland an Schweden und das Herzogtum Preußen an Brandenburg.

9) J. III. Sobieski (poln. Jan III. Sobięski), König (1674–96), *Olesko (Gebiet Lemberg, heute Lwiw, Ukraine) 17. 8. 1629, †Wilanów (bei Warschau) 17. 6. 1696; wurde 1668 Krongroßhetman; nach seinem Sieg bei Chocim über die Türken (1673) und dem Tod König Michaels 1674 wurde er zum König gewählt. In der Schlacht am Kahlenberg (12. 9. 1683) befreite er Wien von der türk. Belagerung.

Portugal: **10) J. I.** (portugies. João I.), König (1385–1433), *Lissabon 11. 4. 1357, †ebd. 14. 8. 1433; begründete die Dynastie Avis (1385–1580). Dank der Initiative seines Sohnes, Heinrichs des Seefahrers, eroberte er 1415 Ceuta, leitete damit die portugies. Ausdehnung in Afrika ein.

11) J. II. (portugies. João II.), König (1481–95), *Lissabon 5. 5. 1495, †Alvor (bei Portimão, Distr.

(von links): **Johann I.**, König von Portugal, Ausschnitt aus einem anonymen zeitgenössischen Gemälde (Lissabon, Museu Nacional de Arte Antiga); **Johann II. Kasimir**, König von Polen, anonyme zeitgenössische Radierung; **Johann IV.**, König von Portugal, Kupferstich nach einer zeitgenössischen Vorlage; **Johann Friedrich I., der Großmütige**, Kurfürst von Sachsen, Ausschnitt aus einem Gemälde von Lucas Cranach d. Ä. (um 1545; Paris, Louvre)

Faro) 25. 10. 1495; ließ die portugies. Entdeckungsfahrten fortsetzen, schloss 1494 mit Kastilien den Vertrag von Tordesillas, der die span. und portugies. Besitzungen in Übersee voneinander abgrenzte.

12) J. IV. (portugies. João IV.), König (1640–56), *Vila Viçosa (Distr. Évora) 19. 3. 1604, †Lissabon 6. 11. 1656; Begründer der Dynastie Bragança, befreite Portugal von der span. Herrschaft, vertrieb 1654 die Niederländer aus Brasilien.

Sachsen: **13) J. der Beständige,** Herzog, Kurfürst (1525–32), *Meißen 30. 6. 1468, †Schweinitz (heute zu Jessen, Elster) 16. 8. 1532, Vater von 14); regierte 1486–1525 mit seinem Bruder Friedrich III., dem Weisen; setzte seit 1526 die luth. Kirchenordnung in seinem Land durch. 1531 Initiator des Schmalkald. Bundes.

Johanna von Albret, Königin von Navarra und Frankreich: zeitgenössischer kolorierter Kupferstich

14) J. Friedrich I., der Großmütige, Herzog, Kurfürst (1532–47), *Torgau 30. 6. 1503, †Weimar 3. 3. 1554, Sohn von 13); neben Philipp von Hessen Führer der dt. Protestanten, im Schmalkald. Krieg bei Mühlberg 1547 besiegt und gefangen genommen (bis 1552). Durch die Wittenberger Kapitulation (19. 5. 1547) verlor er die Kurwürde und die Hälfte seiner Gebiete an die Albertiner; veranlasste 1548 die Gründung der Univ. Jena.

15) J. Georg I., Kurfürst (1611–56), *Dresden 5. 3. 1585, †ebd. 18. 10. 1656, Großvater von 16); schloss sich im Dreißigjährigen Krieg 1620 dem Kaiser an, 1631/32 (unter Zwang) Gustav II. Adolf von Schweden; im Prager Frieden 1635 erhielt er die böhm. Lausitz (endgültig 1648).

16) J. Georg III., Kurfürst (1680–91), *20. 6. 1647, †Tübingen 22. 9. 1691, Enkel von 15); unterstützte seit 1683 Kaiser Leopold I. im Kampf gegen Türken und Franzosen. Sein zweiter Sohn war August der Starke.

17) J., König (1854–73), *Dresden 12. 12. 1801, †Pillnitz (heute zu Dresden) 29. 10. 1873; widmete sich unter dem Decknamen **Philalethes** der Danteforschung (Übers. der »Göttl. Komödie«. J. vertrat im Dt. Bund eine mittelstaatl. Politik, im Dt. Krieg 1866 kämpfte er auf österr. Seite.

Johanna, Herrscherinnen:

England: **1) J. Seymour** (engl. Jane Seymour), *um 1509, †Schloss Hampton Court 24. 10. 1537; 3. Gemahlin (1536/37) König Heinrichs VIII.; starb nach der Geburt des Thronerben Eduard (VI.).

Kastilien und León: **2) J. die Wahnsinnige** (span. Juana la Loca), Königin (1504), *Toledo 6. 11. 1479, †Tordesillas 12. 4. 1555; Erbtochter Ferdinands des Katholischen von Aragonien und Isabellas von Kastilien; heiratete 1496 Philipp den Schönen, den Sohn Kaiser Maximilians I. Der frühe Tod ihres Gemahls (1506) löste eine Geisteskrankheit aus. J. ist die Mutter der Kaiser Karl V. und Ferdinand I.

Navarra: **3) J. von Albret** (frz. Jeanne d'Albret), *Pau 1528, †Paris 9. 6. 1572; seit 1548 ⚭ mit Anton von Bourbon (→Anton); trug in umsichtiger Politik zur Wahrung der frz. Unabhängigkeit bei und führte (seit 1567) den Kalvinismus ein; ihr Sohn war Heinrich IV., König von Frankreich.

Johann Georg I., Kurfürst von Sachsen (Ausschnitt eines zeitgenössischen Kupferstichs)

Johann, König von Sachsen

Johanna Seymour, Königin von England (Ausschnitt aus einem Gemälde von Hans Holbein d. J., 1536)

Neapel: **4) J. I. von Anjou,** Königin (1343–82), *um 1326, †(erdrosselt) Muro Lucano (Prov. Potenza) 22. 5. 1382; folgte ihrem Großvater Robert dem Weisen auf dem Thron, ließ 1345 ihren ersten Gatten, Andreas von Ungarn, ermorden und heiratete noch dreimal. Sie verkaufte Avignon dem Papst.

Johannes der Täufer: Piero della Francesca, »Die Taufe Christi« (1448–50; London, National Gallery)

Johanna, heilige, →Jeanne d'Arc.

Johanna, Päpstin (Frau Jutte), nach einer erst im 13. Jh. belegten Sage eine Frau aus Mainz, die als Mann verkleidet in Athen studiert haben, wegen ihrer großen Gelehrsamkeit 855 zum Papst gewählt worden und während einer Prozession niedergekommen und gestorben sein soll.

Papst Johannes XXIII.

Johannes, Apostel, Sohn des Zebedäus, Bruder von Jakobus d. Ä.; meist mit dem »Lieblingsjünger« (Joh. 13,23) gleichgesetzt; leitete nach Jesu Tod zus. mit Petrus und Jakobus (dem »Herrenbruder«) die Jerusalemer Urgemeinde (Gal. 2,9); wahrscheinlich hingerichtet (Mk 10,39). (→Johannes der Evangelist)

Johannes, byzantin. Kaiser: **1) J. I. Tzimiskes** (969–76), *Armenien um 924, †Konstantinopel 10. 1. 976; stürzte und ermordete Nikephoros II. Phokas, drängte 971 die Russen über die Donaugrenze zurück, eroberte Syrien und Palästina, suchte Verständigung mit dem Westen.

2) J. III. Dukas Vatatzes (1222–54), *Didymoteichon (Thrakien) 1193, †Nymphaion (bei Smyrna) 3. 11. 1254; bedeutendster Staatsmann der Dynastie von Nikaia, verdrängte 1225 die Lateiner fast völlig aus Kleinasien. Innenpolitisch bedeutsam waren seine wirtsch. und sozialen Maßnahmen. Als **der Barmherzige** in der grch.-orth. Kirche kanonisiert; Tag: 4. 11.

Johannesburg Stadtwappen

Johannes, Päpste: **1) J. XXII.** (1316–34), eigtl. Jacques Duèse, *Cahors um 1245, †Avignon 4. 12. 1334; residierte in Avignon; festigte das Papsttum organisatorisch; wirkte politisch im Interesse Frankreichs, verurteilte Meister Eckhart.

2) J. XXIII. (1958–63), eigtl. Angelo Giuseppe Roncalli, *Sotto il Monte (bei Bergamo) 25. 11. 1881, †Rom 3. 6. 1963; ab 1944 Nuntius in Paris, ab 1953 Patriarch von Venedig, berief das 2. Vatikan. Konzil ein. Er stärkte die Rolle der Bischöfe und entwickelte ökumen. Beziehungen zu den anderen Kirchen. Sein Anliegen war die Öffnung der kath. Kirche für den Dialog mit der Welt (»Aggiornamento«). – Enzykliken v. a. →Mater et Magistra und →Pacem in terris.

Johannes|apokalypse, →Apokalypse des Johannes.

Johannesbriefe, Abk. Joh., drei der →Katholischen Briefe, von der Tradition dem Apostel Johannes zugeschrieben.

Johannesburg, größte Stadt in der Rep. Südafrika, Hptst. der Prov. Gauteng, auf den südl. Ausläufern des Witwatersrands, 1750 m ü. M., 1,92 Mio. Ew.; Handels- und Ind.zentrum (Diamantschleifereien, Maschinenbau, Textil-, Nahrungsmittel-, Leder-, chem. u. a. Ind.); Börsen- und Messestandort; zwei Univ.; Forschungsinstitute, Observatorium, Planetarium; Kunstgalerie, Africana-Museum u. a. Museen, Zoo; Verkehrsknotenpunkt. – Die 1886 als Goldgräbersiedlung entstandene Stadt hat schachbrettartigen Grundriss. Die Abraumhalden der Goldminen im S werden aufgearbeitet und begrünt; im SW liegt die Wohnsiedlung für Schwarze →Soweto, im NO der größte Flughafen Südafrikas (Jan Smuts).

Johannes Chrysostomos, →Chrysostomos.

Johannes der Evangelist, nach kirchl. Tradition der Verfasser des Johannesevangeliums, der Offenbarung des Johannes und der Johannesbriefe; wirkte (vermutlich nach 70) in Ephesus; von der kirchl. Tradition mit dem Apostel Johannes identifiziert. Heiliger, Tag: 27. 12., Ostkirche 26. 9.; Sinnbild als Evangelist: Adler; Kennzeichen als Apostel: Kelch mit Schlange.

Johannes der Täufer, Bußprediger, nach Lk. 1, 5 ff. Sohn des Priesters Zacharias; rief um 28 n. Chr. zur »Umkehr« (Buße) angesichts des bevorstehenden Reiches Gottes; taufte als Zeichen der Sündenvergebung; wird im N. T. als Vorläufer Jesu dargestellt, den er taufte; wurde auf Wunsch von Herodes Antipas' Frau Herodias und deren Tochter Salome enthauptet; Heiliger, Tag: 24. 6.

📖 STEGEMANN, H.: *Die Essener, Qumran, J. d. T. u. Jesus. Freiburg im Breisgau u. a. [4]1994.*

Johannes Duns Scotus, →Duns Scotus.

Johannes|evangelium, Abk. **Joh.,** das vierte und jüngste →Evangelium im N. T., Verf., Ort und Zeit der Abfassung sind nicht sicher geklärt, wahrscheinlich zw. dem Ende des 1. Jh. und 150 in Syrien (?) oder Kleinasien (?) entstanden. In Terminologie und Gedankenführung vom grch. Denken beeinflusst, erscheint hier Jesus Christus als der Fleisch gewordene »Logos«, der die Herrlichkeit Gottes offenbart und zur Glaubensentscheidung herausfordert. Typisch sind die apodikt. Offenbarungsreden Jesu mit ihren »Ich-bin«-Worten.

Johannes Fidanza, → Bonaventura.

Johannes Gerson [- ʒɛrˈsɔ̃], frz. Theologe, → Gerson.

Johannes Paul, Päpste: **1) J. P. I.** (26. 8.–28. 9. 1978), eigtl. Albino Luciani, * Canale d'Agordo (Prov. Belluno) 17. 10. 1912, † Rom 28. 9. 1978; seit 1969 Patriarch von Venedig, seit 1973 Kardinal; widmete sich v. a. der Seelsorge und Sozialarbeit.

2) J. P. II. (seit 1978), eigtl. Karol Wojtyła, * Wadowice (Wwschaft Kraków) 18. 5. 1920; wurde 1953 Prof. an der kath. Univ. Lublin, 1964 Erzbischof von Krakau, 1967 Kardinal; als Papst am 13. 5. 1981 bei einem Attentat in Rom schwer verletzt; sein Pontifikat ist geprägt durch zahlr. pastoral bestimmte Reisen. J. P. II. ist der erste poln. und seit 1522/23 der erste nichtitalien. Papst. Enzykliken: »Redemptor hominis« (»Erlöser des Menschen«, 1979); »Redemptoris mater« (»Über Maria«, 1987); »Sollicitudo rei socialis« (»Die soziale Sorge der Kirche«, 1988) u. a.

Johannes von Tepl: »Der Ackermann aus Böhmen«; der kolorierte Holzschnitt aus der um 1463 erschienenen zweiten Ausgabe zeigt das Streitgespräch mit dem Tod vor dem vergeblichen Versuch der gekrönten Obrigkeit, sich ihrerseits vom Sterben loszukaufen (Wolfenbüttel, Herzog August Bibliothek)

Johannes Scotus (Johannes Eriugena, Johannes Erigena), scholast. Theologe und Philosoph, * in Irland 1. Viertel des 9. Jh., † um 877; leitete die Hofschule in Paris. In seinem 1210 und 1225 kirchlich verurteilten Hauptwerk »Über die Einteilung der Natur« stellt er im Anschluss an die neuplaton. Denktradition die Welt als Selbstmanifestation Gottes dar.

Johannes vom Kreuz (Juan de la Cruz), span. Mystiker, Kirchenlehrer und Dichter, * Fontiveros (Prov. Ávila) 24. 6. 1542, † Kloster Úbeda (Prov. Jaén) 14. 12. 1591; Karmeliter, Reformator des Karmeliterordens; beeinflusst von Theresia von Ávila. Seine Mystik stellt das bedeutendste System myst. Theologie der Neuzeit dar; Heiliger, Tag: 14. 12.

Johannes von Capestrano, → Capestrano.

Johannes von Damaskus, grch. Theologe und Kirchenlehrer, * Damaskus zw. 650 und 670, † im Kloster Mar Saba (bei Jerusalem) vor 754. Sein Hauptwerk, die »Quelle der Erkenntnis«, ist eine grundlegende Darlegung der Glaubenslehre der Ostkirche. Heiliger, Tag: 4. 12.

Johannes von Nepomuk, Schutzpatron von Böhmen, * Nepomuk (bei Pilsen) um 1350, † Prag 20. 3. 1393; seit 1389 Generalvikar des Erzbistums Prag; 1393 von König Wenzel gefangen genommen und nach Folterung in der Moldau ertränkt. Bekannt ist sein 1693 auf der Prager Karlsbrücke errichtetes Standbild. Heiliger, Tag: 16. 5.

Johannes von Neumarkt, Kanzler (1353–74) Kaiser Karls IV., * um 1310, † 24. 12. 1380; zunächst Pfarrer in Neumarkt bei Breslau, seit 1352 Bischof von Naumburg, Leitomischl, Olmütz, Breslau, reformierte die lat. und dt. Kanzleisprache; ein Wegbereiter des dt. Frühhumanismus.

Johannes von Tepl (auch Johannes von Saaz), böhm. Frühhumanist, * um 1342 oder 1350 in Westböhmen, † Prag 1414; Notar und Stadtschreiber in Saaz, lebte ab 1411 in der Prager Neustadt; verfasste mit dem Streitgespräch »Der Ackermann aus Böhmen« (Erstdruck um 1460) die bedeutendste deutschsprachige Prosadichtung des späten MA., in der ein Bauer nach dem Ableben seiner jungen Frau dem Tod als Mörder den Prozess machen will.

Johanngeorgenstadt, Stadt im Landkreis Aue-Schwarzenberg, Sachsen, auf einer Hochfläche im Erzgebirge, an der Grenze zur Tschech. Rep., 749–800 m ü. M., 7 700 Ew.; Besteckwarenfabrik, Herstellung von Bekleidung und Lederwaren; Erholungsort und Wintersportplatz. – 1654 als Niederlassung böhm. Exulanten gegr., im 17./18. Jh. Silber-, 1946–57 Uranerzbergbau.

Johannisbeere (Ribes), Gattung der Stachelbeergewächse mit gelappten Blättern und goldgelben, roten oder grünl. Blüten, z. B. **Rote J.** (Ribes rubrum), 1–2 m hoher Strauch mit roten Beeren, durch Kultur sind zahlr. Formen (z. B. mit gelbl. Beeren) entstanden, und die **Schwarze J.** (**Aalbeere, Ahlbeere,** Ribes nigrum), bis 2 m hoher Strauch mit schwarzen Beeren. Die essbaren Früchte sind reich an Vitamin C.

Johannisberg, Weinbauort im Rheingau, gehört zur Gemeinde → Geisenheim.

Papst Johannes Paul I.

Papst Johannes Paul II.

Johannisbeere (von oben): blühender Zweig der Roten Johannisbeere und die reifen Früchte der Roten und der Schwarzen Johannisbeere

Johannisbrotbaum (Karobenbaum, Karrube, Ceratonia), Gattung der Caesalpiniengewächse im Mittelmeergebiet mit der einzigen Art **Ceratonia siliqua;** immergrüner Baum mit lederartigen Fiederblättern und winzigen Blüten in Trauben, der auch auf sehr kargen Böden gedeiht; zuckerhaltige, essbare, geschlossen bleibende, bis zu 20 cm lange Hülsenfrucht **(Johannisbrot),** in subtrop. Ländern eine wichtige Futterpflanze.

Johannisburg, Stadt in Polen, →Pisz.

Johannisfest (Johannistag, Johannisnacht), das am 24. 6. gefeierte Geburtsfest Johannes' des Täufers, ein kirchl. Fest, verbunden mit vielen Volksbräuchen aus den alten Sonnwendfeiern: Scheibenschlagen, Feuerrad, Johannisfeuer, -tänze, -kränze und -kronen aus heilkräftigen Kräutern.

Johanniskäfer, ein →Leuchtkäfer.

Johanniskraut (Hartheu, Hypericum), Gattung der Hartheugewächse. In lichten Gehölzen, auf trockenen Wiesen, an Felsen wächst die bis 1 m hohe Art **J.** oder **Tüpfelhartheu** (Hypericum perforatum) mit ellipt., durchscheinenden, Öldrüsen enthaltenden Blättern und goldgelben, schwarz punktierten und gestrichelten Blüten.

Johannistag, →Johannisfest.

Johannistrieb, zweites Austreiben mancher Holzgewächse (um den 24. 6., »Johannisfest«).

Johanniswürmchen, →Leuchtkäfer.

Johanniterorden (Johanniter, Hospitaliter), ältester geistl. Ritterorden; hervorgegangen aus der Hospitalbruderschaft eines 1048 von Kaufleuten aus Amalfi gegründeten Hospitals in Jerusalem zur Betreuung der Pilger und Pflege der Kranken, der sich zahlr. Kreuzfahrer anschlossen; 1113 päpstlich bestätigt, um 1150 die erste Regel; in der Folge zahlr. Tochtergründungen und rasche Ausbreitung im europ. Mittelmeerraum; im 12. Jh. neben der Krankenpflege Übernahme des bewaffneten Schutzes der Pilger und des Grenzschutzes in Palästina; damit Entwicklung zum geistl. Ritterorden im eigentl. Sinn; nach dem Fall Jerusalems (1187) und Akkos (1291) Begründung eines souveränen Ritterstaates auf Rhodos. Als Rhodos an das Osman. Reich fiel (1522/23), Verlegung des J. nach Malta, das ihm 1530 von Kaiser Karl V. zum Lehen übergeben wurde (daher »Malteser«, »Malteserritter«); nach der Reformation Ordensspaltung. Der evang. Zweig bestand unter dem Namen J. weiter, der katholische als Malteserorden (seit 1834 Sitz Rom). In Brandenburg wurde die Ordensprovinz (Ballei) 1811 aufgelöst; in der Nachfolge 1852 Gründung des Preuß. J. zur Krankenpflege. Heute rd. 3 000 Mitgl.; Sitz: Bonn. Dem J. angeschlossen sind die Johanniter-Schwesternschaft e.V., die Johanniter-Unfallhilfe e.V. und die Johanniter-Hilfsgemeinschaften. Zeichen ist das achtspitzige Malteserkreuz.

📖 BRADFORD, E.: *Kreuz u. Schwert. Der Johanniter/Malteser-Ritterorden. A. d. Engl. Frankfurt am Main u. a.* [2]*1995.*

Johann von Österreich, →Juan 1).

John [dʒɔn], Elton, eigtl. Reginald Kenneth Dwight, engl. Rockmusiker (Sänger, Pianist, Komponist), *Pinner (heute zu London) 25. 3. 1947; seit der Zusammenarbeit mit dem Texter Bernie Taupin (1967) ein Superstar der Rockmusik. Seine Darbietungen reichen von lyr. Songs bis zu exzentr. Bühnenshows.

John Bull ['dʒɔn -], Spitzname des typ. Engländers oder des engl. Volkes, nach dem satir. Roman »The History of J. B.« (1712) von J. Arbuthnot urspr. die Verkörperung der Nation.

Jasper Johns: »Drei Fahnen« (1958; Privatbesitz)

Johns [dʒɔnz], Jasper, amerikan. Maler, Grafiker, Bildhauer, *Allendale (S. C.) 15. 5. 1930; einer der Begründer der Pop-Art in den USA; schuf in den 1980er-Jahren symbolträchtige Bilder, die auf eigene bzw. fremde Werke Bezug nehmen.

Johnson, 1) ['dʒɔnsn], Andrew, 17. Präs. der USA (1865 bis 1869), *Raleigh (N. C.) 29. 12. 1808, †Carter Station (Tenn.) 31. 7. 1875; stand 1861 als einziger Senator der Südstaaten zur Union. 1864 zum Vizepräs. gewählt, übernahm er nach A. Lincolns Ermordung (1865) die Präsidentschaft; wurde 1868 des Verfassungsbruchs angeklagt (Impeachment), jedoch vom Senat freigesprochen.

Andrew Johnson (zeitgenössischer Holzstich)

2) ['junsɔn], Eyvind, schwed. Schriftsteller, *Svartbjörnsbyn (Norrbotten) 29. 7. 1900, †Stockholm 25. 8. 1976; schloss sich der sozialist. Bewegung an, Erzähler mit sozialen Interessen und weiten histor. Perspektiven. Romane: »Hier hast du dein Leben«, 4 Bde. (1934–37), »Wolken über Metapont« (1957), außerdem Novellen und Essays. 1974 erhielt J. zusammen mit H. Martinson den Nobelpreis für Literatur.

Eyvind Johnson

3) ['dʒɔnsn], James Price, amerikan. Jazzmusiker (Pianist), *New Brunswick (N. J.) 1. 2. 1891, †New York 17. 11. 1955; gehört zu den bed. Harlempianisten im Stride-Stil.

4) ['dʒɔnsn], James Weldon, amerikan. Schriftsteller, *Jacksonville (Fla.) 17. 6. 1871, †Darkharber

(Me.) 26. 6. 1938; Diplomat; ab 1916 führend in der schwarzen Bürgerrechtsbewegung tätig; führte die Bilderfülle und die rhythm. Rhetorik der afroamerikan. Prediger in die Kunstlyrik ein.

5) ['dʒɔnsn], Jay Jay (James Louis), amerikan. Jazzposaunist, *Indianapolis (Ind.) 22. 1. 1924; spielte u.a. bei B. Carter und C. Basie, später in Gruppen des Bebop und Hardbop. Sein Stil wurde zum Vorbild für die Posaunisten des Modernjazz.

6) ['dʒɔnsn], Lyndon Baines, 36. Präs. der USA (1963–69), *bei Stonewall (Tex.) 27. 8. 1908, †San Antonio (Tex.) 22. 1. 1973; 1949–61 Senator von Texas, ab 1953 Fraktionsvorsitzender der Demokraten im Senat, wurde 1961 Vizepräs. und nach der Ermordung J. F. Kennedys 1963 Präsident. Unter dem Schlagwort »Great Society« intendierte er zunächst soziale Reformen (u.a. Wohnungsbau, Bundeshilfe im Bildungs- und Krankenwesen), die infolge der Verstrickung der USA in den →Vietnamkrieg mit ihren Folgen (Inflation, weltweite Studentenunruhen, soziale Benachteiligungen) infrage gestellt wurden.

7) ['dʒɔnsn], Samuel, engl. Schriftsteller, *Lichfield 18. 9. 1709, †London 13. 12. 1784; war seit der Mitte des 18. Jh. der führende engl. Kritiker, verfasste die Wochenschriften »The Rambler« und »The Idler«. J. beurteilte die Literatur nach den klassizist. Grundsätzen des Lehrhaften, Moralischen und Logischen, bekämpfte die erwachende romant. Bewegung. 1747–55 schuf er sein berühmtes »Dictionary of the English language«.

Uwe Johnson

8) ['jo:n-], Uwe, Schriftsteller, *Cammin in Pommern (heute Kamień Pomorski) 20. 7. 1934, †Sheerness-on-Sea (Cty. Kent) 23. 2. 1984 (am 12. 3. tot aufgefunden); ging 1959 nach Berlin (West), lebte später in den USA, zuletzt in England; schrieb 1953–56 den postum (1985) veröffentlichten Roman »Ingrid Babendererde. Reifeprüfung 1953«; eine für die dt. Literatur dieser Zeit neuartige Erzählstruktur und Sprache weisen die »Mutmaßungen über Jakob« (R., 1959) und »Das dritte Buch über Achim« (R., 1961) auf. J. fand das zentrale Thema seines Schaffens im Verhältnis von Individuum und totalitärer Macht, exemplarisch dargestellt an der dt. Zweistaatlichkeit auch in seinem Hauptwerk »Jahrestage – Aus dem Leben der Gesine Cresspahl« (R., 4 Bde., 1970–83). *Weitere Werke*: Karsch und andere Prosa (1964); Begleitumstände. Frankfurter Vorlesungen (1980); Heute neunzig Jahr (aus dem Nachlaß hg. 1996).

Johnston-Organ ['dʒɔnstən -; nach dem amerikan. Arzt Christopher Johnston, *1822, †1891], bei Insekten ein im zweiten Fühlerglied befindl. Sinnesorgan, das u.a. der Wahrnehmung von Erschütterungen und Luftströmungen als Gehör- sowie als Gleichgewichtsorgan dient.

Johnstown ['dʒɔnstaʊn], Stadt im SW von Pennsylvania, USA, 28100 Ew.; Steinkohlenbergbau, Stahlerzeugung u.a. Industrie.

Johor ['dʒohɔ:] (früher Johore), Bundesstaat in →Malaysia.

Johor Baharu ['dʒohɔr 'baru], Hptst. des Sultanats Johor, Westmalaysia, 328600 Ew.; Lehrerseminar; Industrieparks; neuer Hafen Pasir Gudang; durch einen Damm (Eisenbahn, Straße) über die Johore Strait mit Singapur verbunden.

Jöhr, Walter Adolf, schweizer. Volkswirtschaftler, *Zürich 8. 2. 1910, †St. Gallen 1. 6. 1987; beschäftigte sich v.a. mit Konjunktur- und Wissenschaftstheorie. J. wurde internat. bekannt durch seine Begründung der Konjunkturbewegung.

Johst, Hanns, Schriftsteller, *Seerhausen (bei Riesa) 8. 7. 1890, †Ruhpolding 23. 11. 1978; schrieb expressionist. Dramen; trat für den Nationalsozialismus ein (»Schlageter«, Dr. 1933); war 1933–45 Präs. der Reichsschrifttumskammer und der Dt. Akademie der Dichtung. 1949 im Entnazifizierungsverfahren als Hauptschuldiger eingestuft.

Joint [dʒɔɪnt; engl., Kurzform für American Joint Distribution Committee], (seit 1945) internat. Zentralorganisation aller jüd. Wohlfahrtsverbände, gegr. 1914 in den USA als jüd. Hilfsorganisation.

Joint [dʒɔɪnt, engl.] *der,* selbst gedrehte Zigarette, deren Tabak Haschisch beigemengt ist.

Jointventure [dʒɔɪnt'ventʃə, engl.] *das,* i.w.S. grenzüberschreitende vorübergehende Kooperation von selbstständigen Unternehmen **(Jointventuring)**; i.e.S. die Bildung internat. Gemeinschaftsunternehmen **(Joint-Ownership-Ventures)**. J. können für Produktion, Vertrieb oder Forschung projektbezogen (befristet) vereinbart werden; oft werden aber mit J. langfristige strateg. Unternehmensziele verfolgt.

Joinvile [ʒuɛ̃'vili] (früher Joinville), Stadt im NO des brasilian. Staates Santa Catarina, 346300 Ew. (mit Vororten); deutsch-brasilian. Kultureinrichtungen; Gießereien, Maschinen- und Geräte-

Lyndon B. Johnson

Samuel Johnson
(Ausschnitt aus einem Gemälde von Joshua Reynolds)

Jojoba: Zweig mit weiblichen Blüten und Fruchtkapsel

Mór Jókai (Ausschnitt aus einem zeitgenössischen Gemälde)

André Jolivet

bau, chem. Industrie. – 1851 vom Hamburger Kolonisationsverein gegründet.

Joinville [ʒwɛ̃'vil], Jean Sire de, frz. Geschichtsschreiber, *1225, †24. 12. 1317; begleitete König Ludwig IX. beim Kreuzzug nach Ägypten (1248–54). Seine »Gesch. des hl. Ludwig« (1309) ist die erste Biographie in frz. Sprache.

Jojakim (Vulgata: Joakim), König von Juda (608–598 v. Chr.), †598 v. Chr.; 608 durch Pharao Necho II. eingesetzt und ihm tributpflichtig (2. Kön. 23, 33 ff.); seit 605 babylon. Vasall; beteiligte sich zum Schaden Judas an einer Koalition gegen Nebukadnezar II.

Jojoba [mexikan.] *die* (Simmondsia chinensis), Art der Buchsbaumgewächse, in der Sonorawüste heim. immergrüner, zweihäusiger Strauch von 0,6–3 m Höhe mit dicklich-ledrigen Blättern. Weibl. Pflanzen bilden pflaumengroße Kapseln mit 1–3 Samen, die 43–56 % flüssiges Wachs enthalten, das zu kosmet. und industriellen Zwecken verarbeitet wird (anstelle des Spermöls).

Jókai ['jo:kɔi], Mór, ungar. Schriftsteller, *Komárom 18. 2. 1825, †Budapest 5. 5. 1904; war 1848 mit Petőfi Führer der revolutionären Jugend; Romane aus der ungar. Geschichte.

Joker ['dʒəʊkə, engl. »Spaßmacher«] *der,* in manchen Kartenspielen (Poker, Rommé, Canasta) 53., 54. (und 55.) Karte mit dem Bild eines Narren; kann jede beliebige Karte vertreten.

Jokohama, Stadt in Japan, → Yokohama.

Joliot-Curie [ʒɔl'joky'ri], **1)** Irène, frz. Physikerin, *Paris 12. 9. 1897, †ebd. 17. 3. 1956; Tochter von Marie und P. Curie, ⚭ (seit 1926) mit 2); ab 1918 am Institut du radium in Paris tätig, 1946–56 dessen Direktorin; seit 1937 Prof. an der Sorbonne. J.-C. entdeckte 1934 mit ihrem Mann die künstl. Radioaktivität (Nobelpreis für Chemie 1935), stellte Radioisotope versch. Elemente her; nach 1945 Mitarbeit am ersten frz. Kernreaktor, 1951 als Kommunistin entlassen.

2) Jean Frédéric, eigtl. J. F. Joliot, frz. Physiker, *Paris 19. 3. 1900, †ebd. 14. 8. 1959; ⚭ (seit 1926) mit 1), Mitarbeiter von M. → Curie am Institut du radium in Paris (als Nachfolger seiner Frau 1956–58 dessen Direktor), nach 1945 Vors. der frz. Atomenergiebehörde, 1950 als Kommunist entlassen; entdeckte gemeinsam mit seiner Frau die künstl. Radioaktivität (Nobelpreis für Chemie 1935). Nach Entdeckung der Kernspaltung durch O. Hahn und F. Straßmann sagte J.-C. die Möglichkeit von Kernkettenreaktionen voraus. – J.-C. war namhaftes Mitgl. der Résistance.

Jolivet [ʒɔli'vɛ], André, frz. Komponist, *Paris 8. 8. 1905, †ebd. 19. 12. 1974; erhielt wesentl. kompositor. Anregungen von E. Varèse; komponierte Orchesterwerke, Konzerte (»Konzert für Ondes Martenot und Orchester«, 1947; Klavierkonzert, 1950; Ballette u. a.; war 1945–59 Musikdirektor der Comédie Française.

Jolle [niederdt.] *die,* 1) offenes, breit und flach gebautes, auf Schiffen als Bei- oder Arbeitsboot verwendetes Ruderboot mit Spiegelheck; 2) offenes kleines, teilweise gedecktes, einmastiges Sportsegelboot mit Schwert, ballastlos und daher kenterbar; meist auf Binnengewässern. Nach Segelfläche und Bauart unterscheidet man versch. Klassen, z. B. **Finn-Dingi, Flying Dutchman** und **470er.**

Jollenkreuzer, *Segelsport:* eine größere → Jolle mit Kajüte und größerer Segelfläche (bei nat. Klassen 15 und 20 m^2; Segelzeichen: schwarzes P bzw. R); für Regatten und Wanderfahrten meist auf Binnengewässern.

Jolof, Sudanvolk in Westafrika, → Wolof.

Jom Kippur [hebr.] *der,* jüd. Feiertag, → Versöhnungstag.

Jom-Kippur-Krieg, → Nahostkonflikt, → Israel.

Frédéric und **Irène Joliot-Curie** um 1935 in ihrem Labor am Institut du radium in Paris

Jommelli (Jomelli), Niccolò, italien. Komponist, *Aversa (Prov. Neapel) 10. 9. 1714, †Neapel 25. 8. 1774; wirkte seit 1753 als Hofkapellmeister in Stuttgart, gehört zu den bedeutendsten Vertretern der neapolitan. Opera seria (»Fetonte«, 1768); schrieb auch Oratorien, Kantaten und Kammermusik.

Jona (Jonas) [hebr. »Taube«], israelit. Prophet unter Jerobeam II. Das **Buch J.** gehört zu den → Kleinen Propheten; es enthält eine Erzählung über den Propheten J., der sich durch Flucht dem Befehl Gottes, die Stadt Ninive zur Buße zu rufen, entziehen will (J. und der Fisch); verfasst zw. 400 und 200 v. Chr.

Jonas, 1) Franz, österr. Politiker, *Wien 4. 10. 1899, †ebd. 24. 4. 1974; Mitgl. der SPÖ, 1951–65 Bürgermeister und Landeshauptmann von Wien, war 1965–74 österr. Bundespräsident.

2) Friedrich, Soziologe und Sozialphilosoph, *Berlin 20. 6. 1926, †Jugenheim in Rheinhessen

(Kr. Mainz-Bingen) 7. 12. 1968; ab 1965 Prof. in Mainz; entwickelte im Anschluss an Hegel, M. Weber, A. Gehlen und H. Schelsky eine Sozialphilosophie der industriellen Arbeitswelt.

3) Hans, dt.-amerikan. Philosoph und Religionswissenschaftler, *Mönchengladbach 10. 5. 1903, †New York 5. 2. 1993; emigrierte 1933 nach Großbritannien, 1935 nach Palästina, lehrte an versch. Univ. in Israel, Kanada und in den USA. Beherrschendes Thema seiner Arbeiten sind der Dualismus von Mensch und Natur, den das spätantike Denken der Gnosis (»Gnosis und spätantiker Geist«, 1934–54) mit der neuzeitl. Existenzphilosophie, der modernen Naturwissenschaft und der technisierten Welt gemeinsam hat. Auf die Aufhebung des Dualismus zielt J.' Entwurf einer Ethik der technisierten Gesellschaft (»Das Prinzip Verantwortung«, 1979). – Friedenspreis des Börsenvereins des Dt. Buchhandels 1987.

4) Justus, eigtl. Jodokus Koch, evang. Jurist und Theologe, *Nordhausen 5. 6. 1493, †Eisfeld 9. 10. 1555; seit 1521 Prof. in Wittenberg; Freund und Mitarbeiter Luthers; führte die Reformation in Halle (Saale) ein.

Jones [dʒəʊnz], **1)** Allen, engl. Maler, Grafiker, Objektkünstler, *Southampton 1. 9. 1937; Vertreter der engl. Pop-Art; seine figürl. Kompositionen stellen oft triviale Sexsymbole in den Vordergrund; kombinierte figurative Versatzstücke mit spontaner, verwischender Malweise; in den 1980er-Jahren Aquarelle, Zeichnungen, Skulpturen zum Thema »Tanz«.

2) Elvin Ray, amerikan. Jazzmusiker (Schlagzeuger), *Pontiac (Mich.) 9. 9. 1927; seine Spielweise (Auflösung des durchlaufenden Rhythmus) war wegweisend für das Schlagzeugspiel des Freejazz.

3) Dame (seit 1986) Gwyneth, brit. Sängerin (Sopran), *Pontnewynydd (Wales) 7. 11. 1936; trat bes. als Wagner-, Verdi-, Puccini- und Strauss-Interpretin hervor.

4) Inigo, engl. Baumeister, Maler und Bühnengestalter, *London 15. 7. 1573, †ebd. 21. 6. 1652; nach Studien in Italien Generalbauinspektor am engl. Hof, baute in den klassizist. Formen Palladios, die für die engl. Architektur der Folgezeit maßgebend wurden (Queen's House, Greenwich [1616–19 und 1629–37]; Bankettsaal von Schloss Whitehall, London [1619–22]; Marktplatz von Covent Garden, ebd. [1631–38]); gilt als Begründer der von Szene zu Szene wechselnden Bühnendekoration.

5) James, amerikan. Schriftsteller, *Robinson (Ill.) 6. 11. 1921, †Southampton (N. Y.) 10. 5. 1977; diente 1939–44 in der Armee; schrieb den naturalist. Roman über das Leben amerikan. Soldaten auf Hawaii kurz vor dem japan. Angriff »Verdammt in alle Ewigkeit« (1951), ferner »Die Entwurzelten« (1957), »Viet Journal« (Reisebericht, 1974).

6) Jo (Jonathan), amerikanischer Jazzmusiker (Schlagzeuger), *Chicago (Ill.) 10. 7. 1911, †New York 3. 9. 1985; spielte 1934–48 im Orchester von C. Basie, bildete dort mit dem Bassisten W. Page und dem Gitarristen F. Green eine der berühmtesten Rhythmusgruppen der Jazzgeschichte.

7) LeRoi, änderte 1966 seinen Namen in Imamu Amiri Baraka, amerikan. Schriftsteller, *Newark (N. J.) 7. 10. 1934; einer der produktivsten und aktivsten Vertreter der schwarzen Protestbewegung. Schrieb u. a. Bühnenstücke, Essays, Gedichte; gründete einen Verlag für schwarze Literatur.

8) Philly Joe, eigtl. Joseph Rudolph J., amerikan. Jazzmusiker (Schlagzeuger), *Philadelphia (Pa.) 15. 7. 1923, †ebd. 30. 8. 1985; zählte zu den bedeutendsten Jazzschlagzeugern der 50er-Jahre.

9) Quincy Delight, jr., amerikan. Jazzmusiker (Trompeter, Orchesterleiter, Komponist), *Chicago (Ill.) 14. 3. 1933; 1951–53 Trompeter im Orchester von L. Hampton; leitete um 1960 eine eigene Bigband, mit der er Europa bereiste; danach v. a. Arrangeur und Komponist von Filmmusiken. Seit den 80er-Jahren u. a. Produzent, z. B. für Michael Jackson.

10) Tom, eigtl. Thomas Jones Woodward, brit. Schlagersänger, *Pontypridd (Wales) 7. 6. 1940; gehörte bis Mitte der 70er-Jahre zu den internat. Spitzenstars des Showbusiness; 1987 Comeback.

Hans Jonas

Gwyneth Jones

Inigo Jones: Das 1616–37 erbaute Queen's House in Greenwich ist heute Teil des National Maritime Museum

Jong [jɔŋ, dʒɔŋ], Erica Mann, amerikan. Schriftstellerin, *New York 26. 3. 1942; wurde 1973 populär mit dem Roman »Angst vorm Fliegen«, der sexuelle und psycholog. Themen aus weibl. Perspektive darstellt. Der Roman »Fanny« (1980) ist eine Parodie auf den pikaresken Roman; außerdem u. a. »Fallschirme und Küsse« (1984), »Serenissima« (1987) sowie mehrere Gedichtbände.

Jongkind, Johan Barthold, niederländ. Landschaftsmaler und Radierer, *Lattrop (Prov. Overijssel) 3. 6. 1819, †Côte-Saint-André (Dép. Isère) 27. 2. 1891; in der Wiedergabe von Atmosphäre

Johan Jongkind: »Straße in Nevers« (1874; Amsterdam, Stedelijk Museum)

und Licht Vorläufer des Impressionismus, behielt jedoch den tradierten Kompositionsaufbau der holländ. Landschaftsmalerei bei.

Jönköping 2) Stadtwappen

Jọngleikanal, Kanalprojekt in S-Sudan, 350 km (Baubeginn 1978, Arbeiten Nov. 1983 wegen polit. Wirren eingestellt); soll den Lauf des Weißen Nil verkürzen und östlich am Sumpfgebiet des → Sudd vorbeiführen und das Nilwasserangebot für Ägypten und Sudan verbessern.

Jongleur [ʒɔ̃'glœ:r; frz., zu lat. ioculator »Spaßmacher«] *der,* Geschicklichkeitskünstler (Artist).

Jönköping ['jœntçø:piŋ], **1)** Verw.Bez. (Län) in S-Schweden, 9944 km², (1995) 312500 Ew.

2) Hptst. von 1), am S-Ufer des Vättersees, 112800 Ew.; eine der ältesten Städte Schwedens (Stadtrecht seit 1284); Zündholz-, Freilichtmuseum; Zündholz-, Papier-, chem., Metall verarbeitende Ind., Maschinenbau. – In der Altstadt zahlr. Gebäude aus dem 17. Jahrhundert.

Janis Joplin

Jonọne, Gruppe isomerer Terpenketone mit veilchenähnl. Duft, die in der Riechstoffind. verwendet werden. J. sind als Bausteine des Vitamins A und der Carotine von Bedeutung.

Jọnsdorf (Kurort J.), Gemeinde im Landkreis Löbau-Zittau, Sachsen, 450–540 m ü. M., im Lausitzer Gebirge, 1900 Ew.; Erholungsort und Wintersportplatz (Eisstadion); Textilind.; Schmalspurbahn von Zittau.

Pascual Jordan

Jonson ['dʒɔnsn], Ben(jamin), engl. Dramatiker, * London 11. 6. 1572, † ebd. 6. 8. 1637; einer der bedeutendsten Dramatiker seiner Zeit, schrieb höf. Maskenspiele in der Tradition lat. Autoren (»Catiline«, 1611) und realist. Lustspiele, die die Missstände der Zeit geißeln und menschl. Torheiten lächerlich machen (»Ein Schurke über den anderen oder die Fuchsprelle«, 1606).

Jooss, Kurt, Tänzer, Choreograph und Ballettdirektor, * Wasseralfingen 12. 1. 1901, † Heilbronn 22. 5. 1979; Schüler von R. von Laban; 1927–34 und 1949–68 Leiter der Tanzabteilung der Folkwangschule in Essen; schuf u. a. das Ballett »Der grüne Tisch« (1932).

Joplin ['dʒɔplɪn], Janis, amerikan. Rock- und Bluessängerin, * Port Arthur (Tex.) 19. 1. 1943, † Los Angeles 5. 10. 1970; galt als eine der ausdrucksvollsten weißen Interpretinnen des Blues.

Jọrd, nord. Erdgöttin aus dem Geschlecht der → Asen.

Jọrdaens [-da:ns], Jakob, fläm. Maler, * Antwerpen 19. 5. 1593, † ebd. 18. 10. 1678; ab 1615 Meister; über Rubens von der Malerei Caravaggios beeinflusst; großformatige sittenbildl., religiöse und mytholog. Darstellungen sowie Porträts; zahlr. Handzeichnungen und Teppichentwürfe für Brüsseler Manufakturen.

Jọrdan *der* (hebr. Jarden, arab. Al-Urdunn), längster und wasserreichster Fluss Jordaniens und Israels sowie tiefstgelegener Fluss der Erde, durchfließt den Jordangraben; 252 km lang; entsteht aus mehreren Karstquellen, durchfließt das Huletal und den See Genezareth und fließt dann zum Toten Meer; wegen seiner vielen Windungen nicht schiffbar. Das Gefälle wird in Kraftwerken genutzt; an den Ufern subtrop. Galeriewälder. V. a. Israel leitet Wasser aus dem J. zur Bewässerung ab (bis in die Wüste Negev).

Jọrdan, 1) [ʒɔr'dã] Camille, frz. Mathematiker, * Lyon 5. 1. 1838, † Paris 21. 1. 1922; Prof. in Paris; grundlegende Arbeiten zur Gruppentheorie zur Algebra und zur Topologie; beschäftigte sich auch mit Kristallographie.

Jakob Jordaens: »Die Erziehung des Jupiter« (1640; Kassel, Staatliche Kunstsammlungen)

Jordanien

Fläche: 88 946 km² (ohne das Westjordanland, auf das J. verzichtet hat)
Einwohner: (1995) 5,44 Mio.
Hauptstadt: Amman
Verwaltungsgliederung: 5 Provinzen
Amtssprache: Arabisch
Nationalfeiertage: 25. 5. und 14. 11.
Währung: 1 Jordan-Dinar (JD.) = 1 000 Fils (FLS)
Zeitzone: OEZ

2) Ernst Pascual, Physiker, *Hannover 18. 10. 1902, †Hamburg 31. 7. 1980; 1957–61 MdB; war maßgebend an der Entwicklung der Quantenmechanik beteiligt und wandte sie auch auf biophysikal. Fragen an, arbeitete über Quantenelektrodynamik, allg. Relativitätstheorie, Astrophysik und Kosmologie.

3) Wilhelm, Schriftsteller und Politiker, *Insterburg (heute Tschernjachowsk) 8. 2. 1819, †Frankfurt am Main 25. 6. 1904; war Mitgl. der Frankfurter Nationalversammlung; markanter Vortragskünstler eigener Dichtungen, u. a. des Doppelepos in Stabreimen »Die Nibelunge« (4 Tle., 1867–74).

Jordanes, got. Geschichtsschreiber des 6. Jh.; verfasste 551 eine auf Cassiodor fußende Gotengeschichte »De origine actibusque Getarum«.

Jordangraben, in N–S-Richtung verlaufender Grabenbruch in Vorderasien, Teil des Ostafrikan. Grabensystems, am Grund des Toten Meeres bis 829 m u. M. (tiefste Depression der Erde). Wichtigste Teile sind die Beka zw. Libanon und Antilibanon, das Jordantal mit Hulaebene, Ghor, der See von →Genezareth sowie das Tote Meer und Wadi Al Araba.

Jordanien (arab. Al-Urdunn, amtlich Al-Mamlaka al-Urdunnijja al-Haschimjja; dt. Haschimitisches Königreich J.), Staat in Vorderasien, grenzt im W an Israel, im N an Syrien, im äußersten NO an Irak, im O und S an Saudi-Arabien. Die SW-Spitze grenzt an den Golf von Akaba des Roten Meeres.

Staat und Recht: Nach der Verf. von 1952 ist J. eine konstitutionelle Erbmonarchie. Staatsoberhaupt und Oberbefehlshaber der Streitkräfte ist der König. Er ist zugleich oberster Inhaber der Exekutive, ernennt den MinPräs. und auf dessen Vorschlag die übrigen Mitgl. des Kabinetts sowie die Mitgl. des Senats und die Richter. Die Legislative liegt beim Zweikammerparlament, bestehend aus Senat (40 für acht Jahre vom König ernannte Mitgl.) und Abg.haus (80 Abg., für vier Jahre gewählt; zwölf der Mandate sind den christl., tscherkess. und beduin. Minderheiten vorbehalten). Das Parteienverbot wurde durch die Nat. Charta vom Juni 1991 aufgehoben, seitdem wurden mehrere Parteien offiziell zugelassen.

Landesnatur: Etwa neun Zehntel des Landes sind Wüste oder Wüstensteppe. J. hat Anteil an der O-Flanke des Jordangrabens; östlich davon erhebt sich mit einem Steilanstieg das Ostjordan. Bergland bis zu einer Höhe von 1745 m ü. M. (Djebel Ram). Im N überwiegen leicht gefaltete Kalk- und Dolomittafeln, im S bizarr geschnittene Sandsteinplateaus. Nach O geht das Bergland in die eintönigen Tafelländer der Syr. Wüste über, deren Oberflächenformen im N durch junge Basaltergüsse gestaltet werden. Nur der Randsaum im nördl. Abschnitt des Ostjordan. Berglandes empfängt so viel Niederschlag, dass Feldbau ohne Bewässerung möglich ist. Die Sommer sind in ganz J. trocken und heiß, die Winter mild; in den höheren Lagen des Berglandes sind Schneefälle und Frost möglich. Die verkarsteten, wasserarmen Kalkplateaus der Bergländer sind magere Weidetriften oder tragen Gehölz- und Gestrüppformationen. Nur die Beckenlandschaften und Täler werden nachhaltig genutzt.

Bevölkerung: Die Bevölkerung besteht überwiegend aus Arabern, daneben gibt es tscherkess., armen., kurd. und turkmen. Minderheiten. Als traditionsverbundener staatstragender Schicht kommt den Beduinen in J. noch heute große Bedeutung zu. Die meisten Stämme sind allerdings sesshaft oder halbsesshaft geworden, rd. 5 % sind noch Nomaden. 1994 lebten in J. 1,2 Mio. Palästinaflüchtlinge. Die Geburtenziffer gehört trotz leichter Rückläufigkeit zu den höchsten der Erde (3,7 %). Großstädte sind Amman, Zerka und Irbid. – Allg. Schulpflicht besteht vom 6. bis 15. Lebensjahr, der Unterricht ist unentgeltlich. Es gibt vier Univ. sowie weitere Studieneinrichtungen. Die Analphabetenquote beträgt etwa 20 %. – Rd. 93 % der Bev. gehören dem Islam an (v. a. Sunniten), über 4 % sind Christen (v. a. Orthodoxe), außerdem Bahai, Drusen u. a.

Staatswappen

JOR

Internationales Kfz-Kennzeichen

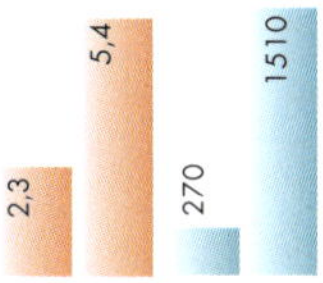

Bevölkerung (in Mio.)
Bruttosozialprodukt je Ew. (in US-$)

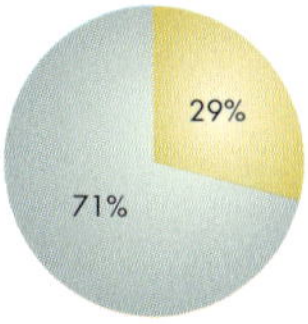

Stadt
Land

Bevölkerungsverteilung 1994

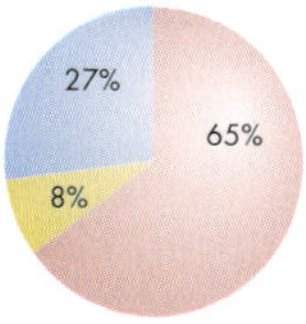

Industrie
Landwirtschaft
Dienstleistung

Bruttoinlandsprodukt 1994

Jordanien: Das Bergland von Edom von Ras An Nakb aus gesehen

Wirtschaft, Verkehr: Gemessen am Bruttosozialprodukt zählt J. zu den Entwicklungsländern mit mittleren Einkommen. Die Wirtschaft hat infolge der israel. Besetzung der Landesteile westlich des Jordan 1967 bes. gelitten, denn diese waren landwirtschaftlich intensiv genutzt, dicht besiedelt und wirtschaftlich viel höher entwickelt als das Ostjordanland. Dennoch hat sich die Wirtschaft weitgehend wieder erholen können. Landwirtschaft ist meist nur mittels künstl. Bewässerung möglich. Angebaut werden im Jordangraben Gemüse, Weizen, Melonen, Bananen, Zitrusfrüchte, im mittleren Teil des Ostjordan. Berglands mit ausreichenden Niederschlägen v.a. Getreide, Linsen, Wicken, Tabak, Oliven, Feigen, Granatäpfel u.a. Lebensgrundlage der Halb- und Vollnomaden ist die Viehhaltung (Schafe, Ziegen, Rinder, Esel und Maultiere, Kamele, Pferde, Geflügel), doch deckt sie nicht den Fleischbedarf des Landes. Fischerei wird im Golf von Akaba betrieben. Wichtigster Wirtschaftszweig ist der Phosphatabbau, 15 km nordöstlich und 160 km südlich von Amman. J. ist nach Marokko und den USA drittgrößter Phosphatexporteur der Welt. Wichtigste Ind.betriebe sind eine Superphosphatfabrik, ein Zementwerk und eine Erdölraffinerie, gefolgt von Nahrungsmittel-, Bekleidungs- und Schuhindustrie. Im Fremdenverkehr zählen u.a. Petra, Akaba, die Römerstadt Gerasa und die Wüstenschlösser der Omaijadenkalifen zu den Touristenzielen. – Haupthandelspartner sind die EU-Länder, Saudi-Arabien, die USA, Irak und Indien. Ausgeführt werden u.a. Naturphosphat, Pottasche, Obst und Gemüse, Zement, Tabak und -waren, Gewebe aus Wolle u.a. Tierhaaren, eingeführt Nahrungsmittel, Garne und Textilwaren, nichtelektr. und elektr. Maschinen und Geräte, Eisen und Stahl, Kfz, Erdöl, Arzneimittel u.a. – Das Eisenbahnnetz (nur noch für den Phosphattransport zur Hafenstadt Akaba von Bedeutung) ist 618 km lang, das v.a. im NW gut ausgebaute Straßennetz 6900 km. Die nat. Flugges. Alia versieht den In- und Auslanddienst. Internat. Flughäfen sind in Amman und Akaba.

Husain II.,
König von Jordanien

Geschichte: Das Gebiet östlich des Jordans war schon in der Frühzeit eng mit der Geschichte Israels (Palästina) verbunden; in röm. Zeit (seit 64/63 v.Chr.) bildete es die Provinz **Arabia Petraea** und wurde unter byzantin. Oberhoheit von den arab. (christl.) Ghassaniden beherrscht; nach der Erobe-

Jordanien

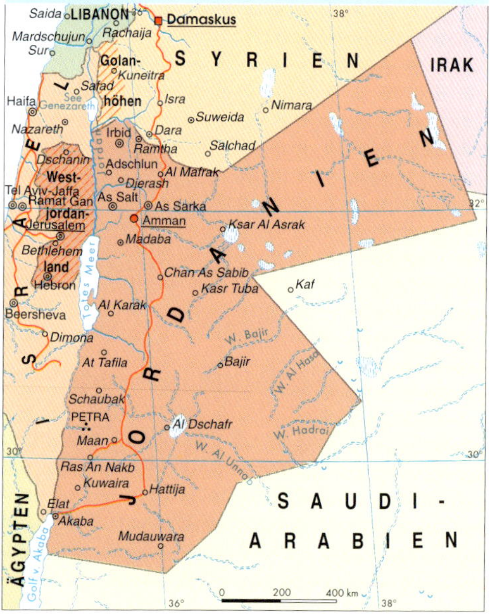

rung durch die muslim. Araber im 7. Jh. teilte es das Schicksal Syriens, 1516–1918 unter den osman. Sultanen gehörte es zur Provinz Damaskus. Mit Palästina wurde das Gebiet 1920 unter brit. Mandat gestellt (bis 1948). 1921 setzte Großbritannien den Haschimiten Abd Allah Ibn al-Husain als Emir von Trans-J. (Ostjordanland) ein, das 1923 formell von Palästina getrennt wurde und 1925 im Abkommen mit Saudi-Arabien durch Akaba Zugang zum Meer erhielt; im Febr. 1928 wurde ein brit. Hochkommissar (u. a. für Außenpolitik) eingesetzt, zuständig für den Aufbau der Armee (Arab. Legion) war J. B. Glubb (Glubb Pascha). Am 22. 3. 1946 erhielt das Land die nominelle Unabhängigkeit, der Emir nahm den Königstitel an (25. 5.). Im 1. Israelisch-Arab. Krieg (1948/49) Besetzung der östl. arab. Teile Palästinas (sog. **West-J.** oder **Westjordanland**, auch Cis-J.) und der Altstadt von Jerusalem (O-Jerusalem). Der Ausrufung des **Haschemit. Königreichs J.** am 12. 12. 1949 folgte 1950 die offizielle Eingliederung West-J. (zunehmende Gegnerschaft der Bev. zur Monarchie). König Abd Allah Ibn al-Husain fiel 1951 einem Attentat zum Opfer, Nachfolger wurde sein Sohn Talal (1952 zugunsten seines Sohnes Husain II. zurückgetreten). Wachsende antibrit. Opposition erzwang die Entlassung Glubbs (März 1956) und die Aufkündigung des Bündnisses mit Großbritannien (März 1957). Febr.–Juli 1958 bestand die »Arab. Föderation« mit Irak. Die Armee wurde im Mai 1967 ägypt. Oberbefehl unterstellt. Im 3. Israelisch-Arab. Krieg (Juni 1967) kam West-J. und O-Jerusalem an Israel (starke Einwanderung palästinens. Flüchtlinge). 1970/71 (Höhepunkt: »Schwarzer Sept.« 1970) Zerschlagung und Vertreibung der palästinens. Organisationen aus Jemen. Auf der arab. Gipfelkonferenz in Rabat (Okt. 1974) Verzicht auf West-J. zugunsten der Palästinenser (endgültig Aug. 1988 an die PLO abgegeben). Im Apr. 1978 wurde ein Nat. Konsultativrat zur Beratung des Königs gebildet, nachdem 1974 das Parlament aufgelöst worden war. In der 2. Hälfte der 1980er-Jahre leitete König Husain II. einen Demokratisierungsprozess ein. Bei den Parlamentswahlen vom 8. 11. 1989 erwies sich die Muslimbruderschaft als stärkste polit. Gruppe. Nach der Aufhebung des seit 1967 geltenden Kriegsrechtes und der Verabschiedung einer »Nat. Charta« 1991 fanden 1993 erstmals seit 1956 Wahlen statt, bei denen mehrere konkurrierende Parteien zugelassen waren. Nach dem Tod König Husains II. (Febr. 1999) wurde sein Sohn Abdallah Nachfolger. Er bemüht sich ebenso um Vermittlung im Nahostkonflikt.

Im 1. Golfkrieg 1980–88 stand J. auf der Seite des Irak. Nach dem Einmarsch irak. Truppen in Kuwait (1980), bei dem die Bev., bes. die in J. lebenden Palästinenser, starke Sympathien für die irak. Seite zeigte, nahm der König unter dem Eindruck dieser Stimmung eine bedingt proirak. Haltung ein. Im Herbst 1991 nahm eine jordanisch-palästinens. Delegation an der Madrider Nahostkonferenz teil. Nach der gegenseitigen Anerkennung Israels und der PLO und dem Abschluss des Gaza-Jericho-Abkommens (Sept. 1993) schloss J. mit Israel am 26. 10. 1994 einen Friedensvertrag.

📖 Bender, F.: *Geologie von J. Berlin u. a. 1968.* – *J. Auf den Spuren alter Kulturen, hg. v.* F. Dexinger *u. a. Innsbruck 1985.* – Scheck, F. R.: *J. Völker u. Kulturen zw. Jordan u. Rotem Meer. Köln ²1987.* – *Der Königsweg. 9000 Jahre Kunst u. Kultur in J. Mainz 1987.* – Czichowski, F.: *J. Internat. Migration, wirtschaftl. Entwicklung u. soziale Stabilität. Hamburg 1990.* – Ṣalībī, K. S.: *The modern history of Jordan. London 1993.*

Jordansmühler Kultur, jungsteinzeitl. Kulturgruppe (4. Jt. v. Chr.), benannt nach dem Gräberfeld von Jordansmühl, heute Jordanów Śląski in der Wwschaft Wrocław (Breslau), Polen. Bekanntester Fund ist die mit Schnurabdrücken verzierte Tonplastik eines Widders.

Jordansmühler Kultur: Tonplastik eines Widders (4. Jt. v. Chr.)

Jores, Arthur, Internist, *Bonn 10. 2. 1901, †Hamburg 11. 9. 1982; arbeitete bes. auf den Gebieten Psychosomatik, Endokrinologie und biolog. Rhythmusforschung.

Jorf Lasfar, El- [dʒ-], Ind.hafen an der Atlantikküste Marokkos, 17 km südlich von El-Jadida, 1982 fertig gestellt. Phosphatexport; Düngemittelfabrik.

Jorge [ˈʒɔrʒə], Lídia, portugies. Schriftstellerin, *Boliqueime (Distr. Faro) 18. 6. 1946; behandelt in ihren Romanen (u. a. »Der Tag der Wunder«, 1978; »Nachricht von der anderen Seite der Straße«, 1984; »Die Küste des Raunens«, 1988) die Auflösung traditioneller Lebensformen, Spannungen zw. den Geschlechtern, fantast. und reale Wirklichkeit.

Jørgensen [ˈjœrnsən], **1)** Anker, dän. Politiker, *Kopenhagen 13. 7. 1922; war 1973–87 Vors. der Sozialdemokrat. Partei, 1972–73 und 1975–82 Min.-Präsident.

2) Johannes, eigtl. Jens J., dän. Schriftsteller, *Svendborg 6. 11. 1866, †ebd. 29. 5. 1956; wirkte bes. durch seine träumer. Naturdichtung stark auf die junge Generation. 1896 trat er zum Katholizismus über; lebte meist im Ausland. Gedichtsammlungen, Reiseschilderungen, Heiligenbiographien (»Der heilige Franz von Assisi«, 1907).

Jorn, Asger Oluf, eigtl. Jørgensen, dän. Maler, Grafiker und Keramiker, *Vejrum (bei Struer, Amt Ringkøbing) 3. 3. 1914, †Århus 1. 5. 1973; führendes Mitgl. der Künstlergruppe →Cobra; farbintensive, visionäre Bilder mit figürl. Motiven, z. T. aus der nord. Volkskunst. Bild S. 120

Joruba, Volk in Nigeria, →Yoruba.

Jos [dʒɔ:s], Hptst. des Bundesstaates Plateau in Nigeria, 1200 m ü. M. auf dem **Josplateau** bis 1781 m ü. M.), 191400 Ew.; kath. Bischofssitz; Univ., Museen; Erholungsort. Zentrum des Zinnerz- und Columbitbergbaus mit Zinnhütte, Stahlwalzwerk u. a. Industrie; Flughafen.

Jos., Abk. für **Jos**ua (A. T.).

Joschkar-Ola (bis 1919 Zarjowokokschaisk, 1919–27 Krasnokokschaisk), Hptst. der Rep. Mari-El in der Russ. Föderation, 248000 Ew.; Univ., TH, Forschungsinstitut zur Kultur der Mari; Maschinen-, Gerätebau, Kunstleder-, Nahrungsmittel-, Textilindustrie. – 1584 als Festung und Verw.zentrum gegründet.

Joseph I., Römischer Kaiser (Ausschnitt aus einem Kupferstich nach einem zeitgenössischen Gemälde)

Joseph, 1) im A. T. Patriarch; Sohn Jakobs und der Rahel (1. Mos. 30,24); Hauptgestalt der Josephsgeschichte (1. Mose 37–50). Von seinen Brüdern nach Ägypten verkauft, stieg er dort zum höchsten Beamten des Pharao auf; gilt als Stammvater der Stämme Ephraim und Manasse.

2) im N. T. der Mann Marias, der Mutter Jesu, Zimmermann aus Nazareth (Mt. 13,55); Heiliger, Tag: 19. 3.; als Patron der Arbeiter auch am 1. 5. verehrt.

Joseph, Herrscher:

Hl. Röm. Reich: **1) J. I.**, Kaiser (1705–11), *Wien 26. 7. 1678, †ebd. 17. 4. 1711; ältester Sohn Kaiser Leopolds I., setzte den Span. Erbfolgekrieg mithilfe des Prinzen Eugen von Savoyen-Carignan siegreich fort und restaurierte die kaiserl. Macht (1706 Reichsacht gegen die Kurfürsten von Köln und Bayern; Italienpolitik).

Joseph II., Römischer Kaiser (zeitgenössischer Kupferstich)

2) J. II., Kaiser (1765–90), *Wien 13. 3. 1741, †ebd. 20. 2. 1790; ältester Sohn Kaiser Franz' I. und Maria Theresias, 1765–80 Mitregent Maria Theresias in den habsburg. Erblanden. Gegen den Willen seiner Mutter setzte er 1772 die Teilnahme Österreichs an der 1. Teilung Polens durch (Gewinn von Galizien); die Türkei bewog er 1775 zur Abtretung der Bukowina. Sein Plan einer Erwerbung Bayerns scheiterte ebenso an Friedrich d. Gr. (Bayer. Erbfolgekrieg 1778/79) wie 1785 der Plan eines Austausches Bayerns gegen die Österr. Niederlande und führte zum Bündnis mit Russland. – J. war einer der Hauptvertreter des aufgeklärten Absolutismus. Sein großes Ziel war ein zentralistisch verwaltetes Reich mit dt. Staatssprache; in Galizien und der Bukowina, in Ungarn und Siebenbürgen gründete er zahlr. dt. Ansiedlungen. Trotz erhebl. Förderung des Schul-, Bildungs- und Gesundheitswesens, der Rechtspflege (Josephin. Gesetzbuch mit Abschaffung der Folter) und Fortsetzung der Bauernbefreiung rief seine antiständ. und antiföderalist. Reformpolitik (→Josephinismus) wachsenden Widerstand hervor, der zu einer Rücknahme der meisten Reformen nach seinem Tod führte.

Joséphine, Kaiserin der Franzosen

🕮 Fejtő, F.: *J. II. Porträt eines aufgeklärten Despoten. A. d. Frz. München 1987.* – Fink, H.: *J. II. Kaiser, König u. Reformer. Sonderausg. Düsseldorf u. a. 1993.*

Asger Oluf Jorn: »Eine Cobragruppe« (1965; Privatbesitz)

Spanien: **3) Joseph Bonaparte**, König von Neapel (1806–08) und Spanien (1808–13), *Corte (Korsika) 7. 1. 1768, †Florenz 28. 7. 1844; ältester Bruder Napoleons I. Als Napoleon ihn zum König von Spanien einsetzte, wurde ein Volksaufstand ausgelöst (→Napoleonische Kriege); J. musste nach der Niederlage bei Vitoria (1813) Spanien verlassen.

Joséphine [ʒoze'fin], Kaiserin der Franzosen, *Les Trois-Îlets (Martinique) 23. 6. 1763, †Schloss Malmaison 29. 5. 1814; erste Gemahlin Napoleons I., geb. **Tascher de la Pagerie,** heiratete 1779 den Vicomte A. de Beauharnais, der 1794 hingerichtet wurde; aus dieser Ehe stammten Eugen (→Beauharnais 2) und →Hortense. 1796 schloss sie die Ehe mit Napoléon Bonaparte, der sie 1804 zur Kaiserin krönte. Die kinderlos gebliebene Ehe wurde am 16. 12. 1809 geschieden.

Josephinismus *der,* i. e. S. die Kirchenpolitik Kaiser Josephs II., die vom Geist der Aufklärung bestimmt war, die kath. Kirche in Österreich vollständig der Staatshoheit unterstellte und Nichtkatholiken freie Religionsausübung gewährte (Toleranzpatent 1781). I. w. S. ist der J. eine von den Reformideen des aufgeklärten Absolutismus und der kath. Aufklärung bestimmte geistige Haltung, die bes. das österr. Beamtentum bis weit ins 19. Jh. formte und eine Wurzel des Liberalismus war.

Josephs|ehe (Engelsehe), *kath. Theologie:* Ehe, bei der die Ehegatten aus religiösen Motiven auf die geschlechtl. Vereinigung verzichten.

Josephson, 1) ['dʒəʊzɪfsn], Brian David, brit. Physiker, *Cardiff 4. 1. 1940; erhielt 1973 für Untersuchungen auf dem Gebiet der Supraleitung (Josephson-Effekte) mit L. Esaki und I. Giaever den Nobelpreis für Physik.

2) ['jusɛfsɔn], Ernst Abraham, schwed. Maler, *Stockholm 16. 4. 1851, †ebd. 22. 11. 1906; lebte

1879–88 in Paris, wo er, beeinflusst von É. Manet, meisterhafte Porträts malte; seine religiös, historisch und literarisch inspirierten Ölbilder und Zeichnungen gaben dem schwed. Expressionismus wichtige Impulse.

Josephson-Effekte ['dʒəʊzɪfsn-], 1962 von B. D. →Josephson theoretisch vorausgesagte und wenig später experimentell nachgewiesene Festkörpereffekte, die auf dem Tunneleffekt von Cooper-Paaren durch **Josephson-Kontakte** basieren, d.h. Kontaktstellen zw. zwei Supraleitern, die entweder durch eine dünne Isolierschicht oder durch eine sehr enge supraleitende Verbindung voneinander getrennt sind. Beim Anlegen einer Gleichspannung an die Kontakte wird eine Wechselspannung ausgebildet und elektromagnet. Strahlung emittiert; diesen und den umgekehrten Vorgang nennt man **Josephson-Wechselstrom-Effekt**; er erlaubt sehr genaue Spannungsmessungen, der **Josephson-Gleichstrom-Effekt** sehr empfindl. Magnetfeldmessungen. Die wichtigsten techn. Anwendungen der J.-E. sind Mikrowellengeneratoren und -detektoren, parametr. Verstärker sowie log. Schalt- und Speicherelemente (**Josephson-Elemente**) mit äußerst kurzen Schaltzeiten für die Datenverarbeitung.

Brian Josephson

Ernst Josephson: »Der Nix« (1882-84; Göteborg, Kunstmuseum)

Josephus Flavius, eigtl. Joseph ben Mathitjahu, jüd. Geschichtsschreiber, *Jerusalem 37/38 n. Chr., †Rom um 100; führend am jüd. Aufstand (66–70 n. Chr.) beteiligt, ging zu den Römern über; beschrieb in Rom den jüd. Krieg (»Bellum Judaicum«), dann die jüd. Geschichte bis 66 n. Chr. (»Antiquitates Judaicae«).

Joseph von Arimathaia, Mitglied des jüd. Hohen Rates z.Z. Jesu; bestattete Jesus in einem Felsengrab (Mk. 15, 42–46); Heiliger, Tag: 17. 3.

Joseph von Wolokolamsk (Jossif Wolozki), eigtl. Ioann Sanin, russisch-orth. Theologe, *bei Moskau 14. 11. 1439, †Wolokolamsk (Gebiet Moskau) 8. 9. 1515; Gründer und Abt des Klosters von Wolokolamsk, begründete den weltl. Machtanspruch der russ. Kirche und wurde zum Wegbereiter des russ. Staatskirchentums.

Josia (Josias), König von Juda (639–609 v. Chr.), stellte nach dem Niedergang des assyr. Reiches die polit. Selbstständigkeit Judas wieder her; reinigte den Jahwekult von Fremdeinflüssen und zentralisierte ihn im Jerusalemer Tempel.

Jospin [ʒɔs'pɛ̃], Lionel, frz. Politiker, *Meudon 12. 7. 1937; Prof. für Wirtschaftswiss. in Paris, Mitgl. des Parti Socialiste (PS), 1981–88 Abg. in der Nationalversammlung, 1981–88 Erster Sekretär des PS, 1988–92 Staatsmin. u.a. für Erziehung, Forschung, Jugend und Sport, unterlag bei den Präsidentschaftswahlen 1995 als Kandidat der Linken dem Gaullisten J. Chirac. Seit 1995 erneut Erster Sekretär des PS, wurde J. nach dem Wahlsieg der Sozialisten 1997 Premierminister.

Lionel Jospin

Josquin Desprez [ʒɔs'kɛ̃ de'pre] (Josquin des Prés), frankoflām. Komponist, *vielleicht Beaurevoir (bei Saint-Quentin) um 1440, †Condé-sur-l'Escaut (bei Valenciennes) 27. 8. 1521; wirkte 1459–74 als Sänger in Mailand, 1486–99 in der päpstl. Kapelle in Rom, danach in Mailand und (bis 1505) in Ferrara; berühmtester Meister der Zeit um 1500; sein Werk umfasst Messen, Motetten und weltl. Kompositionen (meist Chansons); wandte sich von virtuoser Kontrapunktik einer mehr ausdruckserfüllten Polyphonie zu.

Josselin [ʒɔs'lɛ̃], Gemeinde im frz. Dép. Morbihan, Bretagne, 2300 Ew., mit festungsähnl. Schloss (14.–16. Jh.) im Flamboyantstil, Kirche 12.–14. Jh.

Jostabeere, Kreuzung zw. Schwarzer **Jo**hannisbeere und **Sta**chelbeere; mit stachellosen Trieben und stachelbeergroßen schwarzen Früchten; reich an Vitamin C.

Jostabeere: Zweig mit Früchten

Jostedalsbre ['ju-], Plateaugletscher in S-Norwegen, zw. Sogne- und Nordfjord, höchster Punkt 2083 m ü.M., etwa 100 km lang, 10–15 km breit, mit 486 km² größter Gletscher des europ. Festlandes. Seit Beginn des 20. Jh. geht er stark zurück.

Josu, Stadt in S-Korea, →Yosu.

Josua (Vulgata: Iosua), nach 5. Mose 31,14 und 23 Nachfolger Moses'. Das Buch J. beschreibt die Landnahme der israelit. Stämme in Palästina (unhistorisch) als Abfolge krieger. Eroberungen.

Jota, eingedeutschte Schreibung für →Iota.

Jötun, im nord. Mythos Riesen mit mehreren Armen und Häuptern, Feinde der →Asen; ihr Reich ist **Jötunheim** (Utgard).

Jo̱tunheim, Gebirgsmassiv in S-Norwegen, in den Verw.gebieten Sogn og Fjordane und Oppland; aus Gabbro aufgebaut, stark glazial überformt, mit etwa 200 meist alpin zugeschärften Gipfeln über 2000 m und den beiden höchsten Bergen N-Europas, **Glittertind** (einschl. seines Firnfeldes 2472 m ü. M., ohne Firnfeld 2451 m) und **Galdhøpigg** (2469 m ü. M.); zahlr. Gletscher; Fremdenverkehrsgebiet, durch die Straße Sogndal–Lom erschlossen.

James Joule: anonymer Holzstich (1897)

Jọtuni, Maria, eigtl. M. Tarkiainen, finn. Schriftstellerin, *Kuopio 9. 4. 1880, †Helsinki 30. 9. 1943; schilderte in Erzählprosa und Schauspielen mit psycholog. Scharfsinn und verstecktem Humor die wortkargen Menschen ihrer Heimat.

Joubert [ʒuːˈbɛr], Joseph, frz. Moralist, *Montignac (Dép. Dordogne) 7. 5. 1754, †Villeneuve-sur-Yonne (Dép. Yonne) 4. 5. 1824; Freund von F. R. de Chateaubriand. Seine »Gedanken, Versuche und Maximen« (in Ausw. hg. 1838, erweitert 1842) sind stilistisch meisterhaft abgefasste Gedanken über das Wesen der Dichtung und des Menschen.

Marcel Jouhandeau

Jouhandeau [ʒuɑ̃ˈdo], Marcel, frz. Schriftsteller, *Guéret (Dép. Creuse) 26. 7. 1888, †Rueil-Malmaison 7. 4. 1979; schrieb vom »Renouveau catholique« beeinflusste, meist autobiograph., teils realist., teils traumhafte Schilderungen frz. Provinzlebens; Romane: u. a. »Herr Godeau« (1926), »Herr Godeau heiratet« (1933); »Chaminadour« (Erzn., 3 Bde., 1934–41), »Journaliers« (Erinnerungen, 28 Bde., 1961–82).

Léon Jouhaux

Jouhaux [ʒuˈo], Léon, frz. Gewerkschaftsführer, *Paris 1. 7. 1879, †ebd. 29. 4. 1954; Arbeiter, seit 1909 Gen.-Sekr. des Gewerkschaftsbundes CGT, setzte 1914 eine Zusammenarbeit mit der Regierung durch, rief gegen das Münchener Abkommen (1938) zum Generalstreik auf. Im 2. Weltkrieg war er in Dtl. interniert. Angesichts der kommunist. Mehrheit im CGT-Präsidium gründete er 1947 die CGT – Force Ouvrière. 1951 Friedensnobelpreis.

Joule [dʒuːl; nach J. P. Joule] *das,* Einheitenzeichen **J,** SI-Einheit der Arbeit, Energie, Wärmemenge. Die Arbeit 1 J wird verrichtet, wenn eine Kraft von 1 N über eine Weglänge von 1 m wirkt: $1\,\mathrm{J} = 1\,\mathrm{Ws} = 1\,\mathrm{Nm} = 1\,\mathrm{kg\,m^2/s^2} = 0{,}2388\,\mathrm{cal}$.

Joule [dʒuːl], James Prescott, brit. Physiker, *Salford (bei Manchester) 24. 12. 1818, †Sale (Cty. Cheshire) 11. 10. 1889; einer der Entdecker des Energiesatzes. Er bestimmte die Menge der durch mechan. Arbeit erzeugten Wärme (mechan. Wärmeäquivalent), untersuchte die innere Energie der Gase und entdeckte mit W. Thomson bei Gasdrosselversuchen den Abkühlungseffekt (→Joule-Thomson-Effekt); fand 1841 das →Joule-Gesetz.

Joule-Effekt [dʒuːl-], →Magnetostriktion.

Joule-Gesetz [dʒuːl -], von J. P. Joule entdeckte Aussage über die Erwärmung eines stromdurchflossenen Widerstands: Die erzeugte Wärmemenge Q **(Joule-Wärme)** berechnet man aus dem (Gleichstrom-)Widerstand R, der Zeit des Stromflusses Δt, der Stromstärke I und der Spannung U gemäß $Q = R \cdot I^2 \cdot \Delta t = U \cdot I \cdot \Delta t$.

Joule-Thomson-Effekt [dʒuːl ˈtɔmsn -; nach J. P. Joule und W. Thomson], die Temperaturänderung eines realen Gases durch Ausdehnung beim Durchströmen eines Drosselventils (z. B. eine poröse Keramik) ohne äußere Arbeitsleistung und Wärmeaustausch **(adiabat. Entspannung).** Bei hohen Temperaturen tritt Erwärmung **(negativer J.-T.-E.)** auf, unterhalb der für jedes Gas charakterist. **Inversionstemperatur** dagegen Abkühlung **(positiver J.-T.-E.).** Auf der Abkühlung beruhen wichtige Verfahren der →Gasverflüssigung.

Journal [ʒʊrˈnaːl, frz.] *das,* **1)** *allg.:* Zeitschrift; Zeitung.

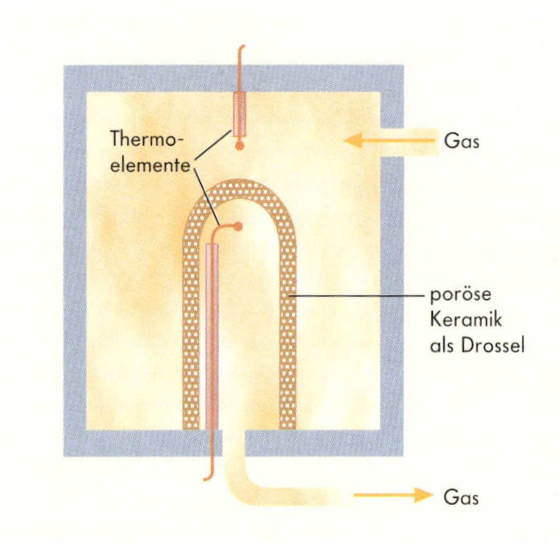

Joule-Thomson-Effekt: schematische Darstellung einer Apparatur zur Messung des Joule-Thomson-Effekts; das Gas expandiert durch eine poröse Keramik als Drosselventil von einer Seite konstanten Drucks zur anderen, wobei die Temperaturdifferenz durch die Thermoelemente registriert wird; ob bei der Ausdehnung eine Erwärmung oder eine Abkühlung des Gases erfolgt, hängt von den Versuchsbedingungen ab

2) *Wirtschaft:* Tagebuch, Grundbuch in der Buchführung.

Journalismus [ʒʊr-, frz.] *der,* die publizist. Arbeit bei Presse, Film, Hörfunk, Fernsehen in Bericht, Kommentar, einschließl. Broschüren- und Buchveröffentlichungen. Auch abwertende Bez. für Gebrauchslit. und die charakterist. Art der Presseberichterstattung.

📖 WEISCHENBERG, S.: *Journalistik. Theorie u. Praxis aktueller Medienkommunikationen, 2 Bde. Opladen 1992–95. – Prakt. J. in Zeitung, Radio u. Fernsehen, hg. v.* H. PÜRER. *Konstanz* ^{2}*1996.*

Journalist [ʒʊr-, frz.] *der,* Publizist, der hauptberuflich für Zeitungen, Ztschr., Nachrichten- und Pressedienste bei Film, Funk und Fernsehen tätig und durch die Verbreitung von Informationen von großem Einfluss auf die öffentl. Meinung ist.

Jouve [ʒu:v], Pierre-Jean, frz. Schriftsteller, *Arras 11. 10. 1887, †Paris 8. 1. 1976; schrieb Gedichte, Essays (u.a. über C. Baudelaire und W. A. Mozart) und Romane (u.a. »Paulina 1880«, 1925), die vom Katholizismus und der Beschäftigung mit der Psychoanalyse geprägt sind.

Jouvet [ʒu'vɛ], Louis, frz. Schauspieler, Regisseur und Bühnenleiter, *Crozon (Dép. Finistère) 24. 12. 1887, †Paris 16. 8. 1951; Mitarbeiter an J. Copeaus revolutionärem »Théâtre Vieux-Colombier«, leitete die »Comédie des Champs-Elysées« (1924–33) und das »Théâtre de L'Athénée« (1934–51); inszenierte bevorzugt J. Giraudoux; wirkte in vielen Filmen mit (»Nachtasyl«, 1936; »Spiel der Erinnerung«, 1937, u.a.).

Joux, Vallée de [va'le dɔ'ʒu:] *die,* Hochtal im Schweizer Jura, Kt. Waadt, von der Orbe durchflossen, die in den **Lac de J.** (1004 m ü.M., 9 km^2) mündet. Hauptort ist Le Sentier (1024 m ü.M.); Uhren- und feinmechan. Industrie. Le grand Risoux, der Grenzwald im W, ist der größte zusammenhängende Wald der Schweiz.

Jovine, Francesco, italien. Schriftsteller, *Guardialfiera (Prov. Campobasso) 9. 10. 1902, †Rom 30. 4. 1950; setzte sich in seinen neorealist. Romanen (u.a. »Die Äcker des Herrn«, 1950) und Erzählungen bes. für die sozial Entrechteten ein.

Jowkow, Jordan Stefanow, bulgar. Schriftsteller, *Scherawna (bei Sliwen) 9. 11. 1880, †Plowdiw 15. 10. 1937; von der Volksliteratur beeinflusste Erzählungen (»Balkanlegenden«, 1927) aus dem Leben der Dobrudschabauern.

Joyce [dʒɔɪs], James, engl. Schriftsteller irischer Herkunft, *Dublin 2. 2. 1882, †Zürich 13. 1. 1941; Ausbildung an Jesuitenschulen und am University College in Dublin; wandte sich frühzeitig von der kath. Kirche ab, ging 1902 nach Paris, lebte seit 1904 im selbst gewählten Exil (u.a. Triest, Zürich, Paris). J. begann mit Lyrik, den Kurzgeschichten

James Joyce: Ausschnitt aus einem zeitgenössischen Gemälde und Autogramm

»Dubliner« (1914), dem autobiograph. Jugendroman »Ein Porträt des Künstlers als junger Mann« (1916) und dem ebenfalls autobiograph. Drama »Verbannte« (1918). In dem großen Romanwerk »Ulysses« (1922) werden die Erlebnisse und Gedanken der Hauptfigur (Bloom) an einem Tag zu bestimmten Abschnitten der Odyssee in Verbindung gesetzt: Der Held wird zum Jedermann, Dublin zur Welt, der Alltag zur Menschheitsgeschichte; mittels der von J. weiterentwickelten Technik der Versprachlichung des Bewusstseins (→Stream of Consciousness) der Hauptgestalten, bes. ihrer vor- und unbewussten psych. Prozesse, erschloss er neue Wirklichkeitsbereiche für das Erzählen. In »Finnegans Wake« (entstanden 1922–39) schuf er eine eigene, mit vielen Anspielungen arbeitende, schwer verständl. Sprachform; auch hier wird alles Geschehen mit mythisch-symbol. Bedeutung erfüllt. J. hat die moderne Literatur stark beeinflusst.

📖 GILBERT, S.: *Das Rätsel Ulysses. A. d. Engl., Neuausgabe 1983.* – HAEFNER, G.: *Klassiker des engl. Romans im 20. Jh. Joseph Conrad, D. H. Lawrence, J. J., Virginia Woolf, Samuel Beckett. Heidelberg 1990. – J. J.s »Ulysses«. Neuere dt. Aufsätze, hg. v.* T. FISCHER-SEIDEL. *Frankfurt am Main* ^{4}*1991.* – ELLMANN, R.: *J. J. Aus dem Engl. Neuausg. Frankfurt am Main 1996.*

Joystick ['dʒɔɪstɪk; engl. »Steuerknüppel«] *der,* bewegl. Steuerhebel, der v.a. bei Computerspielen und in der graf. Datenverarbeitung zur Bewegung und Veränderung von Darstellungselementen auf dem Bildschirm verwendet wird.

Pierre-Jean Jouve

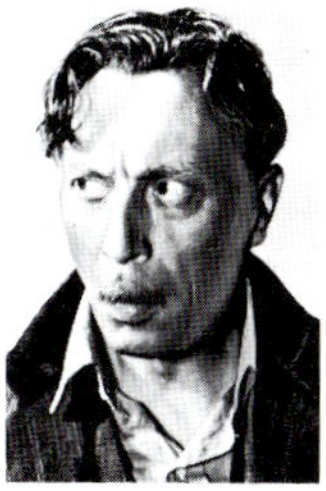

Louis Jouvet

Attila József

József ['jo:ʒɛf], Attila, ungar. Lyriker, *Budapest 11. 4. 1905, †(Selbstmord) Balatonszárszó (Bez. Somogy) 3. 12. 1937; sozialrevolutionärer Dichter der Großstadt; Bitterkeit und Liebe, Rebellion und Resignation beherrschen seine von Marxismus und Existentialismus inspirierten Gedichte.

jr., Abk. für **junior,** der Jüngere.

J-Teilchen, *Physik:* das →Psiteilchen.

JU, Abk. für →**Junge Union.**

Juan Carlos I., König von Spanien

Juan ['xu̯an], **1) Johann von Österreich** (Don J. de Austria), span. Feldherr, *Regensburg 24. 2. 1547, †Bouge (bei Namur) 1. 10. 1578; nichtehel. Sohn Kaiser Karls V. und der Barbara Blomberg, unterdrückte im Auftrag Philipps II. von Spanien 1569/70 den Aufstand der Morisken in Granada, erfocht 1571 den Seesieg bei Lepanto über die Türken, wurde 1576 Statthalter in den Niederlanden, ohne die aufständ. Provinzen zu befrieden.

2) J. Carlos I., König von Spanien, *Rom 5. 1. 1938; Enkel Alfons' XIII., ⚭ (seit 14. 5. 1962) mit Sophia von Griechenland, bestieg nach dem Tod Francos als dessen designierter Nachfolger 1975 den Thron, förderte maßgeblich den Aufbau eines demokrat. Staates; erhielt 1982 den Karlspreis der Stadt Aachen.

Juana Inés de la Cruz ['xu̯ana i'nez ðe la 'krus], Sor, mexikan. Dichterin, *San Miguel de Nepantla 12. 11. 1651, †Mexiko 17. 4. 1695; ging 1667 ins Kloster. Themen ihrer Dichtung sind weltl. und myst. Liebe, aber auch Zeitkritik und Moralvorstellungen; Hauptwerk ist das philosoph. Lehrgedicht »Die Welt im Traum« (1692).

Benito Juárez García

Juan-Fernández-Inseln ['xu̯an fɛr'nandes], chilen. (seit 1817) Inselgruppe im Pazif. Ozean, 700 km westlich der Küste Südamerikas. Hauptinseln: **Isla Róbinson Crusoe** (bis 1966 Isla Más a Tierra), **Isla Alejandro Selkirk** (Alexander Selkirk, bis 1966 Isla Más Afuera), insges. 187 km², rd. 600 Ew.; Nationalpark. 1574 (?) durch den Spanier Juan Fernández entdeckt; 1704–09 lebte hier der schott. Seemann A. Selkirk, D. Defoes Vorbild für »Robinson Crusoe«.

Juan-les-Pins [ʒɥãle'pɛ̃], Kurort an der frz. Riviera, zur Gemeinde Antibes gehörig.

Jubeljahr

Papst Bonifatius VIII. verkündete 1300 erstmals das »Heilige Jahr«. Aus dem Alten Testament kannte man die Einrichtung des »Jubeljahrs«, das einen allgemeinen Schuldenerlass mit sich brachte. In Anlehnung an dieses Vorbild bot das Heilige Jahr den Rompilgern die Gelegenheit, einen vollkommenen »Jubiläumsablass« zu gewinnen. Ursprünglich sollte dieser Ablass nur alle 100 Jahre ausgeschrieben werden, aber aufgrund der enormen Nachfrage reduzierten die Päpste den Zeitabstand auf zunächst 50, dann 33 und schließlich (seit 1470) auf 25 Jahre.

Juárez García ['xu̯arɛs gar'sia], Benito, mexikan. Staatsmann, *San Pablo Guelatao (bei Oaxaca) 21. 3. 1806, †Mexiko 18. 7. 1872; indian. Abstammung, Anhänger der Liberalen, seit 1858 Vizepräs., 1861–72 Präs., erließ 1859 Reformgesetze u. a. über die Trennung von Kirche und Staat. Die Einstellung der Zinszahlungen gab den Anlass zu einer frz.-engl.-span. Intervention, in deren Folge der österr. Erzherzog Maximilian 1864 als Kaiser eingesetzt wurde. J. G. gewann jedoch die Oberhand und ließ Maximilian 1867 erschießen.

Juba [dʒ-] (arab. Djuba), **1)** *der* (Somali: Webe Ganaane, früher italien. Giuba), Fluss in Ostafrika, 1650 km lang, entsteht aus zwei Quellflüssen in SO-Äthiopien, durchquert S-Somalia, mündet in den Ind. Ozean; längs des Flusses Bewässerungsfeldbau.

2) Stadt im S der Rep. Sudan, am Bahr el-Djebel, 115 000 Ew.; kath. Erzbischofssitz, Univ.; Zigarettenfabrik; Endpunkt der Nilschifffahrt, Straßenknotenpunkt (Nilbrücke), internat. Flughafen.

Jubail [dʒ-] (Al-Jubayl), neue Hafenstadt in Saudi-Arabien, am Persischen Golf nördlich von Damman, für 100 000 Ew. geplant; Hüttenwerk, Erdölraffinerie, petrochem. Ind.; Kraftwerke und Meerwasserentsalzungsanlagen.

Jubeljahr, 1) *Judentum:* (Jobeljahr, Halljahr, Erlassjahr) nach 3. Mose 25,8 ff. jedes 50. Jahr, mit Sklavenbefreiung, Schulderlass und Rückgabe von verkauftem Boden; hl. Jahr der Juden.

2) *kath. Kirche:* (Heiliges Jahr, Jubiläumsjahr, Anno Santo) ein Jahr, das der inneren Erneuerung der Gläubigen dienen soll; erstmals 1300, seit 1475 alle 25 Jahre begangen. Das J. wird am Weihnachtsfest mit dem Öffnen der Hl. Pforte in der Peterskirche durch den Papst eingeleitet und durch ihre Vermauerung wieder beschlossen. Das letzte regelmäßige J. war 1975; 1983 war ein außerordentl. J. zur 1950-Jahr-Feier der Erlösungstat Christi.

Jubiläen, Buch der (Kleine Genesis), im 1. Jh. v. Chr. wohl in essen. Kreisen (→Qumran) entstandene, fragmentar., im hebr. Original erhaltene Bearbeitung von 1. Mose 1 (Genesis) und 2. Mose 1–12; vollständig in äthiop. Übersetzung erhalten.

Jubilate [lat. »jubelt!«, Anfangswort des 66. Psalms], im Kirchenjahr der dritte Sonntag nach Ostern.

Júcar ['xu:kar] *der,* Fluss in O-Spanien, 498 km lang, entspringt im Iber. Randgebirge, durchfließt die südöstl. Mancha, mündet südlich von Valencia ins Mittelmeer; zahlr. Stauseen.

Juchacz ['juxas], Marie, Sozialpolitikerin (SPD), *Landsberg (Warthe) 15. 3. 1879, †Düsseldorf 28. 1. 1956; 1919 Gründerin der Arbeiterwohlfahrt (seit 1949 Ehrenvors.), 1920–33 MdR.

Juchten *der* oder *das* (Juchtenleder), urspr. mit Weiden- und Birkenrinde gegerbtes Leder, das mit

Judas 1) Judas Ischariot als Teilnehmer des Abendmahls in einer Handschrift des frühen 13. Jh. (Brandenburg, Domstiftsarchiv)

Birkenteeröl imprägniert wurde; heute i. Allg. stärker gefettetes Leder für Stiefelschäfte und Arbeitsschuhe.

Jucken (Hautjucken, Pruritus), hautspezif. Empfindung, die lokalisiert oder generalisiert bei versch. Hautkrankheiten (z.B. Ekzemen), allerg. Reaktionen, inneren Erkrankungen (z.B. Gelbsucht), aber auch unterschiedl. Schädigungen anderer Art, v.a. durch Verbrennungen (z.B. Sonnenbrand), Insektenstiche oder Infektionskrankheiten mit Hautbeteiligung (z.B. Windpocken), auftritt.

Juda, 1) im A. T. der Stammvater des Stammes Juda, Sohn des Jakob und der Lea.

2) der wichtigste israelit. Volksstamm, der sich nach der Einwanderung in Palästina im Süden des Landes in dem Gebiet um Hebron und um Jerusalem ansiedelte, das seit seiner Eroberung durch David (um 1000 v. Chr.) Hptst. war. Seit der Reichsteilung in ein Süd- und Nordreich (→Israel) nach dem Tod Salomos (926) blieb das Königtum von J. im »Haus Davids«. 722 überdauerte J. den Ansturm der Assyrer und verlor erst nach der Zerstörung Jerusalems (587 v. Chr.) seine Eigenstaatlichkeit an die babylon. Großmacht (»Babylonische Gefangenschaft«). Im pers. Weltreich 445 war J. wieder eine eigene Provinz (Neh. 5,14). (→Judäa, →Juden, Geschichte)

Judäa, in der grch.-röm. Antike amtl. Name des südl. Teils Palästinas; nach dem Zusammenbruch des Reiches Juda eigenständige pers. Provinz und Auffangbecken für die aus der Babylon. Gefangenschaft heimkehrenden Juden. Danach unter wechselnder Oberherrschaft (Ptolemäer, Seleukiden, Hasmonäer). 6–41 und 44–66 röm. Prokuratur. Während des jüd. Krieges erhielt das gesamte Gebiet Palästina den amtl. Namen J. (Iudaea); nach dem jüd. Krieg (66–70) röm. Provinz, nach dem Bar-Kochba-Aufstand (135) zur Provinz Syria Palaestina.

Judas, 1) J. Ischariot (Iskarioth), einer der zwölf Jünger Jesu; verriet Jesus an die jüd. Behörde (Mk. 14,10f.); erhängte sich nach der Tat (Mt. 27,3–5); sein Beiname wird verschieden gedeutet: als Sikarier (Angehöriger einer militanten antiröm. Sekte), wahrscheinlicher aber ist »Mann aus Karioth« (in Südjudäa); zum häufigen Motiv in der Kunst wurde der **J.-Kuss** (Mk. 14,45).

2) J. Makkabäus (Makkabi), jüd. Heerführer, Sohn des Priesters Mattathias, leitete den Befreiungskampf der Juden gegen die syr. Könige, fiel 161 v. Chr. im Kampf gegen die Seleukiden; hierüber wird in den beiden Makkabäerbüchern erzählt.

3) J. Thaddäus, in den Apostellisten Lk. 6,16 und Apg. 1,13 einer der zwölf Jünger Jesu, in Mk. 3,18 und Mt. 10,3 Thaddäus genannt; Heiliger, Tag: 28. 10.

Judasbaum (Cercis siliquastrum), Art der Hülsenfrüchtler in S-Europa, O-Asien und Nordamerika; Baum mit rosa- bis purpurroten Blüten; liefert Tischler- und Drechslerholz.

Judasbrief, einer der →Katholischen Briefe des N. T., um 100 n. Chr. verfasst; gegen Irrlehrer, Spötter und Lästerer Jesu Christi gerichtet, die an den christl. Liebesmahlen teilnahmen.

Judasohr (Breite des Fruchtkörpers 5–12 cm)

Judas|ohr (Holunderpilz, Hirneola auricula-judae), Ständerpilz mit ohrmuschelförmigem Fruchtkörper; häufig an alten Holunderstämmen.

Juden [hebr. jehudi], im A. T. Bez. der Angehörigen des Stammes bzw. der Bewohner des Südreiches →Juda (»Judäer«; z.B. 2. Kön. 16,6); nach der Babylon. Gefangenschaft zunächst Bez. für die Angehörigen des Volkes →Israel insgesamt, in der späteren →Diaspora auch jüd. Selbstbezeichnung. Seit dieser Zeit ist »Jude« ethn. und religiöser Begriff zugleich und beschreibt die Angehörigen des

Juden

Zu den wichtigsten Gebeten, die der Jude mehrmals täglich betet, zählt das »Schema Jisrael«: Es besteht aus drei Bibelstellen (5. Mose 6, 4–9, 11, 13–21; 4. Mose 15, 37–41). Dieses Gebet, das der fromme Jude mit seinem letzten Atemzug sprechen will, beginnt mit den Worten: »Höre Israel, der Herr unser Gott ist ein einziger Gott, und du sollst den Herrn, deinen Gott, lieben von ganzem Herzen, von ganzer Seele, von allem Vermögen! Und diese Worte, die ich dir heute gebiete, sollst du dir zu Herzen nehmen und sollst sie deinen Kindern einschärfen und davon reden, wenn du in deinem Hause sitzest oder auf dem Wege gehest, wenn du dich niederlegst oder aufstehst, und sollst sie binden zum Zeichen auf deine Hand, und sie sollen dir ein Denkmal vor deinen Augen sein, und du sollst sie über deines Hauses Pforten schreiben und an die Tore.«

Juden - Ausbreitung des Judentums bis zum 6. Jahrhundert

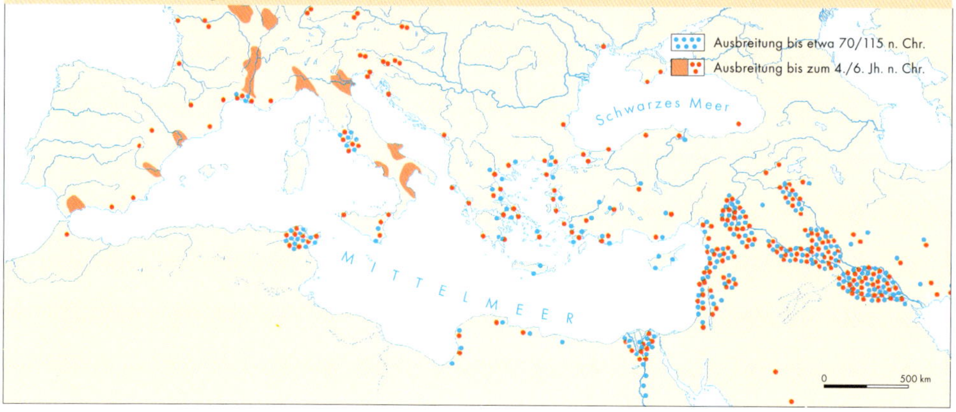

jüd. Volkes und die dem jüd. Religionsgesetz verpflichteten Bekenner des einen Gottes →Jahwe. Nach rabbin. Verständnis ist Jude, wer von einer jüd. Mutter abstammt oder »rite« (nach orth. Norm) zum Judentum übergetreten ist. Während liberale jüd. Kreise der Gegenwart das **Judentum** lediglich als Religionsgemeinschaft verstehen, halten die in Israel dominierenden konservativ-orth. Kreise (v.a. die durch den →Zionismus geprägten) an der traditionellen Einheit von jüd. Volk und Religion fest.

Ethnisch verstehen sich die J. als Nachkommen →Abrahams, theologisch als Träger der von Gott gegebenen Verheißung (1. Mose 17). Von den heute rd. 17,6 Mio. J. leben rd. 3,7 Mio. in Israel, 5,7 Mio. in den USA und 1,7 Mio. in der GUS, v.a. in Russland und Weißrussland (seit 1990 starke Auswanderung); in Dtl. rd. 33 000. Seit der Kultzentralisation durch König →Salomo bis zur Zerstörung des zweiten jüd. Tempels durch die Römer 70 n. Chr. – unterbrochen durch die Zeit der Babylon. Gefangenschaft 587–538 v. Chr. und die mit ihr verbundene Deportation der jüd. Oberschicht – war der Jerusalemer Tempel der alleinige Mittelpunkt und die Jerusalemer Tempelpriesterschaft der alleinige Träger der jüd. Religion. Religionsfragen wurden seit dem 2. Jh. v. Chr. dem jüd. Hohen Rat (→Synedrion) als der obersten Behörde zur verbindl. Entscheidung vorgelegt. Nach der Zerstörung des Tempels und der Entstehung der weltweiten jüd. Diaspora wurde die (im Exil entstandene) →Synagoge zum Mittelpunkt, die →Pharisäer als Repräsentanten der jüd. Lehrtradition und -diskussion (Schriftgelehrte) wurden zum Träger der jüd. Religion. An die Stelle des Opferdienstes treten im rabbin. Judentum das Lesen und Vergegenwärtigen der →Thora, deren kanon. Textgestalt als hebr. Bibel um 90 n. Chr. festgelegt wurde. Der bisher nur mündlich überlieferte, auf der Thora fußende jüd. Lehrstoff (→Halacha) wurde in der →Mischna als wichtigster Sammlung zusammengefasst und in den jüd. Akademien von Palästina und Babylonien kommentiert. Gesammelt und systematisiert in der →Gemara niedergelegt, bilden die rabbin. Kommentare mit der Mischna den →Talmud. Prägend für die myst. Richtung jüd. Denkens wurde seit dem 12. Jh. die →Kabbala, von der wesentl. Impulse auf den späteren Chassidismus (→Chassidim) ausgingen.

Theologie: Das Judentum ist durch einen strengen Monotheismus gekennzeichnet. Grundlage der jüd. Religion ist das Bekenntnis zu dem einen Gott (Jahwe), dem der Mensch ohne Mittler gegenübersteht und der seinen Willen für die Menschen verbindlich in der Thora niedergelegt hat, deren zentrales Gebot das der Nächstenliebe ist (3. Mose 19, 18). Das Leben des »Frommen in Israel« ist nach Gottes Willen dazu bestimmt, ihm und seinen Mitmenschen zu dienen. Die Welt wird als gute Schöpfung Gottes verstanden, über die der Mensch gesetzt ist, sie »zu bebauen und bewahren« (1. Mose 2, 15). Am Ende der Zeiten wird der aus dem Geschlecht Davids stammende →Messias das Reich Gottes als Reich des Friedens für die J. und die »Gerechten« aus allen Völkern aufrichten. Die jüd. religiöses Selbstbewusstsein begründenden bibl. Kernereignisse sind Gottes Bundesschluss mit Abraham und seine Verheißung an dessen Nachkommen (1. Mose 17), Israels Befreiung aus Ägypten (2. Mose 3 und 14) und Gottes Offenbarung und Israels Erwählung am Sinai (2. Mose 19). Dogmen und damit eine Dogmatik im eigentl. Sinn kennt das Judentum nicht. Kennzeichnend für das jüd. theolog. Denken ist die durch die Jh. ununterbrochene Diskussion und Interpretation der in Thora und Talmud vorgegebenen Tradition durch die versch. rabbin. Schulen. Die jüd. Orthodoxie sieht dabei neben der Thora als der wörtl. Offenbarung Gottes auch den Talmud als von Gott geoffenbart und damit in seinem Gesetzesbestand unveränderlich an, während das Reformjudentum in ihm den von jeder Generation neu unternommenen Versuch sieht, die Thora im jeweils konkreten histor. und soziokulturellen Lebensumfeld der Gemeinde auszulegen. Grundlegend für den reformjüd. Denkansatz ist die Interpretation des Judentums als eth. Monotheismus, dessen höchster Wert die Gerechtigkeit und das aus ihr folgende gerechte menschl. Handeln ist. Die Gründung des »weltl.« Staates Israel ist für das gesamtjüd. (religiöse) Denken Grund zu einer Neubesinnung auf das Verhältnis der J. (bes. des Diasporajudentums) zum »verheißenen Land«. Orthodox-nationalreligiöse Kreise in Israel übten dabei seit dem Sechstagekrieg (1967) in versch. Reg. nicht unbeträchtl. Einfluss auf die Politik des Staates Israel aus (Siedlungspolitik). Zum modernen jüd. theolog. und religionsgeschichtl. Denken: L. → Baeck; M. → Buber; F. → Rosenzweig; H.-J. → Schoeps; G. G. → Scholem; E. → Wiesel.

Religiöses Leben: Das religiöse Leben und die Frömmigkeit der J. sind bestimmt durch Gebet, Heiligung des → Sabbat, Synagogalgottesdienst mit Lesung und Auslegung der Thora und Propheten, Beschneidung, besondere Fasten-, Reinheits-, Speisegebote (→ Schächten) und Wohltätigkeit. Der jüd. Jahreskreis wird durch religiöse Feste markiert, in denen Ereignisse der Heilsgeschichte Israels im Glauben vergegenwärtigt werden. An die Befreiung aus Ägypten, die Wüstenwanderung und die Gottesoffenbarung am Sinai erinnern die Feste Pessach (→ Passah), Sukkoth (→ Laubhüttenfest) und Schawuot (→ Wochenfest); an die Wiedereinweihung des Tempels und die Rettung der pers. Juden nach Est. 9,20–32 das Fest → Chanukka und das → Purimfest. Das jüd. Jahr wird eingeleitet durch das Neujahrsfest Rosch-ha-Schana; höchster Feiertag ist der → Versöhnungstag (Jom Kippur). Die jüd. Zeitrechnung (→ Kalender) hat ihren Anfangspunkt in der Weltschöpfung. Das Jahr 1993 gregorian. Zeitrechnung entspricht dem Jahr 5753 jüd. Zeitrechnung. Jüd. Glaubensbekenntnis und Hauptgebet ist das »Höre Israel« (→ Schema Israel); die Aufnahme in die jüd. Gemeinde erfolgt durch die → Bar-Mizwa. Der → Rabbiner ist v. a. Lehrer und Prediger der Gemeinde und entscheidet religionsgesetzl. Fragen. Träger des religiösen Lebens ist die Gemeinde, die in der Gestaltung ihres religiösen und sozialen Lebens selbstständig ist. Eine oberste autoritative Instanz in Glaubensfragen und Sakramente kennt das Judentum nicht.

Geschichte

Frühgeschichte: Israels Frühgeschichte ist nur begrenzt rekonstruierbar. Außerbibl. Quellen sind spärlich, die bibl. Texte (im A. T.) enthalten eher Geschichtsdeutung als zeitgenöss. Material. – Nach der Rückkehr aus der Babylonischen Gefangenschaft setzten die Heimkehrer in die pers. Provinz Juda ihre Auffassung von Religion gegen die nicht deportierte und z. T. mit Fremden vermischte Landesbev. durch (diese gründete die Religionsgemeinschaft der → Samaritaner) und orientierten sich streng an der Thora; an der Spitze der nach ihr verwalteten theokrat. Ordnung standen Hohepriester und Synedrion. 332 v. Chr. wurde Judäa dem Reich Alexanders d. Gr. angegliedert; 198 v. Chr. geriet es unter die Oberhoheit der Seleukiden. Unter Führung der → Makkabäer (Hasmonäer) erlangte Juda wieder Religionsfreiheit (164

Juden - Verbreitung und Vertreibung vom Mittelalter bis zum 17. Jahrhundert

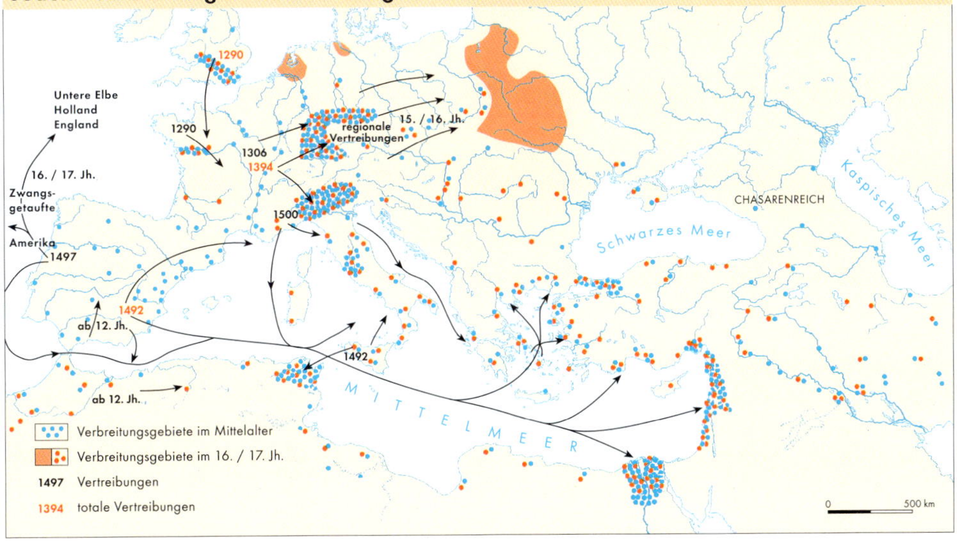

v. Chr.) und polit. Souveränität (141 v. Chr.). Nach schweren inneren Kämpfen büßte die Makkabäerdynastie ihre polit. Macht ein. Pompeius eroberte 63 v. Chr. Jerusalem, und nach einer Übergangsphase etablierte sich Herodes I., d. Gr., als röm. Vasallenkönig (37–4 v. Chr.). Der Kampf der →Zeloten gegen die röm. Herrschaft führte 66 n. Chr. zum 1. jüd. Krieg, den die Römer erst 70 mit der Zerstörung Jerusalems und des Tempels entscheiden konnten.

Talmud. Zeit (70 bis etwa 640): Nach der Niederlage von 70 begann die Zeit der Zerstreuung (Diaspora) über Asien, Afrika und Europa; das palästinens. Judentum organisierte sich neu. 132–135 kam es unter Bar Kochba noch einmal zu einer vergebl. Erhebung gegen Rom. Doch wurde dem Judentum eine Selbstverw. eingeräumt, bestehend aus dem Synedrion unter Vorsitz des Nasi (Patriarch), des jüd. Oberhauptes im Röm. Reich. Um 200 entstand die Mischna. Die auf ihr aufbauende religionsgesetzl. Tradition fand im 5. und 6. Jh. im Talmud ihren schriftl. Niederschlag. Mit seinen großen Talmudschulen übernahm vom späten 3. Jh. an das babylon. Judentum die Führungsrolle.

MA. und frühe Neuzeit: Das babylon. Judentum wurde nach arabisch-islam. Eroberung zw. 630 und 640 intakt in das Kalifenreich integriert. Durch engen Kontakt zur islam. Umwelt entstand eine an der antiken Philosophie orientierte jüd. Theologie und Philosophie, eine hebr. Sprachwiss. und Poetik. – In der christl. (europ.) Welt ergaben sich für die J. handelskolonisator. Möglichkeiten, doch ging seit dem Einsetzen der Kreuzzüge, die Verfolgungen (seit 1215 Festlegung von Sondertrachten und →Judenabzeichen) und Vertreibungen (in Dtl. z. B. 1348–50 anlässlich der Pest; aus England 1290, aus Frankreich 1306 und 1394) mit sich brachten, der Fernhandel mehr und mehr in nichtjüd. Hände über. So blieben den J. v. a. die in der Umwelt verfemten Berufssparten, etwa der Geldhandel (»Wucher«). – Seit der Vollendung der Reconquista 1492 und der Vertreibung der J. aus Spanien und Portugal (1496; Entstehung der →Sephardim) verlagerte sich das Schwergewicht des europ. Judentums nach O-Europa (Polen). Aus den →Aschkenasim entstand im 18. Jh. das Ostjudentum mit seiner lange Zeit das – in Westeuropa auch negative – Bild des Judentums prägenden Kultur: strenge Frömmigkeit, traditionell festgelegte Kleidung und Haartracht, Leben im »Schtetl«. Dem auch im Judentum aufkommenden Rationalismus versuchten die →Kabbala und später der osteurop. Chassidismus (→Chassidim) zu begegnen.

Judenverfolgung 1939 - 45

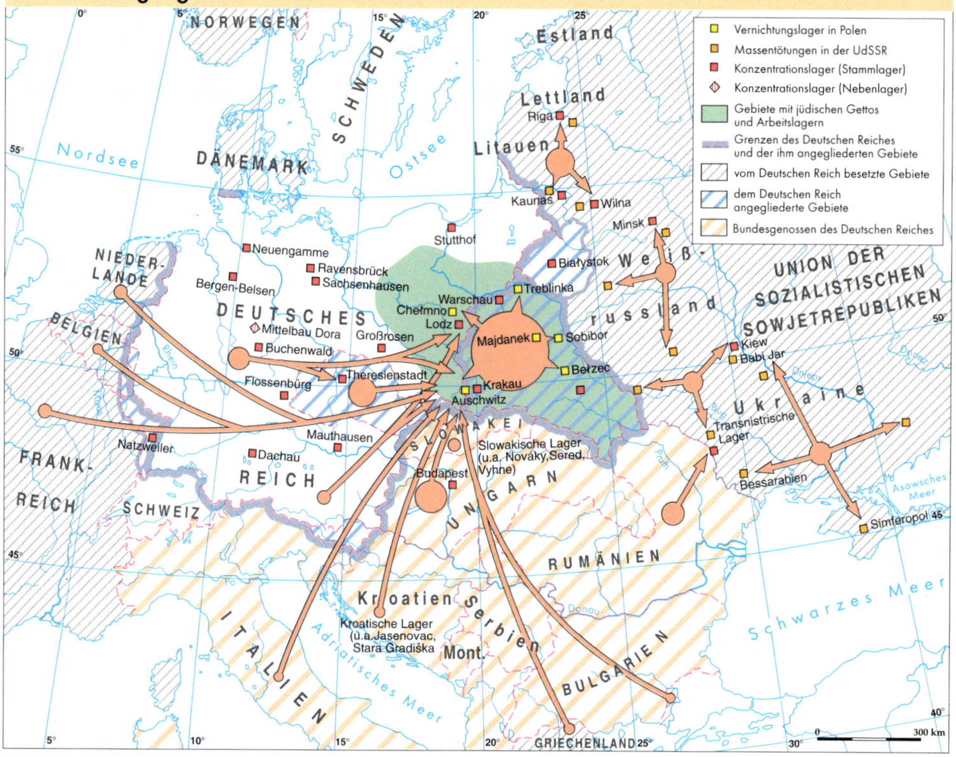

18. bis 20. Jahrhundert: Die Erschütterung durch den Sabbatianismus (→Sabbatai Zwi) bereitete im Judentum Mittel- und W-Europas den Boden für die Aufklärung (→Haskala), deren Ziele (Regeneration der hebräischen Sprache und Lit., gegenwartsbezogene Erziehung, Assimilation) nicht ohne innerjüd. Widerstand blieben. Nach den judenfeindl. Pogromen von 1881/82 resignierten die Aufklärer; ihr Erbe trat z. T. die aufkommende palästinaorientierte nat. Bewegung an, die gewisse Autonomiehoffnungen für das Judentum hegte. 1917 unterstützte die brit. Reg. den →Zionismus (Balfour-Deklaration) und sagte ihre Unterstützung beim Aufbau einer »nat. Heimstätte« in Palästina zu, das 1920 brit. Mandatsgebiet wurde. – Die Vernichtung eines Drittels des gesamten Judentums während der nat.-soz. Judenverfolgung (Holocaust, hebr. Schoah) bestärkte die zionist. Bewegung. Die Pioniergesellschaft des jüd. Palästina (Jewish Agency for Palestine) und der 1948 nach UN-Beschluss gegründete Staat Israel boten die Möglichkeit der freien Selbstentfaltung und der Selbstbestimmung. Dennoch vermag Israel nur einen Teil der J. aufzunehmen; für die Einwanderung wirkt die 1948 geschaffene Jewish Agency for Israel. – Das Judentum der Gegenwart wird heute in Erscheinung und Entwicklung von den J. Israels und den J. in den USA (in vier Denominationen) bestimmt. Im Mai 1991 übersiedelten die letzten 15 000 »Schwarzen J.« (Falascha) aus Äthiopien nach Israel. Dachorganisation der J. in 70 Ländern ist der →World Jewish Congress; analog existiert der Europ. Jüd. Kongress und der →Zentralrat der Juden in Deutschland. (→Israel, Geschichte)

🕮 GRAETZ, H.: *Geschichte der J. von den ältesten Zeiten bis auf die Gegenwart, 11 Bde. in 13 Tle. Leipzig* [2-5]*1890–1909, Nachdr. Berlin 1996.* – *Geschichte des jüd. Volkes, hg. v.* H. H. BEN-SASSON, *3 Bde. A. d. Hebr. München 1978–80.* – STEMBERGER, G.: *Das klass. Judentum. Kultur u. Gesch. der rabbin. Zeit. München 1979.* – KATZ, J.: *Aus dem Ghetto in die bürgerl. Gesellschaft. Jüd. Emanzipation 1770–1870. A. d. Engl. Frankfurt am Main 1986.* – MAIER, J.: *Das J. von der bibl. Zeit bis zur Moderne. Neuausg. Bindlach* [3]*1988.* – BUNZL, J.: *J. im Orient. Jüd. Gemeinschaften in der islam. Welt u. oriental. J. in Israel. Wien 1989.* – TREPP, L.: *Die amerikan. J. Profil einer Gemeinschaft. Stuttgart u. a. 1991.* – GREIVE, H.: *Die J. Grundzüge ihrer Geschichte im mittelalterl. u. neuzeitl. Europa. Darmstadt* [4]*1992.* – TREPP, L.: *Der jüd. Gottesdienst. Gestalt u. Entwicklung. Stuttgart u. a. 1992.* – GAY, R.: *Geschichte der J. in Dtl. von der Römerzeit bis zum Zweiten Weltkrieg. A. d. Engl. München 1993.* – VOLKOV, S.: *Die J. in Dtl. 1780–1918. A. d. Engl. München 1994.* – NEHER, A.: *Jüd. Identität. Einführung in den Judaismus. A. d. Frz. Hamburg 1995.* – BEUYS, B.: *Heimat u. Hölle. Jüd. Leben in Europa durch zwei Jahrtausende. Religion, Geschichte, Kultur. Reinbek 1996.* – HERTZBERG, A.: *Judaismus. Die Grundlagen der jüd. Religion. A. d. Engl. Neuausg. Reinbek 1996.* – *Die J. in Dtl. 1933–1945, hg. v.* W. BENZ. *München* [4]*1996.* – SCHUBERT, K.: *Jüd. Geschichte. München* [2]*1996.* – VETTER, D.: *Die Wurzel des Ölbaums. Das Judentum. Freiburg im Breisgau 1996.*

Judenburg: Die Altstadt mit dem frei stehenden Stadtturm (Mitte 15. Jh.) in der Bildmitte

Juden|abzeichen, vom 13. Jh. bis zum 18. Jh. (Aufklärung) von Juden zur Unterscheidung von der übrigen Bev. in der Öffentlichkeit zu tragende Abzeichen (z. B. Judenfleck, Judenhut); während der nat.-soz. Herrschaft in der Form des →Davidsterns wieder eingeführt.

Judenbart, eine Pflanze, →Steinbrech.

Judenburg, Bez.-Hptst. in der Steiermark, Österreich, an der Mur, am Fuß der Seetaler Alpen, 735 m ü. M., 10 600 Ew.; Stahlwerk, Textilind., Kartonagenfabrik. – Gut erhaltene Altstadt, spätgot. Kirchen, Burg Liechtenstein, Schloss Neu-Liechtenstein. – Erhielt vor 1240 Stadtrecht.

Judenchristen, 1) in der frühen Kirche im Unterschied zu den →Heidenchristen Christen jüd. Herkunft, die an den Vorschriften des jüd. Zeremonialgesetzes festhielten; waren v. a. in Palästina, Syrien und Kleinasien verbreitet; 2) christusgläubige Juden im 19. und 20. Jh., die innerhalb des Christentums ihre geschichtl. Identität und religiöse Selbstständigkeit bewahrt haben; organisiert im »Weltbund christl. Juden«.

Judenhut, der in vielen Ländern im MA. als Judenabzeichen vorgeschriebene trichterförmige, meist gelbe Männerhut.

Judenhut: Der Dicher Süßkind von Trimberg mit der im Mittelalter für Juden typischen Kopfbedeckung, Miniatur aus der Manessischen Handschrift (1. Hälfte des 14. Jh.; Heidelberg, Universitätsbibliothek)

Judenkäppchen, →Kippah.

Judenkirsche, die →Blasenkirsche.

Judenstern, →Davidstern.

Judenverfolgungen, seit der Zeit der jüd. Diaspora (Persien 5. Jh. v. Chr.) bezeugte, bis in die

jüdische Kunst: Innenraum der 1519 zerstörten Synagoge von Regensburg, Radierung von Albrecht Altdorfer

jüngste Vergangenheit praktizierte antisemit. Maßnahmen. Neben Pogromen v.a. zur Zeit der Kreuzzüge (u.a. in Frankreich und im Hl. Röm. Reich) fanden nach der Aufklärung J. im 19. Jh. v.a. noch in Russland statt. Ein bis dahin nie gekanntes Ausmaß erreichten die J. im nat.-soz. beherrschten Europa. Nach den Nürnberger Gesetzen von 1935 und der Pogromnacht 1938 (»Reichskristallnacht«) wurden im Zuge der »Endlösung der Judenfrage« (→ Wannseekonferenz) etwa 6 Mio. Juden in Konzentrations- und v.a. Vernichtungslagern ermordet (Holocaust). (→ Einsatzgruppen)

jüdische Kunst: Thorarolle mit Thoramantel und Thoraaufsätzen (Rimmonim), die auf die Enden der beiden Holzstäbe gesetzt werden, an denen die Enden der Thorarolle befestigt sind (Preußen, 18. Jh.; jetzt New York, The Jewish Museum)

Judika [lat. »richte!«, Anfangswort des 43. Psalms], im Kirchenjahr der zweite Sonntag vor Ostern.

Judikative *die,* die richterl. Gewalt im Staat (→ Gewaltenteilung).

jüdische Kunst, im strengen Sinn jüdisch-religiöse Kunst jüd. und nichtjüd. Künstler (die Juden waren seit Entwicklung des Zunftwesens in Mitteleuropa bis 1812 vom Handwerk ausgeschlossen), im weitesten Sinne Kunst der Juden. – Das bibl. Bilderverbot (2. Mos. 20, 4; 5. Mos. 5, 8), oft fälschlich als generelles Verbot der Menschendarstellung aufgefasst, diente laut Mischna der Abgrenzung vom Götzenkult. Illustrative figürl. Darstellung war erlaubt. – Neben dem unter Salomo erbauten und im 6. und 1. Jh. v. Chr. wieder errichteten Tempel in Jerusalem entstanden wohl seit dem 3. Jh. v. Chr. Synagogen im Röm. Reich, die meisten in Palästina nach der Zerstörung des Tempels 70 n. Chr., Saalbauten auch mit Querhäusern oder dreischiffige Synagogen im römisch-hellenist. Stil. Im 5.–7. Jh. überwog der dreischiffige Typus mit Apsis (Thoranische). Bodenmosaike zeigen oft figürl. Szenen, die vorher nur in Fresken in Dura-Europos (3. Jh. n. Chr.) bezeugt sind. Erhalten sind ferner Grabsteine, Sarkophage, Siegel, Münzen, Öllampen und Gläser mit jüd. Motiven wie dem siebenarmigen Leuchter (Menora) oder Palmzweig und Etrog (aromat. Zitronenart) vom Feststrauß des Laubhüttenfests. Im 12. Jh. nahm die j. K. einen neuen Aufschwung, v.a. Buchmalerei und Baukunst. Im Synagogenbau Betonung der Mitte durch die Almemor (Podium für die Thoralesung in Synagogen) und Anordnung der Sitze für die Männer; Frauensitze in Anbauten, später auf Emporen. Als Baumeister werden vielfach nichtjüd. Baumeister angenommen. Seit dem 12. Jh. erhielt neben Saalbauten der zweischiffige Bau Vorrang, in Dtl. im roman. und got. Stil, in Spanien (12.–14. Jh.) im Mudéjarstil. Einen Sondertypus repräsentieren seit dem 16. Jh. die Festungs- und Holzsynagoge mit reichen Malereien und Schnitzereien. In Italien, den Niederlanden und S-Frankreich wurden im 17. und 18. Jh. die Stilelemente des Barock auch auf Synagogen übertragen. – Neben der Synagoge ist das rituelle Tauchbad (Mikwe) Hauptthema der jüd. Baukunst. Die teilweise aufwendig dekorierten Bäder wurden im MA. als Schachtanlagen angelegt (u.a. Friedberg/Hessen, Worms, Speyer). – Die seit dem 13. Jh. erhaltene reiche Buchmalerei aus Spanien, Italien, Frank-

jüdische Kunst: »Samuel salbt David zum König«, Fresko aus der Synagoge von Dura-Europos im Stil byzantinischer Bildzyklen (Mitte des 3. Jh. n. Chr.; Damaskus, Nationalmuseum)

reich und Dtl. (bes. Bibeln, Gebetbücher [Machsorim] und Ausgaben von Texten der jüd. Tradition [Haggadot]) wich seit dem 16. Jh. Buchdruck und Buchillustration (bes. Estherrollen) und den künstlerisch gestalteten Eheverträgen (Ketubba). – Die Zeremonialkunst der Synagoge umfasst holzgeschnitzte, auch steinerne Ausstattungsstücke wie den Almemor, den Thoraschrein (Aron ha-Kodesch); zu Meisterwerken der Goldschmiedekunst gehören oft der silbergetriebene Thoraschmuck (Thorakronen; »Rimonim«, die Aufsätze für die Rollstäbe; Thorazeiger; Thoraschilder) sowie Lampen (»Ewiges Licht«) aus Silber, Messing oder Gelbguss, v.a. die siebenarmige →Menora. Zur häusl. Kleinkunst gehören Mesusa (Kapseln mit hebräischen Segenssprüchen am Türpfosten des jüd. Hauses), Sabbat- und Chanukkalampen, zinnerne Sederschüsseln und oft selbst bemalte Purimteller. – Seit dem 19. Jh. entstanden Synagogen in allen größeren Städten, meist in historisierenden Stilen. In Dtl. wurden in den 1980/90er-Jahren mehrere Synagogen errichtet, z.B. wurde 1987 die neue Synagoge in Mannheim eingeweiht, 1988 folgte die Synagoge in Darmstadt, 1994 die in Heidelberg. Die Neue Synagoge in Berlin (1857 ff., 1943 schwer beschädigt) wurde 1988–95 im alten orientalisierenden Stil wieder aufgebaut. – Seit der Emanzipation der Juden im 18. und bes. im 19. Jh. fanden jüd. Künstler weltweit Anerkennung und beeinflussten z.T. wesentlich internat. Schulen und Tendenzen (u.a. C. Pissarro, M. Liebermann, A. Modigliani), wobei einige, z.B. der Grafiker L. Pasternak, die Maler M. Chagall und A. Kaplan, jüd. Thematik oder Tradition in ihre Werke einbezogen. – Zionist. Tendenzen führten 1906 zur Gründung der Bezalel-Kunstschule in Jerusalem. Neu eingewanderte Juden bildeten im modernen Israel Kunstzentren, die z.T. auch die religiöse Kunst pflegen.

jüdische Literatur, literar. Werke, die von einem jüd. Autor stammen (v.a. die →hebräische Literatur, die →jiddische Literatur und die Lit. in Ladino) und deren Thematik jüdisch ist bzw. in jüd. Tradition steht. Der Literaturbegriff i.w.S. umfasst neben Belletristik das religiöse Schrifttum, Werke der (Religions-)Philosophie, der Geschichtsschreibung, jurid. Texte, auch im Zusammenhang mit dem jüd. Religionsgesetz stehende medizin., natur- und sprachwiss. Schriften v.a. mittelalterl. jüd. Autoren sowie die für die kulturelle Mittlerfunktion des Judentums charakterist. Werke der Übersetzungsliteratur vom MA. bis in die Gegenwart als bed. Dokumente der allg. Geistes- und Kulturgeschichte.

📖 Stemberger, G.: *Geschichte der j. L. Eine Einführung. München 1977.*

jüdische Musik. Die frühesten Quellen zur j. M. finden sich in den Büchern der Bibel (erstmals 1. Mos. 4, 21) und in schriftl. und ikonograph. Quellen. Demnach waren gezupfte Saiteninstrumente, Hörner und Trompeten sowie Schlagzeuge aus Bronze und Handtrommeln bekannt. Die Instrumente waren versch. Ständen (Priester, Leviten, Laien) zugewiesen. Im Tempel von Jerusalem hatte sich der Vollzug der Riten mit einem festgelegten Musikzeremoniell verbunden. Zur Reg.zeit Davids (um 1000 v.Chr.) waren die Organisation der Tempelorchester und -chöre sowie die Berufsausbildung der Tempelmusiker in einer eigenen Akademie verwirklicht. Nach dem Fall des alten Reiches (70 n.Chr.) entwickelte die jüd. liturg. Monodie die drei Gesangstile der Psalmodie,

jüdische Kunst: Die 1987 eingeweihte neue Synagoge in Mannheim

jüdische Literatur: Beginn des 13. Kapitels des 4. Buchs Mose mit textkritischen Anmerkungen, Seite aus dem Pentateuch in einer wahrscheinlich in Ägypten 1106 verfassten Handschrift (Jerusalem, Jüdische National- und Universitätsbibliothek)

Lectio und Hymnodik. Das Singen der Psalmen (Psalmodie) war während der Blütezeit des Tempels offensichtlich mit festl. Chor- und Orchesterbegleitung bedacht worden. Die melod. Linie fügt sich genau dem Parallelismus des Textes. Satzanfang, -mitte und -schluss erhalten ein Melisma, während die verbindenden inneren Satzteile auf einer Eintonlinie rezitiert werden. Die Bibelkantillation (Lectio) kann durch ihre kunstgerechte Anpassung an den unregelmäßigen Satzbau der Prosabücher im A.T. als eine Ausweitung des formelhaften Psalmsingens angesehen werden. Hymnodik und Gebetslyrik gehören den nachbibl. Zeiten an. Die Wortdeklamation war akzentisch, die Melodien behielten ihren frei rezitativ. Charakter bei, mindestens bis zum Einbruch der metr. arab. Lyrik (10. Jh.).

Unter span. Einfluss erfolgte, bes. im 15. Jh., eine mehr liedmäßige Gestaltung der Melodien. Von ihnen hebt sich die neuere Gebetslyrik ab, deren ornamentale Melodien einen stimmbegabten und bes. ausgebildeten Kantor forderten. Seit der jüd. Emanzipation um 1800 bewirkte die synagogale Reform eine Angleichung der Kantoralmusik an die europ. Kunstmusik mit Melodiebearbeitungen für Orgel und mehrstimmige Synagogenchöre. Ihnen folgten oratorienartige, gottesdienstl. Kompositionen von E. Bloch, D. Milhaud, das »Kol nidre« von A. Schönberg sowie geistl. Kantaten israel. Komponisten wie K. Salomon, A. U. Boskovich, Ö. Partos, J. Tal, Y. Sadai, L. Schidlowski.

Franz Rosenzweig

jüdische Philosophie, Bez. für die Bestrebungen, jüd. Traditionsgut mit allg. philosoph. Problemstellungen zu verknüpfen. – Das Eindringen grch. Philosophie in die jüd. Tradition lässt sich bis in die Mitte des zweiten Jh. v. Chr. im Diasporajudentum zurückverfolgen. Aristobulos wandte die von den Sophisten und Stoikern angewandte allegor. Schriftauslegung auf die religiösen Urkunden an. Philon von Alexandria setzte dies fort und entwarf ein von Platon, der Stoa und dem Neupythagoreismus beeinflusstes jüd.-philosophisches System. Im 10. Jh. begründete Saadja Fajjumi (†942), bestrebt, eine Apologie des jüd. Glaubens zu geben, eine Lehre von der Einheit von Vernunft und Offenbarung. In enger Verbindung mit der islam. Philosophie entwickelte sich die j. P. vor allem in Spanien. Ibn Gabirol verarbeitete neuplaton. Gedankengut. Einen jüd. Aristotelismus, orientiert an der Auslegung des Averroes, entfalteten Mose ben Maimon, Levi ben Gerson (*1288, †1344), Abraham Ibn Daud und Chasdai Crescas. Zudem waren es v. a. die Juden, die durch ihre ausgedehnten merkantilen Beziehungen zur Verbreitung islam. Philosophie im MA. beitrugen. – Mit Moses Mendelssohn, der u. a. das Verhältnis der Religionen zum Staat thematisierte, nahm im 18. Jh. die j. P. an der Aufklärung teil. Beeinflusst von I. Kant setzten sich Samson Raphael Hirsch (*1808, †1888; Pseud. Ben Usiel) und H. Cohen mit der jüd. Tradition auseinander. Letzterer gesteht den Religionen über die Philosophie hinausgehende Beiträge zu Grundbegriffen des moral. Lebens zu. An Hegel kritisch anknüpfend entfalteten F. Rosenzweig und M. Buber ihre Religionsphilosophien, verbunden mit sozialphilosoph. Fragestellungen. Zur Entwicklung des amerikan. Judentums nach dem 2. Weltkrieg trug Wesentliches Mordechai Kaplan (*1881, †1983) mit seinen Studien zu jüd. Identität und dem Judentum als Zivilisation bei. Der Holocaust und die Gründung des Staates Israel stellen sich für Emil Fackenheim (*1916) als »Epoche machende Ereignisse« dar, die eine neue Art der Wahrnehmung der Gegenwart und Zukunft notwendig machen. É. Lévinas knüpfte an Phänomenologie und Existenzphilosophie an und suchte den jüd. Messianismus zu einer Ethik des radikalen Humanismus weiterzuentwickeln.

jüdische Philosophie (von links): Moses Mendelssohn, Ausschnitt aus einem Gemälde von Anton Graff (1771) und Martin Buber

Jüdisches Autonomes Gebiet, autonomes Gebiet innerhalb der Russ. Föderation, am mittleren Amur, 36 000 km², (1994) 217 800 Ew. (1989: 83 % Russen, 8 % Ukrainer, 4 % Juden); Hptst. ist Birobidschan. Der NW wird von waldbedecktem Bergland eingenommen (bis 1000 m ü. M.; Abbau von Gold, Zinnerz), im S und O Flachland (teilweise versumpft) mit Ackerbau (Weizen, Roggen, Kartoffeln, Reis). – Das J. A. G. wurde 1934 gebildet; erklärte sich 1991 für autonom.

jüdische Sprachen, zusammenfassende Bez. für die →hebräische Sprache, die →jiddische Sprache und das →Ladino.

Judith, die Heldin des im 2. Jh. v. Chr. entstandenen apokryphen Buches J. des A. T. Während einer Belagerung ihrer Vaterstadt Baitylua (bei Luther: Bethulia) ging J. ins feindl. Lager zum assyr. Feldherrn Holofernes; dem Schlafenden schlug sie das Haupt ab, daraufhin flohen die Belagerer.

Judo [aus japan. ju »sanft nachgeben«, »ausweichen« und do »Weg«, »Grundsatz«] *das,* aus Japan stammende Zweikampfsportart, bei der jeder Kämpfer anstrebt, den Gegner auf den Rücken zu werfen oder mit einem Bodengriff zu besiegen.

Gewichtsklassen im Judo

Gewichtsklassen	Männer	Frauen
Extraleicht	bis 60 kg	bis 48 kg
Halbleicht	bis 66 kg	bis 52 kg
Leicht	bis 73 kg	bis 57 kg
Halbmittel	bis 81 kg	bis 63 kg
Mittel	bis 90 kg	bis 70 kg
Halbschwer	bis 100 kg	bis 78 kg
Schwer	über 100 kg	über 78 kg

Die Wirksamkeit der zahlr. Würfe, Griffe und Kombinationen beruht bes. auf der Nutzung biomechan. Gesetze und anatom. bzw. physiolog. Erkenntnisse. Die 14 m × 14 m bis 16 m × 16 m große Wettkampffläche besteht aus der eigentl. Kampffläche (9 m × 9 m bis 10 m × 10 m), einer 1 m breiten, roten Warnfläche und einer 2,5 bis 3 m breiten Sicherheitsfläche. Die J.-Kämpfer (Judoka) kämpfen barfuß im herkömmlich weißen Kampfanzug (Judogi), wobei die Kampfjacke (Kimono) nur durch einen die Graduierung (→Dan, →Kyu) kennzeichnenden Gürtel (Obi) zusammengehalten wird; die Hose heißt Zubon. Die Kampfzeit beträgt 5 min (Männer) bzw. 4 min (Frauen). Gekämpft wird in Alters- und in international festgelegten Gewichtsklassen. Für jede den Bestimmungen entsprechend ausgeführte Technik (Wurf mit beträchtl. Schnelligkeit und Kraft auf den Rücken, Festhaltegriff von 30 s, Aufgabe des Gegners durch die Wirkung eines Armhebels oder Würgegriffs) wird Ippon (Punkt) angesagt. Der Kampf wird von einem Kampfrichter, assistiert von zwei Außenrichtern, geleitet. Olymp. Sportart seit 1964, Weltmeisterschaften seit 1956, Europameisterschaften seit 1951.

Jud Süß, →Oppenheimer, Joseph Süß.

Juel [ju:l], Jens, dän. Maler, * Balslev (auf Fünen) 12. 5. 1745, † Kopenhagen 27. 12. 1802; Aufenthalte in Rom, Paris und Genf; 1780 Hofmaler in Kopenhagen; malte Porträts, Genrebilder, Stillleben, Landschaften; gilt neben N. Abildgaard als der bedeutendste dän. Maler des späten 18. Jh., Lehrer von P. O. Runge.

Jugend, Lebensalterstufe, deren Definition und altersmäßige Bestimmung meist unterschiedlich und ungenau ist, i. d. R. aber eine Zeitspanne zw. dem 12. und 25. Lebensjahr umfasst. Im Strafrecht wird zw. dem noch nicht strafmündigen Kind, dem Jugendlichen und dem Heranwachsenden unterschieden. Zivilrechtlich ist der Begriff der Volljährigkeit von Bedeutung. In biologischmedizin. Sicht versteht man unter J. entweder generell die menschl. Entwicklungsphase zw. Geburt und Erwachsenenalter oder teilt diese in Kindheit und J. und bezeichnet mit J. nun die Zeit zw. dem Beginn der Pubertät und dem Ende dieser biolog. Reifung. – Zur J.-Psychologie →Kinder- und Jugendpsychologie. Zur J.-Soziologie →Jugendsoziologie.

📖 *Jugendprotest im demokrat. Staat, hg. v.* M. Wissmann. *Stuttgart 1983.* – Gillis, J. R.: *Geschichte der J. Tradition u. Wandel im Verhältnis der Altersgruppen u. Generationen in Europa von der zweiten Hälfte des 18. Jh. bis zur Gegenwart. A. d. Amerikan. Weinheim u. a. ²1984.* – Abels, H.: *J. vor der Moderne. Soziolog. u. psycholog. Theorien des 20. Jh. Opladen 1993.* – Hurrelmann, K.: *Lebensphase J. Eine Einführung in die sozialwiss. Jugendforschung, unter Mitarbeit v.* B. Rosewitz *u.* H. Wolf. *Weinheim u. a. ⁴1995.*

Jugend|amt, für alle Angelegenheiten der öffentl. Jugendhilfe nach dem Kinder- und Jugendhilfe-Ges. zuständige Behörde als Teil der Verw. von kreisfreien Städten und Landkreisen. Aufgaben: Erbringung von Angeboten der Jugendarbeit, der Jugendsozialarbeit und des erzieher. Kinder- und Jugendschutzes, zur Förderung der Erziehung in der Familie, von Kindern in Tageseinrichtungen und Tagespflege, Hilfe zur Erziehung und Unterstützung junger Volljähriger. Weitere Aufgaben: Erteilung und Widerruf der Pflegeerlaubnis, Beratung in Verfahren zur Annahme als Kind, Mitwirkung in Verfahren nach dem JGG, Unterhaltssachen u. a. – J. bestehen auch in *Österreich* und der *Schweiz.*

Judith

In der Erzählung über Judith klingen womöglich Erinnerungen an Feldzüge des persischen Königs Artaxerxes III. Ochos gegen Phönikien und Ägypten (um 350 v. Chr.) nach, an denen ein General Orophernes teilnahm. Auf die Verwendbarkeit des Judith-Stoffs für das Theater hat Luther hingewiesen und damit die Dramatisierungen des 16. Jahrhunderts angeregt. Eine psychologische Erklärung der Bluttat als die einer in ihrer Liebe beleidigten Frau hat zuerst Friedrich Hebbel (1840; Parodie von Nestroy 1849) zu geben versucht und dadurch die weiteren Judith-Dichtungen beeinflusst. Im Drama Georg Kaisers »Die jüdische Witwe« (1911) ist parodistisch das psychologische Moment des Judith-Stoffs ins Groteske übersteigert.

Jugend|arbeit, 1) *Arbeitsrecht:* die Erwerbsarbeit von Kindern und Jugendlichen (→Jugendschutz).

2) *Sozialwesen:* Gesamtheit der von privaten und öffentl. Trägern organisierten Aktivitäten für Jugendliche, v. a. auf kulturellem, polit. und sportl. Gebiet sowie im Bereich der Beratung und Bildung (Heime, offene Jugendhäuser, Bildungs-, Beratungs- und Freizeitstätten). Die J. geht über die

Judith mit dem Haupt des Holofernes; Kleinplastik von Conrad Meit (um 1512–14; München, Bayerisches Nationalmuseum)

Aufgaben der Jugendhilfe hinaus und steht allen Jugendlichen offen.

Jugend|arbeitslosigkeit, Beschäftigungslosigkeit von Jugendlichen (15–25 Jahre). Die amtl. Statistik weist gesondert die Altersgruppen »unter 20 Jahre« und »20–25 Jahre« aus. Hauptgründe für zeitweilig überdurchschnittlich hohe J. sind z. T. in demograph. Erscheinungen (geburtenstarke Jahrgänge treten ins Erwerbsleben) zu suchen oder haben konjunkturelle, arbeitspolit. u. a. Ursachen. Gegen die J. wurden u. a. versch. Maßnahmen der Beschäftigungs- und Ausbildungsförderung ergriffen. Nachdem in den 70er-Jahren die J. in der Bundesrep. Dtl. stark angestiegen war (1973: 1%; 1983: 10,9%), erreichte sie bis 1990 etwa den Stand anderer Altersgruppen.

Jugend|arbeitsschutz, →Jugendschutz.

Jugend|arrest, härtestes der im Jugendstrafrecht zulässigen Zuchtmittel unterhalb der Jugendstrafe mit dem Zweck, dem Jugendlichen das Unrecht der Tat bewusst werden zu lassen; J. bedeutet kurzfristige Freiheitsentziehung, wenn die Verhängung von Jugendstrafe nicht erforderlich ist (§ 13 JGG; J. ist gemäß Einigungsvertrag in den neuen Bundesländern nicht anzuordnen). Er kann als **Dauerarrest** (1–4 Wochen), **Freizeitarrest** (1–2 Freizeiten, d. h. Einschließung an Wochenenden) oder **Kurzarrest** (bis 4 Tage) verhängt werden. Vollzugsleiter ist der Jugendrichter. J. wird in das Erziehungsregister eingetragen.

Jugendbewegung, eine pädagog., geistige und kulturelle Erneuerungsbewegung, die um 1900 entstand. In der Absicht, aus eigener Kraft eine selbstverantwortl. Lebensgestaltung zu finden, bildeten sich Jugendgruppen, die – im Ausbruch aus Stadtleben und Ind.gesellschaft – durch Wanderfahrten (→Wandervogel), Lagerleben, Pflege des Volkstanzes und -liedes, des Laienspiels und einfache Kleidung eine auf Freundschaft gegründete Gemeinschaft suchten. Ein Gegengewicht zu völk. Schwärmertum entstand 1908 mit der »Dt. Akadem. Freischar«. In Opposition zu student. Korporationen formierte sich 1913 die »Freidt. Jugend« auf dem Hohen Meißner (→Meißnerformel). Nach dem 1. Weltkrieg nahm die schon vorher erkennbare Zersplitterung der J. zu. Es entstanden völk. (z. B. Bünd. Jugend; seit 1923 auch zusammenfassende Bez. für alle politisch und konfessionell unabhängigen Jugendbünde), religiöse (z. B. Quickborn), weltbürgerlich-pazifist. und sozialist. Gruppen (z. B. Falken). – Die **Arbeiterjugendbewegung** entstand in Dtl. nach 1900 aus Jugendgruppen der Arbeiterbildungsvereine. Gruppen in Offenbach, Mannheim, Ludwigshafen u. a. schlossen sich 1906 unter Führung des Sozialdemokraten Ludwig Frank (*1874, †1914) zum »Verband junger Arbeiter Dtl.s« zusammen (Jugendzeitung »Die junge Garde«, seit 1906). Unabhängig davon waren Ende 1904 in Berlin und Hamburg als »unpolitisch freie Jugendbünde« Gruppen der arbeitenden Jugend entstanden; sie bildeten 1906 die »Vereinigung der freien Jugendorganisationen Dtl.s«. 1908 wurde eine »Zentralstelle für die arbeitende Jugend Dtl.s« gegr., in der die Gründungsverbände aufgingen (Organ: »Arbeiterjugend«). 1919 löste der »Hauptvorstand des Verbands der Arbeiterjugend« die Zentralstelle ab. Danach spalteten sich die »Freie proletar. Jugend« und die »Kommunist. Jugend« ab. – Soweit Verbände der J. nicht in der Hitlerjugend aufgingen, wurden sie 1933 verboten. Nach 1945 wurden →Jugendverbände unter anderem Vorzeichen (wieder) gegründet.

📖 Lütkens, C.: *Die dt. J. Ein soziolog. Versuch. Neuausg. Münster 1986.* – Brand, V.: *Jugendkulturen u. jugendl. Protestpotential. Sozialgeschichtl. Untersuchung des Jugendprotestes von der J. zu Beginn des Jh. bis zu den Jugendkulturen der gegenwärtigen Risikogesellschaft. Frankfurt am Main u. a. 1993.* – Klönne, A.: *Jugend im Dritten Reich. Neuausg. München u. a. 1995.*

Jugenddörfer, Einrichtungen der Jugendhilfe; als Lebensgemeinschaft von Förderungsbedürftigen und Betreuern streben sie weniger Familienersatz an als pädagogisch begleitete schul. oder berufl. Bildung und Freizeitgestaltung; J. werden auch im Sinne der →Kinderdörfer betrieben.

jugendgefährdende Schriften, Schriften, die geeignet sind, Kinder oder Jugendliche sittlich zu gefährden. Dazu zählen v. a. unsittlich und verrohend wirkende, zu Gewalttätigkeit, Verbrechen oder Rassenhass anreizende sowie den Krieg verherrlichende Schriften. Ihre Verbreitung an Jugendliche sowie im Einzelhandel außerhalb von Geschäftsräumen kann durch die Bundesprüfstelle für j. S. auf der Grundlage des Ges. über die Verbreitung j. S. verboten werden; hierzu erstellt das Amt eine Liste. Ohne Aufnahme in diese Liste ist die Verbreitung aber auch dann verboten, wenn die Schriften offensichtlich jugendgefährdend sind.

Jugendgericht, →Jugendstrafrecht.

Jugendgerichtshilfe, die von den Jugendämtern zu leistende Hilfe zur Durchführung des Jugendstrafverfahrens. Die Vertreter der J. haben u. a. im gesamten Verfahren die bestehenden erzieher., sozialen und fürsorger. Gesichtspunkte zur Geltung zu bringen, sie bleiben während des Vollzugs von Strafen mit dem Jugendlichen in Verbindung und helfen ihm bei der Wiedereingliederung in die Gemeinschaft (§ 38 JGG).

📖 Laubenthal, K.: *J. im Strafverfahren. Köln 1993.* – Korth, M.: *J. Die Einzelbetreuung im Jugendstrafverfahren nach 10 JGG. Augsburg 1995.*

Jugendherbergen, Freizeit- und Übernachtungsstätten zur Förderung des Jugendreisens. Voraussetzung für die Benutzung einer J. ist in Dtl. die persönliche oder korporative Mitgliedschaft (Schulen, Jugendgruppen) im **Dt. Jugendherbergswerk (DHJ),** Sitz: Detmold. Internat. Vereinigung ist die **International Youth Hostel Federation (IYHF),** gegr. 1932.

Jugendhilfe, →Kinder- und Jugendhilfe.

Jugendkriminalität, die strafbaren Handlungen junger Menschen (→Jugendstrafrecht) und z.T. auch junger Erwachsener. Seit Ende des 2. Weltkriegs ist in den meisten Ind.staaten die J., gemessen in absoluten Zahlen, erheblich gestiegen, überproportional zur Erwachsenenkriminalität. Eigentums- und Verkehrsdelikte herrschen vor, bes. zugenommen haben Delikte mit körperl. Gewaltanwendung und Bandenkriminalität. Die **Jugendkriminologie** erklärt die Zunahme der J. mit biologisch-psycholog. Veränderungen des Reifeprozesses ebenso wie mit gesellschaftl. u.a. Ursachen, wie der Zunahme unvollständiger oder zerbrochener Familien, Wertewandel in übersättigter Konsumgesellschaft, Sozialisierungsdefizite infolge mangelnder schul. Qualifikation, kultureller Entwurzelung, Jugendarbeitslosigkeit.

📖 *Krieg in den Städten. Jugendgangs in Deutschland, Beiträge v.* K. Farin *u.* E. Seidel-Pielen. *Berlin* [5]*1993.* – Walter, M.: *J. Eine systemat. Darstellung. Stuttgart u.a. 1995.*

Jugendliche, im →Jugendstrafrecht Personen, die z.Z. der Tat 14, aber noch nicht 18 Jahre alt sind.

Jugendliteratur, →Kinder- und Jugendliteratur.

Jugendmusikbewegung, eine Form des Laienmusizierens (→Jugendbewegung). Sie erstrebte eine Erneuerung der Musik aus dem Singen als natürl. Ausgangspunkt allen Musizierens. Die **Singbewegung** wurde getragen von der aus dem »Wandervogel« (H. Breuer: »Der Zupfgeigenhansl«, 1908) hervorgegangenen bünd. Jugendbewegung. Ihre Gründer waren F. Jöde in Nord-Dtl. und W. Hensel in Böhmen und Schlesien (»Finkensteiner Bund«). Seit der Zeit zw. den beiden Weltkriegen, bes. aber nach 1945, hat sich die J. immer mehr nach der künstler. Seite hin erweitert; auch die Schul- und Hausmusik wird einbezogen. Die »Fédération Internationale des Jeunesses Musicales« (Sitz: Brüssel) und in deren Rahmen die »Musikal. Jugend Dtl.s« (Sitz: Weikersheim) fördern Jugendkonzerte und aktive Musiker.

Jugendpsychiatrie, →Kinder- und Jugendpsychiatrie.

Jugendpsychologie, →Kinder- und Jugendpsychologie.

Jugendrecht, die rechtl. Bestimmungen und Verhältnisse, die die Jugend betreffen. Das J. umfasst die Stellung des Kindes in der Familie (→elterliche Sorge, →nichteheliche Kinder), das Schulrecht, das Jugendarbeitsrecht (→Jugendschutz), die →Kinder- und Jugendhilfe und das →Jugendstrafrecht.

Jugendreligionen, in den 1970er-Jahren übl. Bez. für religiös-weltanschauliche Gruppen und Bewegungen, die weltweit ihre Anhängerschaft fast ausschl. unter Jugendlichen finden (z.B. →Divine Light Mission, →Hare-Krishna-Bewegung, →Family u.a.). Gemeinsame Züge sind: synkretist. Lehre (u.a. mit christl. und buddhist. Elementen), Verehrung einer zentralen Führergestalt, totalitäre Organisationsstruktur und radikale, auf Elitebewusstsein beruhende Ethik und Lebensführung. (→neue Religionen)

Jugendrichter, →Jugendstrafrecht.

Jugendschutz, gesetzl. Sondervorschriften zum Schutz der Kinder und Jugendlichen vor gesundheitl. und sittl. Gefahren.

Den **Jugendarbeitsschutz** für Kinder und Jugendliche regelt das Jugendarbeitsschutz-Ges. vom 12. 4. 1976. Danach ist die Beschäftigung von Kindern verboten. Kinder im Sinne des Ges. sind Personen unter 15 Jahren und vollzeitschulpflichtige Jugendliche. Ab dem 13. Lebensjahr dürfen Kinder mit Einwilligung der Sorgeberechtigten kindgerechte Arbeiten in täglich begrenzter Stundenzahl verrichten. Jugendliche (15–17 Jahre) dürfen nicht mehr als acht Stunden täglich und nicht mehr als 40 Stunden wöchentlich arbeiten; der Berufsschulunterricht u.Ä. wird auf die Arbeitszeit angerechnet. Samstags-, Sonntags- und Feiertagsarbeit, Beschäftigung mit gesundheitlich oder sittlich gefährdenden Arbeiten, Akkordarbeit u.a. sind ver-

YOUTH HOSTELLING INTERNATIONAL

Jugendherbergen: Emblem des Deutschen Jugendherbergswerks (oben) und der International Youth Hostel Federation

Der Schutz von Kindern und Jugendlichen in der Öffentlichkeit (Bundesrepublik Deutschland)

Erlaubt		*unter 16 Jahre*	*über 16 Jahre*
Aufenthalt in/bei	Gaststätten u.Ä.	nur in Begleitung Erwachsener	bis 24 Uhr
	Kinos u.Ä.	bei Eignung des Films: unter 14 Jahre bis 20 Uhr, über 14 Jahre bis 22 Uhr	bei Eignung des Films bis 24 Uhr
	Spielhallen	nein	nein
	Tanzveranstaltungen	nur in Begleitung Erwachsener	bis 24 Uhr
Genuss von	alkohol. Getränken	nein	leichte alkohol. Getränke (ohne Branntwein)
	Tabakwaren	nein	ja

boten. Die Zeit zw. 20 Uhr und 6 Uhr ist als Nachtarbeit ebenfalls arbeitsfrei, wobei für bestimmte Gewerbezweige (z.B. Gast- und Beherbergungswesen, Bäckereien, Musik- und Theatervorführungen) begrenzte Ausnahmen zugelassen sind. Jugendliche haben Anspruch auf tägl. regelmäßige Pausen, eine tägl. Freizeit zw. Arbeitsende und -aufnahme von mindestens 12 Stunden und die Fünftagewoche. Es besteht ein Züchtigungsverbot. Der jährl. Mindesturlaub beträgt im Alter bis zu 16 Jahren: 30, 17 Jahren: 27, 18 Jahren: 25 Werktage. Verstöße gegen die Vorschriften des J. können mit Geldbußen geahndet werden. – Ähnl. Vorschriften gelten in *Österreich* (Jugendbeschäftigungs-Ges. von 1987); in der *Schweiz* ist der J. teils durch Bundes-, teils durch kantonale Gesetze geregelt.

Der **Schutz der Jugend in der Öffentlichkeit,** d.h. der Schutz von Kindern (unter 14 Jahren) und Jugendlichen (14–17 Jahren) vor den sittl. Gefahren, denen sie in ihrer Freizeit außerhalb von Familie, Schule und Arbeitsstätte ausgesetzt sein können, ist durch das J.-Gesetz vom 25. 2. 1985 geregelt. Danach sind Kinder und Jugendliche, die sich an Orten aufhalten, an denen ihnen eine Gefahr für ihr körperl., geistiges oder seel. Wohl droht, zum Verlassen des Ortes anzuhalten, den Erziehungsberechtigten zuzuführen oder in die Obhut des Jugendamtes zu bringen. Der Besuch von Kinos, Gaststätten und Spielhallen, der Genuss von Tabak und alkohol. Getränken, die Teilnahme an öffentl. Tanzveranstaltungen u.a. sind beschränkt und z.T. verboten. Die Verantwortung für die Einhaltung der Schutzvorschriften liegt v.a. bei den Veranstaltern. – Ähnliches gilt auch in *Österreich* und in der *Schweiz*.

Jugendstil: Glaskunst von Émile Gallé (Freiburg i. Br., Augustinermuseum)

Jugendschutzsachen, Strafsachen Erwachsener an Kindern oder Jugendlichen, seien es bestimmte allgemeine Straftaten, z.B. Sexualdelikte an Kindern, seien es Verstöße gegen Jugendschutzbestimmungen. Für J. sind erstinstanzlich die für allgemeine Strafsachen zuständigen Strafgerichte sowie bei schwereren Delikten die Jugendkammer als **Jugendschutzkammer** zuständig.

Jugendsoziologie, Teilbereich der Soziologie, der sich mit den sozial bedingten Verhaltens- und Denkweisen der Jugend beschäftigt. Die J. sieht Jugend als Phase des Verhaltenswechsels und Rollenübergangs an, wobei Kindheit und Erwachsenenalter meist als sich widersprechende soziale Bereiche verstanden werden und die J. als Übergangsstadium daher notwendig – v.a. aufgrund jugendl. Verhaltensunsicherheit, aber auch infolge unterschiedl. Rollenerwartungen seitens der Erwachsenen – zahlr. Konflikte für den Jugendlichen bringt. Die gesellschaftl. Abgrenzung zw. J. und Erwachsensein ist deshalb schwierig, weil die Definition gesellschaftl. Reife in einzelnen Bereichen unterschiedlich ist; so ist mit dem Alter von 18 Jahren zwar die Volljährigkeit erreicht (u.a. mit Wehrpflicht, aktivem Wahlrecht), der Übergang in das Berufsleben aber wird aufgrund der Verlängerung der schul. und berufl. Ausbildung immer weiter hinausgeschoben; dies aber ist mit wirtsch. Abhängigkeit verbunden. Jugendliche entwickeln in ihrem Streben nach Unabhängigkeit und unter Ablehnung der Normen und Wertvorstellungen der Erwachsenenwelt oft eigene Gemeinschaftsformen (Cliquen, Banden, Klubs u.a.) und eigenständige Verhaltensweisen, d.h. eine Sub- oder Teilkultur. Andererseits werden Merkmale der Jugend (Lernfähigkeit, Veränderungsbereitschaft, Unsicherheitserfahrungen) zunehmend auch für die Lebenssphäre Erwachsener kennzeichnend.

📖 vgl. Jugend.

Jugendstil, dt. Bez. einer internat. Stilrichtung von etwa 1890 bis 1914, die in Frankreich und Belgien Art nouveau, in England Modern Style, in Österreich Sezessionsstil genannt wird. – Der J., benannt nach der Münchner Ztschr. »Jugend« (1896–1940), ist als Bewegung gegen die historisierenden Stile des 19. Jh. entstanden. Er suchte nach neuen Formen, die alle Bereiche der Kunst und des Lebens durchdringen sollten. Die Grenzen zw. den Künsten wurden aufgehoben. Die Form eines Gegenstandes wurde aus den Gegebenheiten seines Materials und seiner Funktion entwickelt. Materialgerechtigkeit wurde zur Forderung. Zu den formalen Besonderheiten zählen Flächenhaftigkeit und Betonung der Linie als dynamisch bewegtes Ausdrucksmittel, der sich eine vegetative Ornamentik unterordnet. Den Weg bereiteten W. Morris und die Arts-and-Crafts-Bewegung in England.

Jugendstil

1

2

3

| **1** Aubrey Vincent Beardsley, »Isolde«, Farblithographie (um 1895) | **2** Hector Guimard, Salonmöbel aus Palisanderholz (1897/98; Paris, Musée d'Orsay) | **3** Alfons Mucha, Plakat für Zigarettenpapier der Marke »Job« (1899)

Von besonderer Bedeutung für den J. war die engl. Buchkunst, die mit A. Beardsley ihren Höhepunkt erreichte. – In *Frankreich* entwickelten É. Bernard und Gauguin, angeregt von japan. Farbholzschnitten, einen umrissbetonten Flächenstil. Durch die Plakate von Toulouse-Lautrec wurde der neue Stil populär. In der Architektur trat H. Guimard hervor. Ein Bahnbrecher auf dem Gebiet der Glaskunst war É. Gallé. Schmuck, Möbel und Glasfenster entwarfen G. de Feure, É. Gaillard, R. Lalique und der Tscheche A. Mucha, der sich auch als Plakatkünstler verdient machte. – In *Belgien* trafen die Einflüsse von England und Frankreich zusammen; der einflussreichste Künstler der Jh.wende wurde H. van de Velde; bed. Architektur- und Innenarchitekturleistungen von V. Horta und P. Hankar. – In *Deutschland* erfolgte der Aufbruch in München, wo u. a. F. von Stuck, O. Eckmann, H. Obrist, A. Endell, R. Riemerschmid wirkten. Darmstadt wurde durch die Gründung einer Künstlerkolonie auf der Mathildenhöhe, der u. a. H. van de Velde und P. Behrens angehörten, ein weiteres fruchtbares Zentrum. – Der *österr.* J. war an Wien gebunden; zentrale Figur war der Maler G. Klimt. – Bedeutende Maler des J. sind v. a. der Norweger E. Munch und der Schweizer F. Hodler. Überragende Persönlichkeiten des J. sind ferner der Architekt A. Gaudí in Spanien, der Glaskünstler L. C. Tiffany in den USA, der Goldschmied P. C. Fabergé in Russland.

In der *Literatur* bezieht sich der Begriff J. vorwiegend auf die literar. Kleinform, bes. auf die Lyrik (v. a. O. J. Bierbaum, E. von Wolzogen, R. Dehmel, A. Mombert, E. Stucken) um die Jahrhundertwende, jedoch auch auf die Dichtungen von S. George, R. M. Rilke, H. von Hofmannsthal, E. Lasker-Schüler und G. Heym, soweit sie in dieser Zeit entstanden.

📖 JOST, D.: *Literar. J. Stuttgart ^{2}1980.* – HASLAM, M.: *J. Seine Kontinuität in den Künsten. A. d. Engl. Stuttgart 1990.* – ESCHMANN, K.: *J. Ursprünge, Parallelen, Folgen. Göttingen u. a. 1991.* – STERNBERGER, D.: *Über J. Tb.-Ausg. Frankfurt am Main ^{4}1991.* – BANGERT, A. *u.* FAHR-BECKER, G.: *J. Möbel u. Glas, Schmuck u. Malerei. München 1992.* – *J., hg. v.* J. HERMAND. *Darmstadt ^{3}1992.* – LANGER, A.: *J. u. Buchkunst. Leipzig 1994.* – FAHR-BECKER, G.: *J. Köln 1996.* – SEMBACH, K.-J.: *J. Die Utopie der Versöhnung. Köln u. a. 1996.*

Jugendstrafe, die einzige Kriminalstrafe des Jugendstrafrechts. J. wird verhängt, wenn wegen der schädl. Neigungen des Jugendlichen Erziehungsmaßregeln oder Zuchtmittel nicht ausreichen oder wenn wegen der Schwere der Schuld Strafe erforderlich ist. Die J. besteht in einem nach erzieher. Grundsätzen ausgestalteten Freiheitsentzug in einer Jugendstrafanstalt. Die Dauer der J. beträgt mindestens sechs Monate, höchstens fünf, bei schwersten Verbrechen zehn Jahre. Die Vollstreckung einer J. von bis zu zwei Jahren kann unter bestimmten Bedingungen zur Bewährung ausgesetzt werden (§ 21 JGG).

Jugendstrafrecht, das für Jugendliche (14- bis 17-Jährige) und z. T. auch für Heranwachsende (18- bis 20-Jährige) geltende Straf- und Strafprozessrecht; es weicht in wesentl. Grundsätzen vom allg. Strafrecht ab. In *Dtl.* beginnt nach dem Jugendgerichts-Ges. (JGG) vom 11. 12. 1974 die strafrechtl. Verantwortlichkeit mit der Vollendung des 14. Lebensjahres, wenn der Jugendliche z. Z. der Tat nach seiner sittl. und geistigen Entwicklung reif genug ist, das Unrecht der Tat einzusehen und nach dieser Einsicht zu handeln. Auf Heranwachsende wird das J. trotz zivilrechtl. Volljährigkeit angewendet, wenn der Täter z. Z. der Tat nach seiner sittl. und geistigen Entwicklung noch einem Jugendlichen gleichstand oder es sich bei der Art der Tat um eine Jugendverfehlung handelt (§ 105 JGG). Die Straftat soll in erster Linie durch Erziehungsmaßregeln (Erteilung von Weisungen, Verpflichtung zur Inanspruchnahme von Hilfe zur Erziehung, z. B. durch →Erziehungsbeistandschaft) geahndet werden; wenn diese nicht ausreichen, wird die Straftat mit →Zuchtmitteln (Verwarnung, Erteilung von Auflagen, →Jugendarrest; gemäß Einigungsvertrag nicht in den neuen Bundesländern) oder mit →Jugendstrafe geahndet. Über Verfehlungen Jugendlicher entscheiden die Jugendgerichte als besonderer Zweig der ordentlichen Gerichtsbarkeit: nach der Schwere des Falles das Amtsgericht, und zwar der Strafrichter als Jugendrichter oder das Jugendschöffengericht (Besetzung: ein Jugendrichter, zwei Jugendschöffen) oder am Landgericht die Jugendkammer. Letztere besteht als kleine Jugendkammer (ein Jugendrichter, zwei Jugendschöffen; Berufungsinstanz gegen Urteile des Jugendrichters) oder als große Jugendkammer (zwei oder drei Jugendrichter und zwei Jugendschöffen; bes. als Berufungsinstanz gegen Urteile des Jugendschöffengerichts oder anstelle des Schwurgerichts erstinstanzlich bei schweren Delikten Jugendlicher). Das Verfahren vor dem Jugendgericht ausschl. gegen Jugendliche ist nicht öffentlich. Im Jugendstrafverfahren wirkt die →Jugendgerichtshilfe mit. Im Vor- und Hauptverfahren besteht die Möglichkeit, von der Strafverfolgung abzusehen und das Verfahren einzustellen, wenn eine Ahndung entbehrlich erscheint und andere Maßnahmen Erfolg versprechen (§§ 45, 47 JGG). Für Vollstreckung und Vollzug der im Verfahren ausgesprochenen Maßnahmen ist grundsätzlich der Jugendrichter als Vollstreckungsleiter zuständig. Ein rascher Vollzug der Maßnahmen soll den Jugendlichen den inneren Zusammenhang zw. Tat, Urteil und Vollstreckung bewusst machen. Insgesamt ist das J. von der Absicht durchdrungen, die Jugendlichen zu einer straffreien Lebensführung zu erziehen.

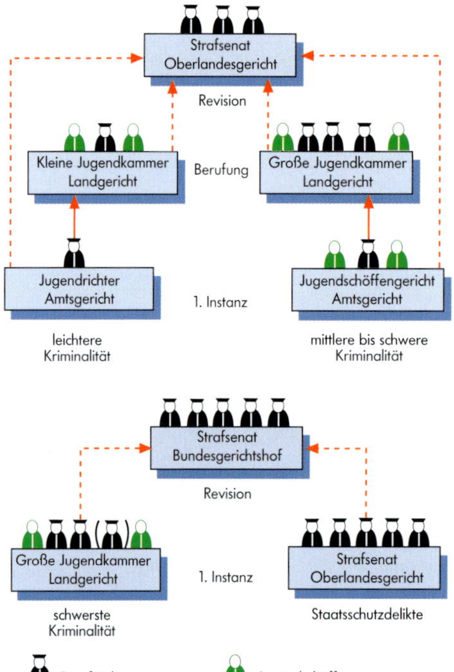

Jugendstrafrecht: Schema des Instanzenweges bei erstinstanzlicher Zuständigkeit des Amtsgerichts (oben) und Schema des Instanzenweges bei erstinstanzlicher Zuständigkeit des Landgerichts bzw. des Oberlandesgerichts

In *Österreich* (Jugendgerichtsgesetz von 1988) und der *Schweiz* (Art. 82–100 StGB) gelten, mit einzelnen Abweichungen, ähnl. Grundsätze wie in Dtl.; das J. wird jedoch nicht auf Heranwachsende angewendet.

📖 Voss, M.: *Jugend ohne Rechte. Die Entwicklung des J.s. Frankfurt am Main u. a. 1986.* – Albrecht, P.-A.: *J. Ein Studienbuch. München ^{2}1993.* – Hartmann, A.: *Schlichten oder Richten. Der Täter-Opfer-Ausgleich u. das (Jugend-)Strafrecht. München 1995.* – Schaffstein, F. *u.* Beulke, W.: *J. Eine systemat. Darstellung. Stuttgart u. a. ^{12}1995.* – Böhm, A.: *Einführung in das J. München ^{3}1996.*

Jugend- und Auszubildendenvertretung, innerbetriebl. Arbeitnehmervertretung für jugendl. Arbeitnehmer, die gemäß §§ 60 ff. Betriebsverfassungs-Ges. in Betrieben mit mindestens fünf Arbeitnehmern, die das 18. Lebensjahr noch nicht vollendet haben oder die zu ihrer Ausbildung beschäftigt sind und das 25. Lebensjahr noch nicht vollendet haben, zu wählen ist. Die Vertretungen können zu allen Sitzungen des Betriebsrates einen Vertreter entsenden; soweit Fragen des von ihnen vertretenen Personenkreises betroffen sind, sind sie dort stimmberechtigt. Im Einvernehmen mit dem Betriebsrat kann die J. u. A. betriebl. Jugend- und Auszubildendenversammlungen (vor oder nach jeder Betriebsversammlung) einberufen.

Jugendverbände, überregionale Zusammenschlüsse von Jugendbünden und Organisationen der freien Jugendpflege. Die Anfänge der großen J. reichen z. T. ins 18./19. Jh. zurück; eine Umprägung erfuhren sie seit etwa 1910 (→Jugendbewegung). Die J. sind vielfach zu **Jugendringen** zusammengeschlossen, deren Dachorganisation in Dtl. der Dt. Bundesjugendring (gegründet 1949; Sitz: Bonn) ist.

Jugendweihe, nichtreligiöse oder freireligiöse Weihehandlung an Stelle der Konfirmation, 1859 vom »Bund freireligiöser Gemeinden« eingeführt, im 20. Jh. von versch. anderen Verbänden übernommen. – In der DDR 1955 als offizieller Festakt nach 8-jährigem Schulbesuch (14./15. Lebensjahr) eingeführt, war die J. als atheist. Alternativfeier zur Konfirmation mit einem Gelöbnis zum Staat und zum Sozialismus verbunden; seit 1990 ohne Gelöbnis weiterhin verbreitet.

Jugendzentren, i. w. S. die von Kommunen getragenen Einrichtungen der Jugendsozialarbeit, die für die Freizeitgestaltung von Kindern und Jugendlichen zur Verfügung stehen (auch **Jugendhaus, Jugendtreff** gen.); i. e. S. **(autonome J.)** die von Jugendlichen selbst betriebenen und unabhängigen Freizeiteinrichtungen.

Juglar [ʒy'gla:r], Clément, frz. Volkswirtschaftler, *Paris 15. 10. 1819, †ebd. 28. 2. 1905; bis 1848 Arzt, widmete sich danach dem privaten Studium wirtsch. Probleme. J. schuf mit der Entdeckung von Konjunkturzyklen **(J.-Zyklus)** Voraussetzungen für die Konjunkturforschung.

Jugoslawilen, nach dem 1. Weltkrieg entstandener und bis 1991/92 bestehender Bundesstaat in SO-Europa, umfasste die Teilrep. →Serbien (mit den Prov. →Kosovo und →Wojwodina), →Montenegro, →Kroatien, →Slowenien, →Bosnien und Herzegowina und →Makedonien, grenzte im N an Österreich und Ungarn, im O an Rumänien und Bulgarien, im S an Griechenland und Albanien, im W an das Adriat. Meer und Italien.

Geschichte: Das Gebiet J.s gehörte bis 1918 zu Österreich-Ungarn, zum Osman. Reich oder zum Königreich Serbien. Im Anschluss an die »Deklaration von Korfu« (1917), die die polit., religiöse und kulturelle Gleichberechtigung der drei Staatsnationen zur Grundlage des zu errichtenden Königreichs machte, erklärte der am 6. 10. 1918 in Agram (Zagreb) gebildete Nationalrat am 29. 10. 1918 die Loslösung Kroatiens von Österreich-Ungarn, der Nationalrat von Bosnien und Herzegowina schloss sich am 30. 10. an, die montenegrin. Volksversammlung verkündete am 19. 11. den Anschluss an das Königreich Serbien. Der serb. Thronfolger Alexander I. Karadjordjević proklamierte am 1. 12. 1918 im Namen König Peters I. das **Königreich der Serben, Kroaten und Slowenen** (»Kraljevina SHS«), das durch die Pariser Vorortverträge (1919) um die südl. Steiermark, das westl. Banat sowie vormals bulgar. Gebiet vergrößert wurde. Dagegen kamen 1919 Rijeka (italien. Fiume), 1920 Triest und das ehem. österr. Küstenland, das westl. Krain, die dalmatin. Stadt Zadar (italien. Zara) und die Insel Lastovo (italien. Lagosta) an Italien. Der Führungsanspruch der Serben in dem neuen Staat wurde durch die zentralist. Verfassung von 1921 durchgesetzt, doch der (1929 in **Königreich J.** umbenannte) Staat blieb infolge der wirtsch. und sozialen Probleme und v. a. der Opposition der Kroaten (Bauernpartei) politisch instabil. Die durch das Attentat auf Abg. der Bauernpartei am 20. 6. 1928 im Belgrader Parlament offen ausgebrochene Staatskrise suchte Alexander (König seit 1921) durch Übergang zur »Königsdiktatur« zu lösen (autoritäre Verfassung von 1931). Nachdem Alexander in Marseille 1934 von kroat. und makedon. Nationalisten (IMRO) ermordet worden war, übernahm Prinzregent Paul die Regentschaft für den minderjährigen König Peter II. Den einzigen Rückhalt gegen die italien. Einkreisungspolitik bildete die Zugehörigkeit zur Kleinen Entente und der Freundschaftsvertrag mit Frankreich (1927). Die Weltwirtschaftskrise brachte eine engere wirtschaftl. Zusammenarbeit zwischen J. und Dtl. (Handelsvertrag 1934) und eine Aushöhlung des frz. Bündnissystems in SO-Europa, die zum Freundschaftsvertrag mit Bulgarien und zu einem Nichtangriffspakt mit Italien (1937) führten.

Bei Beginn des 2. Weltkriegs neutral, konnte sich J. dem wirtschaftl. und polit. Gewicht Dtl.s in SO-Europa nicht entziehen. Am 25. 3. 1941 trat J. dem Dreimächtepakt bei. Am 27. 3. 1941 wurde die Reg. Cvetković durch General D. Simović gestürzt. Hitler beschloss daraufhin, durch Ausweitung der geplanten Operation gegen Griechenland J. zu zerschlagen (Angriff der Achsenmächte 6.–17. 4.). Bis auf Serbien, das der dt. Militärverwaltung unterstellt wurde, und den von der rechtsextremen Ustascha am 10. 4. proklamierten **Unabhängigen Staat Kroatien** wurde das jugoslaw. Territorium unter Italien, Dtl., Ungarn und Bulgarien aufgeteilt. Der Widerstand setzte seitens der Četnici unter D. Mihailović bereits im Mai 1941 ein. Nach dem dt. Angriff auf die UdSSR (Juni 1941) versuchten die Kommunisten unter Tito, sich an die Spitze des Widerstands zu stellen.

Der »Antifaschist. Rat der Nat. Befreiung J.s« (AVNOJ) bildete im Nov. 1943 eine provisor. Regierung. Zwischen Tito und dem Chef der jugoslaw. Exilregierung in London, J. Šubašić, kam es

Jugoslawien: Josip Tito gibt seine Stimme bei den Wahlen zum Staatspräsidenten im Januar 1953 ab

zur Einigung über ein Koalitionskabinett (Nov. 1944). Am 10. 8. 1945 wurde der AVNOJ in ein provisor. Parlament umgewandelt, das durch Gesetze über Bodenreform und Konfiskation »feindl.« Vermögens entscheidend in die wirtschaftl. und gesellschaftl. Struktur eingriff. Die Königsfamilie ging ins Londoner Exil. Die kommunist. Volksfront erreichte am 11. 11. 1945 88 % der Stimmen bei den Wahlen zur Verfassunggebenden Versammlung, die am 29. 11. die Republik ausrief. Bei der Umgestaltung des Landes – nach der Verfassung vom 31. 1. 1946 **Föderative Volksrepublik J.** (FVRJ) – kam es zur Verfolgung der Četnici und Ustaša-Mitgl. sowie zur Vertreibung der Deutschen (v. a. in Slawonien). Die nat. Frage sollte durch die Schaffung von sechs Teilrepubliken, der Autonomen Provinz Wojwodina und des Autonomen Gebiets Kosovo-Metohija gelöst werden. In den Friedensverträgen von Paris (10. 2. 1947, mit Italien, Ungarn und Bulgarien) wurde das Staatsgebiet von 1941 wiederhergestellt und um die italien. Besitzungen in Istrien und Dalmatien vergrößert. Die Triestfrage wurde 1954 (endgültig 1975) gelöst.

Obwohl J. zunächst zum Ostblock gehörte, kam es im Frühjahr 1948 wegen sowjet. Einmischungen in die Innenpolitik zum jugoslawisch-sowjet. Konflikt. Dem ideolog. und polit. Druck der UdSSR setzte J. ein eigenes Sozialismusmodell entgegen (→ Titoismus). Durch amerikan. Wirtschaftshilfe, zahlr. Kontakte zum Westen und Zusammenarbeit mit den blockfreien Staaten (Balkanpakt) suchte J. seine unabhängige Politik nach außen abzusichern. Die von Chruschtschow 1955 herbeigeführte Aussöhnung mit J. war nach der sowjet. Intervention in Ungarn (Okt. 1956) und nach dem Einmarsch von Warschauer-Pakt-Truppen in die ČSSR (Aug. 1968) vorübergehend erneuten Spannungen ausgesetzt. J., das nach 1963 (neue Verfassung) den Namen **Sozialist. Föderative Republik J.** (SFRJ) führte, wurde nach dem Sturz des langjährigen Innenmin. und Chefs der Geheimpolizei A. Ranković (Juli 1966) zunehmend dezentralisiert; dennoch flammten die nat. Spannungen wiederholt auf (z. B. »kroat. Frühling« 1971). Mit der Verfassung vom 21. 2. 1974 wurden Selbstverwaltung und Föderalismus weiter ausgebaut. Nach dem Tode Titos (1980), der die Einigkeit und Unabhängigkeit des Vielvölkerstaats J. verkörperte, wechselten sowohl der Vorsitz im Präsidium der Republik als auch im Parteivorsitz des Bundes der Kommunisten J.s (BdKJ) im jährl. Turnus. Der seit 1981 schwelende Nationalitätenkonflikt im → Kosovo (zu 90 % von Albanern bewohnt) verschärfte sich seit 1988 zunehmend (Verfassungskrise, drast. Einschränkung [März 1989] und Aufhebung der formellen Autonomie [Juli 1990]). Die akute Wirtschaftskrise führte Ende 1988 zum Rücktritt der Regierung unter B. Mikulić; dem neuen (kroat.) MinPräs. (bis Dez. 1991) A. Marković gelang der beabsichtigte Wirtschaftsumbau auf marktwirtschaftl. Grundlage nur ansatzweise. Der Reformkurs (Marktwirtschaft, pluralist. Demokratie) der

Jugoslawien: Im Dezember 1991 wird die kroatische Hafenstadt Dubrovnik von Einheiten der alten, serbisch dominierten Bundesarmee beschossen

Jugoslawien

Fläche: 102 173 km^2
Einwohner: (1995) 10,849 Mio.
Hauptstadt: Belgrad
Verwaltungsgliederung: 2 Republiken
Amtssprache: Serbisch
Nationalfeiertag: 27. 4.
Währung: 1 Jugoslawischer Neuer Dinar (N.Din) = 100 Para (p)
Zeitzone: MEZ

wirtschaftlich am weitesten entwickelten Teilrepubliken Slowenien und Kroatien, der 1988/89 zur Spaltung des BdKJ (endgültig Febr. 1990), 1989/90 zur verstärkten nat. Eigenständigkeit der beiden Teilrepubliken führte, wurde vor allem von Serbien bekämpft. Nach wachsenden Spannungen zw. den sechs Teilrepubliken und mehreren ergebnislosen innerjugoslaw. Krisengipfeln erklärten Slowenien und Kroatien ihre volle nat. Eigenexistenz (26. 6. 1991; unter EG-Vermittlung später bis zum 7. 10. 1991 ausgesetzt; seit 15. 1. 1992 international anerkannt) und leiteten damit die Auflösung des alten J. ein. Am 14. 10. 1991 erklärte auch Bosnien und Herzegowina seine Souveränität, am 20. 11. 1991 Makedonien (aufgrund grch. Einspruchs erst im April 1993 internat. anerkannt). Die anfängl. Weigerung Serbiens, den Zerfall des bisherigen J. anzuerkennen, und der anschließende Versuch, alle serb. Siedlungsgebiete zu einem (groß-)serb. Staat zusammenzuschließen, sowie die ethn. Konflikte (Nationalitätenfrage) führten stufenweise zu krieger. Auseinandersetzungen, zunächst in Slowenien (Juli 1991), danach in Kroatien (Juli–Dez. 1991/Jan. 1992). In Bosnien und Herzegowina kam es 1992–95 zu einem blutigen Bürgerkrieg. Am 27. 4. 1992 bildeten Serbien und Montenegro die neue Bundesrepublik →Jugoslawien.

Jugoslawien (amtlich serb. Savezna Republika Jugoslavija; dt. Bundesrepublik J.), Staat in SO-Europa, bestehend aus den Teilrepubliken Serbien (einschl. →Kosovo und →Wojwodina) und Montenegro, grenzt im N an Ungarn, im O an Rumänien und Bulgarien, im S an die Rep. Makedonien, Albanien und das Adriat. Meer, im W an Bosnien und Herzegowina sowie an Kroatien.

Staat und Recht: Nach der Verf. vom 27. 4. 1992 ist J. eine Bundesrep., die aus den Teilrep. Serbien und Montenegro besteht und die sich als in der Kontinuität des zerfallenen J. stehend begreift. Der Anschluss weiterer Republiken ist möglich. Die Legislative wird von der aus zwei Kammern bestehenden Bundesversammlung gebildet, die für vier Jahre gewählt wird: Der »Rat der Bürger« setzt sich aus 138 Abg. (darunter 30 aus Montenegro) zus., in den »Rat der Rep.« entsendet jedes Rep.parlament 20 Abg. Staatsoberhaupt ist der von der Bundesversammlung für vier Jahre gewählte Präs. der Rep. Die Exekutivgewalt liegt bei der Reg., deren Chef vom Präs. nominiert und von beiden Kammern mit absoluter Mehrheit gewählt wird. Die Teilrep. verfügen über eigene Gesetzgebungs- und Vollzugsorgane. – Einflussreichste Parteien sind in Serbien die Sozialist. Partei Serbiens (SPS), die Serb. Radikale Partei (SRS), der Demokrat. Bund der Ungarn und das aus 14 oppositionellen Parteien bestehende Bündnis »DEPOS«; in Montenegro die Sozialist. Partei, die Serb. Radikale Partei und der Bund der Kommunisten.

Landesnatur: J. hat im N Anteil am Großen Ungar. Tiefland mit der Batschka, Sirmien und dem westl. Teil des Banats. Der größte Teil des Landes wird von Hügel- und Gebirgsland eingenommen: südlich von Save und Donau das fruchtbare Hügelland der Šumadija, das Kopaonikgebirge (bis 2017 m ü. M.), das Serb. Erzgebirge und andere Gebirgszüge, östlich der Morava-Vardar-Furche, einer wichtigen Verkehrsachse in N-S-Richtung, verlaufen die Ausläufer des Westbalkans; dazwischen liegen weite Beckenlandschaften wie Amselfeld und Metohija. Im S hat J. Anteil am Karsthochland des Dinar. Gebirges (Gebirgsstock Durmitor bis 2522 m ü. M.), mit der montenegrin. Küste am Adriat. Meer und an der Grenze zu Albanien am Skutarisee. Hauptflüsse sind Donau, Save, Theiß und Morava. – Das gemäßigt kontinentale Klima mit heißen Sommern und kalten Wintern trägt im S zunehmend mediterrane Züge. Die Niederschläge liegen in der Wojwodina zw. 500 und 700 mm jährlich und steigen in den Gebirgsländern im O bis 1000 mm, im SW bis 2000 mm jährlich an.

Bevölkerung: J. ist immer noch ein Vielvölkerstaat; nach der Volkszählung von 1991 bilden die Serben mit 62,3 % die Mehrheit, als Montenegriner bezeichnen sich 5 %. Die größte Gruppe der Min-

Staatswappen

YU

Internationales Kfz-Kennzeichen

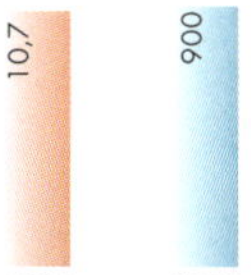

1994 Bevölkerung (in Mio.)
1993 Bruttosozialprodukt je Ew. (in US-$)

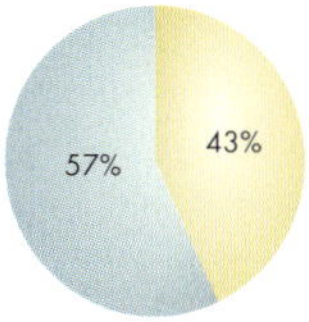

Bevölkerungsverteilung 1994

Jugoslawien: Blick von der alten Belgrader Festung Kalemegdan, die auf einem Bergsporn im Mündungswinkel von Save und Donau liegt, auf die neuen Stadviertel der jugoslawischen Hauptstadt (links); die Taraschlucht im Gebirgsstock des Durmitor (Montenegro) gilt mit ihren bis zu 1 000 m hohen Steilwänden als der tiefste Cañon Europas

derheiten bilden mit 16,3 % die Albaner (Kosovo) und mit 3,3 % die Ungarn (Wojwodina), außerdem Kroaten, Rumänen, Makedonier, Muslime ethn. Zugehörigkeit u.a. Als Folge des Bürgerkriegs flüchteten zahlr. Kroaten und Muslime in benachbarte Staaten bzw. kamen serb. Flüchtlinge aus Kroatien sowie Bosnien und Herzegowina. Gespannte Ruhe herrscht in den mehrheitlich von Muslimen bewohnten Gebieten, bes. in Kosovo. – Allg. Schulpflicht besteht vom 7. bis 14. Lebensjahr; das Sekundarschulwesen ist vielstufig gegliedert; höhere Ausbildung erfolgt an Fach- und Hochschulen sowie Universitäten (Belgrad, Novi Sad, Kragujevac, Niš, Priština, Podgorica). – Die Mehrheit der Bev. sind serbisch-orthod. Christen, ferner kath. Christen und Muslime.

Wirtschaft, Verkehr: Nach den Unabhängigkeitserklärungen der einstigen Teilrepubliken und durch Kriegshandlungen ist J. in eine tiefe wirtsch. Krise geraten, gekennzeichnet durch stark rückläufige Ind.produktion, hohe Inflationsrate, Arbeitslosigkeit und Auslandsverschuldung; schwere Einbußen erlitten auch Außenhandel und Tourismus. Wichtige Wirtschaftszweige sind Land- und Forstwirtschaft; die wichtigsten Anbaugebiete liegen v.a. im N (Wojwodina) und in den Flussniederungen mit Anbau von Weizen, Mais, Zuckerrüben, Kartoffeln, Roggen, Sonnenblumen, Tabak, Hanf; in der Viehwirtschaft spielt die Haltung von Rindern, Schweinen und Schafen eine Rolle; Wein- und Obstbau bes. in Montenegro und in Kosovo (Amselfeld). J. ist reich an Bodenschätzen (u.a. Braunkohle, Bauxit, Eisen-, Blei- und Zinkerz). Erdöl- und Erdgasförderung (25 % des Bedarfs) wird in der Saveniederung betrieben und nahe Belgrad, dem Ind.zentrum des Landes. Wichtigste Ind.zweige sind Verhüttung, Stahlind., Maschinen- und Fahrzeugbau, chem., Textil-, Möbel-, Nahrungsmittel- und Tabakindustrie. Bedeutung hat die Energieerzeugung durch Wasserkraftwerke, darunter das Donaukraftwerk am Eisernen Tor (1964–72 mit Rumänien errichtet, 2532 MW). Eine Rolle spielt der Fremdenverkehr, bes. an der Adriat. Küste. Exportgüter sind v.a. landwirtsch. Erzeugnisse, Kohle, Blei, Zink, Bauxit. Haupthandelspartner sind Dtl., Italien und die GUS-Staaten. – J. ist ein wichtiges Durchgangsland mit gut ausgebautem Verkehrsnetz (48961 km Straßen, 3960 km Eisenbahnen); die wichtigste Fernstraße ist der Autoput Ljubljana–Zagreb–Belgrad–Skopje zur makedonisch-grch. Grenze, die wichtigste nat. Eisenbahnlinie seit 1976 die Strecke von Belgrad zum Fähr- und Ind.hafen Bar (476 km lang), ein weiterer Hafen ist Kotor. Der größte Binnenschifffahrtsweg ist die Donau. Internat. Flughäfen in Belgrad, Niš und Podgorica.

Geschichte: Nach dem Zerfall (1989–91/92) des 1945/46 unter sozialist. Vorzeichen errichteten J. vereinbarten → Serbien und → Montenegro am 12. 2. 1992 im Abkommen von Titograd (jetzt Podgorica) den Zusammenschluss zu einem neuen jugoslaw. Staat (am 22. 2. 1992 durch die Parlamente beider Teilrepubliken gebilligt; am 1. 3. 1992 in Montenegro durch ein Referendum bestätigt). Mit In-Kraft-Treten der Verf. erfolgte am 27. 4. 1992 die Proklamation der (neuen) Bundesrep. Jugoslawien. Staatspräs. wurde im Juni 1992 D. Cosić, nach seiner Abwahl im Juni 1993 Z. Lilić. Stärkste polit. Kraft in beiden Teilrepubliken wurden die Sozialisten; als dominierender Politiker profilierte sich S. Milošević, 1989–97 Präs. der Teilrepublik Serbien, seit 1997 als Nachfolger von Z. Lilić Präs. Jugoslawiens. Min.Präs. der jugoslaw. Bundesrepublik: 1992–93 M. Panić, seit 1993 R. Kontić, seit 1998 M. Bulatović.

Unter Einfluss v.a. von Milošević unterstützte J. politisch und wirtschaftlich zunächst die bosn. Serben in Bosnien und Herzegowina, brach jedoch unter dem Druck von Sanktionen der UNO und der EU (seit 1992, ausgesetzt 1995) im Aug. 1994 diese Hilfe ab. Bei den Friedensverhandlungen von Dayton (Nov. 1995) vertrat Milošević die bosnisch-serb. Seite. Nach der gegenseitigen Anerkennung J.s und der früheren Teilrepubliken J.s (1995/96) erkannten die EU-Staaten die neue Bundesrep. J. an. Nov. 1996 bis Febr. 1997 tägl. Massenproteste; seit 1997 zunehmend Spannungen mit →Montenegro. Ab 1998 eskalierten die nat. Gegensätze im →Kosovo (1999 NATO-Militäraktion).

📖 Sundhaussen, H.: *Gesch. J.s 1918–1980. Stuttgart u.a. 1982.* – Bartl, P.: *Grundzüge der jugoslaw. Geschichte. Darmstadt 1985.* – Razumovsky, D.: *Chaos J. Histor. Ursachen – Hintergründe – Perspektiven. München ³1993.* – Sundhaussen, H.: *Experiment J. Von der Staatsgründung bis zum Staatszerfall. Mannheim u.a. 1993.* – Silber, L. *u.* Little, A.: *Bruderkrieg. Der Kampf um Titos Erbe. A.d.Engl. Graz u.a. 1995.* – Meier, Viktor: *Wie J. verspielt wurde. München ²1996.*

Jugurtha, König von Numidien, *nach 160 v.Chr., †Rom 10. 1. 104 v.Chr.; führte den **Jugurthin. Krieg** mit Rom (112–105 v.Chr.), wurde 106 von Marius besiegt und 104 im Triumph durch Rom geführt.

Juilliard String Quartet ['dʒu:lɪɑ:d strɪŋ kwɔ:'tet], 1946 gegründetes Streichquartett der Juilliard School of Music in New York; heute mit R. Mann (*1920, 1. Violine), J. Smirnoff (*1950, 2. Violine), S. Rhodes (*1941, Viola) und J. Krosnick (*1941, Violoncello).

Juist [jy:st], eine der Ostfries. Inseln, Ndsachs., 16,4 km², aus Dünen aufgebaut; die schmale Insel muss durch Kunstbauten gegen die Nordsee geschützt werden. Bildet die Gemeinde J. (1700 Ew.)

Jugoslawien

im Kr. Aurich; Nordseeheilbad; Küstenmuseum; Inselbahn.

Juiz de Fora ['ʒuiz di -], Stadt im S von Minas Gerais, Brasilien, 385700 Ew.; Erzbischofssitz; Univ.; Zentrum der brasilian. Wirkwarenind., Eisengießerei.

Jujube [frz.] *die* (Ziziphus), strauch- und baumartige Gattung der Kreuzdorngewächse mit rundl., dattelähnl., süßl. Steinfrüchten.

Juliana, Königin der Niederlande

Jujutsu [japan., eigtl. »sanfte Kunst«] *das* (in Österreich Jujitsu), ostasiat. Kriegskunst chines. Ursprungs. Ziel des J., das später in Europa als Jiu-Jitsu bekannt wurde, war es, den Gegner kampfunfähig zu machen oder ihn zu töten. An Techniken wurden Würfe, Hebel, Würgegriffe, Schläge, Stöße und Tritte angewendet. (→Budo)

Jukagiren, altsibir. Volk, das in zwei sprachlich und kulturell unterschiedl. Gruppen zw. den Unterläufen der Kolyma und Alaseja **(Odul)** sowie an der oberen Kolyma **(Tschuwanen)** lebt; etwa 800 Menschen; Rentierzüchter, Fischer und Jäger.

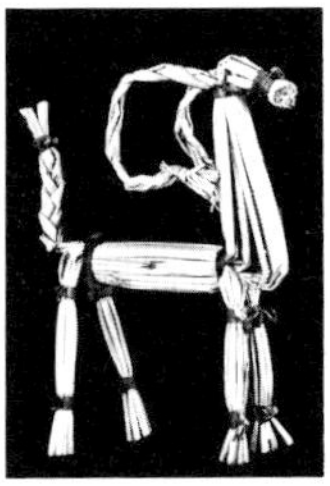
Jul Julbock

Jul [altnord. jol] *das* (Julfest), altgerman. Feier der Wintersonnenwende; später mit dem christl. Weihnachtsfest verschmolzen. Besondere Bräuche sind noch in Skandinavien, Großbritannien und Nord-Dtl. der **Julblock,** ein brennender großer Holzklotz, der **Julbock,** meist eine aus Stroh hergestellte Bockgestalt, und der **Julklapp,** ein Scherzgeschenk, das mit dem Ruf »Julklapp« ins Zimmer geworfen wird.

Juli [lat. nach Julius Cäsar] *der* (veraltet: Heumonat, Heuert), der 7. Monat des Jahres, mit 31 Tagen; im altröm. Kalender vor J. Cäsar als **Quintilis** der 5. Monat.

Julia, 1) Tochter des Kaisers Augustus, *39 v. Chr., †Rhegium 14 n. Chr.; in 3. Ehe mit Augustus' Stiefsohn Tiberius vermählt, wurde wegen ihres Lebenswandels, z. T. auch aus polit. Gründen, von Augustus 2 v. Chr. aus Rom verbannt.

2) J. Domna, röm. Kaiserin, *Emesa (heute Homs, Syrien) um 170, †Antiochia 217; zweite Frau des Kaisers Septimius Severus, Mutter der Kaiser Caracalla und Geta. Sie war hochgebildet, besaß großen Einfluss am kaiserl. Hof und führte während der Kriegszüge des Caracalla die Regierung. Nach dessen Ermordung schied sie freiwillig aus dem Leben.

Julian (Flavius Claudius Julianus), röm. Kaiser (361–363), von den Christen Apostata (»Abtrünniger«) genannt, *Konstantinopel 331, †Maranga am Tigris 26. 6. 363; schlug 357 die Alemannen bei Straßburg, wurde 360 zum Augustus ausgerufen, 361 Alleinherrscher. J., der sich seit 361 offen zum Heidentum bekannte, suchte dem Christentum ein im neuplaton. Geist erneuertes Heidentum entgegenzustellen.

Juliana, Königin der Niederlande (1948–80), *Den Haag 30. 4. 1909; Tochter der Königin Wilhelmina, ⚭ seit 1937 mit Prinz Bernhard zur Lippe-Biesterfeld, während des 2. Weltkriegs 1940–45 im Exil (Großbritannien, Kanada); dankte 1980 zugunsten ihrer Tochter →Beatrix ab.

julianischer Kalender, →Kalender.

Julianisches Datum, Abk. **J. D.,** durchlaufende Tageszählung, die in der Astronomie verwendet wird. Nullpunkt ist der 1. 1. 4713 v. Chr. 12^h WZ = 13^h MEZ. Im Internat. Geophysikal. Jahr (1957/58) wurde das **Modifizierte J. D.** (Abk. **M. J. D.**) eingeführt mit dem Nullpunkt am 17. 11. 1858 0^h 0^m 0^s WZ (= 2400000,5 J. D.), das sich bes. rasch in der Raumfahrt durchsetzte. – Das J. D. wurde nach einem Vorschlag von Joseph →Scaliger aufgestellt.

Jülich, 1) Stadt im Kr. Düren, NRW, an der Rur, 32200 Ew.; Abteilung der FH Aachen, Forschungszentrum J.; Sendeanlage der Dt. Welle; Papier- und Verpackungsind., Zuckerfabrik; Textilindustrie. – J., das röm. **Iuliacum,** wurde im 13. Jh. Stadt, nach Brand 1547 als Renaissance-Idealstadt neu geplant zur Residenzstadt, seit 1614 Hptst. von J.-Berg; 1815 an Preußen. 1944 fast völlig zerstört; wieder aufgebaut sind das Schloss auf der Zitadelle und das Rurtor.

2) ehem. Grafschaft, entstand aus dem fränk. J.-Gau; 1356 zum Herzogtum erhoben; gewann 1348–1423 Berg, seit 1511 Personalunion mit Kleve, kam 1614 an Pfalz-Neuburg, 1815 an Preußen.

Jülich-Klevescher Erbfolgestreit, Ansprüche internat. Verwicklungen um das Erbe des Jülich-Kleveschen Herzogshauses nach dessen Aussterben (1609), erhoben v. a. von Sachsen, Brandenburg, Pfalz-Neuburg und Pfalz-Zweibrücken. Durch den Vergleich von Xanten (1614) erhielt Brandenburg: Kleve, Mark, Ravensberg und Ravenstein, Pfalz-Neuburg: Jülich und Berg. Spätere Verträge (Düsseldorf 1624, Kleve 1666) bestätigten im Wesentl. den Xantener Vertrag.

Julier *der,* Alpenpass in Graubünden, Schweiz, zw. dem Oberhalbstein und Oberengadin (ÜBERSICHT Alpenstraßen).

Julier, altröm. Patriziergeschlecht; ihm gehörten Cäsar an sowie sein Adoptivsohn Gaius Octavius (→Augustus), der Gründer des julisch-claud. Kaiserhauses, das 27 v. Chr. bis 68 n. Chr. den Thron innehatte.

Juliet, ein Mond des Planeten Uranus.

Julikäfer (Anomala dubia), 12–15 mm langer, blauer oder grüner Blatthornkäfer.

Julikönigtum, Bez. für die Regierungszeit des frz. Königs Louis Philippe (1830–48), der durch die Julirevolution an die Macht gekommen war.

Julikrise, durch das Attentat von Sarajevo (28. 6. 1914) ausgelöste internat. Krise, die über die österr.

Kriegserklärung an Serbien (28. 7. 1914) zum 1. Weltkrieg führte.

Juliordonnanzen, von Karl X. von Frankreich am 25. 7. 1830 unterzeichnete verfassungswidrige Verordnungen (u. a. Aufhebung der Pressefreiheit, Wahlrechtsänderung), die zur →Julirevolution führten.

Juliputsch, nat.-soz. Umsturzversuch in Österreich, mit Wissen dt. offizieller Stellen am 25. 7. 1934 unternommen, eingeleitet durch den Überfall österreich. SS-Angehöriger auf das Bundeskanzleramt, bei dem der Bundeskanzler E. Dollfuß ermordet wurde. Nach der Niederschlagung des J. wurden 13 Putschisten durch Militärgerichtsurteile hingerichtet.

Julirevolution, Erhebung der Pariser Bevölkerung vom 27.–29. 7. 1830, Höhepunkt des Konflikts zwischen der bourbon. Restauration und der liberalen Kammermehrheit, ausgelöst durch die →Juliordonnanzen. Die J. führte zum Sturz Karls X. und zur Thronbesteigung des »Bürgerkönigs« Louis Philippe, des Weiteren zu revolutionären Erhebungen und verfassungsstaatl. Bestrebungen im übrigen Europa.

Julische Alpen, Teil der Südl. Kalkalpen, Slowenien, NW-Teil in Italien, im Triglav, dem höchsten Berg Sloweniens, 2864 m ü. M.; Fremdenverkehrsgebiet.

Julius, Herrscher:

Braunschweig: **1) J.,** Herzog (1568–89), * Wolfenbüttel 29. 6. 1528, † ebd. 3. 5. 1589; führte die Reformation ein; gründete 1576 die Univ. Helmstedt.

Würzburg: **2) J. Echter von Mespelbrunn,** Fürstbischof (1573–1617), * Schloss Mespelbrunn 18. 3. 1545, † Würzburg 13. 9. 1617; gründete 1576 das Juliusspital und 1582 die Univ. in Würzburg; führte mithilfe der Jesuiten die Gegenreformation in Würzburg, Bamberg und Fulda durch. Seine Bautätigkeit war kunstgeschichtlich stilbildend (»Juliusstil«).

Julius II., Papst (1503–13), eigtl. Giuliano della Rovere, * Albissola (bei Savona) 1443, † Rom 21. 2. 1513; Politiker, Staatsmann, Feldherr und Mäzen; sicherte und erweiterte durch geschickte Interessen- und Bündnispolitik die Machtpositionen des Kirchenstaates nach innen und außen; erreichte die Rückgabe verlorener Gebiete (Teile der Romagna); berief 1511 gegen das Konzil von Pisa das 5. Laterankonzil ein; förderte die Künste (Bramante, Michelangelo, Raffael).

Juliusturm, 1) Turm der früheren Zitadelle in Spandau, in dem bis 1914 der aus der frz. Kriegsentschädigung von 1870/71 stammende Reichskriegsschatz (120 Mio. Mark in gemünztem Gold) aufbewahrt wurde.

2) in der Bundesrep. Dtl. zw. 1952 und 1956 gebildete Rücklage der öffentl. Hand (bis rd. 7 Mrd. DM), bes. zur Deckung der Verteidigungsausgaben; nach 1956 aufgelöst.

Julklapp *der,* →Jul.

Jullundur [dʒə'lʌndə], Stadt in Indien, →Jalandhar.

Julirevolution: Karikatur von Honoré Daumier mit dem Titel »Könige Europas, seid auf der Hut, der Monat Juli tut Euch nicht gut«

Julmond [zu Jul], altdt. Name für Dezember.

Jumbojet ['dʒʊmbəʊdʒet; amerikan. jumbo »Koloss«, »riesig«, eigtl. ein Elefantenname] *der,* umgangssprachl. Bez. für das erste Großraumflugzeug Boeing 747.

Jumelage [ʒym'la:ʒ, frz.] *die,* Städtepartnerschaft.

Jumna ['dzʌmnə], ind. Fluss, →Yamuna.

jun., Abk. für **jun**ior, der Jüngere.

Juneau ['dʒu:nəʊ], Hptst. des Bundesstaates Alaska, USA, im Panhandle, am Gastineau Channel, 26 800 Ew.; ethnologisch-archäolog. Museum; Holzverarbeitung, Fischfang und -verarbeitung; ganzjährig eisfreier Hafen; Flughafen. – Entstand um 1880 als Goldgräbersiedlung, seit 1906 Reg.sitz.

Jung, 1) Carl Gustav, schweizer. Psychologe und Psychiater, * Kesswil (Kt. Thurgau) 26. 7. 1875, † Küsnacht (ZH) 6. 6. 1961; ab 1910 Prof. in Zürich; ging von der Psychoanalyse S. Freuds aus, entwickelte dann aber eigene Lehren (analyt. Psychologie) von der psych. Energie, von der Entwicklung der individuellen Persönlichkeit (→Individuation), vom individuellen und kollektiven →Unbewussten, vom →Archetypus und den Typen der Bewusstseinseinstellung (→Introversion, Extraversion). Nach seiner Lehre besteht zw. Natur und Psyche nicht nur ein Kausal-, sondern auch ein Sinnzusammenhang. J. wirkte u. a. auf Psychotherapie, Religions- und Mythenforschung, Ethnologie, Pädagogik. Seit 1948 besteht in Zürich das C.-G.-J.-Institut.

Werke: Wandlungen und Symbole der Libido (1912; erweitert: Symbole der Wandlung, 1952); Psycholog. Typen (1921); Die Beziehungen zw. dem Ich und dem Unbewußten (1928); Psychologie und Religion (1938); Einführung in das Wesen der Mythologie (1941); Psychologie und Alchemie (1944); Von den Wurzeln des Bewußtseins (1954); Erinnerungen, Träume, Gedanken (hg. 1962).

Papst Julius II. (Ausschnitt aus einem Gemälde von Raffael, 1511)

Carl Gustav Jung

📖 STEVENS, A.: *Das Phänomen C. G. J. Biograph. Wurzeln einer Lehre. A. d. Engl. Solothurn u. a. 1993.* – *C. G. J., Person, Psyche u. Paradox. Zürich 1995.* – WEHR, G.: *C. G. J. mit Selbstzeugnissen u. Bilddokumenten. Reinbek 75.–77. Tsd.,* *[17]1995.*

2) Johann Heinrich, Schriftsteller und Arzt, →Jung-Stilling.

Jungbunzlau, Stadt in der Tschech. Rep., →Mladá Boleslav.

Jungdemokraten, 1) eine Gruppe jüngerer Anhänger der Dt. Demokrat. Partei, gegr. 1919, aufgelöst 1933, organisierte sich 1928 im **Reichsbund dt. Jungdemokraten.**

2) Deutsche J., Abk. **DJD,** Kurzbez. **Judos,** polit. Jugendorganisation, gegr. 1947, bis 1982 in engem Verbund mit der FDP; trennte sich nach dem Bruch der SPD/FDP-Regierung 1982 von der FDP (seitdem Junge Liberale).

Jungdeutscher Orden, Abk. **Jungdo,** nat. Kampfbund, gegr. 1920 von A. Mahraun, organisatorisch dem Dt. Orden nachgebildet, vertrat sozialromant. Ziele. Er war urspr. gegen das Parteiwesen eingestellt, bekannte sich jedoch später in der Krise der Weimarer Republik zum Parlamentarismus. 1930 schloss er sich mit der Dt. Demokrat. Partei zur **Deutschen Staatspartei** zusammen.

junge Kirchen, Sammelbez. für die v. a. im 19. und 20. Jh. durch Kolonisation und Mission im Raum nichtchristl. Kulturen entstandenen Kirchen.

Junge Liberale, Abk. **Juli,** polit. Jugendorganisation, gegr. 1980, seit Nov. 1982 Nachwuchsorganisation der FDP.

Jünger, in den Religionen der Schüler eines religiösen Meisters; im N. T. v. a. Bez. der zwölf →Apostel.

Friedrich Georg Jünger

Ernst Jünger

Jünger, 1) Ernst, Schriftsteller, *Heidelberg 29. 3. 1895, †Riedlingen 17. 2. 1998, Bruder von 2); war 1913 in der Fremdenlegion, im 1. Weltkrieg Freiwilliger (Orden Pour le Mérite), Studium der Zoologie und Philosophie, seit 1926 freier Schriftsteller, seit 1941 im Stab des dt. Militärbefehlshabers in Frankreich; nach dem 20. 7. 1944 wegen »Wehrunwürdigkeit« entlassen. Aus seiner im 1. Weltkrieg gewonnenen Gesinnung eines »heroischen Nihilismus« heraus, der Kampf, »Blut«, Grauen als Erlebnis feiert, entwickelte J. den Mythos eines neuen unbürgerl. Menschen (»In Stahlgewittern«, 1920; »Der Arbeiter«, 1932) und einen Stil kühler Präzision. J. wurde bes. von den nat. Rechten beachtet. Sein Buch »Auf den Marmorklippen« (1939) wurde vielfach als literar. Angriff auf das nat.-soz. Regime gedeutet. In J. späteren Werken rückt ein konservativer Humanismus in den Vordergrund. J.s immer wieder vollzogener Wandel des geistigen Standpunkts blieb bis heute ebenso umstritten wie seine literar. Werke, darunter »Der Friede« (Essay, 1945), »Eine gefährl. Begegnung« (R., 1985), »Zwei Mal Halley« (Tagebuch, 1987), »Die Schere« (Schriften, 1990), »Siebzig verweht« (Tagebuch, 1993–95). J. erhielt 1982 den Goethepreis der Stadt Frankfurt am Main.

📖 *E. J. im 20. Jh., hg. v.* HANS-HARALD MÜLLER *u.* H. SEGEBERG. *München 1995.*

2) Friedrich Georg, Schriftsteller, *Hannover 1. 9. 1898, †Überlingen 20. 7. 1977, Bruder von 1); als Lyriker Klopstock, Hölderlin und der Antike verpflichtet (»Gedichte«, 1934; »Ring der Jahre«, 1954); schrieb ferner die Romane »Der erste Gang« (1954), »Zwei Schwestern« (1956), die Erinnerungen »Spiegel der Jahre« (1958), »Wiederkehr« (Erzählungen, 1965) und Essays.

Junges Deutschland, politisch oppositionelle literar. Bewegung in der Restaurationszeit des 19. Jh. Hauptvertreter waren K. Gutzkow, L. Wienbarg, T. Mundt, H. Laube, die in der Nachfolge von L. Börne und H. Heine versuchten, einen neuen Literaturbegriff durchzusetzen, die Literatur zu politisieren. Das J. D. trat ein für die Freiheit des Geistes und des Wortes, die Emanzipation des Individuums, der Frau und der Juden sowie für Verfassung und Demokratie und wandte sich gegen Konvention, Feudalismus, Orthodoxie und Absolutismus. – Der Name J. D. wurde durch Wienbarg bekannt (Abhandlung »Ästhet. Feldzüge«, 1834), doch sprachen Laube und Gutzkow schon vorher von »la jeune Allemagne« in Analogie zu politisch-revolutionären Geheimorganisationen wie »Giovine Italia« (gegr. 1831 v. G. Mazzini) und »Junges Europa« (gegr. 1834 in der Schweiz). – Unmittelbaren Anlass zur staatl. Verfolgung des J. D. bot 1835 W. Menzels denunziator. Kritik von Gutzkows Roman »Wally, die Zweiflerin« (1835). Die Schriften des J. D. wurden durch die Bundesversammlung des Dt. Bundes am 10. 12. 1835 als staatsgefährdend verboten; 1842 wurde das Ausnahme-Ges. in Preußen aufgehoben.

📖 KOOPMANN, H.: *Das junge Deutschland. Eine Einführung. Darmstadt 1993.*

Junge Union, Abk. **JU,** satzungsmäßig unabhängige Nachwuchsorganisation der CDU und CSU. Seit den 60er-Jahren sucht sie, häufig im Zusammenwirken mit den CDU-Sozialausschüssen, eigene programmat. Zielsetzungen zu entwickeln.

Jungfer, 1) *allg.:* urspr. junge Adlige, im 17./18. Jh. bürgerl. Mädchen (im Unterschied zum adligen Fräulein).

2) *Botanik:* Zierpflanze, →Schwarzkümmel.

Jungfernfahrt, die erste planmäßige Reise eines Schiffes nach seiner Probefahrt.

Jungfernfrüchtigkeit (Parthenokarpie), Fruchtbildung bei Pflanzen ohne Befruchtung; natürl. J. kommt bei Banane, Ananas und einigen Zitrusgewächsen vor.

Jungfrau: Blick auf die Viertausender Jungfrau (rechts) und Mönch; auf dem 3 569 m hohen Sphinxgipfel dazwischen liegt das Sphinx-Observatorium

Jungfernhäutchen, das →Hymen.

Jungfern|inseln (engl. Virgin Islands), Inselgruppe der Westind. Inseln im Bereich der Kleinen Antillen (östlich von Puerto Rico). Die Bewohner sind fast ausschließlich Nachkommen afrikan. Sklaven. Die ursprüngliche trop. Waldvegetation ist durch die Plantagenwirtschaft weitgehend vernichtet worden. Haupterwerbszweig ist heute der Fremdenverkehr. Es gibt einige Industriebetriebe (Erdölraffinerie, Aluminiumhütte, Uhrenmontage, Rumherstellung) sowie Off-Shore-Banken. Der westl. Teil der Inselgruppe mit den Inseln Saint John, Saint Thomas (mit der Hptst. Charlotte Amalie) und Saint Croix bildet ein Territorium der USA, die **Virgin Islands of the United States** (344 km² und [1990] 101 800 Ew.). Der östl. Teil mit etwa 40 z.T. unbewohnten Inseln bildet die brit. Kronkolonie **British Virgin Islands** (153 km² und [1991] 16 700 Ew.), deren größte Insel ist Tortola mit der Hptst. Road Town. – Die Inselgruppe wurde 1493 von Kolumbus entdeckt, nach Ausrottung der Ureinwohner durch die Spanier im 17. Jh. u.a. von Briten und Dänen besiedelt. Der brit. Teil wurde 1733 Kolonie mit Selbstverw., der dän. Teil, seit 1775 Kolonie, kam durch Kauf 1917 an die USA.

Jungfernrebe (Parthenocissus), Gattung der Weinrebengewächse mit blauen ungenießbaren Beeren und Haftscheiben an den Ranken; verbreitete Art ist der **Wilde Wein** (Parthenocissus quinquefolia), ein kletternder Strauch mit fünfteiligem Laub, das sich im Herbst rot färbt.

Jungfernzeugung (Parthenogenese), Fortpflanzung durch unbefruchtete Eier; v.a. bei einigen Würmern und Insekten vorkommend.

Jungfrau, Berg in den Berner Alpen, Schweiz, 4158 m ü.M.; Erstbesteigung 1811. Die 9,3 km lange **J.-Bahn** (elektr. Zahnradbahn, die oberen 7,1 km im Tunnel, erbaut 1896–1912), führt von der Kleinen Scheidegg (2061 m ü.M.) zum J.-Joch (3464 m ü.M.) mit Fremdenverkehrsanlagen, Gletschergrotte und Hochalpiner Forschungsstation sowie einem Observatorium auf dem Felsgipfel Sphinx (3569 m ü.M.).

Jungfrau (lat. Virgo), **1)** *Astronomie:* Sternbild der Äquatorzone, das 6. Zeichen des →Tierkreises (Zeichen: ♍).

2) *Biologie:* →Jungfräulichkeit.

Jungfrauengeburt, in zahlreichen, v.a. grch. und oriental. Mythen die Vorstellung der Geburt eines Gottes, Heroen oder heiligen Menschen ohne vorhergehende geschlechtl. Zeugung. Speziell in der christl. Glaubenslehre im Anschluss an Mt. 1,18 ff. und Lk. 1,26 ff. die Empfängnis und Geburt Jesu Christi; in der neueren Theologie als Legitimation der Gottessohnschaft Jesu gedeutet.

Jungfrauen, kluge und törichte, eines der Himmelreichsgleichnisse im N.T. (Mt. 25,1–12). Das Himmelreich wird mit einer Hochzeit verglichen. Als sich die Ankunft des Bräutigams bis in die Nacht verzögert, müssen die fünf törichten J. umkehren, da das Öl in ihren Lampen zur Neige geht. Nach ihrer Rückkehr werden sie nicht zur Hochzeit eingelassen. In der frühen Kirche und im MA. meist als Erwartung der Wiederkunft Jesu Christi gedeutet. – In der bildenden Kunst erscheint das Motiv seit frühchristl. Zeit als Hindeutung auf das Jüngste Gericht.

jungfräuliche Kurve, *Physik:* →Hysterese.

Jungfräulichkeit (Virginität), medizinisch der Zustand einer Frau **(Jungfrau)** vor dem ersten Geschlechtsverkehr bzw. vor der dadurch bedingten →Defloration. J. gilt, bes. in patriarchalisch oder religiös begründeten Familien- oder Gesellschaftsordnungen, bei Eingehen der Ehe als unerlässl. Gebot. – In der kath. und orth. Theologie und Frömmigkeit erfährt die J. als auf die asket. Traditionen der frühen Kirche zurückgehende Tugend

Jungfernrebe: Wilder Wein in Herbstfärbung mit den blauen, ungenießbaren Beeren

der freiwilligen lebenslangen geschlechtl. Enthaltsamkeit hohe Wertschätzung. Zur kath. Moraltheologie →evangelische Räte, →Keuschheit; zum kath. Kirchenrecht →Zölibat.

Jungsteinzeit: Die teilweise noch in Bau befindliche Rekonstruktion eines Siedlungsplatzes mit Langhäusern der bandkeramischen Kultur (Bonn, Rheinisches Landesmuseum)

Jungfrau von Orléans [-ɔrleˈã], →Jeanne d'Arc.

Junggrammatiker, sprachwiss. Schule um 1880 in Leipzig (daher auch **Leipziger Schule**), die sich (aus positivist. Sicht) mit historisch vergleichender Sprachwiss. beschäftigte; vertrat den Grundsatz von der Ausnahmslosigkeit der Lautgesetze.

Junghegelianer, die Vertreter des linken Flügels der hegelschen Schule (→Hegelianismus).

Jungius, Joachim, Arzt und Naturforscher, *Lübeck 22. 10. 1587, †Hamburg 23. 9. 1657; wurde 1609 Prof. der Mathematik in Gießen, gründete 1623 in Rostock die erste dt. wiss. Gesellschaft, seit 1629 Prof. in Hamburg. J. lieferte Beiträge zur Erneuerung der Logik und trug zum Vordringen der Atomistik und zur Begründung der Chemie als Wiss. bei. Seine naturwiss. Erkenntnisse bemühte er sich zu systematisieren und mithilfe mathemat. Methodik wissenschaftlich zu begründen.

Robert Jungk

Jungk, Robert, eigtl. R. Baum, österr. Publizist und Zukunftsforscher, *Berlin 11. 5. 1913, †Salzburg 14. 7. 1994; jüd. Herkunft, 1933–45 in der Emigration (Paris, Prag, Zürich); warnte frühzeitig vor den Gefahren der Kernenergie (»Die Zukunft hat schon begonnen«, 1952; »Der Atomstaat«, 1977); Gegner der atomaren Bewaffnung, Repräsentant der Friedensbewegung (»Sternenhimmel statt Giftwolken oder Den Frieden erfinden«, 1987). J. war bei den österr. Bundespräsidentenwahlen 1992 Kandidat der Grünen.

Junglestyle [ˈdʒʌŋglstaɪl; engl. »Dschungelstil«] *der,* im Jazz Bez. für einen charakterist. lautmalerischen Klangeffekt, bei dem auf Blechblasinstrumenten mithilfe von Dämpfern Raubtierlaute nachgeahmt werden; eingeführt vom Orchester Duke Ellingtons.

Jungpaläolithikum, Abschnitt der →Altsteinzeit.

Jungsozialisten, 1) eine Richtung innerhalb der SPD, ging 1919 v.a. aus der sozialist. Jugendbewegung hervor, bestand bis 1933 (Organ: »Jungsozialist. Blätter«).

2) Abk. **Jusos,** polit. Nachwuchsorganisation der SPD nach 1945, umfasst als Arbeitsgemeinschaft der SPD formell alle Mitgl. unter 35 Jahren.

Jungsteinzeit (Neolithikum), letzte Epoche der vorgeschichtl. Steinzeit; folgte der Mittelsteinzeit und wurde von der Kupfer- oder Bronzezeit abgelöst. Die »archäolog.« Definition der J. durch geschliffene Steinwerkzeuge (bes. Beil, Axt, Keule), Keramik, den Bogen, größere dörfl. Siedlungen mit mehrjährig bewohnten Häusern wurde durch die »ökonom.« Definition überlagert, nach der die J. durch die »produzierende« Wirtschaftsform (Anbau von Kulturpflanzen, Domestikation von Tieren zu Haustieren) gekennzeichnet ist. Die Anfänge der J. gehen bis in das 9. Jt. v. Chr. zurück, in Mitteleuropa beginnt sie im 6. Jt. und endet etwa 1800 v. Chr. In Afrika südlich der Sahara und in großen Teilen S-Asiens wird statt von J. meistens von »später Steinzeit« (»Later Stone Age«) gesprochen, die dort direkt in die Eisenzeit übergeht. Auch in Amerika wird der Begriff nur selten verwendet. Untergliederungen (Alt-, Mittel-, Jung-, End-Neolithikum) gelten nur für einzelne Regionen (z.B. Mitteleuropa, Nord-Dtl., Südskandinavien). Hoch entwickelte, befestigte Siedlungen des präkeram. Neolithikums wurden v.a. in Vorderasien ausgegraben (Jericho in Palästina, Jarmo in Irak). Die mit der J. einsetzende wirtsch. Umwälzung, die »neolith. Revolution«, beruht auf der Haustierhaltung (Schaf, Ziege, Schwein, Rind, Pferd) und dem Anbau von Kulturpflanzen

Jungsteinzeit: Torso einer Vogelgottheit, die der Vinčakultur zugeordnet wird; der Status der Gottheit ist auf dem Medaillon an der Halskette vermerkt

(Gerste, Weizen, Hirse) als Hackbau oder Ackerbau mit dem vom Rind gezogenen Pflug. Die bodengebundene, produzierende Wirtschaftsweise führte zur Anlage dörfl. und städt. Siedlungen.

Pflanzenbau und Tierzucht lenkten die Aufmerksamkeit des Menschen auf die Fruchtbarkeit, den zykl. Ablauf der Jahreszeiten und die Beobachtung der Gestirne. Die entstehende Fruchtbarkeitsreligion führte zur Verehrung menschen-, tier- und mischgestaltiger Wesen (Idole). Die Totenbeisetzung im Haus und in Großsteingräbern (Megalithgräber) zeugt von der Ausübung des Ahnenkults.

Die wichtigsten Formen- und Kulturgruppen Europas sind: 1) die Sesklokultur auf dem Gebiet des heutigen Griechenland; 2) das mediterrane Neolithikum, das in den Küstenländern des Mittelmeers verbreitet war; sein Hauptmerkmal ist Keramik mit Abdrücken von Muschelrändern (Impressokeramik); 3) die Starčevokultur als älteste J.-Kultur Südosteuropas und von Anfang an bäuerlich; sie erschloss nahezu die ganze Balkanhalbinsel der jungsteinzeitl. Kultur; 4) die auf diese folgenden Kulturen in demselben Gebiet; gekennzeichnet durch unbemalte dunkle Gefäße, große, langlebige Siedlungen und in der Spätstufe Metallschmuck und -geräte; darunter die Vinčakultur, die auch rote verzierte Keramik und Idolfiguren kennt; 5) die bandkeram. Kultur, die älteste J.-Kultur in Mitteleuropa. In ihr verbanden sich Elemente der Starčevo- und der Vinčakultur. Die vollneolith. Kulturen (Bandkeramik u.a.) gaben in W-Europa den Anstoß zur Entstehung eigener J.-Kulturen (z.B. Michelsberger Kultur), ebenso in Nord-Dtl. und Jütland (Ertebölle-, frühe Trichterbecherkultur); 6) die Hirtenkulturen (Grubengrab-, Katakombenkultur) in den südruss. Steppen; 7) die kamm- und grübchenkeram. Kulturen (Jäger, Fischer und Sammler, doch mit Kenntnis von Keramik und geschliffenen Steinwerkzeugen) in NW-Russland, im Baltikum und in Finnland; 8) die jungneolith. bemaltkeram. Kulturen, u.a. auf der Balkanhalbinsel und in Vorderasien. – Das Ende der J. in Europa (etwa 2400–1800 v.Chr.) stand im Zeichen tief greifender Wandlungen, die stärker als zuvor durch Wanderungen größerer Menschengruppen ausgelöst wurden. Von der Iber. Halbinsel aus schob sich die Glockenbecherkultur bis Nord-Dtl. und Ungarn vor. Gleichzeitig drängten, wohl unter dem Zwang einer Klimaänderung, die Hirtennomaden der schnurkeram. Kulturen (Streitaxtkulturen) nach N-Europa, auf die Balkanhalbinsel und nach Kleinasien. Ihre Träger scheinen kriegerisch gewesen zu sein. Die Ausbreitung der Megalithbauten (Megalithkultur) von der Iber. Halbinsel aus nach W- und NW-Europa, die bereits früher erfolgt war, scheint dagegen auf die Ausbreitung religiöser Strömungen zurückzugehen.

📖 MÜLLER-KARPE, H.: *Handbuch der Vorgeschichte, Bd. 2: J.* München ²1989.

Jüngstenrecht, der örtlich anzutreffende Brauch, bei ungeteilter Einzelerbfolge eines Bauern- oder Adelsguts (→Höferecht) das jüngste Kind zu bevorzugen. Unter **Minorat** versteht man die Nachfolge des Jüngsten unter mehreren gleich nahen Verwandten, unter **Juniorat** die Nachfolge des jüngsten männl. Familienmitglieds ohne Rücksicht auf die Nähe der Verwandtschaft.

Jüngstes Gericht (Endgericht), auf die jüd. Apokalyptik zurückgehende Vorstellung eines umfassenden endzeitl. (im Jenseits stattfindenden) Gerichts Gottes; im A.T. »Tag Jahwes« (Amos 5,18–20); im N.T. Beurteilung der Menschen nach ihren Taten und Scheidung der Gerechten von den Ungerechten durch Christus (Mt. 25,31ff.). Auch der Islam hat Vorstellungen vom J. G. entwickelt. (→Himmel, →Hölle)

Kunst: In der frühchristl. Kunst wird das J. G. zunächst symbolisch dargestellt (Scheiden der Böcke von den Schafen, kluge und törichte Jungfrauen). Der figurenreiche Darstellungstyp mit dem thronenden Christus, Maria und Johannes dem Täufer als Fürbittern und den Aposteln als Beisitzern über den Auferstehenden, die von Engeln zum Himmel geleitet oder von Teufeln in die Hölle geschleppt werden, wurde in der byzantin. Kunst entwickelt (etwa seit dem 8. Jh.) und blieb vom 10. Jh. an weitgehend unverändert. Häufig sind Reliefs in den Bogenfeldern mittelalterl. Kirchenportale sowie Fresken; bedeutende Altarbilder stammen u.a. von S. Lochner, H. Memling und P. P. Rubens.

Jung-Stilling, Johann Heinrich, eigtl. J. H. Jung (Stilling nach »die Stillen«, d.h. die Pietisten), Schriftsteller, * Grund (heute zu Hilchenbach) 12. 9. 1740, † Karlsruhe 2. 4. 1817; wuchs in dörflicher Umgebung in einer streng pietist. Familie auf, studierte 1769–72 Medizin in Straßburg, war Augenarzt in Elberfeld, wurde berühmt wegen seiner Staroperationen; seit 1778 Lehrer in Kaiserslau-

Jungsteinzeit: Tongefäß der Schnurkeramik, Höhe etwa 13 cm, gefunden in Halle (Saale) (Landesmuseum für Vorgeschichte, Halle)

Johann Heinrich Jung-Stilling: Punktierstich des deutschen Malers und Kupferstechers Marquard Fidel Dominikus Wocher (1801)

tern, von 1803 an lehrte er Staatswissenschaften in Heidelberg; 1806 wurde er Hofrat in Karlsruhe. J.-S. verfasste eine gemütvolle Darstellung seiner Jugend, deren 1. Teil Goethe bearbeitete und als »Heinrich Stillings Jugend« 1777 herausgab, und schrieb auch Romane, Gedichte, mystisch-pietist. und spiritist. Werke.

Junikäfer: Blätter und Triebe von Laub- und Nadelbäumen bilden die Hauptnahrung des Junikäfers (Länge bis 1,8 cm)

Jungtürken, nationaltürk. Reformpartei westl. Ausrichtung, die um 1876 entstand und seit etwa 1900 Einfluss auf das türk. Offizierskorps gewann; sie regierte 1908–18. Durch Kemal Atatürk wurde sie ausgeschaltet und verboten.

Juni [lat. junius »Monat der Juno«] (veraltet: Brachmonat, Brachet), der 6. Monat des Jahres, mit 30 Tagen; im altröm. Kalender der 4. Monat mit 29 Tagen.

Juniler, Name eines altröm. plebejischen Geschlechts seit dem 4. Jh. v. Chr. Zu ihm zählten die Träger des Cognomen → Brutus.

Junikäfer (Brachkäfer, Amphimallon solstitialis), einfarbig brauner, bis 18 mm langer, maikäferähnl. Blatthornkäfer; schwärmt an Juniabenden über Wiesen und Brachen.

junior [lat.], Abk. **jr., jun.,** der Jüngere.

Juniperus [lat.], die Pflanzengattung → Wacholder.

Junk-Art ['dʒʌŋkɑ:t, engl.] *die,* Richtung der zeitgenöss. Kunst, die Abfallprodukte der Industriegesellschaft zu künstler. Objekten gestaltet.

Junker [ahd. »junger Herr«], urspr. Sohn eines adligen Grundherrn, im späten MA. adliger Grundherr ohne Ritterschlag.

Junker, Hermann, Ägyptologe, *Bendorf 29. 11. 1877, †Wien 9. 1. 1962; war 1929–45 Direktor des Dt. Archäolog. Inst. in Kairo; wurde v. a. bekannt durch seine Grabungen in Giseh und die Erforschung der ptolemäischen Tempeltexte von Philae.

Junkers, Hugo, Flugzeugkonstrukteur und Unternehmer, *Rheydt (heute zu Mönchengladbach) 3. 2. 1859, †Gauting 3. 2. 1935; entwickelte u. a. 1907 den Doppelkolbenmotor, 1910 ein Nurflügelflugzeug, 1915 das erste Ganzmetallflugzeug mit freitragenden Flügeln (J 1), 1919 das erste Ganzmetallverkehrsflugzeug (F 13) und 1929 den ersten Schwerölflugmotor nach dem Doppelkolbenprinzip. – J. gründete 1913 die **J.-Motorenbau GmbH** und 1919 die **J.-Flugzeugwerke AG,** beide in Dessau, die 1934 verstaatlicht und 1936 zu den **J.-Flugzeug- und Motorenwerken AG** zusammengefasst wurden, in denen die Verkehrsflugzeuge Ju 52 (1931, »Tante Ju«), Ju 90 (1937) und die Kampfflugzeuge Ju 87 (1935, »Stuka«), Ju 88 (1936) entstanden. Nach dem Krieg blieben die Werke in der sowjet. Besatzungszone in staatl. Hand; die im Bereich der Bundesrep. Dtl. reprivatisierten Werke gingen 1969 in der Messerschmitt-Bölkow-Blohm GmbH auf.

Junktim [lat.] *das,* eine wegen innerer Zusammengehörigkeit erfolgte Verknüpfung zweier oder mehrerer vertragl. Abmachungen, Gesetzesvorlagen u. a., die nur alle zusammen beschlossen werden oder Gültigkeit haben können. Das GG kennt die **J.-Klausel,** d. h. die von Art. 14 Abs. 3 vorgeschriebene Verbindung von Enteignung und Entschädigung.

Junktor [zu lat. iungere »verbinden«] *der,* Verknüpfungszeichen in der formalen Logik: »und« ($\wedge$), »oder« ($\vee$), »wenn, dann« ($\Rightarrow$ oder $\rightarrow$), »genau dann, wenn« ($\Leftrightarrow$) sowie »nicht« ($\neg$).

Jünnan, chines. Provinz, → Yunnan.

Juno (lat. Iuno), **1)** *Astronomie:* einer der hellsten und größten → Planetoiden.

2) *röm. Myth.:* höchste röm. Göttin, urspr. wohl die weibl. Entsprechung des → Genius, als Schutzgeist zu jeder Frau gehörend. Sie wurde unter zahlr. Beinamen verehrt. Als **J. Regina** herrschte sie mit Jupiter und Minerva auf dem Kapitol, als **J. Lucina** schützte sie die Geburten. J. wurde früh mit der grch. Hera gleichgesetzt und auch in der bildenden Kunst wie diese dargestellt.

Junkers: Die von der Junkers-Motorenbau GmbH in Dessau ab 1931 hergestellte dreimotorige Ju 52/3 m, genannt »Tante Ju«

Junta ['xunta] *die,* in Spanien und Lateinamerika ein Ausschuss, der Reg.aufgaben wahrnimmt; heute allg. eine durch Staatsstreich an die Macht gekommene Gruppe von Offizieren **(Militär-J.),** die die Reg.gewalt, z. T. als Diktatur, ausübt.

Junus Emre (Yunus Emre), anatol.-türk. Dichter und Mystiker, *Şarkőy (?) um 1250, †ebd. um

1320. Seine in der sufischen Tradition stehende, pantheist. Dichtung ist im Stil der Volkspoesie gehalten; die Gedichte wurden nach seinem Tod zu einem Diwan zusammengestellt.

Juọn, Paul (Pawel Fjodorowitsch), russ. Komponist und Musiktheoretiker schweizer. Herkunft, *Moskau 6. 3. 1872, †Vevey (Kt. Waadt) 21. 8. 1940; lehrte ab 1906 an der Musikhochschule Berlin; schrieb, der romant. Tradition des 19. Jh. verpflichtet, v. a. Kammermusik, ferner Klavierwerke, Lieder, Konzerte, Orchestermusik.

Jụpiter (lat. Iuppiter), **1)** *Astronomie:* Zeichen ♃, größter Planet unseres Sonnensystems, von der Sonne aus gezählt der 5., ben. nach dem Gott J.; seine Masse beträgt das 318fache der Erdmasse und ist größer als die aller anderen Planeten zus. (astronom. und physikal. Daten vgl. Übersicht). Die geringe mittlere Dichte (weniger als 1/4 der Dichte der Erde) und die gewaltigen Ausmaße (1335-mal des Volumen der Erde) lassen sich nur erklären, wenn J. zum überwiegenden Teil aus leichten Elementen besteht; er ist vermutlich aus flüssigem molekularem und metall. Wasserstoff aufgebaut, der einen dichten zentralen Kern aus Eisen und Siliciumverbindungen umgibt. Seine wolkenreiche Atmosphäre besteht hauptsächlich aus Wasserstoff und Helium; daneben enthält sie Ammoniak, Methan, Äthan u. a. Die Temperatur der Wolkendecke beträgt etwa −120 °C. Nach dem Einschlag der Kometenkette Shoemaker-Levy 9 auf dem J. im Juli 1994 ist die Temperatur in der oberen Atmosphäre um etwa zehn Grad gesunken. – Seit 1973 wurde der J. von amerikan. Raumsonden erkundet (→Pioneer 10 und 11, →Voyager 1 und 2), die eine Fülle von Daten und Fotos zur Erde übermittelten. So konnte der (schon Mitte des 17. Jh. beobachtete) **Große Rote Fleck** auf der Südhalbkugel des J. als gewaltiger ovaler Wolkenwirbel (mit 24 000 km bzw. 11 000 km Durchmesser) erkannt werden, der durch seine Zirkulation Materie nach oben transportiert, die im Violetten und Ultravioletten absorbiert. Das Magnetfeld des J. reicht weit in den interplanetaren Raum hinaus und kann deutlich mehr elektrisch geladene Teilchen in Form von Strahlungsgürteln aufnehmen als das ird. Magnetfeld. Messungen der Raumsonde →Ulysses, die 1992 teilweise J. umflog, ermittelten beträchtl. Schwankungen seiner Magnetosphäre. – Von den 16 bekannten J.-Monden (Übersicht Monde) wurden vier bereits 1610 von G. Galilei und S. Marius beobachtet. Diese **galileischen Monde,** Io, Europa, Ganymed, Kallisto, sind größer als oder fast so groß wie der Planet Merkur. J. besitzt außerdem ein etwa 30 km dickes Ringsystem, das 1979 von Voyager 1 nachgewiesen wurde. Auf Io fanden Voyager 1 und 2 Spuren eines aktiven Vulkanismus.

Astronomische und physikalische Daten des Jupiters

Äquatordurchmesser	142 796 km
Poldurchmesser	133 540 km
Abplattung	1/15,9
Masse	$1{,}9 \cdot 10^{27}$ kg
mittlere Dichte	1,33 g/cm³
Rotationsdauer	9 h 55 min 30 s
Dauer eines Umlaufes um die Sonne	11,86 Jahre
mittlere Entfernung zur Sonne	778,3 Mio. km

2) *Raketen:* 1) erste erfolgreiche amerikan. Mittelstreckenrakete, einstufig, 1955–59 für die Streitkräfte entwickelt; 2) (J.-C, auch Juno I) amerikan. vierstufige Trägerrakete, 1954–57 entwickelt, brachte 1958 die ersten NASA-Satelliten (so Explorer 1) in eine Erdumlaufbahn.

3) *röm. Myth.:* höchster röm. Gott, Herr des lichten Himmels **(J. Lucetius),** des Blitzes und Donners **(J. Tonans)** sowie Regenspender **(J. Pluvialis),** und Beschützer des Rechts und Schwurzeuge. Sein Heiligtum auf dem Kapitol, wo er als **J. Optimus Maximus** (»der beste und größte J.«) verehrt wurde, war das Wahrzeichen röm. Macht. J. wurde mit dem grch. Zeus identifiziert und in der bildenden Kunst wie dieser dargestellt.

Jụpiterlampe, sehr starke Lichtquelle (z. B. Bogen- oder Xenonlampen), die auf Bühnen sowie für Film- und Fernsehstudioaufnahmen verwendet wird.

Jụpitersäulen (Gigantensäulen), dem Jupiter geweihte Denkmäler der provinzialröm. Kunst des Rheingebiets im 2. und 3. Jh. n. Chr., die mit Gestalten der röm. Götterwelt besetzt sind und von einer Jupiterstatue gekrönt werden.

Alain Juppé

Juppé [ʒy'pe:], Alain Marie, frz. Politiker, *Mont-de-Marsan (Dép. Landes) 15. 8. 1945; war 1993–95 Außenmin., 1995–97 Premiermin. Mit einem innenpolitisch umkämpften Sparprogramm suchte er die Inflationsrate, v. a. im Hinblick auf

Jupitermonde

Nummer/Name (Entdeckungsjahr)		Durchmesser in km	Entfernung zu Jupiter in km	siderische Umlaufperiode in Tagen
XVI	Metis (1980)	~40	127 600	0,295
XV	Adrastea (1979)	~35	~128 400	0,297
V	Amalthea (1892)	240	181 300	0,498
XIV	Thebe (1980)	~75	225 000	0,678
I	Io (1610)	3 632	421 600	1,769
II	Europa (1610)	3 126	670 900	3,551
III	Ganymed (1610)	5 276	1 070 000	7,155
IV	Kallisto (1610)	4 820	1 883 000	16,69
XIII	Leda (1974)	8	11 100 000	238,7
VI	Himalia (1904)	170	11 470 000	250,6
X	Lysithea (1938)	19	11 710 000	259,2
VII	Elara (1905)	80	11 743 000	259,7
XII	Ananke (1951)	17	20 700 000	631
XI	Carme (1938)	24	22 350 000	692
VIII	Pasiphae (1908)	27	23 300 000	744
IX	Sinope (1914)	21	23 700 000	758

Jura 1): Der Ort Moutier im Schweizerischen Jura liegt oberhalb eines engen Quertales, der Cluse de Moutiers, das hier die Bergkette durchbricht

den Eintritt Frankreichs in die Europ. Wirtschafts- und Währungsunion, in Grenzen zu halten. 1994 wurde er Vors. des RPR., 1995 auch Bürgermeister von Bordeaux.

Jura 3) Kantonswappen

Jura [Pl. von lat. Ius], die Rechte, die Rechtswissenschaft.

Jura *der,* eines der geolog. Systeme des Mesozoikums, dauerte rd. 60 Mio. Jahre, während denen bes. Tone, Mergel und Kalksteine abgelagert wurden (nutzbar: Eisenerz-, Gips- und Salzlager). In diese Zeit fallen zahlr. Meeresüberflutungen und ein mildes Klima. Unterteilt wird der J. in Lias, Dogger, Malm oder nach den in Süd-Dtl. vorherrschenden Gesteinsfarben in Schwarzen, Braunen und Weißen Jura.

Curd Jürgens

Udo Jürgens

Jura, 1) *der,* Gebirgszug in Mitteleuropa, nordwestlich und nördlich der Alpen. Der **Französisch-Schweizer. J.** erstreckt sich in einem flachen Bogen vom Lac du Bourget nach N und NO. Der frz. Teil entspricht in seiner Ausdehnung etwa der Franche-Comté, der schweizer. Teil (etwa 10%) reicht vom Genfer See bis zum Randen (bei Schaffhausen). Der J. ist hauptsächlich aus den Schichten des J.-Systems aufgebaut, die im Tertiär aufgefaltet wurden, am stärksten im O, im **Kettenjura.** Die dicht gedrängten Falten bilden hier mit ihren Sätteln und Kämmen (crêts) die höchsten Erhebungen (Crêt de la Neige 1718 m ü. M.); in den Mulden entstanden breite Längstäler (Vallées), die durch enge Quertäler (Cluses, Klusen) verbunden sind. Gegen W sind die Falten im **Plateau-J.** zu einförmigen Hochflächen abgetragen (bis 800 m ü. M.), mit Talmäandern (von Doubs und Ain) und Karsterscheinungen (oberflächl. Wasserarmut, Dolinen, Poljen, Höhlen). Der im N gelegene **Tafel-J.** hatte an der Faltung wenig Anteil, seine vielfach aus Muschelkalk gebildeten, stark zerschnittenen Hochflächen erreichen Höhen um 750 m ü. M. Das Klima ist rau und feucht, der Wald wurde durch die Weidewirtschaft auf die Hänge zurückgedrängt. In der Landwirtschaft überwiegt die Viehzucht, in den Tälern und im Vorland gibt es Acker- und Obst-, im S auch Weinbau. Der J. ist dicht besiedelt und stark industrialisiert: Holzind., Edelsteinschleiferei und bes. im Schweizer J. (aus dem Hausgewerbe hervorgegangen) Uhrenindustrie. Im frz. J. entstanden in einigen Zentren wie Montbéliard, Dôle, Besançon, Champagnole moderne Großbetriebe.

In Dtl. setzen sich die J.-Schichten jenseits des Hochrheins nach NO und N in der →Schwäbischen Alb und der →Fränkischen Alb fort, die früher deshalb auch Schwäb. und Fränk. J. genannt wurden, tektonisch jedoch anders aufgebaut sind als der Französisch-Schweizer. Jura.

2) [ʒy'ra], frz. Département im Jura, in der Franche-Comté, 4999 km², (1995) 252000 Ew.; Hptst. ist Lons-le-Saunier.

3) [frz. ʒy'ra] (amtlich République et Canton de J.), Kanton der Schweiz, umfasst die Bez. Delémont, Franches-Montagnes und Porrentruy, 837 km², (1994) 69000 vorwiegend kath., französischsprachige Ew.; Hptst. ist Delémont. J. hat überwiegend ländl. Charakter; wichtigster Industriezweig ist die Uhrenind., ferner Maschinen- und Fahrzeugbau sowie Metallverarbeitung; in der Landwirtschaft dominieren Viehzucht und Grünlandwirtschaft. – Im 20. Jh. entstand bes. im kath. Nord-J. eine polit. Bewegung zur Schaffung eines eigenständigen Kantons. Nach drei Abstimmungen (1974, 1975 und 1978) wurde am 1. 1. 1979 aus dem nordwestl. Teil des Kt. Bern der neue Kanton J. geschaffen.

4) ['dʒʊərə], Insel im S der Inneren Hebriden, W-Schottland, bis 784 m ü. M., 360 km², 240 Ew.; Whiskyherstellung, Tourismus.

Jurassier (frz. Jurassiens), die Einwohner des französischsprachigen Teils des Schweizer Jura.

Jürgens, 1) Curd, Schauspieler, *München 13. 12. 1915, †Wien 18. 6. 1982; war in seinen Rollen auf den Typ des smarten Liebhabers und stattlichen Kerls festgelegt, gestaltete aber auch Draufgängerrollen, u. a. »Des Teufels General« (1955), »Der Schinderhannes« (1958).

2) Udo, eigtl. Udo Jürgen Bockelmann, Schlagersänger und -komponist, *Schloss Ottmanach (heute zu Magdalensberg, bei Klagenfurt) 30. 9. 1934; wurde internat. bekannt mit Songs wie »Merci chéri« und »Griechischer Wein«.

Jurinac [-nats], Sena (Srebrenka), aus Bosnien stammende österr. Sängerin (Sopran), *Travnik 24. 10. 1921; war 1944–82 Mitgl. der Wiener Staatsoper; gefeiert v. a. in Mozart- und Strauss-Partien sowie im italien. Fach.

Jurisdiktion [lat.] *die,* Gerichtsbarkeit.

Jurisdiktionsnorm, das österr. Gesetz vom 1. 8. 1895, das die Ausübung der Zivilgerichtsbarkeit und die Zuständigkeit der ordentl. Gerichte in bürgerl. Rechtssachen regelt.

Jurisprudenz [lat.] *die,* Rechtswissenschaft.

Jurist *der,* rechtlich nicht geschützter Titel, der für eine rechtskundige Person verwendet wird, die ein Universitätsstudium der Rechtswiss. von mindestens 3½ Jahren mit abschließendem Examen (Referendarexamen) und einen »Vorbereitungsdienst« (Referendardienst) von zwei Jahren bei Gerichten, Staatsanwaltschaft, Behörden, Unternehmen u. a. mit abschließendem 2. jurist. Staatsexamen (Assessorexamen) durchlaufen hat, in dem die Befähigung zum Richteramt (gleichbedeutend mit dem »Voll-J.«) erworben wurde. Die Ausbildung ist im Dt. Richter-Ges. i. d. F. v. 19. 4. 1972 und in landesrechtl. Vorschriften geregelt. Die Befähigung zum Richteramt ist Voraussetzung für den Zugang zu den meisten jurist. Berufen, nicht für den des Rechtspflegers.

In der DDR wurde nach Abschluss eines jurist. Hochschulstudiums der akadem. Grad eines »Diplom-J.« erlangt. Nach dem Einigungsvertrag kann in den neuen Bundesländern auch in das Richteramt berufen werden, wer die Befähigung zum Richteramt nach dem Recht der DDR erworben hat (wer auf Lebenszeit berufen wurde, erfüllt die Voraussetzungen für die Berufung in ein Richterverhältnis im gesamten Bundesgebiet).

In *Österreich* ist zur Ausbildung der J. ein an einer Universität zu absolvierendes, in zwei Studienabschnitte gegliedertes, mindestens vier Jahre dauerndes Diplomstudium und ein darauf aufbauendes Doktoratsstudium vorgesehen. Grundsätzlich genügt das Diplomstudium zur Ausübung aller jurist. Berufe. In der *Schweiz* ist die Ausbildung der J. nicht einheitlich. Das rechtswiss. Studium an den Univ. wird i. Allg. mit dem Lizenziat abgeschlossen. Zur Ausübung des Anwaltsberufes ist (zusätzlich) ein kantonales Anwaltspatent erforderlich, das nach einem Praktikum von unterschiedl. Dauer und Absolvieren einer Prüfung erworben wird. Eine jurist. Ausbildung ist beim Bund und in den meisten Kantonen i. Allg. nicht Wählbarkeitsvoraussetzung für ein Richteramt; Ausnahmen gelten z. T. für Präsidialfunktionen.

juristische Person, von der Rechtsordnung mit eigener → Rechtsfähigkeit versehene Personenvereinigung (z. B. eingetragener Verein) oder Vermögensmasse (z. B. Stiftung). Die j. P. ist wie die natürl. Person Träger von Rechten und Pflichten, kann Vermögen erwerben und besitzt im Prozess Parteifähigkeit. Sie handelt durch ihre Organe. Man unterscheidet j. P. des Privatrechts (z. B. eingetragener Verein, GmbH, AG) und des öffentl. Rechts (z. B. Körperschaften wie Bund, Länder, Gemeinden; Anstalten; Stiftungen des öffentl. Rechts). Privatrechtl. j. P. entstehen durch privatrechtl. Gründungsakt (bes. Vertrag) und ergänzenden Hoheitsakt, j. P. des öffentl. Rechts durch Gesetz oder durch Hoheitsakt.

Jūrmala ['ju:r-], Stadt und Seebad in Lettland, erstreckt sich über 33 km am Rigaer Meerbusen, 60 900 Ew.; ganzjähriger Kurbetrieb; Papierfabrik.

Jurte [türk.] *die,* zerlegbares, leicht zu transportierendes Wohnzelt mongol. und türk. Nomadenvölker in W- und Zentralasien; Rundbau aus Holzstangen, darüber Filzdecken, innen mit Teppichen oder Grasmatten ausgekleidet.

Jurte: Mongolen im Süden der Gobi beim Aufbau ihres Wohnzeltes; zunächst wird das tragende Gerüst aus Holzstangen aufgebaut (links), dann mit Filzmatten abgedeckt und innen mit Teppichen ausgekleidet

Juruá, Rio [rriu ʒu'rua] (span. Río Yuruá) *der,* rechter Nebenfluss des Amazonas, 3 250 km lang, entspringt in den peruan. Anden, mündet bei Fonte Boa in Brasilien.

Jürüken, Bez. für die früher in ganz Anatolien und auf dem Balkan nomadisierenden Türken; einst sehr zahlreich, sind sie heute durch Übergang zur Sesshaftigkeit stark zurückgegangen.

Jury *die,* **1)** ['dʒʊərɪ], in Großbritannien und den USA Spruchkörper von meist 12 Geschworenen im Strafprozess, der i. d. R. über Tatfragen und Schuld des Angeklagten, nicht aber über die Strafe entscheidet; auch in Zivilverfahren kann auf Verlangen einer Partei eine J. aus bis zu 12 Geschworenen gebildet werden.

2) [ʒy'ri, frz.], Ausschuss von Sachverständigen, die als Preisrichter bei sportl. (Kampfgericht) oder künstler. Wettbewerben tätig sind oder die bei Ausstellungen, Filmfestspielen o. Ä. über die Annahme eines Werkes entscheiden.

Jus [lat.] *das,* das Recht, → Ius.

Jus [ʒy:; frz. aus lat. ius »Brühe«] *die, das* oder *der,* Fleischsaft, der sich nach Erkalten in Gallerte verwandelt.

Juschno-Sachalinsk, Hptst. des Gebietes Sachalin, an der S-Küste der Insel Sachalin, Russland, 157 000 Ew.; Forschungsinstitut; Fischverarbeitung, Möbel-, Baustoffindustrie. – 1881 als **Wladimirowka** gegr., 1905–46 als **Toyohara** bei Japan.

Jusos, Abk. für → **Jungsozialisten** 2).

Jusowka, bis 1924 Name der Stadt → Donezk.

Justaucorps [ʒysto:ˈkɔ:r, frz.] *der* oder *das,* tailliert geschnittener, knielanger Männerrock ohne Kragen; im späten 17. Jh. aus der Soldatenkleidung übernommen, Ende des 18. Jh. von Frack und Tuchrock abgelöst.

Justaucorps

Juste-Milieu [ʒystmilˈjø; frz. »richtige Mitte«] *das,* frz. Schlagwort, nach der Julirevolution von 1830 auf die gemäßigte Regierungsweise Louis Philippes angewendet.

Justi, 1) Carl, Kunsthistoriker, *Marburg 2. 8. 1832, †Bonn 9. 12. 1912, Onkel von 2); verfasste Biographien kunsthistorisch bedeutender Persönlichkeiten (Winckelmann, Murillo, Velázquez, Michelangelo), die er vor dem eindringlich gezeichneten Hintergrund ihrer Zeit darstellt.

2) Ludwig, Kunsthistoriker, *Marburg 14. 3. 1876, †Potsdam 19. 10. 1957, Neffe von 1); war 1909–33 Direktor der Berliner Nationalgalerie; seit 1946 Generaldirektor der Staatl. Museen in Berlin (Ost). J. arbeitete über Giorgione und über die Kunst des 19. und 20. Jahrhunderts.

Ludwig Justi (Federzeichnung des deutschen Malers Fritz Rhein, um 1930)

justieren [von lat. iustus »richtig«], **1)** *allg.:* techn. Geräte und Einrichtungen vor Gebrauch genau einstellen bzw. einrichten.

2) *Münztechnik:* einen Münzrohling auf das im Münzgesetz vorgeschriebene Gewicht prüfen und anpassen.

Justin (lat. Justinus), Philosoph und Wanderlehrer, *Flavia Neapolis (heute Nablus), †Rom um 165 (Märtyrertod); gründete in Rom eine eigene Philosophenschule. Mit J. beginnt im Christentum die ernsthafte Auseinandersetzung mit antiker Philosophie und Staatlichkeit (»Apologie«). – Heiliger; Tag: 1. 6.

Justinian, byzantin. Kaiser: **1) J. I., der Große,** Kaiser (527–565) in Doppelherrschaft mit seiner Gattin Theodora (†548), *Tauresium (in der Nähe von Skopje) 482, †Konstantinopel 11. 11. 565; unterwarf die Parteien der Hptst. (Nikaaufstand, 532), eroberte durch seine Feldherren Belisar und Narses einen großen Teil des von german. Stämmen besetzten Weström. Reiches und begründete die Verflechtung von Staat und Kirche im Byzantin. Reich. Im Kampf gegen das Heidentum schloss er die Athener Philosophenschule. Kirchenpolitisch suchte er den Ausgleich mit den Monophysiten (Konzil 553). Er ließ die Hagia Sophia neu erbauen und gab dem Rechtsleben eine feste Grundlage durch das →Corpus Iuris Civilis.

2) J. II. Rhinotmetos [grch. »mit der abgeschnittenen Nase«], Kaiser (685–695 und 705–711), *um 670, †(ermordet) Sinope 711; zwang die Slawen um Thessalonike zur Anerkennung der byzantin. Herrschaft, baute die Themenverfassung (→Thema) aus. Durch einen Aufstand abgesetzt und verstümmelt, gelangte er mithilfe der Bulgaren wieder auf den Thron, errichtete eine Schreckensherrschaft und wurde bei einer Revolte seiner Streitkräfte ermordet.

Just-in-Time-Fertigung [dʒʌst ɪn ˈtaɪm-; engl. just in time »gerade rechtzeitig«], Organisationsprinzip der Produktion und der Materialwirtschaft, das unter Ausnutzung der Möglichkeiten der Informations- und Kommunikationstechnik versucht, die Materialzuliefer- und Produktionstermine so aufeinander abzustimmen, dass die kurzfristige Kapazitätsplanung und Materialbereitstellung an die Fertigungs- und Auftragssituation angepasst sind (»Produktion auf Abruf«) und dadurch die Materialbestände und Durchlaufzeiten kostengünstig minimiert werden. Eine Methode der J.-i.-T.-F. ist das **Kanban-System,** ein sich selbst steuernder Regelkreis zw. erzeugenden und verbrauchenden Bereichen.

Justinian I., der Große: Das Mitte des 6. Jh. geschaffene Mosaik der Kirche San Vitale in Ravenna zeigt den Kaiser (Mitte) mit seinem Gefolge und dem Klerus der Stadt; die Insignien des Kaisers sind das rote Schuhwerk, die Brosche mit drei Anhängern, das Diadem und der Heiligenschein

Justitia [lat.] röm. Göttin, →Iustitia.

Justitiar [lat.] *der,* mit der Bearbeitung der Rechtsangelegenheiten einer Behörde, eines Verbands oder eines Unternehmens Beauftragter.

Justitium [lat.] *das,* Stillstand der Rechtspflege durch Krieg u. a. Ereignisse; bewirkt in Zivilprozessen Unterbrechung des Verfahrens (§ 245 ZPO).

Justiz [lat.] *die,* die Organe der Rechtspflege und die Justizverwaltung.

justizfreier Hoheitsakt, →gerichtsfreier Hoheitsakt.

Justizgewährungsanspruch, verfassungsrechtlich gewährleisteter Anspruch des Einzelnen, zur umfassenden Wahrung seiner Rechte ungehindert die staatl. Gerichte in Anspruch nehmen zu können und von diesen eine Entscheidung in der Sache treffen zu lassen (Art. 19 Abs. 4 GG). Dem J. entspricht die Justizgewährungspflicht des Staates.

Justiziabilität [lat.] *die,* die Eigenschaft eines Rechtsverhältnisses, der Beurteilung durch ein ordentl. Gericht zu unterliegen.

Justizirrtum, Fehlentscheidung eines Gerichts, bes. bei einem Urteil im Strafprozess. (→Strafverfolgung)

Justizmord, Hinrichtung eines Unschuldigen infolge →Justizirrtums oder Rechtsmissbrauchs.

Justizrat, früher an ältere Richter, Anwälte und Notare ehrenhalber verliehener Titel.

Justizverwaltung, Tätigkeit der Gerichte, Staatsanwaltschaften und sonstigen Justizbehörden mit Ausnahme der Rechtspflege. Dazu gehören bes. 1) die Dienstaufsicht über die Organe der Rechtspflege, 2) die Schaffung der sachl. und personellen Voraussetzungen für eine geordnete Rechtspflege, 3) die Führung des Strafregisters, 4) die Durchführung des Strafvollzugs. Oberste Behörden der J. sind die Justizministerien.

Justizvollzugsanstalt, →Strafvollzug.

Justus van Gent ['jystys van 'xɛnt], eigtl. Joos van Wassenhove, niederländ. Maler, *wohl zw. 1435 und 1440, †Urbino (?) nach 1480; lebte ab 1473 in Urbino. Sein einziges gesichertes Werk ist »Die Einsetzung des hl. Abendmahls« (1473/74). J. v. G. verband Stilelemente der niederländ. Tradition mit Einflüssen der italien. Renaissance.

Jute [angloind.] *die,* Fasern aus dem Bast der aus Indien stammenden, einjährigen J.-Pflanzen Corchorus capsularis und Corchorus olitorius, den nach der Baumwolle wichtigsten Faserpflanzen. Die Faserbündel sind sehr lang, aber wesentlich weniger fest als Hanf und Flachs. Verwendet wird J. v. a. für Verpackungs-, Polster- und Wandbespannungsmaterial sowie als Grundgewebe für Teppiche und Linoleum.

Jüten, german. Stamm in Jütland, urspr. wohl an der W-Küste Mitteljütlands, um 300 n. Chr. von den Dänen unterworfen. Teile der J. übersiedelten mit Angeln und Sachsen im 5. Jh. nach Britannien.

Jüterbog, Stadt im Kr. Teltow-Fläming, Brandenburg, auf der nördl. Abdachung des Flämings, 11 300 Ew.; Möbel-, Papier-, Konservenindustrie. – Spätgot. Backsteinhallenkirchen Sankt Nikolai und Mönchskirche; Rathaus (1478–1506 umgebaut); Teile der mittelalterl. Befestigung mit drei Stadttoren (15. Jh.). – Erhielt 1174 Stadtrecht; war bis 1993 Kreisstadt.

Jütland (dän. Jylland), Halbinsel zw. Nordsee, Skagerrak, Kattegat und Kleinem Belt, bildet den festländ. Teil Dänemarks, mit vorgelagerten Inseln 29 765 km². Der Meeresarm Limfjord trennt im NW die Insel Vendyssel-Thy ab. – J. war urspr. vom german. Stamm der →Jüten bewohnt.

Juvarra (Juvara, Iuvara), Filippo, italien. Baumeister, *Messina 27. 3. 1678, †Madrid 31. 1. 1736; in Rom ausgebildet, seit 1714 Hofarchitekt in Turin, schuf zahlr. Bauten in der Tradition des röm. Barocks, u. a. die Kirche »La Superga« (1717–31).

Juvenal (lat. Iuvenalis), Decimus Iunius, röm. Redner und Dichter, *wohl Aquincum (Latium) um 60–140 n. Chr.; griff in seinen Gedichten mit äußerster Schärfe und geschliffenem Wort menschl. Schwächen an; er hat damit den modernen Begriff der Satire maßgeblich bestimmt. Für die Sittengeschichte zur Epoche Neros und der Domitians ist J. eine wichtige Quelle.

Justus van Gent: »Die Einsetzung des heiligen Abendmahls« (1473/74; Urbino, Galleria Nazionale delle Marche)

juveniles Wasser, dem Magma entstammendes, bei vulkan. Vorgängen frei werdendes Wasser, das (im Unterschied zu vadosem Wasser) neu in den Wasserkreislauf eintritt.

Juventas, röm. Göttin, →Iuventas.

Juwel [niederländ.-frz.] *das* auch *der,* kostbarer Schmuckstein.

Jyväskylä, Stadt in Mittelfinnland, am See Päijanne, 71 800 Ew.; Univ. (seit 1966; 1863 als PH gegr.), Museum; Holzverarbeitung, Papierind., Maschinenbau, Margarineerzeugung; Wintersport. – Das Stadtbild bestimmen moderne Bauten von A. Aalto. – Stadtrecht seit 1837.

Justinian II. Rhinotmetos auf einer Goldmünze aus Konstantinopel, um 690 (Originaldurchmesser)

K

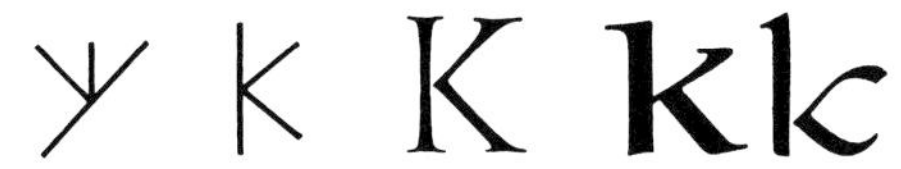

Altsemitisch Altgriechisch Römische Kapitalschrift Unziale und karoling. Minuskel

k, K, 1) Konsonant (→Laut); der 11. Buchstabe des dt. Alphabets, stimmloser gutturaler Verschlusslaut. In den ältesten lat. Inschriften gab es das K, später wurde es durch das C verdrängt. Die roman. Sprachen benutzen das K nicht mehr. Im Althochdeutschen waren k und c gleichbedeutend; später wurde c auf bestimmte Fälle eingeschränkt.

2) *Chemie:* **K,** Symbol für →Kalium.

3) *Einheitenzeichen:* **K** für →Kelvin.

4) *Formelzeichen:* *k* für die →Boltzmann-Konstante.

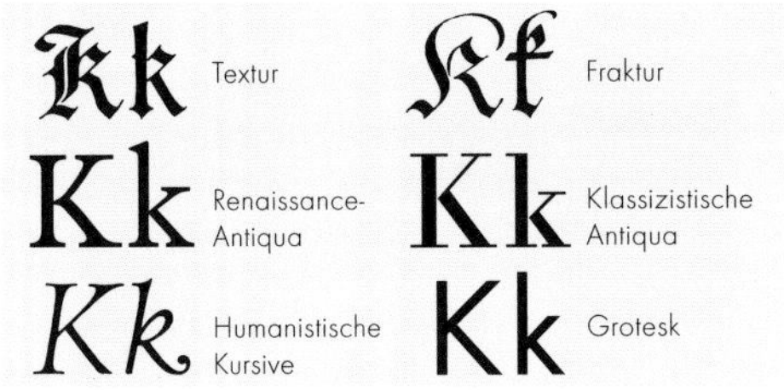

Druckschriftvarianten des Buchstabens **K**

5) *Informatik:* **K,** Größenvorsatz für →Bit und →Byte; **K** = 2^{10} = 1024.

6) *Münzwesen:* **K,** Kennbuchstabe auf österr.-ungar. Münzen für die Münzstätte Kremnitz, auf frz. (1539–1878) für Bordeaux.

7) *Vorsatzzeichen:* **k** für →Kilo.

K2 (Mount Godwin Austen, Chogori), der zweithöchste Berg der Erde, höchster Gipfel des Karakorum, in Kaschmir; 8607 m ü. M.; Erstbesteigung am 31. 7. 1954 durch eine italien. Expedition.

Ka [ägypt.] *der,* in der altägypt. Religion die dem Menschen innewohnende Lebenskraft.

Kaaba [arab. »Würfel«] *die* (Kaba), Hauptheiligtum des Islam mit dem Beinamen »Haus Gottes«; ein Gebäude in Mekka, in das Hadjar al-Aswad (schwarzer Stein), ein Meteorit, eingelassen ist; Ziel des →Hadjdj.

Ludwig Kaas

Kaas, Ludwig, kath. Theologe und Politiker, *Trier 23. 5. 1881, †Rom 15. 4. 1952; 1928–33 Vors. des Zentrums; stimmte 1933 dem →Ermächtigungsgesetz zu, ging 1933 nach Rom, wo er am Abschluss des Reichskonkordats mitwirkte.

Kababisch, Stammesgruppe arab. Beduinen, mit berber. und negriden Elementen gemischt; die etwa 70 000 K. leben als Kamel- und Schafzüchternomaden zw. Kordofan und Dongola im O der Rep. Sudan.

Kabakow, Ilja Jossifowitsch, russ. Künstler, *Dnjepropetrowsk 30. 9. 1933; zunächst Zeichnungen für Kinderbücher, seit den 80er-Jahren Rauminstallationen, wobei i. d. R. Bild und Schrift integrale Bestandteile bilden. In der Darstellung banaler und absurder Situationen stößt K. auf Fragwürdigkeiten menschl. Existenzbedingungen.

Kabale [frz., zu hebr. Kabbala] *die, veraltet:* geheimer Anschlag, Ränke, Intrige.

Kabalewski, Dmitrij Borissowitsch, russ. Komponist, *Sankt Petersburg 30. 12. 1904, †Moskau 16. 2. 1987; schrieb in der Tradition der russ. Musik des 19. Jh. u. a. Opern (»Colas Breugnon«, 1938), Sinfonien, Solokonzerte, Bühnen- und Filmmusiken, ein Requiem, Lieder.

Kabardiner, Volk im N-Kaukasus, mit den →Tscherkessen nahe verwandt, rd. 395 000 Menschen, vorwiegend sunnit. Muslime.

Kabardino-Balkarilen (Rep. der Kabardiner und Balkaren), Teilrep. der Russ. Föderation, an der N-Abdachung des Großen Kaukasus, 12 500 km², (1995) 787 000 Ew. (1989: 48 % Kabardiner, 32 % Russen, 9 % Balkaren); Hptst. und wichtigstes Ind.zentrum ist Naltschik. In den gebirgigen Zonen Rinder- und Schafzucht, in der Ebene Pferdezucht sowie Getreide-, Obst- und Weinbau. Abbau von Molybdän-, Wolfram-, Blei- und Zinkerzen.

Kabarett [aus frz. cabaret, »Schenke«] *das,* Mischform der darstellenden Kunst, die Elemente und Mittel des Theaters (z. B. Szene, Monolog, Dialog), der Literatur (z. B. Lyrik, Prosa, Dialog) und der Musik (z. B. Lied, Chanson, Couplet) vereint; seit den 60er-Jahren auch als Medien-K. (Hörfunk- und Fernsehsendungen).

Das K. entwickelte sich als **literar. K.** aus den »Cabarets chantants«, den Künstlerkneipen des Pariser Montmartre, wo 1881 R. Salis das »Chat noir« eröffnete. 1901 entstanden das erste dt. K. »Überbrettl« (»Bunte Bühne«, gegr. von E. von Wolzogen in München), in Berlin M. Reinhardts »Schall und Rauch« und in München das K. »Elf Scharfrichter« (O. Falckenberg u.a.). Die meist kurzlebigen literar. K. bestanden aus Chansons, Tänzen, Instrumentalmusik, Sketches, Parodien, verbunden durch Ansagen eines Conférenciers. Gegen die nationalist. Stimmung zu Anfang des 1. Weltkriegs agierte das 1916 in Zürich gegründete dadaist. »Cabaret Voltaire« mit antimilitarist. Tendenz. Bes. Ende der 20er-Jahre tendierte das K. zur Revue. Erfolgreich waren dennoch »K. der Komiker« (1924), »Katakombe« (1929 gegr. u.a. von W. Finck und R. Platte), »Die Vier Nachrichter« (1931 gegr. u.a. von H. Käutner), bes. durch die Vortragskünstler T. Hesterberg, C. Waldoff, G. Holl, R. Valetti. Bed. Volkskomiker dieser Zeit waren K. Valentin, L. Karlstadt, O. Reutter, W. Reichert und Weiß Ferdl. Während des Nationalsozialismus wurden viele Kabarettisten verhaftet bzw. ins KZ gebracht. Die bedeutendsten Emigranten-K. waren u.a. in Wien »Der liebe Augustin« (1931) und »Literatur am Naschmarkt« (1933) sowie in Zürich »Die Pfeffermühle« (1933). Nach dem 2. Weltkrieg entstanden zahlr. neue K., z.B. in München »Schaubude« (1945 gegr. von E. Kästner, mit U. Herking), in Düsseldorf »Kom(m)ödchen« (1947 gegr. von K. und L. Lorentz), in Berlin (West) das Rundfunk-K. »Insulaner« (gegr. 1947) und »Die Stachelschweine« (gegr. 1949, mit W. Neuss), in Stuttgart und Hamburg »Mausefalle« (1948 gegr. von W. Finck), in München »Münchner Lach- und Schießgesellschaft« (gegr. 1955 von S. Drechsel und

Kaaba: Das Hauptheiligtum des Islam in Mekka trägt den Beinamen »Haus Gottes«

D. Hildebrandt) und »Rationaltheater« (gegr. 1965), in Köln »Floh de Cologne« (gegr. 1966). In der DDR entstanden »Die Distel« (1953) in Berlin, »Die Pfeffermühle« (1954) und die »academixer« (1966) in Leipzig sowie die »Herkuleskeule« (1955) in Dresden. In der Bundesrep. Dtl. profilierten sich als Solokabarettisten u.a. W. Finck, W. Neuss, J. von Manger, H.-D. Hüsch, D. Hildebrandt, D. Kittner, M. Richling, L. Fitz. Seit 1976 existiert in Mainz das **Dt. K.-Archiv.** – Bed. *österr.* Kabarettisten sind G. Kreisler, H. Qualtinger, W. Schneyder, E. Steinhauer, I. Stangl, bed. zeitgenöss. K.-Ensemble »Die Hektiker« in Wien; für die *Schweiz* u.a. F. Hohler und E. Steinberger.

Dmitrij Kabalewski

📖 KÜHN, V.: *Das K. der frühen Jahre. Ein freches Musenkind macht erste Schritte.* Weinheim u.a. [2]*1989.* – VOGEL, B.: *Fiktionskulisse. Poetik u. Geschichte des K.* Paderborn u.a. *1993.* – BUDZINSKI,

Kabarett (von links): Plakat von Thomas Theodor Heine für das Münchner Kabarett »Die elf Scharfrichter« (1901); Aufführung in den frühen Jahren des Düsseldorfer »Kom(m)ödchen« mit Lore und Kay Lorentz

K. *u.* HIPPEN, R.: *Metzler-K.-Lexikon. Stuttgart u.a. 1996.*

Kabbala [hebr. »Überlieferung«] *die,* seit dem 13. Jh. Bezeichnung der jüd. Mystik und religionsphilosoph. Geheimlehre.

Der **Kabbalist** verbindet traditionelle jüd. Exegese mit Elementen der Gnosis, des Pythagoreismus, des Neuplatonismus und exklusiv-myst. Frömmigkeit. Als erste kabbalist. Schrift gilt »Das Buch Bahir« (hebr. »hell«, »klar«) von Isaak dem Blinden († 1210) in Nîmes; das klass. Hauptwerk ist das Buch Sohar (hebr. »Lichtglanz«), anonym verfasst Ende des 13. Jh. Gemeinsame Grundlage kabbalist. Spekulation ist die Anschauung von den vier Welten und zehn Sphären, in denen sich die göttl. Kräfte abgestuft entfalten und das Geschehen in der materiellen Welt bestimmen, das der Kabbalist durch seine Frömmigkeit positiv beeinflussen kann. Dem Bösen als »der anderen Seite« wird dabei durchaus eigene Macht zuerkannt. Im 13. Jh. in Spanien zu hoher Blüte gelangt – Azriel (* 1160, † 1238) und Moses ben Nachman (* 1194, † 1270) aus Gerona, Abraham Abulafia (* 1240, † 1291) aus Saragossa –, verbreitete sich die K. in der Folgezeit über die ganze Diaspora, wo sie sich als popularisierte K. mit messian. Hoffnungen, Volksglauben und Magie (Zahlenmystik) verband und den Chassidismus (→ Chassidim) wesentlich beeinflusste.

Kabbala: Titelseite einer 1706 herausgegebenen Ausgabe der ersten kabbalistischen Schrift »Das Buch Bahir« aus dem späten 12. Jh. (Jerusalem, National- und Universitätsbibliothek)

📖 ARIEL, D. S.: *Die Mystik des Judentums. Eine Einführung. A. d. Amerikan. München 1993. – Die Kabbalah. Einführung – klass. Texte – Erläuterungen, hg. v.* JOHANN MAIER. *München 1995.*

Kabel [mhd. kabel »Ankerseil«, »Schiffstau«], mit Isolierung und Schutzhüllen versehene ein- oder mehradrige elektr. Leitung zum Verlegen in Erde, Luft oder Wasser (Erd-K., See-K., Luft-K., selbsttragende K. für Freileitungen). Nach Verwendung unterscheidet man a) die herkömmlich als Starkstrom-K. bezeichneten K. zur Energieübertragung (Leistungs-K.) oder Übermittlung von Stromimpulsen für Steuerzwecke (Steuer-K.) und b) K. zur Signalübertragung (herkömmlich Schwachstrom-K.). – **K. zur Energieübertragung.** Die Einteilung erfolgt nach Spannungshöhe in Nieder-, Mittel-, Hoch- und Höchstspannungs-K.; nach Leiterzahl in Einleiter-K. und Mehrleiter-K. (meist Dreileiter-K.); nach Isolation in Gummi-, Kunststoff-K., papierisolierte Masse-K., Öl-K. und Gas-K. (Druckgas-K., SF_6-Kabel); nach Ausführung in Gürtel-K., Dreimantel-K. und Rohr-K. – Bei größeren Querschnitten werden die runden oder sektorförmigen Leiter aus Aluminium oder Kupfer in Teilleiter unterteilt. In supraleitenden K. (Kryo-K.) können sehr hohe Leistungen verlustarm übertragen werden. Für die Leiterisolierung werden mit Öl oder Bitumen getränkte Papiere und Faserstoffe, Gummi, Kunststoff oder Gase verwendet. – Das Eindringen von Schmutz und Feuchtigkeit an den K.-Enden verhindert der K.-Endverschluss, ein mit Vergussmasse gefülltes Stahlgehäuse oder ein Gießharzelement, das bei K.-Verbindungsstellen als Muffe ausgeführt wird. Die Leiterenden werden direkt an Anlagen- oder Geräteanschlussstellen geklemmt, gequetscht, gelötet oder geschweißt bzw. mittels eines K.-Schuhs, einer Anschlussarmatur, befestigt. – **K. zur Signalübertragung.** Der konstruktive Aufbau von K. als Leiteranordnung zur Übertragung elektr. Signale hängt vom Anwendungsfall und Frequenzbereich ab. Im Niederfrequenz- und unteren Hochfrequenzbereich dienen zur Übertragung von Telefonie-, Telegrafie-, Ton-, Daten-, Steuer- und Messwertsignalen K. mit einem symmetr. Leiteraufbau aus einer Vielzahl kunststoffisolierter Kupferadern, die paarweise eine Leitung bilden (Fernmelde-K., Trägerfrequenz-K., Rundfunkleitungs-K.). Die isolierten Leiter werden bei der einfachen symmetr. Leitung zu Paaren »verseilt« (z. B. Fernsehübertragungs-K.); bei hochpaarigen K. können die Verseilelemente auch erst zu Bündeln verseilt werden (z. B. Fernsprechorts-K.). Dagegen finden im oberen Hochfrequenzbereich zur Übertragung von Fernseh-, breitbandigen Multiplex- u. a. Hochfrequenzsignalen K. mit einem konzentr. Leiteraufbau (Koaxial-K.) Anwendung (Trägerfrequenz-, Hochfrequenz-, Antennenzuleitungs-, Fernsprechfernkabel).

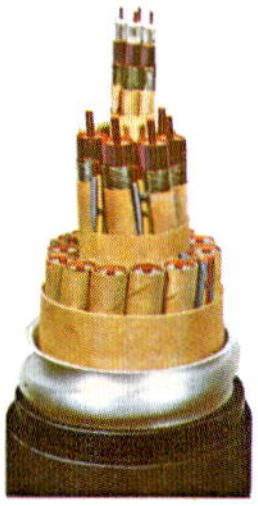

Kabel: Fernsprechortskabel mit Bündelverseilung (oben) und Fernsprechfernkabel als Koaxialkabel

Kabelfernsehen, Verteilung von Fernsehprogrammen im Rahmen des → Kabelrundfunks.

Kabeljau (Gadus morrhua), bis 150 cm langer Raubfisch aus der Familie der Dorsche, bis 15 kg Gewicht, selten bis 40 kg, im N-Atlantik, in der Nord- und Ostsee; die Ostseeform wird als **Dorsch** bezeichnet. Der K. ist ein wichtiger Nutzfisch. Von den versch. Unterarten ist die bei den Lofoten und in der Barentssee vorkommende die wirtschaftlich bedeutendste. Im Handel meist frisch, seltener getrocknet **(Stockfisch)** oder gesalzen und getrocknet **(Klippfisch)**. Aus der Leber wird hochwertiges Öl hergestellt.

Kabellänge, älteres Längenmaß der Schifffahrt: $^1/_{10}$ Seemeile = 185,2 m.

Kabelleger, ein zum Verlegen und Wiedereinholen von Unterseekabeln ausgerüstetes Schiff.

Kabelrundfunk, Verteilung von Hörfunk- und Fernsehprogrammen **(Kabelfernsehen)** über kabelgebundene Breitbandnetze (BK-Netze, →Breitbandkommunikation). Derzeit können in der Bundesrep. Dtl. mehr als 30 PAL-Fernsehprogramme, bis zu 36 UKW-Hörfunkprogramme und 16 Programme des DSR (Digitaler Satellitenrundfunk) empfangen werden. Mehrere Fernsehgeräte an einem Kabelanschluss können unterschiedliche Programme verschiedener Satellitensysteme gleichzeitig empfangen. Künftig sind im K. bis zu 150 digitale Fernsehkanäle und zusätzliche Dienstleistungen (interaktives Fernsehen, Homeshopping) möglich. Die Programmzuführung in die BK-Netze erfolgt über Fernmeldesatelliten, Richtfunkstrecken oder heranführende Kabelstrecken des öffentl. Fernmeldenetzes. In der Bundesrep. Dtl. wird K. von rd. 16,5 Mio. Haushalten genutzt, weitere 5 Mio. Haushalte verfügen über einen Kabelanschluss, nutzen diesen aber nicht.

Kabelschuh, Schraubbefestigung zum Anschluss elektr. Leitungen an Kabel.

Kabila, Laurent Désiré, kongoles. Politiker, *Moba (Prov. Shaba) 1940; seit Mitte der 1960er-Jahre an Aufstandsversuchen in der Rep. Kongo (später Zaire) führend beteiligt, rief Ende Okt. 1996 als Sprecher der »Alliance des Forces Démocratiques pour la Libération du Congo-Zaïre« (AFDL) zum Sturz des Staatschefs Mobutu Sese-Seko auf. Nach der Eroberung des gesamten kongoles. Staatsgebietes durch oppositionelle, von K. geführte Kräfte übernahm dieser Ende Mai 1997 das Amt des Staatspräsidenten.

Kabeljau (Länge bis 1,1 m)

Kabinenbahn, 1) mit Fahrgastkabinen ausgerüstete Seilschwebebahn (→Bergbahnen).

2) in Entwicklung befindl. spurgebundenes Nahverkehrsmittel, als Einfach- oder Doppelspurbahn mit auf Tragbalken aufgeständerten, an diesen angehängten oder geführten (→Magnetschwebebahn) Kabinen, die vollautomatisch (»führerlos«) gesteuert werden können. **Groß-K.** sollen v.a. stadtbahnähnlich im Linienbetrieb verkehren, **Klein-K.** nach Computerprogrammen Einzelziele ansteuern. Dt. Bauarten sind unter den Namen **Cabinentaxi (CAT)**, **H-Bahn** (→Hängebahn), **M-Bahn** u.a. bekannt.

Kabinett [frz.] *das,* **1)** *allg.:* kleines Zimmer; kleinerer Ausstellungsraum in Museen **(Kupferstich-K., Münz-K., Naturalien-K.)**.

2) *Staatsrecht:* die Gesamtheit der Minister einer Regierung, in Dtl. die Bundes- oder Landesregierung. In Großbritannien und Frankreich gehört nur ein Teil der Minister zum eigentl. K. – Die Bez. K. kam im 17. Jh. für den engen Kreis persönl. Berater **(Geheimes K.)** auf, mit dem das Staatsoberhaupt sein monarch. Selbstregiment gegenüber den Fachressorts sicherte **(K.-System)**. Das K.-System lebte in konstitutionellen Staaten als Zivil-, Militär- oder Marine-K. fort (in Dtl. bis 1918).

3) *Weinherstellung:* →Kabinettwein.

Laurent Désiré Kabila

Kabinettkäfer (Anthrenus), Gattung 2–4,5 mm langer, ovaler, meist auf schwarzem Grund hell gefleckter Speckkäfer, Blütenbesucher, z.B. der Wollkrautblütenkäfer (Anthrenus verbasci). Die stark behaarten Larven zerfressen Felle, Wollwaren und Teppiche. BILD S. 160

Kabinettschrank (Kunstschrank), in der Renaissance entwickelter Schrank, meist mit einem Untersatz in Form eines tischartigen Gestells. Das Oberteil hat viele Schubfächer. In der 2. Hälfte des 16. und im 17. Jh. wurden K. oft prunkvoll mit Intarsien, Beschlägen u.a. ausgestattet. Als Spitzenleistungen gelten die »Augsburger Kabinette«. BILD S. 160

Kabinettsjustiz, im Absolutismus die Eingriffe des Landesherrn in die Rechtspflege.

Kabinettsorder, Anordnung des Herrschers in Sachen, die seiner eigenen Entschließung vorbehalten waren **(K.-Sachen)**.

Kabinettsvorlage, Antrag (meist eines Min.) auf Beschlussfassung durch die Gesamtregierung.

Kabinettwein, nach dem dt. Weingesetz unterste Stufe der Qualitätsweine mit Prädikat; bereitet aus Trauben, die bei der Lese ein Mindestmostgewicht aufweisen müssen; der Most darf auch nicht mit Zucker angereichert werden.

In *Österreich* bezeichnet K.-Wein den gehobenen Qualitätswein, bereitet aus Trauben mit einem Mindestmostgewicht von 17° KMW (entspricht 84° Öchsle); der Most darf hier ebenfalls nicht mit Zucker angereichert werden. Der Wein darf einen Restzuckergehalt (Restsüße) von 9 g/l und einen Gesamtalkoholgehalt von 12,7 Volumenprozent nicht überschreiten.

Kabotage [-'ta:ʒə; frz.] *die* (Cabotage), i.e.S. die Küstenschifffahrt; i.w.S. die Beförderung von

Personen und Gütern zw. zwei Orten im Inland, die nach nat. Recht (z.B. §23 Luftverkehrs-Ges., §2 Küstenschifffahrts-Ges.) inländ. Unternehmen vorbehalten sein kann. Im Rahmen der EU ist der K.-Vorbehalt weitgehend überholt.

Kabinettschrank aus England, Nussbaumholz (spätes 17. Jh.; Aachen, Suermondt-Ludwig-Museum)

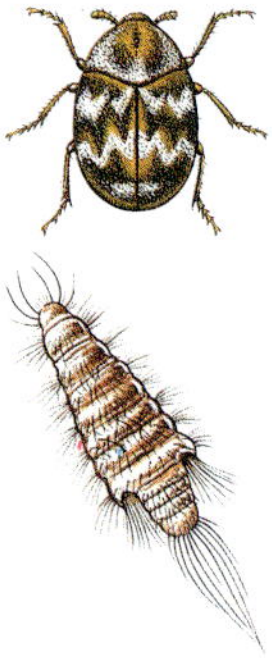

Kabinettkäfer und dessen Larve

Kabriolett [frz.] *das* (Cabriolet), 1) leicht gebaute, zweirädrige Kutsche (Einspänner), meist mit Verdeck; 2) Kurzbez. Kabrio oder Cabrio, Pkw mit offenem Aufbau, zurückklappbarem Verdeck und versenkbaren Seitenfenstern.

Kabuki [japan.] *das,* →japanisches Theater.

Kabul, 1) *der,* rechter Nebenfluss des Indus, etwa 450 km lang, entspringt westlich der Stadt K. im Kuh-e Baba, Afghanistan, und mündet bei Attock in Pakistan; Wasserkraftwerke.

2) Hptst. von Afghanistan, am Fluss K. in einem von Gebirgen umgebenen, bewässerten Hochbecken, 1795 m ü. M., etwa 1,5 Mio. Ew.; Univ., Polytechnikum; Textil-, Metall-, Leder- u. a. Ind.; internat. Flughafen. Wirtschaft, Handel und Verkehr sind durch den Bürgerkrieg stark in Mitleidenschaft gezogen worden. – Viele Baudenkmäler sind zerstört oder verfallen; mehrere Moscheen (18., 19., 20. Jh.), Festung Bala Hissar (16. Jh.; 1879 gesprengt, wiederhergestellt). – K. gehörte seit dem 16. Jh. zum Reich der Großmoguln und wurde 1747 Hptst. des Afghanenreichs.

Kabwe (bis 1968 Broken Hill), Provinz-Hptst. in Sambia, nördlich von Lusaka, 1180 m ü. M., 210 000 Ew.; Bergbau (Blei, Zink) und Hüttenwerke. – Fundort des **Rhodesiamenschen (Homo rhodesiensis),** der dem europ. Neandertaler entspricht.

Kabylei *die,* Gebirgslandschaft des Tellatlas in N-Algerien. Die **Große K.** im W umfasst das Jurakalkgebirge des Djurdjura (2308 m ü. M.), sie wird intensiv agrarisch genutzt (Feigen- und Olivenbäume, Weinbau) und ist dicht besiedelt; die **Kleine K.** im O erreicht im Djebel Bahor 2004 m ü. M., sie hat ausgedehnte Waldgebiete mit Rodungsflächen (Gartenbaukulturen).

Kabylen [arab.], Sammelbez. für die Berbergruppen in N-Algerien (→Berber), ansässig bes. in der →Kabylei. Die etwa 2,4 Mio. K. sind sunnit. Muslime; sie sind v. a. Saisonarbeiter (Landwirtschaft, Bergbau); traditionelles Kunsthandwerk (Keramik, Silberschmuck, Waffen). Ihre Sprache, das **Kabylische,** ist ein Berberdialekt.

Kachel [ahd. chachala »irdener Topf«], Platte aus reinem oder mit Schamotte gemagertem Ton, glatt oder reliefartig gemustert, mit Glasur auf der Vorderseite. Die K. werden in Muffel- oder Tunnelöfen gebrannt, oft bei einem zweiten Brand mit der Glasur überzogen; Ofen- und Wandkacheln.

Kachel|ofen, →Heizung.

Kachexie [grch.] *die* (Auszehrung), hochgradiger Kräfteverfall, Abmagerung, z. B. bei chron. Infektionskrankheiten, bösartigen Geschwülsten.

Kachin [-tʃ-] (Katschin, Chingpo), mongolides Volk (einschl. verwandter Gruppen: Maru, Lashi, Atsi) mit tibetobirman. Sprache in N-Birma, v. a. im Kachin- und Shanstaat sowie im W der chines. Provinz Yunnan und in NO-Indien.

Kachinstaat [-tʃ-], autonomes Sondergebiet und Staat im äußersten N von Birma, 89 041 km², (1983) 904 800 Ew., Hauptort ist Myitkyina; weitgehend vom dicht bewaldeten **Kachinbergland** eingenommen; Teakholzgewinnung, Seidenraupenzucht, in den Tälern Anbau von Reis, Zuckerrohr, Baumwolle, Tabak und Gemüse.

Kachel: Ofenkachel mit einer Darstellung der armen Seelen im Fegefeuer (18. Jh.; Wasserburg a. Inn, Städtisches Heimatmuseum)

Kachowkaer Stausee, Stausee des Dnjepr, Ukraine, 2155 km², 18,2 Mrd. m³ Fassungsvermögen; Kraftwerk (352 MW); Ausgangspunkt des Nordkrim- und Kriwoi-Rog-Kanals.

Kaçkar Dağı [katʃkar daːˈi], höchster Berg (3937 m ü. M.) des Pontischen Gebirges, Türkei, mit kleinen Gletschern und Karseen.

Kaczawa [kaˈtʃava], Fluss in Polen, → Katzbach.

Kádár, János, ungar. Politiker, * Fiume (heute Rijeka) 25. 5. 1912, † Budapest 6. 7. 1989; trat 1931 der ungar. KP bei, am Ende des 2. Weltkrieges führend am Aufbau der kommunist. Herrschaft in Ungarn beteiligt, 1948–51 Innenmin., 1951–54 wegen angebl. Opposition gegen den damaligen stalinist. Gen.-Sekr. der KP, M. Rákosi, inhaftiert, wurde Ende Okt. 1956 – zu Beginn des Volksaufstandes – Gen.-Sekr. der als Ungar. Sozialist. Arbeiterpartei reorganisierten kommunist. Partei (bis 1988). Zunächst selbst Mitgl. der Aufstandsreg., wandte er sich dann gegen sie, bildete eine Gegenreg. und bat die UdSSR um militär. Intervention. Nach der Niederschlagung des Aufstandes schlug er als maßgebl. Führungsfigur seiner Partei einen an die UdSSR angelehnten Kurs ein; 1956–58 und 1961–65 auch Ministerpräsident.

Kadaré, Ismail, alban. Schriftsteller, * Gjirokastër 27. 1. 1936; ab 1990 18 Monate im frz. Exil; schreibt Lyrik und Romane (»Die Festung«, 1970; »Der große Winter«, 1972) über Vergangenheit und Gegenwart des alban. Volkes; 1988 erschien »Konzert am Ende des Winters«, 1991 »Alban. Frühling. Berichte, Briefe, Betrachtungen«.

Kaddisch [aramäisch »heilig«] *das,* jüd. Gebet der Trauernden im Trauerjahr und jährlich am Todestag.

Kadelburg, Gustav, österr. Schauspieler und Bühnendichter, * Budapest 26. 7. 1851, † Berlin 11. 9. 1925; verfasste mit O. Blumenthal, F. von Schönthan u. a. Schwänke und Lustspiele (»Im weißen Rößl«, 1898).

Kaden-Bandrowski, Juliusz, poln. Schriftsteller, * Rzeszów 24. 2. 1885, † Warschau 8. 8. 1944; sein übersteigerter expressionist. Prosastil übte auf die moderne poln. Literatur starken Einfluss aus; sein zeitkrit. und satir. Werk schildert das zeitgenöss. poln. Leben (»General Barcz«, R., 1923).

Kadenz [italien., zu lat. cadere »fallen«] *die,* **1)** *Metrik:* rhythm. Gestalt des Versausgangs beim akzentuierenden Versprinzip.

2) *Musik:* die Akkordfolge, die den Abschluss einer Komposition oder eines Abschnitts herbeiführt. Die **vollkommene K.,** auch **authent. K.** genannt, schließt mit der Akkordfolge Dominante-Tonika (V–I), die **unvollkommene K.,** auch **plagale K.** genannt, schließt mit der Akkordfolge Subdominante-Tonika (IV–I). Der Halbschluss endet auf der V. Stufe, der Dominante, der Trugschluss meist auf der VI. Stufe, der Tonika-Paralleltonart. Die K. ist ein wesentl. Bestandteil der abendländ. Musik etwa der letzten 300 Jahre, der in der atonalen Musik völlig fehlt. – Im Instrumentalkonzert ist die K. ein fantasieartiger Soloteil kurz vor Satzschluss, der dem Interpreten Gelegenheit zur virtuosen Entfaltung gibt, urspr. vom Interpreten improvisiert, später auch von Komponisten oder Interpreten aufgeschrieben.

Kader [frz. cadre »Rahmen«] *der,* **1)** *Militärwesen:* Stammbestand einer Truppe.

2) *Politik:* Gesamtheit der leitenden Personen mit wichtigen Funktionen in Partei, Staat und Wirtschaft (in den ehem. sozialist. Staaten).

Kadett [frz. cadet »der Jüngere«] *der,* früher Zögling eines Unterrichts- oder Erziehungsinstituts für künftige Berufsoffiziere. – Für Seeoffiziersanwärter in der Bundeswehr ist die Bez. Seekadett noch gebräuchlich.

Kadetten (russ. Kadety), die Mitgl. der 1905 in Russland gegründeten Konstitutionellen Demokrat. Partei. Die K. traten für eine konstitutionelle und parlamentar. Monarchie sowie für Agrar- und Sozialreformen ein; gehörten nach der Februarrevolution 1917 der Provisor. Reg. an. Nach der Oktoberrevolution wurde die Partei im Dez. 1917 von den Bolschewiki verboten und im Bürgerkrieg (1918–21) ausgeschaltet. 1990 Wiedergründung.

Kadhimain (Kazimein, Al-Kazimija), alte Vorstadt von Bagdad, Irak, bed. Wallfahrtsort der Schiiten mit der Großen Moschee (16. Jh., im 19. Jh. restauriert).

Kadi [türk., arab.] *der,* in den islam. Ländern Richter der religiösen Gerichtsbarkeit; 1922 in der Türkei abgeschafft; in den arab. Staaten heute Richter aller Gerichtsbarkeiten.

Kadijewka (ukrain. Kadijiwka, 1978–92 Stachanow), Stadt in der Ukraine, im Donezbecken, 112000 Ew.; Steinkohlenbergbau, Eisenhütten, chem. Ind., Maschinenbau.

János Kádár

Ismail Kadaré

Juliusz Kaden-Bandrowski

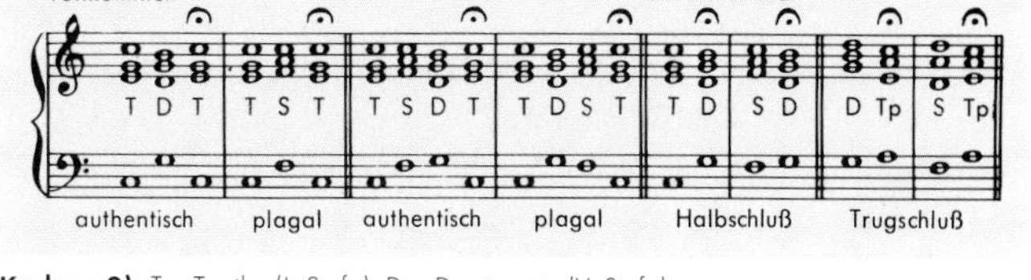

Kadenz 2): T = Tonika (I. Stufe), D = Dominante (V. Stufe), S = Subdominante (IV. Stufe), Tp = Tonikaparallele (VI. Stufe)

Kadishman [-ʃ-], Menashe, israel. Künstler, * Tel Aviv 1932; begann mit archaisch wirkenden Steinskulpturen, später entstanden große, der Minimal Art nahe stehende Außenplastiken. In den 70er-Jahren bestimmten Werke der Conceptart und des Environments sein Schaffen.

Kadjaren [-dʒ-] (Kadscharen), pers. Dynastie (1794–1925); begründet von Agha Mohammed, einem Führer des turkmen. Stammes der Kadjaren, der Teheran zur Hptst. machte.

Kadmium, → Cadmium.

Kadmos, *grch. Mythos:* Sohn des phönik. Königs Agenor, Bruder der Europa; gründete auf Befehl des Orakels in Delphi Theben mit der Burg **Kadmeia,** nachdem er dort den Drachen des Ares erschlagen hatte. Die Zähne des Drachen säte er aus. Ihnen entsprangen Krieger, die sich bekämpften, bis nur fünf übrig blieben, die die Stammväter des theban. Adels wurden. Die Götter gaben K. → Harmonia zur Frau. – K. soll die phönik. Schrift in Griechenland eingeführt haben.

Kaduna, Hptst. des Bundesstaates K. in N-Nigeria, am Fluss K., 317 400 Ew.; kath. Erzbischofssitz; Technikum, Inst. zur Erforschung der Schlafkrankheit, Nationalmuseum; Handelszentrum; Kfz-Montagewerk, Textil- u. a. Ind., Erdölraffinerie; Bahnknotenpunkt, Flughafen.

Kaduzierung [zu lat. caducus »hinfällig«], Verfallserklärung; Aktien oder GmbH-Anteile können wegen nicht geleisteter Einzahlung dem Aktionär oder Gesellschafter gegenüber für verlustig erklärt (kaduziert) werden (§ 64 Aktien-Ges., § 21 GmbH-Gesetz).

Kadmos

Die Legende von dem phönikischen Prinzen Kadmos, der Theben gründete, später den Encheleern gegen die anderen Illyrer zu Hilfe kam und schließlich illyrischer König wurde, geht vielleicht auf wirkliche Geschehnisse des 5./4. Jahrhunderts v. Chr. zurück. So berichtet etwa Pausanias in seiner »Beschreibung Griechenlands« (9, 5, 13) im 2. Jahrhundert n. Chr.:

»Als die Thebaner im Krieg bei Glisas von den Argeiern besiegt wurden, gingen viele von ihnen mit (ihrem König) Laodamas, dem Sohn des Eteokles. Ein Teil von ihnen begab sich zu Lande zu den Illyrern.«

Und Herodot (Historien 5, 61) sagt noch genauer, dass die von den Argeiern vertriebenen Kadmeier (Thebaner) bei den Encheleern unterkamen.

Kaempfer [ˈkɛ-], Engelbert, Arzt und Forschungsreisender, *Lemgo 16. 9. 1651, † ebd. 2. 11. 1716; kam 1683 mit einer schwed. Gesandtschaft über Moskau nach Persien. Er reiste dann über Arabien, Indien, Sumatra, Java und Siam nach Japan (Aufenthalt 1690–92). Sein Japanbild blieb bis ins 19. Jh. in Europa maßgebend.

Käferschnecken: Mittelmeer-Chiton (Länge bis 35 mm)

Kaesŏng [kɛsʌŋ] (Kaegyŏng, früher Songdo), Stadt mit Provinzstatus (1200 km^2) im SW Nordkoreas, auf 38° n. Br., 331 000 Ew.; Hochschule, Textil-, keram. Industrie. – 918–1392 Hptst. des korean. Königreichs Koryŏ (zahlr. Bauwerke aus dieser Zeit). 1951 begannen in K. die Waffenstillstandsverhandlungen im Koreakrieg.

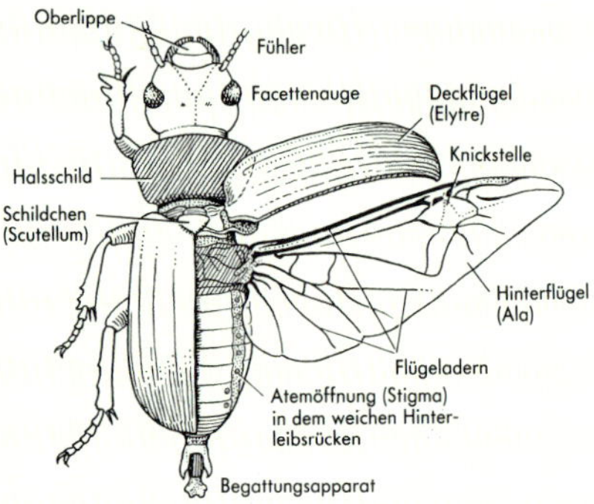

Käfer: Rückenansicht eines fertig ausgebildeten Männchens mit ausgebreitetem rechten Flügel

Käfer [ahd. chevar, eigtl. »Nager«] (Koleopteren, Coleoptera), mit rd. 350 000 Arten in fast allen Biotopen weltweit verbreitete Ordnung 0,25–160 mm langer Insekten (davon rd. 5 700 Arten in Mitteleuropa); Körper mit meist hartem Hautpanzer und stark verhärteten Deckflügeln (Elyten), die in Ruhe die gefalteten, häutigen Hinterflügel (Alae) schützen und meist auch den ganzen Hinterleib bedecken. Zum Flug werden nur die Hinterflügel benutzt. Am Körper sind drei gelenkig miteinander verbundene Abschnitte zu unterscheiden: 1) Kopf mit Facettenaugen, Fühlern und kauenden Mundwerkzeugen; 2) Halsschild mit einem Beinpaar; 3) mittleres und letztes Brustsegment (mit je einem Bein- und Flügelpaar sowie dem Schildchen [Scutellum]), starr verschmolzen mit dem Hinterleib, an dem sich die Atemöffnung (Stigma) befindet. Die meisten K. sind Pflanzenfresser, viele leben räuberisch. Entwicklung durch → Metamorphose.

Käferschnecken (Polyplacophora, Placophora), Klasse 0,3–33 cm langer, mariner Weichtiere mit abgeflachtem Körper; die Rückenschale besteht aus dachziegelartigen bewegl. Kalkplatten. Die bekannteste Gattung ist **Chiton,** u. a. mit der im Mittelmeer häufigen Art **Mittelmeer-Chiton.**

Kaffa (Kafa, Kefa), Bergland und Region (56 634 km^2, 2,74 Mio. Ew.) im SW Äthiopiens, bis 3500 m ü. M. hohes, stark gegliedertes Hochland mit mildem Klima und üppiger Vegetation; Heimat des wilden Kaffeestrauchs; Getreideanbau, Kaffeeplantagen. Hauptort: Djimma.

Kaffa (Kafa, Kefa, Kaffitscho), Volk in SW-Äthiopien, mit kuschit. Sprache, etwa 220 000 (25 % sind Christen); treiben Feldbau und Viehhaltung. – Das von den K. im 14. Jh. gegründete Reich verlor erst 1897 seine Unabhängigkeit.

Kaffee [ˈkafe, auch kaˈfe; arab.], **1)** das aus den gerösteten und gemahlenen K.-Bohnen bereitete Getränk.

2) (Kaffeestrauch, Coffea), Gattung der Rötegewächse, im trop. Afrika und Asien heimisch; Sträucher oder 4–8 m hohe Bäume mit weißen Blüten, kirschähnl. Früchten und meist zwei Steinkernen mit pergamentartiger Schale. In jedem Stein sitzt in grauweißer, seidenpapierdünner Samenschale (Seiden-, Silberhaut) ein Samen, die **K.-Bohne;** beim rundbohnigen **Perl-K.** ist nur eine Samenanlage ausgebildet. – Die wichtigsten K.-Arten sind: **Arab. K.** (Berg-K., Coffea arabica), urspr. wohl aus Äthiopien, heute allg. in den Tropen (v. a. in Brasilien) kultiviert; **Robusta-K.** (Kongo-K., Coffea canephora), aus dem trop. Afrika, angebaut v. a. in W-Afrika, Indonesien, Indien. **Liberia-K.** (Coffea liberica) hat nur noch geringe Bedeutung.

Bearbeitung: Bei der seltener gewordenen trockenen Aufbereitung werden die Früchte getrocknet und maschinell geschält. Bei der nassen Methode wird das Fruchtfleisch in einer Maschine (Entpulper) abgequetscht und die Samenschale entfernt. Bei beiden Verfahren erhält man den hellen, grünl. **Roh-K.** Vor dem Verkauf durch den Kleinhandel werden die Rohbohnen geröstet, wodurch sich erst die aromat. Stoffe, die den K. zu einem Genussmittel machen, entwickeln. Gerösteter K. enthält etwa 1,2 % (Arab. K.) und 1,6–2,6 % (Robusta-K.) Koffein, gebunden an Chlorogensäure. Das Koffein kann dem K. durch Dämpfen der rohen Bohnen und darauf folgendes Extrahieren mit Lösungsmitteln entzogen werden. Koffeinfreier K. darf nicht mehr als 0,08 %, koffeinarmer K. nicht mehr als 0,2 % Koffein enthalten. – Über die Wirkung des K. → Koffein.

Kaffee: Erzeugung von Rohkaffee (in 1 000 t)

Land	1969–71 *)	1979–81 *)	1994
Brasilien	1 197	1 475	1 295
Kolumbien	483	749	684
Indonesien	173	295	400
Mexiko	182	228	249
Äthiopien	172	192	198
Uganda	215	112	180
Indien	82	126	170
Guatemala	125	166	168
El Salvador	139	183	143
Elfenbeinküste	243	298	142
Costa Rica	82	106	138
Ecuador	60	82	136
Philippinen	48	129	120
Zaire	71	74	88
Kenia	57	89	73
Welt	4 262	5 280	5 431

*) Jahresdurchschnittswerte

Geschichte: Von Äthiopien breitete sich die Sitte des K.-Trinkens vermutlich seit dem 13. Jh. in der islam. Welt aus. In Europa kommt der K. erstmalig 1582 in dem Buch des Arztes L. Rauwolf, der den Vorderen Orient bereist hatte, unter dem Namen »Chaube« vor. Mitte des 17. Jh. gelangte er in die großen europ. Seehandelsstädte. 1671 kamen die ersten K.-Pflanzen nach Java, bald darauf setzte der Anbau auf Ceylon und in Surinam ein, in der 2. Hälfte des 18. Jh. breitete er sich in Südamerika aus.

📖 FERRÉ, F.: *K. Eine Kulturgeschichte. Tübingen 1991.* – BAUM, H. *u.* OFFENHÄUSSER, D.: *K. Armut – Macht – Märkte. Ein Produkt u. seine Folgen. Unkel u. a. 1994.*

Kaffee

Am 4. Januar 1768 erließ der Rat der Stadt Hildesheim eine Verfügung von 12 Paragraphen, die Kaffee verbot. Aus Sorge um die Volksgesundheit wurde allen Bürgern, Handwerksgesellen, Hausangestellten und Bauern der Kaffeegenuss untersagt. Außerdem mussten alle der Kaffeebereitung dienenden Gerätschaften, also Kaffeetassen, Kaffeekannen und Kaffeemühlen, zerstört werden.

Kaffee-Ersatz (Kaffeesurrogat), geröstete Pflanzenteile, die durch Überbrühen mit heißem Wasser ein kaffeeähnl. Getränk ergeben; Rohstoffe sind z. B. Gerste, Roggen, Malz, Zichorie.

Kaffeefahrt (Werbefahrt), der Verkaufsförderung dienende Kombination aus Reise- und Verkaufsveranstaltung, auf die die Vorschriften über die → Haustürgeschäfte anwendbar sind.

Kaffeehaus, bes. in Österreich übl. Bez. für ein Café, in dem Zeitungen, Spiele u. a. bereitgestellt werden und Gäste länger verweilen. Das erste K. in Europa entstand 1647 in Venedig. Das erste K. in Dtl. soll 1677 in Hamburg gegr. worden sein. Das Wiener K. geht auf J. Diodato zurück, dem am 17. 1. 1685 das Privileg erteilt wurde, das »oriental. Getränk« zu verkaufen. Im 19. Jh. entwickelten sich K. zu wichtigen Zentren kultureller, polit. und wirtsch. Kontakte sowie der Geselligkeit (z. B. Roman. Café, Berlin; Antico Caffè Greco, Rom; Café de la Paix, Paris). Auch in außereurop. Ländern, v. a. im islam. Orient (Alkoholverbot) wurden K. zu sozial wichtigen Kommunikationsstätten.

📖 U. HEISE: Kaffee und K. Eine Kulturgesch. Neuausg. u. a. 1987. – VOGEL, W.: *Das Café. Vom Reichtum europ. Kaffeehauskultur. Wien 1995.*

Kaffeesteuer, dem Bund zufließende Verbrauchsteuer, die neben dem Zoll auf die Einfuhr von Röstkaffee, lösl. Kaffee sowie kaffeehaltige Waren erhoben wird; geregelt auf der Grundlage des K.-Ges. vom 21. 12. 1992; Steuersätze: 4,30 DM/kg für Röstkaffee, 9,35 DM/kg für lösl. Kaffee; Steueraufkommen 2,186 Mrd. DM (1995).

Kaffitscho, Volk in Äthiopien, → Kaffa.

Käfigläufer (Käfiganker, Kurzschlussanker), *Elektrotechnik:* der rotierende Teil (Läufer) eines → Asynchronmotors.

Kaffee 2): Sprosse mit Blüten und Früchten sowie Kaffeebohne

Kafiren, ehem. Bez. für die Bewohner von Nuristan, heute als →Nuristani bezeichnet.

Kafka, Franz, österr. Schriftsteller, *Prag 3. 7. 1883, †Kierling (heute zu Klosterneuburg) 3. 6. 1924; Jurist und Versicherungsbeamter, stand dem Kreis Prager Schriftsteller um F. Werfel und M. Brod nahe; seit 1917 infolge einer Kehlkopftuberkulose mehrere Kuraufenthalte; 1912 Begegnung mit Felice Bauer (*1887, †1960), mit der er sich 1914 verlobte, 1917 wurde die Beziehung endgültig gelöst. 1920–22 Liebesbeziehung zu Milena Jesenská (*1896, †1944). Zu seinen Lebzeiten erschienen nur einige Erzählungen; die Romane gab M. Brod entgegen K.s Wunsch aus dem Nachlass heraus. Von 1910 an führte K. Tagebuch (intensive Selbstanalyse). Bes. wichtig wurde ihm die Beschäftigung mit dem Judentum, v. a. auch mit dem jidd. Theater (»Rede über die jidd. Sprache«, 1912). Mit der Erzählung »Das Urteil« (1912) gelang ihm der Durchbruch zu der ihm eigenen (danach »kafkaesk« ben.) literar. Ausdrucksform, einer durch eine Lakonik der Bedrohung geprägten und auf rätselhafte Weise unheimlich wirkenden Schreibweise (»Die Verwandlung«, Erz., 1915; »Brief an den Vater«, entstanden 1919; »Ein Landarzt«, Erz., 1920; »Ein Hungerkünstler«, 1922). In dem Romanfragment »Der Verschollene« (bekannt u. d. T. »Amerika«, gedruckt 1927, das 1. Kapitel erschien 1913 u. d. T. »Der Heizer«) wird der jugendl. Held allmählich aus der menschl. Gesellschaft gedrängt, weil er in einer über seine subjektive Schuld hinausgehenden Weise von seinen Eltern und deren Ersatzfiguren immer wieder zurückgestoßen wird. Im Roman »Der Prozeß« (gedruckt 1925) werden Schuld und Selbstverurteilung eines sich den Gemeinschaftsaufgaben Entziehenden dargestellt. Thema des Romanfragments »Das Schloß« (1926), ausgelöst durch das »Milena-Erlebnis«), ist der Kampf des Autors um die Verwurzelung in der menschl. Gesellschaft.

Franz Kafka: Foto (1924) und Autogramm

Franz Kafka: Aquarell mit Tusche von Michael Mathias Prechtl (1977; Privatbesitz)

📖 MÜLLER, H.: *F. K. Leben – Werk – Wirkung. 1985* – BAUMER, F.: *F. K.* [6]*1989.* – BROD, M: *Über F. K. Frankfurt am Main 45.–46. Tsd. 1993.* – BLANCHOT, M.: *Von K. zu K. A. d. Frz. Frankfurt am Main 1993.* – *K. u. Prag, hg. v.* K. KROLOP *u. a. Berlin u. a. 1994.*

Kaftan [türk.] *der,* **1)** langärmeliger, vorn offener, langer Überrock, bes. der vorderasiat. und südosteurop. Völker; viele Sonderentwicklungen (u. a. Kimono).

2) langer, enger, geknöpfter Oberrock der orthodoxen Juden.

Kafue *der,* linker Nebenfluss des Sambesi, 960 km lang, entspringt westlich von Lubumbashi (Demokrat. Rep. Kongo), durchfließt in Sambia den Copperbelt und den **K.-Nationalpark** (mit 22 400 km² einer der größten Afrikas), mündet unterhalb des Karibadamms. Am Unterlauf durch den **K.-Damm** gestaut (Kraftwerke).

Kaganowitsch, Lasar Moissejewitsch, sowjet. Politiker, *Kabany (Gouv. Kiew) 22. 11. 1893, †Moskau 25. 7. 1991; seit 1930 Mitgl. des Politbüros der KPdSU, hatte als enger Mitarbeiter Stalins Anteil am Aufbau der Schwerind., der Zwangskollektivierung und der großen »Säuberung« (1935–39; →Tschistka). 1953–57 war er Erster stellv. MinPräs.; 1957 von N. S. Chruschtschow aller Ämter enthoben und 1961 aus der Partei ausgeschlossen.

Kagel [span. ka'xɛl], Mauricio Raúl, Komponist argentin. Herkunft, *Buenos Aires 24. 12. 1931; lebt seit 1957 in Köln, wurde 1974 Prof. für Neues Musiktheater an der dortigen Musikhochschule. K. ging von der seriellen Musik aus und experimentiert mit elektroakust. und audiovisuellen Medien. Er entwickelte das →instrumentale Theater (u. a. »Sur scène«, 1960).

Weitere Werke: Bühnenwerke: Staatstheater (1971); Mare nostrum (1975); Kantrimiusik (1975); Die Erschöpfung der Welt (1980); Aus Dtl. Eine Lieder-Oper (1981); Tantz-Schul, Ballet d'action (1988). Instrumentalwerke: Exotika (1972, für außereurop. Instrumente); Klangwölfe (1979, für Geige und Klavier); Konzertstück für Pauken und Orchester (1992). – Filme: Ludwig van (1969), Ex-Position (1978).

Kagera *der,* Fluss im Zwischenseengebiet O-Afrikas, mit 850 km Länge Hauptzufluss des Victoriasees und wichtigster Quellfluss des Nils; entsteht an der Grenze zwischen Tansania und Ruanda aus dem Zusammenfluss von **Ruvubu** und **Nyabarongo.** Im östl. Ruanda erstreckt sich der **K.-Nationalpark** (2 500 km²).

Kagoshima [-ʃ-], Hptst. der Präfektur K. auf Kūyshū, Japan, an der K.bucht, 539 900 Ew.; Wirtschaftshochschule; Nahrungsmittel-, Textilind., Herstellung von Porzellan; Flughafen, Hafen (auch für die südl. Inselgruppen Japans).

Kahla, Stadt im Saale-Holzland-Kreis, Thür., an der Saale, 8 200 Ew.; Porzellanind. (seit 1844). – Die planmäßig angelegte Altstadt des 13. Jh. ist weitgehend erhalten. Auf einem Bergkegel östlich von K. liegt die im 12. Jh. errichtete Burg **Leuchtenburg.** – K. erhielt vermutlich 1333 Stadtrecht.

Kahl a. Main, Gemeinde im Landkreis Aschaffenburg, Bayern, am Untermain, 7 200 Ew., Elektro-, Metall-, Baustoffind., Maschinenbau; nahebei das erste dt. Versuchsatomkraftwerk (seit 1961; seit 1986 stillgelegt).

Kahlenberg (Kahlengebirge), bis an die Donau reichende Gruppe des Wienerwalds, nordöstlichster Ausläufer der Ostalpen, Österreich, mit Hermannskogel (542 m ü. M.), Kahlenberg (483 m ü. M.) und Leopoldsberg (423 m ü. M., Rundfunk- und Fernsehsender). – Durch die **Schlacht am K.** (12. 9. 1683) wurde Wien von der türk. Belagerung befreit (→Türkenkriege).

Kahler Asten, zweithöchste Erhebung des Sauerlands, im Rothaargebirge, bei Winterberg, NRW, 841 m ü. M.; meteorolog. Station, Aussichtsturm, Wintersportgebiet.

Kahlhechte (Amiiformes), Fischordnung der Knochenganoiden mit der einzigen Art →Schlammfisch.

Kahlhieb (Kahlschlag, Abtrieb), Gesamtfällung auf einer Forstfläche.

Mauricio Kagel

Kahlo, Frida, mexikan. Malerin, *Coyoacán (Distrito Federal) 6. 7. 1907, †ebd. 13. 7. 1954; begann nach einem Unfall, an dessen Folgen sie zeitlebens litt, zu malen. 1929 heiratete sie den Maler D. Rivera. In ihren der Tradition der mexikan. Volkskunst und der Moderne verpflichteten Bildern setzte sie sich v. a. mit ihrer persönl. Situation auseinander.

Kahmhefen, Hefen der Gattung Candida, Pichia, Hansenula u. a., die bei Anwesenheit von Sauerstoff auf der Oberfläche von kohlenhydrathaltigen Flüssigkeiten eine feine bis kräftige Haut **(Kahmhaut)** bilden. K. können die Herstellung von Wein **(Kahmigwerden)** beeinträchtigen.

Kahn, 1) Herman, amerikan. Kybernetiker, *Bayonne (N. J.) 15. 2. 1922, †Chappaqua (N. Y.) 7. 7. 1983; Mitbegründer und Leiter des Hudson-Inst., das zur mittel- und langfristigen Planung für Politik und Wirtschaft arbeitet; er entwickelte die Strategie der militär. Eskalation bis zum »kontrollierten Nuklearkrieg«; seine Futurologie ist methodisch umstritten.

Louis I. Kahn: Das Richards Medical Research Building an der University of Pennsylvania in Philadelphia wurde 1957–64 erbaut

2) Louis Israel Isidore, amerikan. Architekt, *auf Saaremaa (Estland) 20. 2. 1901, †New York 17. 3. 1974; war 1947–57 Prof. an der Yale University, seit 1957 Prof. an der University of Pennsylvania in Philadelphia, für die er sein Hauptwerk, das Richards Medical Research Building (1957–64), schuf; Vertreter des →Brutalismus.

Kahnbein, kahnförmig gestalteter Fuß- bzw. Handwurzelknochen.

Kahnschnabel (Cochlearius cochlearius), 50 cm großer nachtaktiver Reiher, lebt in den trop. Gebieten von Mexiko bis Brasilien, mit verlängerten Nackenfedern und breitem Schnabel.

Kahnweiler, Daniel-Henry, frz. Kunsthändler, *Mannheim 25. 6. 1884, †Paris 12. 1. 1979; eröffnete 1907 in Paris seine erste Galerie, wo er u. a. die Fauves A. Derain und M. Vlaminck ausstellte. Er förderte die Kunst des →Kubismus, deren Bedeutung

Daniel-Henry Kahnweiler

Friedrich Kainz

Josef Kainz

er zuerst erkannte; vertrat seit 1907 P. Picasso als Kunsthändler.

Kahr, Gustav Ritter von (seit 1911), Politiker, *Weißenburg i. Bay. 19. 11. 1862, †(ermordet) München 30. 6. 1934; 1917–24 RegPräs. in Oberbayern, Sept. 1920–Sept. 1921 MinPräs. (Rücktritt wegen der von ihm abgelehnten Entwaffnung und Auflösung der Einwohnerwehren), erhielt als Generalstaatskommissar im Sept. 1923 die vollziehende Gewalt in Bayern. Am 9. 11. 1923 schlug er in dieser Funktion den Hitlerputsch nieder. Im Verlauf des Röhmputschs ermordet.

Kahramanmaraş [-raʃ] (früher Maraş), Hptst. der türk. Provinz K. in S-Anatolien, im O-Taurus, 229100 Ew.; Hethitermuseum; Nahrungsmittel-, Textilindustrie.

Kai [niederländ.] *der* (Kaje), durch steile Ufereinfassung (Kaimauer) befestigtes, zum Laden und Löschen von Schiffen bestimmtes Uferbauwerk. **Kaizunge** oder **Pier** heißt ein in das Wasser vorgebauter, mehrseitig vom Wasser umgebener Kai.

Kaifeng, Stadt in der Prov. Henan, China, 6 km südl. des Hwangho, 507800 Ew.; Chemie-FH; Baumwoll- und Seiden-, chem., Nahrungsmittelind.; Marktort für den Erdnussanbau in den Sanddünen des Hwangho; Eisenbahnknotenpunkt. – 13-stöckige »Eisenpagode« (1049), mehrere Paläste, Klöster und Pagoden. Im S die 555 gegründete Xiangguo-Klosteranlage; der heutige Gebäudekomplex (1766) umfasst u.a. die Tasiung-Halle. – K., eine der ältesten Städte Chinas, war mehrmals Hptst. versch. Dynastien.

Kaifeng: Die 1766 erbaute Tasiung-Halle ist Teil der südlich der Stadt gelegenen Xiangguo-Klosteranlage

Kailas *der* (tibet. Kangrinboqê Feng), Berg im westl. Transhimalaja, in Tibet, China, 6714 m ü. M.; er gilt den Hindus als heilig (Sitz des Gottes Shiva); Pilgerziel; wird auch im Buddhismus als heiliger Berg verehrt.

Kaimane [span.-indian.], mittel- und südamerikan. Verwandtschaftsgruppe der Alligatoren mit drei Gattungen: **Brillen-K.** (Caiman), **Mohren-K.** (Melanosuchus) und **Glattstirn-K.** (Paleosuchus).

Kaimanfisch (Lepisosteus spatula), Art der Knochenhechte im Süßwasser Nordamerikas, bis zu 3 m lang.

Kain [hebr. vielleicht »Schmied«], nach 1. Mose 4,1 der erstgeborene Sohn Adams und Evas; erschlug aus Neid seinen Bruder Abel (1. Mose 4,8); gilt als Ahnherr der Keniter. Das **Kainszeichen,** durch das K. vor der Blutrache geschützt wurde (1. Mose, 4,15), entsprach möglicherweise einer bei Beduinen übl. Tätowierung; meist verstanden als Brandmarkung (K.smal) des Brudermörders.

Kainit [grch.] *der,* monoklines Salzmineral der chem. Zusammensetzung $KMg[Cl|SO_4] \cdot 3H_2O$, weiß, oft gelblich bis grau oder rot; meist in derben Massen als Hutbildung in Zechsteinlagerstätten; Grundstoff für Kalidüngemittel.

Kainz, 1) Friedrich, österr. Philosoph und Psychologe, *Wien 4. 7. 1897, †ebd. 1. 7. 1977; schrieb: »Personalist. Ästhetik« (1932), »Psychologie der Sprache«, 5 Bde. in 6 Teilen (1941–69) sowie sprachphilosoph. und sprachanalyt. Werke.

2) Josef, österr. Schauspieler, *Moson (heute zu Mosonmagyaróvár) 2. 1. 1858, †Wien 20. 9. 1910; wirkte am Dt. Theater in Berlin, seit 1899 am Wiener Burgtheater; gilt als Begründer einer modernen, mit psycholog. Mitteln arbeitenden Schauspielkunst.

Kaiphas, jüd. Hoherpriester (18–36 n. Chr.), führte nach Mt. 26, 57 ff. den Vorsitz im Prozess gegen Jesus.

Kairo (engl. Cairo, arab. Misr el-Kahira), Hptst. Ägyptens, am Beginn des Nildeltas, ist mit 6,85 Mio. Ew. (städt. Agglomeration rd. 13,5 Mio. Ew.) die größte Stadt Afrikas und der arab. Welt. K. ist polit., geistiger und wirtsch. Mittelpunkt des Landes und des gesamten Nahen Ostens, Sitz der Reg., des Parlaments und des Obersten Gerichts; mit über 500 Moscheen geistige Hochburg des Islam; außer der islam. Azhar-Univ. die staatl. K.-Univ. (Sitz: Giseh), die Ain-Schams-Univ., die Heluan-Univ. sowie die Palästina-(ehem. amerikan.) Univ.; zahlr. Forschungsinst.; mehrere Theater, Oper, Museen (Museum für Islam. Kunst, Ägypt. Museum, Kopt. Museum u. a.), zoolog. Garten. K. ist Fremdenverkehrszentrum; Knotenpunkt des ägypt. Eisenbahn- sowie Straßennetzes, bed. Geschäfts-, Handels- und Industriestadt (v. a. Erdölraffinerie, Metallverarbeitung, Nahrungsmittel-, Textil-, Druckind.); Börse und Messegelände; Nilhafen und internat. Flughafen.

Stadtbild: Die Altstadt (UNESCO-Weltkulturerbe) bildet ein einzigartiges Ensemble islam. Baukunst mit architekton. Höhepunkten in der Ibn-Tulun-Moschee (876–879), der Azhar-Moschee (970–972) und der Sultan-Hasan-Moschee (1356 bis 1362). Unter den über 600 islam. Bauten der Stadt ragen ferner die Al-Hakim-Moschee (990–1013), die Al-Akmar-Moschee (1125), Befestigungstore (1171–76) und Zitadelle (1179) sowie der Stiftungskomplex des Sultans Kalaun (1284/85) heraus. – Ende des 19. Jh. entwickelte sich neben dem traditionellen ein neues K. (Al-Ismailija und At-Taufikija), das mit seiner aus Europa importierten Struktur und Architektur fast unabhängig existierte. Die Stadtsilhouette wird heute v. a. von Hochhäusern geprägt. Auf der Nilinsel Gesira entstand 1985–88 das neue Kulturzentrum mit Opernhaus im klassisch-arab. Stil.

Geschichte: Am O-Ufer des Nils bestand eine altägypt. Siedlung, von den Griechen **Babylon** gen., in der die Römer ein Kastell anlegten; nördlich davon wurde 641, zu Beginn der arab. Eroberung Ägyptens, ein Feldlager errichtet, aus dem sich die Hptst. **Fustat** entwickelte (heute **Alt-K.**). Unter den seit 750 herrschenden Abbasiden wurde nördlich des abgebrannten Fustat eine neue Residenz **Al-Askar** gegr., später zu **Al-Katai** erweitert. Den eigentl. Kern K.s gründeten die Fatimiden 969 mit **Al-Kahira,** nördlich von Al-Katai. In der Mameluckenzeit (1250–1517) entwickelte sich K. zum Zentrum islam. Kultur. Nach Eroberung durch die Türken (1517) setzte ein wirtsch. Niedergang ein. Die Entwicklung zur Weltstadt begann mit Mehmed Ali Anfang des 19. Jahrhunderts.

Kairos [grch.] *der,* der »günstige Augenblick«, der dem Menschen nach Auffassung der Antike schicksalhaft entgegentritt und von ihm zu nützen ist. Im N. T. Bez. für die Heilszeit, die mit dem Kommen Christi angebrochen ist.

Kairouan [kɛrˈvan, kaɪruˈaːn] (span. Kairuán, arab. Al-Qairawan), Stadt in Zentraltunesien, in der Tieflandsteppe, Verw.sitz des Gouvernorats K., 102 600 Ew.; eine der vier heiligen Städte des Islam (Pilgerstätte); Handels- und Marktzentrum; Teppichknüpferei, Kunsthandwerk. – In der von einer Backsteinmauer (1052) umgebenen Medina (UNESCO-Weltkulturerbe) liegt die Große Moschee Sidi Okba (begonnen 672, bis ins frühe 20. Jh.), die zum Archetyp der westislam. Sakral- und Profanbaukunst wurde. Bed. Beispiele islam. Dekorkunst sind die Fassade der Moschee Tleta Bibane (»Moschee der Drei Tore«, 866) und die gesamte Zawija des Sidi Sahab (»Barbiermoschee«, nordwestlich der Medina, heutiger Bau 1627–90 mit Stuck- und Fayencedekor) sowie die Zawija des Sidi Abid El-Ghariani (frühes 14. Jh., mehrfach umgestaltet). 8 km östlich die Ruinen der Aghlabidenresidenz Rekkada, 1,5 km südwestlich die Ruinen der Fatimiden-Residenzstadt Sabra Mansourija.

Kaiser, höchster weltl. Herrschertitel, entstanden aus dem Beinamen **Caesar** der K. des antiken Röm. Reiches, die die K.-Titel **Imperator** und **Augustus** führten. Während das weström. Kaisertum 476 erlosch, bestand das oström. (byzantin.) Kaisertum (mit den K.-Titeln **Autokrator** und **Basileus**) bis 1453. Im W schuf Karl d. Gr. 800 als Erneuerung des weström. (»Renovatio Imperii«) das abendländ. Kaisertum. Ein neues Element bildete das Krönungsrecht des Papstes, verbunden mit dem Krönungsort Rom (bis 1452). Dem Niedergang der K.-Würde folgte die Übertragung des Kaisertums auf das dt. Regnum (später »Hl. Röm. Reich«) durch Otto I. (962). Doch weniger die bis zum Ende des Hoch-MA. anhaltende polit. Vor-

Kairo: Die 1356–62 erbaute Sultan-Hasan-Moschee

Kairouan: Mittelschiff des Gebetssaals der Großen Moschee Sidi Okba, an der von 672 bis ins frühe 20. Jh. gebaut wurde

Georg Kaiser

Jakob Kaiser

Kaiserling
(Hutbreite 10–12 cm)

machtstellung des K. durch seine Herrschaft im Hl. Röm. Reich als vielmehr seine Verbindung mit dem Papst im universalen Führungsanspruch des Abendlandes prägte die Bedeutung des Kaisertums. Die weltlich-geistl. Einheit zerbrach im →Investiturstreit; in der bis ins 14. Jh. dauernden Auseinandersetzung zw. K. und Papst um die abendländ. Vorrangstellung verlor der K. an Autorität und Macht (v.a. in Reichsitalien). Parallel dazu wurde jedoch der päpstl. Anspruch auf die Bestätigung des Röm. Königs und auf die K.-Krönung zurückgewiesen (Marsilius von Padua) und die dt. Königswahl durch die Kurfürsten 1338/56 reichsgrundsätzlich festgelegt (Goldene Bulle). 1530 wurde Karl V. als letzter K. vom Papst in Bologna gekrönt; schon 1508 hatte Maximilian I. ohne K.-Krönung den Titel **Erwählter Röm. K.** angenommen (→deutsche Geschichte, ÜBERSICHT Könige und Kaiser). – In Russland ersetzte Peter I. 1721 offiziell den Titel **Zar** durch den Titel K. (Imperator). 1804 schuf Napoleon I. ein erbl. Kaisertum der Franzosen (1804–14; 1852–70 Napoleon III.), der letzte Röm. K., Franz II., 1804 im Gegenzug das österr. Kaisertum (bis 1918). Die Proklamation des preuß. Königs zum **Dt. K.** 1871 (bis 1918) war nur eine äußerl. Anknüpfung an das Röm. Kaisertum. Außer in China (221 v.Chr. bis 1911) und später in Annam, Korea, Japan, Äthiopien (seit dem 14. Jh.) sowie Persien/Iran (1925–79) fand der K.-Titel in außereurop. Gebieten v.a. zur Stützung kolonialer Herrschaft Anwendung: Brasilien (1822–89), Mexiko (1864–67), Indien (1876–1947), Äthiopien (1936–43).

🕮 HÖFER, M.: *Die K. u. Könige der Deutschen. München u.a. 1994.* – *Die K. 1200 Jahre europ. Geschichte, hg. v.* G. HARTMANN *u.* K. R. SCHNITH. *Graz u.a. 1996.*

Kaiser, **1)** Georg, Dramatiker, *Magdeburg 25. 11. 1878, †Ascona 4. 6. 1945; der meistgespielte Dramatiker des dt. Expressionismus; 1933 Aufführungsverbot; emigrierte 1938. Seine Bühnenstücke sind durch abstrahierte Handlung, konzentrierte Sprache, starke gedankl. Konstruiertheit und das expressionist. Thema der Erneuerung des Menschen gekennzeichnet. K.s erster Erfolg war das Drama »Die Bürger von Calais« (1914); in »Die Koralle« (1918) und »Gas« (2 Tle., 1918 und 1920) übt er Kritik an der kapitalist. Ordnung, an Industrialisierung und Automatisierung; weiterhin u.a. »König Hahnrei« (1913), »Das Floß der Medusa« (Uraufführung 1945, vollständig hg. 1963).

2) Jakob, Politiker, *Hammelburg 8. 2. 1888, †Berlin (West) 7. 5. 1961; bis 1933 führend in den christl. Gewerkschaften tätig, 1933 MdR (Zentrum), im Widerstand gegen den Nationalsozialismus tätig, war 1945 Mitbegründer, 1945–47 Vors. der CDUD in der sowjet. Besatzungszone und Berlin (von der SMAD abgesetzt). In der Bundesrep. Dtl. 1949–57 MdB, war er Bundesmin. für gesamtdt. Fragen; bis 1958 stellv. Vors. der CDU.

Kaiserling

Der »Amanita caesarea« ist ein sehr wohlschmeckender Pilz, der aber eine unangenehme Eigenart hat. Mit seinem orangeroten Hut ähnelt er fatalerweise dem Fliegenpilz. Und dieser Ähnlichkeit verdankt er auch seinen Namen, weil sie einem Gerücht zufolge dazu diente, den römischen Kaiser Claudius zu vergiften. Das tödliche Pilzgericht wurde von Claudius' zweiter Frau Agrippina zubereitet, um ihrem Sohn aus erster Ehe den Thron zu verschaffen. Der Name dieses »Kaiserlings« war Nero.

Kaisermantel:
Männchen
(Spannweite etwa 6 cm)

Kaiseraugst, Gemeinde im Kanton Aargau, Schweiz, am Rhein, 3 100 Ew.; hier und v.a. in der Nachbargemeinde **Augst** (Kt. Basel-Landschaft) Reste der röm. Siedlung **Augusta Raurica.**

Kaiserchronik, frühmhd. Reimchronik; um 1150 als Gemeinschaftsarbeit Regensburger Geistlicher entstandene Folge von Biographien (von Sagen und Legenden umgeben) röm. und dt. Kaiser bis Konrad III.; erste deutschsprachige Dichtung mit weltl. Stoff seit dem Hildebrandslied.

Kaisergebirge, Gebirgsstock der Nordtiroler Kalkalpen, Österreich, zw. Inn und Tiroler Ache, östlich von Kufstein, gliedert sich in den zerklüfteten **Wilden Kaiser** (im Ellmauer Halt 2344 m ü.M.) im S und den niedrigeren **Zahmen Kaiser** (in der Pyramidenspitze 1997 m ü.M.) im N.

Kaiserjäger (Tiroler K.), 1816 aufgestellte österr. Feldjägertruppe; ergänzte sich in Friedenszeiten nur aus Tirol und Vorarlberg; 1918 aufgelöst.

Kaiserkanal (Großer Kanal, chinesisch Da Yunhe), ältester und längster Kanal in China, von Hangzhou nach Peking, verbindet Jangtsekiang, Huai He und Hwangho, 1782 km lang. Kanalbauten aus dem 6./5. Jh. v.Chr. wurden im 6. Jh. n.Chr. zum K. zusammengefasst, der das Jangtsekiangtal mit der Hptst. Chang'an (heute Xi'an) verband; im 13. Jh. von den Mongolen bis Peking verlängert; 1958 zum Großschifffahrtsweg ausgebaut; dient auch der Be- und Entwässerung.

Kaiserkrone, die zu den Insignien der kaiserl. Würde gehörige Krone. Die K. des Hl. Röm. Reiches **(Reichskrone),** im 10. Jh. angefertigt, gehörte zu den →Reichskleinodien.

Kaiserkrone (Fritillaria imperialis), innerasiat. Liliengewächs; Gartenzierpflanze mit ziegelroten oder gelben Blüten, die kronenähnlich unterhalb eines Blattschopfes angeordnet sind.

Kaiserling (Amanita caesarea), in Dtl. seltener, im Mittelmeergebiet häufiger anzutreffender Ständerpilz mit typischerweise 10–12 cm breitem orangefarbenem Hut und gelbem Stiel; Speisepilz.

Kaisermantel (Silberstrich, Argynnis paphia), in Eurasien verbreitete Art der Fleckenfalter mit goldbraunen, schwarz gefleckten Flügeln und unterseits grünl. Hinterflügeln mit streifiger Perlmutterzeichnung.

Kaiserquartett, Streichquartett von J. Haydn (C-Dur op. 76 Nr. 3, 1797) mit Variationen über seine Kaiserhymne.

Kaisersage, Sage von einem im Berg schlafenden Kaiser, der aufwachen und die alte entschwundene Kaiserherrlichkeit erneuern wird. Karl d. Gr. soll im Untersberg bei Salzburg, Friedrich I. Barbarossa (auch Otto I., Friedrich II.) im Kyffhäuser fortleben.

Kaiserschmarrn, österr. Mehlspeise; Pfannkuchenteig aus Mehl, Zucker, Salz, Eigelb und untergezogenem Eischnee; wird flach ausgestrichen gebacken, mit Rosinen bestreut, in kleine Stücke gerissen und mit Puderzucker bestreut serviert.

Kaiserschnitt (Schnittentbindung, Sectio caesarea), geburtshilfl. Operation zur raschen Beendigung der Geburt oder der Schwangerschaft bei Gefahr für die Mutter (Vorliegen der Plazenta vor dem Kind, vorzeitige Plazentalösung, drohende Gebärmutterruptur) oder das Kind (Veränderung der kindl. Herztöne, Nabelschnurvorfall) oder für beide (Querlage des Kindes) durch Leibschnitt und künstl. Eröffnung der Gebärmutter, selten auch von der Scheide her ausgeführt. In bestimmten Fällen wird der K. zur Verhütung möglicher Komplikationen schon vor Geburtsbeginn angewendet.

Kaiserkrone des Heiligen Römischen Reichs (10. Jh.; Wien, Kunsthistorisches Museum)

Kaiserslautern 2): Pfalzgalerie, davor eine Edelstahlskulptur von Erich Hauser

Kaiserslautern, 1) Landkreis im Reg.-Bez. Rheinhessen-Pfalz, Rheinl.-Pf., 640 km², (1996) 108 700 Einwohner.

2) kreisfreie Stadt und Krst. von 1) in Rheinl.-Pf., an der Lauter, am Rand des Pfälzer Waldes, 101 900 Ew.; Univ., FH, Atlant. Akademie, Inst. für pfälz. Gesch. und Volkskunde, Pfalzgalerie des Bezirksverbandes Pfalz (mit Werken des 19. und 20. Jh.), Museum, Pfalztheater. Wichtigster Ind.zweig ist der Maschinenbau (Nähmaschinenfabrik, Fertigung von Autoteilen). – Ehem. Prämonstratenser-Stiftskirche mit bed. frühgot. Chor. – 800 und 882 als **Villa Lutra** urkundlich erwähnt, 1152–56 Kaiserpfalz (nur geringe Reste erhalten). **Lautern** wurde 1276 Reichsstadt, kam aber 1375 an Kurpfalz.

Kaiserslautern 2) Stadtwappen

Kaiserstuhl, Gebirgsstock (ehem. Vulkan; im O aus Sedimenten aufgebaut) in der südl. Oberrhein. Tiefebene, nordwestlich von Freiburg im Breisgau, Bad.-Württ., im Totenkopf 557 m ü. M.; auf Lössböden wird bei mildem Klima Wein- und Obstbau betrieben.

Kaiserswerth, seit 1929 Stadtteil von Düsseldorf. K. war im MA. Reichsstadt; Ruine der stauf. Kaiserpfalz, Stiftskirche St. Suibert (11. und 13. Jh.).

Kaiserwald (tschech. Slavkovský les), Bergland in NW-Böhmen, Tschech. Rep., zw. Marienbad und Karlsbad, bis 983 m ü. M. (Lesný).

Kaiser-Wilhelm-Gesellschaft zur Förderung der Wissenschaften e. V., gegr. 1911 in Berlin unter dem Protektorat Kaiser Wilhelms II. zur Pflege vornehmlich naturwiss. Forschung; Nachfolgeorganisation wurde 1948 die →Max-Planck-Gesellschaft zur Förderung der Wissenschaften e. V.

Kaiser-Wilhelm-Kanal, früherer Name des →Nord-Ostsee-Kanals.

Kakaobaum (von links): Die kaulifloren Blüten werden von Insekten bestäubt und entwickeln sich innerhalb von 5–6 Wochen zu kurz gestielten Beerenfrüchten; daneben die geöffnete Frucht mit Kakaobohnen, aus denen das Kakaopulver gewonnen wird

Kakao
Im 18. Jahrhundert pflegten die vornehmen Spanier regelrechte Kakaogesellschaften zu veranstalten. Ein Zeitgenosse berichtete: »Eine jede Tasse von Porzellan stand auf einer Untertasse von Achat mit Gold eingefasst. Es waren da Schokolade mit Eis, warme Schokolade und solche mit Eiern und Milch. Es gibt Frauenzimmer, die sechs Tassen nacheinander trinken können.«

Kakadus: Gelbhaubenkakadu (Größe bis 50 cm)

Kaiser-Wilhelm-II.-Land, Gebiet der Antarktis, →Wilhelm-II.-Küste.

Kaiser-Wilhelms-Land, das ehem. dt. Schutzgebiet Deutsch-Guinea (→Papua-Neuguinea).

Kaiwurm, Larve des Apfelblütenstechers (→Blütenstecher).

Kaizen [-zɛn] *das,* aus Japan stammendes Unternehmensführungskonzept, das auf einer Philosophie der ewigen Veränderung beruht und als »kontinuierl. Verbesserungsprozess« (KVP) auch im Westen an Einfluss gewann. K. ist charakterisiert durch eine ausgeprägte Orientierung an den Kundenwünschen und ein dementsprechend hohes Qualitätsniveau sowie ein Bewusstsein für die Vernetztheit der betriebswirtsch. Prozesse.

Kajak [eskimoisch] *der,* selten *das,* 1) geschlossenes Einmannboot der Eskimomänner aus Holz, Knochen, Sehnen, bespannt mit Tierhäuten; mit Sitzloch und Doppelpaddel; zu unterscheiden vom →Umiak; 2) Bootstyp im Kanusport, der sitzend mit Doppelblattpaddel gefahren wird. Man unterscheidet Einer-K. (K 1), Zweier-K. (K 2) und Vierer-K. (K 4); K. für Renn-, Slalom- und Wildwassersport unterscheiden sich in Maßen, Riss, Material und Bauart.

Kajanus, Robert, finn. Komponist und Dirigent, *Helsinki 2. 12. 1856, †ebd. 6. 7. 1933; erstrebte durch Verarbeitung finn. Volksmelodik einen nat. Musikstil, gründete 1882 das erste finn. Sinfonieorchester.

Kaje, der →Kai.

Kajeputbaum (Melaleuca leucadendra), indonesisch-austral. Myrtengewächs mit weißer, abblätternder Rinde **(Weißbaum),** speerspitzenförmigen Blättern und weißen Blütenähren, aus denen das äther. Kajeputöl gewonnen wird, das in der Medizin verwendet wird.

Kakadus [malaiisch] (Cacatuinae), von Australien bis Celebes und auf den Philippinen heim. Unterfamilie der →Papageien, z.B. der **Gelbhaubenkakadu** (Cacatua galerita), mit aufrichtbarer Federhaube und kurzem Schwanz.

Kakao [auch ka'kau; span., von aztek. cacauatl »Kakaokern«], das aus den Samen des K.-Baumes gewonnene K.-Pulver sowie das aus K.-Pulver hergestellte Getränk.

Zur Aufbereitung lässt man die geernteten Bohnen 2–20 Tage zum Gären stehen. Ist die Fermentierung, das Rotten, beendet und sind die bitteren Gerbstoffe und verwandte Verbindungen in das mildere Kakaobraun umgewandelt, werden die Bohnen gewaschen und getrocknet. Dieser **Roh-K.** ist das Ausgangsmaterial für die Herstellung von K.-Pulver, →Kakaobutter und →Schokolade. Die Bohnen werden geröstet, gebrochen, von Schale und Keimling befreit, alkalisch aufgeschlossen, um die Säure zu neutralisieren, und gemahlen **(K.-Masse).** Die K.-Masse wird durch hydraul. Druck entölt und vom meisten K.-Fett befreit, wobei das **K.-Pulver** entsteht. »Schwach entöltes« K.-Pulver enthält 20–22% K.-Butter, »stark entöltes« weniger als 20%, jedoch mindestens 10%. Die **K.-Schalen** dienen als Viehfutter, Düngemittel oder zur Herstellung von →Theobromin.

Kakaobaum: Geschnittener Stein, der als Inhaltsbezeichnung für Kakao auf einem Schraubdeckelgefäß diente (460–480 n. Chr.; Río Azul, Guatemala)

Kakaobaum (Theobroma), Gattung der Sterkuliengewächse mit 20 Arten im trop. Amerika. Die wichtigste, in den Gebieten des Amazonas und des Orinoco beheimatete, in Mittel- und Südamerika, in W-Afrika und einigen asiat. Ländern angebaute Art ist **Theobroma cacao** mit einer großen Anzahl von Zuchtformen (z.B. Criollo, Amazonasforastero und Trinitaro): bis 10 m hoher Baum mit knorrigem Stamm und breiter Krone. Die Blüten sind gelblich weiß oder rötlich. Sie erscheinen in Büscheln aus dem Stamm (Kauliflorie) oder den Ästen. Die gurkenförmigen Früchte (Trockenbeeren) sind 10–20 cm lang, gelb oder rotbraun, mit 25–60 in Längsreihen angeordneten weißl. Samen **(Kakaobohnen),** die zu Kakao verarbeitet werden. Die Samen enthalten etwa 40–53 % Fett, 15 % Eiweiß, 8 % Stärke, 7 % Gerbstoffe, die Alkaloide Theobromin (1–2 %) und Koffein (0,2–0,3 %). – Der K. liebt hohe Luftfeuchtigkeit, etwa 2 000 mm Niederschlag pro Jahr und eine mittlere Jahrestemperatur von 24–28 °C. Die Ernte setzt im fünften Jahr ein. Die Früchte reifen in 5–8 Monaten. Im Durchschnitt können alle 6 Wochen 40–50 Früchte geerntet werden; insgesamt schwanken die Erträge i. Allg. zw. 200 und 1200 kg Bohnen je ha. – Die Kakaowelternte betrug 1994 2,56 Mio. t. Größter Produzent war Elfenbeinküste (809 000 t), gefolgt v. a. von Brasilien (344 000 t), Indonesien (280 000 t), Ghana (270 000 t) und Malaysia (230 000 t).

Geschichte: Als Kulturpflanze ist der K. zuerst (wahrscheinl. um 1 000 v. Chr.) in Costa Rica nachweisbar; zw. 800 und 400 v. Chr. wurde er von Olmeken an die pazif. Küste von Guatemala und Chiapas (Mexiko), von dort spätestens um 250 n. Chr. nach Belize und NW-Honduras gebracht. Chem. ist Kakao in Gefäßen des Grabgewölbes 19 von Río Azul (Guatemala, 460–480 n. Chr.) nachgewiesen. Um 1520 kam der Kakao nach Spanien; in Frankreich, England, Dtl. und Italien wurde er zw. 1610 und 1650 bekannt. Die Herstellung des Kakaopulvers erhielt erst Anfang des 19. Jh. größere Bedeutung, als C. van Houten in den Niederlanden die Entölung des Rohpulvers und das Aufschließen mit Alkalien einführte.

Kakaobutter (Kakaofett), v. a. aus Palmitin-, Stearin- und Ölsäureglyceriden bestehendes Pflanzenfett aus den Samenkernen des Kakaobaumes, wird als Zusatz zu Schokoladen, Konditoreiwaren und Hautpflegemitteln verwendet.

Kakemono [japan. »Hängeding«] *das,* japan. Bez. für eine → Hängerolle.

Kakerlak [niederländ.], → Schaben.

Kakinada (Cocanada), Hafenstadt im Bundesstaat Andhra Pradesh, an der O-Küste Indiens, 279 900 Ew.; Textilind., kleine Werften.

Kakipflaume, eine → Dattelpflaume.

kako... [grch.], schlecht..., übel..., miss...

Kakodylverbindungen, übel riechende, giftige Alkyl- (insbesondere Methyl-)Verbindungen des Arsens, gemeinsamer Strukturteil $(CH_3)_2As$–.

Kakophonie [grch.] *die,* Missklang.

Kakteen [lat.-grch.] (Kaktusgewächse, Cactaceae), Pflanzenfamilie mit rd. 200 Arten v. a. in den trop. und subtrop. Wüsten und Steppen Amerikas; fast ausschl. Stammsukkulenten (→ Sukkulenten) mit dornigen, borstigen oder behaarten reduzierten Kurztrieben (Areolen); Blüten meist einzeln, werden von Insekten, Vögeln oder Fledermäusen bestäubt; Stämme bzw. Sprosse z. B. schlangenförmig (Schlangenkaktus), rutenförmig (Rutenkaktus), säulenförmig (Säulenkaktus), kugelig (Teufelszunge), abgeflacht (Feigenkaktus) oder gegliedert (Gliederkaktus). Einige Arten sind Nutzpflanzen, z. B. Feigenkaktus (→ Opuntie), viele K. sind als Zimmerpflanzen in Kultur. Die meisten blühen nur, wenn sie im Winter hell, trocken und kühl, im Sommer sonnig und warm stehen.

📖 GÖTZ, E. *u.* GRÖNER, G.: *K. Kultur, Vermehrung u. Pflege. Stuttgart* [6]*1996.*

Kakteen (von oben): Feigenkaktus und Teufelszunge

Kaktusfeige, essbare Frucht von Kakteen.

Kala-Azar [Hindi »schwarze Krankheit«] *die,* → Leishmaniasen.

Kalabarbohne (Physostigma venenosum), windender, halbholziger Schmetterlingsblütler W-Afrikas, dessen giftige Samen das arzneilich genutzte **Physostigmin** liefern.

Kalabreser *der,* breitkrempiger Filzhut, in der 1. Hälfte des 19. Jh. von italien. Freiheitskämpfern getragen; um 1848 Gesinnungszeichen dt. Revolutionäre, dann auch nach F. Hecker **Heckerhut** gen.; Form und Name wurden später für den mod. Damenstrohhut übernommen.

Kalabrilen (italien. Calabria), Region in S-Italien, der südl. Vorsprung der Apenninhalbinsel zw. der Straße von Messina und dem Golf von Tarent, zum größten Teil vom **Kalabr. Gebirge** durchzogen (Sila 1929 m ü. M., Aspromonte 1956 m ü. M.), umfasst die Prov. Catanzaro, Cosenza, Crotone, Reggio di Calabria und Vibo Valentia, 15 080 km², (1995) 2,075 Mio. Ew., Hptst. ist Catanzaro; in höheren Lagen Weidewirtschaft, an den Gebirgshängen mediterrane Mischkulturen (Weizen, Feigen, Oliven, Wein), in den Küstenebenen Zitruskulturen; Steinsalzlager, Schwefelgruben. – Im Altertum hieß das heutige K. → Bruttium, K. war der Name des südl. Teils des heutigen Apulien. Das Gebiet gehörte im MA. zunächst zu Byzanz, die Normannen vereinigten es mit dem Königreich Neapel-Sizilien; in neuester Zeit einer der rückständigsten Teile Italiens (→ Mezzogiorno).

Kalabscha, ägypt. Tempel in Nubien am ehem. W-Ufer des Nils. Der dem Mandulis geweihte Tempel, zw. 29 v. Chr. und 14 n. Chr., an der Stelle eines Heiligtums der 18. Dynastie erbaut, folgt dem Vorbild der großen Ptolomäertempel (Philae, Dendera, Idfu); 1961–64 abgebaut und auf eine Kuppe 38 km nördlich versetzt, um ihn beim Aufstau des Nils durch den Assuanhochdamm vor Überflutung zu bewahren. BILD S. 172

Kalach [assyr.] (akkad. Kalchu), antike Stadt am Tigris, bei Mosul, Irak, heute der Ruinenhügel

Nimrud. – K. wurde um 1270 v. Chr. gegründet und war zeitweilig die Hptst. Assyriens; 612 v. Chr. beim Untergang des Assyrerreiches von den Medern zerstört. Im 19. und 20. Jh. Ausgrabungen (Paläste, Tempel, bed. Wandreliefs, Keilschrifttafeln).

Kalabscha: Das bei der Abtragung des Mandulistempels gefundene Tempeltor aus nubischem Sandstein ist 8 m hoch (um 20 v. Chr.; Berlin, Ägyptisches Museum)

Kaladi|e *die* (Buntwurz, Caladium), Gattung der Aronstabgewächse im trop. Amerika, mit knolligem Wurzelstock, oft buntblättrig; mehrere Arten sind Zierpflanzen.

Kaladie: Hybride

Kalahari *die,* abflusslose Beckenlandschaft im südl. Afrika, rd. 1 Mio. km², 800–1200 m ü. M., zw. Sambesi, Limpopo, Oranje und dem südwestafrikan. Hochland; der größte Teil gehört zu Botswana, der S zur Rep. Südafrika, der W zu Namibia. Die Niederschläge nehmen von S (unter 250 mm) nach N (über 650 mm) zu; wegen des durchlässigen, sandigen Untergrunds herrscht äußerste Wasserarmut; das nur episodisch fließende Wasser hat zur Bildung großer Salzpfannen geführt. Im S haben sich mächtige Dünenwälle gebildet; im N versiegt das Wasser des Okawango im großen Sumpfgebiet des Okawangobeckens; vorherrschend Trockensteppe. In der K. leben Buschmänner und einzelne Bantugruppen (v. a. Tswana). Der Wildreichtum wird in Reservaten geschützt: u. a. **K. Gemsbock National Park** (Rep. Südafrika) und **Central K. Game Reserve** in Botswana. Die reichen Bodenschätze werden bisher wenig genutzt (Diamanten, Kohle, Eisen, Kupfer, Nickel).

Kalanchoe: Flammendes Käthchen

Kalamas *der,* grch. Fluss, → Thyamis.

Kalamata (Kalamä), Hptst. des grch. VerwBez. Messenien in der südwestl. Peloponnes, 42 100 Ew.; Museen; Ausfuhrhafen am Messen. Golf und Verwertungszentrum für Korinthen, Wein, Olivenöl, Zitrusfrüchte, Pistazien; Containerterminal.

Kalamazoo [kæləmə'zu:], Stadt im SW von Michigan, USA, 80 300 Ew.; Western Michigan University; Zentrum eines Gebiets mit Obst- und Gemüsebau; Papierind., Herstellung von Druck-, Straßenbau- und Bohrmaschinen.

Kalamis, wahrscheinlich aus Böotien stammender grch. Bildhauer aus der Mitte des 5. Jh. v. Chr.; die antike Literatur nennt zahlr. seiner Werke. K. wird eine Zeusstatue, der Gott aus dem Meer (nach 460 v. Chr.; Athen, Archäolog. Nationalmuseum), zugeschrieben sowie der Omphalosapollon (um 470/60; Kopie des Bronzeoriginals in Athen, ebd.).

Kalancho|e [grch.] *die,* Gattung der Dickblattgewächse mit rd. 200 Arten, bes. in Afrika und Madagaskar; Stauden oder Halbsträucher mit fleischigen Blättern, Blüten vierzählig, in vielblütigen Trugdolden, weiß, gelb oder rot; viele Zierpflanzen, die in Mitteleuropa nicht winterhart sind. Bes. verbreitet ist das **Flammende Käthchen** mit roten oder gelben Blüten.

Kalander [frz.] *der,* Maschine mit weichen (Papier, Baumwolle) und harten (Hartguss, Stahl) gegenläufigen, z. T. heizbaren Walzen zur Verbesserung der Oberfläche von Papier und textilen Flächen (z. B. zur Appretur) sowie zur kontinuierlichen Erzeugung von bahnenförmigem Halbzeug aus thermoplast. Kunststoffen (Folien, Platten). Das Gut wird unter regelbarem Druck und regelbarer Temperatur zw. den Walzen durchgezogen. Textile Flächen werden dichter, glatter und glänzender. Der Glanz kann von Matt- über Seiden- bis Hochglanz variiert werden **(Roll-, Riffel-, Friktions-K.).** Das Einpressen von Mustern geschieht auf **Präge-K. (Gaufrier-K.).**

Kalandsbrüder, im 13. Jh. gestiftete, bis zur Reformationszeit v. a. in Nord-Dtl. verbreitete karitative Bruderschaften (Unterstützung in Not Geratener, Totengeleit, Seelenmessen); ben. nach ihrem anfängl. Versammlungstermin am Monatsersten (lat. »Calendae«).

Kalasiris [ägypt.] *die,* altägypt. Kleidungsstück beider Geschlechter höherer Stände (etwa ab 1600 v. Chr.).

Kalatosow, Michail Konstantinowitsch, eigtl. M. Kalatozichwili, georg. Filmregisseur, *Tiflis 28. 12. 1903, † Moskau 27. 3. 1973; wurde bes. durch seine Filme »Wenn die Kraniche ziehen« (1957) und »Ein Brief, der nie ankam« (1959) bekannt.

Kalat Siman (Simeonskloster), Ruinenstätte in N-Syrien, 30 km nordwestlich von Aleppo; im 5. Jh. großer Kirchenkomplex (vier in Kreuzform angeordnete Basiliken); im Zentrum die Reste der Säule, auf der der syr. Asket Symeon Stylites d. Ä. (*389/90?, † 459) über 30 Jahre lebte; das bedeutendste Denkmal syrisch-christl. Architektur.

Kalauer *der,* meist nicht sehr geistreicher Wortwitz; der Begriff geht auf frz. → Calembour zurück und wurde erst im 19. Jh. (wahrscheinlich in Berlin) auf die Stadt Calau (Brandenburg) bezogen.

Kalb, 1) *Biologie:* das noch nicht einjährige Rind; Junges bei vielen Huftieren (z.B. Giraffe, Hirsch).

2) *Jägersprache:* Junges vom Rot-, Elch- und Damwild; beim Rehwild: Kitz.

Kalb, Charlotte von, geb. Marschalk von Ostheim, Schriftstellerin, *Waltershausen (heute zu Saal an der Saale, Kr. Rhön-Grabfeld) 25. 7. 1761, †Berlin 12. 5. 1843; ab 1783 ⚭ mit dem in frz. Diensten stehenden Offizier Heinrich von K. (*1752, †1806); 1784 in Mannheim mit Schiller befreundet, später mit Hölderlin, ab 1796 mit Jean Paul; verfasste ihre Memoiren (»Charlotte«, hg. 1879) und einen Roman (»Cornelia«, 1851).

Kalben, 1) *Biologie:* Geburtsvorgang beim Rind.

2) *Geographie:* → Eisberg.

Kälberflechte, die → Glatzflechte.

Kälberkropf (Chaerophyllum), Gattung der Doldenblütler, verbreitet von Europa bis Mittelasien; in Dtl. an Ufern der **Knollenkerbel (Rüben-K.,** Chaerophyllum bulbosum) mit weißen Blüten und walnussgroßer Knolle.

Kalbsmilch, die Thymusdrüse der Kälber.

Kalchas, myth. Seher der Griechen im Trojan. Krieg; forderte u.a. den Opfertod der Iphigenie.

Kalchedon, grch. Stadt, → Chalkedon.

Kalckreuth, Leopold Graf von, Maler und Grafiker, *Düsseldorf 15. 5. 1855, †Eddelsen (heute zu Seevetal) 1. 12. 1928; studierte u.a. in München (Bekanntschaft mit Lenbach); gehört mit seinen schlichten Landschaften, Bildern aus dem Landleben und Porträts zu den Hauptvertretern des dt. Impressionismus.

Leopold Graf von Kalckreuth: »Sommer« (1890; Bremen, Kunsthalle)

Kaldaunen [zu lat. calduna »Eingeweide«], → Kutteln.

Kalebassen mit Schmuckbemalung aus Kamerun

Kaldor ['kɔ:ldə], Nicholas, Baron (seit 1974) of Newnham in the City of Cambridge, brit. Volkswirtschaftler ungar. Herkunft, *Budapest 12. 5. 1908, †bei Cambridge 30. 9. 1986; Prof. in Cambrigde (1966–75); ein Hauptvertreter des Keynesianismus; verfasste Beiträge zur Wohlfahrts-, Kapital-, Konjunktur- und Wachstumstheorie. Als Berater zahlreicher Regierungen befasste sich K. vornehmlich mit Fragen des Steuersystems.

Kalebasse [span.] *die,* aus der Frucht des Kalebassenbaums oder des Flaschenkürbisses hergestelltes, oft reich verziertes Gefäß der Naturvölker.

Kalebassenbaum (Crescentia), Gattung der Bignoniengewächse im trop. Amerika; mit trichterförmigen, am Stamm wachsenden Blüten und hartschaligen Früchten, die zur Herstellung von Kalebassen verwendet werden.

Kaledin, Sergej Jewgenjewitsch, russ. Schriftsteller, *Moskau 1949; schildert drastisch und ungeschminkt das Leben einfacher Menschen in der Erzählung »Stiller Friedhof«, die aus Zensurgründen erst 1987 veröffentlicht wurde; in »Pope Valeri und die Seinen« (Erz., 1991) beschreibt er den unheiligen Alltag einer russ. Dorfkirchengemeinde.

Kaledoni|en (lat. Caledonia), keltisch-röm. Name für N-Schottland.

kaledonische Gebirgsbildung (kaledonische Faltungsära), Ära der Gebirgsbildung im Altpaläozoikum, vom Oberkambrium bis zum Unterdevon; mehrere Faltungsphasen. Der erfasste Bereich, die **Kaledoniden (Kaledon. Gebirge),** erstreckt sich innerhalb Europas v.a. vom W der Skandinav. Halbinsel bis nach Schottland, Wales und Irland. Die kaledonisch gefalteten Zonen des übrigen Europa (u.a. Brabanter Massiv, Ardennen, Rhein. Schiefergebirge, Harz, Zentralmassiv und Armorikan. Gebirge) wurden durch spätere Gebirgsbildungen stark überformt. Kaledon. Faltungszüge finden sich ferner in Spitzbergen, Grön-

Charlotte von Kalb (Stich nach einem Gemälde von Johann August Tischbein)

Kälberkropf: Knollenkerbel

land, den nördl. Appalachen, Neufundland, Alaska, am Rand der Sibir. Tafel und in O-Sibirien.

Kaledonischer Kanal, Kanal in N-Schottland, zw. der O-Küste (Inverness am Moray Firth) und der W-Küste (Firth of Lorne); im 19. Jh. erbaut; verläuft im tekton. Tal Glen More unter Einbeziehung natürl. Seen (z. B. Loch Ness).

Kaleidoskop [grch. »Schönbildseher«] *das,* fernrohrähnliches opt. Spielzeug, das durch mehrfache Spiegelung unregelmäßig liegender bunter Glasstückchen o. Ä. regelmäßige Figuren darstellt; Sinnbild ständig wechselnder Eindrücke.

Mascha Kaléko

Kaléko, Mascha, Schriftstellerin, *Chrzanów (Galizien) 7. 6. 1912, †Zürich 21. 1. 1975; wuchs in Berlin auf, emigrierte 1938 in die USA, lebte zeitweise in Jerusalem. Ihre Lyrik zeigt Melancholie, politisch-satir. Schärfe und pointierte Sprachkunst.

Kalema [portugies.] *die,* schwere Brandung an der afrikan. W-Küste und im südl. Atlant. Ozean.

Kalenberg, Pfarrer vom, →Frankfurter, Philipp.

Kalendarium [lat.] *das,* Verzeichnis kirchl. Gedenk- und Festtage.

Kalenden *Pl.* (lat. Calendae), der erste Tag jedes Monats im röm. Kalender.

Kalender [mlat., zu lat. calendae »erster Tag des Monats«, übertragen »Monat«] *der,* die astronomisch begründeten Festsetzungen zur Einteilung der Zeit, bes. nach Sonnen- und Mondjahren (→Jahr). Das aus 12 Mondumläufen mit 354 Tagen bestehende Jahr heißt **Mondjahr.** Da es 11 Tage kürzer ist als das Sonnenjahr, läuft sein Anfang in 33 Jahren durch alle Jahreszeiten. Viele Völker haben daher versucht, Jahre mit 12 und 13 Monaten abwechseln zu lassen **(gebundenes Mondjahr, Lunisolarjahr),** um so den Anschluss an das Sonnenjahr zu erreichen. Beim **Sonnenjahr** werden die Monate nur als Unterabteilungen des Jahres aufgefasst und haben ihre Beziehung zum Mondlauf verloren. Neben den rein prakt. Bedürfnissen haben überall religiöse Vorstellungen in der Entwicklung des K. eine Rolle gespielt.

Der heutige K. hat sich aus dem röm. K. entwickelt. Er beruhte im alten Rom auf dem Mondjahr, wobei von Zeit zu Zeit Monate eingeschaltet wurden. Hierdurch entstanden Unstimmigkeiten, die Julius Cäsar 46 v. Chr. durch Einführung des **julian. K.** beseitigte. Aus dem ägypt. K. wurde die Schaltung eines Tages in den durch 4 teilbaren Jahren übernommen. Von nun an zählte ein Jahr 365

Ewiger Kalender (nach Theodor Wagner)

Tabelle I – Tage; Monate (Januar und Februar für Schaltjahre **fett** gedruckt)

Tage						Januar, Oktober	**Januar**, April, Juli	Februar, März, Nov.	**Februar**, August	Mai	Juni	September, Dez.
Sonntag	1	8	15	22	29	6	5	2	1	7	3	4
Montag	2	9	16	23	30	7	6	3	2	1	4	5
Dienstag	3	10	17	24	31	1	7	4	3	2	5	6
Mittwoch	4	11	18	25		2	1	5	4	3	6	7
Donnerstag	5	12	19	26		3	2	6	5	4	7	1
Freitag	6	13	20	27		4	3	7	6	5	1	2
Sonnabend	7	14	21	28		5	4	1	7	6	2	3

Tabelle II – Jahrhunderte

julianisch	0	1	2	3	4	5	6
	7	8	9	10	11	12	13
	14	15	16	17	18	19	20
	21	22	23	24	25	26	27
gregorianisch					15	16	–
	17	–	18	–	19	20	–
	21	–	22	–	23	24	–
	25	–	26	–	27	28	–
	29	–	30	–	31	32	–

Jahre im Jahrhundert

0	6	–	17	23	**28**	34	–	45	51	**56**	62	–	73	79	**84**	90	–	7	6	5	4	3	2	1
1	7	**12**	18	–	29	35	**40**	46	–	57	63	**68**	74	–	85	91	**96**	1	7	6	5	4	3	2
2	–	13	19	**24**	30	–	41	47	**52**	58	–	69	75	**80**	86	–	97	2	1	7	6	5	4	3
3	**8**	14	–	25	31	**36**	42	–	53	59	**64**	70	–	81	87	**92**	98	3	2	1	7	6	5	4
–	9	15	**20**	26	–	37	43	**48**	54	–	65	71	**76**	82	–	93	99	4	3	2	1	7	6	5
4	10	–	21	27	**32**	38	–	49	55	**60**	66	–	77	83	**88**	94		5	4	3	2	1	7	6
5	11	**16**	22	–	33	39	**44**	50	–	61	67	**72**	78	–	89	95		6	5	4	3	2	1	7

Die Benutzung des Kalenders wird am besten durch einige Beispiele erläutert: 1. Für den 24. Mai 1543 alten Stils (julianisch) findet man in der Tabelle I an der Stelle (rechts), wo die den 24. Monatstag enthaltende Zeile sich mit der zum Mai gehörenden Spalte schneidet, die Zahl 2; Tabelle II enthält im Schnittpunkt der die beiden letzten Ziffern der Jahreszahl 1543, nämlich 43, enthaltenden Zeile (links) mit der die julianische Jahrhundertzahl 15 enthaltenden Spalte (oben) die Zahl 3 (unten rechts); die Summe der beiden gefundenen Zahlen 2+3=5 steht in Tabelle I (links) in der Zeile des gesuchten Wochentags: Donnerstag. – 2. Für den 1. April 1815 neuen Stils (gregorianisch) gibt Tabelle I: 5, Tabelle II: 2, und der Summe 5+2=7 entspricht der Sonnabend. In Schaltjahren, die fetter gedruckt sind, ist für den Januar in Tabelle I nicht die erste, sondern die zweite, und für den Februar die vierte Spalte zu benutzen; man findet so 3. für den 12. Februar 1908: 5+6=11: Mittwoch.

Tage, jedes vierte Jahr als Schaltjahr 366 Tage; aber die mittlere Jahreslänge war mit 365,25 Tagen um 11 min 12 s gegenüber dem Sonnenjahr (365,2422 Tage) zu groß. 1582 führte daher Papst Gregor XIII. ein genaueres Einschaltungsverfahren ein: Der alle vier Jahre eintretende Schalttag des julian. K. fällt bei dem vollen Jh. aus, mit Ausnahme des durch 400 teilbaren (wie 1600, 2000 usw.). Die durchschnittl. Jahreslänge wurde auf 365,2425 Tage festgesetzt. Um den bis dahin angewachsenen Fehler auszugleichen, folgte auf den 4. 10. der 15. 10. 1582. Dieser **gregorian. K.** wurde zuerst in Spanien, Portugal, Italien eingeführt, sehr bald in den übrigen kath. Ländern; die evang. Länder folgten erst viel später, so die Staaten Deutschlands 1700, England 1752, Schweden 1753. Russland benutzte seit dem 13. Jh. den julian. K.; der vorher unsichere Jahresbeginn wurde durch Peter d. Gr. auf den 1. 1. festgelegt (seit 1. 1. 1700). Im Februar 1918 führte die UdSSR den gregorian. K. ein, der 1. 2. (alten Stils) wurde zum 14. 2. (neuen Stils).

Der **jüd. K.** benutzt ein gebundenes Mondjahr, und zwar Monate von versch. Länge und Jahre von 12 und 13 Monaten, sodass Jahre mit 353, 354, 355, 383, 384 und 385 Tagen vorkommen. Es gibt 3 Jahresformen: Gemeinjahr, mangelhaftes und überzähliges Jahr. Die Jahreszählung beginnt mit der Weltschöpfung, die auf 3761 v. Chr. verlegt wird. – Dem **K. der Muslime** liegt ein reines Mondjahr zugrunde, eingeteilt in abwechselnd 30- und 29-tägige Monate; das Gemeinjahr hat 354, das Schaltjahr 355 Tage. – Der 1793 eingeführte **K. der Ersten Frz. Rep.** hatte ein mit dem 22. 9. 1792 beginnendes Jahr mit 12 Monaten zu je 30 Tagen, eingeteilt in 3 Dekaden zu je 10 Tagen, daneben 5, in Schaltjahren 6 Ergänzungstagen; 1806 wurde aber der gregorian. K. wieder eingeführt. Mit dem **immer währenden** oder **ewigen K.** kann zu jedem Datum der Wochentag abgelesen werden. – Im heutigen **bürgerl. K.,** der auf dem gregorian. K. basiert, ist seit der Jahreswende 1975/76 nicht mehr der Sonntag, sondern der Montag der erste Tag der Woche. (→Ära, →Chronologie)

🕮 Zemanek, H.: *K. u. Chronologie. München u. a. [5]1990.* – Borst, A.: *Computus. Zeit u. Zahl in der Geschichte Europas. Berlin 1991.* – Wendorff, R.: *Tag u. Woche, Monat u. Jahr. Eine Kulturgeschichte des K. Opladen 1993.*

Kalendergeschichte, kurze volkstüml. Erzählung; seit dem 18. Jh. wichtiger Bestandteil der Volkskalender, seit dem 19. Jh. selbstständige Sammlungen (»Vademecum für lustige Leute«, »Schatzkästlein des rhein. Hausfreundes« u. Ä.); J. P. Hebel brachte die K. zur Meisterschaft. Im 20. Jh. hat sich die K. oft vom Kalender gelöst und tritt, wie bei B. Brecht, als selbständige Kunstform auf.

Kalender: Kalendertafel aus Augsburg mit Uhr, Planetenzeichen und verstellbaren Tafeln für Wochentag, Monat und Jahr (um 1661; München, Schatzkammer der Residenz)

Kalenderjahr, die Zeit vom 1. Januar bis 31. Dezember eines Jahres, im Unterschied zum Rechnungsjahr.

Kalesche [tschech. oder poln.] *die,* leichte Kutsche mit Faltverdeck.

Kalevala [»Land des Kaleva«] *das,* finn. Nationalepos, in 50 Gesängen (runo) mit 22 795 Versen, behandelt Schöpfungsmythos und Kämpfe zw. den Völkern von K. und Pohjola. Die einzelnen Lieder, von Volkssängern überliefert, wurden im 18. Jh. teilweise aufgezeichnet; aus einzelnen Liedzeilen setzte E. Lönnrot 1835 ein Epos zusammen.

Kalevipoeg [»Kalevs Sohn«] *der,* estn. Epos, 1857–61 von F. R. Kreutzwald (*1803, †1882) aus

Kalender

Die Wahl des Datums für den Jahresbeginn ist völlig willkürlich. Es gibt keinen besonderen Punkt auf der Erdumlaufbahn, durch den festgelegt werden kann, wann ein Jahr beginnt und wann es endet. Die Druiden im vorchristlichen Gallien setzten Neujahr in der sechsten Nacht nach der Wintersonnenwende an. Lange begann in Europa das Jahr am 1. März, bis Karl der Große in seinem Reich den Jahresbeginn auf Weihnachten legte. Unter den Kapetingern fiel Neujahr mit Ostern zusammen, doch da Ostern ein bewegliches Fest ist, führte dies zu allerlei organisatorischen Komplikationen. Das Jahr 1347 etwa begann am 1. April und endete am 20. April des darauf folgenden Jahres, war also viel zu lang. In Frankreich begann das Jahr viele Jahrhunderte am 1. April. Dann wurde es auf den 1. Januar verlegt, und am 1. April pflegte man alle, die diese Neuerung vergaßen, hereinzulegen: daher die Sitte der Aprilscherze. Im 16. Jahrhundert wurde weitgehend der 1. Januar als Jahresbeginn üblich, in Deutschland genau im Jahre 1500. In England wurde der 25. März bis einschließlich 1751 beibehalten. In Russland begann das Jahr bis zu Peter dem Großen am 1. September, später (bis 1918) dann am 12. bzw. 13. Januar.

Sagen und Volksliedern zusammengestellt. Der Held des Epos, K., wurde zur symbol. nationalen Gestalt erhoben und übte auf die geistige Entwicklung Estlands starken Einfluss aus.

Willem Kalf: Stillleben mit chinesischer Terrine (undatiert; Berlin, Gemäldegalerie)

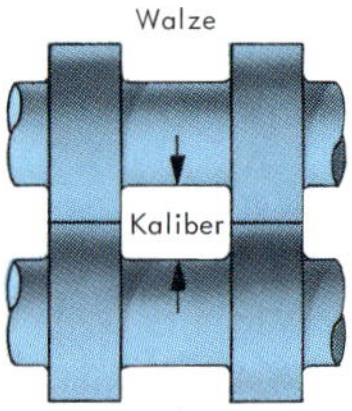

Kaliber 1): geschlossenes Kaliber

Kalf, Willem, niederländ. Maler, getauft Rotterdam 3. 11. 1619, †31. 7. 1693; lebte etwa 1645–50 in Paris, wo er kleine Küchenstücke schuf; seit 1653 entwickelte er in Amsterdam seinen reifen Stil. Er malte Arrangements aus kostbaren Porzellan-, Silber- und Glasgefäßen mit Früchten, in tiefdunkler Tonigkeit mit prachtvoll aufleuchtenden Farben und differenzierter Oberflächenstrukturierung.

Kalfaktor [lat.] *der* (Kalfakter), jemand, der versch. untergeordnete Hilfsdienste verrichtet; auch Strafgefangener, der den Gefangenenwärter in seinem Dienst unterstützt.

Kalfaterung [niederländ., wohl aus dem Arabischen] *die,* Dichtung der Nähte zw. den Planken der Außenhaut und der Decks von Holzschiffen mit → Werg und Kunstharz (früher Pech).

Kalgan, chines. Stadt, → Zhangjiakou.

Kalgoorlie-Boulder [kælˈgʊəlɪ ˈbəʊldə], Stadt in Westaustralien, in einem wüstenhaften Gebiet an der Transkontinentalbahn, 20 000 Ew.; Bergbauschule; Mittelpunkt des Goldbergbaus auf der 1893 entdeckten »Goldenen Meile«; heute auch Nickelerzabbau und -verhüttung.

Kalidasa

Goethe über Kalidasas Drama »Shakuntala« (1791):

»Will ich die Blumen des frühen,
die Früchte des späteren Jahres,
Will ich, was reizt und entzückt,
will ich, was sättigt und nährt,
Will ich den Himmel, die Erde
mit Einem Namen begreifen,
Nenn ich, Sakontala, dich,
und so ist alles gesagt.«

Kali [arab.] *das,* unpräzise Bez. für → Kalium und seine Verbindungen, v. a. K.-Salze.

Kali [Sanskrit »die Schwarze«], v. a. in Bengalen verehrte hinduist. Göttin; »göttl. Mutter«; verkörpert den zerstörer. Aspekt der Göttin → Durga.

Kalian [pers.] *der* oder *das,* pers. Form der → Wasserpfeife.

Kaliber [frz. über arab. aus grch. kalopódion »Schusterleisten«] *das,* **1)** *Hüttenkunde:* Einschnitt (Walzspalt) zw. zwei Walzen, der das Walzprofil ergibt. Neben dem **offenen K.**, in dem das Walzgut ungehindert zur Seite ausweichen kann, gibt es **halb offene** oder **geschlossene K.** für das Auswalzen von Profilen (z. B. Doppel-T-Träger).

2) *Waffentechnik:* als innerer Durchmesser von Lauf oder Geschützrohr einer Feuerwaffe oder als äußerer Durchmesser eines Geschosses definierte Größe. Maßeinheiten sind mm, cm oder Bruchteile von engl. Zoll (inch).

kalibrieren, 1) *Fertigungstechnik:* ein Werkstück durch abschließendes geringes Umformen auf genaues Maß bringen.

2) *Messtechnik:* (Einmessen) einen reproduzierbaren Zusammenhang zw. Ausgangs- und Eingangsgröße feststellen.

Kalidasa, ind. Dichter, lebte um 400 n. Chr. Über sein Leben ist wenig bekannt; er gilt als Klassiker der ind. Literatur und des ind. Theaters z. Z. der Guptadynastie; schuf die Epen »Raghuvamsha« (»Geschlecht des Raghu«), das die Geschichte der Herrscher von Ajodhja behandelt, und »Kumarasambhava« (»Entstehung des Kumara«), unvollendetes Epos über die Geburt des Kriegsgottes Kumara, das lyr. Gedicht »Meghaduta« (»Wolkenbote«) und bes. das Drama »Shakuntala«, dessen Stoff aus dem Mahabharata stammt.

Kalif [arab. »Nachfolger«] *der,* seit 632 offizieller Titel von Mohammeds Nachfolgern in der Herrschaft über die muslim. Gemeinschaft **(Kalifat).** Nach sunnit. Auffassung wurden die K. gewählt; sie hatten ihren Sitz (bis 657) in Medina. Die ersten vier »rechtgeleiteten« K. (Abu Bakr, Omar I., Othman, Ali) begründeten das islam. Großreich **(Kalifenreich).** Im Kampf mit Ali, der auch zur Spaltung der Muslime in Schiiten, Sunniten und Charidjiten führte, errang mit Moawija I. die Dynastie der Omaijaden (661–750) die K.-Würde; sie regierte in Damaskus, bis sie durch die Abbasiden (750–1258) gestürzt wurde, die den Sitz der Herrschaft nach Bagdad verlegten. Neben dem rechtmäßigen K. haben auch die Omaijaden in Spanien (756–1031), die Fatimiden (909 bis 1171) und die Abbasiden (1261–1517) in Ägypten diese Würde beansprucht. Mit der Eroberung Ägyptens durch

Die Kalifen (632-1258)

Die vier rechtgeleiteten Kalifen

Abu Bakr	632-634
Omar I.	634-644
Othman ibn Affan	644-656
Ali ibn Abi Talib	656-661

Die Omaijaden

Die Sufjaniden

Moawija I.	661-680
Jesid I.	680-683
Moawija II.	683

Die Merwaniden

Merwan I.	684-685
Abd al-Malik	685-705
Walid I.	705-715
Süleiman	715-717
Omar II.	717-720
Jesid II.	720-724
Hischam	724-743
Walid II.	743-744
Jesid III.	744
Ibrahim	744
Merwan II.	744-749/750

Die Abbasiden

Abu l-Abbas	749/750-754
Mansur Abu Djafar	754-775
Al-Mahdi	775-785
Al-Hadi	785-786
Harun ar-Raschid	786-809
Mohammed al-Amin	809-813
Al-Mamun	813-833
Al-Mutassim	833-842
Al Wathik	842-847
Al-Mutawakkil	847-861
Al-Muntassir	861-862
Al-Mustain	862-866
Al-Mutass	866-869
Al-Muhtadi	869-870
Al-Mutamid	870-892
Al-Mutadid	892-902
Al-Muktafi	902-909
Al-Muktadir	909-932
Al-Kahir	932-934
Ar-Radhi	934-940
Al-Muttaki	940-944
Al-Mustakfi	944-946
Al-Muti	946-974
At-Tai	974-991
Al-Kadir	991-1031
Al-Kaim	1031-1075
Al-Muktadi	1075-1094
Al-Mustasshir	1094-1118
Al-Mustarschid	1118-1135
Ar-Raschid	1135-1136
Al-Muktafi	1136-1160
Al-Mustandjid	1160-1170
Al-Mustadi	1170-1180
An-Nasir	1180-1225
Al-Sahir	1225-1226
Al-Mustanssir	1226-1242
Al-Mustassim	1242-1258

Die Omaijaden in Spanien

Abd ar-Rahman III. (seit 912 Emir)	929-961
Hakam (Al-Hakam) II.	961-976
Hischam II.	976-1009
Verfall (sechs Herrscher)	1009-1031

den Osmanensultan Selim I. (1460) ging die Würde des K. an die Sultane von Konstantinopel über (endgültig 1517). Nach dem Zerfall des Osman. Reiches im 1. Weltkrieg kam es zur Abschaffung des Kalifats durch die Türk. Rep. (3. 3. 1924).

Kalifornien (engl. California, Abk. Calif.), drittgrößter und volkreichster Bundesstaat der USA, am Pazifik und an der Grenze zu Mexiko, 411049 km², (1994) 32 Mio. Ew. Neben 7% Schwarzen (1991) gibt es starke Minderheiten von Nachkommen mexikan. (→Chicanos), chines. und japan. Einwanderer. Hptst. ist Sacramento; größte Städte: Los Angeles und San Francisco (auch Haupthafen). K. hat Anteil an den Küstenketten, dem Kaliforn. Längstal, der Sierra Nevada, der Cascade Range und dem Großen Becken. Das Klima ist gemäßigt bis subtropisch mit von N nach S abnehmenden Niederschlägen; jenseits der Küstenketten Trockengebiete. Intensive Landwirtschaft mit Anbau von Baumwolle, Gerste, Weizen, Mais, Reis, Hafer, Bohnen, Zuckerrüben; bed. v. a. der Südfrucht- und Gemüsebau im Kaliforn. Längstal mithilfe künstl. Bewässerung. Bed. Vieh- und Geflügelzucht, Fischerei. K. hat reiche Vorkommen an Bodenschätzen: u. a. Erdöl, Erdgas, Borsalze, Quecksilber, Magnesit, Wolfram, Gold (stark zurückgegangen). Die Ind. ist hoch entwickelt: Luftfahrt-, Raumfahrt-, Elektronik- und Computerind. (Silicon Valley), Fahrzeugbau, Nahrungsmittelind., Hüttenwerke u. a.; Sitz der Filmind. ist Hollywood. Anziehungspunkte des Fremdenverkehrs sind neben der Filmstadt v. a. Disneyland, San Francisco, die Nationalparks und Badestrände.

Geschichte: 1542 von Mexiko aus durch den Portugiesen J. R. Cabrillo erreicht, wurde Nieder-K. (Baja California) erst seit 1697 durch Jesui-

Kalifornien
Flagge

Kalifornien (von links): »Joshua Tree National Monument« im trockenen Südosten mit den namengebenden Yuccabäumen (»Joshua Trees«); das Point Pinos ist ein bekannter Aussichtspunkt an der Pazifikküste südlich von San Francisco tenmissionen, Ober-K. (Alta California) seit 1769 von San Diego aus durch die Franziskaner erschlossen. Im N gründeten Russen Handels- und Fangstationen (u.a. Fort Ross). 1821 wurde K. mexikan. Provinz. Amerikan. Siedler, bes. am Sacramento, erklärten nach Ausbruch des Krieges zw. den USA und Mexiko (1846–48) die Unabhängigkeit von K. (»Bear Flag Republic«); im Frieden von Guadalupe Hidalgo (1848) trat Mexiko Ober-K. an die USA ab. Am 9. 9. 1850 wurde K. als 31. Staat in die Union aufgenommen. Nach Goldfunden auf J. A. Sutters Besitz (1848) kamen bald Hunderttausende nach K., wo sich in der Folge ein pazif. Zentrum der amerikan. Wirtschaft entwickelte.

Kalifornien

Hier gibt es nahezu alle Landschaften der Erde.

1935 wurde in Los Angeles eine Landkarte des US-Bundesstaates herausgegeben, auf der für die Filmschaffenden Hollywoods verzeichnet war, was wo zu finden ist.
Hier die Palette der Möglichkeiten: Baumwollfelder, Französische und Italienische Riviera, Schwarzwald, Indien, Totes Meer, Frankreich, Holland, Oklahoma, englische Küste, italienische Küste, japanische Kleinstadt, Südsee, malaiische Küste, Südamerika, Reich der Maya, Mississippi, Alaska, kanadische Rocky Mountains, Mittlerer Westen, China, ländliches Großbritannien, Wilder Westen, Skandinavien, Tirol, Japan, Alpen, Arabische Wüste, Heiliges Land, Rotes Meer und Sahara.

Kalifornilen, Golf von (Golfo de California, Mar de Cortés, nach der manchmal durch Plankton entstandenen rötl. Farbe Mar Bermejo), 160 000 km² großes Nebenmeer des Pazif. Ozeans zw. der W-Küste Mexikos und der Halbinsel Niederkalifornien (Baja California).

Kaliko [nach der ostind. Stadt Calicut, jetzt Kozhikode] *der* (frz. Calicot), dichtes, fein bis mittelfädiges Gewebe aus Baumwolle oder Chemiefasern in Leinwandbindung, mäßig appretiert, oft mit Kalanderglanz (→ Kalander); Verwendung z. B. als Buchbinderleinen.

Kalilauge, → Kalium.

Kalimantan, indones. Name von → Borneo.

Kalinin, 1931–90 Name der russ. Stadt → Twer.

Michail Kalinin

Kalinin, Michail Iwanowitsch, sowjet. Politiker, * Werchnjaja Troiza (Gouv. Twer) 19. 11. 1875, † Moskau 3. 6. 1946; Mitarbeiter Lenins und Stalins, wurde 1925 Mitgl. des Politbüros der KPdSU; 1919–46 nominelles Staatsoberhaupt der UdSSR.

Kaliningrad, → Königsberg.

Kalinowski, Horst Egon, Objektkünstler, Maler und Grafiker, * Düsseldorf 2. 1. 1924; Collagen und Materialbilder; schuf seit 1968 Lederreliefs, dann Kombinationen von Holz und Leder, in den 70er-Jahren wandte er sich wieder der Technik der Collage zu, die er in Verbindung mit großformatigen Zeichnungen anwendet.

Kalisalze, natürlich vorkommende Chloride und Sulfate des Kaliums, meist Doppelsalze (mit Magnesium, Mg; Calcium, Ca; Natrium, Na), z. B. Carnallit, Kainit, Sylvin, Polyhalit. **Primäre K.** entstehen unter ariden Klimabedingungen durch Eindunsten von Salzwasser. Hier scheiden sich entsprechend ihrer Löslichkeit nacheinander Kalkstein, Gips, Anhydrit, Steinsalz und K. aus. Weitere K. bilden sich durch **sekundäre Umwandlung** der Primärausscheidungen (»Salzmetamorphose«). K. wurden in allen geolog. Zeitaltern seit dem Kambrium nachgewiesen; große Lagerstätten aus dem Unterperm, Zechstein und Tertiär. K. werden v. a. zur Herstellung von Düngemitteln, daneben als Rohstoffe in der chem. Ind. verwendet.

Kalisch, David, Schriftsteller, * Breslau 23. 2. 1820, † Berlin 21. 8. 1872; gründete 1848 mit dem Verleger R. Hofmann das Witzblatt »Kladderadatsch«; schrieb humoristisch-polit. Lieder (Couplets), Possen und Berliner Lokalstücke.

Kalisz ['kaliʃ] (dt. Kalisch), Hptst. der poln. Wwschaft Kalisz, an der Prosna, 106 700 Ew.; Textil-, Maschinenbau-, keram. Ind., Klavierbau. – Sankt Nikolaus- (1253 ff.), Kollegiats- (1353 und 1790) und Franziskanerkirche (13./14., 17. Jh.). – In K. schlossen Preußen und Russland ihr Bündnis gegen Napoleon I. (28. 2. 1813).

Kalium, chem. Symbol **K,** Alkalimetall aus der 1. Hauptgruppe und 4. Periode des Periodensystems. Ordnungszahl 19, relative Atommasse 39,0983, Dichte 0,862 g/cm³, Schmelzpunkt 63,65 °C, Siedepunkt 759,9 °C. – K. ist wachsweich und silberweiß glänzend; es ähnelt chemisch dem Natrium, reagiert heftig unter Flammenbildung mit Wasser zu K.-Hydroxid und Wasserstoff. Um K. vor der Verbindung mit Sauerstoff zu schützen, wird es in reaktionsträgen Flüssigkeiten, z. B. Petroleum, aufbewahrt. Zur Gewinnung von K. wird meist K.-Fluorid mit Calciumcarbid umgesetzt oder geschmolzenes K.-Chlorid mit Natrium reduziert; Verfahren der Schmelzflusselektrolyse von wasserfreiem K.-Hydroxid werden heute nicht mehr durchgeführt. – K. wird spektralanalytisch nachgewiesen. Das Isotop ^{40}K (zu 0,012 % in natürl. K. enthalten) ist radioaktiv und zerfällt mit einer Halbwertszeit von $1{,}27 \cdot 10^9$ Jahren in ^{40}Ca und ^{40}Ar. In kaliumhaltigen Gesteinen oder Meteoriten lässt sich aus dem Verhältnis von ^{40}K zu ^{40}Ar deren Alter bestimmen **(K.-Argon-Methode).** – K. ist in der Erdrinde mit 2,59 % enthalten.

K., ein notwendiges Element für alle tier. und pflanzl. Organismen, hat große biolog. Bedeutung. Im Zellsaft enthalten, beeinflusst es Membrandurchlässigkeit, enzymat. Reaktionen, Synthese von Phosphaten und den osmotischen Druck in der Zelle. K. ist an elektr. Vorgängen in erregbaren Strukturen (Nerven- und Muskelgewebe) beteiligt. Der Tagesbedarf des Menschen an K. liegt bei etwa 1 g. K.-Mangel führt zu Symptomen der Kraftlosigkeit, Muskel- und Kreislaufschwäche, Apathie. – Einige K.-Verbindungen sind wichtige gesteinsbildende Minerale: Feldspat, Glimmer, Leucit. Landpflanzen sind K.-Sammler; bei ihrer Veraschung fällt es als K.-Carbonat an. – K. hat kaum techn. Bedeutung, da es durch das billigere Natrium zu ersetzen ist.

Verbindungen: K. tritt in Verbindungen einwertig positiv auf. **K.-Hydrid,** KH, ein weißes kristallines Pulver, entsteht aus K.-Metall und Wasserstoff. Mit Sauerstoff bilden sich die beim Verbrennen des K. an der Luft entstehenden Verbindungen **K.-Peroxid,** K_2O_2, **K.-Dioxid,** KO_2, und das farblose **K.-Oxid,** K_2O, das aus K.-Nitrat und K. dargestellt werden kann. **K.-Hydroxid (Ätzkali, K.-Oxidhydrat),** KOH, eine undurchsichtige weiße Masse, entsteht in wässriger Lösung bei der Elektrolyse von K.-Chlorid. Das aus dieser Lösung **(Kalilauge)** durch Abdampfen gewonnene feste K.-Hydroxid ist sehr hygroskopisch, eine starke Base, zieht Kohlendioxid an, schmilzt leicht und wirkt ätzend. Verwendet wird es in der Seifen- und Farbenind. **K.-Carbonat (Pottasche),** K_2CO_3, ein Bestandteil der Pflanzenasche, wird hauptsächlich durch Elektrolyse von K.-Chlorid und Sättigen mit Kohlendioxid dargestellt. Das weiße Salz wird zur Herstellung von Glas, Seifen, Ätzkali, Wasserglas und in der chem. Ind. verwendet. – Durch Einleiten von Kohlendioxid in eine konzentrierte Lösung des Salzes entsteht **K.-Hydrogencarbonat,** $KHCO_3$. **K.-Sulfat,** K_2SO_4, dient zur Darstellung von Alaun und als Düngemittel. **K.-Chlorat,** $KClO_3$, wird durch Einleiten von Chlor in heiße Kalilauge oder durch Elektrolyse wässriger Chlorkaliumlösungen dargestellt, verwendet als sauerstoffreiche Verbindung, z.B. in der Zündholz-, Sprengstoff- und Feuerwerksind. **K.-Bichromat,** $K_2Cr_2O_7$, aus Chromeisenstein gewonnen, wird in der Färberei und Druckerei als Oxidationsmittel und Beize, als fotograf. Verstärker (Chromverstärker) für unterbelichtete Negative, zum Bleichen von Fellen, zur Herstellung von Zündwaren, von gelben und roten Mineralfarben verwendet. Durch Einleiten von Chlor oder Kohlendioxid in eine wässrige Lösung von K.-Manganat bildet sich **K.-Permanganat,** $KMnO_4$, grünschwarze, metallisch glänzende Kristalle, die sich in Wasser mit tief violetter Farbe lösen; das starke Oxidationsmittel dient als Desinfektionsmittel und wird in der Oxidimetrie verwendet. **K.-Sulfid,** K_2S, bildet sich beim Glühen von K.-Sulfat mit Kohle als rötl. Masse; beim Kochen der konzentrierten Lösung mit Schwefel entstehen **K.-Polysulfide,** K_2S_3, K_2S_4, usw. Durch Erhitzen von K.-Carbonat mit Schwefel entsteht ein Gemisch von **K.-Pentasulfid** und **K.-Thiosulfat,** die **Schwefelleber,** die in der Medizin zu keratolyt. Schwefelbädern dient. Weitere K.-Verbindungen sind z.B. **K.-Bromid** (→Brom), **K.-Chlorid** (→Chlor), **K.-Ferricyanid** bzw. **-Ferrocyanid,** das rote bzw. gelbe Blutlaugensalz, **K.-Nitrat,** der Kalisalpeter (→Salpeter) und **K.-Silikat,** das Kaliwasserglas (→Wasserglas).

Kalium-Argon-Methode, →Kalium.

Kaliumcyanid (Cyankali), Abk. **KCN,** hochgiftiges Kaliumsalz der Blausäure; bildet ein weißes, in Wasser leicht lösl. Pulver. (→Blausäurevergiftung)

Kalixt II. (Calixtus II.), Papst (1119–24), eigtl. Guido, †Rom 13. 12. 1124; Erzbischof von Vienne, beendete 1122 durch das Wormser Konkordat den Investiturstreit.

Horst Egon Kalinowski: »Himmelskeime«, Kombination aus Holz und Leder (1988; Privatbesitz)

Kalixtiner, →Hussiten.

Kalk, Bez. für Calciumverbindungen, die in einfachem Zusammenhang mit Calciumoxid, CaO, stehen. **Kohlensaurer K., Calciumcarbonat,** $CaCO_3$, ist in der Natur verbreitet als Kalkstein, Kreide, Marmor, Kalkspat, Aragonit, ferner als Hauptbestandteil von Eierschalen u.Ä., als Aufbaustoff der Knochen. K. ist lebenswichtig für den Stoffwechsel bei Mensch, Tier und Pflanze. **Gebrannter K., Ätzkalk,** entsteht aus Kalkstein, der im Kalkofen bei über 900°C gebrannt wird, Kohlendioxid wird ausgetrieben, es verbleibt Calciumoxid, CaO. Der gebrannte K. ist porös, bröcklig, nimmt Wasser aus der Luft auf (daher trockene Lagerung). **Lösch-K., gelöschter K.,** entsteht aus gebranntem K., der mit Wasser übergossen wird; es bildet sich Calciumhydroxid, $Ca(OH)_2$. Dabei wird Wärme frei, die das überschüssige Wasser verdampfen lässt (»Rauchen« beim Kalklöschen).

Gelöschter K. geht durch Aufnahme von Kohlendioxid aus der Luft wieder in $CaCO_3$ über. Deshalb Verwendung bei der Mörtelbereitung, auch in der Landwirtschaft (Kalkdüngung).

Jan van Kalkar: Flügelgemälde am Hochaltar der Pfarrkirche Sankt Nikolai in Kalkar (1505–08) mit der Darstellung des Kalkarer Rathauses im Hintergrund

Kalk|algen, versch. Arten der Algen, die an oder in der Zellwand Kalk ablagern; fossile K. aus dem Jura bildeten Kalksedimente (Schreibkreide).

Kalk|alpen, die vorwiegend aus Kalken und Dolomiten aufgebauten, nördlich und südlich der kristallinen Zentralzone verlaufenden Ketten der →Alpen; mit schroffen Wänden, zerklüfteten, kahlen Hochflächen und oft maler. Felsformen.

Kalkar, Stadt im Kr. Kleve, NRW, am linken Ufer des Rheins, 12600 Ew.; Museum; Zuckerfabrik, Milchwerke mit Käserei, Zentralschlachthof; das Kernkraftwerk mit dem schnellen Brüter wurde nie in Betrieb genommen (Umwandlung in einen Freizeitpark geplant). – K., von den Grafen von Kleve 1242 gegr., hat mittelalterl. Gepräge (got. Rathaus am Markt; 1438–46) und bed. Werke der **Kalkarer Schule** (Bildschnitzer und Maler des 15. und 16. Jh.) in der Pfarrkirche St. Nikolai (H. →Douvermann).

Kalkar (Calcar), Jan Joest van, auch J. Joost van K., Joest van Haarlem, niederrheinisch-niederländ. Maler, *Wesel um 1460, †Haarlem 1519; benannt nach seinem Meisterwerk, dem Hochaltar der Pfarrkirche St. Nikolai in Kalkar (1505–08), dem einzigen gesicherten Werk. Bezeichnend für seine Werke sind die atmosphär. Raum- und Lichtwirkungen seiner Landschaftsdarstellungen und die porträthaft charakterisierten Figuren.

Kalkpflanzen, Pflanzen, die nur auf kalkhaltigem Boden vorkommen (kalkstete Pflanzen) oder sich v. a. dort finden (kalkholde Pflanzen).

Kalksandstein, **1)** *Bautechnik:* aus einem Teil Kalk und bis zu 15 Teilen Quarzsand in Ziegelformat gepresster und gehärteter Mauerstein aus Silikatbeton.

2) *Petrographie:* durch kalkiges Bindemittel verkitteter Sandstein.

Kalkseife (Calciumseife), unlösl., schmierendes, nicht reinigendes und nicht schäumendes Reaktionsprodukt aus versch. höheren Fettsäuren und Calciumverbindungen, z. B. als Ablagerung (Rand) in Waschbecken.

Kalksinter (Kalktuff), poröser Kalkstein, →Tuff.

Kalkspat (Calcit), trigonales, formen- und flächenreichstes Mineral, $CaCO_3$, meist farblos oder weiß, eines der wichtigsten gesteinsbildenden Minerale. Dichte bis körnige Aggregate von K. sind Kalkstein, Kreide und Marmor. Seine starke →Doppelbrechung ist bereits makroskopisch erkennbar. Große K.-Kristalle werden daher auch in opt. Instrumenten verwendet (Doppelspat). Eine metastabile Modifikation des K. ist der →Aragonit.

Kalkstein, überwiegend aus Calciumcarbonat (Kalkspat, Aragonit, Dolomit) bestehendes Sedimentgestein, meist mariner Entstehung. Die Ablagerungen bildeten sich vorwiegend biogen, aus Kalkschalen oder -skeletten von Tieren oder unter Beteiligung pflanzl. Organismen (Kalkalgen), seltener durch chem. Ausfällung. Nach dem Gefüge unterscheidet man dichten, porösen, oolith., spatigen K., nach der Absonderung z. B. Platten- oder Massen-K., nach Beimengungen Kalkmergel, dolomit. K. u. a. Der Marmor ist ein metamorph umkristallisierter Kalkstein. Verwendet wird K. u. a. als Werkstein, für Kalkmörtel, als Rohstoff der Zement-, Glas- und chem. Industrie.

Kalkstickstoff (Calciumcyanamid), $CaCN_2$, entsteht durch Umsetzung von Calciumcarbid mit Stickstoff bei Rotglut; wichtiger Stickstoffdünger.

Kalkül [frz.] *der,* **1)** *Logik:* Weiterentwicklung des axiomat. Systems, bei der das log. Schließen durch das Umformen von Symbolketten ersetzt ist. Auf der Grundlage eines Alphabets (definierte Grundzeichen) werden aus Axiomen mit Ableitungsregeln neue Sätze und Theoreme hergeleitet, die insgesamt einen Formalismus bilden. Jeder →Algorithmus ist ein K. oder kann auf die Form eines K. gebracht werden.

2) *Mathematik:* ein System von Zeichen und Regeln zur formalen Ausführung mathemat. Rechnungen.

Kalkulation [lat. calculus »Rechenstein«] *die,* Teilgebiet der Kostenrechnung zur Ermittlung der Selbstkosten einer Leistungs- oder Produkteinheit oder eines Auftrags (Stückkostenrechnung, Kostenträgerstückrechnung).

Kalkulationszinsfuß, Berechnungsgrundlage für den Kapitalwert; mit steigendem K. nimmt der Kapitalwert einer künftigen Zahlung ab. Anhaltspunkte für die Höhe des K., wodurch z.B. Investitionsentscheidungen beeinflusst werden, sind die Kosten der Fremdfinanzierung und die Rendite alternativer Anlagen.

kalkulatorische Kosten, Kosten, denen unmittelbar keine Ausgaben entsprechen; dazu zählen Zusatzkosten (z.B. Eigenkapitalzins, kalkulator. Unternehmerlohn) und Anderskosten (z.B. kalkulator. Abschreibungen und kalkulatorische Wagnisse). Durch k.K. sollen die Selbstkosten allein nach betriebswirtschaftl. Grundsätzen möglichst genau ermittelt werden.

Kalkutta (engl. Calcutta), Hauptstadt des ind. Bundesstaates West Bengal, am Hugli (einem Mündungsarm des Ganges), 4,34 Mio. Ew., als Agglomeration Groß-K. 11,6 Mio. Ew. (größte Stadtregion Indiens); kath. Erzbischofssitz, mehrere Univ. und Hochschulen, wiss. Inst. und Gesellschaften, Museen, Nationalbibliothek, zoolog. und botan. Garten; Mittelpunkt der chem. Ind., außerdem Schwer-, Maschinen-, Fertigwaren-, Jute-, Baumwoll- und Seidenind.; Überseehafen (rd. 150 km vom Golf von Bengalen entfernt); seit 1984 U-Bahn; internat. Flughafen in Dum Dum. – Mittelpunkt des modernen K. ist der Dalhousie Square mit Hauptpost (1868) und Writers Building (1880), weitere bed. Bauten sind die Saint John's Church (1784), der 1799–1802 errichtete Amtssitz des Gouv., die neugot. Town Hall (1872), Saint Paul's Cathedral (1847), der New Market (1847), die Nakhoda-Moschee und das Geburtshaus R. Tagores sowie im Badri-Das-Park ein Komplex mehrerer Jainatempel (19. Jh.). – 1495 wird das Dorf **Kalikata** erwähnt; 1690 errichtet die engl. Ostind. Kompanie eine Handelsniederlassung, die später zur befestigten Siedlung (Fort William) ausgebaut wird; 1756 von den Bengalen erstürmt, 1757 von R. Clive zurückerobert; 1773 bis 1912 Reg.sitz von Britisch-Indien, seit 1947 Hptst. von West Bengal.

📖 KÄMPCHEN, M.: *Calcutta. Eine funktionierende Anarchie. Göttingen 1994.*

Kallaiker, keltoiber. Volksstamm, →Galläker.

Kallait [grch.] *der,* das Mineral →Türkis.

Kállay ['ka:lɔɪ], Miklós von, ungar. Politiker, *Nagyhalász (Bez. Szabolcs-Szatmár-Bereg) 23. 1. 1887, †New York 15. 1. 1967; suchte als MinPräs. (1942 bis 1944) und Außenmin. (1942/43) Ungarn aus dem Bündnis mit dem nat.-soz. Dtl. zu lösen und einen Sonderfrieden mit den Westalliierten zu erreichen. 1944/45 war er in dt. Haft; danach in der Emigration.

kalli... [grch.] (kali...), schön...

Kalliasfriede, von dem Athener Kallias ausgehandelter und zw. dem Attisch-Del. Seebund und Persien 449/448 v.Chr. abgeschlossener Friedensvertrag; bedeutete das Ende der Perserkriege und brachte die Anerkennung der Autonomie der kleinasiat. Griechenstädte.

Kallidin *das,* →Kinine.

Kalligraphie [grch.] *die,* Kunst des schönen Schreibens, am höchsten entwickelt im Islam, in China und Japan.

Kallikrates, grch. Architekt des 5. Jh. v.Chr.; neben Iktinos am Parthenon tätig; um 448 mit dem Entwurf für den Niketempel der Athener Akropolis beauftragt.

Kallikrein [grch.] *das,* Protease der Bauchspeicheldrüse und des Blutplasmas, die aus den Kininogenen die gefäßerweiternden →Kinine freisetzt.

Kallimachos, 1) grch. Bildhauer und Maler des späten 5. Jh. v.Chr.; Schüler des Phidias, nur literarisch überliefert. Die Zuschreibung in Kopien erhaltener Werke an K. (z.B. Venus Genetrix) ist unbewiesen; galt als Erfinder des korinth. Kapitells.

2) grch. Gelehrter und Dichter, *etwa 305 v.Chr., †etwa 240 v.Chr.; aus Kyrene in Libyen; verfasste in Alexandria den Katalog der Alexandrin. Bibliothek (»Pinakes«), schuf Hymnen, Epigramme und die »Aitia« (»Ursachen«, d.h. Sagen, die den Ursprung bestehender Kulte und Bräuche erzählen. K. wurde von den röm. Dichtern, bes. Properz und Ovid, nachgeahmt.

Kalliope [grch.], Muse des Epos und der Elegie.

Kallisthenes, grch. Geschichtsschreiber, *Olynth um 370, †Baktra 327 v.Chr.; Großneffe und Schüler des Aristoteles, Begleiter Alexanders d. Gr. auf dessen Perserfeldzug; schrieb u.a. eine panegyr. Alexandergeschichte. Wegen seiner angebl. Teilnahme an einer Verschwörung gegen Alexander hingerichtet.

Kallisto [grch. »die Schönste«] (lat. Callisto), **1)** *Astronomie:* ein Mond des Planeten →Jupiter.

2) *grch. Mythos:* eine Jagdgefährtin der Artemis; von Zeus geliebt, dann von Artemis, als diese ihre Schwangerschaft entdeckte, davongejagt. Nach der Geburt ihres Sohnes Arkas wurde K. von Hera in eine Bärin verwandelt, später mit Arkas von Zeus unter die Sterne versetzt, K. als »Großer Bär«, Arkas als Bärenhüter. BILD S. 182

Kallus [lat. »Schwiele«] *der,* **1)** *Botanik:* bei Pflanzen auftretende Gewebewucherung an Wundflächen, dient dem Wundverschluss; häufig als Überwallung an Baumstämmen.

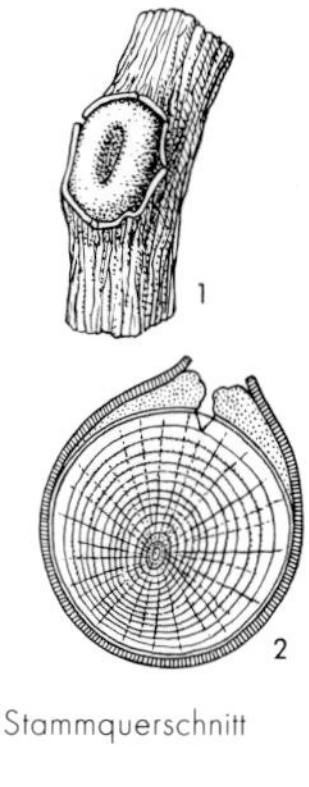

Kallus 1): 1 Überwallung einer Astabbruchstelle, 2 schematischer Stammquerschnitt mit Schnittwunde und beginnender Kalluswucherung

2) *Medizin:* (Knochenschwiele) Knochenkeimgewebe, das nach einem Knochenbruch den Bruchspalt überbrückt und sich durch Kalkeinlagerungen in Knochen umwandelt. Örtl. Bluterguss und Knochensplitter fördern K.-Bildung; sie nimmt mit zunehmendem Alter ab.

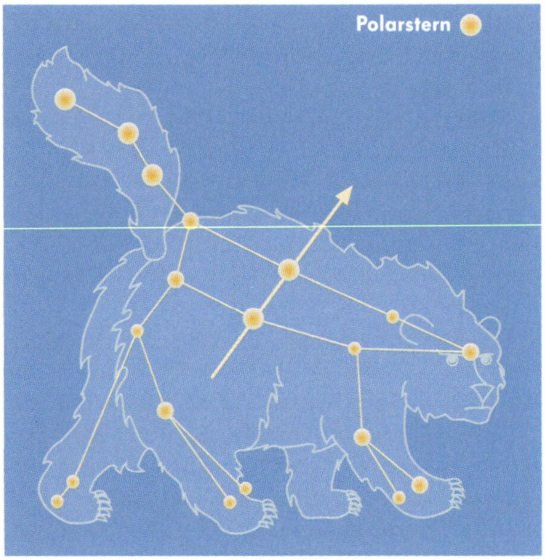

Kallisto 2): In der griechischen Mythologie wurde Kallisto nach einer Liebschaft mit Zeus von Hera in eine Bärin verwandelt und dann von Zeus als Arktos (Großer Bär) zu den Gestirnen gesellt; der Große Wagen ist ein Teil dieses Sternbilds

Kálmán ['ka:lma:n], Emmerich, ungar. Komponist, *Siófok (Bez. Somogy) 24. 10. 1882, †Paris 30. 10. 1953; schrieb in Wien, wo er bis 1938 lebte, von der ungar. Folklore beeinflusste Operetten, u. a. »Die Csárdásfürstin« (1915), »Gräfin Mariza« (1924), »Die Zirkusprinzessin« (1926). Lebte 1940–45 in den USA, danach in Paris.

Kalmus
Echter Kalmus
(Größe 0,6 – 1,5 m)

Kalmar, 1) VerwBez. (Län) in S-Schweden, 11171 km², (1995) 244100 Einwohner.

2) Hauptstadt von 1), 56900 Ew., Hafen, Handelsplatz und Verkehrsknotenpunkt am **K.-Sund** gegenüber der Insel Öland (mit 6 km langer Brücke verbunden); Bau von Schienenfahrzeugen, Autoind., Elektroapparatebau, Holz verarbeitende, Bekleidungs- und Nahrungsmittelind., Schiffbau; Fremdenverkehr. – Die Altstadt, im 17. Jh. planmäßig auf der Insel **Kvarnholmen** angelegt, ist z. T. erhalten: Tor Kavaljersporten (1697), Dom (1682 geweiht), Rathaus (1684–90), Residenz (1674), Fachwerkhäuser; dem Festland vorgelagert ist das fünftürmige **Schloss Kalmarhus** (12. Jh., im 16. Jh. erweitert, heute z. T. Museum). – K., um 1000 als Handelsplatz nachgewiesen, wurde im 11. Jh. als südlichste schwed. Seefestung gegen Dänemark ausgebaut; 1611 niedergebrannt.

Kalmare [lat.], schlanke zehnarmige Kopffüßer mit schwimmtüchtigen Flossen. Die **Riesen-K.** (volkstümlich **Riesenkraken,** Architeuthis) sind mit über 20 m Gesamtlänge (einschl. Tentakeln) und 1 t Gewicht die größten wirbellosen Tiere. Der etwa 50 cm lange **Gemeine K.** (Loligo vulgaris) wird im Mittelmeer und Westatlantik gefischt.

Kalmarer Union, Vereinigung der Königreiche Dänemark, Norwegen und Schweden, ermöglicht durch die Krönung Margaretes I., der Königin von Dänemark und Norwegen, zur Königin von Schweden 1389; erfolgte durch die Unionsakte und die Krönung Erichs von Pommern zum Unionskönig 1397 in Kalmar; bestand mit Unterbrechungen bis zur Wahl Gustavs I. Eriksson Wasa zum König von Schweden bis 1523.

Kalmen [frz.] (Calmen, Mallungen, Doldrums), Bez. für Windstillen. Als **K.-Gürtel** bezeichnet man das Gebiet schwacher, veränderl. Winde und häufiger Windstillen in der Äquatorzone, das über den Ozeanen am ausgeprägtesten ist; mitunter auch die **Rossbreiten** zw. 25 bis 35° nördl. bzw. südl. Breite.

Kalmit *die,* höchster Berg der Haardt und des gesamten Pfälzerwalds, 673 m ü. M., südwestlich von Neustadt an der Weinstraße, Rheinl.-Pf.; Sendeanlage, Wetterwarte.

Kalmücken, westmongol. Volk, v. a. in Kalmückien, auch in den Gebieten Astrachan, Wolgograd und Rostow am Don sowie in der Region Stawropol (Russland); etwa 175000 Menschen. – Die K. wanderten im 17. Jh. über den Ural an die untere Wolga; ein großer Teil kehrte Ende des 18. Jh. zurück. Die an der unteren Wolga verbliebenen K., im 2. Weltkrieg zwangsweise umgesiedelt, durften z. T. nach Kalmückien zurückkehren. Die K. sind lamaist. Buddhisten. Ihre Sprache gehört zu den mongolischen Sprachen.

Kalmare: Gemeiner Kalmar (Länge bis 50 cm)

Kalmücki|en (Kalmückische Republik, kalmück. Chalmg Tangtsch), Teilrep. der Russ. Föderation, in der westl. Kaspisenke, 76100 km², (1994) 320600 Ew. (1989: 45% Kalmücken, 38% Russen); Hptst. ist Elista; überwiegend von Wüsten und Halbwüsten eingenommen, im W die Jergenihöhe (221 m ü. M.); Schafzucht, in geringem Ausmaß Bewässerungsfeldbau; Fischfang im Kasp. Meer; Erdöl- und Erdgasgewinnung.

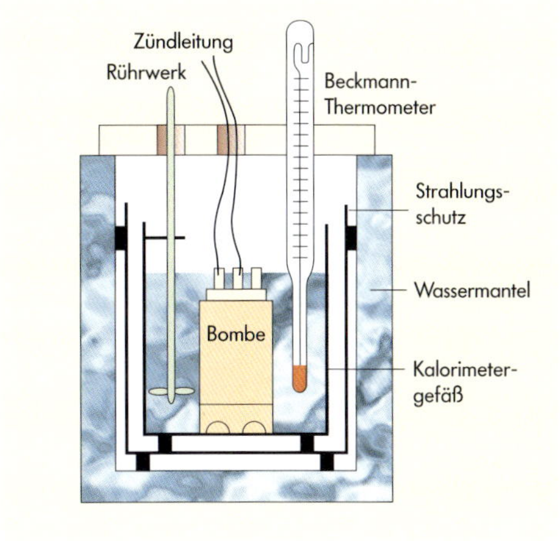

Kalorimeter: Schema einer kalorimetrischen Bombe

Kalmus [lat.-grch.] *der* (Acorus calamus), würziges, aus Asien und Amerika stammendes und seit dem 16. Jh. in ganz Europa an Ufern von Teichen, Seen und Flüssen eingebürgertes Aronstabgewächs mit oft über 1 m langen schwertförmigen Blättern und unscheinbaren, zwittrigen Blüten in einem 10–20 cm langen, frei hervorragenden Blütenkolben. Die bekannteste Art ist der **Echte Kalmus** (Deutscher Ingwer). Die Wurzel enthält äther. Öle **(K.-Öl),** die als verdauungsförderndes Magenmittel, Arznei- und Seifenzusatz verwendet werden.

Kalomel [grch. »Schönschwarz«] *das,* **1)** *Chemie:* alte Bez. für Quecksilber(I)-chlorid (→Quecksilber).

2) *Mineralogie:* (Quecksilberhornerz), tetragonales Mineral der chem. Verbindung Hg_2Cl_2, entsteht sekundär bei der Verwitterung quecksilberhaltiger Minerale.

Kalong *der,* malaiische Art der →Flughunde.

Kalorie [frz., zu lat. calor »Wärme«] *die,* Einheitenzeichen **cal,** veraltete, aber noch häufig verwendete Einheit der Energie (Wärme), ursprünglich definiert als die Energie, die 1 g Wasser um 1 °C erwärmt. SI-Einheit ist das →Joule: 1 cal = 4,1868 J bzw. 1 J = 0,2388 cal. In Nährwertangaben findet man meist die Kilokalorie (kcal).

Kalorimeter [lat.-grch.] *das,* gegen Wärmeaustausch mit der Umgebung isoliertes Gerät zum Messen von Wärmemengen, die bei physikal. oder chem. Prozessen abgegeben oder aufgenommen werden, oder zur Bestimmung der spezif. Wärmekapazität von Substanzen **(Kalorimetrie).** Beim **Flüssigkeits-K.** wird der Probekörper bzw. das Reaktionsgefäß in eine Flüssigkeit mit gutem Wärmeleitkontakt im K. eingebracht und aus ihrer Temperaturänderung die umgesetzte Wärmemenge bestimmt. Verbrennungswärmen werden in der **kalorimetr. Bombe (Berthelot-Bombe, Bomben-K.),** die aus einem abgeschlossenen dickwandigen, innen emaillierten Stahlgefäß (Bombe) besteht, gemessen. In dieser Bombe verbrennt man eine genau abgewogene Menge einer festen oder flüssigen Substanz nach Zündung durch einen elektr. Glühdraht (Zündleitung) in Sauerstoff von 30–35 bar Druck. Während der Verbrennung taucht die Bombe in eine abgemessene Wassermenge ein; die Verbrennungswärme des verbrannten Brennstoffs wird an das Wasser abgegeben und ruft dort eine messbare Temperaturerhöhung hervor, aus der man die freigewordene Wärmemenge bestimmen kann. Um eine gleichmäßige Verteilung der abgegebenen Wärmemenge zu gewährleisten, wird das Wasser gerührt. Das Kalorimetergefäß ist von der Umgebung durch Strahlungsschutz und Wassermantel isoliert. In **isothermen K.** wird die umgesetzte Wärmemenge für eine isotherme Phasenumwandlung (Schmelzen, Verdampfen, Kondensieren) einer Substanz genutzt, d. h. die Temperatur bleibt während des kalorimetr. Prozesses konstant. Aus der Volumen- oder Gewichtsänderung der Substanz lässt sich die umgesetzte Wärmemenge ermitteln.

Kalotte [frz.] *die,* **1)** *Anatomie:* →Schädeldach.

2) *Geometrie:* Kugelkappe, der zur Kugeloberfläche gehörende Teil eines Kugelabschnitts (→Kugel).

3) *Mode:* das Haar schützende oder schmückend fassende Netzhaube des 14.–17. Jh., aus wollenen oder seidenen Schnüren geflochten. Urspr. Haarschutz unter dem Helm, später von Männern und Frauen als Zierhaube unter Barett oder Hut getragen. Als Scheitelkäppchen (Pileolus) gehörte die K. zur Kleidung der höheren kath. Geistlichen.

Kalotte 3): Ausschnitt einer Federzeichnung von Albrecht Dürer (1520)

Kalottenlautsprecher, *Elektroakustik:* mit einer Kugelkappe (Kalotte) als Membran ausgestatteter elektrodynam. Lautsprecher, bes. als Mittel- und Hochtonlautsprecher geeignet.

Kalpak [türk.] *der* (Kolpak), urspr. hohe Lammfellmütze der Tataren, später auch die glatte Pelzmütze ohne Krempe in der Männertracht der südl. Balkanländer, dann nur noch Name für den an der linken Seite der Mütze herabhängenden beutelförmigen Behang aus meist rotem Tuch.

Kaltblut (Kaltblutpferd), Bez. für kräftige und schwere Hauspferderassen und -schläge mit ruhigem Temperament.

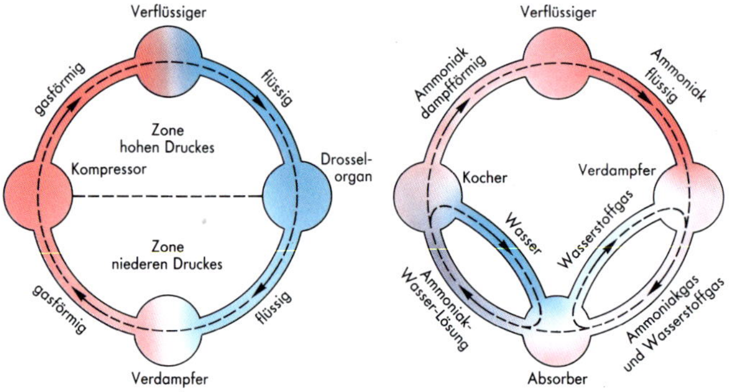

Kältemaschine: Schema des Kältemittelkreislaufs einer Kompressionskältemaschine (links) und einer Absorptionskältemaschine

Kaltblüter (Wechselwarme, Poikilotherme), Tiere, die ihre Körpertemperatur nicht oder nur äußerst unvollkommen (v.a. durch Muskeltätigkeit) regulieren können, sodass ihre Körpertemperatur der Temperatur der Umgebung weitgehend entspricht. Zu den K. zählen alle Tiere mit Ausnahme der Vögel und Säugetiere.

Kältebrücke, → Wärmebrücke.

Kältemaschine, Anlage zur Kühlung von geschlossenen Räumen und von festen, flüssigen oder gasförmigen Körpern auf eine vorgegebene, unter der Umgebungstemperatur liegende Temperatur und zu deren Aufrechterhaltung. Dazu muss unter Arbeitsaufwand Wärmeenergie von einem kälteren Körper, der dabei noch kälter wird, auf einen wärmeren Körper übertragen werden. Das Funktionsprinzip der K. beruht auf der Ausnutzung versch. physikal. Effekte und der Anwendung thermodynam. Kreisprozesse. Der wichtigste Kreisprozess ist der **Kaltdampfprozess,** bei dem ein leicht siedendes, flüssiges → Kältemittel zw. zwei versch. Drücken und den dazugehörigen Siedetemperaturen geführt wird. Die zur Verdampfung des flüssigen Kältemittels benötigte Wärmeenergie (Verdampfungswärme) wird der Umgebung entzogen, wodurch sich diese abkühlt. – Bei der **Kompressions-K.** befindet sich das siedende Kältemittel in einem Verdampfer, wo es die Verdampfungswärme dem Kälteträger, dem Kühlraum oder dem Kühlgut entzieht. Der Kältemitteldampf wird von einem Kompressor aus dem Verdampfer abgesaugt, verdichtet und dann in einem luft- oder wassergekühlten Kondensator unter Wärmeabgabe verflüssigt. Das flüssige Kältemittel wird dann durch einen Drosselvorgang wieder auf den Ausgangsdruck entspannt und in den Verdampfer expandiert, womit der Kreislauf geschlossen ist. – Bei der **Absorptions-K.** wird der mechan. durch einen »therm. Kompressor« mit einer zw. Absorber und Austreiber umlaufenden Lösung ersetzt. Der Kältemitteldampf wird verdichtet, sodass er im Absorber bei niedrigem Druck von der (an Kältemittel) armen Lösung absorbiert und im Austreiber (Kocher, Generator) bei hohem Druck unter Wärmezufuhr aus der reichen Lösung ausgetrieben wird. Die übrig bleibende, arme Lösung fließt über einen Wärmetauscher in den Absorber zurück. Der Kältemitteldampf wird im Kondensator verflüssigt, im Drosselorgan entspannt und im Verdampfer unter Wärmeaufnahme verdampft. Die beiden wichtigsten Stoffpaare für diesen Prozess sind Ammoniak (als Kältemittel) mit einer wässrigen Ammoniaklösung (als Absorptionsmittel) oder Wasser (als Kältemittel) mit einer wässrigen Lithiumbromidlösung (als Absorptionsmittel). Das Stoffpaar Wasser/Lithiumbromidlösung kann nur bei Verdampfungstemperaturen oberhalb 0 °C eingesetzt werden (z. B. in der Klimatechnik).

Kältemischung, Mischung von Salzen, die eine negative Lösungswärme besitzen, mit Wasser oder Eis; kann zur einmaligen Kälteerzeugung genutzt werden. Die Temperaturerniedrigung entsteht dadurch, dass die Stoffe beim Lösen Wärme verbrauchen, die der Mischung entzogen wird.

Kältemischungen

Bestandteile	Gewichtsteile	Temperaturabfall von °C	auf °C
Wasser	16	+10	−12
Salmiak	5		
Salpeter	5		
Wasser	1	+10	−22
Natriumcarbonat	1		
Ammoniumnitrat	1		
Schnee	2	0	−20
Kochsalz	1		
Schnee	3	0	−46
Kaliumcarbonat	4		

Kältemittel, Arbeitsstoffe, die in einer → Kältemaschine durch Verdampfen bei niedriger Temperatur und niedrigem Druck Wärme aufnehmen und durch Verflüssigen bei höherer Temperatur und höherem Druck Wärme abgeben. Als K. werden leicht siedende Flüssigkeiten mit großer Verdampfungswärme verwendet, z. B. Ammoniak (für Großkälteanlagen), Fluorchlorkohlenwasserstoffe (FCKW, für Kühl- und Gefrierschränke). Ersatz für die FCKW ist eine Mischung der Kohlenwasserstoffe Propan, Butan und Cyclopropan.

Kaltenbrunner, Ernst, Politiker (NSDAP), *Ried im Innkreis (OÖ) 4. 10. 1903, †(hingerichtet) Nürnberg 16. 10. 1946; war seit 1943 Chef der Sicherheitspolizei und des SD sowie des Reichssicherheitshauptamts; 1946 in Nürnberg zum Tode verurteilt.

Kaltenkirchen, Stadt im Kreis Segeberg, Schlesw.-Holst., nördlich von Hamburg, 16700 Ew.; Nahrungs- und Genussmittelind., Maschinen- und Fahrzeugbau, elektrotechn., feinmechan. und opt. Industrie.

Kältepole, die Orte der Erde mit den niedrigsten Temperaturen: auf der Nordhalbkugel Oimjakon in Jakutien, NO-Sibirien (−70 °C); auf der Südhalbkugel die russ. Station Wostok in der Antarktis (bisher tiefster Wert: −89,2 °C).

Kälte|resistenz, die Fähigkeit von Organismen, länger dauernde Einwirkung tiefer Temperaturen ohne bleibende Schäden zu ertragen. Allg. existiert eine große individuelle Variabilität im Ertragen von Kälte, die u. a. abhängig ist vom Flüssigkeitsanteil am Lebendgewicht der Organismen bzw. dem Verhältnis von freiem zu gebundenem Wasser sowie Einwirkungsdauer, Plötzlichkeit und Wiederholung der Kälteeinwirkung. Organismen kühlerer Klimate besitzen eine wesentlich größere K. als Pflanzen und Tiere wärmerer Lebensräume, die häufig schon bei einigen Graden über 0 °C zum Kältetod führende Schäden erleiden. – Häufig wird bei Pflanzen die **Frostresistenz,** tiefe Temperaturen unter 0 °C lebend zu überstehen, von der K. unterschieden. Sinkende Temperaturen lösen die Bildung von Frostschutzstoffen aus, die u. a. in Chloroplasten eingelagert werden und vor Wasserentzug schützen.

Kalter Krieg, Bez. für eine nichtmilitär. Konfrontation zweier Staaten oder Staatenblöcke, bei der ideolog. und propagandist. Unterwanderung, wirtsch. Kampfmaßnahmen (Embargo), Wettrüsten, Begründung und Ausbau von Bündnissen mit polit. Offensiven und Kriegsdrohungen bis zum Rande eines Kriegsausbruches führen können; als Schlagwort zuerst von B. M. Baruch gebraucht. Seit 1947 geläufige Bez. für den Ost-West-Konflikt, der in der Berliner Blockade und im Koreakrieg seine Höhepunkte erreichte; wurde nach dem Tode Stalins (1953) mit Unterbrechungen (u. a. Kubakrise 1962) durch die Entspannungspolitik abgelöst und fand sein Ende mit der Auflösung des Warschauer Paktes 1991, vorbereitet durch die →Charta von Paris.

🕮 LOTH, W.: *Die Teilung der Welt. Geschichte des K. K. 1941–1955. München [5]1985.* – HILLGRUBER, A.: *Europa in der Weltpolitik der Nachkriegszeit (1945–1963). München [4]1993.*

Kaltern an der Weinstraße (italien. Caldaro sulla Strada del Vino), Gemeinde in der Prov. Bozen, Südtirol, Italien, 523 m ü. M. am Fuß des Mendelpasses, 6300 Ew.; Weinmuseum, Weinhandel. 4 km südlich liegt der **Kalterer See** (216 m ü. M., 1,48 km²), Mittelpunkt eines Weinbaugebietes, bed. Obstbau; Fremdenverkehr. – Pfarrkirche Mariä Himmelfahrt (1791/92) mit barocken Deckenfresken, spätgot. Schloss Kampan und Schloss Ringberg, ein Viereckbau des 17. Jh; im Ortsteil Altenburg Kirchenruine St. Peter (um 400).

kaltes Licht, Licht, das nicht von einer therm. Lichtquelle stammt, d. h. keine oder nur wenig Infrarotstrahlung (Wärmestrahlung) enthält, sondern v. a. durch Lumineszenz oder Gasentladungen hervorgerufen wird, z. B. bei Leuchtstofflampen.

Kältestarre, mit Bewegungshemmung und weitgehender Einstellung des Stoffwechsels verbundener Körperzustand von Pflanzen und Tieren unterhalb der zum aktiven Leben erforderl. Temperatur, ohne dass es zum Absterben **(Kältetod)** kommt.

Kaltern an der Weinstraße: Innenraum der Pfarrkirche Mariä Himmelfahrt (1791/92)

Kältetechnik, techn. Disziplin, die sich mit der Erzeugung und Anwendung von Temperaturen unterhalb der Umgebungstemperatur sowie mit der Konstruktion aller dazu erforderl. Maschinen, Apparate, Steuer- und Regeleinrichtungen befasst. Die Verfahren der K. nutzen die negative Lösungsenthalpie zur Abkühlung aus (→Kältemischung), verwenden die Verdampfung einer Flüssigkeit unter Aufnahme von Verdampfungswärme (→Kältemaschine), die adiabat. Entspannung oder Drosselung eines Gases oder Gasgemisches (→Joule-Thomson-Effekt) oder den Wärmetransport durch thermoelektr. Vorgänge (→Peltier-Effekt). Ein wichtiges Anwendungsgebiet der K. ist die Lebensmitteltechnik (Herstellung, Kühllagerung und -transport von Lebensmitteln, Entwicklung und Bau von Kühlmöbeln).

📖 VEITH, H.: *Grundkursus der K.* Heidelberg [7]1995.

Kältezittern, gesteigerte Aktivität der Muskulatur zur Erhöhung der Wärmebildung, sodass trotz kalter Umgebung, verbunden mit Wärmeentzug, die Kerntemperatur des Organismus nicht absinkt. Der Energieumsatz erhöht sich dabei auf das 3- bis 5fache des Grundumsatzes.

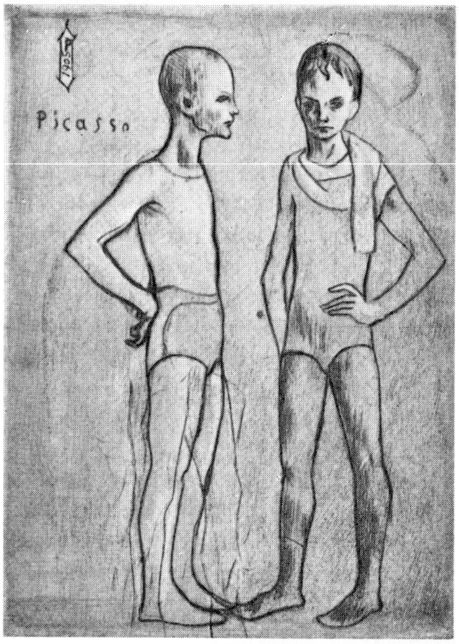

Kaltnadelradierung: Pablo Picasso, »Die beiden Gaukler« (1905)

Kaltformung (Kaltverformung), Umformung metall. Werkstoffe bei Temperaturen unterhalb der Rekristallisationstemperatur des betreffenden Metalls (→Rekristallisation), i.d.R. bei Raumtemperatur. **Kaltformverfahren** dienen u.a. zum Richten gekrümmter Teile und zur Herstellung bestimmter Profile; sehr häufig bilden sie den Abschluss einer vorhergegangenen Warmformung. Fertigungsverfahren, die als K. durchgeführt werden können, sind v.a. Stauchen, Prägen, Fließpressen, Einsenken, Walzen, Draht-, Rohr- und Tiefziehen sowie Verfahren der Blechbearbeitung.

Kaltfront, *Meteorologie:* →Front.

Kalthauspflanzen, Ziergewächse, die im Kalthaus (→Gewächshaus) überwintern und nicht mehr als 3–10 °C Wärme verlangen.

Kaltkathodenröhre, eine gasgefüllte Elektronenröhre mit ungeheizter Kathode. (→Glimmrelaisröhre)

Kaltkaustik, die →Elektrokoagulation.

Kaltleiter, elektr. Leiter, dessen Leitfähigkeit mit steigender Temperatur abnimmt. K. sind u.a. alle Metalle, i.e.S. Halbleiterwiderstände; Anwendung für Regelzwecke. Ggs.: Heißleiter.

Kaltluftsee, *Meteorologie:* flache Ansammlung von Kaltluft, die sich aufgrund deren Schwere in Mulden, Kesseln und Talsohlen oder infolge Kaltluftstaus an Hindernissen ausbildet.

Kaltmetalle, Legierungen, v.a. Mangan- und Nickelstähle, mit geringer Wärmeleitfähigkeit.

Kaltnadelradierung, Verfahren zur Herstellung einer Tiefdruckform für den Kupferdruck, bei dem die Zeichnung mit einer »kalten« Nadel (aus Stahl oder Diamant; Ggs. zum Wärme erzeugenden chem. Prozess der Radierung) in die Kupferplatte geritzt wird. Radierungen werden oft mit der Kaltnadel überarbeitet.

Kaltstart, das Anlassen eines kalten Verbrennungsmotors; erfordert bei Ottomotoren ein »fetteres« Kraftstoff-Luft-Gemisch, bei Nebenkammer-Dieselmotoren eine Aufheizung der Kammer durch eine Glühkerze. Nur Direkteinspritzer-Dieselmotoren haben i.d.R. keine K.-Hilfe.

Kaltzeit, geolog. Periode mit kühlerem Klima als in Warmzeiten; in höheren Breiten als Eiszeit, in den Subtropen als Pluvialzeit.

Kaluga, Hauptstadt des Gebiets K. in Russland, auf der Mittelruss. Platte, an der Oka, 312 000 Ew.; PH; Raumfahrtmuseum; Maschinenbau, Herstellung von Duftstoffen, Streichhölzern, Möbeln, Musikinstrumenten und Nahrungsmitteln. – Zahlr. Kirchen und Adelspaläste des 17.–19. Jh. – Erstmals 1371 erwähnt.

Kalumet [frz. aus lat.] *das,* die →Friedenspfeife.

Kalundborg [kalon'bor], Stadt in Dänemark, im W der Insel Seeland, 20 000 Ew.; Erdölraffinerie, chem., Metall-, Nahrungsmittelind.; Hafen. – Die Frauenkirche (1170) ist ein Zentralbau mit fünf achteckigen Türmen; Fachwerkhäuser (17. Jh.).

Kalvarienberg [zu lat. calvaria »Schädel«], 1) (Schädelstätte), das bibl. →Golgatha.

2) Anhöhe mit meist plast. Darstellung der Kreuzigungsgruppe als Abschluss eines →Kreuzweges.

Kalvinismus *der,* →Calvin.

Kalydon, antike Hauptstadt Ätoliens; bekannt durch die Sage vom **Kalydon. Eber,** der von Artemis in das Land des Königs Oineus gesandt und von Meleagros und Atalante erlegt wurde.

Kalymnos, Insel des Dodekanes, Griechenland, 111 km², 14300 Ew.; Heimat der meisten grch. Schwammfischer; etwas Fremdenverkehr.

Kalypso [grch. »Verbergerin«] (lat. Calypso), grch. Nymphe, in der »Odyssee« eine Tochter des Atlas, die die Insel Ogygia bewohnte und den dort gestrandeten Odysseus sieben Jahre zurückhielt.

Kalzinieren, →Calcinieren.

Kalzium, chem. Element, →Calcium.

Kama, in der ved. Religion der Drang zum Guten, in nachved. Zeit der ind. Liebesgott **Kamadeva.** (→Kamasutra)

Kambodscha

Fläche: 181 035 km²
Einwohner: (1995) 10,25 Mio.
Hauptstadt: Phnom Penh
Verwaltungsgliederung: 18 Provinzen und 2 provinzfreie Städte
Amtssprache: Khmer
Nationalfeiertage: 24. 9. und 9. 11.
Währung: 1 Riel (CR) = 10 Kak = 100 Sen
Zeitzone: MEZ +6 Std.

Staatswappen

K

Internationales Kfz-Kennzeichen

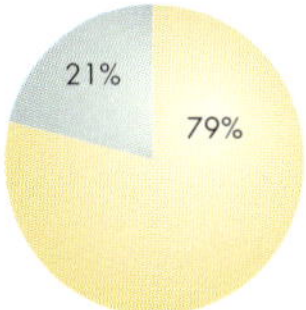

Bevölkerungsverteilung 1995

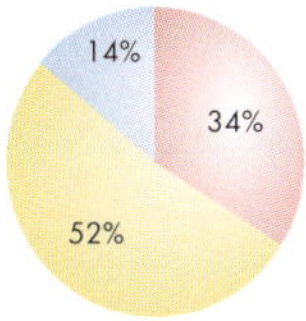

Bruttoinlandsprodukt 1995

Kạma *die,* linker und größter Nebenfluss der Wolga, Russland, 1 805 km lang, entspringt im **K.-Bergland** (337 m ü. M.), entwässert mit den Nebenflüssen Belaja und Wjatka das westl. Vorland des mittleren und südl. Ural, mündet in den Samaraer Stausee; große Stauseen und Wasserkraftwerke bei Perm (1915 km²; 504 MW) und Wotkinsk (1 120 km²; 1 000 MW).

Kamakura, Stadt auf Honshū, Japan, an der Sagamibucht, 172 600 Ew.; Museum für moderne Kunst; Antennen- und Computerherstellung; Seebad. – Im Kotokuin-Tempel große Buddhastatue (1252) aus Bronze; 65 buddhist. Tempel und 18 Shintoschreine. – K. war 1192–1333 Residenz der Shogune.

Kamaldulẹnser, aus dem Benediktinerorden hervorgegangene, von Romuald 1012 in Camaldoli (Toskana) gegr. Ordensgemeinschaft, die auf der Grundlage der Benediktinerregel Gemeinschafts- und Einsiedlerleben verbindet.

Kamakura: Die 1252 geschaffene, fast 12 m hohe Buddhastatue im Kotokuin-Tempel wurde aus mehreren getrennt gegossenen Teilen zusammengesetzt

Kamaran, kleine Gruppe von Koralleninseln im Roten Meer, 57 km², vor der Küste Jemens; 1915–67 britisch.

Kamares, Kulthöhle am S-Abhang des Idagebirges auf Kreta, Griechenland, in der Keramik (u. a. Weihegaben) aus dem Anfang des 2. Jt. v. Chr. gefunden wurden. Die nach diesem Fund benannte schwarzgrundige Keramik **(K.-Vasen)** war weiß, rot und orangefarben bemalt, häufig mit Spiralmotiven u. a. verziert. Die K.-Vasen waren Erzeugnisse der Palasttöpfereien von Phaistos.

Kamarilla [-'rilja; span. »kleine Kammer«] *die,* Hof- oder Günstlingspartei, die, im Ggs. zum verantwortl. Ministerium, einen unkontrollierten Einfluss auf den Herrscher ausübt.

Kamasụtra *das,* ein altind. Lehrbuch der Liebeskunst von Vatsyayana (4. Jh.); das in sachl. Stil gehaltene K. enthält wertvolle kulturhistor. Informationen.

Kạmbium [lat.] *das,* peripherer Gewebemantel aus teilungsfähigen Zellen in Spross und Wurzel der mehrjährigen Nacktsamer, der Zweikeimblättrigen und einiger Einkeimblättriger (z. B. Drachenbäume), der nach innen sekundäres Holz, nach außen sekundäre Rinde erzeugt und dadurch Dickenwachstum bewirkt.

Kambọdscha (amtlich Khmer: Preah Reach Ana Pak Kampuchea; dt. Königreich K.), Staat in SO-Asien, im südl. Hinterindien; grenzt im W und NW an Thailand, im NO an Laos, im O und SO an Vietnam, im SW an den Golf von Thailand.

Staat und Recht: Nach der Verf. vom 21. 9. 1993 ist K. eine konstitutionelle Monarchie mit Einkammerparlament und Mehrparteiensystem. Staatsoberhaupt ist der auf Lebenszeit vom Thronrat gewählte König. Die für fünf Jahre gewählten (mindestens) 120 Abg. des Parlaments (Nationalversammlung) bilden die Exekutive und können die Reg. oder einzelne Reg.mitglieder abwählen. Der Premier-Min. wird auf Empfehlung des Vors. des Parlaments vom König besetzt. Wichtige polit. Parteien sind die monarchisch gesinnte Funcinpec, die Kambodschan. Volkspartei (CPP) und die Buddhist. Liberale Demokrat. Partei (BLDP).

Landesnatur: K.s Kernland wird von dem fruchtbaren Mekong- und Tonle-Sap-Becken gebildet, das im W, N und O von bis zu 1500 m ü. M.

Kambodscha: Pfahlhütten am Mekongufer

aufsteigenden Randgebirgen, im S vom Mekongdelta begrenzt wird. Im SW verläuft die flache und buchtenreiche Küste des Golfs von Thailand, in dessen Nähe das Kardamomgebirge bis 1744 m ü.M. ansteigt. Im flachen Landesinneren liegt der bei Hochwasser mit dem Mekong verbundene See Tonle Sap, dessen Fläche jahreszeitlich stark schwankt. Das Klima ist tropisch (Regenzeit Juni–November); etwa die Hälfte des Landes ist bewaldet (Regenwald, lichter Monsunwald); an der Küste kommt Mangrove vor.

Bevölkerung: Genaue Angaben zur Bev. lassen sich auch Jahre nach dem blutigen Bürgerkrieg und dem Terrorregime der Roten Khmer nicht machen. Schätzungsweise 85–93% der Bev. sind Angehörige des Khmervolkes; andere ethn. Gruppen, die vor 1975 etwa 15% der Bev. ausmachten,

wurden zw. 1975 und 1979 zus. mit den Intellektuellen von den Roten Khmer umgebracht, vertrieben oder, in Genossenschaften von den übrigen Khmer abgesondert, in den NW zur Bewirtschaftung der Reisfelder zwangsweise umgesiedelt. Rd. 300000 Flüchtlinge konnten sich nach Thailand retten. Am dichtesten besiedelt ist die Mekongebene. Das jährl. Bev.wachstum betrug zw. 1981 und 1991 2,4%. – Es besteht Schulpflicht vom 6. bis 11. Lebensjahr; die Univ. in Phnom Penh wurde 1988 wieder eröffnet. – Der Hinajana-Buddhismus ist heute Staatsreligion; die Cham und Malaien bekennen sich zum sunnit. Islam, die meisten im Lande lebenden Vietnamesen sind Christen. Bei den in den Gebirgen lebenden Bergstämmen hatten sich Stammesreligionen erhalten.

Wirtschaft, Verkehr: Nach dem Sieg der Roten Khmer 1975 wurde die Wirtschaft des Landes weitgehend ruiniert (u.a. Zerstörung der Landwirtschaft und der Infrastruktur, Einführung der Natural- und Tauschwirtschaft). Auch nach dem Bürgerkrieg verhinderten die anhaltenden Kämpfe einen kontinuierl. Wiederaufbau. In dem ausgeprägten Agrarland arbeiten 80% der Erwerbstätigen in der Landwirtschaft. Auf rd. 70% der Ackerfläche wird Reis (Hauptanbaugebiete am Tonle Sap und Mekong) kultiviert, daneben bestehen Kautschukpflanzungen (im O) sowie Anbau von Mais, Zuckerrohr, Maniok, Bananen, Tabak und Pfeffer. Der Reichtum an Edelhölzern in den Randgebirgen wird wegen unzureichender Erschließung nur z.T. genutzt (Teak, Mahagoni, Ebenholz). Der Tonle Sap wird jedes Jahr mit dem Sinken des Wasserspiegels fast ganz abgefischt; auch Küstenfischerei. Es gibt wenig Bodenschätze; im N Eisenerzlager; Vorkommen an Gold und Edelsteinen; Phosphat- und Meersalzgewinnung. Vorwiegend in Kleinbetrieben Herstellung von Textilien, Geräten und Werkzeugen sowie Verarbeitung von Agrarprodukten; Reifenproduktion (in Phnom Penh). Die Handelsbilanz ist extrem defizitär. – Das Verkehrswesen befindet sich in einem sehr schlechten Zustand. Hauptverbindungswege sind v.a. die Fernstraße (Straßennetz insgesamt 13350 km, davon nur 20% asphaltiert) und die 612 km lange Eisenbahnlinie, die von der thailänd. Grenze über Battambang und Phnom Penh zum einzigen Seehafen Kompong Som (Sihanoukville) führt. Die Binnenschifffahrt auf dem Mekong ist für den Güterverkehr der wichtigste Verkehrsträger. Internat. Flughafen bei Phnom Penh.

Geschichte: Im 6. Jh. eroberten die Khmer das unter ind. Einfluss gegr. Reich Funan im S Hinterindiens. Das unter Jayavarman II. (802–850) entstandene Khmerreich mit der Hptst. Angkor (seit 889) erlebte im 12. Jh. und Anfang des 13. Jh. den Höhepunkt seiner Macht und zugleich eine Zeit höchster kultureller Blüte. Nach wiederholter Eroberung und der Zerstörung Angkors durch die Thai wurde die Hptst. 1434 nach Phnom Penh verlegt. Vom 17. bis 19. Jh. Streitobjekt zw. Thai und Vietnamesen, schloss K. 1863 einen Protektoratsvertrag mit Frankreich und wurde 1887 Indochina einverleibt. Nachdem japan. Streitkräfte 1941 ganz Indochina besetzt hatten, rief König Norodom Sihanouk (1941–55) im März 1945 die Unabhängigkeit aus, unterstellte das Land aber nach der japan. Kapitulation erneut Frankreich. 1949 erhielt das Königreich den Status eines assoziierten Staates innerhalb der Frz. Union. Im Indochinakrieg (1945/46–54) unterstützten antifrz. Guerillaeinheiten (bes. die Khmer Issarak) die Vietminh in Vietnam. Auf der Genfer Indochinakonferenz erhielt K. 1954 die volle Unabhängigkeit.

Norodom Sihanouk (links) während des Wahlkampfs 1993

1955 dankte Norodom Sihanouk zugunsten seines Vaters ab, ließ sich zum MinPräs. ernennen und wurde 1960 Staatspräs. V.a. wegen seiner Neutralitätspolitik wurde er 1970 durch eine proamerikan. Gruppe unter General Lon Nol gestürzt und ging ins Exil nach China. Sihanouks Anhänger und die kommunistisch orientierten →Roten Khmer führten einen erbitterten Bürgerkrieg gegen die Reg. Lon Nol, der mit der Einnahme von Phnom Penh durch die Truppen der Roten Khmer am 17. 4. 1975 entschieden wurde (Proklamation des »Demokrat. Kampuchea«). Der 1975 nach K. zurückgekehrte Sihanouk trat nach einer radikalen Umgestaltung von Staat und Gesellschaft im April 1976 als Staatschef zurück. Nachfolger wurde Khieu Samphan, MinPräs. Pol Pot. Die Roten Khmer siedelten die Bewohner der Städte zwangsweise auf das Land um und etablierten eine Schreckensherrschaft, der nach Schätzungen über 1 Mio. Menschen (v. a. durch Hunger, Krankheit und Exekutionen) zum Opfer fielen; sie endete nach dem Krieg mit Vietnam (1977–79; am 7. 1. 1979 Fall Phnom Penhs). Eine vietnamfreundl. Reg. unter Heng Samrin wurde eingesetzt (Ausrufung der »Volksrepublik Kampuchea«). Die Roten Khmer führten einen blutigen Bürgerkrieg gegen das neue Regime. Im Juni 1982 bildete Sihanouk eine Exilreg. unter Einschluss der Roten Khmer. In die Kämpfe zw. den von vietnames. Streitkräften unterstützten Reg.truppen und den Guerillaeinheiten wurde in wachsendem Maße Thailand verwickelt, in dessen Grenzgebiet mehrere von den Roten Khmer beherrschte Flüchtlingslager entstanden waren. 1989 zog Vietnam seine Truppen aus K. zurück. Durch eine Verfassungsänderung im selben Jahr erfolgte die Umbenennung des Landes in »Staat K.«, der sich für blockfrei erklärte. Internat. Schlichtungsbemühungen seit 1989 (K.-Konferenzen) führten im August 1990 zu einem Friedensplan für K. (Kernpunkte: Waffenstillstand, Entwaffnung der Bürgerkriegsparteien, Übergangsverwaltung durch die UNO und von ihr überwachte freie Wahlen). Am 23. 10. 1991 schlossen die vier kambodschan. Konfliktparteien ein Friedensabkommen in Paris. Im selben Monat gab die kommunist. Staatspartei ihr Machtmonopol auf (Umbenennung in Kambodschan. Volkspartei, KVP). Im Nov. 1991 kehrte Sihanouk nach K. zurück und trat das Amt des Staatsoberhaupts (Vors. des Obersten Nationalrats) an. Zur Sicherung der Friedensordnung und des Wiederaufbaus nahm im März 1992 die UNO-Übergangsverw. UNTAC (United Nations Transitional Authority in Cambodia) mit insges. 22 000 Mitarbeitern (davon rund 16 000 Blauhelme) ihre Tätigkeit auf. Die Roten Khmer widersetzten sich der Entwaffnung ihrer Truppen, brachen wiederholt den Waffenstillstand und boykottierten die Wahlen zur Verfassunggebenden Versammlung im Mai 1993, die die Sihanouk nahe stehende Funcinpec gewann. Am 24. 9. 1993 endete mit In-Kraft-Treten der neuen monarchist. Verf. und der Thronbesteigung durch Sihanouk formell das Mandat der UNTAC.

Khieu Samphan

Pol Pot

Im Okt. 1993 wurde Prinz Ranariddh (Funcinpec) MinPräs., Hun Sen (KVP) stellv. MinPräs. Seit Anfang 1996 verschärften sich die Spannungen zw. beiden Koalitionspartnern; Anfang Juli 1997 setzte Hun Sen Ranariddh ab und übernahm die Macht. Es kam zu Kämpfen zw. Anhängern beider Seiten. Im Sommer 1997 zerfielen die Roten Khmer.

📖 THÜRK, H.: *Der Reis u. das Blut. K. unter Pol Pot. Berlin (Ost) 1990. – Frieden für K.? Entwicklungen im Indochina-Konflikt seit 1975, hg. v.* P. J. OPITZ. *Frankfurt am Main u. a. 1991.* –

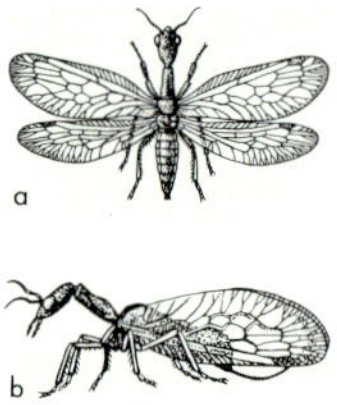

a

b

Kamelhalsfliegen: Raphidia notata a Männchen, b Weibchen in Seitenansicht (etwa 1½ fach vergrößert)

Kamelie: Chinarose (Höhe bis 15 m)

CHANDLER, D. P.: *A history of Cambodia. Boulder (Colo.)* [2]*1992.*

kambodschanische Kunst, →Khmer.

Kambrium *das, Geologie:* ältestes System des Paläozoikums nach dem weithin fossilfreien Proterozoikum. – Mit dem K. setzt die sprunghafte Entfaltung einer vielgestaltigen Fauna und Flora ein. Die rein marine Fauna weist urtüml. Züge, aber schon alle Stämme der Wirbellosen auf. Das K. enthält Kalkstein, Sandstein, Tonschiefer, Diabas, oolith. Eisenerze.

Kambyses II., pers. Großkönig, †522 v. Chr.; Sohn von Kyros II., dem er 529 in der Herrschaft nachfolgte; eroberte 525 Ägypten, unterwarf Kyrene und machte Nubien steuerpflichtig.

Kamee [-'meː(ə), frz.] *die,* geschnittener Stein mit erhaben gearbeiteter Darstellung. →Gemme

Kamele (Camelidae), Familie der Paarhufer, Schwielensohler. K. haben dicke Polster unter den Zehen, dichtes, wolliges Haar, eine gespaltene Oberlippe und ovale Blutkörperchen (einmalig bei Säugern). K. sind genügsame, langbeinige Passgänger und Wiederkäuer mit einem mehrkammerigen Magen. Die **Altwelt-K.** (Groß-K., Gatt. Camelus) gehören zu den größten Paarhufern (bis 650 kg schwer); mit einem oder zwei Rückenhöckern, die als Fettspeicher dienen, sowie verschließbaren Nasenlöchern (Schutz bei Sandstürmen). Das **Dromedar** (Einhöckerige K., Camelus dromedarius) bewohnt die Trockengebiete N-Afrikas und Arabiens; in Persien, SW-Afrika, Australien und Mexiko wurde es eingeführt; es kann bis 17 Tage ohne Wasser auskommen; durch langes Dursten verliert ein Dromedar bis zu 30% seines Körpergewichts; außerdem kann es Wasser ungewöhnlich schnell wieder aufnehmen (ca. 100 Liter in 10 Minuten). Das **Trampeltier** (Zweihöckerige K., Camelus ferus) bewohnte die Trockengebiete Innerasiens; heute lebt noch ein kleiner Bestand in der Wüste Gobi. Von ihm stammt das als Last- und Reittier, Milch-, Fleisch- und Dunglieferant gehaltene Haus-K. ab. – Die höckerlosen **Neuwelt-K.** (Schaf-K. oder **Lamas,** Gatt. Lama) bewohnen in zwei Arten Südamerika: das **Guanako** (Lama guanicoë) die trockenen Berg- und Flachländer, das **Vicuña** (**Vikunja,** Lama vicugna) die höheren Lagen der Anden. Vom Guanako stammen die beiden Haustierformen **Lama** (Last- und Fleischtier) und **Alpaka** (Wolllieferant) ab.

Kamele: Trampeltier

Kamelhaar, das Haar der Kamele. Die steifen Grannenhaare werden zu techn. Textilien und Teppichgarnen, die weichen Flaumhaare zu Geweben für Mäntel und Decken verarbeitet.

Kamelhalsfliegen (Rhaphidioptera), Ordnung der Insekten, u. a. mit der Art Raphidia notata; räuberisch lebende Netzflügler, mit halsartig verlängerter Vorderbrust.

Kamelie [nach dem mähr. Jesuiten G. J. Kamel, *1661, †1706] *die* (Kamellie, Camellia), ostasiat. Gattung der Teestrauchgewächse, mit immergrünen, ledrigen Blättern, roten bis weißen, rosenähnl. Blüten und holzigen Kapselfrüchten. Häufig als Zierpflanze kultiviert wird die bis zu 15 m hohe **Chinarose** (Camellia japonica).

Kamen, Stadt im Kr. Unna, NRW, am O-Rand des Ruhrgebietes, 47100 Ew.; Sportschule (Kaiserau); Maschinenbau, Kunststoff-, Textil-, elektrotechn. und opt. Industrie. – K. wurde im 13. Jh. Stadt; von 1873 bis 1983 Bergbau auf Steinkohle.

Kamenen, →Camenae.

Kamenew, Lew (Leo) Borissowitsch, eigtl. L. B. Rosenfeld, sowjet. Politiker, *Moskau 22. 7. 1883, †(hingerichtet) ebd. 25. 8. 1936; enger Mitarbeiter Lenins; wurde 1919 Mitgl. des Politbüros, 1922 stellv. Vors. des Rates der Volkskommissare. Nach Lenins Tod unterstützte er zunächst mit Sinowjew Stalins Machtkampf gegen Trotzki, geriet jedoch dann mit Sinowjew seinerseits in Ggs. zu Stalin. 1925/26 verlor er seine Partei- und Staatsämter; 1936 zum Tode verurteilt; 1988 rehabilitiert.

Kamenez-Podolski (ukrain. Kamjanez-Podilskyj), Stadt in der Ukraine, Gebiet Chmelnizki, Zentrum der Landschaft Podolien, 108000 Ew.; Landwirtschaftshochschule; botan. Garten; Maschinenbau, Nahrungsmittel-, Holzindustrie.

Kamenski, Wassili Wassiljewitsch, russ. Schriftsteller, *bei Perm (auf einem Schiff auf der Kama) 17. 4. 1884, †Moskau 11. 11. 1961; Mitbegründer des russ. Futurismus; schrieb Versepen (»Stenka Rasin«, 1916; »Jemeljan Pugatschow«, 1931) sowie Autobiographisches.

Kamenskoje, bis 1936 Name von →Dnjeprodserschinsk.

Kamensk-Uralski, Stadt in Russland, östlich des Mittleren Ural, 208000 Ew.; Röhrenwerk, Aluminiumhütte, Buntmetallverarbeitung.

Kamenz, 1) Landkreis im RegBez. Dresden, Sachsen, (1996) 1387 km² und 161500 Einwohner.

2) (sorb. Kamjenc) Kreisstadt von 1) in Sachsen, in der Oberlausitz, an der Schwarzen Elster, 16800 Ew.;

Kamerun

Fläche: 475 442 km^2
Einwohner: (1995) 13,23 Mio.
Hauptstadt: Yaoundé
Verwaltungsgliederung: 10 Provinzen
Amtssprachen: Französisch und (regional) Englisch
Nationalfeiertage: 1. 1. und 1. 10.
Währung: 1 CFA-Franc = 100 Centimes
Zeitzone: MEZ

Statist. Landesamt von Sachsen, Lessingmuseum; vielseitige Industrie. – Spätgot. Stadtkirche St. Maria (15. Jh.), ehem. Franziskanerkirche (15./16. Jh.; Emporen- und Deckenmalerei von 1724), neugot. Rathaus (1847/48). – Um 1200 gegr., ab 1319 freie Stadt. K. war Mitglied des 1346 gegründeten Oberlausitzer Städtebundes und entwickelte sich zu einer Weberstadt.

Kamera [Kurzform von Camera obscura] *die,* Aufnahmegerät in der Fotografie (→fotografische Apparate), beim Film und beim Fernsehen (→Videokamera).

Kameralismus [zu lat. camera »Kammer«] *der,* alle Bereiche der öffentl. Verwaltung umfassende prakt. Lehre des 17. und 18. Jh. unter besonderer Berücksichtigung des landesfürstl. Haushalts. Der K., der als dt. Ausprägung des →Merkantilismus bezeichnet werden kann, erstrebte v. a. eine Sicherung der Staatsfinanzen durch planmäßige Förderung der Wirtschaft. Für die **Kameralwiss.** wurden 1727 in Halle (Saale) und Frankfurt (Oder) erste Lehrstühle errichtet. Bed. **Kameralisten** waren J. J. Becher, P. W. von Hornigk, V. L. von Seckendorff, J. H. G. von Justi und J. von Sonnenfels.

kameralistisches Rechnungswesen (Kameralistik), Rechnungsstil der öffentl. Verw. sowie der mit ihr verbundenen Institutionen und Unternehmen. Im Ggs. zur kaufmänn. doppelten Buchführung erfasst das k. R. in einem einzigen, in Spalten gegliederten Konto die empfangenen und abgegebenen Leistungen sowie die Zahlungsabwicklung des Leistungsverkehrs. Dadurch soll ein laufender Vergleich zw. Anordnung (Soll) und tatsächl. Stand oder Vollzug (Ist) ermöglicht werden.

Kamerlingh Onnes [-ˈɔnəs], Heike, niederländ. Physiker, *Groningen 21. 9. 1853, †Leiden 21. 2. 1926; seit 1882 Prof. in Leiden, wo er 1894 ein Laboratorium gründete, in dem er das Verhalten von Gasen und Metallen bei tiefen Temperaturen untersuchte. 1906 gelang ihm die Verflüssigung des Wasserstoffs, 1908 die des Heliums, 1911 entdeckte er die Supraleitfähigkeit am Quecksilber. K. O. erhielt 1913 den Nobelpreis für Physik.

Kamerun (amtlich frz. République du Cameroun, engl. Republic of Cameroon; dt. Rep. K.), Staat im W Zentralafrikas, grenzt im SW an den Golf von Guinea, im W an Nigeria, im NO an Tschad, im O an die Zentralafrikan. Rep., im S an die Rep. Kongo, Gabun und Äquatorialguinea.

Staat und Recht: Nach der Verf. von 1972 (mehrfach revidiert) ist K. eine präsidiale Rep. mit Mehrparteiensystem. Staatsoberhaupt und Oberbefehlshaber der Streitkräfte ist der mit großen Machtbefugnissen ausgestattete Präs. (für fünf Jahre direkt gewählt). Er ernennt das Kabinett unter Vorsitz des MinPräs., das ihm verantwortlich ist. Beratende Funktion hat der Wirtschafts- und Sozialrat (85 vom Präs. ernannte Mitgl.). Die Legislative liegt bei der Nationalversammlung (180 für fünf Jahre gewählte Abg.) und beim Präs., der das Recht der Gesetzesinitiative hat. Wichtigste Parteien sind Demokrat. Bewegung des kamerun. Volkes (RDPC), Sozialdemokrat. Front (SDF), Nat. Union für Demokratie und Fortschritt (UNDP).

Landesnatur: K. erstreckt sich von der flachen Küstenregion am Golf von Guinea über das Westkameruner Bergland (überragt vom 4070 m ü. M. hohen →Kamerunberg) und das Hochland von Adamaua (um 1000 m ü. M.) zum abflusslosen Tschadbecken mit dem Tschadsee im N. Im S schließt sich das altkristalline Südkameruner Hochland an (300–700 m ü. M.), das sich im SO zum Kongobecken senkt. Hauptflüsse sind Logone, oberer Benue und Sanaga. Das Klima ist im S tropisch mit Niederschlägen um 4000 mm jährlich (am Kamerunberg 10 000 mm). Die Niederschlagsmengen nehmen nach N rasch ab, der äußerste N ist ein Trockengebiet bei extrem schwankenden Temperaturen. In der Küstenregion herrscht dichter Regenwald; landeinwärts schließen sich Feucht- und Trockensavanne an, im N mit ausgedehnten Grasfluren (Kameruner Grasland).

Bevölkerung: In K. leben über 200 ethn. Gruppen, im S und SW vorwiegend Bantuvölker (Fang, Douala u. a.), im Regenwald etwa 10 000 Pygmäen, deren Lebensraum immer mehr eingeengt wird,

Staatswappen

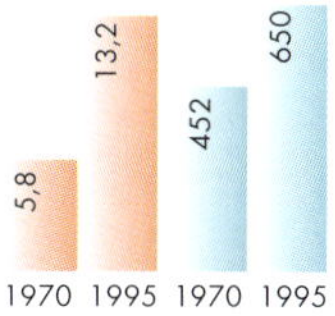

Bevölkerung (in Mio.)
Bruttosozialprodukt je Ew. (in US-$)

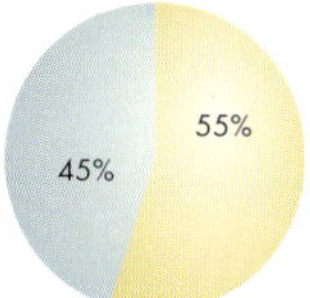

Stadt
Land
Bevölkerungsverteilung 1995

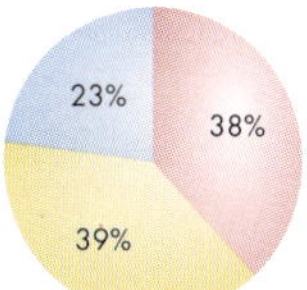

Industrie
Landwirtschaft
Dienstleistung
Bruttoinlandsprodukt 1995

Kamerun: Rundhütten aus Stein, Lehm und Stroh in einem Dorf in den Mandarabergen Nordkameruns

im N bes. Sudanvölker und Fulbe. In Städten leben rd. 44 % der Bev.; am dichtesten besiedelt sind das Küstenland um Douala und das Hochland von Mittelkamerun. Über 55 % der Bev. sind Christen, 22 % Muslime, etwa 20 % sind Anhänger von traditionellen afrikan. Religionen. – Allg. Schulpflicht besteht vom 6. bis 14. Lebensjahr (an staatl. Schulen unentgeltl. Unterricht), hoch ist der Anteil privater Schulen (bes. Missionsschulen); außerdem gibt es weiterbildende Schulen sowie mehrere Hochschulen, darunter die Univ. in Yaoundé (gegr. 1962); die Analphabetenquote liegt bei 46 %.

Wirtschaft, Verkehr: K. hat seit Beginn der 1980er-Jahre ein starkes Wirtschaftspotenzial entwickelt. Wichtigster Sektor ist die Landwirtschaft, sie beschäftigt rd. 60 % der Erwerbstätigen und deckt weitgehend den Bedarf an Nahrungsmitteln. Rd. ein Drittel der Landesfläche wird landwirtschaftlich genutzt. Zur Eigenversorgung werden in kleinbäuerl. Betrieben v. a. Hirse, Mais, Reis, Maniok, Jamswurzeln angebaut; für den Export meist in Plantagen Kakao (wichtigstes Exportprodukt), Kaffee, Baumwolle, Bananen, Erdnüsse, Ölpalmen, Zuckerrohr, Kautschuk. Auf dem Adamauahochland werden Rinder und Pferde, im feuchteren S Schweine, Schafe, Ziegen und Hühner gehalten. Etwa 52 % der Fläche sind bewaldet; wichtig ist der Export von Holz und Holzerzeugnissen. Küsten-, Fluss- und Hochseefischerei können den Bedarf an Fisch nicht decken. Bedeutung hat die Erdölförderung vor der Küste (seit 1977), bes. auch für den Export. Der Bergbau ist sonst wenig entwickelt (v. a. Abbau von Eisen-, Zinn-, Titanerzen, Gold, Bauxit). Größte Ind.unternehmen sind das Aluminiumwerk in Édéa (dort auch Wasserkraftwerke) und die Erdölraffinerie in Limbe; bes. Bed. haben die Verarbeitung von Agrarprodukten und die Holzind. (Sägewerke, Furnier- und Sperrholzfabriken); Hauptstandorte der Ind. sind Douala und Yaoundé. – Haupthandelspartner sind Frankreich, Spanien, Italien und Deutschland. – Das Verkehrsnetz ist relativ dicht, das Eisenbahnnetz ist 1104 km lang, davon entfallen 929 km auf die Transkamerunbahn Douala–Édéa–Yaoundé–Bélabo–Ngaoundéré; das Straßennetz beträgt 67 000 km, davon sind 2 900 km asphaltiert. Wichtigster Überseehafen ist Douala, wichtigster Holzexporthafen Kribi; internat. Flughäfen liegen bei Douala, Yaoundé, Garoua und Bafoussam (in Bau).

Kamille (von oben): Echte Kamille (Höhe 15–40 cm) und Ackerhundskamille (Höhe 10–50 cm), jeweils mit Blütenlängsschnitt (links)

Geschichte: Die nördl. Landesteile wurden seit dem 13. Jh. islamisiert und gehörten zum Einflussbereich des alten Reichs Kanem-Bornu. Als erste Europäer kamen im 15. Jh. Portugiesen an die Küste K. Im 19. Jh. bestand im Gebiet des unteren Benue das islam. Fulbereich Adamaua, südlich davon lag das Reich Bamum. Bei den Douala, die im 19. Jh. den Küstenhandel beherrschten, ließen sich seit 1845 christl. Missionare nieder, gefolgt von europ. Kaufleuten. Bis ins 19. Jh. war der Sklavenhandel wichtig. 1884–1916 stand K. unter dt. Schutzherrschaft. 1916 kam es zum ersten (1922 zum endgültigen) Teilungsvertrag zw. Großbritannien und Frankreich: Der westl. Teil kam unter brit. Herrschaft, der östliche unter französische. Frankreich errichtete eine von seinen übrigen Territorien unabhängige Verw. (1946 Wahlrecht für die Kameruner), West-K. wurde der Kolonie Nigeria angegliedert. 1946 wurde das gesamte K. unter UN-Treuhandschaft gestellt, am 1. 1. 1960 die unabhängige Rep. K. ausgerufen. Bei der Volksabstimmung 1961 in Britisch-K. sprach sich die Bev. des N-Teils für den Verbleib bei Nigeria, die des S-Teils für die Vereinigung mit der Rep. K. aus. Am 1. 10. 1961 wurde die Bundesrep. K. ausgerufen, am 20. 5. 1972 erfolgte die Umwandlung in die Vereinigte Rep. K. mit neuer Verf. (seit 1984: Rep. K.). Präs. war 1961–82 A. Ahidjo, sein Nachfolger wurde der bisherige MinPräs. P. Biya (1984 und 1988 wieder gewählt), der 1983 auch den Vorsitz der Einheitspartei UNC (seit 1985 RDPC) übernahm. Nach schweren Unruhen 1990/91 wurde ein Mehrparteiensystem eingeführt; bei den Wahlen im März 1992 verlor die RDPC die absolute Mehrheit, blieb aber stärkste Partei. Nach dem Wahlsieg der Opposition bei Kommunalwahlen 1996 setzte Präs. Biya in zahlreichen Städten Regierungsdelegierte ein. – Seit 1995 ist K. Mitgl. des Commonwealth.

📖 ABENG, N. B.: *Von der Freiheit zur Befreiung. Die Kirchen- u. Kolonialgeschichte K.s. Frankfurt am Main u. a. 1989.* – MEHLER, A.: *K. in der Ära Biya. Hamburg 1993.*

Kamerunberg, Vulkanmassiv (letzter Ausbruch 1959) in Kamerun, am Golf von Guinea, die höchste Erhebung Westafrikas, im Fako 4070 m ü. M. Die dichten Wälder der unteren Hänge sind im W, S und O Pflanzungen von Kakao, Bananen, Kautschuk und Ölpalmen gewichen.

Kames [engl. keɪmz], *Geomorphologie:* meist in Gruppen auftretende Hügel und Wälle der Grundmoränenlandschaft, parallel zueinander oder auch regellos angeordnet.

Kamienna Góra [-'gura] (dt. Landeshut in Schlesien), Stadt in der Wwschaft Jelenia Góra (Hirschberg), Polen, am oberen Bober zw. dem Landeshuter Kamm und dem Waldenburger Bergland, 440 m ü. M., 23 000 Ew.; Heimatmuseum; Textil- und Bekleidungsind., Maschinenbau. – Ehem. evang. Gnadenkirche (1709–17), barocke Bürgerhäuser. Im Ortsteil **Krzeszów** (seit 1945) das ehemalige Benediktinerkloster **Grüssau** (1242–1810, 1919–1946), jetzt Benediktinerinnenkloster, mit Abteikirche (1728–35), die bedeutendste Barockkirche Schlesiens.

Kamień Pomorski ['kamjɛjn-] (dt. Cammin in Pommern), Stadt in der Wwschaft Szczecin (Stettin), Polen, 10 km von der Ostseeküste entfernt, 9 200 Ew.; Sol- und Moorbad; Verarbeitung landwirtsch. Produkte. – Dom, 1176 als roman. Basilika begonnen, im 14./15. Jh. gotisch umgebaut (jährl. Orgelmusikfestival); Renaissancebauten am Marktplatz. – Cammin erhielt 1274 lüb. Stadtrecht.

Kamikaze [japan. »Götterwind«] *der* (K.-Flieger), japan. freiwillige Kampfflieger in der Endphase des 2. Weltkriegs, die sich in mit Sprengstoff beladenen Flugzeugen im Selbstopferangriff **(Jibaku)** auf Einheiten der US-Flotte stürzten.

Kamille [zu lat. camomilla], 1) (Matricaria), Korbblütlergattung, meist einjährige Kräuter. In Europa und Westasien wächst die **Echte K. (Feld-K.,** Matricaria chamomilla), mit kegelförmigem, hohlem Blütenboden und abwärts gebogenen Zungenblüten, die würzig duften. Wegen der Inhaltsstoffe (u. a. äther. Öl, Glykoside) werden die Blüten v. a. als krampflösendes und entzündungshemmendes Mittel medizinisch verwendet. 2) (Hunds-K., Anthemis), Korbblütlergattung, einjährige bis ausdauernde Kräuter. Die **Röm. K.** (Anthemis nobilis), die gelbe Scheiben- und weiße, abstehende Strahlenblüten hat, aus Südeuropa eingeführt wurde und wie Echte K. duftet, wird wie diese genutzt. **Stinkhunds-K.** (Anthemis cotula) und **Ackerhunds-K.** (Anthemis arvensis) sind europ. Feldunkräuter. Die gelb blühende **Färberhunds-K.** (Anthemis tinctoria), die auf sonnigen Kalkhängen Süd- und Mittel-Dtl.s wächst, diente früher zum Gelbfärben.

Kamillianer (lat. Ordo Clericorum Regularium Ministrantium Infirmis, Abk. MI), von Camillo de Lellis (* 1550, † 1614) 1584 in Rom gegr. »Orden von Regularklerikern für die Krankenpflege« (→ Regulare).

Kamin [von lat. caminus »Feuerstätte«], **1)** *Bauwesen:* gemauerter Rauchabzug (Schornstein); auch offene Feuerstelle in einer Wandnische, die Wärme nur durch Strahlung abgibt.

2) *Bergsteigen:* meist senkrechte, sehr enge Felsspalte, in der die gegenüberliegenden Wände beim Durchklettern berührt werden (müssen).

Kaminski, 1) André, schweizer. Schriftsteller, * Genf 19. 5. 1923, † Zürich 12. 1. 1991; wanderte 1945 nach Polen aus, wurde 1968 wieder ausgewiesen und arbeitete danach in der Schweiz als Dramaturg und Drehbuchautor beim Fernsehen. Bekannt wurde K. durch seinen Roman »Nächstes Jahr in Jerusalem« (1986), in dem er in Form eines Schelmenromans das Leben seiner ostjüd. Vorfahren erzählt.

2) Heinrich, Komponist, * Tiengen (heute zu Waldshut-Tiengen) 4. 7. 1886, † Ried (heute zu Kochel a. See) 21. 6. 1946; verband reiche Polyphonie mit sensitiver Harmonik; schrieb Opern (»Jürg Jenatsch«, 1929), überwiegend geistl. Vokalmusik, Orchester- und Kammermusik.

André Kaminski

Heinrich Kaminski

Kamiri, Baum, der → Bankul.

Kamisarden [von provenzal. camiso »(Unter)hemd«] (frz. Camisards), die Hugenotten der Cevennen und des Languedoc. Die Unterdrückung nach der Aufhebung des Edikts von Nantes durch Ludwig XIV. (1685) trieb sie 1702 zum Aufstand **(Cevennenkrieg),** der 1710 endgültig niedergeschlagen wurde.

Kamisol [frz., zu lat. camisia »Hemd«] *das,* in der Kleidung des 16./17. Jh. langärmeliges oder ärmelloses Oberteil, das als Schoßjacke für Frauen in einigen Volkstrachten weiterlebte.

Kamm, 1) mit Zinken versehenes, handl. Gerät zum Ordnen und Festhalten des Haares, auch zu

Kamm

Kammartige Geräte aus Knochen sind in Europa seit der Mittelsteinzeit bekannt. Sie können als Kratzer oder als technische Geräte gedient haben. Auch bei jungsteinzeitlichen Funden fällt die Entscheidung über die Verwendungsart (Webkamm, Aufsteckkamm u. a.) schwer. In der Eisenzeit haben Kämme als Grabbeigaben eine Bedeutung im Totenkult. Die Germanen der Bronzezeit hatten auch Kämme aus Bronze; aus einem skythischen Hügelgrab vom Ende des 5. Jahrhunderts v. Chr. stammt ein goldener Kamm mit einer figürlichen Kampfszene am oberen Ende. Der Brauch, Kämme als Beigabe ins Grab zu legen, bestand in Deutschland besonders an der Ostseeküste noch bis ins 20. Jahrhundert. Aus den ersten Jahrhunderten n. Chr. sind ein- und zweireihige Kämme erhalten. Sie sind meist aus Bein und mit Flachschnitzerei versehen. Aus dem letzten Drittel des 9. Jahrhunderts stammt der »Heribert-Kamm«, ein Zeremonialkamm zur Königssalbung oder Bischofsweihe, der ein Hauptwerk karolingischer Elfenbeinschnitzerei darstellt. Das Glätten der Haare symbolisierte das Ordnen der Gedanken.

dessen Schmuck, u.a. aus Schildpatt, Horn, Elfenbein, Holz, Metall oder Kunststoff.

2) *Bauwesen:* Querverbindung ungleich hoch liegender Hölzer.

3) *Gastronomie:* Nackenstück des Schlachtviehs und Wildschweins.

4) *Geographie:* lang gestreckter, schmaler Gebirgsrücken.

5) *Zoologie:* häutiger Auswuchs auf dem Scheitel der Hühner (→Hahnenkamm) und auf der Stirn des Kondors sowie die Hautfalte auf dem Rücken mancher Molche.

Kammermusik: »Eine Symphonie«, Ausschnitt eines Gemäldes von Moritz von Schwind (1852; München, Neue Pinakothek)

Kammer [von lat. camera »Gewölbe«], **1)** *historisch:* Behörde zur Verw. der Domänen und sonstigen Einnahmequellen eines Fürsten.

2) *Justizverwaltung:* Spruchkörper eines Kollegialgerichts der ersten, z.T. auch der Rechtsmittelinstanz, so bei den Landgerichten (Zivil-, Straf-K., K. für Handelssachen), den Arbeits- und den Landesarbeitsgerichten, den Sozial- und den Verw.gerichten. Beim Bundesverfassungsgericht entscheiden mit drei Verfassungsrichtern besetzte K. v.a. über die Annahme von Verfassungsbeschwerden.

3) *öffentl. Verwaltung:* Körperschaft des öffentl. Rechts zur Selbstverwaltung gemeinsamer Angelegenheiten von Angehörigen bestimmter Berufszweige (z.B. Handwerks-K., Industrie- und Handels-K., Landwirtschaftskammer).

4) *Staatsrecht:* Volksvertretung, beim →Zweikammersystem geteilt in eine **Erste K.** (z.B. Oberhaus, Senat, Herrenhaus) und eine **Zweite K.** (z.B. Unterhaus, Abgeordnetenhaus).

Kämmerer (Stadtkämmerer), in zahlr. Städten und Gemeinden Bez. für den Leiter der Finanzverwaltung.

Kammerflimmern, →Herzrhythmusstörungen.

Kammergericht, 1) *Recht:* das Oberlandesgericht in Berlin, das sich aus dem K. für Brandenburg (entstanden Ende des 15. Jh.) entwickelt hat.

2) *Rechtsgeschichte:* im MA. das fürstl. und königl. Obergericht; das königl. K. wurde 1495 in das →Reichskammergericht umgewandelt.

Kammerherr (Kämmerer), aus dem mittelalterl. Schatzmeisteramt hervorgegangenes Hofamt. In neuerer Zeit war K. Ehrentitel von Edelleuten und Amtstitel der adligen Hofbeamten.

Kammerjäger, Schädlingsbekämpfer. Die Bez. trugen zunächst nur fürstl. Bedienstete, die die herrschaftl. Gemächer von Ungeziefer, Mäusen, Ratten usw. freihielten.

Kammerlinge, die →Foraminiferen.

Kammermusik, die Instrumental- und Vokalmusik für kleine, solist. Besetzung im Unterschied zur Orchester- und Chormusik. Zu ihr zählen Werke für Streicher-, Bläser- und gemischte Ensembles, ferner für klavierbegleitete Soloinstrumente (z.B. Violinsonate) oder Gesang (z.B. Klavierlied). Der um 1560 in Italien geprägte Begriff (»musica da camera«) umfasste urspr. alle für die höf. »Kammer« bestimmten weltl. Musikarten in Abgrenzung zu Kirchen- und Opernmusik. Frühe Zeugnisse der K. waren z.B. Madrigal und Frottola in vokaler bzw. vokal-instrumental gemischter Besetzung sowie die rein instrumentalen Formen Ricercar und Canzona da sonar (→Kanzone); die meistgepflegten Formen der Barockzeit waren die generalbassbegleitete Triosonate, die Solosonate, das Concerto grosso und das Solokonzert. An ihre Stelle traten im 18. Jh. die K. mit obligatem Klavier und das von Haydn, Mozart, später von Beethoven und Schubert auf einen gattungsstilist. Höhepunkt geführte Streichquartett. Die Bevorzugung des Kammerstils im 20. Jh. hatte eine neue Blüte der K. und die Pflege von Zwischengattungen wie Kammersinfonie (z.B. Schönberg, op. 9), Kammerkonzert (z.B. A. Berg) und Kammeroper (z.B. R. Strauss »Ariadne auf Naxos«, P. Hindemith »Cardillac«) zur Folge.

Kammersänger, von staatl. oder städt. Institutionen verliehener Titel an verdiente Sänger; entsprechend **Kammersängerin, Kammervirtuos, Kammermusiker.**

Kammersee, der →Attersee im Salzkammergut.

Kammerspiele (Zimmertheater), kleines Theater, das ohne bühnentechnischen Aufwand arbeitet und v.a. dramat. Werke mit intimem Charakter (K.) zur Aufführung bringt.

Kammerton (Normalton), der 1885 auf eine Frequenz von 435 Hz, seit 1939 auf 440 Hz festgelegte **Stimmton** a[1] zum Einstimmen von Musikinstrumenten.

Kammgarn, feines, glattes, langfaseriges Garn mit paralleler Faserlage aus Wolle und/oder Chemiefasern.

Kammgras (Cynosurus), Gattung der Gräser, in deren Blütenrispen neben den fruchtbaren Ährchen unfruchtbare sitzen, die kammförmigen Blättchen ähneln. Das **Weide-K. (Wiesen-K.,** Cynosurus cristatus) Europas ist ein ertragsarmes Horstgras feuchter Lagen.

Kammkeramik, mit Kammeindrücken verzierte Tonware, kennzeichnend für die nordeuras. Kulturgruppen der Jungsteinzeit und Bronzezeit.

Kämmmaschine, Spinnereivorbereitungsmaschine, die aus dem Faservlies Kurzfasern **(Kämmlinge),** Fasernoppen **(Nissen)** und Verunreinigungen auskämmt, eine verbesserte Parallellage der Fasern bewirkt und ein feineres Ausspinnen ermöglicht. Das Ergebnis ist der **Kammzug.**

Kammmuscheln (Pectinidae), Muschelfamilie mit fächerförmig gerippter Schale, zahlr. Tentakeln, Augen am Mantelrand; die Schalen der **Jakobsmuschel** (Pecten jacobaeus) dienten den Kreuzzugpilgern zum Wasserschöpfen.

Kammontunnel, die Tunnel zw. den japan. Inseln Honshū und Kyūshū: 1) Eisenbahntunnel zw. Shimonoseki und Kitakyūshū (Moji), 3614 m lang; eröffnet 1942; 2) kombinierter Straßen- und Fußgängertunnel auf zwei Ebenen zw. Shimonoseki und Kitakyūshū (Moji), 3605 m lang, davon 1140 m unter der Kammonmeerenge; 1958 eröffnet; 3) Shin-Kammon-Tunnel (»Neuer K.«) für die Shinkansen-Schnellbahn, 18560 m lang, davon 880 m unter der Meerenge zw. Shimonoseki und Kitakyūshū (Kokura); 1974 eröffnet.

Kamp [von lat. campus »Feld«] *der,* **1)** *Forstwirtschaft:* (Pflanzgarten, Baumschule, Forstgarten) Fläche zur Anzucht von Forstpflanzen.

2) *Landwirtschaft:* eingezäuntes Land (meist Viehweide) oder Feld, auch einzelnes Ackerstück (Parzelle), Grasplatz am Hof.

Kamp *der,* linker Nebenfluss der Donau im Waldviertel, NÖ, 134 km lang, entspringt im Weinsberger Wald, mündet unterhalb von Krems an der Donau; im Mittellauf Ottensteiner, Dobra- und Tiefenbacher Stausee; am Unterlauf Weinbau.

Kampagne [kamˈpanjə; frz., eigtl. »Feldzug«] *die,* **1)** *allg.:* zeitlich begrenzte, gemeinschaftlich durchgeführte Aktion polit., werbetechn., wiss. oder wirtsch. Art.

2) *Wirtschaft:* Betriebszeit in saisonabhängigen Unternehmen, z.B. in der Zuckerindustrie.

Kampala, Hauptstadt Ugandas, nördlich des Victoriasees auf mehreren Hügeln gelegen, 773500 Ew.; Sitz eines kath. und eines anglikan. Erzbischofs; Univ., Nationalmuseum, Kunstsammlungen; Wirtschafts- und Verkehrszentrum mit Metallwaren-, Textil- und Nahrungsmittelind., Sägewerken, Schuh- u.a. Fabriken; Hafen: Port Bell (10 km östlich); 40 km südlich der internat. Flughafen von Entebbe. – In vorkolonialer Zeit und wieder seit 1993 Residenz des Kabaka (König) von Buganda. 1890 als Stützpunkt der British East Africa Company gegr., seit 1962 Hauptstadt.

Kampala Stadtwappen

Kampanilen (italien. Campania), Landschaft und Region im südl. Italien, 13595 km², (1995) 5,75 Mio. Ew., umfasst die Prov. Avellino, Benevent, Caserta, Neapel, Salerno; Hptst. ist Neapel. K. reicht von den Ketten des Apennin zum Küstenland zw. dem Golf von Gaeta und dem Golf von Policastro; Steilküsten begrenzen die Halbinsel von Sorrent. Im Golf von Neapel liegen die Inseln Capri und Ischia. Intensive Landnutzung in den küstennahen Schwemmlandebenen und Tälern sowie um den Vesuv: Baum- und Rebkulturen, Anbau von Gemüse, Kartoffeln, Zuckerrüben, Getreide, Tabak. Die Ind. ist um Neapel konzentriert; lebhafter Fremdenverkehr. – K. war urspr. von den italischen Oskern bewohnt; seit dem 8. Jh. v. Chr. siedelten Griechen in den Küstengebieten. Im 6. und Anfang des 5. Jh. war K. etruskisch, um 350 v. Chr. wurde es von den Römern erobert.

Kampanile, → Campanile.

Kampecheholz [-tʃ-; nach dem mexikan. Staat Campeche], das → Blauholz.

Jakob van Kampen: Das Mauritshuis in Den Haag (um 1650)

Kampen [ˈkampə], Stadt in der niederländ. Prov. Overijssel, an der Ijssel, 32500 Ew.; theolog. Hochschule der Niederländ. Ref. Kirche, Militärakademie; Maschinenbau, Möbel-, Bekleidungsind., Kunststoffverarbeitung. – Zahlreiche mittelalterl. Bauten sind erhalten, u.a. got. Sint-Nicolaas- oder Bovenkerk, got. Onze-Lieve-Vrouweoder Buitenkerk; spätgot. Rathaus, Stadttore und Bürgerhäuser. – K. war seit 1441 Hansestadt.

Kampen (Campen), Jakob van, niederländ. Baumeister und Maler, * Haarlem 2.2.1595, † Huis

Kampfläufer: Männchen im Winter, darunter im Hochzeitskleid

Randenbroeck (bei Amersfoort) 13. 9. 1657; begründete den strengen an Palladio und Scamozzi anknüpfenden Klassizismus in den Niederlanden (Mauritshuis in Den Haag, vollendet um 1650; Rathaus in Amsterdam, begonnen 1648; heute Königl. Palast); als Maler von der Utrechter Schule beeinflusst.

Kampen (Sylt), Gemeinde im N der Insel Sylt, Kreis Nordfriesland, Schlesw.-Holst., 640 Ew.; Nordseeheilbad.

Kampfer [mlat. über arab. aus altindisch] (Campher), bizykl., zur Gruppe der Terpene gehörendes Keton, $C_{10}H_{16}O$; wird synthetisch oder durch Destillation von Spänen des Kampferbaumes gewonnen. Technisch wird K. als Gelatiniermittel für Celluloseacetat und -nitrat verwendet. Medizinisch wird K. aufgrund seiner durchblutungsfördernden Wirkung zum Einreiben bei Rheumatismus, Neuralgien u.Ä. angewendet.

Kämpfer, *Architektur:* 1) die meist vorspringende Platte auf einem Pfeiler oder einer Säule, auf der Bögen oder Gewölbe aufliegen; 2) feststehendes Querholz zw. unterem und oberem Fensterflügel.

Kampferbaum (Cinnamomum camphora), ein in S-China, Taiwan und Japan heimisches Lorbeergewächs; bis 50m hoher Baum, der in allen Teilen reich an →Kampfer ist und v.a. in Taiwan, Ostafrika und auf Ceylon kultiviert wird.

Kampffische (Betta), Gattung der Labyrinthfische; Maulbrüter oder Schaumnestbauer. Betta splendens, aus SO-Asien, etwa 6 cm lang, ist ein farbenprächtiger Aquarienfisch. Die Männchen führen oft heftige Paarungskämpfe um die Weibchen.

Kampfflugzeug: Ein Tornado der deutschen Marineflieger, ausgerüstet mit Luft-Seeziel-Lenkflugkörpern

Kampfflugzeug, ein für den militär. Einsatz bestimmtes Flugzeug. Urspr. wurden Flugzeuge verwendet, die für bestimmte Aufgabenstellungen spezialisiert waren (Bomben-, Erdkampf-, Jagdflugzeuge). In den 1950er-Jahren zwangen die Leistungsanforderungen zum Einbau sehr schubstarker Triebwerke; so konnten neben der Bewaffnung für Jagdeinsätze auch Angriffswaffen gegen Bodenziele oder Aufklärungsgeräte mitgeführt werden. Da mit solchen Flugzeugen ein großer Teil der takt. Kampfaufgaben bewältigt werden kann, bezeichnet man sie als **takt. K.** oder **Mehrzweck-K.** Variable Geometrie der Flugzeugteile (z.B. Schwenkflügel, wie beim Tornado), Außenbordaufhängung der militär. Nutzlast, der jeweiligen Kampfaufgabe angepasste Waffen (v.a. Lenkwaffen) sowie eine variable elektron. Ausrüstung sind wichtige Hilfsmittel zur Erzielung der Mehrzweckeignung. – Takt. K. stellen den zahlenmäßig größten Anteil am fliegenden Gerät der meisten Luftstreitkräfte. Verwendet werden ein- oder zweistrahlige Flugzeuge mit hoher Geschwindigkeit, sehr gutem Steig- und Beschleunigungsvermögen, guter Manövrierfähigkeit, ausreichendem Kampfradius sowie mit Eignung für Start und Landung auf kurzen Pisten. – Folgende Aufgaben werden von takt. K. erfüllt: 1) takt. Luftaufklärung; 2) Abfangjagd und Begleitschutz für eigene Luftangriffs- oder Lufttransportkräfte; 3) Luftnahunterstützung eigener Land- und Seestreitkräfte, Bekämpfung gegner. Ziele in der Tiefe des Raumes sowie Kampf gegen feindl. Luftstreitkräfte am Boden. Eine vorzeitige Entdeckung muss dabei durch Unterfliegen der Radarwarnzone im extremen Tiefflug vermieden werden.

Kampfgericht, →Jury.

Kampfhunde, Bez. für Hunde, die vom Menschen zu Kampfzwecken gezüchtet und eingesetzt werden. Hundekämpfe sind, obwohl meist verboten, in einigen Ländern noch weit verbreitet, z.B. in den USA. Gemeinsame Wesensmerkmale der als K. bezeichneten Hunderassen sind hohe Aggressivität, gefördert durch gezielte Zucht und entsprechende Erziehung, geringe Schmerzempfindlichkeit sowie fehlende Angst. Zu den K. gezählte Rassen sind u.a. Bullterrier, Engl. Bulldog, Mastiff, Bullmastiff, Bordeauxdogge, Rottweiler, Dobermann, Fila Brasileiro, Tibetdogge.

Kampfläufer (Philomachus pugnax), etwa 30 cm großer Schnepfenvogel in der Tundra Nordeurasiens. Die Männchen bekommen im Hochzeitskleid einen spreizbaren Federkragen und führen zur Balz Scheinkämpfe aus.

Kampfpreis, unter den marktübl., z.T. auch unter den Selbstkosten liegender Preis, mit dessen Hilfe den Konkurrenten Marktanteile abgenommen oder diese vom Markt verdrängt werden sollen. K. sind an sich legal, können aber z.B. als Behinderungsmissbrauch gegen das Ges. gegen Wettbewerbsbeschränkungen oder das Ges. gegen unlauteren Wettbewerb verstoßen. K. im Außenwirtschaftsverkehr sind Dumpingpreise.

Kampfstoffe, zum Kriegseinsatz bestimmte radioaktive Materialien, chem. Reizstoffe (u.a. Blaukreuz) und Gifte (meist als Binär-K. aus zwei geringgiftigen Vorprodukten hergestellt) sowie

Kanada

Fläche: 9970610 km²
Einwohner: (1995) 29,46 Mio.
Hauptstadt: Ottawa
Verwaltungsgliederung: 10 Provinzen und 2 Territorien
Amtssprachen: Englisch und Französisch
Nationalfeiertag: 1. 7.
Währung: 1 Kanadischer Dollar (kan$) = 100 Cents (c)
Zeitzone: MEZ (von O nach W) −4,5 bis −9 Std.

krankheitserregende Mikroorganismen (→ABC-Waffen).

Kampftruppen, in der Bundeswehr Bez. für diejenigen Truppengattungen, die den Kern der Landstreitkräfte bilden und den Kampf auf dem Gefechtsfeld führen.

Kampf|unterstützungstruppen, in der Bundeswehr die Truppengattungen Artillerie, Heeresflugabwehrtruppe, Heeresflieger, Pioniere und ABC-Abwehrtruppe, die die Kampftruppen unterstützen.

Kampfwachteln, die →Laufhühnchen.

Kampfwagen, der →Streitwagen der Antike.

Kamp-Lintfort, Stadt im Kr. Wesel, NRW, am Niederrhein, 40200 Ew.; geolog. Museum; Steinkohlenbergbau, Elektroindustrie. – Das 1123 gegründete Kloster **Kamp** (gotisch-barocke Kirche, 1683–1700; got. Chor 1410–15, Ordensmuseum) war die erste Niederlassung der Zisterzienser in Deutschland.

Kampong (Kampung) *der* oder *das,* in Indonesien und Malaysia Bez. für Dörfer und für Stadtteile in ländl. Bauweise.

Kampuchea [-tʃ-], frühere Name von →Kambodscha.

Kamsin, Wüstenwind, →Chamsin.

Kamtschadalen, die in das russ. Volk integrierten →Itelmen.

Kamtschatka, Halbinsel in NO-Asien, Russland, 1200 km lang, bis zu 450 km breit, 370000 km², trennt das Ochotsk. Meer vom Beringmeer und vom Pazif. Ozean. Von den etwa 160 Vulkanen sind noch 28 tätig (höchster ist die Kljutschewskaja Sopka mit 4835 m ü.M.; letzter Ausbruch 1994), zahlr. Geysire; Erdbeben sind häufig. Bei sommerkühlem und winterkaltem Klima besteht die Vegetation aus Fichten-Lärchen-Taiga, darüber Birkenwald und alpine Matten. Im K.-Längstal werden Gemüse und Kartoffeln angebaut; Pelztierfang, Fisch- und Krabbenfang; zwei geotherm. Versuchskraftwerke (12 MW); reich an Bodenschätzen, Erdgasgewinnung. Halbinsel und nördl. anschließendes Gebiet bilden das Gebiet K. (472300 km², 423000 Ew., Hauptort Petropawlowsk-Kamtschatski an der südl. O-Küste), dessen N-Teil den Autonomen Kreis der →Korjaken bildet. – 1697–99 von dem Kosaken W. W. Atlassow erkundet.

Kamyschin, Stadt im Gebiet Wolgograd, Russland, am Wolgograder Stausee der Wolga, 127000 Ew.; Baumwollwerk, Kranbau, Glaswaren-, Farbenfabrik; Wolgahafen. – 1668 als Festung gegr., seit 1780 Stadt.

Kan., Abk. für den Bundesstaat →Kansas, USA.

Kana (Kanaa), Ort in Galiläa; nach Joh. 2,1–11 Ort des Hochzeitswunders Jesu (Verwandlung von Wasser in Wein); vermutlich das heutige Chirbet Kana, rd. 10 km nördlich von Nazareth.

Kana|an, histor. Begriff für die syrisch-palästinens. Küste; im A.T. das gesamte Land westlich des Jordan.

kana|anäische Sprachen, Sammelbez. für die hebr. Sprache, die amurrit. Sprache (die Sprache der Amoriter), das Phönikische (mit dem Punischen) sowie das Moabitische. Die k. S. gehören zum nordwestl. Zweig der semit. Sprachen.

Kana|aniter (Kanaanäer), im A.T. Sammelbez. für die aus verschiedenen semit. Völkern zusammengesetzte vorisraelit. Bevölkerung Kanaans. Einblick in Religion und Kultur der K. geben v.a. die Textfunde von →Ugarit.

Kanada (amtlich engl. und frz. Canada), Bundesstaat in Nordamerika, grenzt im O an den Atlantik, im S und NW (Alaska) an die USA, im W an den Pazifik, der Kanadisch-Arkt. Archipel liegt im Nordpolarmeer.

Staat und Recht: Nach der Verf. von 1982 ist K. eine bundesstaatlich geordnete parlamentar. Monarchie im Commonwealth. Staatsoberhaupt ist der brit. Monarch, vertreten durch den auf Vorschlag der kanad. Reg. ernannten Generalgouverneur. Die Exekutive wird von der Reg. unter Vorsitz des Premiermin. wahrgenommen, die dem Unterhaus verantwortlich ist. Die Legislative liegt beim Zweikammerparlament, bestehend aus Senat (104 ernannte Vertreter der Provinzen) und Unter-

Staatswappen

CDN

Internationales Kfz-Kennzeichen

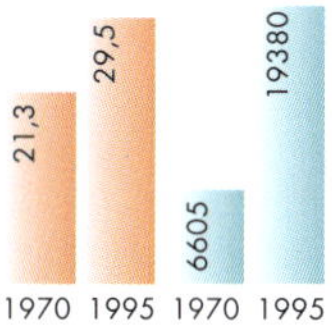

Bevölkerung (in Mio.)

Bruttosozialprodukt je Ew. (in US-$)

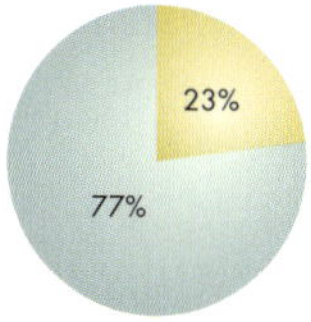

Stadt
Land

Bevölkerungsverteilung 1995

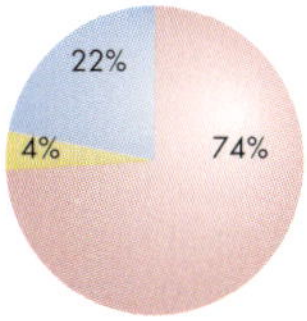

Industrie
Landwirtschaft
Dienstleistung

Bruttoinlandsprodukt 1994

haus (295 Abg., für fünf Jahre gewählt). Die Prov. verfügen über eigene Verf. sowie Legislativ- und Exekutivorgane. – Wichtigste Parteien sind Fortschrittl. Konservative Partei (PCP), Liberale Partei (LP) und Neue Demokrat. Partei (NDP).

Kanada

*1534/35 erforschte der französische Seefahrer Jacques Cartier (*1491, †1557) den Sankt-Lorenz-Strom auf der Suche nach der Nordwestpassage und nahm das Gebiet beiderseits des Flusses für Frankreich in Besitz. Dabei versuchte er, von den Indianern den Namen des Landes zu erfahren. Sie aber dachten, er frage sie nach ihrer Ansiedlung, und antworteten »kanata«, was das irokesische Wort für »Dorf« ist. So wird also das zweitgrößte Land der Erde noch heute »Dorf« genannt.*

Landesnatur: K. nimmt den N des nordamerikan. Kontinents ein (außer Alaska). Fast die Hälfte des Landes wird vom →Kanadischen Schild eingenommen, der SO von den hügeligen Ausläufern der Appalachen. Die Ebenen am Sankt-Lorenz-Strom und im Gebiet der Großen Seen sind Teil der Inneren Ebenen (Interior Plains) Nordamerikas. Westlich des Kanad. Schilds erstreckt sich das Prärietafelland der →Great Plains, das in weiträumigen Stufen von 300 m ü. M. im O bis zur Vorgebirgszone der Rocky Mountains im W auf 1500 m ü. M. ansteigt. Der W des Landes wird vom kanad. Teil der Kordilleren (Rocky Mountains, innere Plateaus, Coast Mountains) eingenommen. Die Ketten erreichen 3000–4000 m ü. M., im Mount Logan 5951 m ü. M.; die Plateaus liegen meist in einer Höhe von 1000–2000 m ü. M. Nördlich des kanad. Festlands erstreckt sich der Kanadisch-Arkt. Archipel; im S flach bis 400 m ü. M., im N bis 2900 m ü. M. aufragend und stark vergletschert. Da 97% des Landes von Eis bedeckt waren, sind die Oberflächenformen weitgehend eiszeitlich geprägt. Die Großen Seen, an denen K. einen Anteil von 36% hat, gehören wie der Große Bärensee, der Große Sklavensee und der Winnipegsee zu den größten Seen der Erde. Wichtigste Flüsse sind Nelson River, Churchill River (zur Hudsonbai) und Mackenzie River (zum Nordpolarmeer); überragende Verkehrsbedeutung hat allein der Sankt-Lorenz-Strom. – K. hat überwiegend kontinentales Klima mit langen, kalten Wintern und warmen, im Inneren heißen Sommern. Der Kanadisch-Arkt. Archipel und das nordöstl. Festland liegen in der arkt., der zentrale und westl. N des Landes in der subarkt. Klimaregion. Im SO ist das Klima gemäßigt, im W schützen die Kordilleren die Küstengebiete vor arkt. Kaltlufteinbrüchen. Westwinde bringen hier hohe Niederschläge, im Windschatten der Gebirge herrscht dagegen große Trockenheit. – An die Moos- und Flechtentundra im hohen N schließt sich südlich ein breiter Waldgürtel an (Fichten, Tannen, Lärchen, im Lorenzstromgebiet auch Ulmen, Ahorn u. a.). Östlich der Rocky Mountains grenzt an den Waldgürtel ein breiter Steppengürtel (Prärie), der etwa bis 100° w. L. reicht. An der W-Küste gibt es Wälder mit Zedern, Douglasfichten und Hemlocktannen.

Bevölkerung: Von der zum größten Teil auf Einwanderungen zurückgehenden Bev. entfielen 1991 die höchsten Anteile auf Anglokanadier (rd. 42%) und Frankokanadier (rd. 25%). Zunehmend vermischen sich die Anglokanadier mit anderen europ. Gruppen, sodass Letztere relativ abnehmen, z. B. sank der Anteil der Deutschen von (1981) 4,7% auf rd. 3%. Der Anteil der Ethnien aus außereurop. Ländern ist auf fast 10% angestiegen. Die 365 400 Indianer leben über ganz Kanada verstreut, die Eskimo (rd. 30 000) bes. im N des Landes. Große Teile des polaren N sind fast unbesiedelt. Die meisten Ew. leben in einem Streifen entlang der Grenze zu den USA, fast 65% davon im S der Prov. Quebec und Ontario. Ziele der Einwanderer sind v. a. die Großstädte Toronto, Vancouver und Montreal. – Das von amerikan. Vorbildern beeinflusste Bildungswesen untersteht den Provinzen; allg. Schulpflicht besteht meist vom 6. oder 7. bis 15. oder 16. Lebensjahr; es gibt rd. 80 Hochschulen, Colleges und Institute. Zu den größten Univ. zählen die Université de Montréal und die University of Toronto. – Rd. 45% der Bev. sind Katholiken, 29% Protestanten, 8% Anglikaner, 1,5% Orthodoxe und über 1% Juden.

Wirtschaft, Verkehr: K. wird durch seine natürl. Reichtümer (Bodenschätze, Energiequellen, fruchtbare Böden im Präriegebiet, Wälder) zwar begünstigt. Erschwernisse stellen aber die Erschließung der nördl. Gebiete, ferner die zu geringe Bev.dichte dar. Die Ballungsräume im S des Landes haben untereinander nur wenige Verbindungen, sind dagegen stark mit den benachbarten

Kanada, Verwaltungsgliederung (1991)

Provinz/Territorium	Fläche in km²	Ew. in 1000	Ew. je km²	Hauptstadt
Provinzen				
Alberta	661 190	2545,6	3,9	Edmonton
British Columbia	947 800	3282,1	3,5	Victoria
Manitoba	649 950	1091,9	1,7	Winnipeg
New Brunswick	73 440	723,9	9,9	Fredericton
Newfoundland	405 720	568,5	1,4	Saint John's
Nova Scotia	55 490	899,9	16,2	Halifax
Ontario	1 068 580	10 084,9	9,4	Toronto
Prince Edward Island	5660	129,8	22,9	Charlottetown
Quebec	1 540 680	6896,0	4,5	Quebec
Saskatchewan	652 330	988,9	1,5	Regina
Territorien				
Northwest Territories	3 426 320	57,8	0,02	Yellowknife
Yukon Territory	483 450	27,8	0,06	Whitehorse
Kanada	9 970 610	27 296,9	2,7	Ottawa

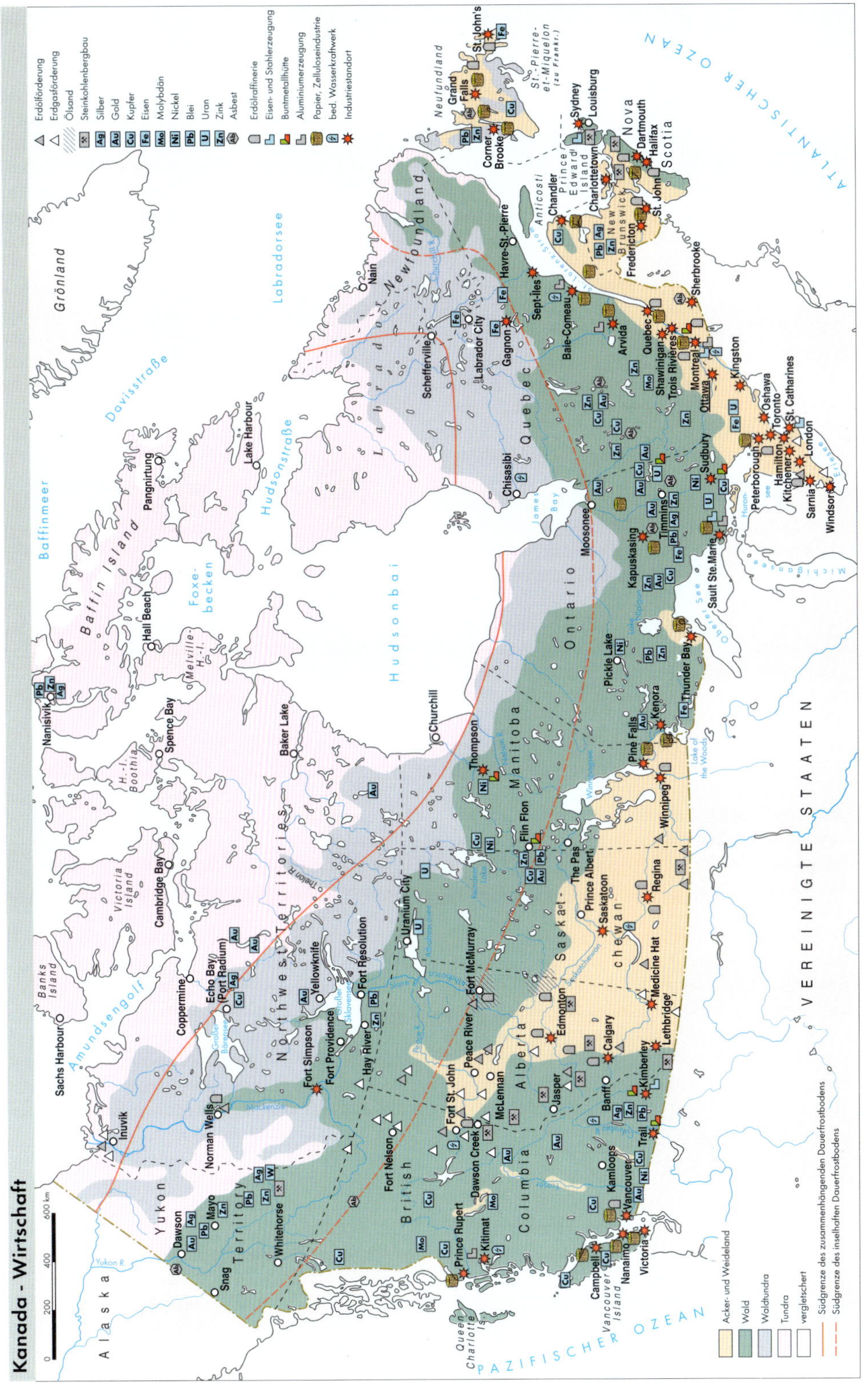
Kanada - Wirtschaft
0
200
400
600 km
Erdölförderung
Erdgasförderung
Ölsand
Steinkohlenbergbau
Silber
Gold
Kupfer
Eisen
Molybdän
Nickel
Blei
Uran
Zink
Asbest
Erdölraffinerie
Eisen- und Stahlerzeugung
Buntmetallhütte
Aluminiumerzeugung
Papier, Zellstoffindustrie
bed. Wasserkraftwerk
Industriestandort
Acker- und Weideland
Wald
Waldtundra
Tundra
vergletschert
Südgrenze des zusammenhängenden Dauerfrostbodens
Südgrenze des inselhaften Dauerfrostbodens
Grönland
Baffinmeer
Davisstraße
Labradorsee
Hudsonstraße
Foxe-becken
Hudsonbai
James Bay
Baffin Island
Victoria Island
Banks Island
Amundsengolf
Alaska
Yukon Territory
Northwest Territories
British Columbia
Alberta
Saskatchewan
Manitoba
Ontario
Quebec
Labrador
Newfoundland
Neufundland
Nova Scotia
New Brunswick
Prince Edward Island
Anticosti
St.-Pierre-et-Miquelon (zu Frankr.)
ATLANTISCHER OZEAN
PAZIFISCHER OZEAN
VEREINIGTE STAATEN
Queen Charlotte Is.
Vancouver Island
Inuvik
Dawson
Mayo
Snag
Whitehorse
Norman Wells
Fort Simpson
Fort Providence
Hay River
Fort Resolution
Yellowknife
Echo Bay (Port Radium)
Coppermine
Sachs Harbour
Cambridge Bay
Spence Bay
Nanisivik
Hall Beach
Pangnirtung
Lake Harbour
Baker Lake
Churchill
Thompson
Flin Flon
The Pas
Uranium City
Fort McMurray
Peace River
Fort St. John
Fort Nelson
Dawson Creek
McLennan
Edmonton
Jasper
Calgary
Banff
Kimberley
Lethbridge
Medicine Hat
Trail
Kamloops
Vancouver
Victoria
Nanaimo
Campbell River
Kitimat
Prince Rupert
Prince Albert
Saskatoon
Regina
Winnipeg
Pine Falls
Kenora
Thunder Bay
Pickle Lake
Kapuskasing
Timmins
Sault Ste.Marie
Sudbury
Moosonee
Chisasibi
Schefferville
Labrador City
Gagnon
Nain
Sept-Îles
Havre-St.-Pierre
Baie-Comeau
Arvida
Quebec
Shawinigan
Trois Rivières
Montreal
Ottawa
Kingston
Peterborough
Oshawa
Toronto
Hamilton
St. Catharines
Kitchener
London
Sarnia
Windsor
Sherbrooke
Fredericton
St. John
Chandler
Charlottetown
Halifax
Dartmouth
Sydney
Louisburg
Corner Brooke
Grand Falls
St. John's
Lake Winnipeg
Lake of the Woods
Oberer See
Huronsee
Eriesee
Michigansee
Yukon R.
Mackenzie
Großer Sklavensee
Großer Bärensee
Athabascasee
Reindeer Lake
Nelson R.
Churchill R.
Saskatchewan
Thelon R.
Fraser
Lake Nipigon
St.-Lorenz-Strom

Wirtschaftsräumen der USA verflochten. Ungeachtet dieser Probleme ist der Lebensstandard in K. einer der höchsten der Erde.

Die Landwirtschaft nutzt nur 7,4 % der Gesamtfläche (davon etwa 62 % als Ackerland) und beschäftigt nur noch 3 % aller Erwerbstätigen. Obwohl sie nur zw. 10 und 15 % des Exportwerts erbringt, gehört K. zu den fünf größten Exporteuren landwirtsch. Erzeugnisse. Wichtigste Ackerbaugebiete mit weitgehend mechanisiertem Anbau sind die Prärieprovinzen Manitoba, Saskatchewan und Alberta, auf die 96 % des Weizen-, 84 % des Hafer- und 73 % des Gersteanbaus sowie fast der gesamte Anbau an Ölsaaten (Raps, Leinsaat, Sonnenblumen u.a.) entfallen. Die Erträge liegen unter denen westeurop. Länder. Obst und Gemüse werden v.a. in den atlant. Provinzen angebaut, Tabak bes. in Ontario. Rd. 50 % der landwirtsch. Erträge erbringen Vieh- und Milchwirtschaft. – Die Forstwirtschaft steht, zus. mit den Aufbereitungsind. (Sägewerke, Zellstoff-, Papierfabriken), im Produktionswert der Landwirtschaft nicht viel nach; sie erbringt rd. 15 % des Exportwerts. Etwa 36 % der Landfläche ist mit Wald bedeckt, aber nur die Hälfte davon ist wirtschaftlich nutzbar. In der Produktion von Holzschliff, Zellstoff, Papier und Pappe steht K. an erster Stelle der Welterzeugung. – Wichtiger als der auch heute noch ausgeübte Pelztierfang ist die Pelztierzucht (bes. Nerze und Füchse). Die Jagd auf Sattelrobben wird hauptsächlich vor den Küsten von Neufundland und Labrador betrieben. – Die Küsten K. gehören zu den fischreichsten der Erde. 1977 errichtete die Reg. die 200-Seemeilen-Zone mit drast. Einschränkung der Fangerlaubnis für ausländ. Schiffe. Der größte Teil der Fänge (Schellfisch, Hering, Makrele, Dorsch im Atlantik, Lachs im Pazifik; Fische der Binnengewässer) wird exportiert.

K. zählt zu den führenden Bergbauländern der Erde. Der Bergbau erbringt rd. 25 % des Exportwerts. Von der gesamten Förderung entfällt wertmäßig etwa die Hälfte auf Erdöl und Erdgas. Den größten Anteil an der Bergbauproduktion haben Alberta (bes. Erdöl, Erdgas, Kohle), Ontario (bes. Nickel, Kupfer, Eisen, Gold), British Columbia (bes. Kupfer, Zink, Molybdän) und Quebec (bes. Eisen, Kupfer, Asbest). Die Bodenschätze im N des Landes können wegen des Dauerfrostbodens und der Transportprobleme nur schwer erschlossen werden. Die großen Vorkommen von Ölsanden in Alberta werden seit 1978 genutzt (bei Fort McMurray). Weitere große Erdöl- und Erdgasvorkommen gibt es in der kanad. Arktis.

Die Industrie (einschließlich Baugewerbe) beschäftigt rd. ein Viertel aller Erwerbstätigen; Schwerpunkte sind Ontario und Quebec. Eine schnelle Entwicklung nahm der W mit British Columbia und Alberta. Bedeutendster Zweig ist die Zellstoff- und Papierherstellung. Als Wachstumsind. gelten die chem. Ind. (v.a. Petrochemie), Kfz- und Flugzeugbau, Kunststoffverarbeitung sowie die elektron. Ind., zunehmend auch Industrien des Hightechbereiches. Wichtig sind weiter Nahrungsmittel- sowie Eisen- und Stahlindustrie. Neben der Verkehrslage ist die Energieerzeugung ein wichtiger Standortfaktor, bes. bei der bed. Aluminiumproduktion, die v.a. in Quebec und British Columbia angesiedelt ist. – K. gehört zu den größten Energieproduzenten der Erde. Neben den reichen Erdöl-, Erdgas- und Kohlevorkommen verfügt K. über ein riesiges Wasserkraftpotenzial. Von der installierten Energiekapazität werden knapp zwei Drittel von Wasserkraftwerken und über 17 % in Kernkraftwerken erzeugt.

Die Einnahmen aus dem Fremdenverkehr (zu 80 % Touristen aus den USA) liegen noch unter den Ausgaben kanad. Touristen im Ausland, sind aber im Steigen. – Die Handelsbilanz war in den letzten Jahren positiv. Das amerikanisch-kanad. Freihandelsabkommen von 1988 wurde 1994 durch die Nordamerikan. Freihandelszone (NAFTA) zw. K., den USA und Mexiko erweitert. Haupthandelspartner sind die USA (über zwei Drittel des Außenhandelsumsatzes); es folgen die EU-Länder (v.a. Großbritannien, Dtl.) und Japan.

Eisenbahn und Autostraßen konzentrieren sich auf den dichter besiedelten S; neben den beiden großen transkontinentalen Eisenbahnlinien, den staatl. »Canadian National Railways« und den privaten »Canadian Pacific Ltd.«, gibt es nur einzelne Querverbindungen sowie Stichbahnen nach N (Gesamtlänge der Eisenbahnstrecken rd. 71100 km). Das Straßennetz umfasst 826000 km, davon sind 35 % asphaltiert. Eine Autobahn (Transcanada Highway) verbindet seit 1962 O- und W-Küste (7871 km lang). Große Bedeutung hat die Schifffahrt, bes. auf den Großen Seen und dem Sankt-Lorenz-Seeweg, sowie die Küstenschifffahrt. Die größten Häfen sind Vancouver, Sept-Îles, Port Cartier, Halifax, Saint John und Montreal. Ein dichtes Flugnetz überzieht das ganze Land und ist lebenswichtig für den unerschlossenen N. Die größten Flughäfen haben Montreal, Vancouver, Toronto, Calgary und Edmonton.

Geschichte: Die O-Küste von K. war norweg. Seefahrern (Leif Eriksson) schon um 1000 bekannt und wurde 1497 von G. und S. Caboto neu entdeckt. Zwischen 1534 und 1541 nahm J. Cartier das Gebiet des Sankt-Lorenz-Stromes für Frankreich in Besitz (»Neufrankreich«). 1608 gründete S. de Champlain die Stadt Quebec. Es entwickelte sich ein ausgedehnter Pelzhandel, der die sog. »Voyageurs« (Waldläufer) hervorbrachte. 1663 übernahm die frz. Krone die Verw. der Kolonie. Vom

Kanada

1

2

3

4

1 Landwirtschaftliche Anbaugebiete bei Calgary im Süden Albertas | **2** Daniel-Johnson-Talsperre mit Pfeilerbogenstaumauer am Manicouagan in Quebec | **3** Blick auf die Gebirgsketten der Rocky Mountains nordwestlich von Calgary | **4** Maligne Lake im Jasper National Park

Sankt-Lorenz-Strom aus errichteten die Franzosen eine Kette von Forts bis an die Großen Seen und in das Mississippigebiet. Die frz. Siedler gerieten in heftige Kämpfe mit den engl. Kolonien, in die auch ansässige Indianerstämme hineingezogen wurden (u. a. Irokesen als Bundesgenossen der Engländer). Im Ergebnis des Siebenjährigen Krieges (1756–63) verlor Frankreich das östl. K. an Großbritannien. Die engl. Quebec-Akte von 1774 sicherte den kath. Frankokanadiern volle Religionsfreiheit zu und trug viel dazu bei, dass diese sich nicht am nordamerikan. Unabhängigkeitskampf beteiligten. Königstreue angelsächs. Siedler (rd. 40 000 »Loyalisten«) wanderten aus den USA in das Gebiet nördlich der Seen ein. Die Politik der freien Landnahme zog auch später viele amerikan. Siedler an. So entstanden zwei nach Bevölkerung, Kultur und Religion verschiedene Siedlungskerne: das vorwiegend engl. Ober-K. und das frz. Unter-K. (1791 Bildung entsprechender Provinzen durch den »Constitutional Act«). 1812–14 scheiterte der Versuch der USA, die brit. Besitzungen in Nordamerika zu erobern. 1840 vereinigte die brit. Reg. Ober- und Unter-K. zu einer Provinz (mit parlamentar. Regierung). Aufgrund des »British North America Act« schlossen sich 1867 Ontario (Ober-K.), Quebec (Unter-K.), Nova Scotia und New Brunswick zu einem Bundesstaat (Dominion of Canada) zusammen, an den 1869 die Hudson's Bay Company ihr Gebiet (die späteren Provinzen Manitoba, Alberta und Saskatchewan) abtrat. 1871 schloss sich British Columbia, 1873 Prince Edward Island an. Der Bau von Eisenbahnen (1885 Fertigstellung der ersten kanad. Transkontinentalbahn) ermöglichte die Besiedlung des Westens. K. unterstützte Großbritannien im Burenkrieg (1899–1902) und im 1. Weltkrieg (1914–18). Durch das Statut von Westminster (1931) erhielt K. die Unabhängigkeit. Nach Ausbruch des 2. Weltkriegs erklärte K. am 10. 9. 1939 Dtl. den Krieg und beteiligte sich 1943–45 an den militär. Operationen in Europa.

1945 war K. Gründungsmitgl. der UNO und 1949 der NATO. 1949 schloss sich Newfoundland K. als 10. Provinz an. 1957 wurden die seit Mitte der 1930er-Jahre regierenden Liberalen von den Konservativen unter J. G. Diefenbaker abgelöst. 1963 kamen die Liberalen erneut an die Macht und stellten mit L. B. Pearson (1963–68) und P. E. Trudeau (1968–79, 1980–84) die Premiermin. In der mehrheitlich von Frankokanadiern bewohnten Provinz Quebec entwickelte sich eine starke Autonomiebewegung. Versuche des 1976–85 in Quebec regierenden radikalautonomist. »Parti Québécois«, die Provinz politisch aus dem Staatsverband K. zu lösen, lehnte die Bev. jedoch 1980 ab. 1982 ersetzte ein neues Verfassungsgesetz für ganz K. den »British North America Act« von 1867. Nach dem Wahlsieg der Konservativen 1984 wurde B. Mulroney Premiermin. (bis 1993). Eine im Aug. 1992 zw. Mulroney und den Reg.chefs der Provinzen ausgehandelte Verf.reform, die die Einheit des Landes sichern sollte und die Anerkennung Quebecs als »besondere Gesellschaft«, die Erweiterung der Verwaltungskompetenzen der Provinz sowie Autonomierechte der Ureinwohner vorsah, wurde in einem Referendum am 26. 10. 1992 abgelehnt. Im Mai 1993 unterzeichneten die Regierung und Vertreter der Eskimo (Inuit) einen Vertrag über die (bis 1999 geplante) Schaffung eines eigenen, selbst verwalteten Territoriums (»Nunavut«) in den Northwest Territories (Übertragung von rund 350 000 km² als Eigentum an die Ureinwohner). Vor dem Hintergrund einer anhaltenden wirtsch. Rezession unterlagen die Konservativen unter Premierministerin K. Campbell (Amtsantritt Juni 1993) bei den Parlamentswahlen im Okt. 1993 der Liberalen Partei; neuer Premiermin. wurde J. Chrétien. Seine Regierung leitete eine Neugestaltung des Finanzausgleichs zw. den Provinzen ein. Nachdem am 30. 10. 1995 ein zweites Referendum zur Loslösung Quebecs gescheitert war, räumte 1996 ein Gesetz dieser Prov. einen Sonderstatus als »eigenständige Gesellschaft« ein und gab allen Provinzen ein Vetorecht in Fragen der Verfassung.

📖 PLETSCH, A.: *K. Kunst- u. Reiseführer. Stuttgart 1986.* – LENZ, K.: *K. Eine geograph. Landeskunde. Darmstadt 1988.* – SAUTTER, U.: *Geschichte K.s. Von der europ. Entdeckung bis zur Gegenwart. Neuausg. München 1992.* – VOGELSANG, R.: *K. Gotha 1993.*

Kanadabalsam, sehr klares, farbloses bis blassgelbes Harz der nordamerikan. Balsamtanne, löslich in Äther, Alkohol, Benzin u. a.; hat die gleiche Brechzahl wie Kronglas und wird daher u. a. als Spezialkitt für opt. Linsen verwendet.

Kanadiler, Sportboot, → Canadier.

kanadische Kunst. Die Kunst in Kanada blieb bis ins 19. Jh. von den in Europa herrschenden Stilrichtungen abhängig. Auch im 20. Jh. bildete sich kaum eine spezif. k. K. heraus, doch nahm der Einfluss der amerikan. Kunst zu; kanad. Künstler arbeiteten in Paris und in New York, im Lande entwickelten sich u. a. Toronto und Montreal zu aktiven Kunstzentren. In diesem Rahmen leisteten kanad. Künstler beachtliche Beiträge zu Strömungen

kanadische Kunst: Joey Morgan, »Have you ever loved me?« (1988; Privatbesitz)

der modernen Kunst. J. Morgan (*1951), E. Bond (*1948), C. Whiten (*1945), S. Alexander (*1959) und W. Gorlitz (*1952) thematisieren in ihren figurativen Gemälden sinnl. Qualitäten. Das techn. Medium setzen I. Wallace (*1943), L. Magor (*1948), K. Adams (*1951) und M. Fernandes (*1944) in Sequenzen und Installationen ein. Im Bereich der neuen Medien und der Performancekunst arbeiten J. Peacock (*1955) und B. Steinman (*1950). Die heutige kanad. Architektur kann sich auf urbane Lösungen der 1970er-Jahre beziehen, die bereits Probleme der Stadtgestalt und der Stadträume angehen, z. B. das 1986 gebaute Pan Pacific Center von E. Zeidler (*1926) in Vancouver.

📖 *Architektur Kanada, hg. v.* K. H. KRÄMER. *Stuttgart u. a. 1988.* – *The Body. Zeitgenöss. Kunst aus Kanada, hg. v.* H.-M. HERZOG, *Ausst.-Kat. Kunsthalle Bielefeld, 1994.*

kanadische Kunst: Colette Whiten, »Body Found« (1993/94; Privatbesitz)

kanadische Literatur, die in Kanada in frz. und engl. Sprache verfasste Literatur. Voraussetzung für eine eigenständige k. L. in **frz. Sprache** war die Loslösung Kanadas von Frankreich (1763) als Kanada engl. Kolonialbesitz wurde und Englisch Amtssprache. Seit der 1. Hälfte des 19. Jh. verwendete man das Französische als Literatursprache; unter Einbeziehung landeseigener Traditionen entwickelte sich dabei ein frankokanad. Nationalgefühl. Die zunehmende starke Orientierung der Frankokanadier am frz. Mutterland in der 2. Hälfte des 19. Jh. hatte das Aufgreifen der entsprechenden Strömungen der frz. Lit. wie Realismus, Naturalismus und Symbolismus, u.a. durch den Romancier L. Hémon, zur Folge. In neuerer Zeit hat sich die k. L. in frz. Sprache engagiert und experimentell geäußert. Wichtige zeitgenöss. Autoren sind u.a. A. Major, A. Langevin, Y. Thériault, Anne Hébert, G. Bessette, C. Jasmin, R. Ducharme, Antonine Maillet, G. Miron, J. Godbout, Yolande Villemaire, Nicole Brossard, M. Tremblay. – Die k. L. in **engl. Sprache** weist v.a. Werke aus Lyrik und Epik auf: histor. Romane (Mazo de la Roche), Heimatschilderungen und realist. Auseinandersetzungen mit den nat. Problemen; Themen der Prosa sind die Gegensätze zw. der frz.- und der engl.sprachigen Bev., die Integration der Eskimos und die Judenfrage. In der Lyrik werden nach anfänglich idyll. Schilderungen des Kleinstadtlebens, Natur- und Liebeslyrik auch religiöse und soziale Probleme behandelt. Die gegenwärtige k. L. in engl. Sprache wird u.a. durch Margaret Laurence, Margaret E. Atwood, H. J. B. Hood, R. Wiebe, Mavis Gallant, Alice Munro, M. Avison, M. Ondaatje, R. Kroetsch, G. Bowering, Aritha van Herk und Carol Shields vertreten.

📖 *Canadian writers and their works, hg. v.* R. LECKER *u.a., 26 Bde. Sydenham u.a. 1983–96.* – *The Oxford companion to Canadian literature, hg. v.* W. TOYE. *Toronto u.a. 1983.* – KEITH, W. J.: *Canadian literature in English. London u.a. 1985.* – HAMBLET, E.: *La littérature canadienne francophone. Paris 1987.* – NEW, W. H.: *A history of Canadian literature. Basingstoke u.a. 1989, Nachdr. ebd. 1991.*

Kanadischer Schild (Laurentischer Schild), aus präkambr. Gesteinen aufgebaute Landmasse im Umkreis der Hudsonbai; umfasst O-Kanada und die vorgelagerten Inseln des Nordpolarmeers.

Kanaken [polynes. kanaka »Mensch«], abwertende Bez. für die Einwohner der Südseeinseln; heute Eigenbez. der einheim. Bev. von Neukaledonien.

Kanal [aus lat. canna »Röhre«], **1)** *Elektronik:* der Teil eines (unipolaren) Halbleiterbauelements, durch den der gesteuerte Strom fließt.

2) *Informatik:* leistungsfähige Funktionseinheit eines Datenverarbeitungssystems, die die Peripheriegeräte mit der Zentraleinheit verbindet oder für die Übertragung von Daten bzw. Steuerimpulsen innerhalb der Zentraleinheit zuständig ist.

3) *Nachrichtentechnik:* allgemeine Bez. für einen Übertragungsweg, dessen Aufgabe, Art der Realisierung und techn. Auslegung Namen gebend näher charakterisiert wird, z.B. Fernsprech-K., Daten-K., Funk-K., Breitbandkanal.

4) *Wasserbau:* künstl. Wasserlauf. **Abwässer-K.** dienen zur Abführung der Schmutz- und Regenwässer (→Kanalisation), die **Be-** und **Entwässerungs-K.** zur Be- und Entwässerung von landwirtschaftlich genutzten Flächen, **Werk-K.** zur Zu- und Ableitung des Betriebswassers von Wasserkraft- und Ind.anlagen und **Schifffahrts-K.** zur Herstellung zusammenhängender Schifffahrts-

Europäische Binnenschifffahrtskanäle (Auswahl)

Kanal	Verbindung	Land	Eröffnungsjahr	Länge in km
Albertkanal	Lüttich-Antwerpen	Belgien	1939	129,0
Amsterdam-Rhein-Kanal	Amsterdam-Tiel	Niederlande	1952	72,0
Datteln-Hamm-Kanal	Datteln-Hamm	Deutschland	1915	47,1
Dortmund-Ems-Kanal	Dortmund-Emden	Deutschland	1899	269,0
Elbe-Havel-Kanal	Niegripp-Brandenburg an der Havel	Deutschland	1936	56,4
Elbe-Lübeck-Kanal	Lauenburg/Elbe-Lübeck	Deutschland	1900	62,0
Elbeseitenkanal	Artlenburg-Wolfsburg	Deutschland	1976	112,5
Havelkanal	Hennigsdorf-Ketzin	Deutschland	1952	34,9
Julianakanal	Maastricht-Maasbracht	Niederlande	1935	35,0
Küstenkanal	Dörpen-Oldenburg (Oldenburg)	Deutschland	1935	69,6
Maas-Waal-Kanal	Heumen-Beuningen-Weurt	Niederlande	1927	13,4
Main-Donau-Kanal	Bamberg-Kelheim	Deutschland	1992	171,0
Mittellandkanal	Hörstel-Magdeburg-Rothensee	Deutschland	1938	321,3
Moskaukanal	Moskau-Dubna	Russland	1937	128,0
Oder-Havel-Kanal	Hohensaaten-Oranienburg	Deutschland	1914	82,8
Oder-Spree-Kanal	Eisenhüttenstadt-Berlin	Deutschland	1891	83,7
Rhein-Herne-Kanal	Duisburg-Henrichenburg	Deutschland	1914	45,6
Teltowkanal	Potsdam-Berlin-Köpenick	Deutschland	1906	37,8
Weißmeer-Ostsee-Kanal	Belomorsk-Powenez (Onegasee)	Russland	1933	227,0
Wesel-Datteln-Kanal	Wesel-Datteln	Deutschland	1929	60,2
Wolga-Don-Schifffahrtskanal	Wolgograd-Kalatsch am Don	Russland	1952	101,0
Wolga-Ostsee-Wasserweg	Tscherepowez (Rybinsker Stausee)-Sankt Petersburg	Russland	1964	1100,0

Bedeutende Seeschifffahrtskanäle (Auswahl)

Kanal	Verbindung	Land	Eröffnungsjahr	Länge in km
Cape Cod Canal	Cape Cod Bay - Buzzards Bay	USA	1914	13,0
Donau-Schwarzmeer-Kanal	Cernavodă - Constanța-Süd	Rumänien	1984	64,2
Houston Ship Channel	Houston - Golf von Mexiko	USA	1940	80,0
Kanal von Korinth	Ionisches Meer (Golf von Korinth) - Ägäisches Meer	Griechenland	1893	6,3
Manchester Ship Canal	Manchester - Irische See	Großbritannien	1894	58,0
Nieuwe Waterweg	Nordsee - Neue Maas	Niederlande	1872	10,0
Nord-Ostsee-Kanal	Brunsbüttel (Unterelbe) - Kiel-Holtenau	Deutschland	1895	98,7
Nordseekanal	Nordsee - Amsterdam	Niederlande	1876	27,0
Panamakanal	Atlantischer Ozean (Karibisches Meer) - Pazifischer Ozean	Panama/USA	1914	81,6
Sankt-Lorenz-Seeweg	Atlantischer Ozean - Duluth (Oberer See)	Kanada/USA	1959	3770,0
Sueskanal	Port Said (Mittelmeer) - Suez (Rotes Meer)	Ägypten	1869	162,5

wege. Letztere haben kein natürl. Gefälle; Höhenunterschiede im Gelände werden durch Schleusen oder Schiffshebewerke überwunden, die die K.-Strecke in verschiedenen Höhenlagen halten. Der theoretisch günstigste K.-Querschnitt ist das Muldenprofil; wegen der wirtschaftlicheren Bauausführung wird heute meist ein Querschnitt mit etwa fünf Knickpunkten verwendet. Die K.-Böschungen werden durch Steinschüttung, Pflaster, Betonplatten oder Lebendverbauung geschützt. **Binnenschifffahrts-K.** ergänzen das durch die Flüsse gebildete Wasserstraßennetz (Mittellandkanal, Oder-Spree-K., Elbe-Lübeck-K.). Oft übersteigen sie trennende Wasserscheiden (Main-Donau-K.) oder führen neben schwer befahrbaren oder überlasteten Flussstrecken her **(Seiten-K., Umgehungs-K.)**, oder sie verbinden größere Wirtschaftsgebiete mit Seehäfen. **Seeschifffahrts-K.** verbinden zwei Meere miteinander, entweder in offenem Durchstich (Sues-K.) oder als **Schleusen-K.** (Panama-K., Nord-Ostsee-K.), oder sie dienen als Zugang zu landeinwärts gelegenen Seehäfen (Amsterdamer See-K.).

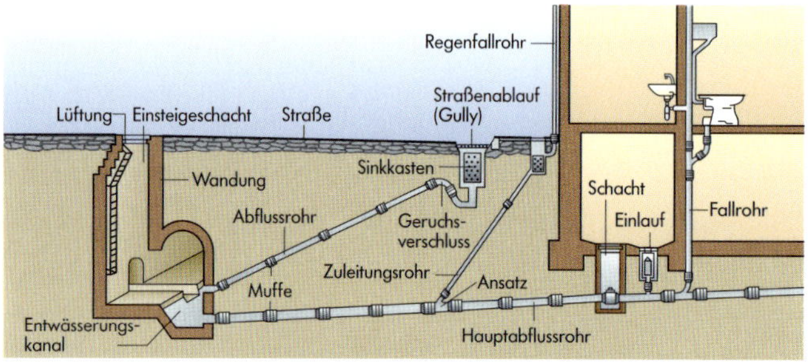

Kanalisation: Schematische Darstellung einer Kanalisationsanlage

Kanal, Der, der →Ärmelkanal.

Kanalinseln (Normannische Inseln, engl. Channel Islands, frz. Îles Normandes), Gruppe von Inseln, Eilanden und Felsen vor der Küste N-Frankreichs im Ärmelkanal, insgesamt 194 km², 148 000 Ew. Zu Frankreich gehören nur die Roches Douvres und die Îles Chausey. Alle anderen Inseln unterstehen der brit. Krone und bilden die Selbstverwaltungsgebiete Jersey und Guernsey. Das Selbstverwaltungsgebiet Jersey besteht aus den Inseln Jersey (116 km²), Les Ecréhou und Les Minquiers, das Selbstverwaltungsgebiet Guernsey aus den Inseln Guernsey (63 km²), Alderney (8 km²), Sark (5 km²; mit zusätzl. Autonomierechten), Brechou, Herm, Jethou und Lihou. Hauptorte sind Saint Hélier auf Jersey und Saint Peter Port auf Guernsey. Amtssprache ist Englisch, auf Jersey Französisch, daneben werden normannofrz. Mundarten gesprochen. Bei mildem Klima wird Gemüse-, Obst- und Gartenbau betrieben; einheim. Rinderrassen liefern hohe Erträge an Milch. Eine wichtige Rolle spielt der Fremdenverkehr. – Die K. gehörten im MA. zur Normandie, sie blieben bei England, als die Normandie 1450 an Frankreich fiel.

Juling, P.: *K. Jersey – Guernsey – Alderney – Sark – Herm. Köln 1994.*

Kanalisation *die,* Anlage zur Sammlung und Abführung von Abwasser, Regen- und Schmelzwasser durch unterird. Kanäle. Abwasser und Niederschlagswasser werden vermischt durch ein einheitl. Kanalsystem abgeführt **(Misch-K.)** oder getrennt **(Trenn-K.)** in eine Kläranlage bzw. ein natürl. Gewässer geleitet. Für das Niederschlagswasser beginnt das Kanalnetz in Regenrohren und Straßenabläufen mit Sinkkästen. Die Ableitung des Schmutzwassers beginnt in den Einrichtungen der Hausentwässerung (Ausguss, Toiletten) und führt über senkrechte **Fallrohre** zur **Grundleitung** unter dem Keller, die i.d.R. durch eine Anschlussleitung mit dem öffentl. Kanalnetz verbunden ist. Die kleinen **Anschlusskanäle** fließen in größeren **Straßenkanälen** zusammen; mehrere Neben- und Hauptsammler münden in einen Hauptkanal **(Endsammler),** der das Wasser der Kläranlage zuführt (→Abwasserreinigung). Der Übertritt von übel riechenden und gesundheitsgefährdenden Gasen aus der K. in die Wohnungen wird durch →Geruchverschlüsse verhindert. – Die größeren Kanäle sind durch **Einstiegsschächte** zugänglich, die in Abständen von 50–80 m angeordnet sind. Unter tief gelegenen Wasserläufen, Untergrundbahnen, Tälern werden die Kanäle durch →Düker geführt. Bei der Kanalreinigung werden Schlammablagerungen durch Stauung des Kanalwassers und anschließender Spülung beseitigt. Zum Absaugen von Schlamm aus Kanälen, Straßensinkkästen und Dükern benutzt man Schlammsaugwagen.

Kanalisierung, 1) unkorrekt für →Stauregelung im Flussbau.

2) *Psychologie:* die Begrenzung und Lenkung der menschl. Antriebe und Bedürfnisse durch die jeweiligen Normen, Sitten und Gebräuche einer Kultur und Gesellschaft.

Kanalstrahlen, positive Ionenstrahlen, die durch eine Bohrung (Kanal) in der Kathode von Niederdruckgasentladungsröhren aus dem Entladungsraum in das dahinter liegende Vakuum austreten. Aus der Analyse der als Ionenquelle dienenden K. hat sich die moderne Massenspektroskopie entwickelt.

Kanaltunnel, →Eurotunnel.

Kanalwähler, kompakte Baugruppe in einem Fernseh- oder UKW-Hörfunkempfänger zur →Abstimmung auf einen der zur Verfügung stehenden Kanäle. (→Tuner)

Kananga (bis 1968 Luluabourg), Hptst. der Region West-Kasai, Demokrat. Rep. Kongo, am mittleren Lulua, 371 900 Ew.; kath. Erzbischofssitz; Regionalmuseum; Handelszentrum (v.a. für Baumwolle); Textil- und Nahrungsmittelindustrie; Straßenknotenpunkt, Flugplatz.

Kanara ['kænərə], Landschaft an der W-Küste Vorderindiens südlich von Goa; Haupthafen ist Mangalore.

Kanaribaum (Canarium), südasiatisch-südafrikan., fiederblättrige Gattung der Balsambaumgewächse, liefert Balsamharz **(Elemi);** einige Arten haben essbare Steinfrüchte oder ölhaltige Samen.

Kanari|engras, ein →Glanzgras.

Kanari|envogel (Serinus canaria), etwa 12 cm langer, zu den Girlitzen gestellter Vogel (Finkenart) auf den Kanar. Inseln, den Azoren und Madeira; lebt gesellig in kleinen Schwärmen; ernährt sich v.a. von Sämereien und Blättern. Er ist leicht zu züchten. Das Weibchen legt 4–5 Eier je Brut (bei domestizierten Formen jährlich 3–4 Bruten). Zuchtformen sind z.B. **Harzer Roller** (einfarbig gelb; guter Sänger), **Roter K.** (orangefarbig), **Hauben-K.** (mit verlängerten Oberkopffedern).

Kanaris, Konstantin, grch. Admiral und Freiheitskämpfer, *auf Psara 1790, †Athen 14. 9. 1877; besiegte in der grch. Erhebung (1821–27) mehrfach die osman. Flotte; war nach 1843 wiederholt Min. und Ministerpräsident.

Kanarische Inseln (Kanaren, span. Islas Canarias), Gruppe von sieben größeren und sechs kleineren Inseln im Atlantik vor der NW-Küste Afrikas, 7 273 km², (1990) 1,48 Mio. Ew.; bilden eine autonome span. Region mit den zwei Provinzen Santa Cruz de Tenerife (Teneriffa, La Palma, Gomera, Hierro) und Las Palmas (Gran Canaria, Lanzarote, Fuerteventura). Die beiden östl. Inseln, Lanzarote und Fuerteventura, sitzen dem afrikan. Festlandsockel auf, die übrigen Inseln erheben sich aus 3 000 m Meerestiefe, die Oberflächenformen sind häufig vom Vulkanismus geprägt. Höchste Erhebung ist der Pico de Teide (3 716 m ü.M.) auf Teneriffa. Das Klima ist ozeanisch-subtropisch, fast dauernd weht der trockene NO-Passat, der nur von kurzen Winterregen unterbrochen wird. Die

Kanarienvogel: Wildform (oben) und domestizierte Form

Kanarische Inseln

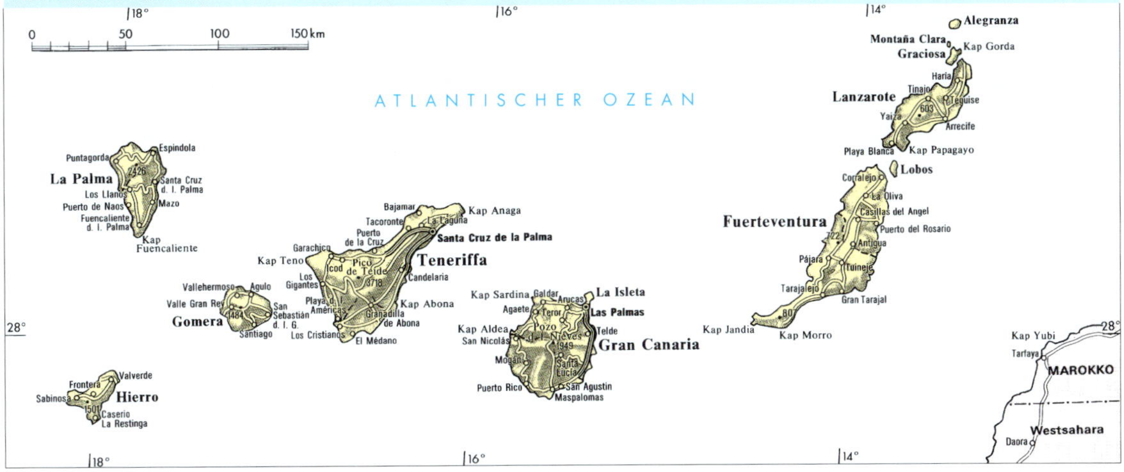

Wassily Kandinsky

K. I. sind dank des beständigen milden Klimas ein begehrtes Reiseziel und in den Weltluftverkehr einbezogen; die Häfen Las Palmas und Santa Cruz de Tenerife sind Stützpunkte der Atlantikschifffahrt. Kulturlandschaft und Städte tragen span. Charakter. Die Urbevölkerung (→Guanchen) ist in der span. Bev. aufgegangen. – Angebaut werden Mais, Gerste, Weizen, Hülsenfrüchte; außerdem Fischfang (bes. Thunfisch). Ausgeführt werden Bananen, Tomaten, Frühkartoffeln, Gemüse, Zwiebeln, Mandeln, ferner Stickereien und Spitzen. Auf Teneriffa arbeiten eine Erdölraffinerie und eine Kunstdüngerfabrik. – Die K. I., den Römern als die »glückl. Inseln« bekannt, wurden im 11. Jh. von den Arabern besucht, im 14./15. Jh. u. a. von Genuesen, Spaniern und Portugiesen. 1478–96 für Spanien erobert, gewannen sie große Bedeutung für die span. Entdeckung und Eroberung Amerikas. 1936 waren die K. I. Ausgangspunkt der militär. Aktionen Francos gegen die span. Republik.

📖 Kunkel, G.: *Die K. I. u. ihre Pflanzenwelt. Stuttgart u. a. [3]1993.* – Rothe, P.: *K. I. Berlin u. a. [2]1996.*

Kanat *der* (Qanat, Foggara, Kares, Faladj), unterird. Stollen, der das Grundwasser unter den Schuttflächen der Gebirge sammelt und zutage leitet. In vielen Oasen der iran. Wüsten und Steppen beruhte die Bewässerungslandwirtschaft auf K., bis sie z. T. durch Grundwasserbrunnen mit Motorpumpen ersetzt wurden.

Kanazawa [-z-], Hptst. der Präfektur Ishikawa, W-Honshū, Japan, 446 300 Ew.; Univ., Hochschule für Medizin, Kunsthochschule, Krebsforschungsinst.; Textilmaschinen-, Seiden- u. a. Ind., Herstellung von Lacken und Porzellan. – Ehem. Burgstadt mit Samuraihäusern aus der Edozeit. Im SW liegt der große Landschaftspark Kenroku-in mit der Residenz des Lokalfürsten.

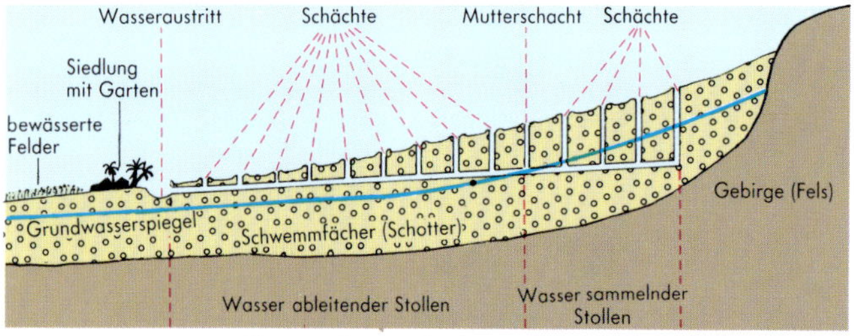

Kanat: schematischer Längsschnitt durch einen Kanat

Kanchipuram [kæn'tʃi:pʊrəm] (bis 1949 Conjeeveram), Stadt im Bundesstaat Tamil Nadu, Indien, 132 000 Ew., eine der hl. Städte des Hinduismus; große Tempelbauten (→indische Kunst); Seidenindustrie.

Kanchou [-tʃ-], früherer Name der chines. Stadt →Zhangye.

Kandahar, Provinz-Hptst. in S-Afghanistan, 1030 m ü. M., am Arghandab, der die Oase von K. bewässert, 191 000 Ew.; Verarbeitung landwirtsch. Produkte; Handelszentrum; Straßenknotenpunkt, internat. Flughafen. – K. wurde durch Kriegseinwirkungen (seit 1979) stark zerstört.

Kandaharrennen [nach dem engl. Stifter eines Wanderpokals, Earl Roberts of Kandahar, *1832, †1914] (Arlberg-Kandahar-Rennen), seit 1928 meist jährlich ausgetragener alpiner Skiwettbewerb, bestehend aus Abfahrtslauf und Slalom (ausschl. Kombinationswertung).

Kandare [von ungar. kantár »Zaum«] *die,* →Zaum.

Kandelaber [zu lat. candela »Kerze«] *der,* mehrarmiger, säulenartiger Ständer für Kerzen, Lampen oder Räucherschalen.

Kandertal, Talschaft der **Kander** im Berner Oberland, Schweiz, die aus dem Kanderfirn an der Blümlisalp entspringt und in den Thuner See mündet. Zentraler Ort ist Frutigen; im oberen K. liegt der Fremdenverkehrsort **Kandersteg** (1176 m ü. M., 960 Ew.) mit Autoverladebahnhof für den Lötschbergtunnel.

Kandidat [lat.] *der,* **1)** *Hochschulwesen:* Abk.: **cand.,** Student nach einer Vorprüfung oder in der Abschlussprüfung.

2) *Politik:* Bewerber um ein Amt oder Mandat (z. B. bei der Wahl von Legislativgremien).

kandieren, *Kochkunst:* Früchte und andere Pflanzenteile (z. B. Wurzeln, Blüten) in konzentrierten Zuckersirup einlegen, damit sie vollständig von Zucker durchdrungen und gleichzeitig mit diesem überzogen werden.

Kandinsky, Wassily, russ. Maler und Grafiker, *Moskau 4. 12. 1866, †Neuilly-sur-Seine 13. 12. 1944; zunächst Ökonom und Jurist; wandte sich erst 1896 der Malerei zu und siedelte nach München über, wo er bei F. von Stuck studierte; erwarb 1909 mit seiner Lebensgefährtin Gabriele Münter ein Haus in Murnau a. Staffelsee. 1911 gründete er mit F. Marc den →Blauen Reiter; 1914–21 wirkte er in Russland; 1922–33 am →Bauhaus in Weimar, Dessau und Berlin, 1924 Mitbegründer der »Blauen Vier« (Feininger, Jawlensky, Klee); 1933 emigrierte K. nach Paris, seine Werke wurden 1937 als »entartet« verfemt; 1939 erhielt er die frz. Staatsbürgerschaft. Sein Frühwerk ist deutlich an russ. Volkskunst und Jugendstil orientiert. 1908/09 gehörte er zu den wichtigsten Expressionisten in Dtl.; 1910 malte er sein erstes abstraktes Aquarell, das die kontinuierl. Entwicklung der abstrakten Malerei einleitete. Die theoret. Grundlegung seiner Kunst erfolgte in »Über das Geistige in der Kunst« (1912). Auf die impulsiven »Improvisationen«, die den unmittelbaren Natureindruck wiedergebenden »Impressionen« und die auf einem

Wassily Kandinsky: Im Blau (1925; Düsseldorf, Kunstsammlung Nordrhein-Westfalen)

farbl. Bezugssystem beruhenden »Kompositionen« folgten zunehmend geometrisch und linear gefestigte Bilder. In seiner Bauhausschrift »Punkt und Linie zur Fläche« (1926) legte er die fundamentale Harmonielehre der abstrakten Malerei dar. Als Grafiker bevorzugte K. zunächst den Holzschnitt, später die Radierung (Zyklen: »Klänge«, 1912; »Kleine Welten«, 1922). Weiteres BILD abstrakte Kunst

📖 KLEINE, G.: *Gabriele Münter u. W. K. Biographie eines Paares. Neuausg. Frankfurt am Main u. a.* *³1996.* – RIEDL, P. A.: *W. K. Reinbek 27.–28. Tsd. 1996.*

Kạndis [italien.] *der* (Kandiszucker, Kandelzucker), bes. grobkristalliner und sehr reiner Zucker; wird durch langsames Auskristallisieren aus Lösungen gewonnen.

Kạndla, Hafenstadt am Golf von Kutch, NW-Indien, 24000 Ew., einer der größten Überseehäfen Indiens; Kunstdüngerfabrik.

Kạ̈ndler, Johann Joachim, Bildhauer, Porzellanmodelleur, *Fischbach (bei Dresden) 15. 6. 1706, †Meißen 18. 5. 1775; seit 1731 Modellmeister der Meißener Porzellanmanufaktur. Seine kraftvoll modellierten Figuren, Tiere und Gruppen wurden für die Porzellanplastik des 18. Jh. vorbildlich.

Kạndrzin [-ʒ-], Stadt in Polen, →Kędzierzyn-Koźle.

Kandschar [türk.], ein Krummschwert, →Handschar.

Kạndschur [tibet. »das übersetzte Wort« (Buddhas)] *der,* eine 689 Einzelwerke umfassende Sammlung hl. Schriften des →Lamaismus; bildet mit dem →Tandschur den buddhist. Kanon Tibets; enthält Texte des →Tipitaka, aber auch Zauberliteratur.

Kandy [ˈkændɪ], Distrikt-Hptst. auf Sri Lanka, 500 m ü. M., im inneren Bergland, 104000 Ew.; Univ., Forschungsinstitute, botan. Garten; Teehandelszentrum; Kunsthandwerk; bed. Fremdenverkehr. Pilgerzentrum zur Verehrung der Zahnreliquie Buddhas im Tempel Dalada Maligava, nahebei der Höhlentempel Degaldoruva (18. Jh.). – Ehem. singhales. Königspalast (16. Jh., 1803 umgestaltet). Die Heilige Stadt wurde von der UNESCO zum Weltkulturerbe erklärt.

Kaneelbaumgewächse (Canellaceae), Pflanzenfamilie in den Tropen und Subtropen Nordamerikas; bekannt v. a. der auf den Westind. Inseln heim. **Zimtrindenbaum** (Canella winterana), dessen weißlich gelbe Rinde (Kaneelrinde) den wie Zimt verwendeten sog. weißen Kaneel (Ceylonzimt) liefert.

Kanellọpulos, Panayotis, grch. Politiker und Soziologe, *Patras 13. 12. 1902, †Athen 11. 9. 1986; mehrmals Min. und MinPräs.; nach dem Militärputsch 1967–74 eine der zentralen Figuren des innergrch. Widerstandes.

Panayotis Kanellopulos

Kạnem-Bọrnu, ehem. afrikan. Reiche im Gebiet des Tschadsees. – Im 8. Jh. gründeten die Kanembu unter der Dynastie Saif (bis 1846) nördlich des Tschadsees das Reich **Kanem** (im 11. Jh. islamisiert). Um 1390 verlagerten die Saifherrscher ihr Reich nach **Bornu,** westlich des Tschadsees. Nach einer Blütezeit im 16. Jh. zerfiel Bornu Ende des 19. Jh. unter dem Druck der Fulbe. Nach 1900 kam der größere Teil Bornus an die brit. Kolonie Nigeria, Kanem wurde dem frz. Kolonialreich eingegliedert.

Kạnevas, →Canevas.

Kangchendzọnga [-tʃen-, tibet.] (Kangchenjunga), dritthöchster Berg der Erde, im Himalaja, an der Grenze zw. Nepal und Indien (Sikkim), 8586 m ü. M.; Erstbesteigung 1955 durch eine britisch-neuseeländ. Expedition unter C. Evans.

Johann Joachim Kändler: »Scaramuz und Colombine« (nach 1741; Berlin, Kunstgewerbemuseum)

Kanggye [kaŋgje], Provinz-Hptst. im nördl. Nordkorea, 130000 Ew.; Hochschule für Veterinärmedizin; Metall verarbeitende, chem., keram., Holzind.; nahebei Kupfer- und Zinkerz-, Kohle- und Graphitabbau.

Kạ̈ngururatten, →Taschenspringer.

Kạ̈ngurus [austral.] (Macropodidae), Familie der Beuteltiere, 25–165 cm körperlang, mit langen Hinterbeinen (Fortbewegung überwiegend auf den Hinterbeinen hüpfend) und kräftigem Stützschwanz, schwachen Vorderbeinen und kleinem

Kaninchen (von links): Deutscher Widder und Angorakaninchen

Kopf; Pflanzenfresser, hauptsächlich in den Grassteppen Australiens. Nach kurzer Tragezeit (30–40 Tage) wird i. d. R. nur ein etwa daumengroßes Junges geboren, das selbstständig in den Beutel der Mutter kriecht und sich an einer Zitze festsaugt; nach mehreren Monaten verlässt es den Beutel. Wichtige Gattungen sind: **Fels-K.** (Petrogale), **Baum-K.** (Dendrolagus), **Wallabys** (Wallabia), **Riesen-K.** (Macropus).

Kanịkolafieber [lat. canicola »Hündchen«] (Canicolafieber, Stuttgarter Hundeseuche), durch Leptospiren (Leptospira canicola) hervorgerufene, durch Hunde übertragbare Infektionskrankheit; verläuft beim Menschen gutartig. Symptome sind Fieber mit Nackensteifigkeit, Kopfschmerzen.

Kanịn, Halbinsel im N des europ. Teils von Russland, zw. Weißem Meer und Tschoschabucht der Barentssee, rd. 10 500 km^2, bis 242 m ü. M. **(K.-Berge);** Torfmoostundra, im Sommer Rentierweide.

Kaninchen

Warum putzen sich Kaninchen ständig die Ohren?

Beim Putzen fahren sich die Kaninchen mit ihren Pfoten immer wieder über ihre Ohren. Dabei streifen sie ein sich an den Ohren bildendes Öl ab, das sie dann beim Pfötchenlecken aufnehmen. Das Öl ist von großer Bedeutung für die Bildung von Vitamin D, das wiederum das Knochenwachstum fördert. Würden sich Kaninchen nicht so ordentlich die Ohren säubern, wären sie rachitisch.

Kanịnchen (Karnickel), zusammenfassende Bez. für die Wild-K. und die aus diesen gezüchteten K.-Rassen. Die Gattung Wild-K. (Oryctolagus) hat nur eine Art, das **Europ. Wild-K.** (Oryctolagus cuniculus); urspr. in SW-Europa heimisch, heute über weite Teile Europas verbreitet und in Australien, Neuseeland und Chile eingebürgert; Körperlänge 35–45 cm, oberseits graubraun, unterseits weißlich. Es ist die Stammform der gegenwärtig mehr als 80 eigenständigen K.-Rassen, die Fleisch und Pelzwaren (Kanin) liefern. Die Felle werden auf Haarlänge von 1,5–2 cm gekürzt, oft gefärbt und veredelt (z. B. zu Nerz-, Zobel-, Großkatzenimitationen). Die Haare liefern Filz, Wolle, die Haut sehr weiches Leder. Man unterscheidet große, mittelgroße, kleine und Zwergrassen sowie Lang- und Kurzhaarrassen. Zu den **großen Rassen** zählen u. a.: Belg. Riesen, Dt. Riesen, ferner die Dt. Riesenschecken und die Dt. Widder. Zu den **mittelgroßen Rassen** gehören u. a.: Dt. Großsilber, Alaska-K., Weiße Wiener, Großchinchilla, Havanna-K. Bei den **kleinen Rassen** findet man: Englische Schecken, Holländer, Kleinsilber, Loh-K. und Russen-K. (Himalaja-K.). Zu den **Zwergrassen** (Zwerg-K., Zwerghasen) gehören u. a. die albinotisch weißen Hermelin-K. Die **Langhaarrassen** werden hauptsächlich durch die mittelgroßen Angora-K. vertreten; sie liefern die Angorawolle; Schur alle drei Monate. Die **Kurzhaarrassen** werden durch die mittelschweren Rex-K. (Behaarung z. T. samtartig, auch leicht gekräuselt) repräsentiert.

Kạnisch (Kanesch, Kanis), antike Stadt in Anatolien, heute der Ruinenhügel **Kültepe,** 21 km nordöstlich von Kayseri, Türkei. Ausgrabungen erbrachten den Nachweis einer Besiedlung von der frühen Bronzezeit bis zur Römerzeit. Bed. sind v. a. die zahlr. Keilschriftfunde aus dem 2. Jt. v. Chr., die einen intensiven Handelsverkehr zw. dem von den Hethitern bewohnten Land und assyr. Handelskolonien belegen, sowie Funde kappadok. Keramik (v. a. des 18. und des 10. Jh. v. Chr.); ferner zahlr. Siegelfunde.

Kankan [frz. kã'kã], Provinz-Hptst. in der Rep. Guinea, am bei Hochwasser ab K. schiffbaren Milo, 70 000 Ew.; Verw.- und Handelszentrum der Region Oberguinea; PH, Versuchsanstalt für Reisbau; Reismühle, Holzverarbeitung, Motoren- und Maschinenmontage; Endpunkt der Bahn von Conakry.

Kạnker, → Weberknechte.

Kankiang, Fluss in China, → Gan Jiang.

Kannenbäckerland [nach den hier hergestellten Tonkannen], Landschaft im SW des Westerwaldes, Rheinl.-Pf., bed. Steinzeugindustrie; Mittelpunkt ist → Höhr-Grenzhausen.

Kannenpflanze (Nepenthes), einzige Gattung der zweikeimblättrigen Pflanzenfamilie **Kannenstrauchgewächse,** v.a. im trop. Asien und in Australien; Fleisch fressende, kletternde, teilweise epiphyt. Sträucher, häufig mit Blattranken; Blätter (ausgewachsen) meist kannenförmig. In der Kanne befindet sich eine von Drüsen ausgeschiedene, wässrige Flüssigkeit (enthält v.a. Eiweiß spaltende Enzyme), in der die in die Kanne geglittenen Tiere ertrinken und zersetzt werden. K. werden in vielen Hybriden (z.B. Nepenthes-mixta-Hybride) als Zierpflanzen kultiviert.

Kannibalismus *der,* **1)** (Anthropophagie) der Verzehr von Menschenfleisch durch Menschen. K. zu Nahrungszwecken **(profaner K.)** ist nur von wenigen Reisenden und Forschern beschrieben worden (so aus dem Caucatal, Südamerika); für Notsituationen **(Überlebens-K.)** ist er für eine Reihe von Fällen belegt. Der **rituelle K.** ist bis in die Gegenwart (W-Neuguinea) vorgekommen und oft beschrieben worden, so in Südamerika, Afrika und Ozeanien. Dabei handelt es sich i.d.R. um einen Bestattungsritus: das zeremonielle Trinken der speziell zubereiteten Knochenasche oder der Verzehr des Leichnams eines Angehörigen **(Endo-K.).** Ein Sonderfall ist der **symbol. K.,** der kannibal. Praktiken nur vorgibt (Biss in das Herz eines Geopferten, Altmexiko).

2) *Zoologie:* An- oder Auffressen von Artgenossen, meist infolge zu hoher Populationsdichte, die Aggressivität erzeugt, z.B. in Ställen.

Kano, Hptst. des Bundesstaates K., N-Nigeria, 625 500 Ew.; Wirtschafts- und Kulturzentrum der Hausa; Sitz eines Emirs; Univ. (gegr. 1977), PH; Zentrum eines Viehzucht-, Baumwoll- und Erdnussanbaugebietes mit Verarbeitung von Fleisch, Erdnüssen, Leder; Textilind., Brauerei, Zementfabrik, Montagewerk für Lastkraftwagen und Traktoren; internat. Flughafen. – Die Altstadt mit dem Palast des Emirs (15. Jh.) vermittelt ein geschlossenes Stadtbild in sudan. Lehmbauweise; 18 km lange Lehmmauer mit 15 Toren.

Kannenpflanze: Kannen einer Nepenthes-mixta-Hybride; die bis zu 30 cm langen Kannen öffnen sich erst, wenn das Drüsengewebe vollständig ausgebildet ist

Alexander Kanoldt: Stillleben mit Gitarre (1926; Stuttgart, Staatsgalerie)

Kanō, japan. Malerschule der weit verzweigten Familie K., die bes. vom 16. Jh. bis Ende des 19. Jh. einflussreich war. Die K.-Schule wurde von K. Masanobu (* 1434, † 1530) gegründet; größter Meister war sein Sohn K. Motonobu (* 1476, † 1559), der die chines. Tuschmalerei ins Großflächig-Dekorative übersetzte und damit den charakterist. **K.-Stil** schuf. Weitere Vertreter sind Eitoku (* 1543, † 1590), Sanraku (* 1559, † 1635) und Tanyū (* 1602, † 1674).

Kanoldt, Alexander, Maler und Grafiker, * Karlsruhe 29. 9. 1881, † Berlin 24. 1. 1939; Mitbegründer der Neuen Sezession in München, Hauptvertreter der Neuen Sachlichkeit; malte in einem farbenprächtigen, plast. Stil.

Kanon [grch.-lat. »Regel«, »Norm«, »Richtschnur«] *der,* **1)** *allg.:* Richtschnur, Leitfaden.

2) *Architektur* und *bildende Kunst:* die auf Polyklet zurückgehende Regel für die ideale Proportionierung des menschl. Körpers; grundlegend für Antike und Renaissance (Leonardo da Vinci, A. Dürer).

3) *Musik:* auf dem Prinzip der Imitation beruhende kontrapunkt. Form, bei der zwei oder mehr Vokal- oder Instrumentalstimmen nacheinander in bestimmtem Abstand einsetzen und die gleiche Melodie singen oder spielen, sodass aus der einen Melodie ein mehrstimmiger Satz entsteht. Bei der einfachen Form des K., dem **Zirkel-K. (Kreis-K.),** läuft der Schluss wieder in den Anfang zurück, sodass das Stück beliebig oft wiederholt

Kanopen 1): Eingeweidekrüge aus Ägypten mit Deckeln, die vier Schutzgötter darstellen (um 600 v. Chr.; Hildesheim, Roemer- und Pelizaeus-Museum)

werden kann. Beim K. in der Prime fängt die nachahmende Stimme die Melodie mit dem gleichen Ton an wie die erste Stimme, beim K. in der Oktave sieben Töne höher oder tiefer usw. Der drei- und mehrstimmige K. verbindet oft mehrere dieser Arten. Der **Doppel-K.** verbindet zwei selbstständige K., der **Tripel-K.** drei.

4) *Religionen* und *Kirche:* a) in den Religionen die endgültig festgelegte Samml. der für den Glauben maßgebenden und verbindl. hl. Schriften; b) in der kath. Kirche das amtl. Verzeichnis ihrer Heiligen; c) in der Liturgie das eucharist. Hochgebet als feststehender Teil der röm. Messe; d) im kath. Kirchenrecht Bez. der Konzilsbeschlüsse und definierten Glaubenssätze; heute v.a. der kirchenrechtl. Einzelvorschriften.

Kanone [italien., von lat. canna »Rohr«] *die,* Flachfeuergeschütz; urspr. svw. →Geschütze.

Kanonenboot, kleines Kriegsschiff.

Kanonier *der,* in der Bundeswehr unterster Mannschaftsdienstgrad bei der Artillerie- und Heeresflugabwehrtruppe.

Kanoniker *der* (Chorherr), Mitgl. eines Dom- oder Stiftskapitels oder eines Ordens regulierter Chorherren.

Kanonisation *die,* →Heiligsprechung.

kanonisch [lat., zu Kanon], **1)** *Physik:* Bez. für nach einer festen Regel gebildete Größen, Operationen u.a., die für die Beschreibung eines physikal. Vorgangs am besten geeignet sind.

2) *Religionen:* dem →Kanon gemäß.

kanonisches Recht, →Kirchenrecht.

Kanonisse *die,* 1) die ohne lebenslängl. Gelübde in religiöser Gemeinschaft lebende Frau; 2) (Chorfrau) weibl. Mitgl. der Kanonikerorden.

Hermann Kant

Kanopen [grch.-ägypt.], **1)** altägypt. Gefäße, in denen die Eingeweide Verstorbener gesondert beigesetzt wurden; seit dem Neuen Reich (1552–1070 v. Chr.) bildeten die Köpfe der vier Schutzgötter (vier Horussöhne), denen die K. unterstellt wurden, den Deckel.

2) etrusk. Aschenurnen aus Ton oder Bronze; Deckel häufig in Kopfform.

Känophytikum [grch.] *das* (Neophytikum), *Geologie:* die Neuzeit der erdgeschichtl. Pflanzenentwicklung, seit der oberen Unterkreide; Erscheinen der Angiospermen (Bedecktsamige).

Kanovitz ['kænəvɪts], Howard, amerikan. Maler und Grafiker, *Fall River (Mass.) 9. 2. 1929; Vertreter des Fotorealismus, komponiert unter Benutzung fotograf. Vorlagen Bilder mit Gegenständen und Figuren, die sich versch. Realitätsebenen zw. Illusion und Wirklichkeit zuordnen lassen.

Känozoikum [grch.] *das* (Neozoikum, Erdneuzeit), jüngste, bis in die Gegenwart reichende erdgeschichtl. Ära, gegliedert in das Tertiär und das aus Pleistozän und Holozän bestehende Quartär.

Kanpur (früher Cawnpore), Stadt im Bundesstaat Uttar Pradesh, N-Indien, am Ganges, 1,96 Mio. Ew.; Univ., TU, zoolog. Garten; wichtiges Industriezentrum.

Kansas ['kænzəs], Abk. **Kans.,** Staat im geograph. Mittelpunkt der USA, 213 098 km^2, (1995) 2,57 Mio. Ew.; Hptst. ist Topeka. K. liegt in der flachwelligen Tafellandschaft der Great Plains und hatte vor der Kultivierung Steppenvegetation; das Klima ist kontinental mit wenig Niederschlägen; Blizzards und Tornados treten häufig auf. Größte Städte sind Wichita und Kansas City. Weizenanbau und Rinderhaltung; bed. Industrie, u.a. Flugzeugbau, Heliumproduktion; an Bodenschätzen werden Erdöl und Erdgas, Blei- und Zinkerz gewonnen. – K. bildete einen Teil des frz. Louisiana, kam mit diesem 1763 an Spanien, 1803 an die USA, 1861 wurde es der 34. Staat der Union.

Kanopen 2): Die 60 cm hohe Aschenurne aus Terrakotta stammt aus Chiusi in der Toskana (6. Jh. v. Chr.; Kopenhagen, Ny Carlsberg Glyptotek)

Kansas City ['kænzəs 'sɪtɪ], **1)** Metropolitan Area in den USA, an der Mündung des Kansas River in den Missouri, 1,65 Mio. Ew.; dazu gehören K. C. 2) und K. C. 3).

2) Stadt in Kansas, USA, Teil von K. C. 1), 150 000 Ew., kath. Erzbischofssitz; Schwerind. und Fleischverarbeitung.

3) Stadt in Missouri, USA, Teil von K. C. 1), 443 900 Ew., Univ., Kunstmuseum; Handelszentrum des landwirtsch. Umlands mit vielseitiger Ind. (Lebensmittel, Kraftfahrzeuge, Papier, Maschinen, Chemikalien u. a.).

Kansas River ['kænzəs 'rɪvə], rechter Nebenfluss des Missouri in den USA, 274 km lang, entsteht durch den Zusammenfluss von Smoky Hill River (900 km) und Republican River (679 km); mündet in der Metropolitan Area Kansas City.

Kạnsk, Stadt in Russland, am Mittellauf des Kan östlich von Krasnojarsk, 110 000 Ew.; Industriestadt (Baumwoll-, Maschinenbauind.) an der Transsibir. Eisenbahn. Nahebei Braunkohlenbecken **K.-Atschinsk.**

Kansu, Provinz im NW Chinas, → Gansu.

Kạnt, 1) Hermann, Schriftsteller, * Hamburg 14. 6. 1926; 1978–89 Präs. des Schriftstellerverbandes der DDR (unter seinem Vorsitz wurden etliche systemkrit. Autoren aus dem Schriftstellerverband ausgeschlossen); 1986–89 Mitgl. des ZK der SED; schrieb Erzählungen, u. a. »Bronzezeit« (1986) sowie die Romane »Die Aula« (1965), »Das Impressum« (1972) und »Kormoran« (1994). 1991 veröffentlichte K. seine Autobiographie »Abspann«.

2) Immanuel, Philosoph, * Königsberg (Pr) 22. 4. 1724, † ebd. 12. 2. 1804; aus pietist. Elternhaus; seit 1770 Prof. für Logik und Metaphysik in Königsberg (Pr). – K.s Philosophie bedeutet Abschluss und Überwindung des Aufklärungszeitalters (→ Aufklärung), zugleich den Ausgangspunkt für viele neuere philosoph. Richtungen (→ deutsche Philosophie). Zunächst (»vorkrit. Zeit«) gelangte K. in seinen an I. Newton orientierten Schriften zu Mathematik, Physik und Kosmologie (»Allg. Naturgesch. und Theorie des Himmels...«, 1755) zu einer Theorie der Entstehung astronom. Systeme (→ Kant-Laplace-Theorie) sowie zu einer neuen Definition des Wesens der Materie als »Kraft« (Energie). Philosophisch stand er anfangs in der Tradition des Rationalismus (G. W. Leibniz, C. Wolff), wählte jedoch unter dem Einfluss des engl. Empirismus (D. Hume) eine Neuorientierung, die in die krit. Philosophie mündete. Seine seit der »Kritik der reinen Vernunft« (1781) entwickelte Lehre (»Kritizismus«) versucht, entgegen den Ansprüchen des (zur Skepsis führenden) Empirismus und des dogmat. Rationalismus, durch eine krit. Prüfung der Verstandeskräfte die Quellen und Grenzen der Erkenntnis zu bestimmen. Dabei kam K. zu dem Ergebnis, dass alles allgemein gültige Erkennen abhängig sei von den dem Menschen eigenen Erkenntnisformen: den reinen Verstandesbegriffen (den Kategorien; z. B. Substanz und Kausalität) und den Anschauungsformen (Zeit und Raum). Diese Formen liegen erkenntnislogisch vor der Erfahrung (sind apriorisch) und machen diese erst möglich, indem mit ihrer Hilfe die Vielfalt der Sinneseindrücke zur Einheit der Gegenstandserkenntnis geordnet wird. K. nennt sie als bewusstseinsimmanente Erkenntnisbedingungen transzendental. K.s Lehre bedeutet eine Eingrenzung der menschl. Erkenntnis, die nach K. niemals das »Ding an sich«, sondern nur die »Erscheinungen« erfassen kann. In der Sittenlehre (Hauptwerk: »Kritik der prakt. Vernunft«, 1788) stellte er ein oberstes und allg. Sittengesetz auf, das die Pflichterfüllung in den Mittelpunkt der sittl. Wertordnung stellt **(kategor. Imperativ)** und verbietet, den Menschen nur als Mittel zu benutzen (»Grundlegung zur Metaphysik der Sitten«, 1785). Die Ideen »Gott«, »Freiheit« und »Unsterblichkeit« sind für K. nicht Verstandesbegriffe, sondern letzte Forderungen (Postulate) der Vernunft,

Immanuel Kant: Gemälde des zeitgenössischen Malers Gottlieb Doebler (1791; Königsberg, Totenkopfloge), darunter Autogramm

die für die Bildung von Erfahrung aber nur »regulative« Bedeutung haben. Wenn sie auch nicht theoret. erkennbar sind, muss ihre Realität doch angenommen werden, da sie Bedingungen sittl. Handelns sind. Grundlegend wurden auch seine Untersuchungen zur Ästhetik und zum Zweckbegriff (»Kritik der Urtheilskraft«, 1790). In seinem staatsphilosoph. Denken trat er für einen Rechtsstaat in republikan. Sinn, für Weltbürgerrecht und den »Ewigen Frieden« ein. – Die nachkant. Philosophie versuchte, die Lehren K.s zu einem einheitl. System zusammenzufassen (→ deutscher Idealismus, → Neukantianismus) oder im Sinne des Empirismus zu überwinden (→ Positivismus).

📖 Schultz, Uwe: *I. K. Reinbek 109.–111. Tsd. 1995.* – Baumgartner, H. M.: *K.s »Kritik der reinen Vernunft«. Freiburg u. a. ⁴1996.* – Höffe, O.: *I. K. München ⁴1996.*

Kantabrisches Gebirge: Gebirgsketten im Bereich der Picos de Europa

Kantabri|en, autonome Region in N-Spanien, entspricht der gleichnamigen Provinz, 5321 km², (1991) 527300 Ew.; Hptst.: Santander. K. umfasst überwiegend den Mittelteil des Kantabr. Gebirges; der atlant. Küstensaum (Costa Verde) hat viele kleine Buchten und Nehrungsbögen mit Sandstränden (Badeorte).

Kantabrisches Gebirge, westl. Fortsetzung der Pyrenäen entlang der span. Nordküste, im Zentralteil, den Picos de Europa, 2648 m ü. M.; Eisen-, Blei-, Mangan-, Zinkerzlager, Kohle- und Kalisalzlager.

Kantharos (um 470 v. Chr.; Boston, Mass., Museum of Fine Arts)

Kantate [italien. »Singstück«] *die,* Vokalkomposition mit Instrumentalbegleitung; entstanden um 1600 in Italien als mehrteiliges, generalbassbegleitetes Sologesangsstück mit Rezitativ und Arie. Während hier der Schwerpunkt auf der weltl. K. **(Kammer-K.)** lag, wurde in Dtl. die K. Ende des 17. Jh. zu einer Hauptform der evang. Kirchenmusik **(Kirchen-K.),** bei der ein Chorsatz dem Wechsel von Rezitativ und Arie vorangestellt ist und ein mehrstimmiger Choral den Abschluss bildet. J. S. Bach gilt der als der bedeutendste Meister der K., neben ihm sind G. Böhm, J. P. Krieger, G. F. Händel, G. P. Telemann und J. C. Graupner bed. Vertreter der Gattung. Dem Niedergang der Form im ausgehenden 18. und im 19. Jh. folgte im 20. Jh. eine Wiederbelebung. Im Rahmen der →Gebrauchsmusik entstand die bes. für das gemeinschaftl. Musizieren bestimmte K. (P. Höffer, P. Hindemith). In der Neuen Musik spielt die K. als Ausdrucksform religiöser, philosoph. oder polit. Inhalte eine wichtige Rolle (H. Eisler, A. Webern, P. Boulez, D. Milhaud, L. Nono, H. W. Henze).

Manfred Kanther

Kantate [lat. »singet!«, Anfangswort des 98. Psalms], im Kirchenjahr der vierte Sonntag nach Ostern.

Kantele [finn.] *die,* finn. Nationalinstrument, eine Zither in Flügelform mit urspr. fünf, heute bis zu 30 Saiten.

Kantharide [grch.] *der,* →Spanische Fliege.

Kantharos [grch.] *der,* Becher mit zwei hochgezogenen Henkeln; seit dem 6. Jh. in Griechenland bekannt.

Kanther, Manfred, Politiker, *Schweidnitz (heute Świdnica) 26. 5. 1939; in Hessen 1974–93 MdL, dort auch 1987–91 Finanzmin. und 1991–93 Landesvors. der CDU, wurde im Juli 1993 Bundesinnenminister.

Kantilene [italien.] *die,* sanglich geführte, lyr. Melodie (vokal oder instrumental), meist in getragenem Zeitmaß.

Kantional [von lat. cantio »Gesang«] *das,* eine Samml. meist vierstimmiger Bearbeitungen von geistl. Liedern und Chorälen im einfachen, akkordisch-homophonen Satz (K.-Satz) mit melodieführender Oberstimme.

Kant-Laplace-Theorie [-la'plas-], zusammenfassende Bez. für zwei versch. Theorien zur Entstehung des Sonnensystems. Nach der **Nebularhypothese** von I. Kant (1755) hat sich die hochverdünnte Materie kosm. Gaswolken durch Gravitation gleichzeitig zu Sonne und Planeten verdichtet. Nach der **Rotationshypothese** von P. S. Laplace (1796) wurden aus der zuerst entstandenen Sonne durch schnelle Rotation Gasmassen herausgeschleudert, die zu Planeten kondensierten.

Kanton [frz.] *der,* **1)** Gliedstaat der Schweiz.

2) (frz. Canton) Verwaltungsbezirk, Unterabteilung des Arrondissements in Frankreich und des Distrikts in Belgien.

Kanton (Canton, chines. Guangzhou), Hptst. der chines. Provinz Guangdong an der Mündung des Perlflusses, 150 km vom offenen Meer, 2,91 Mio. Ew.; zwei Univ., TU, Fachhochschulen, Museen, Forschungsinst.; traditionelles Handelszentrum (Frühjahrs- und Herbstmesse). Schiffbau, Stahl-, Maschinen-, chem., pharmazeut., Zement-, Textil-, Papier-, Nahrungsmittel-, Genussmittelind.; Eisenbahnanschluss nach Peking und Hongkong, internat. Flughafen. Seehafen ist **Huangpu** (Whampoa) 20 km unterhalb von K. am Perlfluss. – Histor. Bauwerke sind u. a. der Tempel Guangxiao (gegr. 4. Jh.), die Tempelanlage »Von den sechs Banyanbäumen« (479) mit der oktogonalen, neunstöckigen »Geschmückten Pagode« (537, mehrfach zerstört und wieder aufgebaut), die Moschee Huaisheng (627). An die jüngste Geschichte erinnern das »Grabmal der 72 Märtyrer« (1918) und die Sun-Yatsen-Gedächtnishalle (1925). – K. war schon während der Tang-Dynastie (618–907) ein wichtiger Überseehandelsplatz; 1517 erster Kontakt mit Europäern (Portugiesen). Von der 2. Hälfte des 18. Jh. bis 1842 (Ende des Opiumkrieges) einziger Außenhandelsplatz Chinas. 1924 erster Nationalkongress der Kuomintang; an der Militärakademie Huangpu wirkten viele spätere Führer Chinas; 1938–45 von Japan besetzt.

Kantonfluss, Fluss in China, → Perlfluss.

Kantonsrat, schweizer. Kantonsparlament in Kantonen, die keine Landsgemeinde haben.

Kantor [lat. »Sänger«] *der,* Vorsänger bei der Liturgie; Leiter des Kirchenchors und Organist bei evang. Gemeinden; in kleineren Orten früher zugleich Lehrer. In den Lateinschulen des 16. Jh. war der K. dem Direktor nachgeordnet; bed. war das Amt des Leipziger Thomaskantors, das u. a. J. S. Bach verwaltete. – **Kantorei,** Chorgemeinschaft für Kirchenmusik.

Kantor, Maxim, russ. Maler, *Moskau 22. 12. 1957; seine expressiv-figurative Malerei beschäftigt sich mit dem russ. Alltag und stellt bedrückende Szenen und Orte dar.

Kantorowicz [-vitʃ], Alfred, Schriftsteller und Literarhistoriker, *Berlin 12. 8. 1899, †Hamburg 27. 3. 1979; schloss sich 1931 der KPD an, emigrierte 1933 nach Frankreich; 1936–38 Offizier im Span. Bürgerkrieg, seit 1946 in Berlin (Ost), übersiedelte 1957 in die Bundesrep. Dtl.; Verdienste als Hg. der Werke H. Manns und als Erforscher der Exilliteratur; schrieb u. a. »Dt. Tagebuch« (2 Bde., 1959–61), »Exil in Frankreich« (1971).

Maxim Kantor: »Morgenrundgang« (1985; Emden, Kunsthalle)

Kanton: Blick über den Perlfluss auf die Stadt

Kantorowitsch, Leonid Witaljewitsch, russ. Mathematiker und Wirtschaftswissenschaftler, *Sankt Petersburg 19. 1. 1912, †Moskau 7. 4. 1986; entwickelte die Grundlagen der linearen Optimierung und leistete einen wesentl. Beitrag zur Theorie der optimalen Allokation von Ressourcen. Dafür erhielt K. 1975 mit T. C. Koopmans den Nobelpreis für Wirtschaftswissenschaften.

Kantscheli, Gija, georg. Komponist, *Tiflis 10. 8. 1935; trat bes. mit Sinfonien hervor, schrieb u. a. die Oper »Musik für die Lebenden« (1983) sowie zahlr. Bühnen- und Filmmusiken.

Kanu [auch ka'nu:; von karib. can(a)oa »Baumkahn«] *das,* urspr. ein leichtes, kielloses Boot der Indianer, aus Baumrinde oder Tierhäuten hergestellt, die über einen Holzrahmen gespannt wurden; heute Bez. für alle mit Paddeln gefahrenen Sportboote. (→ Kanusport)

Alfred Kantorowicz

Kanüle [frz.] *die,* 1) Hohlnadel unterschiedl. Stärke **(Injektions-K.)** mit Ansatz für Injektionsspritzen; 2) Röhrchen zum Lufteintritt in die Luftröhre nach Luftröhrenschnitt **(Trachealkanüle).**

Kanuri (Hausaname Beriberi), zentralsudanes. Volk mit starkem Berbereinschlag, südwestlich des Tschadsees, seit dem 11. Jh. Muslime; Staatsvolk des alten Reichs Bornu (→ Kanem-Bornu), heute etwa 2 Mio. in NO-Nigeria (Gliedstaat Borno).

Leonid Kantorowitsch

Kanusport, Sammelbegriff für sportl. Betätigung in Kajaks und Kanadiern, u. a. als Kanurennsport, Kanuslalom und Wildwasserrennsport. – Im **Kanurennsport** werden Geschwindigkeitswettbewerbe auf stehenden Gewässern in versch. Bootsklassen ausgetragen. Männer: Einerkajak, Zweierkajak, Viererkajak, Einerkanadier, Zweierkanadier, Viererkanadier über jeweils 200, 500, 1000 und 10000 m (außer Viererkajak); Frauen: Einerkajak, Zweierkajak und Viererkajak jeweils über 200, 500, 1000 (außer Viererkajak) und

6000 m. **Kanuslalom** erfolgt (ebenso der Wildwasserrennsport) im Einerkajak, Männer und Mix auch in Einer- und Zweierkanadiern. Es wird eine bis zu 600 m lange, mit natürl. und künstl. Hindernissen und mit bis zu 25 Wertungsstellen (Tore) ausgestattete Strecke in stark fließendem Gewässer benutzt. Jeder Wettkampf wird in zwei Läufen gefahren. **Wildwasserrennen** werden auf Flüssen mit natürl. und/oder künstl. Hindernissen ausgetragen; die Streckenlänge variiert von 500 bis 1000 m (Sprint) bis zu Fahrzeiten von 45 Minuten (klass. Abfahrt). – Als dt. Zusammenschluss besteht der Dt. Kanu-Verband e.V.

Kanu

Der französische Franziskaner de Galinée schildert die Vorzüge des Kanus als Verkehrsmittel in den Weiten Amerikas (1669):

»Diese Kanus sind sehr bequem hier auf diesen Flüssen, die voller Katarakte oder Wasserfälle und Stromschnellen sind, an denen man mit keinem Fahrzeug vorbeikommt. Wenn man [auf ein solches Hindernis] stößt, lädt man sich Kanu und Gepäck auf die Schultern und geht so weit über Land, bis das Wasser wieder gut befahrbar ist. Dann lässt man das Kanu zu Wasser und fährt weiter. ... Und ich kenne kein Werk der Wilden, das meiner Meinung nach die Aufmerksamkeit der Europäer so stark verdient wie ihre Kanus und die Schneeschuhe, mit denen sie über den Schnee laufen. Es gibt überhaupt kein besseres und schnelleres Fahrzeug als das Kanu; denn vier gute Kanufahrer brauchen keine Scheu davor zu haben, es mit ihrem Kanu gegen acht bis zehn Ruderer in der schnellsten Schaluppe, die sich finden lässt, aufzunehmen.«

Kanzel *die,* **1)** *Baukunst:* der erhöhte Standort für die Predigt, von einer Brüstung umgeben und über eine Treppe erreichbar, ben. nach den »cancelli«, den Chorschranken der frühchristl. Kirche, mit denen der →Ambo verbunden war. Die K. fanden seit dem 12./13 Jh., v.a. unter dem Einfluss der Bettelorden, an den Langhauspfeilern ihren Platz. In Italien seit der Spätgotik v.a. im Norden mit reichem Reliefschmuck ausgestattet. Außen-K. wurden v.a. an Wallfahrtskirchen angebracht.

2) *Flugzeug:* ältere Bez. für den Pilotenraum **(Piloten-K.)**, speziell für den vorspringenden und verglasten Rumpfbug mehrmotoriger Flugzeuge, v.a. der Bomber der 1930er- und 1940er-Jahre.

kanzerogen [lat.-grch.], →karzinogen.

Kanzlei [von lat. cancelli »Schranken« (die den Amtsraum abtrennten)] *die,* **1)** die Geschäftsräume eines Rechtsanwalts, Notars, Steuerberaters.

2) Behörde eines Fürsten oder einer Stadt, der die Ausfertigung der Urkunden und die Durchführung des Schriftverkehrs oblagen. In den Fürstenstaaten wurde seit dem Spät-MA. die K. die wichtigste Fachbehörde, der Kanzler zum ersten juristisch gebildeten Fachbeamten.

Kanzleisprachen, Formen der dt. Sprache in der öffentl. Verwaltung, seit dem 13. Jh. bes. in Urkunden und Rechtsvorschriften belegt. Die K. hatte maßgebl. Einfluss auf das Mitteldeutsche, das zur Grundlage der dt. Schriftsprache wurde.

Kanzler [lat.], **1)** *Geschichte:* hoher Beamter, der v.a. für die Ausfertigung von Staatsurkunden zuständig war. Die Bez. ist seit dem 4. Jh. belegt. Zur organisator. Einrichtung des Amtes kam es 953 durch Kaiser Otto I.: bis 1559 oblag dem K. die Leitung der Reichskanzlei. Bis 1806 war **Erzkanzler** eines der →Erzämter. Auch die landesherrl. Kanzleien wurden von einem K. geführt. In Frankreich war der Leiter der königl. Kanzlei der **Chancelier,** in England bzw. Großbritannien entwickelten sich aus dem Amt des K. die Ämter des **Lord High Chancellor** und des **Chancellor of the Exchequer.** In Preußen war 1747–1810 **Groß-K.** der Titel des Leiters der Justizverw., **Staats-K.** der Titel Hardenbergs seit 1810. In Österreich führten Kaunitz, Stadion und Metternich den Titel eines **Hof- und Staats-K.** – Im Dt. Reich →Reichskanzler, in Dtl., Österreich und der Schweiz →Bundeskanzler.

2) an einigen *wiss. Hochschulen* Amtsbez. für einen leitenden Verwaltungsbeamten.

Kanzone [italien.] *die,* **1)** *Literatur:* lyr. Gedichtform aus 5–10 gleich gebauten Strophen (Stanzen), die aus elf- und siebensilbigen Versen gebildet sind; am Schluss folgt meist eine kürzere Strophe (»Geleit«). Die K. wurde seit dem 12. Jh. in provenzal. und nordfrz. Dichtung gepflegt und erhielt im 13./14. Jh. in Italien ihre eigentl. Form; zu höchster Vollendung brachte sie F. Petrarca. In dt. Sprache

Kanzel 1): Die von Giovanni Pisano 1302–12 geschaffene Kanzel im Dom von Pisa

dichteten K. bes. A. W. Schlegel, Z. Werner, A. von Platen, F. Rückert.

2) *Musik:* (Canzona) im 13.–17. Jh. mehrstimmiges, meist weltl. Strophenlied (ebenso **Kanzonette**), nur gelegentlich die vertonte Gedichtform gleichen Namens; im 16.–18. Jh. Bez. für ein aus dem frz. Chanson hervorgegangenes Instrumentalstück (Canzona da sonar), seit dem 18. Jh. auch für ein lyr. Vokal- oder Instrumentalstück.

Kaohsiung [-çi-], Stadt an der SW-Küste Taiwans, mit 1,42 Mio. Ew. zweitgrößte Stadt des Landes; techn., medizin. Fachhochschule; wichtigster Hafen der Insel (Ausbau zum internat. Großhafen), Freihandelszone; Schiff- und Maschinenbau, Stahl-, Aluminium-, petrochem. Ind.; größte Schiffsverschrottungsanlage der Erde; Fischfang und -verarbeitung.

Kaokoveld [-f-], Gebirgslandschaft in NW-Namibia, am O-Rand der Namib, 1300–1800 m ü. M.; überwiegend steppenhafte Hochfläche mit Trockentälern; im W Steilabfall zur Küstenebene. Im K. leben verstreut z. T. nomad. Himba und Tjimba.

Kaolack, Hptst. der Region K. in Senegal, am (80 km langen) Mündungsästuar des Saloum, 152 000 Ew.; kath. Bischofssitz; Handelszentrum für Erdnüsse mit Ölmühle, Salinen, Fleischverarbeitung; Bahnlinie zum Hochseehafen, Flugplatz.

Kaolin [nach dem chines. Berg Kaoling] *das,* fachsprachl. *der* (Porzellanerde), ein an Tonerde (Al_2O_3) reiches Gestein, dessen Hauptmineralbestandteile Kaolinit, daneben Glimmer, Quarz und Feldspat sind; wird mit Wasser plastisch; durch Brennen stellt man aus ihm Porzellan, Steingut und Steinzeug her. K. dient als Füllstoff, z. B. in der Papier-, Kunststoff-, Gummiind., und als Beistoff in der Schamotteherstellung.

Kaolinit [zu Kaolin] *der,* triklines oder monoklines Tonerdesilikat der chem. Zusammensetzung $Al_4[(OH)_8||Si_4O_{10}]$, weiß oder hell gefärbt, entsteht bes. durch Verwitterung von Feldspaten.

Kaonen, die K-Mesonen (→Mesonen).

Kap [niederländ. kaap, zu lat. caput »Haupt«] *das* (engl. Cape, frz. Cap, italien. Capo, span. und portugies. Cabo), der vorspringende Teil eines Ufers oder einer Küste, manchmal eine Landspitze. – Mit K. zusammengesetzte Namen suche man auch unter den Eigennamen.

Kapaun *der,* kastrierter Hahn.

Kapazität [lat.] *die,* **1)** *allg.:* Fassungsvermögen, Aufnahmefähigkeit.

2) *Betriebswirtschaft:* Leistungsvermögen eines Betriebsmittels (z. B. Maschinen, Produktionsanlagen und -stätten) während einer definierten Bezugsperiode **(Perioden-K.)** oder während der gesamten Nutzungsdauer **(Totalkapazität).**

3) *Elektrochemie:* bei Akkumulatoren das Produkt aus Entladestrom und -zeit, gemessen in Amperestunden (Ah).

4) *Elektrostatik:* (elektr. K.) das Verhältnis C der elektr. Ladungen Q auf zwei elektr. Leitern zu der zw. ihnen bestehenden Potenzialdifferenz U; $C = Q/U$. SI-Einheit der K. ist das →Farad. Die K. ist (bes. bei Kondensatoren) ein Maß für das Aufnahmevermögen elektr. Ladungen.

Kap der Guten Hoffnung südlich von Kapstadt in Südafrika

Kapazitätsdiode (Varaktor, engl. Varicap), Halbleiterbauelement, dessen Kapazität von der Spannung abhängt und damit gesteuert werden kann. Es gibt drei Realisierungsmöglichkeiten: 1) bei der **pn-Diode** wird die in Sperrrichtung auftretende und von der Sperrspannung abhängende Dicke der Sperrschicht ausgenutzt; 2) bei der **Schottky-Diode** erhält man gegenüber der pn-Diode im Bereich kleiner Spannungen eine sehr starke nichtlineare Kapazität, jedoch eine höhere Grenzfrequenz bis über 1000 GHz; 3) beim **MIS-Varaktor** wird eine Änderung der Kapazität durch geringe Dotierung (»Verarmung«) ausgenutzt. K. werden zur Frequenzsteuerung, -vervielfachung, Mischung sowie in parametr. Verstärkern genutzt.

Kap Blanc [-blã; frz. »weißes Kap«], Landzunge an der afrikan. NW-Küste, mit der mauretan. Hafenstadt Port Étienne.

Kap der Guten Hoffnung (engl. Cape of Good Hope), Felsvorsprung am westl. Südende der Kaphalbinsel, Rep. Südafrika, ein steiles Kliff südlich von Kapstadt; erstmals 1488 von B. Diaz umfahren.

Kapela *die,* 130 km lange, bewaldete Gebirgskette in Kroatien, gliedert sich in Große K. (1533 m ü. M.) und Kleine K. (1280 m ü. M.), in deren S-Teil die Plitvicer Seen liegen.

Kapelle [mlat. cap(p)ella »kleines Bethaus«] *die,* **1)** für gottesdienstl. Zwecke bestimmtes kleines

Gebäude oder kleiner Raum (Gebets-, Tauf-, Grab-K.). Dem Lang- oder Querhaus größerer Kirchen wurden oft **K.-Reihen,** dem Chor ein **K.-Kranz** angegliedert. Burg- und Schloss-K. bestehen oft aus zwei Geschossen **(Doppel-K.),** die durch eine Mittelöffnung im Gewölbe des unteren miteinander verbunden sind.

2) *Musik:* urspr. Bez. für den im K.-Raum der Kirche aufgestellten Sängerchor (Kirchenchor), dem die ein- und später mehrstimmige Vokalmusik (a cappella) übertragen war. Im 17. Jh. ging der Name K. auf das Instrumentalorchester über.

Kapellmeister, der Leiter (Dirigent) eines Chors oder Orchesters, bes. der dem (General-)Musikdirektor oder (Chef-)Dirigenten nachgeordnete zweite oder dritte Dirigent eines großen Sinfonie- oder Opernorchesters.

Kaper [niederländ.] *der,* bewaffnetes Privatschiff, das aufgrund staatl. Ermächtigung **(K.-Brief)** feindl. Handelsschiffe aufbrachte. Die Kaperei wurde durch die Pariser Seerechtsdeklaration von 1856 abgeschafft.

Kapern [grch.], Blütenknospen des in den Mittelmeerländern wachsenden dornigen, lederblättrigen **Echten Kapernstrauchs** (Capparis spinosa). Die K. werden in Salzlake, Essig oder Öl konserviert; Gewürz bes. für Soßen und Salate.

Kapernaum (grch. Kapharnaum), Ort in Galiläa, Mittelpunkt des Wirkens Jesu am See Genezareth (Mt. 4,13 ff., Lk. 4,23); Wohnort von Petrus und seinem Bruder Andreas; heute **Tell Hum.**

Kapetinger, frz. Königsgeschlecht, ben. nach Hugo Capet (König 987–96), von dessen Reg. an die K. in direkter Linie bis 1328, in Seitenlinien (Valois, Bourbonen, Orléans) bis 1792 und 1814/15–48 herrschten.

Kapern: Knospe und Blüte einer dornlosen Varietät des Echten Kapernstrauchs; die Blüten öffnen sich nur wenige Stunden am Tag

Kapfenberg, Stadt in der Obersteiermark, Österreich, an der Mürz, 23 400 Ew.; Fachschule für Maschinenbau und Elektrotechnik; Edelstahlwerk, Werkzeug- und Gerätebau, Kunststoffindustrie. – Spätgot. Pfarrkirche, Schloss (17./18. Jh.), reicher Bestand an Bürgerhäusern des 16.–18. Jh. – Seit 1192 Markt, seit 1924 Stadt.

Kapholländisch, →Afrikaans.

kapillar [zu lat. capillus »Haar«], 1) die Kapillaren betreffend; 2) haarfein, haarartig.

Kapillaren, 1) *allg.:* Röhren mit sehr kleinem Innendurchmesser.

2) *Anatomie:* (Haargefäße) feinste, dünnwandige Blutgefäße, in denen der Stoff- und Gasaustausch mit den Körperzellen erfolgt. Sie bilden das Bindeglied zw. Arterien und Venen.

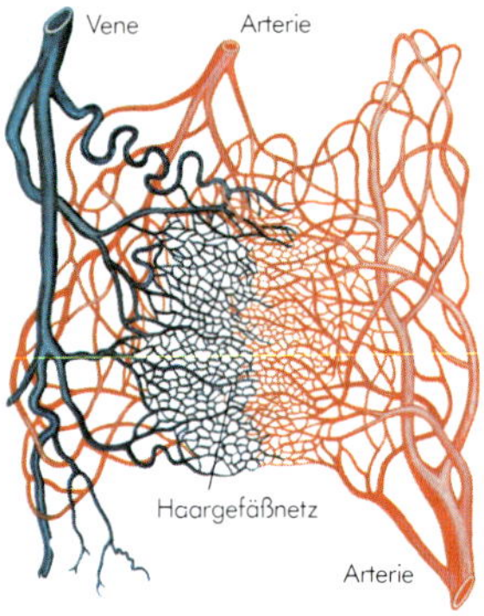

Kapillaren 2): vereinfachtes und vergrößertes Schema der Kapillaren zwischen der (zuführenden) Arterie und der (abführenden) Vene aus der Hirnrinde des Menschen

Kapillarität, das durch die Grenzflächenspannung bedingte Verhalten von Flüssigkeiten in engen Hohlräumen fester Körper, d.h. in Spalten, Kapillaren und in Poren. Beim Eintauchen einer engen Röhre in eine benetzende Flüssigkeit, z.B. Wasser, steigt diese in dem Kapillarrohr empor **(Kapillaraszension);** handelt es sich jedoch um eine nicht benetzende Flüssigkeit, z.B. Quecksilber, so sinkt sie im Kapillarrohr ab und steht dort tiefer als außerhalb **(Kapillardepression).** Ursache für diese Art der K. sind die im Vergleich zu den Adhäsionskräften zw. Flüssigkeit und Kapillarwand größeren Kohäsionskräfte zw. den Flüssigkeitsmolekülen. – Als **Kapillarkondensation** wird die in kapillaren Hohlräumen poröser Körper bereits oberhalb des Siedepunkts eintretende Kondensation von Flüssigkeitsdämpfen bezeichnet. Sie beruht auf einer Erniedrigung des Dampfdrucks, da sich infolge der Adhäsionskräfte der Kapillarwände die Oberfläche der Flüssigkeit verkleinert.

Kapillarwasser, durch Adhäsions- und Kohäsionskräfte im Boden festgehaltenes Wasser.

Kapital [italien., zu lat. capitalis »hauptsächlich«] *das, Volkswirtschaftslehre:* urspr. Bez. für eine zum Ausleihen bestimmte und Zinsertrag versprechende Geldsumme, später für alle Gütervorräte überhaupt, dann für die der Produktion dienenden Gütervorräte (produzierte Produktionsmittel), dann eingeschränkt für alle für Zwecke der Investition zur Verfügung stehenden Finanzierungsmittel **(Geld-K.);** heute ist K. allg. der Bestand einer Volkswirtschaft an sachlichen Produktionsmitteln **(Sach-K., Real-K., K.-Güter, K.-Stock)** in Anlagen (Anlage-K., fixes, gebundenes K.) oder in Vorräten (Lagerbestände an Roh-, Hilfs-, Betriebsstoffen, Betriebs-K. sowie Halb- und Fertigwaren, umlaufendes, zirkulierendes K.) oder an menschl. Fähigkeiten aufgrund von Anlagen, Erziehung und Ausbildung (→Humankapital), der, einzelwirtschaftlich gesehen, seinen Eigentümern Einkommen und/oder Einfluss verschafft **(Erwerbs-K., Privat-K.)** und volkswirtschaftlich als ein Produktionsfaktor neben Arbeit und Boden zur Erzeugung des Sozialprodukts dient **(Produktiv-K.).** Für das wirtsch. Wachstum wichtig ist die **K.-Bildung,** d.h. die Erhöhung des volkswirtschaftl. K.-Stocks durch den Konsumverzicht der Wirtschaftssubjekte (Sparen) und die Freistellung von Teilen des Sozialprodukts für Investitionen (Subsistenzfonds). Die investierbaren K.-Mengen werden über den Kapitalmarkt der volkswirtschaftlich erwünschten Verwendung zugeführt. – Die **K.-Theorie** befasst sich mit Begriff, Entstehung, Funktionen und Entlohnung des K. in Form von Zins. Der Zins im Verhältnis zum eingesetzten K. ist die **K.-Rendite.** Das Verhältnis zw. eingesetztem K. und Sozialprodukt, der **K.-Koeffizient,** gibt an, wie viel K. je Produktionseinheit durchschnittlich erforderlich ist. Der reziproke Wert, die **K.-Produktivität,** zeigt das Produktionsergebnis pro eingesetzter K.-Einheit. Das Verhältnis von eingesetztem K. zur eingesetzten Arbeit, die **K.-Intensität,** zeigt die durchschnittl. Ausstattung eines Arbeiters mit Produktionsmitteln.

In der *Betriebswirtschaftslehre* wird unter K. der Gesamtwert aller betriebl. Sach- und Finanzmittel verstanden, im betriebl. Rechnungswesen der dem Vermögen eines Unternehmens auf der Passivseite in gleicher Höhe gegenüberstehende Bilanzposten, der Auskunft über die Herkunft der dem Unternehmen in Form von Geld oder Sachwerten zur Verfügung stehenden Mittel gibt. Nach der Rechtsstellung der K.-Geber wird zw. →Eigenkapital und →Fremdkapital unterschieden, wobei das Eigen-K. auch als Unternehmer- oder Beteiligungs-K. und das Fremd-K. auch als Kredit- oder Gläubiger-K. bezeichnet wird. V.a. aus Rückstellungen für die betriebl. Altersversorgung ergibt sich das →Sozialkapital, das eine Mittelstellung zw. Eigen- und Fremd-K. einnimmt. Nach der Form der Bindung des K. wird unterschieden zw. Sach- oder Real-K. (z.B. Grundstücke, Maschinen) und Finanz- oder Geld-K. (z.B. Bargeldbestand, Wertpapiere).

Kapital|anlage, langfristige Anlage von Ersparnissen zur Erzielung eines ständigen Einkommens oder (mindestens) zur Werterhaltung, v.a. Wertpapiere, Immobilien, Edelmetalle, Kunstgegenstände.

Kapitalbilanz, ein Teil der →Zahlungsbilanz.

Kapitälchen, Antiquagroßbuchstaben in der Höhe der Mittellängen der Kleinbuchstaben; z.B. GUTENBERG.

Kapital|einkünfte, Erträge aus Kapitalvermögen, v.a. Zinsen, Gewinnanteile, Bezüge aus Genussrechten sowie aus Kapitalgesellschafts- und Genossenschaftsanteilen. K. unterliegen der Einkommensteuer.

Kapital|erhaltung, Bez. für das Ziel, die Leistungskraft eines Unternehmens zu erhalten. **Nominelle K.** liegt vor, wenn das urspr. eingesetzte Geldkapital dem Betrag nach erhalten bleibt. **Reale K.** ist erreicht, wenn die Kaufkraft des Kapitals zu Beginn und Ende der Rechnungsperiode gleich ist. Bei der **substanziellen K.** wird angestrebt, nicht nur das Geldkapital, sondern das gesamte Realvermögen leistungsmäßig zu erhalten.

Kapital|erhöhung, Maßnahmen zur Erhöhung des Eigenkapitals eines Unternehmens entweder von außen als Beteiligungsfinanzierung oder unternehmensintern durch Selbstfinanzierung (Einbehaltung von Gewinnen, Rücklagenbildung). Das Aktiengesetz unterscheidet die ordentl. K. (die Hauptversammlung beschließt die Ausgabe neuer Aktien), das sog. genehmigte Kapital (K. aufgrund eines Vorstandsbeschlusses), die bedingte K. (von der Ausübung von Bezugs- und Umtauschrechten abhängige K.) und die nominelle K. (Umwandlung offener Rücklagen in Grundkapital durch Ausgabe sog. Gratisaktien).

Kapital|ertragsteuer, besondere Erhebungsform der Einkommen- bzw. Körperschaftsteuer, die durch Steuerabzug (→Quellensteuer) auf bestimmte inländ. Kapitalerträge erhoben wird. Die K. wird vom Schuldner der Kapitalerträge für den Gläubiger einbehalten und an das Finanzamt abgeführt (§§ 43–45d EStG). Die Abzüge gelten als Vorauszahlung und sind bei der Veranlagung zur Einkommensteuer anzurechnen und den persönl. Verhältnissen anzupassen.

Die K. beträgt 25% bei Gewinnanteilen aus Aktien, GmbH-Anteilen, Genussscheinen, Genossenschaftsanteilen u.Ä. Sie wirkt als **Zinsabschlagsteuer** mit einem Steuersatz von 30% (bei Tafelgeschäften 35%) bei Zinsen auf festverzinsl. Wertpapieren, zinsähnl. Erträgen, nicht aber bei Privatdarlehen. Sie ist vom auszahlenden inländ. Kreditinstitut einzubehalten und abzuführen. Der Zinsabschlag entfällt bei Vorlage einer Nichtveranlagungsbescheinigung oder eines Freistellungsauftrages bis zur Höhe von 6100 DM (Einzelperson) oder 12200 DM (zusammen veranlagte Eheleute).

In *Österreich* wird seit 1993 eine Abgeltungssteuer auf Zinsen in Höhe von 22% erhoben, mit der Einkommen- und Erbschaftsteuer für diese Erträge pauschal abgegolten werden. In der *Schweiz* erhebt der Bund als K. eine Verrechnungssteuer auf den Ertrag bewegl. Kapitalvermögen mit einem Steuersatz von 35%, die bei der Deklaration der persönl. Einkünfte angerechnet wird.

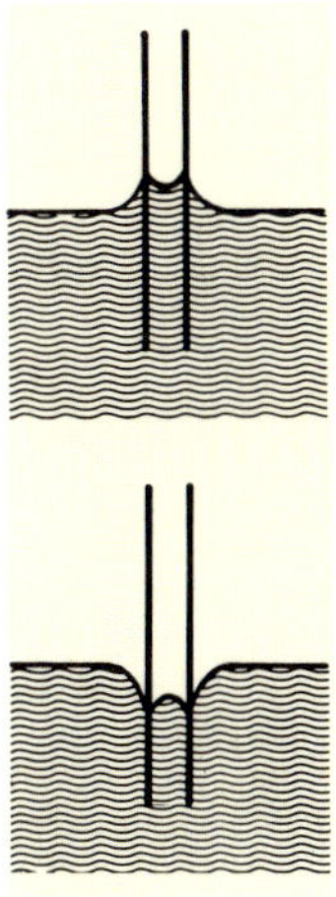

Kapillarität (von oben): Kapillaraszension und Kapillardepression

Kapitalexport, i. w. S. jede Kapitalanlage von Inländern im Ausland, i. e. S. nur langfristige Kapitalanlagen. Der K. wird ausgelöst durch 1) Gewährung langfristiger Kredite aller Art an das Ausland durch Exporteure, Kreditinstitute und öffentl. Stellen, 2) Erwerb von Eigentum an ausländ. Sachgütern (Grund und Boden, Beteiligungen), Kauf von Aktien ausländ. Unternehmen, 3) Erwerb ausländ. Schuldverschreibungen im Ausland oder Zeichnung von im Inland aufgelegten Anleihen ausländischer Emittenten, 4) Kreditgewährung zur Überbrückung von Zahlungsbilanzdefiziten.

Kapitalflucht, i. w. S. die Übertragung von Vermögen, insbesondere liquiden Mitteln, ins Ausland bzw. in eine ausländ. Währung aus Gründen der Sicherheit, Rentabilität, Besteuerung (Steuerflucht) oder Spekulation; häufig illegal, aber auch legale spontane Kapitalverlagerung privater Anleger aufgrund einer plötzl. pessimistischeren Einschätzung der nat. Kapitalmarktperspektiven; i. e. S. die illegale Übertragung von Geld- und Sachwerten unabhängig von Zins- und Kursüberlegungen, um das Vermögen aus polit. und wirtschaftl. Gefahren (v. a. vor Enteignung) zu retten.

Kapitalgesellschaft, Ges. mit eigener Rechtsfähigkeit (→juristische Person), bei der für die Mitgliedschaft die Kapitalbeteiligung der Gesellschafter im Vordergrund steht und nicht die persönl. Mitarbeit wie bei den Personengesellschaften. Die Haftung der Gesellschafter ist auf ihren Anteil am Grund- oder Stammkapital beschränkt. Rechtsformen: AG, KGaA, GmbH.

Kapitalherabsetzung, die Verminderung des Grundkapitals einer AG oder des Stammkapitals einer GmbH. Bei einer **nominellen K.** wird die Höhe des Eigenkapitals rechtlich und buchhalterisch den entstandenen Verlusten angepasst; bei einer **effektiven K.** wird ein Teil des Grund- oder Stammkapitals zurückgezahlt oder den Rücklagen zugeführt.

Kapitalintensität, →Kapital.

Kapitalisierung, Rückrechnung von laufenden Zahlungen, v. a. von Erträgen, Renten und Annuitäten, auf einen bestimmten Zeitpunkt. Durch die K. werden diese kontinuierl. Wertflüsse auf einen Barwert abgezinst (diskontiert).

Kapitalismus *der,* Wirtschaftsform, die durch Privateigentum an Produktionsmitteln und Steuerung des Wirtschaftsgeschehens über den Markt bei Maximierung des Gewinns gekennzeichnet ist.

Für K. Marx, der den Begriff K. in seiner Bedeutung prägte, ist der K. in gesetzmäßiger histor. Abfolge die Produktionsweise zw. Feudalismus und Sozialismus/Kommunismus. Der von feudalen Fesseln (Leibeigenschaft) und vom Eigentum an Produktionsmitteln »freie« Lohnarbeiter ist in der Lage und gezwungen, dem Eigentümer der Produktionsmittel, dem Kapitalisten, seine Arbeitskraft zu verkaufen. Der Tauschwert der Ware Arbeitskraft liegt dabei niedriger als die im Produktionsprozess erzeugten Werte. Den so erzeugten Mehrwert eignen sich die einzelnen Kapitalisten als Profit (bzw. als Zins oder Rente) an. Gemäß dem Gesetz der Konkurrenz muss der größte Teil davon akkumuliert, also zur Erweiterung der Produktion eingesetzt werden. Daraus erklärt Marx sowohl die Entfesselung der Produktivkräfte in der industriellen Revolution als auch die zunehmende Polarisierung der Gesellschaft in die Klassen der Kapitalisten und der Lohnarbeiter. Nach Marx verschärft sich der den K. kennzeichnende Grundwiderspruch zw. gesellschaftl. Produktion und privater Aneignung der Ergebnisse der Produktion bis zu seiner revolutionären Aufhebung im Sozialismus/Kommunismus, in dem dann auch die →Entfremdung aufgehoben sei, die sich im K. dadurch ergebe, dass das Verhältnis zw. den Menschen durch Sachen bestimmt sei. Das Ausbleiben der sozialist. Revolution wurde in der marxist. Theorie v. a. mit dem Wirken des Staates erklärt, der durch sein Handeln die ökonom. Gesetze des K. modifiziere.

Außerhalb des Marxismus wird der K. unterschiedlich definiert: Nach W. Sombart wird er durch Erwerbsprinzip, Rationalität und Individualismus bestimmt, nach M. Weber durch rationale Arbeitsorganisation zur Gewinnerzielung auf Basis eines formalisierten Rechnungskalküls, nach J. A. Schumpeter durch die Dominanz des freien Unternehmertums. – Verbreitung fand Sombarts Periodisierung: **Früh-K.** (im Wesentlichen die Zeit des →Merkantilismus), **Hoch-K.** (klass. Konkurrenz-K., entstanden im 18. Jh. im Zuge der industriellen Revolution) und **Spät-K.** (entstanden v. a. nach dem 1. Weltkrieg und gekennzeichnet durch wachsende Kapitalkonzentration sowie zunehmende Eingriffe des Staates in das wirtsch. Geschehen). Die Vertreter der v. a. von W. Eucken entwickelten Ordnungstheorie halten den Begriff K. für entbehrlich und bestehen auf dem Begriff der Marktwirtschaft zur Charakterisierung einer dezentral geplanten Wirtschaft im Ggs. zur Planwirtschaft bzw. Zentralverwaltungswirtschaft.

Die Wirtschafts- und Gesellschaftsordnungen in den Industriestaaten Nordamerikas und des westl. Europa knüpfen an die Elemente des K. an, bemühen sich jedoch, die Funktionsprobleme des K. und ihre negativen Auswirkungen zu beheben, ohne die Vorteile des kapitalist. Modells (z. B. mit Massenwohlstand verbundenes wirtschaftliches Wachstum) grundsätzlich in Frage zu stellen (»sozial gebändigter K.«, soziale Marktwirtschaft). Eine staatl. Sozialpolitik (z. B. soziale Sicherungssysteme) sowie Konzepte zur Überwindung des

Gegensatzes von Kapital und Arbeit (z. B. Tarifautonomie, Mitbestimmung, Sozialpflichtigkeit des Eigentums), zur Bekämpfung von Konjunkturschwankungen mit Arbeitslosigkeit und Inflation (Stabilitätspolitik) und zur Überwindung ungerechter Einkommens- und Vermögensverteilung (Steuerpolitik, Vermögensbildung in Arbeitnehmerhand) förderten den Prozess einer weitgehenden Integration der Lohnabhängigen in den von der Marktwirtschaft bestimmten Gesellschaften der entwickelten Industriestaaten der westl. Welt.

📖 SOMBART, W.: *Der moderne K., 3 Bde. in 6 Tlen. München u. a. $^{1-2}$1916–27, Nachdr. München 1987.* – WEBER, M.: *Wirtschaft u. Gesellschaft. Neuausg. Tübingen 1990.* – MARTIN, P. C.: *Der K. Neuausg. Frankfurt am Main u. a. 1990.* – KROMPHARDT, J.: *Konzeptionen u. Analysen des K. von seiner Entstehung bis zur Gegenwart. Göttingen ^{3}1991.* – SCHUMPETER, J. A.: *K., Sozialismus u. Demokratie. A. d. Engl. Tübingen u. a. ^{7}1993.* – HEILBRONER, R.: *K. im 21. Jh. A. d. Amerikan. München u. a. 1994.*

Kapitalkonto, *Buchführung:* bei Personengesellschaften und Einzelunternehmen das Konto zur Verbuchung des Eigenkapitals unter Einschluss der Zugänge (Einlagen, Gewinne) und der Minderungen (Entnahmen, Verluste).

Kapitalmarkt, Markt für langfristige Kredite und Kapitalanlagen, i. e. S. für langfristige Wertpapiere, der in **Rentenmarkt** (für festverzinsl. Wertpapiere) und **Aktienmarkt** (für Beteiligungspapiere) unterteilt wird. Ggs.: →Geldmarkt.

Kapitalverbrechen [von lat. caput »Haupt«], urspr. Verbrechen, die mit Todesstrafe bedroht waren, jetzt schwere Verbrechen.

Kapitalverflechtung, wechselseitige Beteiligung zweier oder mehrerer Unternehmen an dem jeweiligen Eigenkapital.

Kapitalverkehr, i. w. S. Gesamtheit aller finanziellen Transaktionen, entweder als Gegenleistung für den Bezug von Waren und Dienstleistungen oder für die Änderung von Forderungen und Verbindlichkeiten; i. e. S. die zw. versch. Ländern entstehenden Forderungen (Kapitalexport) und Verbindlichkeiten (Kapitalimport) privater und öffentl. Stellen, die in der K.-Bilanz (Kapitalbilanz) statistisch erfasst werden.

Kapitalverkehrsteuer, Oberbegriff für Steuern auf Rechtsgeschäfte des Kapitalverkehrs, die der Kapitalbildung **(Gesellschaftsteuer)** und der Kapitalbewegung **(Börsenumsatzsteuer)** dienen. Durch das Finanzmarktförderungs-Ges. vom 22. 2. 1990 wurde die Gesellschaftsteuer mit Wirkung vom 1. 1. 1992, die Börsenumsatzsteuer mit Wirkung vom 1. 1. 1991 abgeschafft.

Kapitalwert, der Barwert oder Gegenwartswert der Summe aller künftigen Mittelrückflüsse unter Berücksichtigung der Anschaffungsausgaben; durch Abzinsung (Diskontierung) mit dem Kalkulationszinsfuß errechnet; Ggs. Ertragswert.

Kapitän [lat. capitaneus, zu caput »Haupt«], **1)** *Militärwesen:* seit dem 16. Jh. der Führer einer Kompanie; heute Dienstgradbez. in den Heeren versch. Länder.

2) *Seeschifffahrt:* (nautischer Schiffsoffizier) Führer eines (Handels-)Schiffes (bei der Bundesmarine: **Kommandant**) mit staatl. Befähigungszeugnis **(K.-Patent),** für dessen Erwerb an Fach(hoch)schulen für Seefahrt (Nautik) und Schiffsbetriebstechnik u. a. ein Mindestalter, vorgeschriebene Fahrzeiten, Steuermannspatente erforderlich sind. Der K. trägt stets die persönl. Verantwortung für Schiff, Ladung und Besatzung. Er hat außerdem gewisse Vertretungsbefugnisse und auf hoher See eine beamtenähnl. Stellung mit öffentlich-rechtl. Befugnissen.

3) *Sport:* Führer einer Mannschaft mit besonderen Rechten und Pflichten, z. B. gegenüber dem Schiedsrichter.

Kapitel [von lat. capitulum »Köpfchen«, zu caput »Kopf«] *das,* **1)** *Buchwesen:* Abschnitt einer Schrift, Hauptstück.

2) *kath. Kirchenrecht:* Kollegium von Priestern an einer Dom- oder Stiftskirche (→Domkapitel, Kollegiatkapitel), auch die Versammlung der Klostergemeinde auf allen Ebenen **(Kloster-, Provinzial-, Generalkapitel).**

Kapitell [lat.] *das,* der oberste, zw. Stütze und Last vermittelnde Teil einer Säule, eines Pfeilers oder Pilasters. In der grch. →Säulenordnung entsprach jedem der drei großen Stile eine eigene Form des K. (dorisch, ionisch, korinthisch). Zu

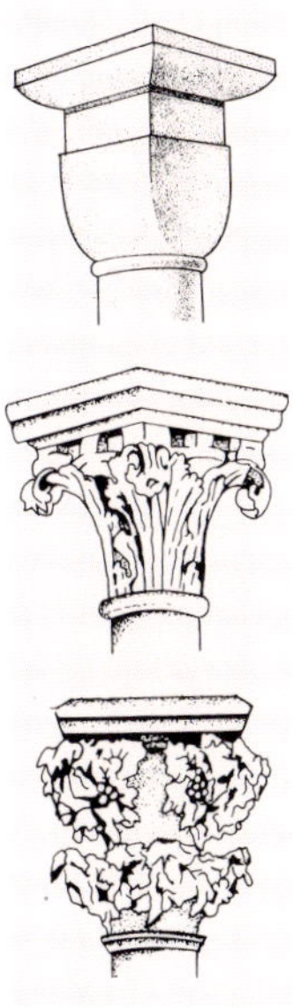

Kapitell (von oben): romanisches Würfelkapitell, gotisches Knospenkapitell, gotisches Blattkapitell

Kapitell

Das kunstvolle korinthische Kapitell fand weite Verbreitung und Bewunderung. Da man sich seine Entstehung kaum erklären konnte, bildeten sich Legenden. So schrieb Vitruv um die Zeitenwende in seiner »Geschichte der Architektur«, Buch IV: »Die Erfindung des Kapitells dieser Bauweise soll so vor sich gegangen sein: eine jungfräuliche korinthische Bürgerin, schon für die Vermählung reif, wurde krank und starb. Nach ihrem Begräbnis sammelte ihre Amme die Spielsachen, an denen das Mädchen zu ihren Lebzeiten Gefallen gehabt hatte, legte sie in einen Korb und trug ihn zu Grab. Damit sich die Sachen unter freiem Himmel länger hielten, deckte sie den Korb mit einem Ziegel ab. Den Korb hatte sie zufällig auf die Wurzel einer Akanthuspflanze gesetzt. In der Frühlingszeit trieb die Wurzel Stängel und Blätter, die an den Seiten des Korbes hoch wuchsen. Am deckenden Ziegel angelangt, wurden die Triebe nach außen gedrängt, sodass sich ihre Enden einrollten. Als der Architekt Kallimachos den von sprossenden zarten Blättern umfangenen Korb sah, war er so entzückt, dass er nach diesem Vorbild die Kapitelle der Säulen entwarf.«

großem Formenreichtum entwickelte sich das K. in der Romanik, die außer dem schlichten Würfel-K., einer Durchdringung von Halbkugel und Würfel, K. mit Figurenreliefs, Flechtwerk und anderen Ornamenten verwendete. Der Schmuck des got. K. beschränkte sich auf Knospen- und Blattwerk. Seit der Renaissance wurden die Formen des antiken K. wieder aufgenommen.

Kapitol 1): Blick von der zum Kapitolplatz führenden Treppe auf den Senatorenpalast, das Kapitolinische Museum (links) und den Konservatorenpalast (rechts)

Pjotr Kapiza

Kapitol *das,* **1)** (lat. Capitolium) Name des kleinsten der sieben Hügel Roms mit zwei Kuppen, urspr. nur Bez. der südl. Kuppe. Auf der nördl. Kuppe stand die Burg (Arx), auf der anderen der Tempel der Göttertrias Jupiter, Juno und Minerva (509 v. Chr. geweiht), religiöser und polit. Mittelpunkt Roms. Der Platz des heutigen K. wurde nach Plänen Michelangelos angelegt. Der zum K. emporführenden Treppe gegenüber erhebt sich der Senatorenpalast, links das Kapitolin. Museum, rechts der Konservatorenpalast, in der Mitte das antike Reiterstandbild Mark Aurels (Original im Kapitolin. Museum).

2) (engl. Capitol) in den USA das Parlamentsgebäude; das K. in Washington wurde 1793–1824 nach Plänen von William Thornton (*1759, †1828) erbaut; der Kuppelbau wurde nach 1850 vollendet.

Kapitolinische Wölfin: Der lebensgroßen etruskischen Bronzeplastik aus dem 5. Jh. v. Chr., die ab 1470 auf dem römischen Kapitol stand, wurden erst im 16. Jh. die Zwillinge Romulus und Remus beigefügt (heute Rom, Kapitolinisches Museum)

Kapitolinische Wölfin, etrusk. Bronzeplastik (Höhe 75 cm) aus der 1. Hälfte des 5. Jh. v. Chr., seit 1470 auf dem röm. Kapitol; dem Bildwerk wurden im 16. Jh. die Zwillinge Romulus und Remus hinzugefügt (Rom, Kapitolinisches Museum).

Kapitularilen (lat. Capitularia), Königsgesetze des Fränk. Reiches zur Zeit der Karolinger in lat. Sprache; ben. nach ihrer Kapiteleinteilung.

Kapitularvikar, der vom Domkapitel gewählte Leiter einer Diözese während einer → Sedisvakanz.

Kapitulation [lat.] *die,* früher ein völkerrechtl. Vertrag, durch den eine europ. Macht das Recht erhielt, für ihre Untertanen in nichteurop. Staaten durch eigene Konsuln in beschränktem Umfang die Zivil- und Strafgerichtsbarkeit ausüben zu lassen (Konsulargerichtsbarkeit). – Im Kriegsrecht eine völkerrechtl. Vereinbarung zw. den Befehlshabern gegner. Streitkräfte, die es den Streitkräften, die kapituliert haben, unmöglich macht, die Kampfhandlungen fortzusetzen. Die K. kann mit Bedingungen versehen oder bedingungslos sein. Eine Freistellung des Siegers von den Normen des Völkerrechts oder internat. Konventionen wird durch die bedingungslose K. nicht bewirkt. Die K. hat keinerlei Auswirkung auf die Völkerrechtssubjektivität des Staates, dessen Streitkräfte kapituliert haben.

Kapiza (Kapitza), Pjotr Leonidowitsch, russ. Physiker, *Kronstadt 8. 7. 1894; †Moskau 8. 4. 1984; 1921–34 Mitarbeiter von E. Rutherford an der Univ. Cambridge; 1935–46 und seit 1955 Direktor des von ihm gegründeten Inst. für Physikal. Probleme an der Akademie der Wiss. der UdSSR in Moskau; entdeckte 1938 die Suprafluidität des Heliums. K. erhielt für seine grundlegenden Erfindungen und Entdeckungen auf dem Gebiet der Tieftemperaturphysik 1978 den Nobelpreis für Physik (mit A. A. Penzias und R. W. Wilson).

Kaplan *der,* der in einer kath. Pfarrei tätige geistl. Mitarbeiter des Pfarrers.

Kaplan, 1) Anatoli Lwowitsch, eigtl. Tanchum Lewikowitsch K., russ. Grafiker und Maler, *Rogatschow 28. 12. 1902, †Leningrad (heute Sankt Petersburg) 3. 7. 1980; Hauptthema seiner Lithographien, Pastelle, Gouachen, Zeichnungen und Keramiken ist die jüd. Folklore; graf. Folgen und Illustrationen zur jüd. Literatur.

2) Viktor, österr. Maschineningenieur, *Mürzzuschlag 27. 11. 1876, †Unterach am Attersee (OÖ) 23. 8. 1934; erfand 1912 die **K.-Turbine,** eine axial durchströmte →Wasserturbine mit verstellbaren Laufradschaufeln.

Kapland, umgangssprachl. Bez. für das Gebiet um Kapstadt und das Kap der Guten Hoffnung mit der Kaphalbinsel; i. w. S. die ehem. Kapprovinz der Rep. Südafrika (721 004 km², 5 Mio. Ew.), die sich heute in die Provinzen Nord-Kap, West-Kap und Ost-Kap gliedert.

Kap Lopez [-θ] (Aphyosemion australe), 5 cm langer, bunter Zahnkarpfen; beliebter Aquarienfisch.

Kapodistrias, Ioannes Graf, grch. Politiker, *Korfu 11. 2. 1776, †(ermordet) Nauplion 9. 10. 1831; vertrat Russland auf dem Wiener Kongress und wurde 1815 russ. Außenmin., musste 1821 wegen Unterstützung des grch. Unabhängigkeitskampfes zurücktreten; 1827–31 Regent Griechenlands.

Kapok [malaiisch] *der* (Ceibawolle, vegetabilische Wolle, Pflanzendaunen), weiße bis gelbliche

Kapok: Aus den bis zu 15 cm langen Fruchtkapseln des Echten Kapokbaums wird die weiße bis gelbliche Faserwolle gewonnen

Faserwolle aus Haaren der inneren Kapselfruchtwand des Echten →Kapokbaums (Polster-, Füll- und Isoliermaterial).

Kapokbaum (Baumwollbaum, Wollbaum, Ceiba), Gattung der Wollbaumgewächse mit rd. 20 Arten in den Tropen; bis 70 m hohe Bäume; bekannt ist der **Echte K.** (Ceiba pentandra), der bis zu 70 m hoch werden kann; die Früchte liefern →Kapok, die Samen das zu techn. und Speisezwecken verwendete **Kapoköl.**

Kapoor ['kapu:ə], Anish, brit. Plastiker ind. Herkunft, *Bombay 12. 3. 1954; Rauminstallationen aus monochrom eingefärbten Steinen, Objekten und Zeichnungen.

Kaposvár ['kɔpoʃva:r], Hptst. des Bez. Somogy (südl. des Plattensees), SW-Ungarn, 70 700 Ew.; Mühlen, Zuckerfabrik, Fleischverarbeitung, Elektronikind., Baumwollverarbeitung.

Kapovaz, Kw. für **kap**azitäts**o**rientierte **va**riable **A**rbeits**z**eit, eine Form der Teilzeitarbeit, bei der Arbeitnehmer nur entsprechend dem betriebl. Bedarf beschäftigt werden. Lage und Dauer der Arbeitszeit richten sich nach dem Arbeitsanfall,

Kapokbaum: Der in der Trockenzeit blühende Echte Kapokbaum wird bis zu 70 m hoch

wobei sich die Arbeitnehmer verpflichten, dem Arbeitgeber auf Abruf zur Verfügung zu stehen, ohne dass ihnen die Wartezeiten vergütet werden **(Arbeit auf Abruf).** Die Lage der Arbeitszeit muss mindestens vier Tage im Voraus mitgeteilt werden (§ 4 Beschäftigungsförderungs-Ges. vom 26. 4. 1985).

Kapowahöhle (Schugan Tasch), Höhle am Oberlauf der Belaja im Südl. Ural, Baschkortostan (Russ. Föderation); die 1960/61 entdeckten vorhistor. Wandmalereien mit eiszeitl. Tieren (Mammut, Nashorn, Pferd, Wisent) gelten als die östlichsten Höhlenbilder der jüngeren Altsteinzeit.

Kapitol 2): Das 1793–1824 erbaute amerikanische Parlamentsgebäude in Washington; der 90 m hohe Kuppelbau wurde nach 1850 vollendet

Kapstadt
Stadtwappen

Kapp, Wolfgang, Politiker, *New York 24. 7. 1858, †Leipzig 12. 6. 1922; gründete 1917 die Dt. Vaterlandspartei; versuchte im März 1920 in Berlin vergebens, die Reichsregierung zu stürzen (→Kapp-Putsch); starb in Untersuchungshaft.

Kappa *das,* K, κ, der 11. Buchstabe des grch. Alphabets.

Kappadokilen, antiker Name einer Landschaft im mittleren und östl. Kleinasien, vom Halys (heute Kızılırmak) durchflossen, benannt nach dem um 700 v. Chr. eingewanderten iran. Volk der **Kappadoken;** zuerst von anatol. Völkern bewohnt, seit Mitte des 2. Jt. v. Chr. unter hethit. Herrschaft, 547/546 persische Satrapie. 17 n. Chr. wurde K. zur röm. Provinz **Cappadocia** (Hptst.: Caesarea, heute Kayseri). Im 4. Jh. wurde das Land Mittelpunkt der Christianisierung (Zentrum →Göreme).

Kappe, 1) *Architektur:* der zw. zwei Graten oder Rippen liegende Teil eines Kreuzgewölbes (→Gewölbe).

2) *Mode:* Grundform des Mantels mit oder ohne Kopfschutz (Kapuze), in der span. Tracht des 16./17. Jh. kurzer, steifer Schulterumhang (cappa); lebt heute in »Cape« fort; übertragen auf eine barett- oder haubenförmige Kopfbedeckung.

Kappel am Albis, Gemeinde im Kt. Zürich, Schweiz, 700 Ew.; ehemalige Zisterzienserabtei (1185–1524). In der Schlacht bei K. a. A. fiel 1531 U. Zwingli (→Schweiz, Geschichte).

Kappeln, Stadt im Kr. Schleswig-Flensburg, Schlesw.-Holst., an der Schlei, 10 100 Ew.; Fischerei-, Wasser- und Schifffahrtsamt; Fischräucherei, Bootswerft; entwickelte sich nach dem Bau einer Pontonbrücke über die Schlei (1866; heute Drehbrücke) zum Verkehrsknotenpunkt. – Das Stadtbild wird von Bürgerhäusern des 18. und 19. Jh. geprägt. – Entstand im 14. Jh., wurde 1870 Stadt.

Kapstadt: Blick über die Tafelbucht auf Kapstadt mit dem wolkenverhangenen Tafelberg im Hintergrund

Kapp-Putsch, Umsturzversuch (13.–17. 3. 1920), geplant von unzufriedenen Teilen der dt. Armee unter Führung des Generals W. Freiherr von Lüttwitz und rechtsradikalen Politikern (Nat. Vereinigung) mit W. Kapp an der Spitze; zwang die Reichsregierung zur Flucht nach Stuttgart, scheiterte aber nach wenigen Tagen u. a. am Generalstreik der Gewerkschaften, der Loyalität der Ministerialbürokratie und mangelnder Hilfe der Reichswehrführung.

Kapriole [italien. »Bocksprung«] *die,* Sprung der hohen Schule: Das Pferd schnellt sich senkrecht empor und schlägt mit der Hinterhand aus.

Kaprun: Die 120 m hohe Limbergsperre mit Kraftwerk

Kaprow ['kæprəʊ], Allan, amerikan. Künstler, *Atlantic City (N. J.) 23. 8. 1927; studierte Architektur, Kunstgeschichte und Malerei, bevor er sich unter dem Einfluss von J. Cage ab 1958 auf Happenings spezialisierte.

Kaprubin, Schmuckstein, handelsübl., aber falsche Bez. für Pyrop (→Granat).

Kaprun, Gemeinde im Bundesland Salzburg, Österreich, im Pinzgau, 786 m ü. M.; 2 800 Ew.; umfasst das Kapruner Tal, das rechte Seitental der Salzach in den Hohen Tauern, von der **Kapruner Ache** durchflossen, mit vergletschertem Talschluss (Bärenkopf 3 401 m, Großes Wiesbachhorn 3 564 m, Kitzsteinhorn 3 203 m ü. M.); Fremdenverkehr (ganzjähriger Wintersport; zahlr. Seilbahnen). – Im oberen Talabschnitt wird die Kapruner Ache für die Tauernkraftwerke Glockner-Kaprun (Limbergkraftwerk, 112 MW; Hauptkraftwerk 220 MW) zum Stausee Mooserboden (2 036 m ü. M., max. 88 Mio. m^3 Wasser) und zum Stausee Wasserfallboden (1 672 m ü. M., max. 85 Mio. m^3 Wasser) gestaut; außerdem gelangt durch den 12 km langen Möllstollen unter dem Tauernhauptkamm das im Speicher Margaritze aufgefangene Schmelzwasser der Pasterze in den Mooserboden.

Kap Verde

Fläche: 4033 km²
Einwohner: (1995) 392 000
Hauptstadt: Praia
Amtssprache: Portugiesisch
Nationalfeiertag: 5. 7.
Währung: 1 Kap-Verde-Escudo (KEsc) = 100 Centavos (CTS)
Zeitzone: MEZ – 3 Std.

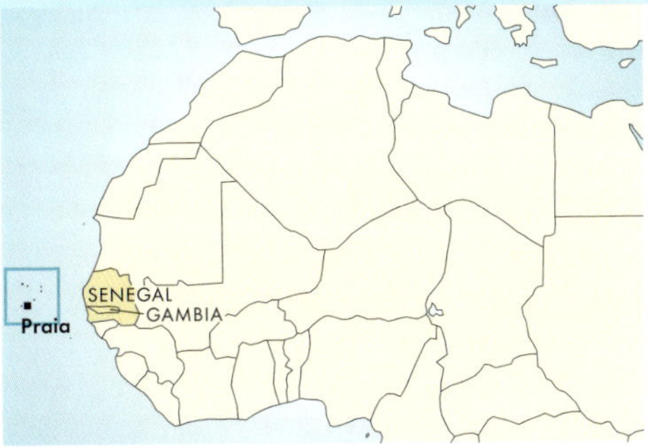

Kapsel, **1)** *Anatomie:* bindegewebige Umhüllung von Organen oder Gelenken.

2) *Botanik:* zur Reifezeit aufspringende Fruchtform.

3) *Pharmazie:* Umhüllung aus Stärke, Gelatine oder anderen verdaul. Stoffen für feste oder flüssige Arzneimittel.

Kapspur, eine Spurweite von Eisenbahnen (1067 mm); urspr. nur in Südafrika, heute z. B. auch in Ostafrika, Ghana, Nigeria, Sudan, Australien, Neuseeland, Indonesien, Schweden und Norwegen.

Kapstadt (engl. Cape Town, afrikaans Kaapstad), Hptst. der Prov. West-Kap, Rep. Südafrika, 854 600 Ew., als Agglomeration 2,35 Mio. Ew.; ihr Kerngebiet südlich der Tafelbucht des Atlant. Ozeans wird überragt vom Tafelberg (bis 1086 m ü. M.); Sitz des südafrikan. Parlaments, eines anglikan. und eines kath. Erzbischofs; kulturelles Zentrum mit zwei Univ., Forschungsinstituten, Museen, Bibliotheken, Theater, botan. und zoolog. Garten. K. ist bed. Verkehrs- und Ind.zentrum; wichtiger Hafen und internat. Flughafen; u. a. Textil-, Nahrungsmittel-, petrochem. Ind., Werften. – Das älteste erhaltene Bauwerk Südafrikas ist die Festung (Castle of Good Hope) mit fünf Bastionen (1666–79). Im regelmäßig angelegten Stadtkern sind Bauten im niederländ. Kolonialstil (kapholländ. Stil) erhalten. Bed. auch das Alte Rathaus (1755–61), das Parlamentsgebäude (1886) mit angrenzendem De Tuynhuys (heute Amtssitz des Staatspräs.). Das histor. Malaienviertel befindet sich nordwestlich des Stadtkerns am Fuß des Signal Hill (350 m ü. M.). – Die Stadt wurde 1652 von den Niederländern als Versorgungsstation auf dem Seeweg nach Indien gegründet; 1806–1910 Hauptstadt der brit. Kapkolonie.

Kapuziner, Zweig der → Franziskaner.

Kapuziner|affen (Cebinae), Unterfamilie der Neuweltaffen in den Waldgebieten Mittel- und Südamerikas, meist mit mindestens körperlangem Rollschwanz, der häufig als »Greifhand« eingesetzt wird, sowie kapuzenartigem Haarschopf.

Kapuzinerkresse [nach der kapuzenähnlichen Blüte] (Blumenkresse, Tropaeolum), südamerikan. Gattung meist kletternder Kräuter der K.-Gewächse mit schildförmigen Blättern und gespornten gelben bis roten Blüten. Die am häufigsten kultivierte Art ist die **Große K.** (Topaedum majus), eine beliebte Zierpflanze.

Kapuzinerpredigt (Kapuzinade), tadelnde Predigt, wie sie bei den Kapuzinern üblich war; bekannt v. a. die K. des → Abraham a Sancta Clara.

Kap Verde [portug. verde »grün«] (frz. Cap Vert), Halbinsel an der Küste Senegals mit dem westlichsten Punkt des afrikan. Festlands (17° 33' w. L.).

Kap Verde (amtlich portugies. República de Cabo Verde, dt. Rep. K. V. und Rep. Kapverden), Inselstaat im Atlantik vor der W-Küste Afrikas.

Staat und Recht: Nach der Verf. von 1981 (seither mehrfach geändert) ist K. V. eine Rep. mit Mehrparteiensystem. Staatsoberhaupt ist der auf fünf Jahre direkt gewählte Präs. Exekutivorgan ist die Reg. unter Vorsitz des vom Parlament gewählten MinPräs. Die Legislative liegt bei der Nat. Volksversammlung (75 Abg., für fünf Jahre gewählt). Wichtigste Parteien: Bewegung für Demokratie (MPD) und Afrikan. Partei für die Unabhängigkeit von K. V. (PAICV). – K. V. ist in zwölf Kreise gegliedert.

Landesnatur: K. V. umfasst die **Kapverdischen Inseln (Kapverden),** zehn größere Inseln (davon neun bewohnt) und fünf Inseln, die sich in die beiden Gruppen Barlavento (Santo Antão, São Vicente, Santa Luzia, São Nicolau, Sal, Boa Vista) und Sotavento (São Tiago, Fogo, Maio, Brava) gliedern. Die Inseln sind vulkan. Ursprungs, teilweise gebirgig und stark zertalt; die westl. Inseln mit über 100 m hohen Steilküsten. Auf den östl. Inseln sind größere Flächen mit Dünensand oder Salzsümpfen bedeckt. Höchste Erhebung ist der noch tätige Vulkan Pico de Cano (2829 m ü. M.; letzter Ausbruch 1951) auf Fogo. Das Klima wird den größten Teil des Jahres vom trockenen Nordostpassat be-

Staatswappen

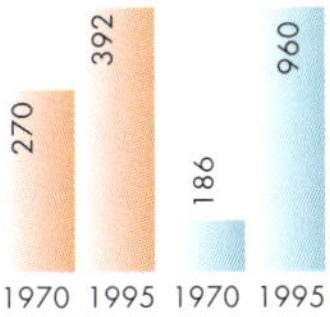

Bevölkerung (in Tausend)

Bruttosozialprodukt je Ew. (in US-$)

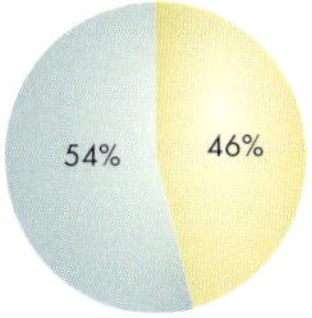

Stadt
Land

Bevölkerungsverteilung 1994

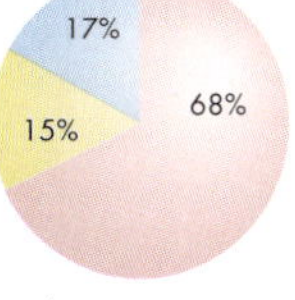

Industrie
Landwirtschaft
Dienstleistung

Bruttoinlandsprodukt 1993

stimmt, nur von Ende Juli bis Anfang Nov. geringe, in höheren Gebirgslagen höhere Niederschläge. Es herrscht Halbwüstenvegetation vor.

Kap Verde: Durch Vulkanismus geprägte Landschaft im Südosten der Insel Santo Antão

Bevölkerung: Die Bev. besteht zu rd. 71 % aus Mischlingen (Kreolen), 28 % Schwarzen, 1 % Weißen. Fast die Hälfte der Ew. lebt auf São Tiago; größte Stadt, wichtigster Hafen und Wirtschaftszentrum ist Mindelo auf São Vicente. Etwa 93 % der Bev. sind Katholiken. – Schulpflicht besteht vom 7. bis 12. Lebensjahr, außerdem fortbildende, Berufs- und Handelsschulen sowie Lehrerausbildung; die Analphabetenquote liegt bei rd. 35 %.

Wirtschaft, Verkehr: K. V. gehört zu den ärmeren Entwicklungsländern. Führend sind Land- und Forstwirtschaft sowie Fischerei. Die oft dürrebedingten geringen Erträge reichen nicht zur Selbstversorgung. Angebaut werden v. a. Mais, Bohnen, Maniok, Kartoffeln; für den Export Bananen, Kaffee, Orangen, Zuckerrohr. Wichtig sind Viehhaltung (Ziegen, Schweine, Rinder) und Fischfang (Fang und Verarbeitung von Thunfisch und Hummer); Gewinnung von Salz, Puzzolan (für Baustoffe) und Kalk. Ausgeführt werden v. a. Fischprodukte (50 % der Exporterlöse), Bananen, Kaffee, Salz, Baustoffe und Textilien; Haupthandelspartner sind Portugal und die Niederlande. Tourist. Anziehungspunkte sind die vulkan. geprägten Bergregionen v. a. auf Fogo und weite Sandstrände auf den östl. Inseln. – Der Verkehr zw. den Inseln erfolgt durch Linienflugzeuge und Motorboote; das Straßennetz auf den Inseln hat eine Länge von 2250 km (davon 653 km befestigt). Überseehäfen: Mindelo auf São Vicente und Praia auf São Tiago; internat. Flughafen Espargos auf Sal.

Karabinerhaken

Geschichte: 1455/56 wurden die unbewohnten Inseln von Portugiesen entdeckt, seit 1461 besiedelt. Wirtschaftsgrundlage wurde der Sklavenhandel (erst 1876 abgeschafft). Seit 1951 portugies. Überseeprovinz, Dez. 1974 Autonomie, seit 5. 7. 1975 Unabhängigkeit. Staatspräs. wurde im Febr. 1991 A. Mascarenhas Monteiro (1996 bestätigt).

Kap-York-Halbinsel (engl. Cape York Peninsula), Halbinsel im trop. NO Australiens (Queensland), mit dem nördlichsten Punkt des austral. Festlandes (10° 41' s. Br.), vorgelagert die Torresinseln; dünn besiedelt, an der O-Küste trop. Regenwald, Bauxitabbau bei Weipa.

Kar [ahd. char »Schüssel«] *das,* nischen- oder sesselförmige Hohlform in den Steilhängen vergletscherter oder ehemals vergletscherter Gebirge; auf dem Karboden liegt häufig ein Karsee.

Karabiner [frz. carabine »kurze Reiterflinte«] *der,* Gewehr mit kurzem Lauf.

Karabinerhaken, ein Haken, der durch eine federnde Zunge zur geschlossenen Öse wird.

Kara-Bogas-Gol [türk. »schwarze Bucht«], flache Bucht am O-Ufer des Kasp. Meeres, Turkmenistan, durch einen Damm vom offenen Meer abgeriegelt; in den letzten Jahrzehnten stark ausgetrocknet (1897: 18 346 km^2; 1979: 12 000 km^2; 1983: 6 000 km^2), seit den 80er-Jahren durch Meeresspiegelanstieg im →Kaspischen Meer wieder Wasserspiegelanstieg; größtes Natriumsulfatvorkommen der Erde, reiche Salzlager.

Karachi [kəˈrɑːtʃɪ], pakistan. Stadt, →Karatschi.

Karadj [kaˈrædʒ] (Karadsch, Karaj), Stadt in N-Iran, am S-Fuß des Elbursgebirges, 442 400 Ew.; Mittelpunkt einer intensiv bewirtschafteten Oase; Hochschulen; chem. Ind., Glasfabrik, Zuckerfabrik. Nordöstlich der Stadt wird der Fluss K. gestaut (Kraftwerk, Wasserversorgung Teherans).

Karadjordje [-dʒɔːrdʒɛ] (Karađorđe), eigtl. Đorđe (Georg) Petrović, gen. Kara [türk. »der Schwarze«], Karageorg, Führer des serb. Freiheitskampfes, *Viševac (Šumadija) 14. 11. 1768 (?), †(ermordet) Radovanje bei Smederevska Palanka (Serbien) 25. 7. 1817; Sohn eines Bauern; hatte im serb. Aufstand seit 1804 den Oberbefehl, vertrieb die Türken und war bis 1813 der erste Fürst Serbiens. Er wurde auf Befehl von →Miloš Obrenović ermordet. Seine Nachkommen, die serb. Dynastie **Karadjordjević,** wechselte in der Herrschaft mit dem Fürstenhaus →Obrenović. K.s Sohn Alexander war 1842–59 vierter Fürst; dessen ältester Sohn wurde 1903 als Peter I. König von Serbien. Diesem folgte 1921 als König von Jugoslawien sein 2. Sohn Alexander I., nach Alexanders Ermordung (1934) dessen ältester Sohn Peter II., der 1941 emigrierte.

Karadžić [-dʒitɕ], **1)** Radovan, serb. Politiker, *Petnijca (Montenegro) 1945; Psychiater und Psychotherapeut; serbisch-nationalistisch eingestellt, 1990–96 Vors. der Serbischen Demokrat. Partei, 1992–96 Präs. der Serb. Republik innerhalb von Bosnien und Herzegowina, wurde angesichts der Vertreibung von Angehörigen anderer Nationalitäten und der systemat. Vergewaltigung von muslim.

Frauen durch Angehörige der bosnisch-serb. Armee vom Internat. Kriegsverbrechertribunal in Den Haag der Anstiftung zu Kriegsverbrechen angeklagt.

2) Vuk Stefanowitsch, serb. Philologe, *Tršić (bei Loznica) 7. 11. 1787, †Wien 7. 2. 1864; schuf die moderne serb. Schriftsprache.

Karäer [hebr. wohl »Leute der Schrift«], im 8. Jh. entstandene, in der Folge weite Teile des oriental. Judentums ergreifende jüd. Sekte, die nur das A. T., nicht aber den Talmud und die rabbin. Auslegungstradition anerkennt.

Karafutō, japan. Name für die Insel →Sachalin.

Karaganda (kasach. Karaghandy, Qaraghandy), Hptst. des Gebiets K., Kasachstan, am Irtysch-K.-Kanal (458 km lang), inmitten des K.-Kohlebeckens, 608600 Ew.; Univ. u. a. Hochschulen; Steinkohlenbergbau, Schwermaschinenbau, Baustoff-, Nahrungsmittel-, Bekleidungsindustrie.

Karagatsis, M(itsos), eigtl. D. Rodopulos, neugrch. Erzähler, *Athen 24. 6. 1908, †ebd. 14. 9. 1960; schrieb Romane und Erzählungen in neorealist. Prosa mit Betonung sexueller Konflikte.

Karagöz [-ˈgøːs] (Karagös) [türk. »Schwarzauge«], Hauptfigur des türk. **K.-Spiels,** ein Figurenspiel mit begrenzt bewegl., farbig auf einen Schirm projizierten Figuren aus Pergament. K. ist der gewitzte und listige Repräsentant des türk. Volkscharakters; sein ständiger Gegenspieler ist der bedächtige Hacivad (Hadjiwad).

Karaiben, →Kariben.

Karajan, Herbert von, österr. Dirigent, *Salzburg 5. 4. 1908, †Anif (bei Salzburg) 16. 7. 1989; war seit 1955 Chefdirigent der Berliner Philharmoniker (bis 1989), daneben seit 1956 künstler. Leiter auch der Wiener Staatsoper (bis 1964) und der Salzburger Festspiele (bis 1988); 1967 begründete er die Salzburger Osterfestspiele, bei denen er v. a. die Opern R. Wagners inszenierte und dirigierte. Seit 1969 veranstaltet die **H.-v.-K.-Stiftung** alle zwei Jahre den H.-v.-K.-Wettbewerb zur Förderung junger Dirigenten.

📖 ENDLER, F.: *K. Eine Biographie. Hamburg 1992.* – WESSLING, B. W.: *H. von K. Eine krit. Biographie. München 1994.*

Herbert von Karajan

Karakalpaken [türk. »Schwarzmützen«], den Kasachen nahe stehendes Volk, südlich des Aralsees, v. a. in →Karakalpakien; sprechen eine Turksprache, etwa 423000 Menschen; betreiben Ackerbau, Viehzucht, früher auch Fischfang. Ihre Religion ist der sunnit. Islam.

Karakalpakilen (Karakalpak. Rep., Karakalpakstan), Teilrep. innerhalb Usbekistans, am Aralsee, 164900 km², (1991) 1,27 Mio. Ew. (1989: 32 % Karakalpaken, 33 % Usbeken, 26 % Kasachen); Hptst. ist Nukus. K. liegt im W der Wüste Kysylkum und im SO-Teil des Ust-Urt-Plateaus; trockenheißes kontinentales Klima. Auf Naturweiden Schaf- und Kamel-, in bewässerten Ackerbaugebieten (Baumwollmonokultur) auch Rinder-, Pferde-, Seidenraupen- und Pelztierzucht. Der Fischfang im Aralsee musste eingestellt werden.

Karaklis, bis 1935 und für kurze Zeit nach 1992 Name der armen. Stadt →Wanadsor.

Karakorum [auch -ˈrʊm], **1)** Hptst. des Mongolenreiches im 13. Jh., 1220 von Dschingis Khan im Tal des Flusses Orchon gegr., ab 1235 Blütezeit unter Großkhan Ögädäi. Ende des 14. Jh. wurde die Stadt von chines. Truppen zerstört. 1586 entstand hier das lamaist. Kloster Erdeni Dsu.

2) *der,* innerasiat. Hochgebirge zw. Hindukusch, Pamir, Kunlun Shan, Transhimalaja und Himalaja, in China und Kaschmir (Indien, Pakistan), bildet die Hauptwasserscheide zw. dem Indus (Ind. Ozean) und dem abflusslosen Tarimbecken, mit vier Achttausendern (K2, Gasherbrum I und II, Broad Peak) und riesigen Gletschern. 1978 wurde die K.-Straße (wichtigste Passstraße) zw. Pakistan (Kaschmir) und China (Sinkiang) fertig gestellt, an der von dem dt. Ethnologen Karl Jettmar im Hunza- und im Industal seit 1979 rd. 30000 Felsbilder und Inschriften entdeckt wurden. Die ältesten Bilder gehören der Frühbronzezeit an.

Karakorum 2): Buddhadarstellung aus dem 7. Jh. auf einem Felsen bei Thalpan im Industal

Karakulschaf, mittelgroßes, heute weltweit verbreitetes Fettschwanzschaf aus Vorderasien; die wertvollen lockigen Lammfelle kommen als **Persianer** (**Karakul;** von 1–5 Tagen alten Lämmern) oder als **Breitschwanz** (von früh- oder tot geborenen Lämmern) in den Handel. BILD S. 226

Karakum [türk. »schwarzer Sand«] *die,* Sandwüste im S des Tieflands von Turan, Turkmenistan, etwa 350000 km², bis 81 m u. M; mit extremem kontinentalem Klima; Naturweide für Kamele und Schafe; am 1445 km langen und schiffbaren

K.-Kanal, der nördlich des Kopet-Dag vom Amudarja bis Bacharden nordwestlich von Aschchabad verläuft, Bewässerungsfeldbau.

Karamai (Karamay, chines. Kelamayi), Stadt in der westl. Dsungarei (Autonome Region Sinkiang), China, 189 000 Ew.; Zentrum mehrerer Erdölfelder mit Pipelines nach Dushanzi und Ürümqi; Erdölraffinerie; Flugplatz.

Karaman, Stadt in Inneranatolien, Türkei, am N-Fuß des Taurus, 1080 m ü. M.; 76 700 Ew.; Gebirgsfußoase mit Ackerbau und Schafzucht. – Festung (13. Jh.), Moscheen und Mausoleen (14. und 15. Jh.). – K., im Altertum und MA. **Laranda,** war 1275–1466 Hptst. eines türk. Kleinfürstentums.

Konstantin Karamanlis

Karamanlis, Konstantin, grch. Politiker, *Proti (Makedonien) 23. 2. 1907, †Athen 23. 4. 1998; Rechtsanwalt, 1956–63 Vors. der »Nationalradikalen Union«, 1955–63 mit kurzen Unterbrechungen MinPräs., 1963–74 im Exil in Paris, leitete nach dem Zusammenbruch der Militärdiktatur (1974) als Min.-Präs. und Vors. der »Neuen Demokratie« 1974–80 die Rückkehr seines Landes zur parlamentar. Demokratie ein und setzte dessen Beitritt zur EG durch. 1980–85 und 1990–95 war er Staatspräsident. 1978 erhielt K. den Karlspreis der Stadt Aachen.

Karambolage [karambɔ'la:ʒə, frz.] *die,* **1)** *allg.:* Zusammenstoß.

2) *Billard:* das regelgerechte Aufeinandertreffen der Bälle.

Karamell [über frz. caramel aus span., portugies. caramelo »Zuckerrohr«, »gebrannter Zucker«] *der* (Zuckercouleur), durch trockenes Erhitzen von Zucker oder Zuckerlösungen auf rd. 200 °C **(Karamellisieren)** entstehende Röstprodukte; Verwendung z. B. in der Süßwaren- und Spirituosenind. als Geschmacks- und Farbstoffe.

Karakulschaf: Das schwarze Fell färbt sich mit zunehmendem Alter grau

Karamsin, Nikolai Michailowitsch, russ. Schriftsteller und Historiker, *Michailowka (bei Simbirsk) 12. 12. 1766, †Sankt Petersburg 3. 6. 1826; führte durch seine »Briefe eines russ. Reisenden«, 1791/92) und Erzählungen (»Die arme Lisa«, 1792) den empfindsamen Stil in die russ. Literatur ein und legte als Sprach- und Stilreformer die Grundlage für die neuere russ. Literaturprosa. Seine »Geschichte des russ. Reiches« (12 Bde., 1816–29) war grundlegend für die Ausbildung eines russ. Geschichtsbewusstseins.

Kara Mustafa, →Mustafa 2).

Karavelle: Rekonstruktionszeichnung der Karavelle »Nina«, die als Begleitschiff der »Santa Maria« von Christoph Kolumbus diente

Karaosmanoğlu [-nɔ:lu], Jakup Kadri, türk. Schriftsteller und Diplomat, *Kairo 27. 3. 1889, †Ankara 14. 12. 1974; hat als Romancier entscheidenden Anteil an der Entwicklung der modernen, an westl. Vorbildern orientierten türk. Literatur.

Karasee (Karisches Meer), Teil des Nordpolarmeers, flaches Randmeer (mittlere Tiefe 118 m, maximale 620 m) vor der Küste Sibiriens zw. Nowaja Semlja und der Halbinsel Jamal, den größten Teil des Jahres eisbedeckt. Einen Durchlass zur Barentssee bildet die 33 km lange und 45 km breite **Karastraße** zw. Nowaja Semlja und der Waigatschinsel. Durch Versenkung von Atom-U-Booten und atomarem Müll der ehem. Sowjetunion droht eine atomare Verseuchung.

Karat [frz., zu grch. kerátion »kleines Horn«] *das,* **1)** der getrocknete Samen des Johannisbrotbaumes, mit dem früher Gold und Edelsteine gewogen wurden.

2) (metr. K.), Einheitenzeichen **Kt,** gesetzliche Einheit zur Angabe der Masse von Edelsteinen: 1 Kt = 0,2 g.

3) Verhältniszahl zur Angabe des Feingehalts von Goldlegierungen; eine Legierung, die zu $^1/_{24}$ aus Gold besteht, hat 1 Kt; reines Gold hat 24 Karat.

Karate [japan., eigtl. »leere Hand«] *das,* zu den Budokünsten (→Budo) gehörender, aus O-Asien stammender, waffenloser Kampfsport bzw. ein Selbstverteidigungssystem, bei dem die Gliedmaßen des Körpers zu natürl. Waffen ausgebildet und für Schläge, Stöße und Tritte (ohne Griffe und Hebel) gegen empfindl. Körperstellen eingesetzt werden; im traditionellen K. (Shotokan-Stil) werden die Angriffe vor dem Körper des Gegners abgestoppt. Daneben besteht der Leichtkontaktstil, bei dem der Angriff kontrolliert durchgezogen wird. Beim Vollkontakt-K. darf voll zugeschlagen oder zugetreten werden. – Beim K. sollen nicht nur wirkungsvolle Techniken beherrscht werden, sondern K. ist auch eine Kunst der Vielseitigkeit, der Harmonie von Körper und Geist, des unterbewussten Reagierens, deren Sinn darin besteht, mit »leeren (waffenlosen) Händen« zu siegen. – Die Kampffläche, keine Matte, sondern glatter Boden, ist 8 × 8 bis 10 × 10 m groß, die Kampfzeit beträgt 2–3 min; K. wird nach feststehenden Regeln und zwei Formen (Kata: Perfektionsübungen und Kumite: Partnerübung) nat. in den Klassen bis 65 kg, bis 70 kg, bis 80 kg und über 80 kg (seit 1976) ausgeübt, internat. ohne Gewichtsklasseneinteilung.

Karatepe, Name mehrerer altoriental. Ruinenstätten; besondere Bedeutung erlangte der K. in Kilikien am Fluss Ceyhan, Türkei; hier entdeckte H. T. Bossert 1946 die Ruinen einer späthethit. Grenzfestung des 8. Jh. v. Chr. Die zweisprachige Inschrift am Toraufgang, deren phönik. Version fast wörtlich den hethit. Hieroglyphen entspricht, trug wesentlich zu deren Entzifferung bei.

Karatschaier, Volk an den N-Hängen des westl. Großen Kaukasus, 156 000 Angehörige; betreiben Viehzucht, auch Ackerbau. Die K. sind seit etwa 1780 Sunniten. Ihre Sprache ist dem Balkarischen verwandt.

Karatschai-Tscherkessilen (Republik der Karatschaier und Tscherkessen), Teilrep. der Russ. Föderation, beiderseits des oberen Kuban, 14 100 km², (1994) 434 100 Ew. (1989: 31 % Karatschaier, 10 % Tscherkessen, 42 % Russen, 7 % Abchasen), Hptst. ist Tscherkessk. Die Rep. erstreckt sich im S auf der Nordabdachung des Großen Kaukasus, bildet im N eine hügelige Ebene; bei mildem Klima Zuckerrüben-, Kartoffel-, Sonnenblumen-, Gemüseanbau sowie Obst-, Weinbau und Rinderzucht, im Gebirge Schafzucht; Bergbau auf Kohle, Blei-, Zink- und Kupfererze.

Karatschi (engl. Karachi), größte Stadt Pakistans und Hptst. der Prov. Sind, am Arab. Meer, am W-Rand des Indusdeltas, 7,5 Mio. Ew.; kath. Erzbischofssitz; zwei Univ., TU, Hochschulen, Museen, Aquarium; Handels-, Banken- und Ind.zentrum des Landes; über seinen Hafen erfolgt der größte Teil des pakistan. Außenhandels sowie des Transitverkehrs für Afghanistan; zur Entlastung wurde der Kohle- und Erzhafen Port Mohammad Bin Qasim im SO von K. eröffnet, dort auch moderne Werft und zwei Trockendocks. Nahrungsmittel-, Textil-, (petro)chem., Glas-, Elektroind., Walzwerke u. a.; Kernkraftwerk (seit 1972); internat. Flughafen. An der Straße nach Hyderabad liegt das Gräberfeld von Chaukandi mit stufenförmigen Grabmälern aus Sandstein aus dem 16.–18. Jh.; in die z. T. gut erhaltenen Steinplatten sind kunstvolle abstrakte Muster, Blüten- und Reitermotive gemeißelt. – K. war bis zur brit. Annexion des Sind ein kleiner Fischerort mit Fort und natürl. Hafen. 1947–59 Hptst. Pakistans.

Karatschi: Das Gräberfeld von Chaukandi mit stufenförmigen Sandsteingrabmälern aus dem 16.–18. Jahrhundert

Karausche [aus litauisch karōsas] (Bauernkarpfen, Carassius carassius), karpfenartiger Süßwasserfisch N-Europas, 15–30 cm lang, mit rötl. Flossen.

Karavan, Dani, israel. Künstler, * Tel Aviv 7. 12. 1930; seit 1959 architektonisch-plastische Environments; bezieht in seine von geometr. Formen ausgehenden Gestaltungen landschaftl. Gegebenheiten ein: Heinrich-Böll-Platz in Köln (»Maalot«, 1986).

Karavelle [frz., von portugies. caravela »Küstenschiff«] *die,* Segelschifftyp (2–3 Masten) des 14. bis 16. Jh. unterschiedl. Größe, mit geringem Tiefgang, hohem Heckaufbau und Lateinsegel; mit K. wurden z. T. die Entdeckungsfahrten der Spanier und Portugiesen durchgeführt.

Karawane [pers.] *die,* Reisegesellschaft von Kaufleuten und Pilgern in Asien und Afrika, v. a. in Wüstengebieten, gebildet aus Sicherheitsgründen. **Karawanserei,** im arab. Kulturbereich Unterkunft für Reisende an K.-Straßen.

Karawanken, Gebirgsgruppe der Südl. Kalkalpen, zw. der Drau im N, der Save im S, der Gailitz im W und der Mißling im O, gipfelt im Hochstuhl (2238 m ü. M.). Über den Hauptkamm verläuft seit 1920 die österreichisch-slowen. Grenze. Verkehrswichtige Übergänge sind der Wurzenpass (1073 m ü. M.), der Loiblpass (1368 m ü. M., mit 1,6 km langem Straßentunnel in 1026 m Höhe) und der Seebergsattel (1218 m ü. M.); die Eisenbahn unterfährt die K. in 637 m Höhe im **K.-Tunnel** (7976 m lang), westlich davon verläuft der **K.-Straßentunnel** (7864 m lang, 1991 eröffnet).

Karawelow, Ljuben Stojtschew, bulgarischer Schriftsteller und Publizist, * Kopriwschtiza (Region Sofia) um 1834, † Russe 21. 1. 1879; wirkte für die nat. Befreiung Bulgariens. Mitbegründer des bulgar. krit. Realismus; polit. Schriften, Kritiken, daneben Lyrik, Novellen, ein Drama.

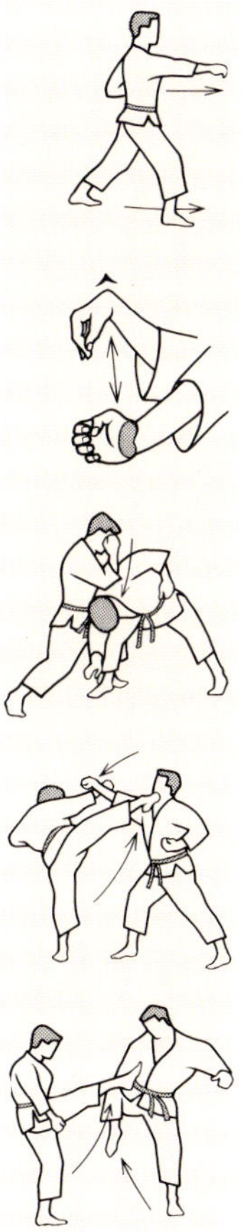

Karate (von oben): Schlagtechniken Oi-Tsuki, Koken-Shotei, Empi-Uchi; Fußtechniken Yoko-Geri, Hiza-Uke

Kardamom: Blütentrieb des Malabarkardamoms

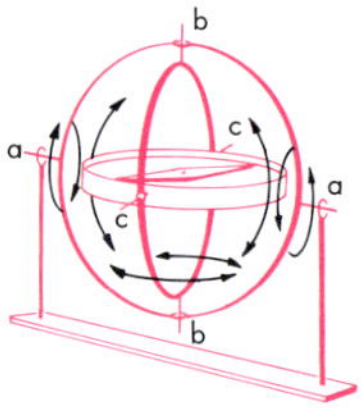

kardanische Aufhängung: Der Kompass ist um die drei aufeinander senkrecht stehenden Achsen a, b und c drehbar gelagert

Edvard Kardelj

Karbid [lat.] *das,* → Calciumcarbid.

Karbolineum *das* (Carbolineum), braunrotes, wasserunlösl. Gemisch aus Steinkohlenteerprodukten, desinfizierend und fäulnishemmend; Holzschutzmittel; Krebs erregend.

Karbon [lat.] *das,* geolog. System des Paläozoikums, in **Unter-** und **Ober-K.** gegliedert; charakterisiert durch kalkige und sandig-schiefrige Schichten und die obere, die Kohlenflöze enthaltende Schicht. Im Ober-K. faltete sich in Mitteleuropa das → Variskische Gebirge auf. Plötzl. Entfaltung der Pflanzenwelt kennzeichnet die Liegendgrenze, die Obergrenze ist unscharf. In der Folge der tekton. Vorgänge drangen zahlr. Granite auf, die Erzbringer der europ. Mittelgebirge. Warmfeuchtes und niederschlagsreiches Klima und reicher Pflanzenwuchs führten in den durch die Gebirgsbildung abgesenkten Räumen Eurasiens zur Bildung von mächtigen Torfmooren, deren Pflanzenstoffe zu Kohle umgewandelt wurden. Vertreter der Pflanzenwelt, die die Steinkohlenwälder bildete, sind bes. schachtelhalm- und bärlappartige Gewächse.

Karbonade [frz.] *die,* Fleischstück aus dem Rückenfleisch von Kalb, Schwein oder Hammel; auch Bez. für das → Kotelett.

Karbonisieren, 1) *Chemie:* die Umwandlung organ. Substanzen in Kohlenstoff oder Carbonate, auch das Anreichern mit Kohlendioxid.

2) *Textiltechnik:* das Behandeln von Wolle oder Wollwaren mit verdünnten Säuren, Aluminiumchlorid- bzw. Magnesiumchloridlösungen und anschließendem Erhitzen; dient dem Entfernen von pflanzl. Verunreinigungen bzw. Beimischungen von Pflanzenfasern.

Karbunkel [lat.] *der, Medizin:* schwere Form des → Furunkels.

Karburieren [frz.], das Erhöhen des Heizwertes und der Leuchtkraft von Brenn- und Leuchtgasen durch feste, flüssige oder gasförmige Zusätze, die elementaren Kohlenstoff enthalten oder diesen durch therm. Reaktion freisetzen.

Kardamom [grch.] *der* oder *das* (Cardamom, Elettaria), Gattung der Ingwergewächse mit zwei Arten: der v.a. an der ind. Malabarküste beheimatete **Malabar-K.** (Elettaria cardamomum) und der weniger wertvolle **Ceylon-K.** (Elettaria major). Beide sind 2–4 m hohe, schilfartige Stauden mit bräunl. Fruchtkapseln. Die Samen enthalten ein würzig riechendes, äther. Öl und werden als Gewürz (mit brennend würzigem Geschmack), v.a. für Backwaren, Fleisch- und Wurstwaren, Liköre und Gewürzmischungen verwendet.

Kardamomgebirge, → Cardamomgebirge.

Kardangelenk [nach G. Cardano], ein Gelenk zur Kraftübertragung zw. zwei Wellen, bei dem die angetriebene zur treibenden Welle veränderbare Winkel einnehmen kann. **Kardanwelle,** eine → Gelenkwelle mit Kardangelenk.

kardanische Aufhängung [nach G. Cardano], eine Aufhängevorrichtung, bei der ein Körper allseitig drehbar gelagert ist; besteht aus drei Ringen, von denen jeder um jeweils eine der drei mögl. senkrecht aufeinander stehenden Achsen im Raum beweglich ist. Ein im innersten Ring befindl. Körper (z.B. Schiffskompass) behält bei Lageänderung der k. A. seine Schwerpunktslage oder durch Kreiselwirkung vorgegebene Stellung im Raum bei.

Karde [italien.] *die* (Dipsacus), distelähnl. Pflanzengattung der K.-Gewächse (Dipsacaceae). Die K. sind stachelige oder borstige Stauden oder zweijährige Kräuter, deren gegenständige Blätter z.T. am Grund verwachsen sind; aus ihren zapfenförmigen Blütenständen ragen stechende oder hakige Hüllblätter. In Europa, Vorderasien und N-Afrika wächst auf tonigem Boden die bis 2 m hohe **Wilde K.** (**Wolfsdistel,** Dipsacus silvestris), die 5–8 cm lange lilafarbige Blütenköpfe hat. Die hellviolett blühende **Weber-K.** (**Weber-, Walkerdistel,** Dipsacus sativus) wurde früher mit ihren hakenstachligen Köpfen zum Aufrauen mancher Wollstoffe benutzt und deshalb angebaut.

Karde: Die Wilde Karde wird bis zu 2 m hoch und blüht von Juli bis August

Karde *die* (Krempel), Spinnereimaschine zur Auflösung von Fasern in Wirrlage (Flocken), zur Faserparallelisierung **(Kardieren),** zum Ausscheiden von Verunreinigungen und zur Herstellung eines Faserbands.

Kardelj, Edvard, jugoslaw. Politiker, * Ljubljana 27. 1. 1910, † ebd. 10. 2. 1979; Slowene, seit 1928 Mitgl. der KP, seit der dt. Besetzung (1941) Führer der slowen. Partisanen, arbeitete eng mit Tito zusammen. Nach der Wiedererrichtung Jugoslawiens war er 1945 Vizepräs. der Rep., 1948–53 Außenmin., 1953–63 stellv. Vors. des Bundesvollzugsrats und ab 1974 Mitgl. des Präsidiums der Republik.

Kardia [grch.] *die, Anatomie:* der Mageneingang (→ Magen).

Kardiaka, die → Herzmittel.

kardial, das Herz betreffend.

Kardinal [zu lat. cardinalis »wichtig«, »vorzüglich«], in der kath. Kirche einer der höchsten Würdenträger nach dem Papst. Die K. werden vom Papst ernannt, sie sind seine engsten Mitarbeiter in der Leitung der Gesamtkirche und unterstehen seiner Jurisdiktionsgewalt. Seit 1179 haben sie das ausschl. Recht der Papstwahl. Die K. bilden das **K.-Kollegium,** gegliedert in K.-Bischöfe, K.-Priester und K.-Diakone, an dessen Spitze der von den K.-Bischöfen gewählte **K.-Dekan** steht. Die Zahl der K., 1586 auf 70 festgelegt, wurde 1958 freigegeben. Für die Beteiligung an der Papstwahl und die Wahrnehmung von Funktionen in den ständigen Einrichtungen der röm. →Kurie und des Vatikanstaates gilt eine Altersgrenze von 80 Jahren. Zeichen ihrer besonderen Stellung in der Kirche ist neben Titel, Insignien und Wappen die Kleidung (u.a. roter **Kardinalshut**).

Kardinäle (Cardinalinae), zu den Ammern gestellte Unterfamilie amerikanischer Singvögel; ihr Schnabel ist finkenartig. Wegen ihres melod. Gesangs sind K. beliebte Stubenvögel, z.B. **Roter Kardinal (Blutkardinal, Virgin. Nachtigall,** Cardinalis cardinalis), etwa 20 cm lang, im SO der USA verbreitet, das Männchen ist rot (mit schwarzer Gesichtsmaske), das Weibchen bräunlich gefärbt. **Grauer Kardinal (Graukardinal,** Paroaria coronata), im trop. Südamerika, Kopf mit Haube rot, übriges Gefieder oben grau, unten weiß.

Kardinal|elemente, die Punkte, Strecken oder Flächen **(Kardinalpunkte, -strecken, -flächen),** die nach den Gesetzen der geometr. Optik für die Abbildungseigenschaften eines opt. Systems charakteristisch sind. K. sind v.a. die Brenn-, Haupt- und Knotenpunkte und die durch diese definierten bzw. hindurchgehenden Strecken und Flächen; für die Hauptpunkte H, H' ist der Abbildungsmaßstab, für die Knotenpunkte N, N' das Winkelverhältnis gleich 1. (→Abbildung)

Kardinaltugenden, die vier seit Platon zusammengestellten hauptsächl. Tugenden: Weisheit, Tapferkeit, Besonnenheit, Gerechtigkeit. Auf sie wurden, von der Stoa an, die übrigen Tugenden zurückgeführt. Thomas von Aquin fügte diesen die drei theolog. Tugenden Glaube, Hoffnung und Liebe hinzu. In der kath. Moraltheologie blieb die klass. Einteilung bis ins 20. Jh. erhalten.

Kardinalzahl, *Mathematik:* die Mächtigkeit einer Menge (→Mengenlehre); bei einer endlichen Menge ist die K. gleich der Anzahl der Elemente.

Kardiologie [grch.] *die,* Lehre vom Herzen und seinen Erkrankungen, Teilgebiet der inneren Medizin.

Kardiospasmus, die →Achalasie.

Kardiotokographie [zu grch. tókos »Geburt«], fortlaufende und gleichzeitige graf. Aufzeichnung von mütterl. Wehentätigkeit (Häufigkeit, Dauer und Stärke) und kindl. Herzfrequenz vor und während der Geburt durch ein spezielles Gerät mit elektron. Bauteilen (Kardiotokograph).

kardiovaskulär [lat. vasculum »kleines Gefäß«], das Herz und die Blutgefäße betreffend.

Kardinäle:
Roter Kardinal, Männchen (Größe etwa 20 cm)

Kareli|en (Karelische Republik), Teilrep. der Russ. Föderation, zw. der Kandalakscha- und Onegabucht des Weißen Meeres im N und Ladoga- und Onegasee im S, 172400 km², (1994) 794200 Ew. (1989: 10% Karelier, 74% Russen, 7% Weißrussen), Hptst. ist Petrosawodsk. K. wird von einer wald-, seen-, moor- und flussreichen Ebene eingenommen, die von einzelnen Hügeln und Höhenzügen unterbrochen wird. Das Klima ist kühl und feucht, etwa die Hälfte der Gesamtfläche ist bewaldet. Wichtig sind Eisenerzförderung (um Kostomukscha), Natursteingewinnung, Holzeinschlag und -verarbeitung, Papierind., Maschinen- und Schiffbau, Aluminiumerzeugung und Fischverarbeitung (Fischfang im Weißen Meer und Nordatlantik); im südl. Teil wird Landwirtschaft (bes. Milchrinderzucht) betrieben. Bed. Verkehrslinien sind die Murmanbahn und der Weißmeer-Ostsee-Kanal.

Geschichte: Die Rep. K. umfasst den größten Teil der histor. Landschaft K. (finn. **Karjala**), das restl. Gebiet (rd. 23500 km²) gehört zu Finnland. K. geriet im 12. Jh. unter die Herrschaft Nowgorods; 1323 in ein russ. und schwed. Hoheitsgebiet geteilt. Durch den Frieden von Stolbowo (1617) kam Russisch-K. überwiegend an Schweden; der Nord. Krieg (1700–21) brachte Russland in den Besitz eines Teils von K. mit Wyborg. Als Finnland 1809 an Russland fiel, gliederte Zar Alexander I. den W dem Großfürstentum Finnland an. Die aus den ostkarel. Gebieten 1923 geschaffene **Karelo-Finn. ASSR** wurde 1940–47 mit dem von Finnland abgetretenen West-K. zur **Karelo-Finn. SSR** vereinigt; diese wurde 1956 als **Karel. ASSR** wieder Bestandteil Russlands (seit 1991 **Rep. Karelien**).

Kareli|er, finn. Volksstamm in O-Finnland und Karelien, 131000 Menschen. Ihre Sprache, das Karelische, gehört zu den →finnougrischen Sprachen.

Karelische Landlenge, bis 43 km breite, wald-, seen- und moorreiche Landenge zw. Finn. Meerbusen und Ladogasee, Russland.

Karen, tibetobirman. Volk, v.a. in S-Birma (etwa 3,8 Mio. K.), auch in W-Thailand; die K. leben zu einem Drittel im Grenzgebirge zu Thailand **(Karenstaat)**, die Mehrheit hat sich im birman. Tiefland angesiedelt; Anbau von Reis, Gemüse, Gewürzen und Baumwolle. Die meisten K. hängen noch ihren traditionellen Glaubensvorstellungen an; ihre Sprache gehört zu den sinotibet. Sprachen.

Karenzzeit [zu lat. carere »entbehren«], Wartezeit, Sperrfrist.

Karersee (italien. Lago di Carezza), See in Südtirol, Italien, 1530 m ü. M., südöstlich von Bozen, in den Dolomiten am Nordhang des Latemar. Der **Karerpass** (1753 m ü. M., Passo di Costalunga) führt vom Eggental ins Fassatal.

Karettschildkröte (von links): Echte Karettschildkröte (Länge bis 90 cm) und Unechte Karettschildkröte (Länge bis 1 m)

Karettschildkröte [frz.], 1) **Echte K.** (Eretmochelys imbricata), bis 0,9 m lange Meeresschildkröte. Die schindelartig angeordneten Hornschilder sind kontrastreich geflammt oder marmoriert und werden als Schildpatt gehandelt. 2) **Unechte K.** (Caretta caretta), die häufigste Schildkröte im Mittelmeer; mit braunem bis rotbraunem Rückenpanzer, Panzerlänge bis 1 m.

Karfiol [von italien. cavolfiori] *der, österr.:* Blumenkohl.

Karfreitag [zu ahd. chara »Wehklage«, »Trauer«] (Stiller Freitag), der Freitag in der Karwoche; Tag der Kreuzigung Christi; seit dem 2. Jh. als Tag der Buße (Fasten) nachweisbar; gilt in der evang. Tradition als höchster Feiertag; seit dem 2. Vatikan. Konzil auch kath. Feiertag.

Karfunkel [von lat. carbunculus »kleine Kohle«] *der* (Karfunkelstein), alte Bez. für roten edlen Granat oder auch Rubin.

Kargo, → Cargo.

Karibasee (früher Elizabethsee), Stausee im Sambesi, an der Grenze Sambia/Simbabwe, 5230 km² (Stauinhalt 180 Mrd. m³), gestaut vom **Karibadamm,** 125 m hoch, 620 m lang. Kraftwerke.

Kariben (Karaiben), Völker einer indian. Sprachfamilie im nördl. Südamerika und auf den Kleinen Antillen; etwa 160 000 Angehörige.

Karibik *die,* die Inselwelt Mittelamerikas und der sie umgebende Meeresraum (v.a. das Karib. Meer), i.w.S. einschl. der Küstengebiete des angrenzenden Festlandes (von der zentralamerikan. Landbrücke über Kolumbien und Venezuela bis Guayana). Die Inselwelt besteht im Wesentlichen aus den Karib. oder → Westindischen Inseln.

Karibische Gemeinschaft (engl. Caribbean Community), Abk. **CARICOM,** Zusammenschluss von 14 Staaten des karib. Raums (Gründungsmitgl.: Barbados, Guyana, Jamaika, Trinidad und Tobago) zur Koordinierung der Außenpolitik sowie Kooperation in den Bereichen Gesundheit und Soziales, Erziehung, Kultur und Sport, Wiss. und Technik; gegr. 1973, Sitz: Georgetown (Guyana). Zur wirtsch. Integration wurde der **Karib. Gemeinsame Markt** (engl. Caribbean Common Market, CCM) gebildet. Bisher wurden u.a. ein gemeinsamer Außenzolltarif, Doppelbesteuerungsabkommen, Entwicklungsplanung und Förderung der Industrialisierung vereinbart.

karibische Literatur (westindische Literatur), die in engl., frz., niederländ. und span. Sprache sowie in den entsprechenden kreol. Sprachen verfasste Literatur der Westind. Inseln, Französisch-Guayanas, Surinams und Guyanas, wobei die kuban. Literatur i.d.R. den → lateinamerikanischen Literaturen zugerechnet wird.

Die Entwicklung der k. L. wurde v.a. von der kolonialen Situation bestimmt, die die Bevölkerung unterschiedl. Kulturkreise sozial und rassisch verschmolz. Erst seit Ende des 19. Jh. entstand eine eigenständige Lit., die auf den mündl. überlieferten literar. Traditionen der Sklaven und ihrer Nachkommen und den literar. Vorbildern des jeweiligen Mutterlandes aufbaute. Erste Vorstellungen von einer allumfassenden afrikan. Identität finden sich in der **anglophonen Lit.** in der Lyrik T. R. F. Elliots in Guyana. Den ersten westind. Roman (»Jane's career«) schrieb 1914 H. G. De Lisser. Richtungweisend wirkte der gebürtige Jamaikaner C. McKay. Selbstbewusste Hinwendung zu Afrika kennzeichnet die Romane V. Reids und die Lyrik D. Walcotts, der den Nobelpreis für Literatur 1992 erhielt; wichtige sozialkrit. Erzähler sind A. Mendes, C. L. R. James, E. A. Mittelholzer und R. Mais. Volkstüml. Traditionen (Worksongs) und Musikformen wie Calypso und Reggae verbindet E. K. Brathwaite mit Techniken moderner Lyrik. Zentren westind. Emigration und ihrer Kultur wurden neben London verstärkt New York, Boston und Toronto (Paula Marshall, Jamaica Kincaid, D. Walcott, A. Clarke). Eine Sonderstellung nehmen V. S. Naipaul und W. Harris ein. Die **frankophone Lit.** begann mit Reiseberichten frz. Missionare im 18. Jh. Erste Schriften schwarzer und mulatt. Autoren mit regionaler Thematik entstanden auf Haiti im 19. Jh. (D. F. Toussaint Louverture). Die romant. Dichtung brachte das Volkstümliche zur Geltung (O. Durand). Die amerikan. Besetzung (1915–34) führte in der Lit. zur Besinnung auf afrohaitian. Kulturgut (J. Price-Mars). Die Darstellung bäuerl. Lebens fand im Roman statt (P. Thoby-Marcellin, J. Roumain, J. S. Alexis). Während der Diktatur der Duvaliers gingen zahlreiche krit. Autoren (R. Depestre, J.-F. Brierre) ins Exil. In den übrigen Gebieten (Guayana, Guadeloupe, Martinique) bestand eine weiterhin auf Frankreich ausgerichtete Literatur. In den 1930er-Jahren begründeten karib. (A. Césaire, L.-G. Damas) und afrikan. (L. S. Senghor) Intellektuelle die Dichtung der →Négritude. V. a. mit dem Kolonialismus setzte sich die nach 1945 entstehende Literatur auseinander (F. Fanon, Maryse Condé). Das Konzept einer spezifisch karib. Identität vertreten neben É. Glissant auch D. Maximin, P. Chamoiseau und Simone Schwarz-Bart. Die **spanischsprachige Lit.** war beeinflusst vom spanisch-amerikan. Modernismus und dem afrokarib. Erbe in den frankophonen Gebieten. Sie entwickelte u. a. in der afroantillen Lyrik eigenständige Richtungen. Bed. Vertreter sind in der Dominikan. Republik M. de Cabral, P. Mir, M. Rueda, V. Villegas und J. Bosch; in der Lit. Puerto Ricos u. a. L. Palés Matos, R. Marqués, R. Ferré und M. Ramos Otero. Auf den Niederländ. Antillen gibt es neben der spanischsprachigen und niederländ. k. L. auch eine Literatur in der kreol. Sprache Papiamento, deren bedeutendster Vertreter F. M. Arion aus Curaçao ist. Aus Surinam kommt der Schriftsteller R. Dobru.

📖 *Caribbean writers. A bio-bibliographical-critical encyclopedia,* hg. v. D. E. HERDECK. *Washington, D. C., 1979.* – *Fifty caribbean writers, hg. v.* D. C. DANCE. *New York 1986.* – TOUMSON, R.: *La transgression des couleurs. Littérature et langage des Antilles. XVIIIe, XIXe, XXe siècles, 2 Bde. Paris 1989.* – *West Indian literature, hg. v.* B. KING. *London ²1995.*

Karikatur: Der Teufel presst Mönche und Nonnen aus seinem Leib; anonymer Holzschnitt aus dem Jahre 1523, der den schlechten Ruf des geistlichen Standes zur Zeit der Reformation widerspiegelt

Karibisches Meer, der S-Teil des Amerikan. Mittelmeeres, zw. Antillen, Süd- und Zentralamerika, 2,64 Mio. km² groß und im Caymangraben bis zu 7680 m tief.

Karibu [indian.] *der,* nordamerikan. →Rentier.

Kari|en (lat. Caria), antike Küstenlandschaft im SW Kleinasiens, von den **Karern** bewohnt; seit 334 v. Chr. Teil des Reiches Alexander d. Gr.; dann unter röm. Oberhoheit.

Kari|es [lat.] *die,* **1)** *Medizin:* (Knochenfraß) durch chron. Knochenentzündung, v. a. bei Tuberkulose, hervorgerufene Zerstörung von Knochengewebe.

2) *Zahnmedizin:* →Zahnkaries.

Karikatur: James Gillray, »Staats-Epikureer bei einem kleinen Mahl«, Radierung aus dem Jahre 1805 als Anspielung auf die Teilung der Welt zwischen Großbritannien (repräsentiert durch den links abgebildeten William Pitt d. J.) und dem französischen Kaiser Napoleon I.

Karikatur [italien., zu caricare »überladen«] *die,* satirisch-kom. Darstellung von Menschen oder gesellschaftl. Zuständen, meist bewusst überzogen und mit polit. Tendenz.

Die Anfänge der K. in der bildenden Kunst datiert man bis ins Neue Reich Ägyptens zurück; karikierende Darstellungen bes. aus dem Bereich des Mythos und Volksglaubens finden sich in der grch., körperl. Deformationen bis zur Groteske in der röm. Kunst. Die meist grobe K. des MA. richtet sich häufig gegen bestimmte Personengruppen (Mönche, Landsknechte u. a.). Differenziert und künstlerisch profiliert zeigt sich die K. in der Renaissance (Leonardo da Vinci, A. Dürer, H. Bosch). Zu der Darstellung des Individuellen kommt seit der Renaissance und Reformation Kritik an Institutionen wie Kirche und Staat.

Mit Goya beginnt die Reihe bed. Karikaturisten des 19. Jh. In Frankreich arbeiten H. Monnier, J. J. Grandville, P. Gavarni, H. Daumier für C. Philipons (* 1806, † 1862) satir. Ztschr. (»La Caricature«, »Charivari«). Es folgen A. Grévin (* 1827, † 1892), G. Doré, A. Gill (* 1840, † 1885), später T. A. Steinlen; H. de Toulouse-Lautrec karikiert die Lebe-

und Halbwelt des Pariser Fin de Siècle. Neben dem um 1800 tätigen J. Gillray werden in England T. Rowlandson, später G. Cruikshank, John Leech (*1817, †1864) u. a., die v. a. für den »Punch« arbei-

Karkemisch: Späthethitisches Basaltrelief, Höhe 82 cm (um 750 v. Chr.; Ankara, Archäologisches Museum)

ten, bedeutend; in den USA Thomas Nast (*1840, †1902). Der dt. Illustrator der Goethezeit, D. Chodowiecki, ist zugleich polit. Karikaturist; in der 2. Hälfte des 19. Jh. arbeitet W. Scholz für den »Kladderadatsch«, A. Oberländer für die »Fliegenden Blätter«. W. Buschs Bildgeschichten zeigen karikaturist. Elemente. Am Beginn des 20. Jh. stehen die gesellschaftskrit. K. von K. Arnold, Ragnvald Blix (*1882, †1958), O. Gulbransson, T. T. Heine, E. Thöny u. a. (alle im »Simplicissimus«). In der Weimarer Rep. erheben H. Zille, K. Kollwitz, G. Grosz, O. Dix mit expressionist. K. soziale Anklage. A. Kubin und A. P. Weber zeichnen apokalypt. K. Heute ist die polit. K. in Zeitungen und Ztschr., die fantast. und kom. K. auch durch Anthologien (häufig unter dem Begriff Cartoon) verbreitet. Schulebildend für einen rein aus der graf. Linie wirksamen K.-Stil wurde S. Steinberg. Weitere bekannte zeitgenössische Karikaturisten sind u. a. C. Addams, Bosc, Chaval, J. Effel, R. Peynet, R. Searle, Sempé, Siné, T. Ungerer, P. Flora, K. Halbritter, H. E. Köhler, E. M. Lang, Loriot, F. K. Waechter, R. Topor, H. Traxler, Frans de Boer (efbé), Marie Marcks, D. Levine.

📖 FLEMIG, K.: *Karikaturisten-Lexikon. München u. a. 1993. – Dt. Karikaturen vom Mittelalter bis heute, bearb. v.* G. LAMMEL. *Stuttgart u. a. 1995.*

Karisches Meer, → Karasee.

Karitas [lat.], → Caritas.

Karkasse [frz. »Gerippe«, »Rumpf«] *die,* Gewebeunterbau des Luftreifens (→ Reifen).

Karkemisch (Gargamisch), altoriental. Handelsstadt am Euphrat, an der Stelle des heutigen **Djerablus,** Syrien; seit dem frühen 2. Jt. v. Chr. besiedelt, Fürstensitz der Hethiter (um 1340 bis 1200 v. Chr.), nach deren Untergang als selbstständige Stadt bed. Zentrum späthethit. Kultur; 717 v. Chr. von Sargon II. dem assyr. Reich eingegliedert. Brit. Ausgrabungen ab 1911 (u. a. durch C. L. Woolley).

Karkonosze [karkɔˈnɔʃɛ], → Riesengebirge.

Karl, Herrscher:

Römische Kaiser: **1) K. I., der Große** (lat. Carolus Magnus, frz. Charlemagne), König der Franken (768–814), Röm. Kaiser (800–814), *2. 4. 747, † Aachen 28. 1. 814; Sohn Pippins III., d. J., 754 Königssalbung gemeinsam mit seinem Bruder Karlmann, stellte nach dessen Tod 771 die Einheit des Fränk. Reichs durch Alleinherrschaft wieder her. 772 begannen seine Kriege gegen die Sachsen; bis 785 unterwarf er Widukind, bis 804 waren die Sachsen nach blutigen Kämpfen völlig ins Fränk. Reich eingegliedert und christianisiert. 773/774 eroberte er, vom Papst zu Hilfe gerufen, das Langobardenreich und nahm den Titel Rex Langobardorum an. Nach SW erweiterte er sein Reich bis zum Oberlauf des Ebro (trotz Niederlage gegen die Basken, → Roland) und errichtete die Span. Mark. Nach Absetzung des Herzogs Tassilo hob er das Herzogtum Bayern auf (788) und zerstörte 791–805 das Reich der Awaren, wo er 796 die Ostmark errichtete, machte Böhmen tributpflichtig und befriedete die Liutizen und Sorben. Papst Leo III. krönte ihn am 25. 12. 800 in Rom zum Röm. Kaiser. Nach dem Tod seiner Söhne Karl und Pippin erhob er Ludwig (den Frommen) 813 zum Mitkaiser. – K. sicherte die Grenzen durch Errichtung von → Marken. Mit der Beseitigung selbstständiger Herzogtümer und Stammesstaaten verband er die Einführung der Grafschaftsverfassung. Er sorgte durch Aufzeichnung von Stammesrechten und durch Gesetzgebung (→ Kapitularien) für die Rechtsordnung und stärkte die Zentralgewalt durch das Amt der Königsboten, die die Amtsführung der Grafen regelmäßig überwachten. Der Hof hielt sich bevorzugt in den Pfalzen Aachen, Ingelheim und Nimwegen auf. K. förderte Handel, Gewerbe und

Karl der Große

Der fränkische Geschichtsschreiber Einhard berichtet über liebe Gewohnheiten Karls des Großen:

»Seine Gesundheit war immer ausgezeichnet, nur in den letzten vier Jahren litt er öfter an Fieberanfällen und hinkte schließlich sogar auf einem Fuß. Trotzdem folgte er ... nicht dem Rat der Ärzte, die er fast hasste, weil sie ihm vorschrieben, dass er das gewohnte Bratenfleisch aufgeben und dafür gekochtes Fleisch essen sollte. Nach fränkischem Brauch ritt und jagte er fleißig ... Karl liebte die Dämpfe heißer Naturquellen und schwamm sehr viel und sehr gut ... Darum baute er einen Palast in Aachen (wegen seiner Heilquellen berühmt) und verbrachte seine letzten Lebensjahre ... dort. Er lud nicht nur seine Söhne, sondern auch Adelige und Freunde, manchmal sogar sein Gefolge und seine Leibwache zum Baden ein. Oft badeten mehr als hundert Leute mit ihm.«

Landwirtschaft. Zahlr. gelehrte Männer wirkten an seinem Hof, so u. a. Alkuin sowie seine Biographen Einhard und Paulus Diaconus. Er belebte die Kenntnis der Antike (»karoling. Renaissance«) und

Karl I., der Große: Reiterstatue aus Bronze, Höhe 23,5 cm (9. Jh.; Paris, Louvre)

ließ die german. Heldenlieder sammeln. K. wurde in der Aachener Pfalzkapelle beigesetzt. Friedrich I. Barbarossa ließ ihn 1165 heilig sprechen. Mit der Verschmelzung antiken Erbes, christl. Religion und german. Gedankenwelt hat K. die histor. Entwicklung Europas geprägt. In den →Karlssagen lebte seine Gestalt fort.

📖 FLECKENSTEIN, J.: *K. der Große. Göttingen u. a.* [3]*1990.* – WIES, E. W.: *K. der Große. Kaiser u. Heiliger. Esslingen u. a.* [3]*1992.* – BRAUNFELS, W.: *K. der Große. Reinbek 51.–53. Tsd. 1994.*

2) K. II., der Kahle, König des Westfränk. Reichs (840/843–877), Röm. Kaiser (875–877), *Frankfurt am Main 13. 6. 823, †Avrieux (Savoyen) 6. 10. 877; jüngster Sohn Ludwigs des Frommen, erhielt nach dem Bruderkrieg um das Erbe seines Vaters im Vertrag von Verdun 843 das westl. Drittel des Reichs, von den Pyrenäen bis zur Schelde, zugesprochen (→Fränkisches Reich). Im Vertrag von Mersen (870) bekam er das östl. Lothringen. Nach dem Tod Kaiser Ludwigs II. (875) wurde er von Papst Johann VIII. zum Kaiser gekrönt.

3) K. III., der Dicke, König des Ostfränk. Reichs (876–887) und des Westfränk. Reichs (885–887), Röm. Kaiser (881–887), *839, †(ermordet) Neudingen a. d. Donau 13. 1. 888; Sohn Ludwigs des Deutschen, erhielt 876 Alemannien und einen Teil Lothringens. Als Erbe seiner Brüder Karlmann (†880) und Ludwig III. (†882) sowie der westfränk. Karolinger (885) vereinigte K. zum letzten Mal in der Geschichte das Reich Karls d. Gr. (mit Ausnahme Niederburgunds); 881 zum Kaiser gekrönt. Im Kampf gegen die Normannen blieb er ohne Erfolg, wurde 887 auf dem Reichstag in Trebur (bei Groß-Gerau) zur Abdankung gezwungen und verbannt.

Hl. Röm. Reich: **4) K. IV.,** eigtl. Wenzel, Röm. König (1346–78), König von Böhmen (1347), Kaiser (1355), König von Burgund (1365–78), *Prag 14. 5. 1316, †ebd. 29. 11. 1378; Sohn König Johanns von Böhmen, Luxemburger; wurde 1346, gestützt von Papst Klemens VI., zum Gegenkönig zu Ludwig IV., dem Bayern, gewählt (seit 1347 allg. anerkannt). Burgund verlieh er 1377 dem frz. Thronfolger. Durch die Goldene Bulle von 1356 garantierte er die Kurfürstenrechte und regelte die Königswahl (so bis 1806). Er erweiterte seine Hausmacht (Schlesien, die Lausitz und Brandenburg) und machte Böhmen, v. a. Prag (1348 erste dt. Univ.), zum geistigen Mittelpunkt des Reichs, der bed. Künstler (P. Parler, Petrarca, Rienzo) anzog.

Karl IV., Römischer Kaiser (Ausschnitt aus einem Votivbild eines böhmischen Meisters, vor 1371; Prag, Národní Galerie)

📖 SEIBT, F.: *K. IV. Ein Kaiser in Europa 1346 bis 1378. München* [5]*1985, Nachdr. München 1994.*

5) K. V., als König von Spanien **K. I.** (seit 1516), Röm. König (1519–56), Kaiser (1530–56), *Gent 24. 2. 1500, †San Gerónimo de Yuste 21. 9. 1558; Sohn Philipps I., des Schönen, und Johannas der Wahnsinnigen, Enkel Maximilians I., Habsburger; 1519 bei der Wahl zum Röm. König (als Nachfolger Maximilians I.) dem frz. König Franz I. vorgezogen (→Fugger 2); 1521–30 von seinem Bruder Ferdinand (I.) im Reich vertreten. 1530 in Bologna als letzter Kaiser von einem Papst gekrönt. Gegen Franz I. führte er vier Kriege (1521–25 [Sieg bei Pavia], 1527–29 [»Sacco di Roma«], 1536–38, 1542–44) um das burgund. Erbe (1506) und die Herrschaft in Italien (endgültig im Frieden von Crépy 1544 anerkannt). Weniger erfolgreich kämpfte K. gegen die Türken (1532, 1541). Während seiner Regierungszeit wurde durch die Eroberung Mexikos (1519–21) und Perus (1532/33) das span. Kolonialreich in Amerika begründet. Streng katholisch gesinnt, trat K. der luther. Reformation entgegen (Wormser Edikt, 1521), musste aber 1532 den Nürnberger Religionsfrieden gewähren. Erst 1546/47 besiegte er im →Schmalkaldischen Krieg die prot. Fürsten; aber die Fürstenverschwörung von 1552 unter Führung des Moritz von Sachsen beseitigte das kaiserl. Übergewicht und führte zum Augsburger Reli-

Karl V.

In meinem Reich geht die Sonne nicht unter

Dieser historisch nicht belegte Ausspruch soll von Kaiser Karl V. stammen, in dessen Machtbereich in Europa und Amerika mehrere Zeitzonen des Erdballs fielen. Schiller legt in »Don Carlos« (1787; I, 6) Philipp II. von Spanien die Worte in den Mund: »Die Sonne geht in meinem Staat nicht unter.« In der ersten Ausgabe des 1. Aktes in der Rheinischen Thalia von 1785 heißt es an der entsprechenden Stelle »in meinem Reich«. Man gebraucht den bildhaften Ausdruck, um zum Beispiel auf jemandes weltweiten Einfluss oder auf die weltweite Verbreitung einer Sache hinzuweisen.

gionsfrieden von 1555. Darauf dankte K. 1556 ab; in Spanien und Burgund folgte ihm sein Sohn Philipp II., im Reich sein Bruder Ferdinand I.

📖 SEIBT, F.: *K. V. Der Kaiser u. die Reformation. Neuausg. München 1992.* – BRAUDEL, F.: *K. V. A. d. Frz. Frankfurt am Main u. a.* ^{2}*1994.*

Karl VI., Römischer Kaiser (Ausschnitt aus einem Gemälde von Johann Kupecky, um 1720)

6) K. VI., Kaiser (1711–40), als König von Spanien **K. III.** (1703–11), *Wien 1. 10. 1685, †ebd. 20. 10. 1740; Sohn Kaiser Leopolds I., Bruder Josephs I., letzter Habsburger (im Mannesstamm); musste, nachdem er die österr. Erblande und die Kaiserwürde erlangt hatte, den Bourbonen Philipp V. als König von Spanien anerkennen; erhielt nach Beendigung des Span. Erbfolgekriegs (Rastatter Frieden, 1714) die Span. Niederlande, die Lombardei, Neapel und Sizilien. Durch die von Prinz Eugen erfolgreich geführten Türkenkriege (1716–18) erwarb er Serbien, die Walachei, das Banat u. a. In der Pragmat. Sanktion von 1713 sicherte er die Thronfolge seiner Tochter Maria Theresia. In den Friedensschlüssen nach dem Poln. Thronfolgekrieg (1735/38) und im Frieden von Belgrad (1739) musste K. auf viele Erwerbungen verzichten.

📖 RILL, B.: *K. VI. Habsburg als barocke Großmacht. Graz u. a. 1992.*

Karl der Kühne, Herzog von Burgund (Ausschnitt aus einem Gemälde von Rogier van der Weyden, um 1460)

7) K. VII., Kaiser (seit 1742), als **K. Albrecht** Kurfürst von Bayern (1726–45), König von Böhmen (1741–45), *Brüssel 6. 8. 1697, †München 20. 1. 1745; Wittelsbacher; eröffnete als Schwiegersohn Kaiser Josephs I. nach dem Tod Kaiser K. VI. den →Österreichischen Erbfolgekrieg, wurde 1742 von den Gegnern Habsburgs zum Kaiser gewählt. Nach seinem plötzl. Tod musste sein Sohn auf alle Ansprüche gegen die Habsburger verzichten.

Baden: **8) K. Friedrich,** Markgraf (1738–1803), Kurfürst (1803–06) und Großherzog (seit 1806), *Karlsruhe 22. 11. 1728, †ebd. 10. 6. 1811, Großvater von 9); war zunächst in Baden-Durlach, seit 1771 auch in Baden-Baden ein Musterregent des aufgeklärten Absolutismus (Aufhebung der Folter und der Leibeigenschaft; vorbildl. Lehranstalten, Pensions- und Versicherungswesen). K. trat 1806 dem napoleon. Rheinbund bei und konnte infolge der territorialen Neuordnung sein Land um ein Vielfaches vergrößern.

Karl I., König von England (Ausschnitt aus einem Kupferstich nach einem Gemälde von Anthonis van Dyck, 1634)

9) K. Ludwig Friedrich, Großherzog (1811–18), *Karlsruhe 8. 6. 1786, †Rastatt 8. 12. 1818, Enkel von 8); 1806 ⚭ mit Napoleons I. Stieftochter Stéphanie de Beauharnais; gab Baden am 22. 8. 1818 die liberalste Verf. im damaligen Deutschland.

Bayern: **10) K. Albrecht,** Kurfürst, →Karl 7).

11) K. Theodor, Kurfürst, →Karl 26).

Braunschweig: **12) K. Wilhelm Ferdinand,** Herzog (1780–1806), *Wolfenbüttel 9. 10. 1735, †Ottensen (heute zu Hamburg) 10. 11. 1806; Neffe Friedrichs d. Gr., seit 1773 preuß. General, führte die Koalitionstruppen 1792–94 im 1. Frz. Revolu-

Karl V.: Gemälde von Tizian (1548; München, Alte Pinakothek)

tionskrieg sowie 1806 das preuß. Heer; bei Auerstedt verwundet, starb er auf der Flucht. Zu Ehren seiner (überschätzten) militär. Erfolge in Holland (1787) wurde das →Brandenburger Tor erbaut.

Burgund: **13) K. der Kühne,** Herzog (1467–77), *Dijon 10. 11. 1432, †Nancy 5. 1. 1477; Sohn Philipps des Guten, plante die Errichtung eines selbstständigen burgund. Reichs unter Einschluss Lothringens; belagerte 1474/75 als Bundesgenosse des abgesetzten Kurfürsten Ruprecht von Köln vergeblich Neuss, unterlag gegen die Eidgenossen und Lothringer bei Grandson (2. 3.) und Murten (22. 6. 1476), fiel in der Schlacht bei Nancy. Durch die Ehe (1477–82) seiner Tochter Maria mit Maximilian I. kamen die Niederlande und die Freigrafschaft Burgund an Habsburg, während das Herzogtum Burgund von Frankreich eingezogen wurde.

📖 SCHELLE, K.: *K. der Kühne. Neuausg. München 1982.*

England: **14) K. I.,** König von England, Schottland und Irland (1625–49), *Dunfermline (Schottland) 19. 11. 1600, †(hingerichtet) London 30. 1. 1649, Vater von 15); aus dem Haus Stuart; war streng absolutistisch gesinnt, nahm 1628 unter dem Druck des Parlaments die →Petition of Right an. Seit 1629 regierte er ohne Parlament, musste jedoch nach einem Aufstand der schott. Presbyterianer 1640 das →Lange Parlament einberufen. Nach der Niederlage der Royalisten (»Kavaliere«) im

1642 ausgebrochenen Bürgerkrieg (Entscheidungsschlachten bei Marston Moor 1644 und Naseby 1645) floh K. 1646 zu den Schotten, wurde von diesen ausgeliefert und 1649 auf Betreiben O. Cromwells zum Tode verurteilt.

📖 ASCH, R. G.: *Der Hof K.s I. von England. Köln u. a. 1993.*

15) K. II., König von England, Schottland und Irland (1660–85), *London 29. 5. 1630, †ebd. 6. 2. 1685, Sohn von 14); lebte seit 1646 in Frankreich, landete 1650 in Schottland, fiel in England ein, wurde aber von O. Cromwell 1651 bei Worcester geschlagen. Durch die Restauration gelangte er 1660 auf den engl. Thron. K. neigte zum Katholizismus und schloss sich außenpolitisch eng an Ludwig XIV. von Frankreich an. 1679 setzte das Parlament die →Habeas-Corpus-Akte durch.

Fränkisches Reich: **16) K. Martell** [altfrz. »Hammer«], Hausmeier (seit 717), *um 688, †Quierzy (Picardie) 22. 10. 741; Sohn Pippins II., des Mittleren, unterwarf die rechtsrhein. Stämme und sicherte bes. durch den Sieg bei Poitiers über die Araber (732) das Frankenreich vor der muslim. Eroberung. K. begründete den Aufstieg der karoling. Dynastie und die Großmachtstellung des Fränk. Reichs.

📖 *K. Martell in seiner Zeit, hg. v.* J. JARNUT *u. a. Sigmaringen 1994.*

17) K. II., der Kahle, →Karl 2).

Frankreich: **18) K. VII.,** König (1422–61), *Paris 22. 2. 1403, †Mehun-sur-Yèvre (bei Bourges) 22. 7. 1461, Großvater von 19); wurde 1420 enterbt, konnte sich aber im →Hundertjährigen Krieg gegen die Engländer südlich der Loire halten. 1429 begann mit →Jeanne d'Arc, die K. 1429 in Reims krönen ließ, die Eroberung des Nordens, die 1453 vollendet war. K. reorganisierte Staat und Verw. und schuf 1439 mit den »Ordonnanzkompanien« ein stehendes Heer.

19) K. VIII., König (1483–98), *Amboise 30. 6. 1470, †ebd. 7. 4. 1498, Enkel von 18); besetzte 1494/95 vorübergehend das von ihm als Erbe der Anjou beanspruchte Königreich Neapel. K.s Zug nach Italien gilt als Wendepunkt in der Entstehung des europ. Staatensystems. Durch seine Heirat mit Anne de Bretagne (1491) kam die Bretagne zur frz. Krone.

20) K. IX., König (1560–74), *Saint-Germain-en-Laye 27. 6. 1550, †Vincennes 30. 5. 1574; stand unter dem Einfluss seiner Mutter Katharina von Medici. Sie verlangte dem schwachen König, der mit den Hugenotten sympathisierte, sein Einverständnis zur →Bartholomäusnacht ab.

21) K. X., König (1824–30), *Versailles 9. 10. 1757, †Görz 6. 11. 1836; jüngerer Bruder Ludwigs XVI. und Ludwigs XVIII., als Prinz Graf von **Artois,** leitete die Unternehmungen der Emigranten gegen die Frz. Revolution. Seit der Restauration von 1814/15 war er das Haupt der äußersten Rechten, der »Ultraroyalisten«, und führte auch als König eine klerikale und ultraroyalist. Politik. Seine Ordonnanzen vom 26. 7. 1830 (Einschränkung der Pressefreiheit und des Wahlrechts) führten zur Julirevolution; am 2. 8. musste er abdanken.

Hessen-Kassel: **22) K.,** Landgraf (1670–1730), *Kassel 3. 8. 1654, †ebd. 23. 3. 1730; war neben Kurfürst Friedrich Wilhelm von Brandenburg eine Hauptstütze des Protestantismus und der antifrz. Politik; nahm Hugenotten auf, für die er u. a. Karlshafen gründete; förderte Wiss. und Künste.

Mainz: **23) K. Theodor,** Reichsfreiherr von Dalberg, Kurfürst (1802–13), *Herrnsheim (heute zu Worms) 8. 2. 1744, †Regensburg 10. 2. 1817; wurde 1800 Bischof von Konstanz, 1802 Erzbischof und Kurfürst von Mainz, blieb durch Anschluss an Napoleon Bonaparte auch nach 1803 (Säkularisation) Kurfürst und Reichserzkanzler; betrieb die Gründung des Rheinbunds und wurde 1806 Fürstprimas für Dtl., 1810 Großherzog von Frankfurt; nach der Völkerschlacht bei Leipzig (1813) zur Abdankung gezwungen, blieb er Erzbischof von Regensburg.

Neapel-Sizilien: **24) K. I. von Anjou,** König (1266–85), *März 1226, †Foggia 7. 1. 1285; Sohn Ludwigs VIII. von Frankreich, Graf von Anjou und seit 1246 der Provence. 1263 vom Papst mit dem bisher stauf. Königreich Sizilien belehnt, eroberte er es durch seine Siege bei Benevent (1266) über Manfred und bei Tagliacozzo (1268) über Konradin, den er hinrichten ließ. Seine Hptst. verlegte er nach Neapel; Sizilien verlor er wieder durch die »Sizilian. Vesper« (1282).

📖 HERDE, P.: *K. I. von Anjou. Stuttgart u. a. 1979.*

Österreich-Ungarn: **25) K. I.,** Kaiser (1916–18), als König von Ungarn **K. IV.,** *Persenbeug (NÖ) 17. 8. 1887, †Funchal (Madeira) 1. 4. 1922; Großneffe von Kaiser Franz Joseph I., erstrebte einen Verständigungsfrieden mit der Entente und knüpfte im Frühjahr 1917 durch seinen Schwager, den Prinzen →Sixtus von Bourbon-Parma, geheime Verhandlungen mit Frankreich an. Sein Völkermanifest zur föderativen Neugliederung des Staates (16. 10. 1918) kam zu spät; am 11. 11. 1918 verzichtete er auf die Ausübung der Reg. in Österreich, am 13. 11. in Ungarn, ohne formell abzudanken; nach vergebl. Putschversuchen in Ungarn (März und Okt. 1921) wurde er nach Madeira verbannt. Seit 1911 ⚭ mit Zita von Bourbon-Parma (*1892, †1989).

📖 FEIGL, E.: *Kaiser K. I. Wien 1990.*

Pfalz: **26) K. Theodor,** Kurfürst von der Pfalz (1742–99) und von Bayern (1777–99), *Schloss Droogenbosch (bei Brüssel) 11. 12. 1724, †München 16. 2. 1799; stammte aus dem Hause Pfalz-Sulzbach (Herzog seit 1741) und vereinigte durch

Karl VII., König von Frankreich (Ausschnitt aus einem Gemälde von Jean Fouquet, 1444/45)

Karl I., Kaiser von Österreich

Erbfolge alle pfälz. und bayer. Besitzungen der Wittelsbacher in seiner Hand. K. war ein bed. Förderer der Künste, bes. der Baukunst (Schwetzingen) und der Musik (Mannheimer Schule).

📖 Rall, H.: *Kurfürst K. Theodor. Neuausg. Mannheim u. a. 1994.*

Rumänien: **27) K. I.,** Fürst (1866–81), König (1881–1914), *Sigmaringen 20. 4. 1839, †Schloss Peleş (bei Sinaia) 10. 10. 1914, Großonkel von 28); aus dem Haus Hohenzollern-Sigmaringen; 1866 zum Fürsten gewählt. Im Russisch-Türk. Krieg von 1877/78 machte er sich von der Türkei unabhängig und nahm 1881 den Königstitel an. K. führte ein konstitutionelles Reg.system ein. Der Kronrat beschloss am 3. 8. 1914 gegen K. die Neutralität Rumäniens trotz des Bündnisses von 1883 mit Dtl. und Österreich-Ungarn.

Karl XII., König von Schweden (Ausschnitt aus einem zeitgenössischen Gemälde)

28) K. II., König (1930–40), *Sinaia 15. 10. 1893, †Estoril (bei Lissabon) 4. 4. 1953, Großneffe von 27); ⚭ 1921–28 (geschieden) mit Helene, Prinzessin von Griechenland, musste 1926 wegen seiner Beziehungen zu Helene Lupescu auf seine Thronrechte verzichten. 1930 rief die Reg. Maniu K. aus dem Pariser Exil zurück und proklamierte ihn zum König. Er schlug einen autoritären Kurs ein, setzte 1938 die demokrat. Verf. außer Kraft und verbot alle Parteien (Errichtung der »Königsdiktatur«). Nach außenpolit. Misserfolgen wurde er von Marschall I. Antonescu am 6. 9. 1940 zur Abdankung zugunsten seines Sohnes Michael gezwungen.

Sachsen-Weimar-Eisenach: **29) K. August,** Herzog (1758–1815), Großherzog (1815–28), *Weimar 3. 9. 1757, †Graditz 14. 6. 1828, Großvater von 30); stand bis 1775 unter der Vormundschaft seiner Mutter Anna Amalia, wurde u. a. von C. M. Wieland erzogen. Die Freundschaft mit J. W. Goethe machte Weimar und Jena (Univ.) zu Zentren des dt. Geisteslebens; durch Goethe beraten, förderte er Wiss. und Kunst, gründete das Hoftheater (1791) und berief J. G. Herder und F. Schiller nach Weimar. Politisch schloss er sich eng an Preußen an; 1806–13 nur gezwungen Mitgl. des Rheinbunds. Er führte bereits am 5. 5. 1816 eine landständ. Verfassung ein.

30) K. Alexander, Großherzog (1853–1901), *Weimar 24. 6. 1818, †ebd. 5. 1. 1901, Enkel von 29); förderte Kunst, Musik und Lit.; Protektor der Schiller-Stiftung (1859), der Dt. Shakespeare-Ges. (1864), der Goethe-Ges. (1885) und des Goethe-und-Schiller-Archivs (1896).

Savoyen-Sardinien: **31) K. Albert,** König (1831 bis 1849), *Turin 2. 10. 1798, †Porto 28. 8. 1849; aus der Nebenlinie Savoyen-Carignan, nach der Thronbesteigung zunächst der österr. Politik zugeneigt; erließ jedoch bei Ausbruch der Revolution von 1848 eine Verf. und erklärte als Vorkämpfer der italien. Einheitsbewegung Österreich den Krieg. Nach den Niederlagen bei Custoza und Novara dankte er zugunsten seines Sohnes Viktor Emanuel II. ab.

Schweden: **32) K. IX.,** König (1604–11), *Stockholm 4. 10. 1550, †Nyköping 30. 10. 1611; jüngster Sohn Gustavs I. Wasa, Herzog von Södermanland, sicherte die Reformation in Schweden, wurde 1595 Reichsverweser und besiegte 1598 seinen Neffen, den kath. Sigismund III. von Polen-Schweden, bei Stangebro. 1599 zum Regenten gewählt, 1600 als König anerkannt, nahm er 1604 den Titel an und wurde 1609 gekrönt.

33) K. X. Gustav, König (1654–60), *Nyköping 8. 11. 1622, †Göteborg 13. 2. 1660, Vater von 34); aus dem Hause Pfalz-Zweibrücken, bestieg nach der Abdankung Königin Christines den Thron. Als einer der fähigsten Feldherren seiner Zeit behauptete er im Krieg gegen Polen (1655–60) die schwed. Ostseeherrschaft, zwang Dänemark 1658 im Frieden von Roskilde zur Abtretung von Schonen.

34) K. XI., König (seit 1660, bis 1672 unter Vormundschaft), *Stockholm 24. 11. 1655, †ebd. 5. 4. 1697, Sohn von 33), Vater von 35); verlor in der Auseinandersetzung mit dem Großen Kurfürsten (Schlacht bei Fehrbellin 1675) einen Teil Schwedisch-Pommerns. Innenpolitisch brach er durch die Einziehung von Krongütern die Macht des Adels. 1682 übertrug der Reichstag ihm fast unumschränkte Macht.

35) K. XII., König (1697–1718), *Stockholm 27. 6. 1682, †bei Fredrikshald (heute Halden) 11. 12. (30. 11. a. St.) 1718, Sohn von 34); besiegte im Großen Nord. Krieg (1700–21) das russ. Heer bei Narwa (1700) und erreichte im Frieden von Altranstädt (1706) den Verzicht Augusts des Starken auf die poln. Krone; wurde 1709 von Peter d. Gr. entscheidend bei Poltawa geschlagen und floh auf türk. Territorium (Bender am Dnjestr); kehrte 1714 nach Schweden zurück, griff Norwegen an und fiel vor der Festung Fredrikshald. Mit ihm endete die Großmachtstellung Schwedens.

📖 Findeisen, J.-P.: *K. XII. von Schweden. Ein König, der zum Mythos wurde. Berlin 1992.*

36) K. XIV. Johann, König von Schweden und Norwegen (1818–44), urspr. Jean-Baptiste Bernadotte, *Pau (Dép. Pyrénées-Atlantiques) 26. 1. 1763, †Stockholm 8. 3. 1844; in den frz. Revolutionskriegen General; ⚭ seit 1798 mit →Désirée. Napoleon I. erhob ihn 1804 zum Marschall, 1806 zum Fürsten von Pontecorvo. 1810 wurde K. von den schwed. Ständen zum Kronprinzen gewählt und von Karl XIII. (1809–18) adoptiert. Er veranlasste 1812 den Anschluss Schwedens an die Gegner Napoleons und befehligte in den →Befreiungskriegen die Nordarmee. 1814 zwang er Dänemark im Frieden von Kiel zur Abtretung Norwegens. K. leitete die schwed. Neutralitätspolitik ein.

📖 AMELUNXEN, C.: *Jean-Baptiste Bernadotte. Marschall Napoleons. König von Schweden. Köln 1991.*

37) K. XV., König (1859–72), *Stockholm 3. 5. 1826, †Malmö 18. 9. 1872. Unter ihm wurde Schweden zum liberalen Verfassungsstaat (1866 Einführung des Zweikammersystems). Sein Plan einer skandinav. Dreistaatenunion scheiterte.

38) K. XVI. Gustav, König (seit 1973), *Schloss Haga (bei Stockholm) 30. 4. 1946; folgte seinem Großvater, König Gustav VI. Adolf, auf den Thron; ⚭ seit 1976 mit Silvia Sommerlath (*1943).

Spanien: **39) K. I.,** →Karl 5).

40) K. II., König (1665–1700), *Madrid 6. 11. 1661, †ebd. 1. 11. 1700; der letzte span. Habsburger. Er verlor die Freigrafschaft Burgund und wichtige Grenzgebiete der Span. Niederlande an Ludwig XIV. von Frankreich. Während seiner Reg. setzte sich der polit. und wirtsch. Verfall Spaniens fort.

41) K. III., König (1759–88), als **K. IV.** König von Neapel-Sizilien (1735–59), *Madrid 20. 1. 1716, †ebd. 14. 12. 1788, Sohn des Bourbonen Philipp V., Vater von 42); unterstützte Frankreich im Siebenjährigen Krieg und im Unabhängigkeitskrieg der USA gegen England. Er regierte im Geist des aufgeklärten Absolutismus, förderte Wirtschaft und Handel und beschränkte die Macht der Kirche.

42) K. IV., König (1788–1808), *Portici (bei Neapel) 11. 11. 1748, †Rom 20. 1. 1819, Sohn von 41); setzte anfänglich die Reformpolitik seines Vaters fort, überließ dann die Reg. seiner Frau Marie Luise von Parma und deren Günstlingen (→Godoy). Napoleon I. zwang 1808 zunächst K., kurz danach auch dessen Sohn Ferdinand zum Thronverzicht zugunsten von Joseph Bonaparte.

Ungarn: **43) K. I. Robert,** König (1308–42), *Neapel 1288, †Visegrád 16. 7. 1342; aus der neapolitan. Linie des Hauses Anjou, stärkte die Königsmacht, förderte Städtegründungen und Bergbau.

Württemberg: **44) K. Alexander,** Herzog (1733 bis 1737), *Stuttgart 24. 1. 1684, †Ludwigsburg 12. 3. 1737, Vater von 45); bediente sich zur Besserung der Finanzen seines Finanzrats J. S. Oppenheimer, der großen Einfluss gewann; geriet deswegen und wegen seines Übertritts zum Katholizismus in heftigen Streit mit den Landständen.

45) K. Eugen, Herzog (1737–93), *Brüssel 11. 2. 1728, †Hohenheim 24. 10. 1793, Sohn von 44); am Hof Friedrichs d. Gr. erzogen, prachtliebend (Lustschlösser Solitude und Hohenheim; Opernhaus in Ludwigsburg) und gewalttätig (u. a. Einkerkerung C. F. D. Schubarts); regierte bis 1770 (»Erbvergleich«) absolutistisch in Konflikt mit den Ständen; Gründer der →Karlsschule.

📖 STORZ, G.: *K. Eugen. Stuttgart 1981.*

Karla (Karle, Karli), Ort im ind. Bundesstaat Maharashtra, mit vier frühbuddhist. Höhlentempeln; die bed. Höhle Nr. 1, ein Felsentempel aus dem 1. Jh. n. Chr. (37,90 m lang, 13,80 m hoch), ist als dreischiffige Säulenhalle mit Tonnengewölbe und monolith. Stupa in der Apsis angelegt.

Karle [ka:l], Jerome, amerikan. Physikochemiker und Kristallforscher, *New York 18. 6. 1918; seit 1946 am Forschungslaboratorium der amerikan. Marine in Washington (D. C.); erhielt für seine Beiträge zur Entwicklung direkter Methoden zur Kristallstrukturbestimmung 1985 mit H. A. Hauptman den Nobelpreis für Chemie.

Karlfeldt, Erik Axel, schwed. Lyriker, *Folkärna (Dalarna) 20. 7. 1864, †Stockholm 8. 4. 1931; wurde 1912 Ständiger Sekretär der Schwed. Akademie. K.s neuromant. Dichtung schildert Natur und Volksleben seiner Heimat Dalarna, was ihn zu Lebzeiten zu einem der populärsten schwed. Dichter machte; später überwiegen Wehmut und Resignation. 1931 erhielt K. postum den Nobelpreis für Literatur, den er vorher abgelehnt hatte.

Karlisten, in Spanien seit 1833 die Anhänger des Thronanwärters Don →Carlos und seiner Nachkommen, die ihre Thronansprüche in den drei **Karlistenkriegen** (1833–39, 1847–49 und 1872–76) verfochten. Sie waren streng klerikal und absolutistisch gesinnt. 1936 schlossen sie sich Franco an, der sie 1937 mit der Falange vereinigte. Bis in die Gegenwart lehnen sie einen Nachkommen Alfons' XIII. auf dem span. Thron ab; ihr Prätendent ist Carlos Hugo von Bourbon-Parma.

Karlmann, fränk. Herrscher aus dem Hause der Karolinger: **1) K.,** Hausmeier, *715 (?), †Vienne (Dép. Isère) 17. 8. 754; ältester Sohn Karl Martells, teilte das Reich mit seinem Bruder Pippin (III., d. J.), beauftragte Bonifatius mit der Reform der fränk. Kirche, unterwarf die Alemannen 746, entsagte 747 der Herrschaft und ging als Mönch nach Monte Cassino.

2) K., König der Franken (768–771), *751, †4. 12. 771; Bruder Karls d. Gr., erhielt 768 Burgund, die Provence, Septimanien, einen Teil Aquitaniens und Alemannien. Nach seinem Tod nahm Karl d. Gr., der die Söhne K.s enterbte, sein Reich an sich.

3) K. von Bayern, König von Ostfranken (876–880), *um 830, †Altötting 29. 9. 880; ältester Sohn Ludwigs des Deutschen, erhielt 876 Bayern, Kärnten, Pannonien, Böhmen und Mähren, wurde in Pavia 877 zum König von Italien erhoben, das er aber 879 an seinen Bruder →Karl 3) abtrat.

Karl Martell, →Karl 16).

Karl-Marx-Stadt, →Chemnitz.

Karlovac [-vats], Stadt in Kroatien, an der Kupa, 60 000 Ew.; Maschinenbau, Textil-, Leder-, chem. und Baustoffind., Brauerei; Kraftwerk; Verkehrsknotenpunkt. – 1579 als Festung gegen die Türken gegr., Burg Dubovac.

Karl XVI. Gustav, König von Schweden

Jerome Karle

Karlovy Vary ['karlɔvi 'vari], Stadt in der Tschech. Rep., →Karlsbad.

Karlowitz, Stadt in Serbien, →Sremski Karlovci.

Karlsbad: Die im 19. Jh. an der Tepl erbaute Mühlbrunn-Kolonnade ist das Zentrum des Kurbetriebs; in der Bildmitte sind die Barocktürme der Kirche St. Maria Magdalena (1733–36) zu erkennen

Karlsbad (tschech. Karlovy Vary), Stadt und Kurort im Westböhm. Gebiet, Tschech. Rep., an der Mündung der Tepl in die Eger, 374 m ü. M., 55 700 Ew.; seinen Weltruf verdankt es seinen zwölf alkal. Glaubersalzquellen (bis 72 °C); Porzellanind., Glaswerk, Oblatenbäckerei, Herstellung von Karlsbader Salz. – Kurhaus an der Wiese (1711), barocke Kirche St. Maria Magdalena; Zentrum des Kurbetriebs ist die klassizist. Mühlbrunn-Kolonnade (1878). – K., im 14. Jh. als »Warmbad« erwähnt, wurde nach Kaiser Karl IV. benannt; 1370 Stadtrecht; ab 1711 Entwicklung zum Kurort.

Karlsbad Stadtwappen

Karlsbader Beschlüsse, die auf den Karlsbader Konferenzen (6.–31. 8. 1819) verabredeten Maßnahmen gegen »demagog. Umtriebe« aus Anlass des Attentats des Burschenschafters K. Sand auf A. von Kotzebue (23. 3. 1819). Die von Österreich und Preußen vorbereiteten, von der Bundesversammlung am 20. 9. 1819 angenommenen K. B. waren bis 1848 gültig; sie dienten der Unterdrückung nat. und liberaler Bewegungen.

Karlsbader Salz, Glaubersalz (Natriumsulfat) enthaltendes, durch Eindampfen von Karlsbader Mineralwasser gewonnenes oder künstlich hergestelltes Salzgemisch; v. a. Abführmittel.

Karlsburg, Stadt in Rumänien, →Alba Iulia.

Karlshafen, Bad, →Bad Karlshafen.

Karlshorst, Ortsteil des Berliner Stadtbez. Lichtenberg; war ab 1945 Sitz der sowjet. Militärverw., dann bis 1955 des sowjet. Hochkommissars; Pferderennbahn.

Karlskrona [-'kru:na], Hptst. des VerwBez. Blekinge, Schweden, an der Ostsee, 59 400 Ew.; Marinehafen mit Marinemuseum, Marineschule und Werft für Kriegsschiffe; außerdem Textil-, Porzellan-, Holzind.; Fischexporthafen. – Admiralitätskirche (1685), größte Holzkirche Schwedens. – 1679 von Karl XI. gegr., ist seit 1680 Stadt.

Karlspreis, 1) (Internat. K. zu Aachen), nach Karl d. Gr., seit 1950 von der Stadt Aachen verliehener Preis für Verdienste um die europ. Bewegung und die Einigung Europas. Bisher verliehen an R. Graf Coudenhove-Kalergi (1950), H. Brugmans (1951), A. De Gasperi (1952), J. Monnet (1953), K. Adenauer (1954), Sir W. Churchill (1956), P. H. Spaak (1957), R. Schuman (1958), G. C. Marshall (1959), J. Bech (1960), W. Hallstein (1961), E. Heath (1963), A. Segni (1964), J. O. Krag (1966), J. Luns (1967), Kommission der europ. Gemeinschaften (1969), F. Seydoux (1970), R. Jenkins (1972), S. de Madariaga (1973), L. Tindemans (1976), W. Scheel (1977), K. Karamanlis (1978), E. Colombo (1979), S. Veil (1981), König Juan Carlos I. von Spanien (1982), K. Carstens (1984), das Volk von Luxemburg (1986), H. Kissinger (1987), F. Mitterrand und H. Kohl (1988), Frère R. Schutz (1989), G. Horn (1990), V. Havel (1991), J. Delors (1992), F. Gonzáles Márquez (1993), Gro Harlem Brundtland (1994), F. Vranitzky (1995), Königin Beatrix der Niederlande (1996) und Roman Herzog (1997).

2) (Europ. K.), von der sudetendt. Landsmannschaft 1958 gestifteter, jährlich verliehener Preis für Verdienste um die Verständigung zw. Dtl. und seinen östl. Nachbarn; ben. nach Kaiser Karl IV.

Karlsruhe, 1) RegBez. in Bad.-Württ., 6 919 km², (1996) 2,644 Mio. Ew.; umfasst die Stadtkreise Baden-Baden, Heidelberg, Karlsruhe, Mannheim, Pforzheim und die Landkreise Calw, Enzkreis, Freudenstadt, Karlsruhe, Neckar-Odenwald-Kreis, Rastatt und Rhein-Neckar-Kreis.

2) Landkreis im RegBez. K., Bad.-Württ., 1 085 km², (1996) 405 800 Einwohner.

3) Stadt in Bad.-Württ., Stadtkreis sowie Sitz der Verw. von 1) und 2), in der Oberrhein. Tiefebene, zw. Ausläufern des nördl. Schwarzwaldes und dem Rhein, 116 m ü. M., 275 700 Ew.; Bundesverfassungsgericht, Bundesgerichtshof, Bundesanwaltschaft, Bundesanstalt für Wasserbau, Bundesforschungsanstalt für Lebensmittelfrischhaltung, Bundesanstalt Techn. Hilfswerk, Landesversicherungsanstalt, Landeszentralbank, Finanzgericht und Rechnungshof für Bad.-Württ., Versorgungsanstalt des Bundes und der Länder. Univ. (seit 1967) Fridericiana (1825 als TH gegr.), Musikhochschule, Akademie der Bildenden Künste, PH, FH für Ingenieurwesen, Berufs-, Verw.- und Wirtschaftsakademie, Forschungszentrum K. Umwelt und Technik, Zentrum für Kunst und Medientechnologie (ZKM) mit Städt. Galerie, Medienmuseum u.a.; Staatstheater, Museen und Bibliotheken, Staatl. Kunsthalle, Generallandesarchiv, botan. und zoolog. Garten. Die wirtsch. Entwicklung K.s beruht nicht zuletzt auf der günstigen Verkehrslage und seinem Rheinhafen (1994: 11,32 Mio.t). Maschinen-, Fahrzeug-, Apparatebau, elektrotechn., feinmechanisch-opt., pharmazeut., chem. Ind., Erdölraffinerien mit Ölhafen und Fernleitungen von Marseille sowie von und nach Ingolstadt, Nahrungsmittel- und Bekleidungsind., Druckereien, Verlage, Staatl. Majolika-Manufaktur.

Stadtbild: Mittelpunkt der Stadtanlage ist der Turm des Schlosses (1715; ab 1749 umgebaut), von dem 32 Straßen strahlenförmig ausgehen. Nur der Bereich um die neun südl. Straßen wurde bis 1738 bebaut (Fächerform). Seit 1800 prägte F. Weinbrenner das klassizist. Bild der Stadt mit kath. Stadtpfarrkirche, evang. Stadtkirche, Markgräfl. Palais und Rathaus sowie der Pyramide auf dem Marktplatz. Die Orangerie (1853–57) ist ein frühes Beispiel der Glasarchitektur (heute Museum). Aus den 1950er-Jahren stammen die Schwarzwaldhalle (mit erster Hängedachkonstruktion Europas), das Gebäude der Karlsruher Lebensversicherung und die Neubauten der Universität. Moderne Bauten sind u.a. die Europahalle (1979–82), die Stadthalle (1982–85), die Bad. Landesbibliothek (1984ff.). – Im S von K. eine der ältesten dt. Gartenstädte (ab 1907) und die Siedlung Dammerstock (1929ff. nach Plänen von W. Gropius angelegt). In K.-Durlach blieb der O-Trakt des unvollendeten Schlosses erhalten (1698/99).

Geschichte: Älteste Siedlung ist das um 790 erstmals erwähnte Knielingen (heute Ortsteil von K.). **Durlach,** gegr. Ende 12.Jh., war ab 1565 Residenz der ernestin. Linie der bad. Markgrafen (seitdem von Baden-Durlach); 1715 Neugründung durch Markgraf Karl Wilhelm von Baden-Durlach (K.); 1771 nach Vereinigung der Linien Baden-Durlach und Baden-Baden Residenz der vereinigten Markgrafschaft, ab 1803 des Kurfürstentums, 1806–1918 des Großherzogtums Baden.

📖 *Karlsruher Chronik. Stadtgeschichte in Daten, Bildern, Analysen, bearb. v.* M. KOCH. *Karlsruhe 1992.*

Karlssagen, ep. Erzählungen um Karl d. Gr. und seine zwölf Paladine, seit Ende des 11.Jh. in Frankreich (»Chanson de Roland«) nachweisbar, im 14.Jh. zum »Königszyklus« vereinigt. Der Stoff wird u.a. auch im dt. »Rolandslied« des Pfaffen Konrad behandelt.

Karlsschule, 1770 von Herzog Karl Eugen von Württemberg auf dem Lustschloss Solitude als Militärwaisenhaus gegr., 1773 zur Herzogl. Militärakademie umgebildet, 1775 nach Stuttgart verlegt, 1781 durch Kaiser Joseph II. zur Hochschule **(Hohe K.)** erhoben, 1794 aufgehoben. Zu ihren Schülern gehörten F. Schiller (1773–80) und G. de Cuvier.

Karlstad [-sta:d], Hptst. des schwed. VerwBez. Värmland, an der Mündung des Klarälv in den Vänersee, 77300 Ew.; evang. Bischofssitz; Univ.; Maschinenbau, Metall-, Nahrungsmittel-, Textilind., Munitionsfabrik; bed. Binnenhafen. – Dom (1723–30). – Seit 1584 besitzt K. Stadtrecht.

Karlsruhe 3) Stadtwappen

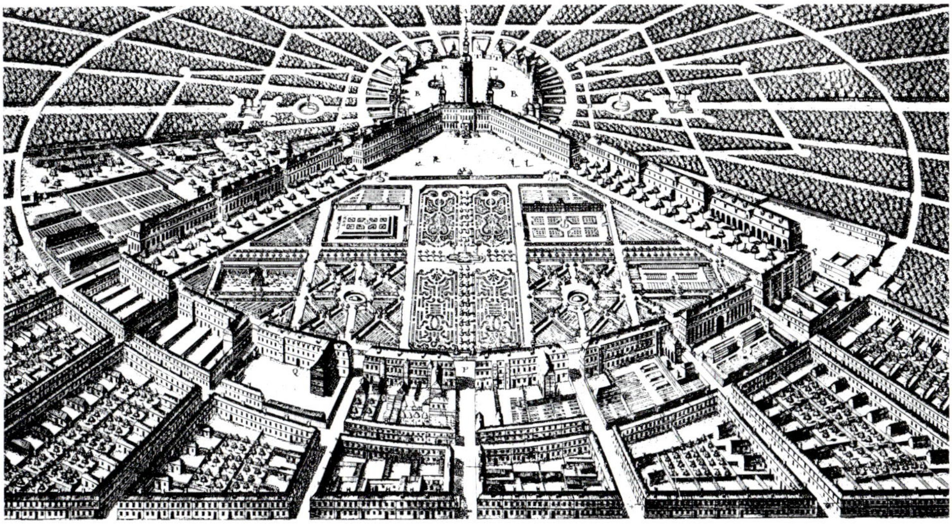

Karlsruhe 3): Die auf einem Kupferstich aus dem Jahre 1739 dargestellte barocke Stadtanlage mit dem Schlossturm als Ausgangspunkt von 32 strahlenförmig angelegten Straßen

Theodore von Kármán

Karlstadt, Krst. des Main-Spessart-Kreises, in Unterfranken, Bayern, am Main, 15200 Ew.; Zementwerk, Baustoff-, Bekleidungsind., Maschinenbau, Herstellung von Musikinstrumenten. – Vom alten K., von der Ruine der Karlburg (12. Jh.) überragt, sind Reste der Stadtmauer und Türme (15.–16. Jh.), die spätgot. Pfarrkirche (neugotisch restauriert), Rathaus (1422) und Fachwerkhäuser erhalten. – K. wurde um 1200 als Stadt gegründet.

Karlstadt, 1) eigtl. Andreas Rudolf Bodenstein, reformator. Theologe, *Karlstadt (Bayern) um 1480, †Basel 24. 12. 1541; schloss sich 1517 Luther an; seit 1518 Prof. in Wittenberg; führte 1519 zus. mit Luther die →Leipziger Disputation; Bruch mit Luther wegen unterschiedl. Auffassungen zum Abendmahl; seit 1534 Prof. in Basel.

2) Liesl, eigtl. Elisabeth Wellano, Volksschauspielerin, *München 12. 12. 1892, †Garmisch-Partenkirchen 27. 7. 1960; bekannt als Partnerin (ab 1915) des Komikers Karl Valentin.

Karlstein (tschech. Karlštejn), Burg 28 km südwestlich von Prag, Tschech. Rep., 319 m ü. M., auf einem 72 m hohen Kalkfelsen über der Beraun, von Karl IV. 1348–57 errichtet (im 16. und 19. Jh. umgebaut, 1988 ff. restauriert), diente als Aufbewahrungsort der Reichskleinodien (heute in der Wiener Hofburg) und des böhm. Kronschatzes (heute im Prager Dom). Berühmt ist die mit 128 Tafelbildern des Meisters Theoderich geschmückte Heiligkreuzkapelle (Gewölbe mit vergoldeten venezian. Sternglasscheiben belegt).

Karnak: Die heutige Fassade (1. Pylon) des Amuntempels mit Sphinxallee

Karma [Sanskrit »Tat«] *das* (Karman), zentraler Begriff des Hinduismus, Buddhismus und Dschainismus; bezeichnet das universelle Gesetz, nach dem jedes Dasein kausale Folge eines früheren Daseins ist: der Mensch bestimmt durch seine Handlungen, in welcher Daseinsform (z. B. Pflanze, Tier) oder Kaste er wiedergeboren wird. Kreislauf und Erlösung →indische Philosophie und Religion.

Kármán ['ka:rma:n], Theodore von, ungar. Physiker und Aerodynamiker, *Budapest 11. 5. 1881, †Aachen 7. 5. 1963; 1913–29 Prof. in Aachen, 1930–49 am California Institute of Technology in Pasadena, USA; Arbeiten u. a. über Strömungslehre, Turbulenz, Tragflügelprofile.

kármánsche Wirbelstraße ['ka:rma:n-; nach T. Kármán], zwei parallele Reihen von Wirbeln mit entgegengesetztem Drehsinn. Eine k. W. kann u. a. bei der Umströmung zylindr. Objekte entstehen und dabei Töne erzeugen (z. B. Singen von Telegrafendrähten); im Extremfall wird das Objekt zerstört.

Karmel [hebr. »Baumgarten«] *der,* etwa 35 km langer Gebirgsrücken aus Kreidekalk in N-Israel, bis 546 m ü. M., begrenzt die Bucht von Haifa im SW. An der N-Spitze liegt das Stammkloster der Karmeliter. Die **K.-Höhlen** (Tabun, Skhul und Wad) enthielten umfangreiche Siedlungsschichten vom Acheuléen bis zum Aurignacien und dem mittelsteinzeitl. Natufien; außerdem Neandertalerskelettfunde.

Karmeliter (Karmeliten, lat. Ordo Fratrum Beatae Mariae Virginis de Monte Carmelo), kath. Bettelorden, hervorgegangen aus einer von Kreuzfahrern im 12. Jh. gegründeten Einsiedlerkolonie auf dem Karmel; 1226 päpstl. Bestätigung der ersten Regel; seit 1235 Übersiedlung der K. nach Europa (Zypern, Sizilien, S-Frankreich); 1249 erstes dt. Kloster in Köln; 1452 Gründung des weibl. Zweiges **(Karmelitinnen);** nach den Reformen Theresias von Avila und Johannes' vom Kreuz 1593 Gründung und päpstl. Anerkennung eines eigenen, streng asketisch und kontemplativ ausgerichteten Ordens der **unbeschuhten K.;** auch heute v. a. in der Seelsorge tätig.

Karmelitergeist (Melissenspiritus), alkohol. Zubereitung aus Citronellöl, äther. Muskat-, Zimt- und Nelkenöl. Anwendung äußerlich bei rheumat. und neuralg. Beschwerden, innerlich bei leichten krampfartigen Magen-Darm-Störungen.

Karmin [arab. aus Sanskrit] *das* (Carmin), roter Farbstoff, aus der Koschenille gewonnen; färbender Bestandteil ist die →Carminsäure.

karmosieren, einen Edelstein beim Fassen mit weiteren kleinen Steinen umgeben.

Karnak, Dorf in Oberägypten, am O-Ufer des Nils, liegt mit dem südlich anschließenden Luxor über dem O-Teil des altägypt. Theben, mit Resten eines riesigen Tempelbezirkes. Bed. v. a. die Ruinen des Tempelkomplexes des Reichsgottes Amun (bes. 12.–18. Dynastie), in der 19. Dynastie um den Großen Säulensaal, in der Spätzeit um die heutige Fassade (1. Pylon) erweitert.

Karnallit, →Carnallit.

Karnataka (bis 1973 Mysore), Bundesstaat im S →Indiens. – Mysore war seit Beginn des 17. Jh. ein selbstständiges Fürstentum unter der Hindudynastie der Wadiyar; 1761–99 unter muslim. Herrschaft (Haidar Ali und Tipu Sultan); kam 1831 unter brit.

Verwaltung, ab 1881 wieder von den Maharadschas regiert. 1947 schloss es sich der Ind. Union an.

Karneol [italien.] *der,* Mineral, gelbl. bis blutrote Varietät des →Chalcedon; Schmuckstein.

Karner *der,* Beinhaus, Totenkapelle zur Aufnahme der bei Anlage neuer Gräber gefundenen Gebeine.

Karneval [italien. carnevale, vermutlich volksetymolog. Umdeutung von mlat. carne vale »Fleisch lebe wohl« oder carrus navalis »Schiffskarren«] *der,* Sonntag vor Aschermittwoch, urspr. Sonntag vor der vorösterl. Fleischenthaltung (kirchenlat. dominica ante carnes tollendas), dann auf eine längere Zeit gesteigerten Lebensgenusses vor dem Fasten erweitert, entsprechend der Bez. →Fastnacht. Für die K.-Bräuche (z.T. schon 1142 unter lat. Bez. bezeugt) werden Einflüsse aus spätantik-röm. und aus byzantin. Winter- und Frühlingsfesten angenommen. Glanzvoll entfaltete sich der K. im 15. Jh. in Florenz, dann in Rom und Venedig. Von dort kam die Bez. in der 2. Hälfte des 17. Jh. auch nach Dtl. Im 19. Jh. wurde v.a. der K. in Rio de Janeiro berühmt.

Karnies *das,* (Glockenleiste), *Baukunst:* Profil mit s-förmigem Querschnitt an einem Gesims oder Rahmen.

Karnisch, →rätoromanische Sprache.

Karnische Alpen, Teil der Südl. Kalkalpen, südlich des Gailtals, in der Hohen Warte 2780 m ü.M., in der Kellerwand 2769 m ü.M.; über den Kamm verläuft die österr.-italien. Grenze; wird von den Straßen über den →Plöckenpass und den Naßfeldpass gequert.

Karnivoren [lat.], →Fleischfresser, auch svw. →Fleisch fressende Pflanzen.

Kärnten, das südlichste Bundesland Österreichs, 9533 km^2, (1995) 561000 Ew.; Landeshptst. ist Klagenfurt. Umfasst den Einzugsbereich der oberen Drau mit ihren Nebenflüssen, bes. der Gail, zw. beiden die Gailtaler Alpen. Im S grenzt K. an Slowenien (Karawanken) und Italien (Karn. Alpen). K. bildet eine in sich geschlossene Beckenlandschaft zw. Karawanken und Karn. Alpen im S, Hohen Tauern im SW, Gurk- und Seetaler Alpen sowie Packalpe im N und der Koralpe im O. Es gliedert sich in das gebirgige **Ober-K.** (oberes Drautal, Möll-, Lieser- und Gailtal) und das meist flachwellige **Unter-K.,** dessen Kernraum das Klagenfurter Becken ist, das größte inneralpine Becken der Ostalpen. In K. liegen vier große Seen (Wörther, Ossiacher, Millstätter und Weißensee) und etwa 200 kleinere. – Die Bevölkerung ist zu 95% deutschsprachig, südlich der Drau und im Untergailtal wohnen Slowenen.

Wirtschaft: Ackerbau wird nur in Unter-K. und in den großen Tälern betrieben (v.a. Mais, Gerste, Hafer, Weizen, Kartoffeln, Obst), bedeutender ist

Kärnten: Das Drautal bei Villach, im Hintergrund die Karawanken

die Viehzucht. Auf dem Waldreichtum beruht eine umfangreiche Holz verarbeitende Ind. (Sägewerke, Papierfabriken). Der Bergbau liefert v.a. Magnesit (Radenthein), Blei- und Zinkerze (Bleiberg-Kreuth), seit 1985 im Gebiet der Koralpe Lithiumerze. Die Wasserkraftwerke an der Drau liefern rd. ein Drittel der österr. Elektroenergie. Schwerpunkte der Ind. sind die Metallverarbeitung, die Elektrotechnik und Elektronik, die Nahrungsmittel- und chem. Ind., Papiererzeugung und Holzverarbeitung; die wichtigsten Standortzentren sind Klagenfurt, Villach, Spittal a.d. Drau, der Raum St. Veit a.d. Glan-Althofen und das untere Lavanttal mit Wolfsberg. – Wichtigster Verkehrsknotenpunkt ist Villach mit Tauern- und Karawankenbahn, Südautobahn und Tauernautobahn. Mittelpunkte des bed. Fremdenverkehrs sind die Kärntner Seen und die Hohen Tauern.

Geschichte: In der Antike war K. Teil der röm. Provinz Noricum; um 590 drangen Slawen ins Land, die im 8. Jh. unter bayr. Oberhoheit, dann unter die der fränk. Karolinger kamen. 976 wurde K. ein eigenes Herzogtum; es kam 1286 an die Grafen von Tirol, 1335 an die Habsburger. 1809–14 gehörte der Villacher Kreis zur frz. Illyr. Provinz, 1816–49 K. zum österr. Königreich Illyrien; danach österr. Kronland. Jugoslaw. Ansprüche auf den Sü-

Kärnten Landeswappen

Karneval

Der zweitgrößte Karneval der Welt findet in London statt, genauer gesagt im Londoner Stadtteil Notting Hill. Jedes Jahr versammeln sich hier am letzten Augustwochenende Hunderttausende, um in den Straßen zu feiern und zu tanzen. Getragen wird das Spektakel hauptsächlich von Einwanderern der ehemals britischen Karibikinseln wie Jamaika und Trinidad. Entsprechend finden die Umzüge der Karnevalsgesellschaften zu Calypso, Reggae, House, Rap und allen anderen Spielarten afrokaribischer Musik statt.

Karolinger, Stammtafel (Auswahl)

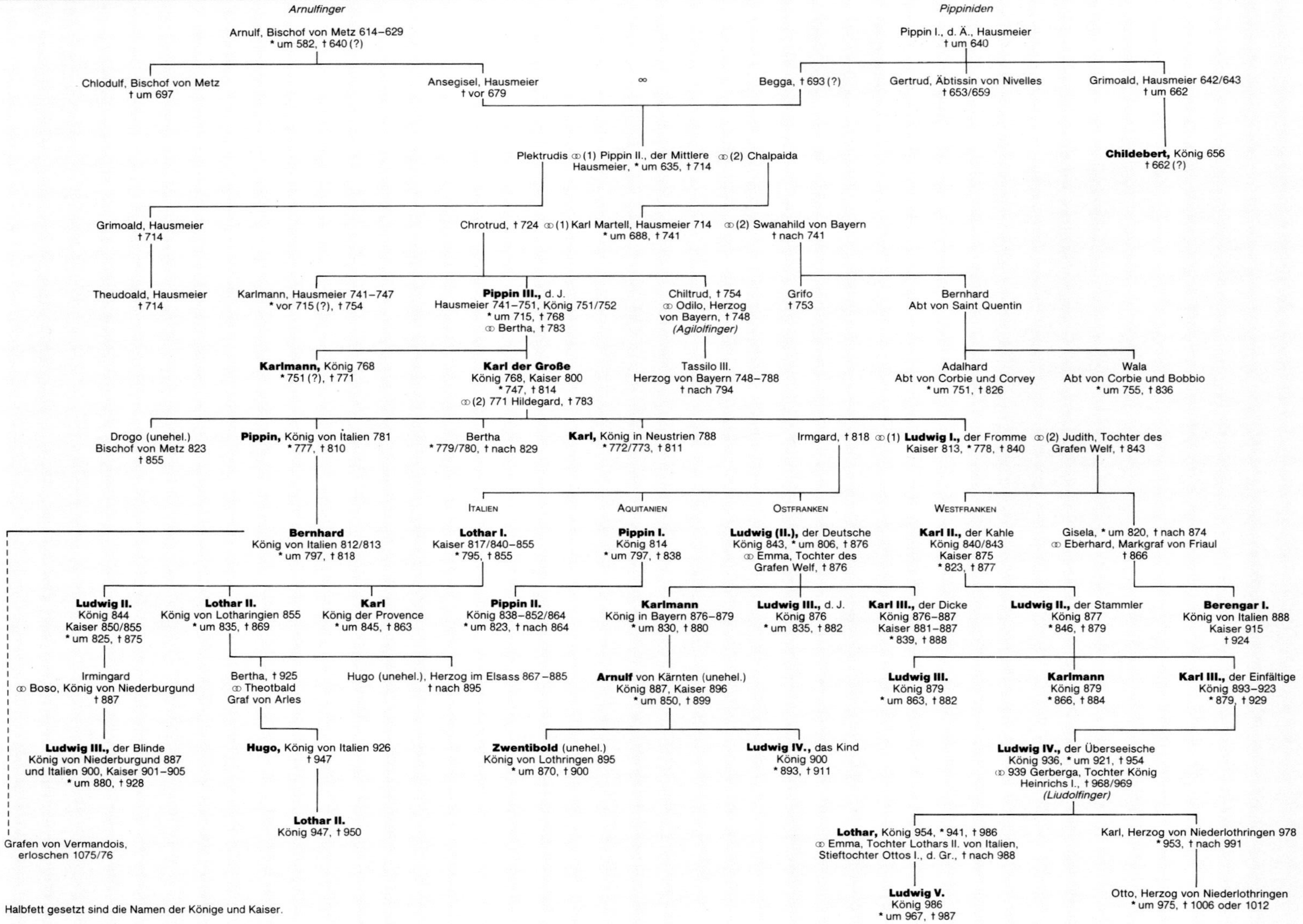

Halbfett gesetzt sind die Namen der Könige und Kaiser.

den K. (1918) führten 1918/19 zu Kämpfen; auf der Basis des Friedens von Saint-Germain-en-Laye (1919) kam es am 10. 10. 1920 zur Volksabstimmung, die die Zugehörigkeit zu Österreich festlegte; ohne Abstimmung wurden das Mießtal an Jugoslawien, das Kanaltal an Italien abgetreten.

📖 NEUMANN, W.: *Bausteine zur Geschichte K.s. Klagenfurt 1985.*

Karo [frz.] *das,* **1)** *allg.:* auf der Spitze stehendes Quadrat.

2) *Kartenspiel:* Eckstein, Schellen.

Karoline Henriette Christiane, Landgräfin von Hessen-Darmstadt, *Straßburg 9. 3. 1721, †Darmstadt 30. 3. 1774; pfälz. Prinzessin, ⚭ mit Landgraf Ludwig IX. (*1719, †1790), für den sie zeitweise die Reg. führte. Ihr reger geistiger Verkehr mit J. G. Herder, J. W. Goethe und C. M. Wieland machte Darmstadt zum »Musenhof«.

Karolinen (engl. Caroline Islands), größte Inselgruppe Mikronesiens, 963 Inseln im westl. Pazifik mit rd. 1200 km^2 Landfläche und (1991) rd. 126 000 Ew., meist Mikronesiern. Die K. erstrecken sich nördlich des Äquators von den Palauinseln im W bis zur Insel Kusaie im O über eine Länge von 3700 km, sie gliedern sich in die **West-K.** mit den Paulauinseln und Yap Islands und die **Ost-K.** mit den Truk Islands und Senyavin Islands. Das Klima ist tropisch-ozeanisch. Die Wirtschaft beruht v. a. auf der Nutzung der Kokospalmen (Koprahandel), dem Fischfang und dem Fremdenverkehr. Auf vielen Inseln Ruinen von Steinbauten. Auf Yap war bis in das 20. Jh. Steingeld in Gebrauch.

Geschichte: Die im 16. Jh. von Spaniern entdeckten und nach dem span. König Karl II. benannten Inseln wurden erst im 19. Jh. von Spanien kolonisiert und 1899 an Dtl. verkauft; 1914 von Japan besetzt, dem sie nach dem 1. Weltkrieg als Völkerbundsmandat unterstanden. 1944 von amerikan. Truppen erobert, kamen die K. 1947 als UNO-Treuhandgebiet unter Verw. der USA. Die westl. K. wurden 1994 selbstständig (→Palau), die östl. K. 1991 (→Mikronesien).

Karolinger, fränk. Herrschergeschlecht aus dem Maas- und Moselgebiet, nach Karl d. Gr. benannt; hervorgegangen aus einer Verbindung der Nachkommen Arnulfs von Metz **(Arnulfinger)** und Pippins I., d. Ä. **(Pippiniden).** Sie erlangten mit Pippin II., dem Mittleren, 687 das Amt des Hausmeiers im ganzen →Fränkischen Reich, mit Pippin III., d. J., 751 die Königswürde. Durch Karls d. Gr. Enkel teilte sich das Geschlecht in drei Hauptlinien. Die älteste, von Kaiser Lothar I. gegr., regierte in Lotharingien, wo sie 869 mit Lothar II., und in Italien, wo sie 875 mit Kaiser Ludwig II. ausstarb. Die 2., von Ludwig dem Deutschen ausgehend, herrschte in Dtl. und endete 911 mit Ludwig dem Kind. Die 3., deren Stammvater Karl der Kahle ist, regierte bis 987 in Frankreich, wo sie durch die Kapetinger abgelöst wurde. Mit dem Aufstieg der K. verlagerte sich das Machtzentrum Europas vom Mittelmeer nach Frankreich und Deutschland.

📖 RICHÉ, P.: *Die K. Eine Familie formt Europa. A. d. Frz. München* ^{3}*1995.* – SCHIEFFER, R.: *Die K. Stuttgart u. a.* ^{2}*1997.*

karolingische Kunst, die Kunst in dem von Karl d. Gr. geschaffenen Reich. Zentrum war der Hof in Aachen, an den Karl Künstler zog, die der röm. oder byzantin., aber auch der angelsächs., merowing. und langobard. Tradition entstammten. Durch sein Bemühen um eine Erneuerung (»renovatio«) des röm. Imperiums (karoling. Renaissance) entstand aus diesen verschiedenartigen Strömungen der karoling. Stil, der die erste Stufe der abendländisch-mittelalterl. Kunst darstellt. Die Blütezeit reichte vom Ende des 8. bis in die Mitte des 9. Jh. Aus diesen Ansätzen entwickelten sich sowohl die →deutsche Kunst als auch die →französische Kunst. Der german. Holzbau wurde durch den Steinbau ersetzt, im Ggs. zur gleichzeitigen byzantin. Bilderfeindlichkeit entstanden große christl. Bilderfolgen; die menschl. Figur verlor ihre ornamentale Bindung.

In der *Baukunst* wurden versch. Anlagetypen übernommen, so aus Italien der Zentralbau in dem nach dem Muster von San Vitale in Ravenna errichteten Aachener Münster. Die altchristl. Basilika wurde durch Einbeziehung des Querhauses (Einhardsbasilika in Michelstadt-Steinbach), Erweiterung der Ringkrypta (St. Lucius in Chur, St. Emmeram in Regensburg), Ausbildung des die weitere Entwicklung in Gallien bestimmenden Chorumgangs mit Kapellenkranz (Saint-Martin in Tours), Anlage eines Westchors oder Westwerks (Abteikirche des Benediktinerklosters Corvey, 2. Hälfte des 9. Jh.) und durch Vierungs- und Treppentürme bereichert. Das besterhaltene Beispiel einer Fassadendekoration bietet die Torhalle des Klosters →Lorsch (wohl vor 875 vollendet).

Die Bronzetüren und Emporengitter des Aachener Münsters (um 800) belegen eine hoch entwickelte Gusstechnik. Beispiele der *Goldschmiedekunst* sind der →Tassilokelch (um 780, Kremsmünster, Schatzkammer der Abtei), das Rupertuskreuz (Ende 8. Jh., Bischofshofen, Pfarrkirche), der Adelhausener Tragaltar (um 800, Freiburg im Breisgau, Augustinermuseum) und die Stephansbursa (Anfang 9. Jh., Wien, Kunsthistor. Museum). Reste von *Wandmalerei* sind im Westwerk der Abteikirche Corvey (873–885), in der Torhalle des Benediktinerinnenklosters Frauenchiemsee (Mitte 9. Jh.) und in St. Johann in Müstair (Kt. Graubünden, Ende des 9. Jh.) erhalten.

Karoline Henriette Christiane, Landgräfin von Hessen-Darmstadt (Ausschnitt aus einem Gemälde von Antoine Pesne, um 1750)

karolingische Kunst

1

2

3

4

5

6

| **1** Der Thron Karls des Großen (nicht gesichert) im Obergeschoss der Pfalzkapelle des Aachener Münsters | **2** Innenansicht des fast unverändert erhaltenen Westwerks der Abteikirche Corvey (873–885) | **3** Das Elfenbeinrelief ließ Karl der Große als Deckelschmuck einer Handschrift des Dagulf-Psalters für seinen Verbündeten Papst Hadrian I. anfertigen; in der Mitte der beiden Tafeln ist David abgebildet (zw. 783 und 795; Paris, Louvre) | **4** Bronzetüren des Aachener Münsters (um 800) | **5** Die den Apostel Matthäus darstellende Miniatur leitet das unter Erzbischof Ebo in Reims entstandene Ebo-Evangeliar ein (zw. 816 und 835; Épernay, Bibliothèque Municipale) | **6** Die Illustration des Psalms 77 aus dem um 830 entstandenen Utrecht-Psalter stellt die Israeliten bei der Verkündung des Gesetzes dar, wobei David inmitten seiner Schafe zum König gewählt wird (Utrecht, Universitätsbibliothek)

In Aachen entstand die »Hofschule« Karls d. Gr., aus der zahlr. *Buchmalereien* und *Elfenbeinarbeiten* erhalten sind. Mit dem Codex aureus aus Lorsch (heute aufgeteilt auf Bibliotheken in Rom, Bukarest und London) sowie dem Dagulf-Psalter (Paris und Wien) haben sich Handschriften mit ihrem vollständigen Deckelschmuck erhalten. Die Elfenbeintafeln des Lorscher Evangeliars folgen fünfteiligen Diptychen frühchristl. Zeit. Stärker byzantinisierend ist die gleichfalls in Aachen beheimatete

Gruppe des Wiener Krönungsevangeliars. Mit der »Reimser Schule« (Ebo-Evangeliar, Épernay; Utrecht-Psalter, Utrecht) verlagert sich das Schwergewicht nach Westen. Weitere Zentren sind die »Schule von Tours« (Grandval-Bibel in London, Vivian-Bibel in Paris) und die wohl in Paris zu lokalisierende »Hofschule Karls des Kahlen« (Sakramentar und Psalter Karls des Kahlen, Paris). Zahlr. spätkaroling. Elfenbeine, neben mehreren Buchdeckeln der Kamm des hl. Heribert (Köln, Schnütgen-Museum), stammen aus Metz. Aus dem gleichen westfränk. Raum kommen auch die bedeutendsten Goldschmiedearbeiten wie die Deckel des Codex aureus von St. Emmeram in Regensburg, das Arnulf-Ciborium (beide München) und der Goldaltar (»Paliotto«) von Sant'Ambrogio zu Mailand.

📖 DURLIAT, M.: *Die Kunst des frühen Mittelalters. A. d. Frz. Freiburg im Breisgau u. a. 1987.*

Karolus, August, Physiker, *Reihen (heute zu Sinsheim) 16. 3. 1893, †Zollikon (Kt. Zürich) 1. 8. 1972; Prof. in Leipzig und Freiburg im Breisgau entwickelte 1923 die K.-Zelle (→Kerr-Zelle) zur trägheitslosen Lichtmodulation.

Károlyi ['ka:roji], **1)** Julian (Gyula) von, Pianist ungar. Herkunft, *Losonc (heute Lučenec, Slowak. Rep.) 31. 1. 1914, †München 1. 3. 1993; trat bes. als Chopin-Interpret hervor.

2) K. von Nagykárolyi, Michael Graf, ungar. Politiker, *Budapest 4. 3. 1875, †Vence (Dép. Alpes-Maritimes) 19. 3. 1955; 1913–16 Führer der Unabhängigkeitspartei, ab Okt. 1918 MinPräs. (Bodenreform; Waffenstillstand vom 8. 11. 1918), Jan. bis März 1919 Staatspräs. (→Ungarn, Geschichte).

Karoshi [-ʃi] *der* (Karoschi), mit dem japan. Arbeitssystem und -ethos zusammenhängendes Phänomen, das als »Tod durch Überarbeitung« bezeichnet wird.

Karosse [italien.-frz., von lat. carrus »Wagen«] *die,* prunkvoll ausgestattete Kutsche.

Karosserie *die,* Aufbau des Kraftwagens über dem Fahrgestell. Die **nicht selbsttragende K.**, die auf einen tragenden Fahrzeugrahmen (Chassis) aufgesetzt ist, findet sich heute nur noch bei Lkw. Heute überwiegt bei Pkw wegen des geringeren Gewichts die **selbsttragende K.**, die aus punktverschweißten Blechhohlkörpern und Schalen besteht; die Trieb- und Fahrwerksteile werden unmittelbar an verstärkten Stellen der K. befestigt. – Aus Sicherheitsgründen werden an die K. von Pkw besondere Anforderungen hinsichtlich Festigkeit und Verformbarkeit bei Unfällen gestellt. Daher besitzen die K. eine stabile, gestaltfeste Fahrgastzelle, während Bug- und Heckpartien als **Knautschzonen** verformbar sind. – Bei der Auswahl der Werkstoffe spielen Umformfähigkeit, Korrosionsschutz, Gewicht und zunehmend auch Recyclingfragen eine wichtige Rolle. Im K.-Bau für Pkw und für Fahrergehäuse von Lkw werden unbeschichtete und beschichtete Feinbleche (elektrolytisch verzinkt, feuerverzinkt oder zinkpigmentbeschichtet) aus Tiefzieh- und höherfesten Stählen oder in Einzelfällen Aluminiumbleche verwendet, außerdem Kunststoffe für stoßgefährdete und gestalter. K.-Teile.

Karotin, →Carotin.

Karotis [grch.] *die,* die →Halsschlagader.

Karotte [aus frz.], Mohrrübe.

Karpacz [-tʃ] (dt. Krummhübel), Stadt in der Wwschaft Jelenia Góra (Hirschberg), Polen, am Fuß der Schneekoppe, 550–880 m ü. M., 6100 Ew.; Luftkurort und Wintersportplatz.

Karpaten, Gebirgszug im südöstl. Mitteleuropa, der sich in einem 1300 km langen, 50–150 km breiten, nach W geöffneten Bogen von der Donau bei Preßburg bis zum Banater Gebirge (Rumänien) erstreckt und das ungar. Becken umschließt. In ihrem Aufbau ähneln die K. den Alpen. Deutlich treten zwei Faltenzonen hervor: eine äußere Sandsteinzone und eine innere, vorwiegend kristalline Zone. Diese ist stark gestört, z. T. völlig abgesunken und von vulkan. Ausbruchsmassen durchsetzt. Beckeneinbrüche und tief einschneidende Täler gliedern den Gebirgszug in mehrere Teile: **West-K.** (in ihrer Zentralzone die Hohe Tatra), **Wald-K.** vom Duklapass bis zum Prisloppass, **Ost-K.** bis zum Abbruch der walach. Ebene und **Süd-K.,** die über das Eiserne Tor hinausreichen.

Die K. haben überwiegend Mittelgebirgscharakter; sie überschreiten nur in den höchsten Erhebungen 2000 m ü. M. (Hohe Tatra, Gerlsdorfer Spitze 2655 m ü. M.). Das Klima ist gemäßigt kontinental mit strengem Winter und warmem Sommer. Die Niederschläge sind auf den Höhen am höchsten, wo sie in der Gipfelregion auf 2000 mm jährlich ansteigen. Der weit verbreitete Wald besteht in den tieferen Lagen v. a. aus Buchen und Fichten, in den höheren aus Tannen und Lärchen; die Waldgrenze liegt bei 1500–1900 m ü. M. In den vom Verkehr abgelegenen Wäldern leben Bären, Wölfe und Luchse. Der Ackerbau ist auf die Täler und Becken beschränkt; die Viehzucht (hauptsächlich Schafe) ist, außer in den Süd-K., wegen des Mangels an Weiden wenig entwickelt. Der Bergbau spielt eine Rolle im Slowak. Erzgebirge, im südl. Teil der West-K. (Eisen, Mangan, Kupfer, Antimon, Molybdän, Nickel), in den Ost-K. (Mangan, Kupfer) und in den Süd-K. (Kohle, Eisen); zunehmender Fremdenverkehr.

Karpathos, gebirgige Insel des Dodekanes, Griechenland, zw. Kreta und Rhodos, 301 km², 4600 Ew.; Fremdenverkehr v. a. im S der Insel.

Karpato-Ukraine, →Transkarpatien.

Karpell [grch.-lat.] *das,* Fruchtblatt, →Blüte.

Anatoli Karpow

Paul Karrer

Karpfen (Cyprinus carpio), Art der Karpfenfische, v.a. in seichten, schlammigen Gewässern; wird als Speisefisch gezüchtet, kann über 1 m lang und 60 cm hoch werden. Der **Wild-K.** ist voll beschuppt, der herausgezüchtete **Spiegel-K.** hat nur einige größere Schuppen, der **Leder-K.** ist nackt, der **Aischgründer K.** bes. hochrückig.

Zucht: Ein Satz von 3–8 Jahre alten und 3–7 kg schweren **Laich-K.** (2 Milchner, 1 Rogner) werden im Frühjahr in Teichen zum Laichen ausgesetzt, wo das Weibchen bis zu 2 Mio. 1,5–2 mm große Eier an Gras oder Wasserpflanzen absetzt. Nach 5–8 Tagen werden die 1,3–2 cm großen Brütlinge in Streckteiche übergeführt, wo sie bis zum Herbst zu 5–15 cm langen **K.-Sömmerlingen** heranwachsen. Den Winter verbringen sie in tieferen Teichen, aus denen sie im Frühjahr als **Satz-K.** in Abwachsteiche gebracht werden, in denen sie bei reichl. Nahrungsangebot 0,2–0,5 kg erreichen. Nach nochmaligem Überwintern und sommerl. Abwachsperiode haben sie die Größe von **Speise-K.** erreicht (Gewicht 1–2 kg).

Karpfenfische (Cyprinidae), Familie der Karpfenartigen Fische mit etwa 1200 Arten, darunter →Karpfen, →Karausche, →Schleie. Weitere K.: **Brachsen** (Blei, Brassen, Abramis brama), wird bis 75 cm lang und 6 kg schwer, ist von W-Europa bis zum Ural verbreitet, auch in der Ostsee. Als Halbbrachsen wird die **Güster** oder **Blicke** (Blicca bjoerkna) bezeichnet, die 30 cm lang wird und die mittel- und osteurop. Gewässer bewohnt; mancherorts Speisefisch.

Karpow, Anatoli Jewgenjewitsch, russ. Schachspieler, *Slatoust 23. 5. 1951; seit 1970 Internat. Großmeister, wurde 1975 durch Nichtantreten von R. Fischer (USA) Schachweltmeister (bis 1985, erneut seit 1993).

Karpfen

Die Griechen und Römer kannten den Karpfen schon sehr früh; wegen seiner Fruchtbarkeit war er der römischen Liebesgöttin Venus heilig. Der römische Staatsmann und Schriftsteller Cassiodor berichtet, dass der Ostgote Theoderich der Große (seit 493 König in Italien) aus der Donau Karpfen für seinen Hof in Ravenna bezog. Ihre größte Verbreitung erreichte die Karpfenzucht im 15. und 16. Jahrhundert in den Fischteichen der Klöster, da der Karpfen eine beliebte Fastenspeise war.

Karpowicz [-vitʃ], Tymoteusz, poln. Schriftsteller, *Zielona (bei Vilnius) 15. 12. 1921; Vertreter der »linguist. Poesie«; versucht den Leser anzuregen, die in der Sprache verborgene »Vielfalt der Bedeutungen« zu entdecken.

Karrageen [nach Carragheen bei Waterford, Irland] *das* (Carrageen, Karraghenmoos, Irländisches Moos, Irisches Moos), Droge aus Rotalgen der Gattung **Chondrus, Euchoma** und **Gigartina,** mit hoher Quell- und Gelierfähigkeit. Es dient als Stabilisator für Ölemulsionen und verdickt Speiseeis, Gelees und Puddings.

Karpfen: Spiegelkarpfen (Länge bis 1 m)

Karren [zu Kar] (Schratten), *Geomorphologie:* durch ablaufendes Wasser ausgelaugte Furchen in lösungsfähigen Gesteinen, bes. Kalken (Karsterscheinung); bilden mitunter ganze **K.-Felder** (z.B. Gottesackerplateau im Allgäu).

Karrer, Paul, schweizer. Biochemiker, *Moskau 21. 4. 1889, †Zürich 18. 6. 1971; Prof. in Zürich, arbeitete über Polysaccharide und Pflanzenfarbstoffe, isolierte die Vitamine A und K, stellte B_2 und E synthetisch her. 1937 erhielt er mit W. N. Haworth den Nobelpreis für Chemie.

Karrhai [grch.] (lat. Carrhae, Carrhä, keilschriftlich Harran oder Charran), ehem. Stadt südöstlich von Urfa in der SO-Türkei, als bed. Handelsstadt des alten Orients seit dem 18. Jh. v.Chr. bezeugt; kam um 1300 v.Chr. an Assyrien, um 600 v.Chr. an Babylonien; bekannt v.a. durch den Kult des Mondgottes. – Bei K. wurde 53 v.Chr. Crassus von den Parthern besiegt und 217 n.Chr. Caracalla ermordet. Brit. (1951–56) und türk. Ausgrabungen.

Karru *die* (engl. Karoo), Landschaft im W und SW Südafrikas; bei geringen Niederschlägen herrschen Halbwüsten und Trockensteppen vor; nach Regenfällen kurzzeitig blumenreiche Vegetation; Zucht von Merinoschafen und Angoraziegen.

Kars, Provinz-Hptst. in NO-Anatolien, Türkei, 1750 m ü.M.; 79500 Ew.; Verarbeitung landwirtsch. Produkte; Garnisonstadt. – Ehem. armen. Kirche (930–937); heute Museum.

Karsamstag [zu ahd. chara »Wehklage«, »Trauer«] (Ostersonnabend), der Tag vor Ostern, Gedächtnistag der Grabesruhe Jesu. Am Abend Beginn der Feier der Osternacht; in den Ostkirchen feierl. Prozession mit dem Grabtuch Christi, danach Segnung von Brot und Wein für die Teilnehmer der Osterliturgie.

Karsawina, Tamara, brit. Tänzerin russ. Herkunft, *Sankt Petersburg 9. 3. 1885, †Beaconsfield (bei London) 26. 5. 1978; debütierte 1902 am Petersburger Marientheater und war dort seit 1907 Ballerina; seit 1909 Mitgl. der »Ballets Russes« bei S. Diaghilew; lebte ab 1918 in London; bed. Vertreterin des klass. Balletts.

Karsch, Anna Luise, geb. Dürbach, gen. Karschin, Dichterin, * Meierei »Auf dem Hammer« bei Schwiebus (heute Świebodzin, Wwschaft Zielona Góra) 1. 12. 1722, † Berlin 12. 10. 1791; arbeitete als Kuhmagd; kam 1761 nach Berlin, wo sie u.a. von G. E. Lessing gefördert und als »deutsche Sappho« gefeiert wurde.

Karschi, Hptst. des Gebiets Kaschkadarja, Usbekistan, am Fluss Kaschkadarja, inmitten der bewässerten **K.-Steppe** (Bewässerung, Erdgasgewinnung), 168000 Ew.; Baumwollreinigungsfabrik, Teppichwebereien. – K., bis zu seiner Befestigung im 14. Jh. **Nachscheb** oder **Nesef** gen., entstand an einer Karawanenstraße von Samarkand und Buchara nach Indien; es ist seit 1926 Stadt.

Karst (slowen. und serbokroat. Kras, italien. Carso), die meist waldlose Kalkhochfläche östlich des Golfes von Triest, in Slowenien und Kroatien sowie Italien.

Karstadt AG, Essen, eines der größten europ. Warenhausunternehmen; gegr. 1920 durch Fusion der Unternehmen Rudolph Karstadt (gegr. 1881) und Theodor Althoff (gegr. 1885). Tochterges. sind u.a.: Kepa Kaufhaus GmbH, Neckermann Versand AG, NUR Touristic GmbH, Hertie Waren- und Kaufhaus GmbH; Großaktionäre sind die Hertie Stiftung sowie die Quelle Schickedanz AG & Co.

Karsterscheinungen, *Geomorphologie:* Bez. für Formen an und unter der Erdoberfläche, die auf Lösungsvorgänge (Korrosion) an oder in dafür geeigneten Gesteinen (Kalk, Dolomit, Gips, Steinsalz) zurückgehen. Oberirdisch sind Karren, Katavothren, Dolinen, Poljen, Uvalas, unter Tage Höhlen, oft mit Tropfsteinbildung und Seen, sowie unterird. Gewässernetze charakteristisch. Typisch für die Verkarstung in den Tropen und sommerfeuchten Subtropen sind steilwandige Kuppen oder Türme (Kegelkarst, Turmkarst).

Kartätsche [italien.] *die,* mit einer größeren Anzahl kleinerer Kugeln gefülltes Artilleriegeschoss, das vom 16.–19. Jh. zur Bekämpfung von Infanterie und Kavallerie auf nahe Distanz verwendet wurde; Ende des 19. Jh. durch das Schrapnell ersetzt.

Kartaune [italien.] *die,* schweres Geschütz (16.–17. Jahrhundert).

Kartause [nach dem Kloster Grande Chartreuse bei Grenoble] *die,* Kloster der Kartäuser.

Kartäuser *der* (Kartäuserorden, lat. Ordo Cartusiensis), Abk. **OCart.,** kontemplativer kath. Eremitenorden; 1084 bei Grenoble (in der Chartreuse) durch Bruno von Köln gegr., 1176 päpstlich bestätigt. Innerhalb der Kartause leben die K. in kleinen Einzelhäusern (Zellen) ein strenges Einsiedlerleben mit Schweigegebot. Im 14. und 15. Jh. entstanden zahlr. neue Kartausen, die sich der Mystik, der Devotio moderna und auch dem Humanismus öffneten. Heute rd. 550 K. (davon 100 Nonnen) in 23 Kartausen.

Anna Luise Karsch: Radierung des deutschen Kupferstechers Georg Friedrich Schmidt (1763)

Karte, eine in die Ebene projizierte, maßstäblich verkleinerte und generalisierte Abbildung der Erdoberfläche oder eines Teils von ihr, anderer Weltkörper oder des Weltraums. Bei der Abbildung der Erdkugel in eine Ebene treten unterschiedliche Verzerrungen auf je nach Wahl des K.-Netzentwurfs (→ Kartennetzentwürfe). Großmaßstäbige K. oder Pläne sind die nicht im Handel erhältl. **Kataster-** oder **Flur-K.** (bis 1:5000), die über Eigentumsverhältnisse informieren, wie auch die **topograph. K.** mit Grundrissdarstellung, Gewässerzeichnung, Relief und Kennzeichnung der Vegetation. Dazu gehören u.a. die **Grund-K.** (in Dtl. 1:5000) und die topograph. K. 1:25000 (früher Messtischblatt). Zu den K. mit mittleren Maßstäben zählt u.a. die ehem. Generalstabs-K. (1:100000). Kleinmaßstäbig dargestellt werden Welt-K., so z.B. die Internat. Welt-K. 1:1 Mio.; ferner → Seekarten. **Themat. K.** (beliebiger Maßstab) enthalten Aussagen über Geologie (**geolog. K.,** meist Maßstab 1:25000), Klima, Wirtschaft usw. **Bild-K.** sind K., die aus Ansichtsdarstellungen (z.B. Gebäude) bestehen; auch Name für Luftbildkarten. – Zur Geschichte, → Kartographie.

Kartell [frz.] *das,* **1)** *Politik:* früher Bez. für ein von Parteien oder Verbänden geschlossenes Bündnis zur Erreichung eines gemeinsamen Zieles; im heutigen Sinne ein Vorläufer der Koalition.

2) *Wirtschaft:* Zusammenschluss rechtlich und wirtschaftlich weitgehend selbstständig bleibender Unternehmen der gleichen Wirtschaftsstufe auf der Basis eines K.-Vertrages, um den Wettbewerb auf einem Markt ganz oder teilweise auszuschalten. Nicht vertraglich geregelte, mündl. Absprachen zur Verhaltenskoordinierung werden als **Frühstücks-K.** bezeichnet. Vom K. zu unterscheiden sind → Fusion und → Konzern. Das K. als besondere Form einer Wettbewerbsbeschränkung kann auf interne Bindungen der Mitgl. (Produktion und Absatz) beschränkt, also für Dritte uner-

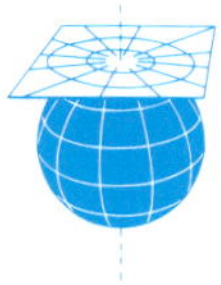

azimutaler Entwurf (Tangentialebene)

konischer Entwurf (Kegelfläche)

zylindrischer Entwurf (Tangentialebene)

Kartennetzentwürfe

kennbar sein **(K. niederer Ordnung)** oder die Beziehungen der Mitgl. zu Abnehmern oder Lieferanten unmittelbar regeln **(K. höherer Ordnung).** Die K.-Vereinbarungen können sich auf versch. Bereiche beziehen, z.B. Festlegung einheitl. Preise **(Preis-K.),** einheitl. Gestaltung der Geschäfts-, Liefer- und Zahlungsbedingungen **(Konditionen-K.),** Festlegung von Absatzhöchstmengen **(Kontingentierungs-K.),** regionale Marktaufteilung **(Gebiets-K.),** Spezialisierung auf unterschiedl. Normen und Typen **(Spezialisierungs-K.).** Bei strenger Zusammenfassung von Absatz oder Einkauf durch eine Dachorganisation spricht man von einem **Syndikat.**

In Dtl. besteht nach dem Ges. gegen Wettbewerbsbeschränkungen **(K.-Gesetz)** grundsätzlich ein K.-Verbot. Ausnahmen vom K.-Verbot gelten für einige leichtere Wettbewerbsbeschränkungen wie Normen-K.; für sie ist nur eine Anmeldung bei der K.-Behörde erforderlich (Anmelde-K.). Versch. K. wie Konditionen-K., Rabatt-K. und Kooperations-K. werden wirksam, wenn die K.-Behörde nicht innerhalb von drei Monaten widerspricht (Widerspruchs-K.). Andere Arten von K., z.B. Strukturkrisen-K. oder Rationalisierungs-K., sind nur aufgrund einer Genehmigung der K.-Behörde zulässig (Erlaubnis-K.). Allg. Ausnahmen vom K.-Verbot sieht das Ges. u.a. für die Verkehrswirtschaft, landwirtsch. Genossenschaften, die Kredit- und Versicherungswirtschaft sowie die Energie- und Wasserversorgung vor. Preisbindungen der zweiten Hand sind nur für Verlagserzeugnisse zugelassen. K.-Behörden sind die jeweils zuständige oberste Landesbehörde (i.d.R. der Wirtschaftsmin.) und das →Bundeskartellamt.

Internat. K., an denen Unternehmen versch. Länder beteiligt sind, die den internat. Handel untereinander aufteilen wollen, können durch das nat. Wettbewerbsrecht nicht ausreichend kontrolliert werden. Innerhalb der EU gilt das K.-Verbot.

Die K.-Bildung begann in Dtl. Ende des 19. Jh.; ganze Ind.zweige wurden kartellisiert. Gesetzl. Maßnahmen setzten erst nach dem 1. Weltkrieg ein. 1933–45 waren die K. Teil der Wirtschaftslenkung und Rüstungspolitik.

📖 EMMERICH, V.: *Kartellrecht. München* [7]*1994.* – SCHMIDT, INGO: *Wettbewerbspolitik u. Kartellrecht. Eine Einführung. Stuttgart* [5]*1996.*

Kartell-Verband

Kartell-Verband, Abk. **KV,** →studentische Verbindungen.

Kartenlegen (Kartenschlagen), seit Mitte des 14. Jh. verbreitete Form der Wahrsagerei mit dem Anspruch, aus der Aufeinanderfolge von gemischten Spielkarten zukünftige Ereignisse voraussagen zu können.

Kartenmessung (Kartometrie), das Messen in Karten oder Übertragen geometr. Größen auf Karten: **Winkelmessungen** (z.B. mit Winkelmessern aus Profilen oder mit Neigungsmaßstab), **Koordinatenmessungen** (z.B. mit Koordinatograph, Planzeiger, Millimeterpapier) zur genauen Ortsbestimmung, **Längenmessungen** (z.B. mit Maßstab oder Kurvenmesser), **Höhenmessungen** (aus Höhenlinien), **Flächenmessungen** (mit Planimetern oder Auszählen der bedeckten Felder einer Quadratglastafel).

Kartennetzentwürfe (Kartenprojektionen, Kartenabbildungen), die mathemat. Übertragung (Abbildung) von Punkten und Linien der Oberfläche der Erde oder eines anderen Weltkörpers auf eine Kartenebene als geometr. Grundlage. K. i.e.S. sind die Abbildungen des geograph. Gradnetzes (Gradnetzentwürfe), die bes. bei kleinmaßstäbigen Karten (etwa ab 1:500000) angewendet werden. Karten großer und mittlerer Maßstäbe beruhen heute vorwiegend auf geodät., meist konformen Abbildungen im Koordinatensystem der Landesvermessungen. Den Karten bis etwa zum Maßstab 1:2 Mio. liegt als Erdfigur ein Rotationsellipsoid, bei kleineren Maßstäben die Kugel zugrunde. Abbildungen in die Kartenebene sind nicht ohne Verzerrungen möglich (nur der Globus ist verzerrungsfrei). Diese treten als Längen-, Flächen- und Winkelverzerrungen auf, die durch die Indikatrix veranschaulicht werden.

Hauptgruppen der K.: 1) **azimutale Abbildungen:** Abbildungen auf eine Berührungsebene (Azimutalentwürfe und Azimutalprojektionen),

Kartenspiele

Vermutlich entstanden die Kartenspiele im Orient, nach der Erfindung des Papiergelds, entweder in China oder Indien. Von den Chinesen sagt man, sie hätten Dominoaugen auf Karton gedruckt und so Karten mit verschiedenen Punktwerten erzeugt. Hernach kamen Bilder hinzu, die sich das chinesische Papiergeld zum Vorbild nahmen. Die ältesten erhaltenen Karten stammen aus dem 15. Jahrhundert, in Beschreibungen lassen sie sich freilich bis ins 10. Jahrhundert zurückverfolgen.
Mehrere Farben gab es von Anfang an. Auf den ersten Karten traten Keulen, Münzen, Kelche und Schwerter auf, wie sie noch heute auf den spanischen Spielen zu finden sind. Die Affinität zum Geld blieb den Spielkarten ebenfalls bis in die neueste Zeit erhalten. Neben den Gewinnern in zahlreichen Kartenrunden freute sich in Deutschland sogar der Fiskus, der bis 1980 auf Kartenblätter eine Spielkartensteuer erhob. Erstmals literarisch bezeugt sind Spielkarten aus der ersten T'ang-Dynastie (618–907). Nach Europa kamen sie wahrscheinlich durch die Sarazenen, ihr Vorhandensein im 14. Jahrhundert ist durch Dokumente von Verboten belegt. Alle europäischen Spielkarten haben vier durch unterschiedliche Symbole dargestellte Farben.
Die Figurenkarten König, Ober, Unter bzw. König, Dame, Bube entsprechen der Hierarchie des Mittelalters. Der Joker entstammt dem italienisch-spanischen Tarotspiel, wo er den Narren abgab.

z.B. orthograph., stereograph. und zentrale (gnomon.) Azimutalprojektion. Die Letztgenannte hat das Projektionszentrum im Mittelpunkt der Erdkugel, von dem die Kugelpunkte auf die Berührungsebene projiziert werden. 2) **kon. Abbildungen:** Abbildungen auf einen Kegelmantel (Kegelentwürfe und Kegelprojektionen). 3) **zylindr. Abbildungen:** Abbildungen auf einen Zylindermantel (Zylinderentwürfe und Zylinderprojektionen). Hierzu gehört auch der winkeltreue Mercatorentwurf (bes. für die Seekarten wichtig). Alle Abbildungen, die solche geometr. Deutungen mit Hilfsflächen zulassen, heißen auch **echte K.** Wo solche Erklärungen nicht oder nur z.T. möglich sind, spricht man von **unechten K.** (v.a. bei Gesamtdarstellungen der Erdoberfläche).

K. werden ferner nach der Lage der Abbildungsflächen unterschieden. Danach gibt es **normale** (erdachsige, polständige) K., wenn die Achse des Kegels oder Zylinders mit der Erdachse übereinstimmt oder die Azimutalebene im Pol (Polarprojektion) berührt. **Transversale** (querachsige, äquatorständige) K. liegen vor, wenn die Achsen in der Äquatorlinie liegen oder wenn die Azimutalebene den Äquator (Äquatorialprojektion) berührt. Alle anderen Lagen gelten als **schiefachsige** (zwischenständige) K. Berechnung und Zeichnung von K. sind heute auch mit Computern möglich, denen ein automat. Zeichengerät angeschlossen ist.

Kartennull, der Nullhorizont, auf den sich die Höhenangaben in Karten beziehen (z.B. Normalnull, NN).

Kartenspiele, Spiele mit für sie charakterist. Karten, z.B. Quartettspiele, oder mit Spielkarten versch. Wertes und versch. Zusammenstellung nach unterschiedl. Spielregeln, meist für drei oder mehr, selten für zwei Spieler, z.B. Skat, Rommé, Tarock, Bridge, Canasta. In Europa ist das Kartenspiel seit dem 14. Jh. belegt.

Kartesianismus *der* (Cartesianismus), Lehre und Schule des Rationalismus von R. →Descartes.

kartesischer Taucher, kleine, taucherglockenähnl. Figur, die so weit mit Luft gefüllt ist, dass sie gerade noch in einer bestimmten Höhe einer Flüssigkeit schwebt. Der k. T. sinkt, wenn durch Erhöhen des Drucks über oder in der Flüssigkeit sein Luftvolumen und dadurch sein Auftrieb verringert wird. Das »Täucherlein« wurde 1648 erstmals von Magiotti beschrieben und später zu Unrecht mit Descartes in Verbindung gebracht.

kartesisches Blatt, algebraische Kurve 3. Ordnung, definiert durch $x^3+y^3=3axy$ (mit einer Konstanten a).

kartesisches Produkt (Kreuzprodukt, Mengenprodukt, Produktmenge), für zwei Mengen A und B die Menge $A \times B$ (A kreuz B) aller geordneten Paare (a, b) mit $a \in A$ und $b \in B$.

Karthago - Archäologischer Plan

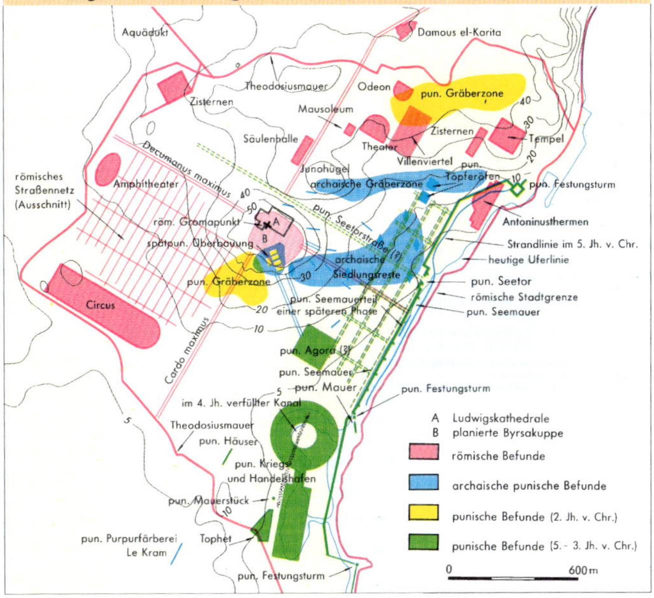

Karthago (lat. Carthago), antike Stadt auf einer Halbinsel nordöstlich von Tunis, heute die Ruinenstadt **Carthage.** K. wurde nach antiken Quellen 814/813, nach archäolog. Befund um 750 v.Chr. von Phönikern aus Tyros gegründet und entwickelte sich zur bedeutendsten See- und Handelsmacht im westl. Mittelmeerraum. Aufgrund seines hervorragenden Hafens und der strategisch günstigen Lage übernahm K. im 7. Jh. v.Chr. den Schutz der Phönikerstädte Siziliens gegen die Griechen. Im 5. Jh. v.Chr. erstreckte sich der Machtbereich K.s von der Westgrenze der Cyrenaika bis westlich von Gibraltar. Schon im 6. Jh. v.Chr. hatte K. Kolonien in Sardinien, Sizilien, Spanien, Gallien und an der W-Küste Afrikas. Im 3. Jh. v.Chr. kamen die Karthager mit den Römern in feindl. Berührung. In den beiden ersten →Punischen Kriegen wurde die Kraft K.s gebrochen. Der dritte endete mit der Eroberung und Zerstörung der Stadt (146 v.Chr.);

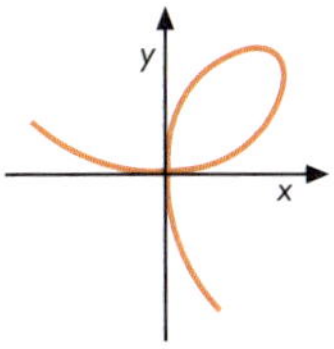

kartesisches Blatt: algebraische Kurve im kartesischen Koordinatensystem

Karthago

Aristoteles schreibt im 2. Buch seiner »Politik« (Kapitel 11, § 1272 b) über die Verfassung der Karthager:

»Ein Indiz für die gelungene Ordnung ... liefert die Tatsache, dass das Volk an der Verfassung festhält und dass es weder innenpolitische Unruhen gab, die überhaupt Erwähnung verdienen, noch ein Tyrann an die Macht kam ... Vorzug verdient auch, dass die Könige nicht (immer) aus derselben Familie und gerade mal der ersten besten stammen, dass vielmehr, wenn eine Familie sich besonders auszeichnet, sie aus deren Mitte, und eher durch Wahl als nach dem Alter (bestimmt werden).«

ihr Gebiet wurde der röm. Provinz Africa einverleibt. Cäsar gründete 44 hier wieder eine Kolonie (Colonia Iulia Carthago), die sich neben Alexandria zur führenden Stadt Afrikas entwickelte. Dieses neue K. wurde 439 n. Chr. vom Wandalenkönig Geiserich erobert, 533 von Belisar (der K. mit dem Oströhm. Reich vereinigte) und 698 durch die Araber zerstört. – Hauptgottheiten der Karthager waren Baal Hammon, der als Geber reicher Ernten galt, und die Muttergottheit Tanit, denen Kinderopfer gebracht wurden. – Im Ausgrabungsgebiet liegen Museen. In Salambo befinden sich die antiken Hafenanlagen und eine pun. Nekropole. Die Ruinen von K. wurden von der UNESCO zum Weltkulturerbe erklärt.

🕮 Charles-Picard, C. und G.: *K. Leben u. Kultur. A. d. Französ. Ditzingen 1983.* – Elliger, W.: *K. Stadt der Punier, Römer, Christen. Stuttgart u. a. 1990.* – Huss, W.: *K. München 1995.*

Kartoffel: Blütenstand (oben) und Kartoffelpflanze mit unterirdischen Knollen

Kartierung *die,* genaue grafische Auswertung von Vermessungen, Berechnungen oder photogrammmetr. Aufnahmen durch maßstäbl. Auftragen von Punkten, Geraden und Kurven mit **Kartiergeräten** (Lineale, rechtwinklige Dreiecke, Anlegemaßstäbe, Winkelmesser, Kartiernadeln, Zirkel) auf Karton oder Folie als Grundlage für die nachfolgende zeichner. Gestaltung. Auch die Herstellung einer thematischen Karte durch Geländeaufnahme oder durch Luft- oder Satellitenbildauswertung.

Kartoffel (Solanum tuberosum), wirtschaftlich wichtigste Art der Gattung Nachtschatten aus Südamerika; mehrjährige (in Kultur einjährige) krautige Pflanze mit unterbrochen gefiederten Blättern, weißen oder blassvioletten Blüten und grünen, giftigen Beerenfrüchten. Alle oberird. Pflanzenteile sowie grün gewordene K. und Keime enthalten das giftige Alkaloid Solanin. Die unterird. Ausläufer bilden Sprossknollen (K., Erdäpfel, Erdbirnen, Grundbirnen) aus. Diese speichern Reservestoffe, v. a. Stärke (10–30 %). Außerdem enthalten sie 65–80 % Wasser, 2 % Rohprotein sowie Rohfett, Zucker, Spurenelemente und versch. Vitamine. Anbaugebiete sind die subtrop. und gemäßigten Regionen aller Erdteile sowie die trop. Anden; am wichtigsten sind heute Russland, die Ukraine und Mitteleuropa. Je nach Verwendungszweck unterscheidet man zw. Speise-, Futter-, Wirtschafts- und Saat-K. (Pflanz-K.); nach der Reifezeit zw. Früh-, Mittel- und Spät-K. – Vermehrung i. d. R. vegetativ.

Tier. Schädlinge: Das etwa 1 mm lange K.-Älchen (K.-Nematode, Heteroda rostochiensis) schädigt das Wurzelgewebe, ruft Wachstumsstörungen sowie das Absterben der Blätter hervor und verhindert den Knollenansatz. Ebenfalls an den Wurzeln fressen die Larven des etwa 2–3 mm großen, braungelben K.-Erdflohs (K.-Flohkäfer, Psylliodes affinis). → Kartoffelkäfer.

Pflanzl. Schädlinge: Meldepflichtig ist der durch den Pilz Synchytrium endobioticum hervorgerufene **K.-Krebs** (verursacht tumorartige Zellwucherungen). Die Knollen faulen und zerfallen, wodurch die nächste Sporengeneration den Boden verseucht. Durch den Strahlenpilz Streptomyces scabies hervorgerufen wird der **gewöhnl. K.-Schorf.** Der Pilz dringt in das Schalengewebe ein und verursacht raue, korkige bis blättrige Schorfstellen und einen unangenehmen Geschmack. Die **Kraut-** und **Knollenfäule** wird durch den Falschen Mehltaupilz Phytophthora infestans hervorgerufen. Erste Anzeichen sind Blattflecken, dann stirbt das Kraut ab. Die Sporangien gelangen bei Regen von den Blättern in den Boden und infizieren die Knollen; Bekämpfung mit Fungiziden.

Geschichte: Bei den Indianern der Nazca- und Mochekultur war die K. Hauptnahrungsmittel. Die span. Eroberer brachten sie im 16. Jh. nach Spanien. Die älteste botan. Beschreibung stammt von 1585 und wurde von J. T. Tabernaemontanus verfasst. Während des Dreißigjährigen Krieges wurde die K. gelegentlich angebaut. Im Siebenjährigen Krieg befahlen einige Landesfürsten den Anbau. Seit den Napoleon. Kriegen ist die K. in Europa eines der Hauptnahrungsmittel.

🕮 Putz, B.: *K.n. Züchtung – Anbau – Verwertung. Hamburg 1989.* – Hobhouse, H.: *Fünf Pflanzen verändern die Welt. Chinarinde, Zucker, Tee, Baumwolle, K. A. d. Engl. München* ^{4}*1996.* – Woolfe, J. A.: *Die K. in der menschl. Ernährung. A. d. Engl. Hamburg 1996.*

15

Kartoffel

Bereits die Andenindianer der Nazca- und Mochekultur (200–800 n. Chr.) bauten Kartoffeln als ihr Hauptnahrungsmittel an. Schon vor der spanischen Eroberung wurden zahlreiche Sorten gezüchtet und eine Trockenreserve hergestellt, indem man die Kartoffeln auf Höhen über 4300 m brachte und sie dort abwechselnd der Sonne (Austrocknung) und starkem Frost aussetzte.

Die Eroberer brachten die Kartoffel nach Spanien, wo sie in der Mitte des 16. Jahrhunderts erstmals angebaut wurde. 1588 kam die Kartoffel nach Deutschland; ihre Knolle wurde im Botanischen Garten in Frankfurt am Main eingepflanzt. Das Interesse richtete sich anfangs auf die Blüten, die Kartoffel wurde dementsprechend nur als Zierpflanze in fürstlichen Lustgärten verwendet. Als Nahrungsmittel galt die Kartoffel um 1600 an europäischen Höfen als besondere Delikatesse; im Dreißigjährigen Krieg wurde sie zum Nahrungsmittel auch für die einfachen Leute. Im letzten Drittel des 17. Jahrhunderts gab es in Deutschland zwei Anbaugebiete: das sächsische Vogtland und die Pfalz. Durch pfälzische Auswanderer gelangte die Kartoffel nach Brandenburg-Preußen, wo Friedrich der Große ihren Nutzen erkannte und sie seit 1756 anbauen ließ.

Kartoffelbovist (Scleroderma citrinum), giftiger Bauchpilz mit kartoffelähnl., 3–10 cm großem Fruchtkörper; Außenhaut braun bis gelbbraun, meist feldrig-warzig aufgesprungen.

Kartoffelkäfer (Koloradokäfer, Leptinotarsa decemlineata), etwa 1 cm langer, breit ellipt., gelber Blattkäfer; mit 10 schwarzen Längsstreifen auf den Flügeldecken; Larven rötlich, mit je zwei Seitenreihen schwarzer Warzen. Imago und Larve sind gefürchtete Kartoffelschädlinge, die die Pflanze völlig kahl fressen können; Eiablage (etwa ab Mai) an der Blattunterseite in mehreren Eiplatten, Verpuppung im Boden, Imagines der neuen Generation schlüpfen im Juli. – Der K. wurde aus Nordamerika (Colorado) 1877 über Frankreich nach Mitteleuropa eingeschleppt (erstes starkes Auftreten am Rhein 1938/39). – Bekämpfung durch Kontaktinsektizide; biolog. Bekämpfung u. a. durch die räuber. Schildwanze Perillous bioculatus oder durch Eintrieb von Hühnern.

Kartogramm *das,* themat. Karte auf der Grundlage einer Karte mit Gebietsgrenzen, die die mittlere statist. Intensität einer Erscheinung innerhalb der jeweiligen Gebiete (z. B. durch farbl. Abstufung oder unterschiedl. Schraffierung) darstellt, etwa eine Bevölkerungsdichtekarte (Flächen-K., Gebietsflächenkarte); auch die kartograph. Darstellung von topograph. Gegebenheiten in stark schematisierter Form.

Kartographie *die,* Wiss. und prakt. Tätigkeit, die sich mit der Herstellung und Nutzung von raumbezogenen Informationen unter Verwendung graf. (analoger) und grafikbezogener (digitaler) Ausdrucksmittel (Zeichensysteme) befasst. Es gibt versch. kartograph. Ausdrucksformen, unter denen die →Karte am bedeutendsten ist. Alle übrigen Formen sind kartenverwandte Darstellungen, so dreidimensionale Gebilde wie Globus und Relief, ebene Darstellungen wie u. a. die Darstellung aus der Vogelperspektive, als Panorama, Blockbild oder Profil.

Die K. ist heute geprägt durch die vielseitigen Anwendungen in der themat. K., die wachsende Nutzung der automat. Datenverarbeitung sowie der Photogrammmetrie und Fernerkundung.

Geschichte: Die Ursprünge der K. reichen bis ins Altertum, doch sind nur wenige Darstellungen überliefert. Babylonier (Tonplättchenkarten um 3800 v. Chr.), Chinesen und Ägypter gelten als erste Hersteller von Karten. Bei den Griechen lag den Karten zunächst noch die Kreisform der Erde mit Griechenland als Mittelpunkt zugrunde (Anaximander); später führten die astronom. und geograph. Forschungen zur ersten Gradnetzkarte mit Annahme der Erde als Kugel (Eratosthenes). Die »Geographie des Ptolomäus«, in Europa erst seit dem 15. Jh. bekannt, hat lange Zeit die K. beeinflusst. Aus der Römerzeit sind v. a. die Wegekarten (→Itinerar) bedeutend. Später widmeten sich bes. die Araber der K. Die mittelalterl., meist in Klöstern betriebene K. brachte keinen Fortschritt. Dieser setzte erst mit zunehmender Seefahrt im 15. Jh. ein (→Portolane). Die Renaissance befruchtete die K. v. a. in Italien (Fra Mauro), Dtl. (M. Waldseemüller, M. Behaim, G. Mercator) und den Niederlanden (W. J. Blaeu). Neben Seekarten entstanden Erdkarten, Regionalkarten, Atlanten und Globen. Seit Ende des 18. Jh. wurden die Karten, ausgehend von Frankreich (C.-F. Cassini), auf der exakten Grundlage trigonometr. Vermessungen hergestellt. Daneben wandelte sich die Kartenwiedergabe von einer teilweise noch recht bildhaften Aussage zu einer reinen Grundrissdarstellung.

📖 *Der vermessene Planet. Bilderatlas zur Geschichte der K., bearb. v.* G. SAMMET. *Hamburg 1990.* – WILHELMY, H.: *K. in Stichworten. Zug* ^{6}*1996.*

Kartometrie *die,* die →Kartenmessung.

Karton [kar'tõ, auch -'to:n, frz.] *der, Kunst:* maßstabsgerechte Vorzeichnung auf starkem Papier für monumentale Gemälde, Fresken, Wandteppiche, Mosaiken oder Glasmalereien, ausgeführt in Kohle, Graphit, Rötel oder Tusche. Seit dem 15. Jh. v. a. in der italien. Malerei bei großformatigen Werken zur Übertragung der Vorzeichnung auf die Malfläche benutzt (Leonardo da Vinci, Michelangelo).

kartonieren, *Buchbinderei:* einen mehrlagigen Buchblock in einen Kartonumschlag einhängen.

Kar-Tukulti-Ninurta, altoriental. Stadt, heute Ruinenhügel **Tulul Aqr** (Irak), im NO von Assur am östl. Tigrisufer, als Kult- und Residenzstadt gegr. von dem assyr. König Tukulti-Ninurta I. (1233–1197). Die rechteckige Stadtanlage hatte im Zentrum einen Assurtempel und eine Zikkurat mit Wandmalereien, in der NW-Ecke zwei Paläste.

Kartusche [von frz. cartouche »Papierhülse«, zu lat. charta »Papier«] *die,* **1)** *Archäologie:* die ovale Umrahmung der Königsnamen in altägypt. Hieroglypheninschriften, erfolgte in Form einer als mag. Schutzring doppelt gelegten Schnur.

2) *Kunst:* seit der Renaissance häufig verwendete Ornamentform; sie besteht aus einer medaillon- oder schildförmigen Fläche, meist mit einer Inschrift, einem Wappen oder Emblem, und einer mit Voluten, Rollwerk u. a. reich geschmückten Umrahmung.

3) *Militärwesen:* im 17. und 18. Jh. Bez. für eine Patronentasche; heute die in einem Beutel **(Beutel-K.)** oder einer Metallhülse **(Metall-K.)** enthaltene Treibladung eines Geschosses.

Kartweli|er, Eigenbez. der →Georgier.

Kartwelsprachen, →kaukasische Sprachen.

Kartoffelbovist (Höhe 3 - 10 cm)

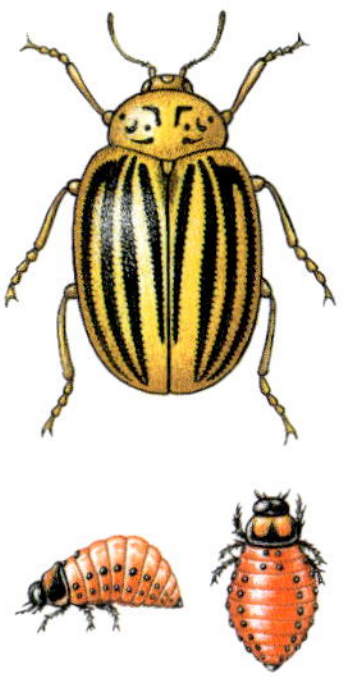

Kartoffelkäfer: Käfer (oben) und Larven (Länge bis 15 mm)

Karwendelgebirge: Am Fuß der vorderen Gebirgskette liegt Mittenwald, die Stadt des deutschen Geigenbaus

Karun *der,* wasserreichster Fluss Irans, rd. 850 km lang, entspringt im Zagrosgebirge, das er in cañonartigen Schluchten durchbricht, und mündet in den Schatt el-Arab; zur Bewässerung bes. im Tiefland von Khusistan und der Oase von Isfahan (Überleitung durch unterird. Stollen) genutzt.

Karunsee, See im →Faijum, Ägypten.

Karviná [-na:] (dt. Karwin), Stadt im Nordmähr. Gebiet, Tschech. Rep., an der Grenze zu Polen, 67500 Ew.; Steinkohlenbergbau (seit 1776); Walzwerk, Maschinenbau. Im Ortsteil Lázně Darkov jod- und bromhaltige Mineralquellen.

Karweelbau, Bootsbauweise, →Kraweelbau.

Karwendelgebirge, Teil der Nordtiroler Kalkalpen, in Österreich (Tirol) und Bayern, zw. Seefelder Sattel und Achensee, im S vom Inn begrenzt; in der Birkkarspitze 2749 m ü. M.; etwa die Hälfte der Fläche ist bewaldet. Das K. ist dünn besiedelt und wenig erschlossen; bei Mittenwald Bergbahn auf die Westl. Karwendelspitze; steht zum größten Teil unter Naturschutz.

Karwin, Stadt in der Tschech. Rep., →Karviná.

Kasachstan: Landschaft im Nordosten des Landes, der zahlreiche kleinere Seen umfasst

Karwoche [zu ahd. chara »Wehklage«, »Trauer«] (Stille Woche), im Kirchenjahr die Woche vor Ostern, mit den Haupttagen Palmsonntag, Gründonnerstag, Karfreitag und Karsamstag; im Mittelpunkt der Gottesdienste steht die Passionsgeschichte Jesu Christi.

Karyatide [grch.] *die,* weibl. Gewandfigur, die als Gebälkstütze dient, meist anstelle einer Säule (Korenhalle des Erechtheions in Athen), in versch. Epochen auch als von einer Funktion weitgehend gelöstes Element; männl. Gegenstück →Atlant.

Karyogramm [grch.] *das,* nach Größe und Gestalt geordneter grafisch wiedergegebener Bestand an Chromosomen im diploiden Chromosomensatz einer Zelle; für jede Organismenart ist das K. kennzeichnend.

Karyokinese [grch.] *die,* →Kernteilung.

Karyolyse [grch.] *die,* das Verschwinden der Kernmembran und die scheinbare Auflösung des Zellkerns zum Beginn der Kernteilung; auch Auflösung des Kerns nach dem Zelltod.

Karyon [grch.] *das,* der →Zellkern.

Karyotyp, Gesamtheit der in den Zellen enthaltenen Chromosomen (→Karyogramm).

Karzer [lat. carcer »Kerker«] *der,* früher Raum zur Verbüßung von Disziplinarstrafen in Univ. (in Preußen bis 1914) und höheren Schulen.

karzinogen [grch.] (kanzerogen), Krebs erregend (→Krebs).

Karzinoid [grch.] *das,* krebsähnl., hormonbildende Geschwulst, bes. im Dünndarm oder in den Bronchien; nach sehr langsamem Wachstum erfolgt Metastasierung, v.a. in die Leber.

Karzinom [zu grch. karkínos »Krebs«] *das* (Carcinoma), bösartige Geschwulst, →Krebs.

Kasachen (bis 1924 auch Kirgis-Kaisak, oft auch irrtümlich Kirgisen), turksprachiges, mongolides Volk in Zentralasien, vom Kasp. Meer bis zur Gobi, in Kasachstan, Usbekistan, Turkmenistan, China, der Mongolei und Afghanistan; insgesamt etwa 9,3 Mio. Menschen; überwiegend Hirtennomaden und Jäger, z.T. auch Ackerbauern; sie sind überwiegend Muslime.

Kasachische Schwelle, Hügelland im östl. und zentralen Teil Kasachstans, zw. Westsibir. Tiefland und dem Tiefland von Turan, im W durchschnittlich 300–500, im O 500–1000 m ü. M.; im N Steppe, im S Halbwüste; reich an Bodenschätzen.

Kasachstan (Kasachien, kasach. Qazaqstan, amtlich Qazaqstan Respublikasy), Staat in Mittelasien, grenzt im NW, N und NO an Russland, im SO an China, im S an Kirgistan, Usbekistan und Turkmenistan und im W an das Kasp. Meer.

Staat und Recht: Nach In-Kraft-Treten der neuen Verf. am 5. 9. 1995 ist K. eine souveräne, de-

Kasachstan

Fläche: 2 717 300 km²
Einwohner: (1995) 17,11 Mio.
Hauptstadt: Akmola
Verwaltungsgliederung: 19 Gebiete
Amtssprache: Kasachisch
Nationalfeiertage: 25. 10. und 16. 12.
Währung: 1 Tenge (T) = 100 Tiin
Zeitzone: MEZ +3 Std.

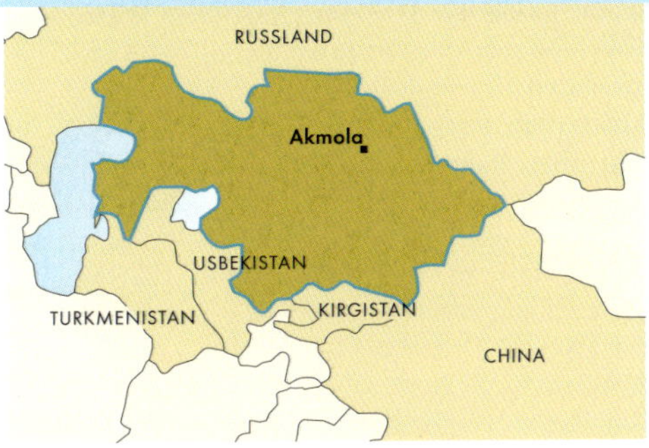

mokrat. Präsidialrep. mit Mehrparteiensystem. Staatsoberhaupt ist der direkt gewählte Präs. Das Parlament besteht aus zwei Kammern: dem Mäžilis, dessen 67 Abg. nach dem System der absoluten Mehrheitswahl mit eventuell folgender Stichwahl in Einzelwahlkreisen gewählt werden, und dem Senat, in den die 21 Gebiete des Landes je zwei mittelbar gewählte Senatoren und der Präs. sieben Senatoren entsenden. Die Exekutive wird von der Reg. unter Vorsitz des MinPräs. wahrgenommen. Wichtigste Parteien sind die Sozialistische Partei (Nachfolgeorganisation der Kommunist. Partei), die islam. Wiedergeburtspartei, die kasachisch-nationalist. Bewegung »Dezember« sowie die vorwiegend aus Russen bestehende Bewegung »Einheit«.

Landesnatur: K. vermittelt zw. Europa und Asien: Es erstreckt sich vom Tiefland der unteren Wolga und dem Kasp. Meer im W über 3 000 km bis zum Altai im O und vom Westsibir. Tiefland im N über 1700 km bis zum Aralsee, zur Kysylkum und zum Tienschan im S. Es besteht überwiegend aus Ebenen (im W die Kasp. Senke [bis 132 m u. M.], im SW das Tiefland von Turan) und niedrigen Plateaus (im SW das Ust-Urt-Plateau, im N das Tafelland von Turgai mit der Turgaisenke); größere Höhen erreichen im NW die Mugodscharberge (657 m ü. M.), im zentralen Teil die Kasach. Schwelle (1566 m ü. M.) und die Nördl. Hungersteppe. Im O und SO erstrecken sich bis 4973 m ü. M. aufragende Hochgebirgsketten (Tienschan u. a.) aus. Neben Kasp. Meer und Aralsee sind im S Balchasch- und Saissansee wichtige Binnengewässer. Das Klima ist extrem kontinental und trocken. Auf kalte, schneearme Winter (Januarmittel im N −18 °C, im S −3 °C) folgen nach kurzem Frühjahr lange, heiße und trockene Sommer (Julimittel im N 19 °C, im S 28–30 °C). Die jährl. Niederschlagsmengen nehmen von N nach S von 400 mm auf weniger als 100 mm ab, in den Hochgebirgen steigen sie bis über 1000 mm an. Starke Winde in den Steppen und Wüsten führen zu beträchtl. Bodenerosion. An die Waldsteppe im äußersten N schließt sich südlich die echte Steppenzone an, die etwa ein Drittel der Fläche bedeckt. Sie geht im S in Halbwüste und in die Wüstenzone über, die die größte Fläche von K. einnimmt.

Bevölkerung: Die Bev. setzte sich 1989 aus Kasachen (40 %), Russen (38 %), Deutschen (5,8 %) und Ukrainern (5,4 %), ferner Tataren, Usbeken, Weißrussen, Uiguren u. a. Nationalitäten zusammen. Seit dieser Zeit hat es einige Umschichtungen gegeben; so wuchs der Anteil der Kasachen durch Einwanderung aus der Mongolei und Iran bis 1995 auf 48 %, der Anteil der Russen ging auf 33 % zurück. Die Zahl der Deutschen beträgt noch etwa 450 000, nachdem viele als Spätaussiedler nach Deutschland gezogen sind. Am dichtesten besiedelt sind die landwirtsch. genutzten Steppengebiete im N, die industriell geprägten Gebiete Tschimkent, Karaganda, Atyrau (Erdöl) und die Bewässerungsgebiete in der südl. Vorgebirgszone. Rd. 56 % der Bewohner leben in Städten. Die Kasachen, Tataren, Uiguren u. a. turksprachige Völker gehören dem Islam, die Russen der russisch-orth., die Deutschen der evang.-luth. und die Ukrainer der orth.-ukrain. oder römisch-kath. Kirche an. Es besteht eine zehnjährige Grundschulpflicht. K. verfügt über 32 Hochschulen (einschl. der Univ. in Almaty und Karaganda). Die Kasach. Akademie der Wiss. wurde 1946 gegründet.

Wirtschaft, Verkehr: Nach der polit. und ökonom. Unabhängigkeit von der zentralistisch geleiteten Planwirtschaft in Moskau, die K. überwiegend zum Rohstofflieferanten gemacht hatte, begann 1991 die Entwicklung einer marktwirtsch. orientierten Planwirtschaft; jedoch schreitet die Privatisierung nur langsam voran. Knapp ein Viertel der Beschäftigten ist in der Landwirtschaft tätig. Da über die Hälfte der Gesamtfläche Wüsten und Halbwüsten sind, beträgt die landwirtsch. Nutzfläche auch nur ein Viertel der Landesfläche. Die Viehhaltung erbringt 60 % der landwirtsch. Bruttoproduktion. Im gesamten Wüstensteppenbereich dominiert die Zucht von Schafen, Kamelen und Ziegen, im N werden außerdem Rinder,

Staatswappen

KZ

Internationales Kfz-Kennzeichen

1992 1995 1992 1995
Bevölkerung (in Mio.) Bruttosozialprodukt je Ew. (in US-$)

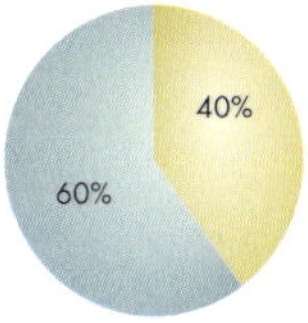

Stadt
Land
Bevölkerungsverteilung 1995

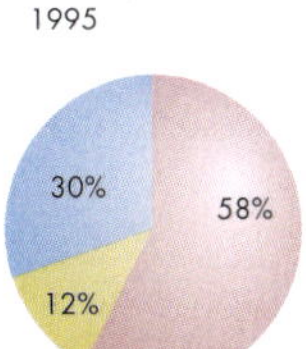

Industrie
Landwirtschaft
Dienstleistung
Bruttoinlandsprodukt 1995

Nursultan Nasarbajew

Schweine, Pferde und Geflügel gehalten. Der Schwerpunkt des Ackerbaus liegt beim Weizenanbau (1954–60 extensive Erweiterung der Anbaufläche durch Neulanderschließung). Daneben ist der Anbau von Futterpflanzen, Sonnenblumen, Zuckerrüben, Baumwolle, Tabak, Gemüse und Flachs bedeutsam. Durch ungeeignete Landbewässerung entstanden große Umweltschäden (→ Aralsee), die Kernwaffentests bei Semipalatinsk führten zur Verseuchung weiter Landstriche.

Knapp ein Drittel der Beschäftigten ist in der Industrie tätig. K. ist reich an Bodenschätzen (Abbau von Kohle, Erdöl, Erdgas, Kupfer-, Zinn-, Blei-, Zink-, Eisenerzen, Bauxit, Gold, Silber, Phosphoriten u.a.). Auf ihrer Grundlage entwickelte sich nach 1940 eine umfangreiche Schwerindustrie (Eisen- und Buntmetallerzverhüttung, Aluminiumwerk, Land-, Schwermaschinenbau, Rüstungsind., Erdölverarbeitung, chem. Ind.). Traditionelle Branchen sind die Nahrungsmittel-, Textil- und Lederind., doch ist die Konsumgüterind. noch unzureichend entwickelt. – Ausgeführt werden v.a. Buntmetalle, Eisen, Düngemittel, Getreide, Fleisch, Wolle und Häute; wichtigste Handelspartner sind Russland und die mittelasiat. Republiken. – Etwa vier Fünftel der Elektroenergie werden in Wärmekraftwerken erzeugt; an Irtysch, Syrdarja und Ili entstanden Wasserkraftwerke. – Das Eisenbahnnetz hat eine Länge von 13 828 km; von den rd. 115 000 km Straßen haben 87 900 km eine feste Decke. Schifffahrt wird v.a. auf dem Kasp. Meer, Balchaschsee, Ural und Irtysch betrieben. Wichtigster Hafen ist der von Atyrau am Kasp. Meer, bedeutendster internat. Flughafen der von Almaty.

Geschichte: Das seit dem Paläolithikum besiedelte Land geriet im 6. Jh. unter die Herrschaft eines Turkvolkes, war im 10. Jh. Bestandteil des Karachanidenreiches und wurde 1219–21 von den Mongolen unter Dschingis Khan erobert. Im 15. Jh. trennten sich die Kasachen von dem nach Zerfall der Goldenen Horde entstandenen usbek. Khanat und bildeten ein eigenes Khanat, das sich in drei Horden gliederte (Kleine Horde im W, Große Horde im O, Mittlere Horde in den dazwischenliegenden Steppengebieten). In der 1. Hälfte des 18. Jh. wurde K. durch Einfälle der Dsungaren (Oiraten) verwüstet; zw. 1731 und Mitte des 19. Jh. unterstellten sich die einzelnen kasach. Gebiete der Oberhoheit Russlands. Ende 1917 proklamierte die von der Stammeselite (Beis, Mullahs) und bürgerl. Nationalisten getragene »Alasch Orda« die Autonomie von K. und kämpfte gegen die Bolschewiki; 1920 wurde die Kirgis. ASSR gebildet. Nach den 1924 in Mittelasien vorgenommenen Grenzfestlegungen kamen die Gebiete Syrdarja und Siebenstromland (bis dahin Turkestan. ASSR) zur Kirgis. ASSR, die 1925 in Kasach. ASSR umbenannt wurde. Die 1929 in K. eingeleitete Kollektivierung der Landwirtschaft, die mit der zwangsweisen Sesshaftmachung des nomadisierenden kasach. Volkes verbunden war, stieß auf harten Widerstand und löste (nach Flucht vieler Kasachen mit ihren Herden nach China sowie Viehabschlach-

Kasachstan

tungen) jahrelange schwere Hungersnöte aus. 1936 erhielt K. den Status einer Unionsrep. 1941 kam es zur Zwangsansiedlung von Russlanddeutschen. Unter N. S. Chruschtschow begann 1954 eine groß angelegte Erschließung landwirtsch. Neulandes. Am 25. 10. 1990 erklärte K. seine Souveränität innerhalb der UdSSR. Im Aug. 1991 wurde das Atomtestgelände bei Semipalatinsk geschlossen. Unter Staatspräs. N. Nasarbajew (seit 1990 im Amt, 1995 durch Plebiszit bestätigt) proklamierte K. am 16. 12. 1991 seine Unabhängigkeit.

Am 21. 12. 1991 schloss sich K. der → GUS an und unterstellte seine Atomwaffen einem gemeinschaftl. Oberkommando. In einem Freundschafts- und Sicherheitsvertrag erkannten Russland und K. 1992 gegenseitig ihre Souveränität und territoriale Integrität an. K. ratifizierte 1992 den START-Vertrag und 1993 den Kernwaffensperrvertrag. 1994 schloss es sich der NATO-Initiative »Partnerschaft für den Frieden« an. 1995 wurde die Hauptstadt von Almaty nach Akmola ins Landesinnere verlegt.

📖 GÖTZ, R. *u.* HALBACH, U.: *Polit. Lexikon GUS. München ^{3}1996.*

Kasack [frz. »Kosakenbluse«] *der,* dreiviertellanges, legeres, blusenartiges Kleidungsstück der Damenoberbekleidung.

Kasack, Hermann, Schriftsteller, *Potsdam 24. 7. 1896, †Stuttgart 10. 1. 1966; Mitbegründer des dt. PEN-Zentrums, 1953–63 Präs. der Dt. Akademie für Sprache und Dichtung. Sein Hauptwerk ist der Roman »Die Stadt hinter dem Strom« (1947), die surrealist. Darstellung einer Totenstadt. K. schrieb noch weitere Romane (»Das große Netz«, 1952), außerdem Erzählungen und Lyrik.

Kasai *der,* linker Nebenfluss des Kongo, rd. 2000 km lang, entspringt im Hochland von Angola, mündet (nach der Vereinigung mit den Luhenie) als **Kwa** bei Kwamouth in der Demokrat. Rep. Kongo; wichtige Wasserstraße.

Kasakow, Juri Pawlowitsch, russ. Schriftsteller, *Moskau 8. 8. 1927, †ebd. 1. 12. 1982; schrieb Erzählungen und Novellen in der Tradition A. Tschechows und I. Bunins (Samml.: »Arktur, der Jagdhund«, 1958; »Musik bei Nacht«, 1959, dt. Auswahl 1961; »Zwei im Dezember«, 1966; »Über die Tapferkeit des Schriftstellers«, 1976).

Kasan, Hptst. von Tatarstan, Russ. Föderation, am Samaraer Stausee der mittleren Wolga, 1,09 Mio. Ew.; Sitz des Muftis für die sunnit. Muslime des europ. Russland; Univ., TU, mehrere Hochschulen, Staatsmuseum von Tatarstan, Theater; Rüstungsind., Maschinenbau, chem., Nahrungsmittel-, Pelz- und Bekleidungsind.; Hafen, internat. Flughafen. – Kreml (16.–19. Jh.), zwei Kathedralen (18. Jh.); Kirchen, Klöster, Moscheen; Bürgerhäuser des Barock, Klassizismus und Historismus. – Die im 13. Jh. von den Wolgabulgaren gegründete und Ende des 14. Jh. an die Wolga verlegte Stadt entwickelte sich zum Zentrum des gleichnamigen Khanats der Goldenen Horde, das der russ. Zar Iwan IV. 1552 eroberte; wurde 1708 Gouv.-Hptst., 1920 Hptst. der Rep. der Tataren (später Tatar. ASSR).

Kasanlak: Ausschnitt aus der Wandmalerei in der Kuppel des thrakischen Fürstengrabes (um 300 v. Chr.)

Kasanlak (Kazanlăk), Stadt in Bulgarien, im Tal der Tundscha, 64600 Ew.; Mittelpunkt der bulgar. Rosenölerzeugung, Forschungsinst. für Duftstoffe; Maschinenbau, Metallverarbeitung, Textil-, Konservenind., Töpfereien, Musikinstrumentenbau. – Kuppelgrab eines thrak. Fürsten (um 300 v. Chr.) mit Wandmalereien (UNESCO-Weltkulturerbe). – K. wurde im 15. Jh. zur Sicherung des Schipkapasses gegründet.

Kasantataren (Wolgatataren, Eigenbez. Kasanlik), größtes Volk der Tataren, im Gebiet der mittleren Wolga und der unteren Kama, v. a. in Tatarstan und Baschkortostan. Die K. betreiben Ackerbau und Viehzucht, daneben auch Handwerk und Handel; vorwiegend sunnit. Muslime, zunehmend ohne religiöse Bindungen.

Hermann Kasack

Kasantzakis (Kazantzakis), Nikos, neugrch. Schriftsteller, *Heraklion (Kreta) 18. 2. 1883, †Freiburg im Breisgau 26. 10. 1957; sprachgewaltiger Exponent der neugriech. Literatur; lebte nach dem Zweiten Weltkrieg v. a. in Frankreich; bekannt sind v. a. seine von philosoph. Fragestellungen bestimmten Romane, u. a. »Alexis Sorbas« (1946), »Die letzte Versuchung« (1951), »Freiheit oder Tod« (1953), »Griechische Passion« (1954), »Mein Franz von Assisi« (1956), »Rechenschaft vor El Greco« (Erinnerungen, hg. 1961). K. schrieb auch Essays, Reisebücher und Lyrik; er übersetzte u. a. Homer, Dante, Goethe und Nietzsche.

Nikos Kasantzakis

Kasatschok [russ.] *der,* ukrainischer Kosakentanz im $^{2}/_{4}$-Takt mit immer schneller werdendem Tempo.

Kasba [arab.] *die* (Kasbah), 1) im westislam. Bereich (N-Afrika, Spanien) die hochgelegene, weitläufige Zitadelle als Teil einer Stadt; auch Bez. für die gesamte Altstadt; 2) die burgartige Residenz berber. Stammesoberhäupter im Hohen Atlas; 3) im Antiatlas Getreidespeicher (Igherm) sowie Flucht- und Speicherburgen (Agadir).

Kasbek *der,* erloschener Vulkan im Großen Kaukasus, 5033 m ü. M.

Kaschan (Kashan, Keshan), Oasenstadt in Zentraliran, 155200 Ew. K. erlangte durch sein Kunstgewerbe seit dem MA. große Bedeutung: Herstellung von Teppichen u. a. Textilien, glasierten Ziegeln und Fliesen (pers. ›Kaschi‹) sowie von Gefäßen v. a. in Lüstertechnik. – Bauwerke aus der Seldschukenzeit.

Kaschau, Stadt in der Slowak. Rep., → Košice.

Käscher (Kescher), Netzbeutel mit Bügel und Stiel zum Fangen von Fischen, Wasserorganismen und Schmetterlingen.

Kaschgar (Kashgar, chines. Kashi), Stadt im chines. Autonomen Gebiet Sinkiang, im westl. Tarimbecken, 1304 m ü. M., in einer fruchtbaren Oase (Getreide-, Baumwollanbau, Seidenraupenzucht) an der Vereinigung von N- und S-Route der ehem. Seidenstraße um die Takla-Makan, 202000 Ew.; Baumwoll-, Nahrungsmittel-, Zementind., Landmaschinenbau, Töpferei, Teppichknüpferei. – Maler. Stadt mit traditionellem Basar und großer Id-Kah-Moschee.

Kaschmir: Hausboote auf dem oberen Jhelum in der Nähe von Srinagar

kaschieren [frz.] 1) *allg.:* bemänteln, verheimlichen.

2) *Technik:* Teile gleichen oder versch. Materials (Papier, textile Flächen, Schaumstoffe, Kunststoff-, Metallfolien u. a.) zusammenkleben oder bei erhöhter Temperatur unter Druck miteinander verbinden; Schichten eines Materials auf Trägerstoffen aufbringen.

Kaschmir [nach der Landschaft Kaschmir] *der,* das sehr feine und weiche Flaumhaar der **Kaschmirziege,** vorwiegend für Strickgarne höchster Qualität verwendet.

Kaschmir: Aus dem Flaumhaar der Kaschmirziege wird sehr feine Wolle gewonnen

Kaschmir, Gebirgslandschaft und ehem. Fürstentum (bis 1947) im nordwestl. Himalaja und im Karakorum; heute geteilt. Der von Indien verwaltete Teil gehört zum Bundesstaat **Jammu and Kashmir** (Dschammu und Kaschmir) mit den Hauptstädten Srinagar (im Sommer) und Jammu (im Winter); er hat eine Fläche von mehr als 100000 km² und 7,7 Mio. Ew. (1991). 121667 km² sind von Pakistan (Azad Kashmir mit Baltistan, Gilgit und Hunza) und China (v. a. Teile von Ladakh) besetzt. Die Bev. besteht v. a. aus Kaschmiri, einem Hinduvolk mit indoar. Sprache, ferner aus afghan. und mongol. Stämmen.

Hauptsiedlungsgebiet ist der SW, bes. das im ind. Teil gelegene Hochbecken (rd. 1500 m ü. M.) von Kaschmir, das vom Jhelum durchflossen wird, der den Wularsee sowie viele andere Seen (ehem. Flussläufe) bildet. Das Klima ist kontinental, die Hänge sind stark bewaldet; im Talboden und auf Terrassen Anbau von Reis, Weizen, Mais und Obst, im Hochgebirge Sommerweiden; außerdem Seiden-, Teppich- und Wollweberei, Kunsthandwerk sowie neuerdings Herstellung von Uhren und Telefonapparaten; Fremdenverkehr. Den O-Teil des ind. Gebietes (→ Ladakh mit Zanskar) und das pakistan. Gebiet bildet v. a. die Talschaft des oberen Indus; von hier besteht seit 1978 mit der Straße (von Gilgit durch Hunza) über den Karakorum (Pass 4890 m ü. M.) Verbindung mit China (Sinkiang).

Geschichte: Das bis zum 14. Jh. von Hindufürsten, dann von muslim. Herrschern regierte Land wurde 1586 dem Mogulreich unter Akbar angegliedert; es fiel 1756 an Afghanistan und 1819 an das Sikhreich im Pandschab. 1846 wurde es brit. Schutzstaat unter dem Maharadscha Gulab Singh. Nach der Teilung Britisch-Indiens (Aug. 1947) erklärte der Maharadscha Hari Singh im Okt. 1947 den Beitritt K.s zur Indischen Union gegen den Protest Pakistans, das K. als ein Gebiet mit vorwiegend muslim. Bevölkerung für sich beanspruchte.

Ind. Truppen besetzten den (größeren) südöstl., pakistan. Truppen den nordwestl. Teil. Die UNO vermittelte einen Waffenstillstand (1949) und schlug zur Lösung des **K.-Konflikts** eine Volksabstimmung vor, die jedoch nicht stattfand. Nach Festlegung der Demarkationslinie (1949) entstand das pakistan. Azad Kashmir und das ind. Jammu and Kashmir (seit 1957 Bundesstaat Indiens). Mohammed Abdullah (»Der Löwe von Kaschmir«, *1905, †1982), seit 1947 Regierungschef im ind. Teil K., wurde 1953 von der ind. Regierung abgesetzt (1953–64 meist in Haft), da er in zunehmendem Maße die Unabhängigkeit von K. befürwortete. – Im Sept. 1965 kam es zw. Indien und Pakistan zu einem militär. Konflikt um K., der auf Vermittlung der UdSSR im Vertrag von Taschkent (Jan. 1966) auf der Basis des Status quo beigelegt wurde. – Im indisch-chines. Grenzkonflikt 1962 besetzte China Teile Ladakhs. 1963 trat Pakistan einen Streifen von Azad Kashmir an China ab. Auch in den 80er- und 90er-Jahren kam es im ind. Teil zu heftigen Auseinandersetzungen um die Autonomieforderungen der kaschmir. Bev. und zu erneuten Spannungen zw. Indien und Pakistan.

Kaschnitz, Marie Luise, Schriftstellerin, *Karlsruhe 31. 1. 1901, †Rom 10. 10. 1974; seit 1925 ⚭ mit dem österr. Archäologen Guido Freiherr K. von Weinberg (*1890, †1958); schrieb stark autobiograph., stimmungshaltige Lyrik (»Ewige Stadt«, 1952; »Dein Schweigen – meine Stimme«, 1962; »Überallnie«, Auswahl 1965; »Ein Wort weiter«, 1965), Erzählungen (»Lange Schatten«, 1960; »Ferngespräche«, 1966), Romane (»Elissa«, 1937) und Betrachtungen (»Wohin denn ich«, 1963; »Orte«, 1973).

Marie Luise Kaschnitz

Kascholong *der,* Schmuckstein, Varietät des →Opal.

Kaschuben [poln. kaszuba »Pelzrock« nach ihrer Tracht], westslaw. Volksstamm in NW-Polen, zw. Weichsel und Stolpe, Rest der altslaw. Pomoranen.

Kaschubische Schweiz (poln. Pojezierze Kaszubskie), wald- und seenreicher östl. Teil des Pommerschen Höhenrückens, südwestlich von Danzig, Polen, im Turmberg 331 m ü. M.

Kaschunuss, →Cashewnuss.

Kasdan ['kæzdən], Lawrence, amerikan. Filmregisseur, *Miami Beach (Fla.) 14. 1. 1949; zunächst Verfasser von Drehbüchern, inszenierte u. a.: »Heißblütig – kaltblütig/Die heißkalte Frau« (1981), »Der große Frust« (1983), »Silverado« (1985), »Die Reisen des Mr. Leary« (1988), »Grand Canyon – Im Herzen der Stadt« (1992), »Wyatt Earp« (1994) und »French Kiss« (1995).

Käse, hochwertiges, leicht verdaul. Nahrungsmittel aus dickgelegter Käsereimilch (zur Herstellung von K. bestimmte Kuh-, Schaf-, Ziegen-, Büffelmilch sowie aus diesen Erzeugnissen gewonnene Sahne [Rahm], Magermilch, Buttermilch und Molke); die Erzeugnisse dürfen eingedampft und miteinander vermischt sein.

Die zur Gewinnung des **K.-Teiges (Bruch)** erforderl. Gerinnung der Milch wird entweder durch Dicklegen frischer Milch mit Lab (Lab- oder Süßmilch-K.) oder durch Säuerung (Sauermilch-K.) erreicht, die durch von selbst entstehende Reinkulturen von Milchsäurebakterien hervorgerufen wird. Der anfallende Bruch wird von der Molke abgetrennt, je nach K.-Typ unterschiedlich geformt und behandelt und in klimatisierten Kellern zur Reife gebracht. Dabei werden die Eiweißstoffe aufgeschlossen und spezif. Aromastoffe gebildet. Die aus dem restl. Milchzucker entstehende Milchsäure wird u. a. zu Kohlendioxid abgebaut, was zur Bildung von Löchern im K. führt.

Hart-K. sind z. B. der Emmentaler mit den charakterist. großen Löchern und der Greyerzer mit kleineren Löchern. Der sehr feste Parmesan-K. benötigt eine Reifezeit von mindestens drei Jahren. Der engl. Chester-K. besitzt fast keine Löcher und wird mit einer gewachsten Gaze umgeben. **Schnitt-K.** ist etwas weicher als Hart-K., z. B. die mit einer Wachsschicht umgebenen Sorten Gouda und Edamer sowie der Tilsiter. **Edelpilz-K.** entsteht durch Impfung mit essbaren Blauschimmelpilzen vor der Reifung, z. B. der aus Schafmilch hergestellte Roquefort und der aus Kuhmilch hergestellte Gorgonzola. **Weich-K.** sind z. B. der aus der belg. Prov. Limburg stammende Limburger mit einem rötl. Bakterienbelag und die an der Oberfläche mit Weißschimmelpilzen geimpften Sorten Camembert und Brie. Lässt man den K. nicht reifen, so entsteht **Frisch-K.** (z. B. Speisequark) mit säuerl. Geschmack und feinflockiger Struktur. Schicht-K. besteht aus zwei Lagen Magerquark, zw. denen eine fettreichere Quarkschicht liegt. Aus Sauermilchquark werden **Sauermilch-K.,** z. B. Harzer K. (Hand-K.), hergestellt. Durch Erhitzen von Sauermilchquark erhält man **Koch-K.; Schmelz-K.** entsteht durch Zusatz von Schmelzsalz zu zerkleinertem und erhitztem

Käse: Fettgehaltsstufen

Fettgehaltsstufe	Fettgehalt in der Trockenmasse (Fett i. Tr.)
Doppelrahmstufe	60–87 %
Rahmstufe	50–59 %
Vollfettstufe	45–49,5 %
Fettstufe	40–44,9 %
Dreiviertelfettstufe	30–39,9 %
Halbfettstufe	20–29,9 %
Viertelfettstufe	10–19,9 %
Magerstufe	0– 9,9 %

Roh-K. (meist Hart-K.), wobei sich eine plast. Masse bildet.

Wirtschaft: Die wichtigsten K.-Produzenten waren 1994 (in 1000 t) die USA (3301), Frankreich (1562), Dtl. (1371), Italien (919) und die Niederlande (648). Weltweit wurden 1994 14,88 Mio. t K. produziert.

Geschichte: K. wurde wohl schon vor mehr als 7000 Jahren hergestellt. Bildl. Darstellungen aus Mesopotamien und Ägypten (3100–3000 v. Chr.) zeigen die Verarbeitung von Milch. Die Bibel erwähnt Schaf- und Kuh-K. Im grch. Kulturkreis war K. ebenfalls bekannt (Odyssee). Auch in Rom war K. ein wichtiges Nahrungsmittel. Nach der Völkerwanderung betrieben und vervollkommneten bes. die Klöster die Käserei (Fastenspeise). Roquefort wird Ende des 11. Jh. erwähnt, etwa um die gleiche Zeit der Edamer, im 12. Jh. der Chester-K., der Brie um 1500.

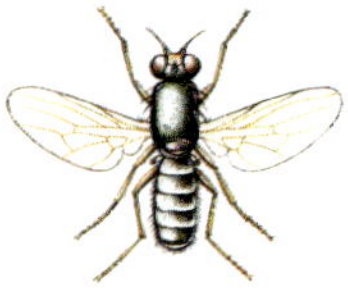

Käsefliege (Körperlänge bis 5 mm)

📖 *K. Die 200 besten Sorten der Welt, Text v.* B. NANTET *u. a., Fotos v.* J.-P. DIETERLEN. *A. d. Amerikan. Köln 1994. – Das große Buch vom K. Idee u. Konzept:* C. TEUBNER. *München* ^{4}*1995.*

Käsefliege (Piophila casei), 4–5 mm große schwarze Fliege, deren weiße Larve **(Käsemade),** die springen kann, als Vorratsschädling u. a. im Käse lebt. Die Larven können im menschl. Darm zu heftigen Beschwerden führen.

Kaskade 1): Die vom »Riesenschloss« herabführende Wasserkaskade in der aus dem frühen 18. Jh. stammenden Parkanlage Kassel-Wilhelmshöhe

Kasein, → Casein.

Kaseinfarben, Anstrichmittel, die → Casein als Bindemittel enthalten.

Kasel [von mlat. casula »Kapuzenmantel«] *die,* das → Messgewand.

Käsemade, → Käsefliege.

Käsemann, Ernst, evang. Theologe, *Bochum 12. 7. 1906, †Tübingen 17. 2. 1998; wiss. Arbeiten zur Frage nach dem histor. Jesus, zur Theologie des Johannesevangeliums und des Römerbriefs.

Kasematte [italien., von grch. chásma »Erdkluft«] *die, Militärwesen:* 1) Geschützstand unter einer gepanzerten Decke; schusssicherer Raum in Festungsanlagen; 2) gepanzerter Geschützraum auf Kriegsschiffen des 19. Jahrhunderts.

Käseschmiere, die → Fruchtschmiere.

Kasimir (poln. Kazimierz), Herrscher von Polen: **1) K. I., der Erneuerer,** Herzog (1034/39 bis 1058), *25. 7. 1016, †28. 11. 1058; 1037 durch die Adelsopposition vertrieben, stellte er 1039 mithilfe Kaiser Heinrichs III. seine Macht und die der Kirche wieder her. 1047 eroberte er Masowien und 1050 Schlesien.

2) K. III., der Große, König (1333–70), *Kowal (Kujawien) oder Krakau 30. 4. 1310, †Krakau 5. 11. 1370; letzter Herrscher aus dem Hause der Piasten, überließ Böhmen für dessen Verzicht auf alle poln. Kronansprüche Schlesien (1335/39), dem Dt. Orden für dessen Herausgabe Kujawiens und des Dobriner Landes Pomerellen und das Culmer Land (1343); erwarb Rotreußen (das spätere Ostgalizien), brachte Masowien in Lehnsabhängigkeit (1351).

3) K. IV. Andreas, der Jagiellone, König (1447–92), *Krakau 30. 11. 1427, †Grodno 7. 6. 1492; wurde 1440 Großfürst von Litauen; führte 1454–66 Krieg gegen den Dt. Orden, erwarb im 2. Thorner Frieden (1466) Pomerellen, das Culmer Land sowie Ermland und brachte den Hochmeister des Ordens in ein Abhängigkeitsverhältnis. K. konnte für seinen Sohn Wladislaw die Kronen Böhmens (1471) und Ungarns (1490) gewinnen.

Kasimir, Schutzpatron von Polen und Litauen, *Krakau 3. 10. 1458, †Vilnius 4. 3. 1484; zweiter Sohn König Kasimirs IV.; 1471 Prätendent für den ungar. Thron; später Statthalter in Krakau oder Vilnius; Heiliger, Tag: 4. 3.

Kasino [italien. »Häuschen«] *das* (Casino), 1) Speise- und Aufenthaltsraum für Offiziere; 2) Gebäude mit Räumen für gesellige Zusammenkünfte; speziell: Spielkasino.

Kaskade [frz., aus italien. cascata »Wasserfall«] *die,* **1)** *allg.:* stufenförmiger Wasserlauf; meist in Parkanlagen (für Wasserspiele) künstlich angelegt.

2) *Artistik:* schwieriger Sprung (z. B. Salto mortale).

3) *Elektrotechnik:* → Kaskadenschaltung.

4) *Physik:* → Kaskadenschauer.

Kaskadengebirge, → Cascade Range.

Kaskadengenerator (Cockcroft-Walton-Generator), Gerät zur Erzeugung hoher Gleichspannungen (einige hundert kV bis etwa 3 MV) bei großen Stromstärken (bis zu einigen 10 mA). Der K. beruht auf einer → Kaskadenschaltung von Gleichrichtern (Stromventilen) und Kondensatoren, bei der letztere parallel aufgeladen und in Reihe entladen werden. K. werden in der Technik zur Prüfung von Isolatoren und in der Kernphysik zum Betrieb von Teilchenbeschleunigern verwendet. Mit einem Beschleuniger dieses Typs führten J. D. Cockcroft und E. T. S. Walton 1932 die ersten künstl. Kernumwandlungen durch.

Kaskadenschaltung, *Elektrotechnik:* Art der Hintereinanderschaltung gleich gearteter Bauteile oder -gruppen (z.B. Transformatoren), bei der außer der Spannungsteilung auf die beiden hintereinander geschalteten Elemente noch ein Spannungsgefälle (Kaskade) entsteht.

Kaskadenschauer (Kaskade), *Physik:* lawinenartige Vermehrung energiereicher Elementarteilchen, ausgelöst durch Wechselwirkung hochenergetischer Teilchen mit Materiebausteinen; als **Elektronen-K.** erstmals in der kosm. Strahlung beobachtet, wobei durch Elektronen sehr hoher Energie hochenerget. Photonen erzeugt werden, die sich durch Paarbildung in neue Elektron-Positron-Paare umwandeln, die wiederum Photonen erzeugen usw.

Kasko [span. casco »Scherbe«] *der,* Schiffsrumpf, v.a. der unfertige, aber schon schwimmende Schiffskörper im Ggs. zur Ladung (Cargo).

Kaskoversicherung, eine →Transportversicherung; die Auto-K. zählt jedoch zur →Kraftfahrtversicherung.

Käsmark, Stadt in der Slowak. Rep., →Kežmarok.

Kaspar (Caspar), einer der Heiligen →Drei Könige, seit dem 14. Jh. dargestellt als Mohr.

Kaspar Hauser, →Hauser, Kaspar.

Kasparow, Gary (urspr. Harry Weinstein), für Russland startender aserbaidschan. Schachspieler, *Baku 13. 4. 1963; wurde 1985 durch einen Sieg über A. Karpow Weltmeister und verteidigte den Titel 1986, 1987 und 1990 erfolgreich; verlor 1997 gegen den Computer »Deep Blue«.

Kasperltheater, volkstüml. (Hand)Puppenspiel (seit dem 19. Jh.); Hauptperson ist die lustige Figur des Kasperl (BILD Hohnsteiner Puppenspiele); mit recht derbem Mutterwitz und Humor verhilft er mit einfacher Fabel und naiver Typik dem Guten zum Sieg, die Bösen werden drastisch bestraft. Weitere Personentypen sind u.a. Gretel, Prinzessin, König, Polizist, Räuber, Hexe sowie der Teufel. – Die Gestalt des Kasperl war urspr. die lustige Person des Wiener Volkstheaters, u.a. in der Tradition des →Hanswurst.

Kaspisches Meer (Kaspisee, pers. Darya-e Khazar, in der Antike Mare Caspium), mit heute etwa 376 000 km² (1930: 424 300 km²) größter See der Erde, zu Aserbaidschan, Russland, Kasachstan, Turkmenistan, im S (etwa 15%) zu Iran; Wasserspiegel bei 28 m u. M., in der letzten Eiszeit 80 m ü.M., füllte wiederholt die Kasp. Senke, das rd. 200 000 km² große, wüstenhafte Tiefland am N-Ufer. Sein Wasserspiegel sank bis 1971 infolge der Verdunstung (jährlich 2 000 mm), die Niederschläge und Süßwasserzufluss beträchtlich übersteigt. Durch Wasserbauten an der Wolga, die einst mit zwei Dritteln zum Wasser des K. M. beitrug, trat weiterer Wasserverlust ein. Seit 1977 ist, bedingt durch geologisch-tekton. Prozesse, ein allmähl., seit Ende der 80er-Jahre ein rascher Wasserspiegelanstieg bemerkbar. Der Salzgehalt beträgt an der Wolgamündung 1‰, im mittleren Teil 13‰, im S-Teil 14‰, am O-Ufer in der Bucht →Kara-Bogas-Gol 300‰. Der Fischfang, bes. auf Stör (Kaviargewinnung), ging durch Umweltbelastung zurück; reger Schiffsverkehr. Die Erdölförderung im K. M. in größerer Entfernung vom Ufer begann 1947 vor Baku (Aserbaidschan).

Kasprowicz [-vitʃ], Jan, poln. Dichter und Literaturwissenschaftler, *Szymborze (bei Inowrocław) 12. 12. 1860, †Poronin (bei Zakopane) 1. 8. 1926; Vertreter des »Jungen Polen«; schrieb formbetonte, ausdrucksstarke Gedichte.

Kassa [ˈkɔʃʃɔ], ungar. Name der Stadt →Košice.

Kassageschäft, 1) *Börse:* (Kassengeschäft, Komptantgeschäft, Promptgeschäft) Geschäftsabschluss, bei dem Wertpapiere sofort oder kurzfristig geliefert und bezahlt werden, im Ggs. zum →Termingeschäft. An Warenbörsen entspricht dem K. das Loko- oder Effektivgeschäft. Die K. werden zum Kassakurs abgerechnet; die Gesamtheit der K. wird als Kassahandel, das Börsensegment für K. als Kassamarkt bezeichnet (→Kurs).

2) *Handelsverkehr:* i.w.S. jedes unter sofortiger Barzahlung abzuwickelnde Geschäft.

Kassala, Stadt im NO von Sudan, nahe der eritreischen Grenze, 234 300 Ew.; Handels- und Verkehrszentrum an der Bahnlinie Sennar–Port Sudan; Baumwollverarbeitung; Flugplatz.

Kassander (grch. Kassandros), Diadoche, ältester Sohn des Antipater, *um 355 v.Chr., †Mai 297 v.Chr.; gewann 317 v.Chr. die Reichsverweserschaft in Makedonien und Teilen Griechenlands und nahm 305 den Titel eines Königs von Makedonien an; gründete um 316 Thessalonike (Saloniki).

Kassandra, *grch. Mythos:* eine Tochter des Priamos, die von Apoll die Gabe der Weissagung erhalten hatte. Da sie seine Liebeswerbungen zurückwies, bewirkte er aus Rache, dass man ihren Weissagungen niemals glaubte; so warnte sie vergebens davor, das hölzerne Pferd nach Troja hineinzubringen (daher die Bez. **K.-Rufe** für ungehörte Warnungen). Nach der Eroberung der Stadt nahm Agamemnon sie als Sklavin mit; sie wurde zus. mit diesem ermordet. – Gedicht von Schiller (1802); als Nebenfigur in Dramen von Aischylos (»Agamem-

Gary Kasparow

Kassandra: Plastik von Max Klinger (1895; Leipzig, Museum der Bildenden Künste)

non«) und Euripides (»Die Troerinnen«), Erzählung von C. Wolf (1983).

Kassation [lat.] *die,* die Aufhebung eines gerichtl. Urteils wegen fehlerhafter Rechtsanwendung, erfolgt durch ein höheres Gericht; in Dtl. durch die →Revision ersetzt. In der DDR wurde sie 1949 als außerordentl. Rechtsmittel wieder eingeführt. Gemäß Einigungsvertrag konnte befristet die K. von Strafurteilen der DDR-Gerichte beantragt werden, wenn diese auf schwerwiegenden Gesetzesverletzungen beruhten, die Strafe gröblich unrichtig oder nicht mit rechtsstaatl. Maßstäben vereinbar war. Die K. wurde durch die Regelungen des Strafrechtl. Rehabilitierungs-Ges. (in Kraft seit 4. 11. 1992) ersetzt (→Rehabilitation).

Kassationsgericht, in einzelnen schweizer. Kantonen oberster kantonaler Gerichtshof für Zivil- und Strafsachen.

Kassationshof, oberster Gerichtshof, z.B. in Frankreich (»Cour de cassation«, nur zur Überprüfung der Rechtsanwendung, keine Tatsacheninstanz), Italien, Belgien; in der Schweiz eine Abteilung des Bundesgerichts, die in Strafsachen bei Verletzung von Bundesrecht gegen Urteile kantonaler Gerichte angerufen werden kann.

Kassave [span. aus indian.] *die,* →Maniok.

Kassel 3)
Stadtwappen

Kassel, 1) RegBez. in Hessen, 8289 km², (1996) 1,27 Mio. Ew.; umfasst die Landkreise Fulda, Hersfeld-Rotenburg, Kassel, den Schwalm-Eder-Kreis, Waldeck-Frankenberg, Werra-Meißner-Kreis sowie die kreisfreie Stadt Kassel.

2) Landkreis in Hessen, 1293 km², (1996) 242 300 Einwohner.

3) kreisfreie Stadt, Sitz der Verw. des RegBez. K. und des Landkreises K., in Hessen, 201 400 Ew.; im hügeligen, vom Nordhess. Bergland umrahmten Kasseler Becken beiderseits der Fulda gelegen; die einzige Großstadt Nordhessens und dessen Verw.-, Wirtschafts- und Kulturzentrum; Bundesarbeits- (wird nach Erfurt verlegt) und Bundessozialgericht, Hess. Verwaltungsgerichtshof, Kirchenleitung der Evang. Kirche von Kurhessen und Waldeck; Gesamthochschule-Univ., Lehr- und Versuchsanstalt für Gartenbau, botan. Garten, Staatstheater; Kunstsammlungen, Naturkundemuseum, Dt. Tapetenmuseum, Brüder-Grimm-Museum, Museum für Sepulkralkultur. Jeweils im Herbst finden die Kasseler Musiktage und im Abstand von vier bis fünf Jahren die Kunstausstellung →documenta statt. Die Ind. umfasst Fahrzeugbau, Maschinenbau, Nahrungsmittel-, chem. und Elektroind.; Thermalsolebad.

Stadtbild. Am 22. 10. 1943 wurde K. durch Luftangriffe zu 78% zerstört. Wieder aufgebaut wurden u.a. die Martinskirche (14./15. Jh.), die evangelische Brüderkirche (1292–1367), die Karlskirche (1689–1706), das ehem. Elisabethhospital (1586/87), der Marstall (1591–93, heute Markthalle), das Fridericianum am Friedrichsplatz (1769–76), das ehemalige Palais Bellevue (1714, 1790 umgebaut) sowie das Orangerieschloss (1702–10), dessen westl. Eckpavillons, Marmorbad (1722–28) und Küchenpavillon (1765/66) erhalten geblieben waren. Der unter

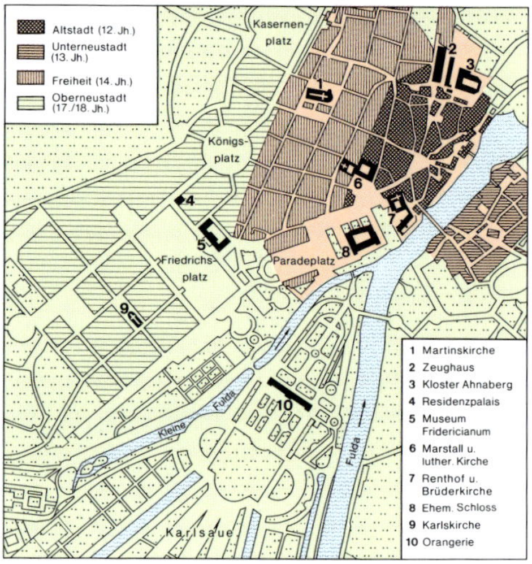

Kassel 1): Teilansicht des 1702–10 erbauten Orangerieschlosses, das, durch einen Luftangriff 1943 zerstört, nach 1945 wieder aufgebaut wurde; darunter Plan der Stadtentwicklung

Kassel

15

»ab nach Kassel!«

Diese umgangssprachliche Redensart gebrauchen wir als Aufforderung zu verschwinden, sich auf den Weg zu machen. Sie ist ein Musterbeispiel dafür, wie die ursprüngliche Bedeutung eines sprachlichen Ausdrucks mit der Zeit in Vergessenheit geraten und eine überraschende inhaltliche Wende erfahren kann. Unsere heute harmlose Aufforderung war einst ein folgenschwerer Befehl. Denn die Wendung bezieht sich auf die hessischen Zwangsrekrutierungen für die britische Krone zur Zeit des Unabhängigkeitskrieges der britischen Kolonien in Nordamerika. Kassel war damals die Sammelstelle der Zwangsrekrutierung.

Mitwirkung von A. Le Nôtre angelegte Park Karlsaue wurde 1954 für die Bundesgartenschau umgestaltet. Im Stadtteil Wilhelmshöhe liegen das Schloss (1786 ff.) und das über einer Wasserkaskade aufragende oktogonale »Riesenschloss« (1718) mit der Statue des Herkules (1713–17), dem Wahrzeichen der Stadt (BILD Kaskade); im Park (im 18. Jh. zum Landschaftsgarten umgestaltet) u. a. die künstl. Ruine der Löwenburg (1793–1801).

Geschichte. 913 als fränk. Königshof bezeugt; erhielt vor 1189 Stadtrecht; seit 1277 Residenz der Landgrafen (seit 1803 der Kurfürsten) von Hessen. Für die nach 1685 aufgenommenen Hugenotten wurde die Oberneustadt gebaut. 1807–13 war K. Hptst. des Königreichs Westphalen, 1866–1945 der preuß. Provinz Hessen-Nassau.

Kasseler *das,* gepökeltes und geräuchertes Fleischstück vom Schwein, z. B. K.-Kotelett (K.-Rippenspeer).

Kassem, Abd al-Karim, irak. General und Politiker, *Bagdad 1914, †ebd. 9. 2. 1963; führte den Militärputsch vom 14. 7. 1958 gegen die Monarchie und proklamierte am 27. 7. 1958 die Republik. Als MinPräs. (1958–63) errichtete er ein diktator. Reg.system. Die Betonung der irak. Eigenständigkeit brachte ihn in Konflikt mit panarab. Kräften; durch Militärputsch gestürzt und getötet.

Kassen|ärztliche Vereinigung, Abk. **KV,** Körperschaft des öffentl. Rechts, die die im Bereich eines Bundeslandes zu den gesetzl. Krankenkassen zugelassenen Ärzte erfasst (Mitgliedschaft verbindlich). Ihre Hauptaufgabe ist die Sicherstellung der ärztl. Versorgung der Sozialversicherten. Entsprechendes gilt für die **Kassenzahnärztl. Vereinigung.** Auf Bundesebene sind die KV als Körperschaft des öffentl. Rechts in der **Kassenärztl. Bundesvereinigung** zusammengeschlossen.

Kassengeschäft, →Kassageschäft.

Kassen|obligationen, festverzinsl. Schuldverschreibungen mittlerer Laufzeit (meist bis zu vier Jahren). K. werden in Dtl. in hoher Stückelung (i. d. R. 5 000 DM) vom Bund und seinen Sondervermögen, den Ländern und Spezialkreditinstituten (z. B. von der Kreditanstalt für Wiederaufbau), seltener von Banken emittiert und an der Börse gehandelt. Aufgrund ihrer Laufzeit und ihrer Rückzahlbarkeit in einem Betrag zählen K. zu den Geldmarktpapieren, besitzen aber aufgrund ihrer festen Verzinsung Anleihecharakter.

Kassenverein, →Wertpapiersammelbank.

Kassenverstärkungskredit, Kreditmittel, die von einem öffentl. Verband zur Überbrückung unvorhergesehener, kurzfristiger Liquiditätsengpässe bis zu einem im Haushaltsges. festgelegten Höchstbetrag aufgenommen werden können. Die Möglichkeit für Bund und Länder, K. bis zu bestimmten Höchstgrenzen bei der Dt. Bundesbank aufzunehmen (Kassenkredite), besteht seit 1. 1. 1994 nicht mehr.

Kasserine [kas'rin], Provinz-Hptst. in W-Tunesien, 47 600 Ew.; Verarbeitung des in der Umgebung wachsenden Alfagrases (Flechterei, Zellstoffwerk); Verkehrsknotenpunkt; nördlich das Erdölfeld Douleb mit Pipeline nach Skhirra.

Kasserolle [frz.] *die,* flaches Brat- und Schmorgefäß mit Deckel.

Kassette [frz.] *die,* **1)** *allg.:* verschließbares Kästchen.

2) *Architektur:* kastenförmig vertieftes Feld einer Decke **(Kassettendecke).**

3) *Elektroakustik:* meist zweischaliges, flaches Kunststoffgehäuse genormter Abmessung zur Aufnahme von Magnetton- oder Videobändern.

4) *Fotografie:* der in fotograf. Geräte einsetzbare lichtdichte Behälter für das lichtempfindl. Material.

Kassettendeck (Tapedeck), ein Kassettentonbandgerät ohne Niederfrequenz-Leistungsverstärker und Lautsprecher; v. a. als Komponente in Anstellkombinationen und Hi-Fi-Türmen verwendet.

Kassettenrekorder, Tonbandgerät, in dem Tonbandkassetten mit Eisenoxid-, Chromdioxid-, Ferrochrom- oder Reineisenbändern (Bandbreite 3,91 mm, Bandgeschwindigkeit 4,75 cm/s) zur Aufnahme und Wiedergabe von Tonsignalen verwendet werden. K. sind i. d. R. mit Verstärker und Lautsprecher ausgerüstet, als **Radiorekorder** auch mit einem Hörfunkempfangsteil. Stereo-K. für höhere Klangqualität (Highfidelity) arbeiten gewöhnlich mit Netzbetrieb und besitzen ein Rauschunterdrückungsystem.

Kassiber [jidd. kessaw »Geschriebenes«] *der,* heiml. schriftliche Mitteilung zw. Gefangenen oder von diesen an Außenstehende.

Kasside

Die Standardform der arabischen Kasside ist dreiteilig: Sie beginnt mit einer Erinnerung des Dichters an eine vergangene Liebe, ausgelöst durch den Anblick verlassener Lagerstätten. Sie geht dann zur Beschreibung eines Ritts durch die Wüste und des Reittiers, Pferd oder Kamel, über, um schließlich beim Lob des Stammes oder des Patrons des Dichters anzulangen. Die äußere Form der Kasside wird durch den symmetrisch zweigeteilten Vers und den durchgehend gleich bleibenden Reim aller Verse sowie des ersten Halbverses bestimmt.

Kasside [arab.] *die,* um das 6. Jh. von den Arabern ausgebildete, von Persern und Türken übernommene Dichtungsart (in Form der Ode), die in kunstvollen Metren versch. Themen nacheinander abhandelt; in der dt. Literatur von F. Rückert und A. von Platen nachgebildet.

Kassiten: Urkunde über Landbesitz in Form eines stelenartigen Steins, Höhe 65 cm (12. Jh. v. Chr.; Paris, Louvre)

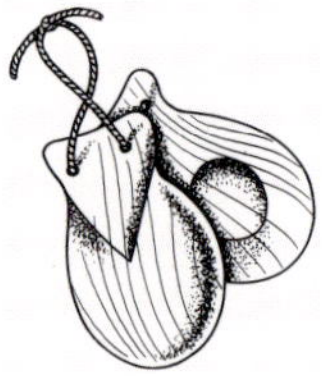

Kastagnetten

Kassie [grch.] *die* (Cassia), Gattung der Caesalpiniengewächse in wärmeren Gebieten (mit Ausnahme der Mittelmeerländer); Bäume, Sträucher oder Kräuter mit paarig gefiederten Blättern und meist gelben Blüten. Die Frucht ist eine röhrenförmige oder flache Hülse. In den Tropen wird häufig die **Röhren-K.** (Cassia fistula) kultiviert, deren bis 60 cm lange, essbare Früchte als »Leckerei« (in Europa als Manna bezeichnet) verzehrt werden. In der Volksmedizin werden die getrockneten, sennosidhaltigen Blätter **(Sennesblätter),** Früchte **(Sennesschoten)** und die Rinde einiger Arten z. B. als Abführmittel verwendet.

Kassiopeia [grch.] (lat. Cassiopeia), **1)** *Astronomie:* zirkumpolares Sternbild am Nordhimmel, auch **Himmels-W** genannt, wegen der Anordnung seiner fünf hellsten Sterne. Der Sternhaufen M103 in der Nähe des Sterns Cas δ ist bereits mit einem Feldstecher beobachtbar.

2) *grch. Mythos:* die Mutter der Andromeda, die wie diese an den Himmel versetzt wurde.

Kassiten (babylon. Kaschschu, grch.-lat. Kossäer), im 2. bis 1. Jt. v. Chr. nachweisbares altoriental. Volk im SW des Zagrosgebirges, errichtete 1530 v. Chr. eine Dynastie in Babylonien. Die K. bildeten eine wohl nur kleine militäraristokrat., feudale Oberschicht; ihre eigenen Kulturleistungen sind gering. Alexander d. Gr. unterwarf sie 324/323 v. Chr. Ihre Spuren verlieren sich um die Zeitenwende.

Kassiterit *der,* Mineral, der →Zinnstein.

Kassner, Rudolf, österr. Kulturphilosoph und Essayist, * Großpawlowitz (heute Velké Pavlovice, Südmähr. Gebiet) 11. 9. 1873, † Siders (Kt. Wallis) 1. 4. 1959; entwickelte in seinen Schriften eine Lehre der intuitiven Weltdeutung (»Physiognomik«), die nach geheimen Entsprechungen von Körper, Seele und Geist, Erde, Mensch und Kosmos sucht (»Die Mystik, die Künstler und das Leben«, 1900, 2. Aufl. u. d. T. »Engl. Dichter«, 1920; »Zahl und Gesicht«, 1919; »Das physiognom. Weltbild«, 1930; »Transfiguration«, 1946; »Die zweite Fahrt. Erinnerungen«, 1946; »Das 19. Jh.«, 1947; »Das inwendige Reich«, 1953; »Der goldene Drachen«, 1957).

Kastagnetten [-ɲ-, span.] *die,* Rhythmusinstrument aus zwei muschelförmigen, mit einer Schnur verbundenen Hartholzschalen, die mit den Fingern einer Hand gegeneinander geschlagen werden; dient zur Begleitung von span. und süditalien. Tänzen.

Kastanie [von grch. kástanon »Kastanienbaum«], **1)** *Botanik:* 1) (Castanea) Gattung der Buchengewächse mit zwölf Arten in der gemäßigten Zone; bekannteste Art →Edelkastanie; 2) allg. Bez. für die Arten der →Rosskastanie, für die Edelkastanie sowie für deren Früchte.

2) *Zoologie:* hornige, haarfreie Schwiele an den Beinen mancher Säugetiere, z. B. der Pferde.

Kaste [portugies. casta, zu lat. castus »rein«], **1)** *Ethnologie:* urtüml. Form der gesellschaftl. Ordnung, meist ein bestimmter Kreis von Familien, zusammengehalten durch gemeinsame Lebensformen und sittl. Normen, auch durch Heiratsordnung und gemeinsamen Kult. Die K. sind hierarchisch geordnet (K.-Ordnung); mit der Zugehörigkeit zu einer K. ist i. d. R. der gesellschaftl. Rang festgelegt. Als Gesellschaftsform – entweder durch →Überschichtung oder durch berufl. Spezialisierung entstanden – findet sich die K.-Ordnung im alten Persien und Ägypten, bei manchen Naturvölkern und im alten Japan, am ausgeprägtesten heute in Indien. Sie ist hier, obwohl vom ind. Staat gesetzlich aufgehoben, nach wie vor, v. a. in ländl. Regionen, ein vom Hinduismus begründeter soziokultureller Ausdruck der Gesellschaft. Die urspr. vier Haupt-K. (Brahmanen [Priester], Kshatriyas [Krieger], Vaishyas [Bauern und Handwerker], Shudras [Knechte]) gliedern sich heute in rd. 3 000 Neben-K. auf. Den K. stehen die außerhalb des K.-Systems stehenden rechtlosen Parias, die Unberührbaren, als quasi »unterste Kaste« gegenüber.

📖 Dumont, L. M.: *Gesellschaft in Indien. Die Soziologie des Kastenwesens. A. d. Frz. Wien 1976.*

2) *Soziologie:* 1) Bez. für unterprivilegierte Gruppierungen in Ind.gesellschaften; 2) sozialkrit. Bez. für das Standesbewusstsein bestimmter Gruppen.

Kastell [lat. Castellum] *das,* 1) im Röm. Reich Bez. für ein kleines, befestigtes, i. d. R. im unmittelbaren Grenzbereich gelegenes Truppenlager; 2) im roman. Sprachbereich Bez. für Burg, Schloss, Festung.

Kastilien (span. Castilla), das zentrale Hochland Spaniens, durch das Kastil. Scheidegebirge geteilt in **Alt-K.,** das der Region **Kastilien und León** (Castilla y León) entspricht (umfasst die Provinzen Ávila, Burgos, León, Palencia, Salamanca, Segovia, Soria, Valladolid und Zamora mit 94 222 km² und 2,56 Mio. Ew. [1991], Hptst. Valladolid), und **Neu-K.,** das die Regionen **Kastilien-La Man-**

Kastanie

Die Kastanien aus dem Feuer holen

Die umgangssprachliche Redewendung, auch in der Form »für jemanden die Kastanien aus dem Feuer holen«, beruht auf einer vielfach belegten, besonders aber durch den französischen Fabeldichter La Fontaine bekannt gewordenen Tierfabel mit dem Titel »Le singe et le chat« (»Der Affe und die Katze«). Die Redewendung besagt soviel wie »für einen anderen eine unangenehme Sache erledigen«. In der Fabel überredet der Affe, der gerne die im Feuer bratenden Kastanien verspeisen möchte, die Katze, sie für ihn aus der glühenden Asche herauszuholen.

cha (Castilla-La Mancha; mit den Prov. Albacete, Ciudad Real, Cuenca, Guadalajara und Toledo; 79 461 km², 1,66 Mio. Ew., Hptst. Toledo) und **Comunidad de Madrid** (8 028 km² und 4,95 Mio. Ew.) umfasst.

Geschichte: K. war im 8. Jh. Grenzland zw. Asturien-León und arabisch besetztem Gebiet, wurde 930 Großgrafschaft mit der Hptst. Burgos, kam 1026 an Navarra und wurde unter Ferdinand I. (1035–65) selbstständiges Königreich, mit dem 1230 León endgültig vereinigt wurde. Im Laufe der Reconquista eroberten die Könige, v. a. Alfons VI. und Alfons VIII., maur. Gebiet: 1085 Toledo; 1236 Córdoba, 1248 Sevilla und 1262 Cádiz. Durch die Heirat der Königin Isabella I. mit Ferdinand II. von Aragonien (1469) wurde der Grundstein für das neuzeitl. Spanien gelegt.

📖 *K., Madrid, bearb. v.* R. WINTER. *München u. a. 1992.*

Kastilisches Scheidegebirge (Iberisches Scheidegebirge, span. Cordillera Central), Gebirgskette im Innern der Iber. Halbinsel, trennt Altkastilien von Neukastilien sowie die Flusssysteme des Duero und des Tajo; in der Sierra de Gredos 2 592 m ü. M.

Kastler [kast'lɛ:r], Alfred, frz. Physiker, * Gebweiler (Elsass) 3. 5. 1902, † Bandol (Dép. Var) 7. 1. 1984; Prof. in Bordeaux und Paris; entwickelte Verfahren der Hochfrequenzspektroskopie (Doppelresonanzmethode) und führte 1950 das → optische Pumpen ein. 1966 erhielt er den Nobelpreis für Physik.

Alfred Kastler

Kästner, 1) Erhart, Schriftsteller, * Augsburg 13. 3. 1904, † Staufen im Breisgau 3. 2. 1974; 1950–68 Leiter der Herzog-August-Bibliothek in Wolfenbüttel, schrieb Reise- und Erinnerungsbücher: »Zeltbuch von Tumilad« (1949), »Ölberge, Weinberge« (1953), »Die Stundentrommel vom heiligen Berg Athos« (1956), »Aufstand der Dinge« (1973).

2) Erich, Schriftsteller, * Dresden 23. 2. 1899, † München 29. 7. 1974; schrieb zeitsatir., humorist. und sarkast. Gedichte (»Herz auf Taille«, 1928; »Ein Mann gibt Auskunft«, 1930; Auswahl: »Bei Durchsicht meiner Bücher«, 1946), die Romane »Fabian« (1931), »Drei Männer im Schnee« (1934), »Georg und die Zwischenfälle« (1938, später u. d. T. »Der kleine Grenzverkehr«, 1949), das Drama »Die Schule der Diktatoren« (1956) und führte in die dt. Kinderliteratur den sozialkrit. Realismus ein (»Emil und die Detektive«, 1929; »Das fliegende Klassenzimmer«, 1933; »Das doppelte Lottchen«, 1949). 1957 erhielt K. den Georg-Büchner-Preis.

Erich Kästner

📖 ENDERLE, L.: *E. K. Reinbek 71.–73. Tsd. 1993.* – BEMMANN, H.: *E. K. Leben u. Werk. Neuausg. Frankfurt am Main u. a. 1994.*

Kastor, *grch. Mythos:* einer der → Dioskuren.

Kastoria, Hptst. des Verw.gebiets K. in NW-Makedonien, Griechenland, am abflusslosen See von K., 20 300 Ew.; Pelzhandel und -verarbeitung. – Bed. byzantin. Kirchen und Klöster mit Fresken des 11.–16. Jh. an den Innen- und Außenwänden; schöne Bürgerhäuser.

Kastraten [italien., zu lat. castrare »verschneiden«], Sänger, die, bes. vom 16. bis 19. Jh. in Italien, bereits in der Jugend zur Erhaltung ihrer Sopran- oder Altstimme kastriert wurden. Das Timbre der K.-Stimme war in der Kirchenmusik und bes. in der Oper beliebt.

Kastration [lat.] *die,* Ausschaltung der Keimdrüsen (Hoden, Eierstöcke) durch operative Entfernung, Anwendung von Röntgen- oder ionisierenden Strahlen (Strahlen-K.) oder Gabe von Hormonantagonisten (z. B. Antiandrogene) als zeitlich begrenzte chem. oder hormonale K., im Unterschied zur → Sterilisation. Beim männl. Geschlecht führt der Hodenverlust (auch durch Unfälle und schwere Entzündungen hervorgerufen) zu physiognom. Veränderungen, deren Bild vom Zeitpunkt der K. (vor- oder nachpubertär) abhängt (→ Eunuchismus). Bei Frauen zu Heilzwecken bei Eierstockerkrankungen (Zysten, Tumoren) oder bei der Behandlung des Gebärmutter- oder Brustkrebses durchgeführte K. (Ovarektomie) wirkt sich wie das natürl. Erlöschen der Eierstocktätigkeit in den Wechseljahren aus.

Die K. bes. von männl. Tieren wird v. a. bei landwirtsch. Nutztieren aus züchter. und wirtsch. Gründen vorgenommen, u. a. um unerwünschte Paarungen zu vermeiden, zahmere Arbeitstiere zu erhalten, bei Masttieren den Fettansatz zu steigern und wohlschmeckenderes Fleisch zu erzielen.

Kastrationskomplex, *Psychoanalyse:* eine in früher Kindheit durch traumat. Eindrücke (Strafandrohungen, z. T. im Zusammenhang mit ödipalen Regungen) entstandene Furchtvorstellung, die sich z. B. in Angst des Knaben vor Kastration ausdrückt und Ursache von Neurosen werden kann.

Kasualilen [zu lat. casus »Fall«], geistl. Amtshandlungen, z. B. Taufe, Trauung, Beerdigung.

Kasuare [malaiisch] (Casuariidae), Familie großer flugunfähiger Laufvögel mit drei Arten in den Regenwäldern N-Australiens, Neuguineas und einiger vorgelagerter Inseln; Körper strähnig befiedert, dunkelbraun bis schwarz. Am weitesten verbreitet ist der bis 1,5 m hohe **Helmkasuar** (Casuarius casuarius) mit helmartigem Hornaufsatz auf dem blauen Kopf und zwei nackten, roten Hautlappen am Hals. BILD S. 264

Kasuarine [wegen ihres kasuarfederähnlichen Zweigwerks] *die* (Casuarina), Gattung zweikeimblättriger Pflanzen, v. a. Bäume Australiens und Indonesiens mit grünen Rutenästen, schachtelhalmähnlich gegliedert, quirlig mit Schuppenblätt-

Kasuarine: Zweig mit Früchten

chen besetzt. K. liefern harte Nutzhölzer und Gerbrinde.

Kasuistik [lat.] *die,* **1)** *Ethik:* die Lehre über die Anwendung allg. sittlicher Normen auf konkrete Situationen oder Handlungen.

2) *Judentum:* in der rabbin. Schultradition die Auslegung der Thora anhand konkreter Einzelfälle mit dem Ziel, der jüd. Gemeinde in ihrem jeweiligen gesellschaftl. Umfeld die Gesetzeserfüllung zu ermöglichen.

3) *kath. Moraltheologie:* im 17. und 18. Jh. v. a. von den Jesuiten beeinflusstes, auf sittl. Grenzfällen beruhendes System, das das sittlich Gebotene als die Summe eth. Mindestnormen (des gerade noch Erlaubten) versteht.

4) *Recht:* Methode der Rechtsfindung, die nicht durch generalisierende Grundsätze, sondern durch möglichst viele Einzelregelungen alle denkbaren Fälle zu erfassen sucht.

Kasus [lat.] *der,* **1)** *Sprachwissenschaft:* grammat. Kategorie (Fall), die die syntakt. Beziehungen der deklinierbaren Wörter im Satz kennzeichnet. Das Neuhochdeutsche besitzt vier K.: →Nominativ, →Genitiv, →Dativ, →Akkusativ, andere indogerman. Sprachen noch →Ablativ und →Instrumentalis.

2) *Völkerrecht:* →Casus.

kata..., kat... [grch.], 1) abwärts, unten; 2) vollständig.

katabatischer Wind [grch.], ein Wind mit abwärts gerichteter Bewegungskomponente (Fallwind).

Katabolismus [grch.] *der,* Abbauvorgänge im Stoff- und Energiewechsel der Lebewesen; Ggs.: Anabolismus.

Katachrese [grch.] *die,* urspr. der uneigtl. Gebrauch eines Wortes für eine fehlende Benennung einer Sache, z. B. Tisch*bein.* In der *Rhetorik* der sog. **Bildbruch,** d. h. die Kombination nicht zueinander passender bildl. Wendungen, z. B. »lass nicht des Neides Zügel umnebeln deinen Geist«.

Katakombe

Während die meisten unterirdischen Friedhöfe in Rom allmählich in Vergessenheit gerieten, blieb die große Katakombe bei der Kirche San Sebastiano in Catacumbas an der Via Appia ein häufig besuchter Ort; als man im 15./16. Jahrhundert die frühen christlichen Begräbnisstätten wieder entdeckte, wurde der alte Ortsname »catacumbas« zum Gattungsbegriff für alle unterirdisch angelegten Friedhöfe. Der geologische Schnitt durch die an der Via Appia liegende, zur Kallistus-Katakombe zählende Lucinagruft zeigt, wie die schmalen, niedrigen Gänge und die seitlich in die Wände eingelassenen Grabkammern in die ausbaufähigen Tuffschichten vorgetrieben wurden. Der Leichnam wurde in Tücher gehüllt in die Grabnische gelegt und diese mit einer Platte oder einem Ziegel geschlossen; eine eingemeißelte oder aufgemalte Inschrift nannte den Namen des Verstorbenen.

Katafalk [italien.] *der,* schwarz verhängtes Gerüst für den Sarg zur feierl. Aufbahrung bei Trauerfeierlichkeiten.

Kasuare: Helmkasuar (Scheitelhöhe bis 1,5 m)

Katajew, Walentin Petrowitsch, russ. Schriftsteller, * Odessa 28. 1. 1897, † Moskau 12. 4. 1986; schilderte in teils romantisch-abenteuerl. oder satir. Erzählungen und Romanen Revolution und Bürgerkrieg in Russland sowie den sozialist. Aufbau (»Im Sturmschritt vorwärts«, 1932; »Es blinkt ein einsam Segel«, 1936; »In den Katakomben von Odessa«, 1951; »Winterwind«, 1960/61).

Kataklase [grch.] *die,* durch starken tekton. Druck bedingte feinkörnige Zertrümmerung eines Gesteins und seiner Minerale.

Kataklysmentheorie (Katastrophentheorie), bes. von G. Cuvier vertretene Theorie, die Faunen- oder Florenunterschiede innerhalb der Erdgeschichte durch plötzl. Katastrophen und anschließende Neuschöpfung oder Einwanderung aus anderen Gebieten erklärt.

Katakombe [lat.] *die,* unterird. Begräbnisanlage der ersten Christen im Mittelmeerraum (z. B. die Priscilla-K. in Rom), mit ausgedehnten, sich labyrinthisch verzweigenden Gängen; auch in mehreren Stockwerken übereinander. Die Toten wurden in Grabnischen der Seitenwände beigesetzt. Kunstgeschichtlich bed. sind die in den röm. K. des 2.–4. Jh. erhaltenen frühchristl. Wand- und Deckenmalereien, eine Grundlage der christl. Ikonographie. (→frühchristliche Kunst)

📖 Ferrua, A.: *Katakomben. Unbekannte Bilder des frühen Christentums unter der Via Latina. A. d. Italien. Stuttgart 1991.*

Katalanen, zu den Romanen gehörendes Volk mit katalan. Muttersprache in Katalonien, in der Prov. Valencia, auf den Balearen sowie im Roussillon und in Andorra. Im Bemühen um Anerkennung einer eigenen katalan. Identität haben sich nationale und regionale Bräuche erhalten, z. B. der alte Rundtanz »Sardana«.

katalanische Literatur. Erste literar. Werke sind vom Ende des 12. Jh. erhalten (ältestes Beispiel die »Homilies d'Organyà«, um 1200). Die mittelalterl. k. L. stand zunächst unter provenzal. Einfluss und erreichte im 15. Jh. ihre Blütezeit (A. March). Herausragende Gestalt dieser Zeit war R. Lullus (katalan. Llull). Einer der Höhepunkte der älteren k. L. ist der Ritterroman »Tirant lo blanc« (entstanden um 1455, hg. 1490) von J. Martorell. Der vom 16. Jh. an aufgrund der kastil. Hegemonie zu beobachtende Niedergang des literar. Lebens in Katalonien wurde im 19. Jh. durch die Renaixença-Bewegung beendet, die national, historisch und philologisch am katalan. MA. orientiert, eine dem zeitgenöss. Kenntnisstand entsprechende Wiederbelebung der k. L. und deren Integration in die europ. Lit. anstrebte. Eigtl. Begründer der neukatalan. Lyrik ist J. Rubió i Ors. Eine auf die »Identität von Politik und Lit.« abhebende Richtung vertraten J. Carner und C. Riba Bracóns, avantgardist. Tendenzen J. Salvat-Papasseit, J. V. Foix und S. Espriu; als bed. Dramatiker trat À. Guimerà hervor. Zu den neueren Autoren gehören u. a. N. Comadira, P. Gimferrer, M. de Pedrolo, Mercè Rodoreda, L. Villalonga, ferner Montserrat Roig, Carme Riera, J. Perucho, B. Porcel und Terenci Moix.

📖 BRUMMER, R.: *Katalan. Sprache u. Literatur. Ein Abriß. München 1975.* – HÖSLE, J.: *Die k. L. von der Renaixença bis zur Gegenwart. Tübingen 1982.* – BONELLS, J.: *Histoire de la littérature catalane. Paris 1994.*

katalanische Sprache, zu den westroman. Sprachen gehörende Sprache (insgesamt rd. 9,5 Mio. Sprecher), die in Katalonien, Teilen Aragoniens und der Provinz Valencia, auf den Balearen, in Andorra, im Roussillon sowie in Alghero auf Sardinien gesprochen wird. Die k. S. geht auf das Vulgärlatein zurück, Einflüsse anderer roman. Sprachen sowie des Arabischen sind nachweisbar; seit 1975 als span. Regionalsprache anerkannt.

Katalase [grch.] *die,* eisenhaltiges Enzym, das das für Zellen giftige Wasserstoffperoxid (H_2O_2) in Wasser (H_2O) und Sauerstoff (O_2) zerlegen kann; kommt in sehr vielen tier. Organen, bei Pflanzen und Mikroorganismen vor.

Katalaunische Felder [nach dem kelt. Stamm der Catuvellauner], Gegend zw. Troyes und Châlons-sur-Marne, wo 451 der siegreiche Kampf der mit Franken und Westgoten verbündeten Römer unter Aetius gegen die Hunnen unter Attila stattfand.

katalektisch [grch.], *Metrik:* unvollständig; ein Vers, dessen letzter Fuß verkürzt ist; Ggs.: akatalektisch.

Katalepsie [grch.] *die,* abnorm langes Verharren in gegebener (oft unbequemer) Körperhaltung, bes. bei Schizophrenie.

Katakombe: Galerien der Priscillakatakombe in Rom

Katalonien (katalan. Catalunya, span. Cataluña), Region und histor. Landschaft im NO Spaniens, umfasst die Provinzen Girona, Barcelona, Lleida und Tarragona, 32 114 km² mit (1991) 6,059 Mio. Ew. K. reicht vom Kamm der Pyrenäen über das Ebrobecken am Segre und über das Katalon. Randgebirge (im Montseny 1741 m ü. M.) bis zur Mittelmeerküste. Verbreitet sind Weinbau (v. a. weiße Rebsorten für die Herstellung von Schaumwein [Cava]), Baum- und Strauchkulturen (Oliven, Mandeln, Haselnüsse, Feigen, Johannisbrot) und Bewässerungskulturen (Nelken, Frühkartoffeln). Wirtsch. bedeutend ist die Rinderhaltung. Der Bergbau liefert bes. Kalisalze, Braunkohle, Blei-, Zink-, Mangan-, Eisen- und Kupfererze sowie Bauxit. Die relativ hoch entwickelte Ind. (Textil-, Chemie-, Druck-/Papier-, Elektro- und Metall verarbeitende Ind.) konzentriert sich auf das Küstengebiet um Barcelona und Tarragona. Geistiger und wirtsch. Mittelpunkt ist Barcelona. Der Tourismus spielt eine wichtige Rolle.

Geschichte: K. wurde um 200 v. Chr. römisch. In der Völkerwanderung wurde es von den Alanen, dann um 415 von den Westgoten besetzt. Karl d. Gr. schuf hier die Span. Mark des Frankenreichs, die Grafen der Hptst. Barcelona machten sich Ende des 9. Jh. unabhängig. Durch Heirat wurde K. 1137 mit Aragonien vereinigt. Einige Sonderrechte blieben bis Anfang des 18. Jh. erhalten. Im 19. Jh. entstanden in dem wirtsch. starken K. Unabhängigkeitsbewegungen. Nach Errichtung der Rep. erhielt K. ein Autonomiestatut (Generalidad de Cataluña, heute katalan. Generalitat de Catalunya), im Span. Bürgerkrieg stand es auf republikan. Seite, nach Francos Sieg wurde die Autonomie wieder aufgehoben. Im Zuge der Demokratisierung nach 1975 gewährte die Reg. der Region zunächst eine beschränkte Selbstständigkeit, die 1979 zu einem Autonomiestatut erweitert wurde.

📖 MATTHÉE, U.: *Katalan. Frage u. span. Autonomie. Paderborn 1988.* – STEGMANN, T. *u.* I.: *K. u. die katalan. Länder. Barcelona, Balearen, Land València, Andorra, Nordkatalonien mit Rosselló. Stuttgart u. a. 1992.*

Katamaran: Zweimannboot

Katalysator *der,* **1)** *Chemie:* Stoff, der durch Bildung aktiver Zwischenprodukte eine chem. Reaktion ermöglicht, beschleunigt oder in eine bestimmte Richtung lenkt. K. mindern die Aktivierungsenergie der Reaktion und erhöhen so ihre Geschwindigkeit, ohne selbst verbraucht zu werden.

2) *Technik:* mit katalytisch wirksamen Substanzen (→Katalysator 1) ausgerüstete Vorrichtung zur Reinigung der Abgase von Kfz, Kraftwerken und Ind.anlagen (katalyt. Abgasreinigung). I. e. S. techn. Vorrichtung zur Reduzierung der Schadstoffemission von Kfz-Abgasen. Bei Ottomotoren sind die für die Umwelt schädl. Abgasbestandteile Kohlenmonoxid (CO), Kohlenwasserstoffe (H_mC_n) und Stickoxide (NO, NO_2, zusammengefasst als NO_x). Im **Dreiwege-K. (geregelter K.),** der wirkungsvollsten Form, werden Kohlenwasserstoffe zu Kohlendioxid (CO_2) und Wasserdampf (H_2O), Kohlenmonoxid zu Kohlendioxid oxidiert und Stickoxide zu Stickstoff (N_2) reduziert (insgesamt um bis zu 90%). Die hierzu erforderl. (möglichst konstante) Abgaszusammensetzung wird durch eine elektronisch geregelte Aufbereitung des Kraftstoff-Luft-Gemischs erreicht; dazu muss ständig der Sauerstoffanteil im Abgas (mithilfe einer sog. →Lambdasonde) gemessen werden. Der im motornahen Teil der Auspuffanlage eingebaute K. besteht aus einem wabenförmigen Keramikkörper, in dessen Kanälen eine Trägerschicht aus Aluminiumoxid aufgebracht ist, die die Oberfläche stark vergrößert und auf der das eigentl. Katalysatormaterial (v.a. Edelmetalle wie Platin, Palladium, Rhodium) aufgebracht ist. – Mit K. ausgerüstete Kfz müssen mit bleifreiem Benzin betrieben werden, da bei der Verbrennung entstehende Bleiverbindungen die katalyt. Schicht abdecken und damit unwirksam machen würden.

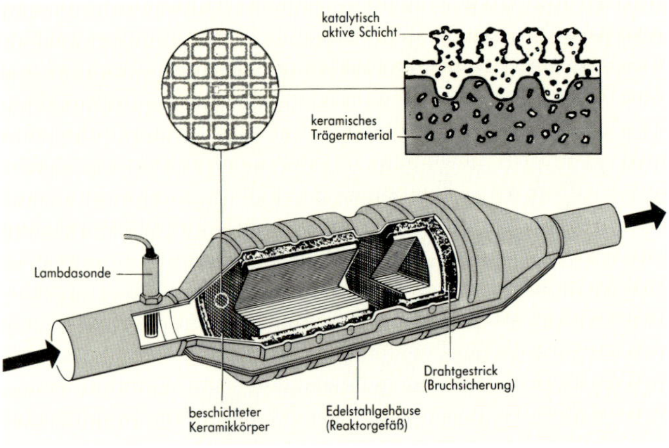

Katalysator 2): schematischer Aufbau eines geregelten Abgaskatalysators

Katalyse [grch. »Auflösung«] *die,* Beschleunigung einer chem. Reaktion unter der Wirkung eines →Katalysators. Bei der **homogenen K.** befinden sich Katalysator und Reaktionspartner in einer Phase, oder der Katalysator liegt in gelöster Form vor und ist an der Reaktion beteiligt. Besondere techn. Bedeutung hat die **heterogene K.,** bei der die flüssigen oder gasförmigen Reaktionspartner an der Oberfläche eines meist festen Katalysators (Kontakt) zur Reaktion kommen. Bei der **Auto-K.** wirkt ein bei der Reaktion gebildeter Stoff als Katalysator. Sog. K.-Gifte können die Aktivität des Katalysators verringern.

Katamaran [engl., von tamil. kattumaram] *der* auch *das,* Doppelrumpfboot, in der Südsee seit 2000 Jahren bekannt, in den USA erstmals 1876 gebaut, in Europa erst nach 1945 für den Segelsport entwickelt. Die leichten Renn-K. sind die schnellsten Segelboote. Man unterscheidet hier die Klassen »Internat. A-K.« (Einmannboot) und »Tornado-K.« (Zweimannboot, seit 1976 olymp. Bootsklasse). Die K.-Bauweise wird jetzt auch für größere Schiffe verwendet (z.B. Fährschiffe).

Katanga, früherer Name der Region →Shaba im SO der Demokrat. Rep. Kongo.

Kataphorese [grch.] *die, Physik:* →Elektrophorese.

Kataplexie [grch.] *die* (Schreckstarre, Schrecklähmung), das plötzl. allg. oder lokalisierte Nach-

Katar

Fläche: 11 000 km²
Einwohner: (1995) 551 000
Hauptstadt: Doha
Amtssprache: Arabisch
Nationalfeiertag: 1. 9.
Währung: 1 Katar-Riyal (QR) = 100 Dirhams
Zeitzone: MEZ +3 Std.

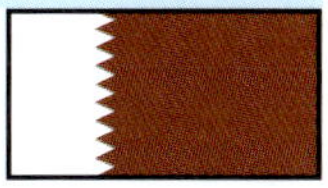

lassen des Muskeltonus bei starker affektiver Erregung; häufig bei Narkolepsie.

Katapult [grch.-lat.] *der* oder *das,* **1)** *Technik:* (Startschleuder) eine Einrichtung, mit der Flugzeuge bei nicht vorhandener oder zu kurzer Rollbahn (z. B. Deck eines Flugzeugträgers) zusätzlich zu ihrer eigenen Vortriebseinrichtung auf Abhebegeschwindigkeit beschleunigt werden.

2) *Waffenkunde:* im Altertum eine armbrustartige Wurfmaschine für Steine, brennende Objekte u. a., verwendet bei Belagerungen.

Katar (Qatar, amtlich arab. Daulat al-Qatar; dt. Staat K.), Staat in Vorderasien, auf der gleichnamigen Halbinsel im Pers. Golf, grenzt im S an Saudi-Arabien (Grenze nicht genau festgelegt).

Staat und Recht: Nach der provisor. Verf. von 1970 (1972 ergänzt) ist K. eine absolute Monarchie (Emirat). Staatsoberhaupt und oberster Inhaber der Legislative und Exekutive (Reg.chef) ist der Emir. Ihm steht ein Konsultativrat (30 vom Emir ernannte Mitgl.) als beratendes Organ zur Seite. Ein Parlament und Parteien existieren nicht.

Landesnatur: Von den Salzsümpfen und Dünen im S steigt das Land leicht nach N zu einer flachen Kalksteinebene (bis 95 m) an, die nur von wenigen Oasen durchsetzt ist. Es herrschen hohe Temperaturen und hohe Luftfeuchtigkeit. Trinkwasser wird durch zwei Meerwasserentsalzungsanlagen gewonnen.

Bevölkerung: Die einheim. Bev. besteht zum größten Teil aus Arabern, der Anteil der in K. tätigen Ausländer (Inder, Pakistani, sonstige Araber, Iraner) liegt bei 75 %. Es besteht keine Schulpflicht, jedoch ein breites kostenloses Bildungsangebot von der Grundschule bis zur Univ. in Doha (gegr. 1973). Staatsreligion ist der sunnit. Islam.

Wirtschaft, Verkehr: Fast die gesamten Staatseinnahmen erbringen Erdöl und Erdgas, die an der W-Küste sowie in einem Offshorefeld bei der Insel Halul (mit Erdölterminal) von einer staatl. Ges. gefördert werden. Die Erdgasvorkommen (North-Dome-Feld) werden zu den größten der Welt gerechnet. In Umm Said entstand ein bed. exportorientierter Schwerind.komplex mit Erdölraffinerie, Erdgasaufbereitung, Stahlwerk, Werft, Zement- und Düngemittelproduktion sowie Hafenanlagen. Wirtsch. wenig bed. sind Oasenwirtschaft, Viehhaltung und Fischerei. Wichtigster Handelspartner ist Japan. Doha hat einen internat. Flughafen.

Geschichte: In K. gründeten die Utub von Kuwait 1766 ein Scheichtum mit der Hptst. Subara. 1810/11 von Oman zerstört, stand K. dann unter der Hoheit von Bahrain; 1868 wurde es als selbstständiges Scheichtum anerkannt. 1872–1913 unterstand es osman. Herrschaft und war 1916–71 brit. Protektorat. Am 1. 9. 1971 erklärte die brit. Regierung K. für unabhängig und schloss am 3. 9. 1971 einen Freundschaftsvertrag. Ab Febr. 1972 (unblutiger Staatsstreich) herrschte Emir Scheich Chalifa ibn Ahmed ath-Thani. 1974 verstaatlichte das Emirat die Erdölförderung. 1991 beteiligte es sich am 2. Golfkrieg aufseiten der antiirak. Koalition. 1992 schloss K. ein Verteidigungsabkommen mit den USA, 1994 einen Sicherheitsvertrag mit Großbritannien. In Zuge einer Palastrevolution stürzte 1995 Kronprinz Scheich Hamad ibn Chalifa ath-Thani seinen Vater und übernahm das Emirat.

📖 Ritter, W.: *Qatar. Ein arab. Erdölemirat. Nürnberg 1985. – Die kleinen arab. Golf-Staaten Qatar, Bahrain u. Vereinigte Arab. Emirate, hg. v.* K. Schliephake. *Würzburg 1995.*

Katarakt [grch.], **1)** *die, Augenheilkunde:* (Cataracta, grauer Star) angeborene oder erworbene Trübung der Augenlinse mit je nach Sitz und Ausprägung unterschiedl. Beeinträchtigung des Sehvermögens. Ursachen sind innere Krankheiten, Gifte, Verletzungen, Augenentzündungen oder altersbedingte Stoffwechselstörungen der Linse. Am häufigsten ist der doppelseitige **Altersstar (Cataracta senilis),** der meist um das 60. Lebensjahr in versch. Reifegraden auftritt: **Cataracta incipiens** (beginnender Star) mit peripheren, zunächst noch nicht oder nur wenig störenden Linsentrübungen; **Cataracta progrediens** (fortgeschrittener Star) mit Auftreten von grauweißen, speichenförmigen,

Staatswappen

Q

Internationales Kfz-Kennzeichen

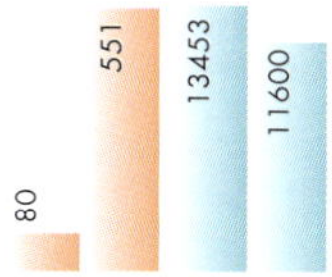

Bevölkerung (in Tausend) · Bruttosozialprodukt je Ew. (in US-$)

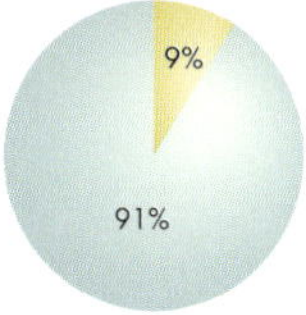

Bevölkerungsverteilung 1993

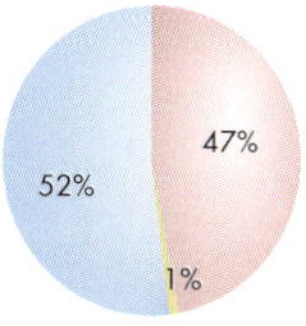

Bruttoinlandsprodukt 1991

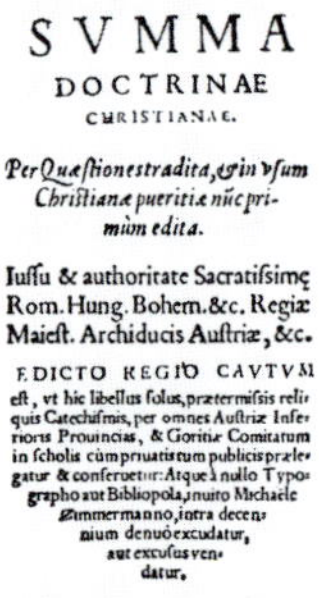
SVMMA
DOCTRINAE
CHRISTIANAE.
Per Quæstiones tradita, & in vsum Christianæ pueritiæ nūc primùm edita.
Iussu & authoritate Sacratissimę Rom. Hung. Bohem. &c. Regiæ Maiest. Archiducis Austriæ, &c.
EDICTO REGIO CAVTVM est, vt hic libellus solus, prætermissis reliquis Catechismis, per omnes Austriæ Inferioris Prouincias, & Goritiæ Comitatum in scholis cūm priuatis tum publicis prælegatur & conseruetur: Atque à nullo Typographo aut Bibliopola, inuito Michaele Zimmermanno, intra decennium denuò excudatur, aut excusus vendatur.

Catechismus
Oder
Christlicher Underricht/ wie der in Kirchen vnd Schulen der Churfürstlichen Pfaltz getrieben wirdt.
Gedruckt in der Churfürstlichen Stad Heydelberg/ durch Johannem Mayer.
1563.

Katechismus: Titelblatt des Großen Katechismus von Petrus Canisius (1555), darunter das Titelblatt des Heidelberger Katechismus (1563)

bis ins Zentrum der Linse ziehenden Trübungen, die das Sehen behindern; **Cataracta matura** (reifer Star) mit vollständig getrübter Linse. Im letzten Stadium (**Cataracta hypermatura,** überreifer Star) kommt es zur Verflüssigung der von der Linsenkapsel umschlossenen Linsenfasern mit der Gefahr des Austritts von Linsensubstanz ins Kammerwasser und Behinderung des Kammerwasserabflusses. Nach dem Sitz der Trübung unterscheidet man den häufigen **Rindenstar** mit radialen, zum Zentrum ziehenden Trübungen und den **Kernstar.** – Der angeborene Star, eine nicht fortschreitende, gleich bleibende Trübung, kann jeweils charakterist. Anteile oder die gesamte Augenlinse betreffen (**Cataracta totalis,** meist Folge einer mütterl. Virusinfektion). – Die *Behandlung* erfolgt durch operative Entfernung der Augenlinse und Einsetzen einer Kunststofflinse.

2) *der, Geographie:* Stromschnelle.

Katarrh [lat.-grch.] *der,* mit Schleimabsonderung verbundene Entzündung von Schleimhäuten, z. B. bei Schnupfen oder Bronchitis.

Kataster [von mlat. capitastrum »Kopfsteuerverzeichnis«] *der* oder *das,* **1)** früher die Liste der Steuerpflichtigen; heute das **Liegenschafts-K.,** das vom **K.-Amt** geführte amtl. Verzeichnis aller Grundstücke (Flurbuch), Grundlage für das Grundbuch und für Bemessung der Grundsteuer.

2) *Umweltschutz:* →Emissionskataster, →Immissionskataster.

Katastrophe [grch.] *die,* **1)** *allg.:* schweres Unglück; Naturereignis mit verheerender Wirkung (→Katastrophenschutz, →Naturkatastrophen).

2) *Poetik:* die den Konflikt entscheidende Wendung in der Handlung im letzten Teil eines Dramas, bes. der trag. Ausgang der Tragödie; in diesem Sinne erstmals bei Antiphanes belegt.

Katastrophenschutz, Maßnahmen zur Abwendung von Gefahren und Schäden, die im Katastrophenfall (z. B. Sturmflut, Großbrände) drohen; Teil des →Zivilschutzes, wird überwiegend von den Kreisen und kreisfreien Städten wahrgenommen. Zu den Einrichtungen des K. zählen u. a. Feuerwehr, Techn. Hilfswerk, Dt. Rotes Kreuz, Dt. Lebens-Rettungs-Gesellschaft.

Katastrophentheorie, 1) *Biologie:* die →Kataklysmentheorie.

2) *Mathematik:* Forschungsgebiet der angewandten Mathematik; entwickelt Modelle und Methoden, mit denen sich sprunghaft auftretende Systemänderungen (sog. Katastrophen oder singuläre Ereignisse) beschreiben lassen.

Katathermometer, ein besonderes Stabthermometer, das in der Klimatechnik zur Bestimmung einer Klimasummengröße aus Lufttemperatur, Luftgeschwindigkeit und mittlerer Temperatur der Raumumgrenzungsflächen dient. Der ermittelte **Katawert** ist der Wert für die therm. Behaglichkeit.

Katatonie [grch.] *die,* Verlaufsform der Schizophrenie mit bes. hochgradigen Erregungs- und Spannungszuständen.

Katavothre [grch.] *die,* →Ponor.

Katazone [grch.], *Geologie:* Bereich der regionalen Gesteinsmetamorphose mit Temperaturen über 700 °C und hohen allseitigen Drücken.

Katechese [grch.] *die,* die Unterweisung in der christl. Botschaft mit dem Ziel der Vermittlung des christl. Glaubens; in der frühen Kirche der Taufunterricht erwachsener Taufbewerber **(Katechumenen);** durch Luther und die kath. Reform als Firmunterricht (in der prot. Kirche heute Konfirmandenunterricht) neu belebt.

Katechet *der,* der die Katechese durchführende kirchl. Mitarbeiter.

Katechetik *die,* innerhalb der →prakt. Theologie die Lehre von Inhalt, Ziel und Methodik der Glaubensunterweisung.

Katechine, die →Catechine.

Katechismus [grch.] *der,* seit dem 16. Jh. ein (kurz gefasstes) formal meist in Frage- und Antwortform aufgebautes Lehrbuch über die Grundlehren des christl. Glaubens zur Unterweisung in Familie, Kirche und Schule. Bedeutend sind Luthers großer und kleiner K. (beide 1529), für die reformator. Kirchen der Heidelberger (1563) und der Genfer K. (1545), für die kath. Kirche der »Catechismus Romanus« (1566), seit 1992 der neue gesamtkirchl. kath. K. (»Weltkatechismus«).

Katechu [malaiisch] *das* (Catechu), gerbstoffreicher Extrakt aus dem Holz trop. und subtrop. Akazienarten; wird medizinisch als Mittel gegen Durchfall und zum Gurgeln verwendet.

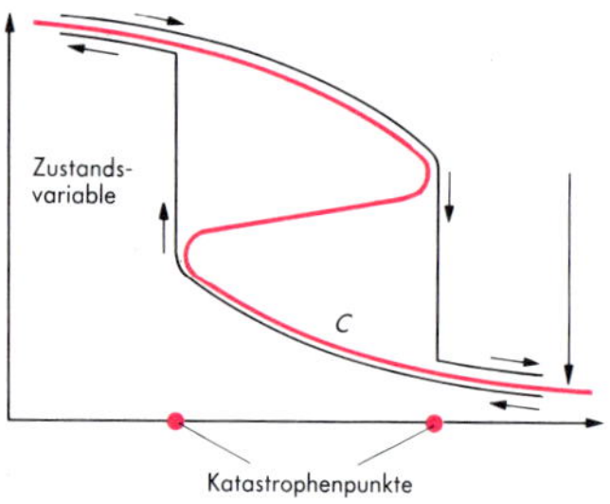

Katastrophentheorie 2): Zustandskurve (Trajektorie) bei einem System mit einem Parameter C; die Projektion auf die Parameterachse ergibt zwei Katastrophenpunkte

Kategorie [grch. »Aussage«] *die,* **1)** *allg.:* Gruppe, Gattung, Klasse, Art.

2) *Philosophie:* begriffl. Grundform des Seins und/oder des Erkennens. Eigtl. Begründer der **K.-Lehre** ist Aristoteles, der entsprechend den Urteilsarten zehn K. in Bezug auf alles Seiende annahm: Substanz, Quantität, Qualität, Relation,

Ort, Zeit, Lage, Haben, Wirken und Leiden. Kant stellte zwölf K. als aprior. Bedingungen jeder Erfahrung auf. Umfassende K.-Systeme entwickelten im 20. Jh. u. a. N. Hartmann und A. N. Whitehead.

kategorischer Imperativ, in I. Kants prakt. Philosophie Formel für das oberste, a priori gültige Sittengesetz. Eine Formulierung des k. I. lautet: »Handle so, dass die Maxime deines Willens jederzeit zugleich als Prinzip einer allgemeinen Gesetzgebung gelten könne.«

Katerini, Hptst. des Verw.gebiets Pieria in Makedonien, N-Griechenland, in der Küstenebene am Thermaischen Golf, 43600 Ew.; Bekleidungs- und Tabakindustrie.

Katgut *das* (engl. Catgut), aus Schafdarm hergestelltes chirurg. Nähmaterial (»Darmsaiten«), das während der Wundheilung vom Körper abgebaut wird; heute durch synthet. Material ersetzt.

Kath, → Kathstrauch.

Katharer [grch. »die Reinen«], die nach Umfang und polit. Einfluss bedeutendste religiöse Bewegung des MA., von den Zeitgenossen auch **Albigenser** (in Frankreich), **Patarener** (in Italien) und **Manichäer** genannt. Erstmals im Rheinland nachweisbar (Köln 1143), breiteten sich die K. im 12. und 13. Jh. v. a. in S-Frankreich und Oberitalien aus. Als kirchenkrit. Bewegung lehnten sie Ehe, Eid, Bilder-, Heiligen- und Reliquienverehrung und den Kriegsdienst ab. Theologisch sind sie vom Dualismus der → Bogomilen und → Paulikianer beeinflusst. Der gute Gott des N. T. liegt in einem ständigen Kampf mit dem bösen (Schöpfer-)Gott des A. T., in radikaler Interpretation mit Satan gleichgesetzt. Regional zeitweilig von großem Einfluss und blutig verfolgt (Albigenserkriege 1209–29), erlosch die Bewegung im 14. Jh., u. a. infolge der Ausbreitung der Bettelorden.

📖 LAMBERT, M. D.: *Ketzerei im Mittelalter. A. d. Engl. Tb.-Ausg. Freiburg im Breisgau u. a. 1991.* – BORST, A.: *Die K. Neuausg. Freiburg im Breisgau u. a. ^{2}1992.* – ROCHÉ, D.: *Die K.-Bewegung. Ursprung u. Wesen. A. d. Frz. Stuttgart 1992.*

Katharina, Herrscherinnen:

England: **1) K. von Aragonien,** Königin, * Alcalá de Henares 15. 12. 1485, † Kimbolton (bei Huntingdon, Cambridgeshire) 7. 1. 1536; erste Frau Heinrichs VIII. (1509–33); Mutter der späteren Königin Maria I., der Katholischen; heiratete nach dem Tod ihres ersten Gatten Arthur Tudor († 1502) dessen jüngeren Bruder Heinrich, der dann ab 1526 die Annullierung der Ehe betrieb und diese 1533 ohne päpstl. Zustimmung löste (Anlass zur Trennung Englands von der röm. Kirche). K., die die Entscheidung nicht anerkannte, wurde bis zu ihrem Tod gefangen gehalten.

2) K. Howard (engl. Catherine Howard), Königin, * um 1520, † London 13. 2. 1542; fünfte Frau Heinrichs VIII. (seit 1540), Nichte des Herzogs von Norfolk, wurde wegen des (unberechtigten) Verdachts ehel. Untreue hingerichtet.

3) K. Parr (engl. Catherine Parr), Königin, * 1512, † Sudeley Castle (bei Cheltenham) 7. 9. 1548; sechste und letzte Frau Heinrichs VIII. (seit 1543), heiratete nach Heinrichs Tod (1547) den Lord Thomas Seymour.

Frankreich: **4) K. von Medici** (Catherine de Médicis), Königin, * Florenz 13. 4. 1519, † Blois 5. 1. 1589; ⚭ seit 1533 mit dem späteren König Heinrich II.; erst als Regentin für ihren 2. Sohn, Karl IX. (1560–63), trat sie politisch hervor. Sie suchte die Stellung der Krone zw. den Hugenotten unter Coligny und der kath. Partei zu behaupten. Der überragende Einfluss Colignys auf Karl IX. veranlasste sie 1572 zu dem Blutbad der → Bartholomäusnacht. Unter ihrem 3. Sohn, Heinrich III., sank ihr Einfluss.

📖 HÉRITIER, J.: *K. von Medici. A. d. Frz. Tb.-Ausg. München ^{6}1991.*

Russland: **5) K. I.** (Jekaterina I. Alexejewna), urspr. Marta Skawronskaja, Kaiserin (1725–27), * 15. 4. 1684, † Sankt Petersburg 17. 5. 1727; aus litauischer Bauernfamilie, erst Geliebte A. D. Menschikows, ab 1703 Mätresse Peters d. Gr., der sie 1712 heiratete und 1724 zur Kaiserin krönen ließ. Sie folgte ihm auf dem Thron.

6) K. II., die Große (Jekaterina II. Alexejewna), Kaiserin (1762–96), * Stettin 2. 5. 1729, † Zarskoje Selo (heute Puschkin) 17. 11. 1796; geb. Sophie Friederike Auguste von Anhalt-Zerbst, ⚭ seit 1745 mit dem russ. Thronfolger, dem späteren Kaiser Peter III.; ließ diesen 1762 durch Gardeoffiziere stürzen und sich zur Kaiserin ausrufen. Hoch gebildet im Geiste der Aufklärung, regte sie viele Reformen (Verselbstständigung der Gouverneure, Einführung der Statthalterschaftsverf., Abbau der Sonderstellung der Ukraine) an, stärkte aber in der Praxis die übernommene Sozialordnung (Ausdehnung der Leibeigenschaft). Der große Bauern- und Kosakenaufstand J. Pugatschows wurde 1774 niedergeschlagen. Durch zwei Türkenkriege (1768–74 und 1787–92) gewann sie die Nordküste des Schwarzen Meeres. Die Krim wurde 1683 annektiert; zugleich sicherte sie Russland bei den Teilungen Polens (1772, 1793 und 1795) einen bed. Gebietszuwachs und nahm 1795 auch Kurland in Besitz. So erneuerte und festigte sie die Stellung Russlands als europ. Großmacht. Der einflussreichste ihrer Liebhaber war G. A. → Potjomkin.

📖 MADARIAGA, I. DE: *K. die Große. A. d. Engl. Berlin ^{2}1994.* – CRONIN, V.: *K. die Große. A. d. Engl. Neuausg. München u. a. 1996.*

Katharina, Heilige: **1) K. von Alexandria,** Märtyrerin, † (nach der Legende) Anfang des 4. Jh.; historisch nur in der K.-Legende (6./7. Jh.) und im

Katharina von Aragonien, Königin von England (Kupferstich nach einem Gemälde von Adriaen van der Werff)

Katharina von Medici, Königin von Frankreich (Kupferstich)

Katharina II., die Große, Kaiserin von Russland (Ausschnitt aus einem Gemälde des italienischen Malers Pietro Rotari, um 1760)

K.-Kult (8. Jh.) zu belegen; gilt seit dem MA. als eine der 14 Nothelfer, Heilige; Schutzpatronin der Philosophen; Tag: 25. 11.

Katharina von Siena

Mit folgenden Worten, so erklärte Katharina von Siena, habe Gott ihr öffentliches Auftreten legalisiert, das einer Frau in der katholischen Kirche eigentlich nicht zustehe:

»Heutzutage triefen die Gelehrten so von Überheblichkeit, dass ich ihnen zu ihrer Verblüffung von Natur aus unwissende und zerbrechliche Frauen geben werde, die ich mit Tugend und Weisheit beschenkte. Wenn sie meine Lehre, die durch diese zerbrechlichen, aber erlesenen Gefäße vermittelt wird, mit gebührender Ehrfurcht aufnehmen, werde ich mit ihnen barmherzig sein. Verschmähen sie dagegen diese heilsame Verblüffung, dann werde ich sie in Verachtung stürzen.«
(Raymund von Capua, Legenda maior 122)

2) K. von Siena, eigtl. Caterina Benincasa, Dichterin, Mystikerin, *Siena um 1347, †Rom 29. 4. 1380; gehörte zum Dritten Orden der Dominikaner; sah sich aufgrund ihrer Visionen beauftragt, in die Politik einzugreifen (u. a. Rückführung des Papsttums von Avignon nach Rom); Heilige; Kirchenlehrerin; Schutzpatronin des Dominikanerordens, Italiens, der Stadt Siena; Tag: 29. 4.

📖 DOORNIK, N. G. M. VAN: *K. von Siena. A. d. Niederländ. Freiburg im Breisgau u. a. 1980.*

Katharobien [grch.] (Katharobionten), in völlig sauberem (katharobem) Wasser lebende Organismen; Ggs. Saprobien.

Katharsis [grch. »Reinigung«] *die,* **1)** *Literaturwissenschaft:* nach Aristoteles die Wirkung der Tragödie (→Drama).

2) *Psychologie:* Abreaktion von verdrängten Affekten, Lösung von inneren Spannungen.

Kathedersozialismus, Richtung der dt. Volkswirtschaftslehre im letzten Drittel des 19. Jh., die im Ggs. zum strengen Wirtschaftsliberalismus (»Manchestertum«) für ein Eingreifen des Staates in Wirtschaft und Sozialpolitik eintrat, um die Klassengegensätze zu mildern und den sozialen Aufstieg der Arbeiter zu fördern. Die Bez. wurde von liberalen Gegnern geprägt, die Kathedersozialisten waren jedoch weniger Sozialisten als Sozialreformer. Ihr wiss. Mittelpunkt wurde der 1872 gegr. »Verein für Socialpolitik«; bed. Vertreter: A. Wagner, G. Schmoller, L. Brentano.

Kathedrale [grch.] *die,* Bischofskirche; in Dtl. meist Dom genannt.

Katheten [grch.], die beiden kürzeren Seiten eines rechtwinkligen Dreiecks; zum **K.-Satz** →euklidischer Lehrsatz.

Katheter [grch.] *der,* röhrenförmiges starres oder elast. Instrument, das in Körperöffnungen oder -kanäle eingeführt werden kann. K. dienen v. a. der Entleerung von Flüssigkeiten in Hohlorganen (z. B. Harnblase), der Spülung (mittels doppelläufiger K.), der Einbringung von Arznei- oder Kontrastmitteln, von Nährlösungen zur künstl. Ernährung und der Erweiterung (Rekanalisierung) verengter oder verschlossener Durchgänge oder Gefäße (z. B. Harn- oder Speiseröhre, Blutgefäße). (→Herzkatheterisierung).

Kathiawar ['kɑ:tjɑ:wɑ:], Halbinsel im N der W-Küste Indiens, Teil des Bundesstaates Gujarat, rd. 60 000 km², erreicht Höhen bis 1117 m ü. M.; Baumwoll- und Getreideanbau mit Bewässerung; Vorkommen von Manganerz, Bauxit und Erdöl.

Kathmandu (Katmandu), Hptst. von Nepal, 1340 m ü. M.; 419 100 Ew., bildet mit den im fruchtbaren K.-Tal (rd. 30 km lang, rd. 20 km breit; UNESCO-Weltkulturerbe) liegenden Städten Patan und Bhadgaon eine Agglomeration von rd. 800 000 Ew.; Univ., Königl. Nepales. Akademie, Bibliotheken, Museum; Holzverarbeitung, Nahrungsmittelind., Kunstgewerbe; über die Hälfte der Bev. lebt von der Landwirtschaft; bed. Tourismus; internat. Flughafen. – Das Stadtbild mit den typ. roten Ziegelbauten geht z. T. auf das 16.–18. Jh. zurück. Aus dieser Zeit stammen der Königspalast mit dem Haupttempel Taleju (um 1560) und dem Degutaletempel (Ende 16. Jh.) und der Shiva-Parvati-Tempel (2. Hälfte des 18. Jh.); nahe der Stadt große buddhist. Kloster- und Stupabauten. – 723 gegr., wurde K. 1768 Reg.sitz der Gurkhadynastie.

Katharina von Alexandria: Correggio, »Die mystische Hochzeit der heiligen Katharina von Alexandria« (um 1526/27; Paris, Louvre)

Kathode [grch.] *die* (Katode), die elektrisch negative →Elektrode (Minuspol) in Elektronen- und Entladungsröhren, elektrochem. Elementen u. a., an der die negative Ladung austritt und positive Ionen entladen werden; Ggs. →Anode.

Kathodenfall, → Gasentladung.

Kathodenstrahlen, Bez. für (niederenerget.) Elektronenstrahlen. K. treten bei Gasentladungen, beim glühelektr. Effekt, bei der Feldelektronenemission und beim Photoeffekt aus der Kathode aus und können durch elektr. und magnet. Felder gebündelt, abgelenkt und fokussiert werden.

Kathodenstrahlröhre, → Elektronenstrahlröhre.

Kathodenzerstäubung (Sputtering), das Herausschlagen von Atomen aus der Metallkathode durch die aufprallenden Ionen einer Gasentladung. Das zerstäubte Metall schlägt sich im Entladegefäß als gleichmäßige Schicht nieder; technisch bedeutsam ist die K. z. B. zur Herstellung dünner Schichten und metall. Gläser.

Katholikentag, Deutscher, Bez. für die vom Zentralkomitee der dt. Katholiken zur Erörterung aktueller religiöser, polit. und sozialer Fragen organisierte Generalversammlung der dt. Katholiken. Der erste K. fand 1848 in Mainz statt.

Katholikos [grch. »allgemeiner (Bischof)«] *der* (K.-Patriarch), Amtstitel der Oberhäupter der altoriental. armen., ostsyr. (»nestorian.«, assyr.) und westsyr. (jakobit.) Kirche und der orth. Kirche Georgiens; die Vollmachten eines K. entsprechen heute im Wesentlichen denen eines Patriarchen.

katholisch [grch. katholikós »allgemein«], in der frühen Kirche Bez. der Gesamtkirche (erstmals durch Ignatius von Antiochia); nach der Reformation Bez. der **römisch-kath. Kirche** (→ katholische Kirche, → Katholizismus).

katholische Akademien, seit 1945 entstandene Einrichtungen der kath. Kirche zur Erwachsenenbildung, die sich als wiss., weltanschaul. und polit. Dialogforen verstehen. K. A. bestehen in den meisten dt. Bistümern, außerdem in Brixen und Zürich.

Katholische Aktion, bis zum 2. Vatikan. Konzil übl. Bez. der auf die Enzyklika »Ubi Arcano« Papst Pius' XI. zurückgehenden und fest in die hierarch. Strukturen der Kirche eingebundenen Laienaktivitäten in der kath. Kirche (Laienapostolat).

Katholische Arbeitnehmer-Bewegung, Abk. **KAB,** seit 1968 Name der Zusammenschlüsse kath. Arbeitervereine in der Bundesrep. Dtl. (vorher: Kath. Arbeiter-Bewegung). Der seit 1971 bestehende KAB-Bundesverband hat seinen Sitz in Köln. Der KAB gehören auch die Christl. Arbeiter-Jugend (CAJ) und die Vereinigung italien. Arbeitnehmer in Dtl. an. Aus der christlich-sozialen Bewegung des 19. Jh. (Bischof W. E. Ketteler) hervorgegangen, ist die KAB heute die größte nichtgewerkschaftl. Arbeitnehmerorganisation in Dtl. und versteht sich als Selbsthilfeeinrichtung ihrer Mitgl. mit berufs- und sozialpolitischer Zwecksetzung.

Kathmandu: Der in der 2. Hälfte des 18. Jh. erbaute Shiva-Parvati-Tempel am westlichen Rand des Palastbezirks

Katholische Briefe, Bez. für sieben Briefe des N. T. (Jak., 1. und 2. Petr., 1., 2. und 3. Joh., Jud.); sie gehören zu wohl im 2. Jh. entstandenen, inhaltlich und stilistisch sehr versch. neutestamentl. Spätschriften (theolog. Erörterung, Mahnung und Trost, Warnung vor Irrlehren, Festigung im Glauben) deren Aufnahme in den → Kanon z. T. lange umstritten war. Aufgrund der fehlenden oder sehr allg. gehaltenen Adressaten gelten sie in der kirchl. Tradition als an die christl. Gemeinden allgemein gerichtete (d. h. »kath.«) Schreiben.

katholische Kirche, in ihrem theolog. Selbstverständnis wurzelnde Selbstbezeichnung der vom Papst geleiteten, hierarchisch strukturierten und episkopal verfassten, in ihren inneren Beziehungen durch das kath. → Kirchenrecht bestimmten weltweiten christl. Kirche; im interkonfessionellen Gespräch des Ökumen. Rates der Kirchen (→ ökumenische Bewegung), bei dem sie Beobachterstatus hat, im Sinne der Konfession als **römisch-kath. Kirche** bezeichnet. Insgesamt zählt die k. K. als größte der christl. Kirchen rd. 1060 Mio. Mitgl. (1996). In Dtl. gehören der k. K. (1995) rd. 27 Mio. Mitgl. an.

Dem Papst, der nach kath. Verständnis in der direkten und ununterbrochenen Nachfolge des Apostels Petrus steht, kommen der allg. Jurisdiktionsprimat und (seit 1870) die unfehlbare Lehrautorität in Glaubensfragen bei der Leitung der Gesamtkirche zu. Ihm stehen die Kardinäle (→ Kurie) und das Kollegium der Bischöfe zur Seite, deren Einfluss auf die Leitung der Gesamtkirche mit der Schaffung der → Bischofssynode durch das 2. Vatikan. Konzil wesentlich gestärkt worden ist. Sie besitzen die kirchl. Lehr- und Jurisdiktionsgewalt über die Geistlichen und Kirchenmitgl. ihrer Diözese. Nach kath. Verständnis in der → apostolischen Nachfolge stehend, garantieren sie in ihrem

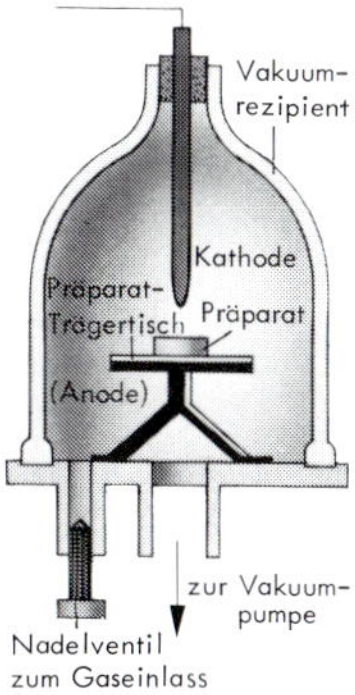

Kathodenzerstäubung: Schema der Apparatur für die Kathodenzerstäubung

KAB

Katholische Arbeitnehmer-Bewegung

Kirchenprovinzen und Bistümer der katholischen Kirche in Deutschland

Jurisdiktionsbezirk die rechtmäßige Verwaltung der Sakramente und den geordneten Ablauf des kirchl. Lebens in seinen versch. Aufgabenfeldern (»Liturgia« [Gottesdienst], »Martyria« [Verkündigung], »Diakonia« [Dienst am Nächsten], »Communio« [Gemeinschaft], »Missio« [Sendung]). – Organisatorisch sind i. d. R. mehrere Diözesen zu einer Kirchenprovinz zusammengefasst, die unter der Leitung eines Erzbischofs oder Patriarchen steht. Daneben gibt es exemte Bistümer und besondere kirchenrechtl. Organisationsstrukturen, die dem Hl. Stuhl direkt unterstehen (z. B. die Apostol. Administraturen und in Missionsgebieten die Apostol. Präfekturen und Vikariate). Neben den Ortspfarreien mit dem i. d. R. auf Lebenszeit bestellten Pfarrer und ggf. Hilfsgeistlichen (→Kaplan) kennt die k. K. für besondere Gruppen und seelsorgl. Aufgaben sog. Personalpfarreien (z. B. Studentengemeinden, Militärseelsorge). – Grundlage und Norm kath. Kirchenverständnisses sind die Hl. Schrift und die kirchl. Tradition, repräsentiert im kirchl. Lehramt und verbindlich durch dieses ausgelegt. Theologisch versteht sich die k. K. als heilige (von Jesus Christus gestiftete), apostol. (in der Nachfolge der Apostel stehende) und kath. (weltumspannende) Kirche.

Der mit der →Schlüsselgewalt theologisch verbundene exklusive Anspruch der k. K. als der zum Heil notwendigen allein selig machenden Kirche wurde durch das Ökumenismusdekret des 2. Vatikan. Konzils dahingehend modifiziert, dass auch nichtkath. Kirchen theologisch das Kirchesein zugesprochen wird, als den »getrennten Brüdern«, die im Hl. Geist an der einen christl. Wahrheit und Heilszusage teilhaben. Die vorkonziliare Forderung nach kirchl. Einheit im Sinne der »Rückkehr« zur k. K. wurde aufgegeben.

Die gegenwärtige Situation der k. K. in Afrika, Asien und Lateinamerika ist geprägt von den karitativen und theologischen Herausforderungen angesichts der sich verschärfenden sozialen Probleme (→Theologie der Befreiung); in Europa und Nordamerika von der zunehmenden Entkirchlichung der Gesellschaft, deren äußere Zeichen vermehrte Kirchenaustritte und der verminderte Einfluss der k. K. im öffentl. Bewusstsein sind. Die innerkirchl. Diskussionen in Deutschland werden gegenwärtig von Fragen nach der Rolle der Frau in der Kirche, dem Zölibat und kirchl. Leitungsstrukturen bestimmt.

📖 *Ecclesia Catholica. Katechismus der k. K. München u. a. 1993. – Geschichte der k. K., hg. v.* J. LENZENWEGER *u. a. Graz u. a.* ³*1995. – Das Neue wächst. Radikale Veränderungen in der Kirche, hg. v.* O. FUCHS *u. a. München 1995.* – KIRCHNER, H.: *Die römisch-kath. Kirche vom II. Vatikan. Konzil bis zur Gegenwart. Leipzig 1996.*

Katholische Könige, Ehrentitel der span. Könige, 1496 von Papst Alexander VI. an Isabella I. von Kastilien und Ferdinand II. von Aragonien verliehen.

Katholische Nachrichten-Agentur GmbH, →KNA.

katholische Presse, Zeitungen und Zeitschriften, die von Einrichtungen der kath. Kirche herausgegeben werden oder als unabhängige Veröffentlichungen die kath. Kirche bei Verkündigung und Lehre unterstützen. Die Dt. Bischofskonferenz hat eine Kommission für publizist. Fragen, deren Geschäftsstelle die Zentralstelle Medien ist. Eine wichtige Organisation der k. P. ist die Arbeitsgemeinschaft Kath. Presse. e. V. (gegr. 1949; Sitz: Bonn).

katholische Reform, Bez. für die innere Erneuerung der kath. Kirche im 16. und 17. Jh. In ihren Anfängen auf kirchl. Reformbestrebungen des 15. Jh. zurückgehend (z. B. →Devotio moderna, →Kartäuser), erhielt die k. R. entscheidende Anstöße durch die Reformation und erreichte im Konzil von Trient (1545–63) ihren entscheidenden Durchbruch. In der Folge nachdrücklich durch die Päpste Pius V., Gregor XIII. und Sixtus V. gefördert und durch den neu gegr. Jesuitenorden unterstützt. Ihr Hauptziel sah die k. R. in der Verbreitung des kath. Glaubens und seiner Vertiefung durch intensive religiöse Unterweisung, bes. im Rahmen des von ihr geschaffenen Bildungswesens. Als innerkirchl. Reformbewegung ist sie von der →Gegenreformation zu unterscheiden.

Katholisches Bibelwerk, 1937 gegr. kath. Verlag (als »Kath. Bibelbewegung GmbH«); veröffentlicht Bibeln und Lit. zum A. T. und N. T.; Sitz: Stuttgart.

Katholisches Büro Bonn, Verbindungsstelle der kath. Dt. Bischofskonferenz zur Bundesregierung, wurde 1951 gegründet.

Katholische Volkspartei, 1895 gebildete konservative Partei in Österreich, nannte sich seit 1901 **Zentrumsklub,** schloss sich 1907 mit der Christlichsozialen Partei zusammen.

Katholizismus *der,* seit dem 18. Jh. übl. Bez. der Gesamtheit der von der kath. Kirche und ihrer Lehre im jeweiligen geschichtl. Kontext inspirierten Anschauungen und Aktivitäten.

Kathstrauch (Kath), Gatt. der Spindelbaumgewächse mit der einzigen, vom S der Arab. Halbinsel bis zum Kapland verbreiteten Art **Catha edulis.** Die Triebe und Blätter (sie werden gekaut) enthalten anregende Alkaloide.

Kation [grch.] *das,* positiv geladenes Ion, das im elektr. Feld zur Kathode wandert.

Katmai ['kætmaɪ], Vulkan in Alaska, USA, auf der Alaskahalbinsel, 2047 m ü. M.; beim gewaltigen Ausbruch von 1912 wurde ein grünes Tal in das

Hans Hermann von Katte

Kattowitz Stadtwappen

Bernard Katz

»Tal der zehntausend Dämpfe« verwandelt, in dem bis 1950 zahlr. Fumarolen aktiv waren. Das Gebiet um den K. bildet den 15 035 km² großen **Katmai National Park** (seit 1918/1980).

Katmandu, Hptst. von Nepal, →Kathmandu.

Katode [grch.] *die,* die →Kathode.

Katowice [-'vitsɛ], Stadt in Polen, →Kattowitz.

Katschberg, Pass zw. Hohen Tauern und Gurktaler Alpen, Österreich; →Alpenstraßen (ÜBERSICHT).

Katsina, Hptst. des Bundesstaates K. im äußersten N Nigerias, 191 600 Ew.; Sitz eines Emirs; Handelszentrum; Stahlwalzwerk. – Im 17. und 18. Jh. Kulturzentrum und Hptst. eines Hausastaates.

Kattarasenke (Qattara), größte Senke der ägypt. Oasendepressionen, in der Libyschen Wüste, rd. 20 000 km², bis 137 m u. M. (tiefste Stelle Afrikas); überwiegend Salzsumpf.

Katte, Hans Hermann von, preuß. Offizier, *Berlin 28. 2. 1704, †Küstrin 6. 11. 1730; Jugendfreund Friedrichs d. Gr., wurde als Mitwisser der gescheiterten Flucht des Kronprinzen Friedrich auf Befehl des Königs Friedrich Wilhelm I. vor den Augen des Kronprinzen enthauptet.

Kattegatt *das,* Meerenge zw. der flachen Ostküste Jütlands und der steilen, felsigen Westküste Schwedens; verbindet Nord- und Ostsee.

Kattnigg, Rudolf, österr. Komponist, *Oberdorf (heute zu Treffen, bei Villach) 9. 4. 1895, †Klagenfurt 2. 9. 1955; v. a. bekannt als Operettenkomponist (u. a. »Balkanliebe«, 1937; »Bel Ami«, 1948).

Kattowitz (poln. Katowice), Hauptstadt der Wwschaft Katowice, Polen, am W-Rand der Oberschles. Platte, 359 400 Ew.; kath. Bischofssitz; Univ. (1968 gegr.), Akademien für Medizin, Ökonomie, Musik und Sport; Theater, Planetarium, Philharmonie, Zoo. K. ist Mittelpunkt des Oberschles. Industriegebiets mit Steinkohlenbergbau, Eisen-, Zinkhütten, Gießereien, Maschinenbau, elektrotechn., chem. und Druckindustrie. – Das um 1598 gegründete K. erhielt erst 1865 Stadtrecht. Obwohl es 1921 für den Verbleib im Dt. Reich gestimmt hatte, fiel es 1922 aufgrund eines Völkerbundgutachtens an Polen.

Katzen

Im zweiten Buch seines Werkes beschreibt Herodot Ägypten und erwähnt unter vielen anderen Details die ägyptische Sitte, die toten Katzen in die Tempelstadt Bubastis zu bringen, sie einzubalsamieren und in heiligen Grabkammern beizusetzen. Möglicherweise sah er auf seinen Reisen eine der zahllosen Bronzekatzen, die dort von den Gläubigen den Katzenbestattungen beigegeben oder im Tempel der Gottheit Bastet geweiht wurden.

Kattun [niederländ., von arab. qutu »Baumwolle«] *der,* feinfädiges Gewebe in Leinwandbindung aus Baumwoll- oder Chemiefasergarn.

Katyn [ka'tɪn], russ. Ort westlich von Smolensk, am oberen Dnjepr. – In einem Wald bei K. entdeckten dt. Soldaten im Frühjahr 1943 Massengräber mit den Leichen von über 4 000 erschossenen poln. Offizieren. Die Toten gehörten zu den beim Einmarsch der Roten Armee in O-Polen (Sept. 1939) in sowjet. Kriegsgefangenschaft geratenen rd. 14 700 Militärs, die zus. mit weiteren poln. Gefängnisinsassen auf Befehl Stalins und anderer Mitgl. der sowjet. Führung durch das NKWD 1940 ermordet wurden (insges. mehr als 21 000 Opfer). Die UdSSR wies die Schuld an diesem Verbrechen den dt. Besatzungstruppen zu, obwohl aufgrund versch. Untersuchungen die Tötung bereits auf April/Mai 1940 datiert wurde. Die ungeklärten Umstände führten schon während des Krieges zu Spannungen zw. der poln. Exilregierung und der sowjet. Führung unter Stalin und überschatteten die Beziehungen zw. Polen und der UdSSR, die erst 1990 die Verantwortung der sowjet. Seite offiziell eingestand. Im Okt. 1992 übergab die russ. Reg. Polen Kopien von Dokumenten aus dem ehem. Präsidialarchiv der UdSSR, unter denen sich die von Stalin und weiteren Politbüromitgliedern (darunter Molotow, Woroschilow, Kaganowitsch) am 5. 3. 1940 unterzeichnete, an das NKWD gerichtete Anordnung zur Erschießung der poln. Offiziere und Zivilisten befand.

📖 MADAJCZYK, C.: *Das Drama von K. A. d. Poln. Berlin 1991.*

Katz [kæts], Sir (seit 1969) Bernard, brit. Biophysiker dt. Herkunft, *Leipzig 26. 3. 1911; Arbeiten zur Physiologie der Nerven und der Muskeltätigkeit; erhielt für die Aufklärung chem. Vorgänge bei der Erregungsübertragung an den Synapsen 1970 mit J. Axelrod und U. S. von Euler-Chelpin den Nobelpreis für Physiologie oder Medizin.

Katzbach *die* (poln. Kaczawa), linker Nebenfluss der Oder in Polen, 84 km lang, entspringt im Bober-Katzbach-Gebirge. – In der **Schlacht an der K.** siegten Blücher und Gneisenau am 26. 8. 1813 über die frz. Truppen des Generals A. Macdonald.

Kätzchen, eine Form des →Blütenstands.

Katzen (Felidae), Familie der Landraubtiere mit hoch spezialisiertem Gebiss, sprungkräftigen Hinterbeinen und einziehbaren Krallen (Ausnahme: Gepard), sehr gutem Gehör, Tast- (Tasthaare am Kopf) und Sehvermögen. – Rezent sind die **Eigentl. K.** (**Echte K.,** Felinae) mit zwei Gattungsgruppen, den Klein-K. (Felini) und den Groß-K. (Pantherini), und die **Geparden** (Acinonychinae). Alle zu den **Groß-K.** gehörenden Arten besitzen anstelle des verknöcherten Zwischenasts des Zungenbeins ein elast. Band und können daher brüllen und nur beim Ausatmen schnurren (Ausnahme: →Schneeleopard). Hierher gehören u.a. →Leopard, →Jaguar, →Tiger, →Löwe. Die **Klein-K.** hingegen, die ein vollständig verknöchertes Zungenbein besitzen, können nicht brüllen, hingegen beim Ein- und Ausatmen schnurren. Zu den in diese Gruppe gehörenden fast 30 Arten, die mit Ausnahme des bis 1,6 m körperlangen →Pumas bis etwa 1 m körperlang sind, zählen u.a.: →Wildkatze, →Serval, →Luchse, →Ozelot. – Die **Haus-K.** stammt von der Wild-K. ab, insbesondere von der in Ägypten und Nubien verbreiteten Nub. Falb-K. (Felis silvestris libyca). Sie wurde im 3. oder 2. Jt. v. Chr. in Ägypten und Kleinasien domestiziert. Die Rassenmannigfaltigkeit ist bei der Haus-K. viel geringer als z.B. beim Hund. Die Haus-K. unterscheiden sich in Zeichnung, Färbung und Beschaffenheit des Haarkleides, in Körperform und Größe. Man unterscheidet

Katzen: Die elfenbeinfarbene Birmakatze; Gesicht, Ohren, Beine und der buschige Schwanz sind blau, schwarz- oder schokoladenbraun

zw. »gewöhnl.« Haus-K. und Rasse-K. Letztere werden in Langhaar- und Kurzhaarrassen eingeteilt, die meist in mehreren Spielarten oder Farbschlägen vorkommen. Zu den **Langhaarrassen** sind Perser-K., Colourpoint (Khmer), Birma-K. und Türk. K., zu den **Kurzhaarrassen** Europ. Kurzhaar-K., Oriental. Kurzhaar-K. einschl. Siam-K., Abessinier-, Burma-, Korat-, Russischblaue und Rex-K. zu zählen. Rasse-K. erlangen die Zuchtreife mit 10–12 Monaten. Nach einer Tragezeit von 63 bis 65 Tagen (Siam-K. 67–68) werden meist 3–6 Junge geboren. Sie sind blind und taub und öffnen die Augen im Alter von 8 bis 10 Tagen.

📖 LEYHAUSEN, P.: *K., eine Verhaltenskunde. Hamburg u. a.* ^{6}*1982. – K. Rassen, Verhalten, Pflege, Zucht, bearb. v.* B. GERBER. *Neuausg. Niedernhausen 1994. – Das große Katzenlexikon, hg. v.* M. BÜRGER. *Leipzig u. a.* ^{2}*1996.*

Katzen|auge, 1) *Mineralogie:* Bez. für Schmucksteine (bes. Chrysoberyll, Quarz, Turmalin), die einen streifigen Lichteffekt zeigen (Asterismus).

2) *Verkehrstechnik:* ein →Rückstrahler.

Katzenbär, der Kleine Panda, →Pandas.

Katzen

Wann geht die Katze zum Angriff über?

Wenn ihre Katze wachsam ist, stellt sie die Ohren auf und richtet sie nach vorne. Ist sie feindselig gestimmt, verdreht sie die Ohren. Vorsicht ist geboten, wenn sie die Ohren weit nach hinten dreht, denn dann kann sie unmittelbar zum Angriff übergehen. Diese Verhaltensweise zeigen übrigens alle Katzen, also auch Leoparden, Pumas, Tiger und Löwen.

Katzenbuckel, höchster Berg des Odenwalds, östlich von Eberbach, Bad.-Württ., 626 m hohe Basaltkuppe über dem Buntsandsteinplateau des Odenwalds.

Katzenelnbogen, Stadt im Rhein-Lahn-Kreis, Rheinl.-Pf., im Hintertaunus, 2000 Ew.; Luftkurort; Steinbrüche. – Über dem Ort die Stammburg der Grafen von K. – Die Grafschaft K. wurde 1479 hessisch. Die im 14. Jh. erbaute Burg Neu-K., die »Katz« am Rhein gegenüber St. Goar, wurde 1806 zerstört, 1896–98 wieder aufgebaut. BILD S. 276

Katzenfloh (Ctenocephalides felis), weltweit verbreitete Art der Flöhe (Länge bis 3 mm); Blut saugender Parasit v.a. an Haus- und Wildkatzen, z.T. auch an Ratten, Hunden und am Menschen.

Katzenfrett, ein →Kleinbär.

Katzengold, volkstüml. Bez. für fälschlich für Gold gehaltene Minerale, z.B. Glimmer (Biotit) und Pyrit (Schwefelkies).

Katzenhaie (Scyliorhinidae), Familie kleiner, in trop. und gemäßigten Bereichen aller Ozeane lebender Haifische, für den Menschen ungefährlich. Der **Großgefleckte K.** (Scyliorhinus stellaris) wird bis 150 cm lang, der **Kleingefleckte K.** (Scyliorhinus caniculus) bis zu 80 cm. BILD S. 276

Katzenbuckel: Der höchste Berg des Odenwaldes ist eine 626 m hohe Basaltkuppe

Katzenmakis (Cheirogalaginae), Unterfamilie der →Lemuren.

Katzenpfötchen (Antennaria), Korbblütlergattung, graufilzige Kräuter mit vielblütigen Blütenkörbchen und z.T. trockenhäutigem Hüllkelch. Das **Gemeine K.** (Antennaria dioica) hat weiße bis weinrote Blütenkörbchen; es wächst auf magerem Grasboden Europas, N-Asiens und Nordamerikas.

Katzenschwanz (Acalypha hispida), im indomalaiischen Archipel beheimatetes Wolfsmilchgewächs; bis 4 m hoher Strauch mit lang herabhängenden, leuchtend roten, kätzchenartigen Blütenständen; wärmebedürftige Zierpflanze.

Katzenstaupe, die →Panleukopenie.

Katzer, 1) Georg, Komponist, *Habelschwerdt (heute Bystrzyca Kłodzka) 10. 1. 1935; schreibt u.a. Opern (»Gastmahl oder Über die Liebe«, 1988; »Antigone oder Die Stadt«, 1991), Ballette, Orchester-, Kammermusik, Chorwerke; nutzt dabei serielle und aleator. Kompositionstechniken.

2) Hans, Politiker (CDU), *Köln 31. 1. 1919, †ebd. 18. 7. 1996; 1957–80 MdB, Mitbegründer und 1963–77 Vors. der CDU-Sozialausschüsse, war 1965–69 Bundesmin. für Arbeit und Sozialordnung, 1979–89 MdEP sowie 1979–82 einer der Vizepräs. des Europ. Parlaments.

Katzir, Ephraim, eigtl. Katchalski, israel. Politiker und Biophysiker, *Kiew 16. 5. 1916; war 1973–78 israel. Staatspräsident.

Kauai [kaʊˈwaɪ], eine der Hawaii-Inseln, 1445 km², (1990) 50 900 Einwohner.

Kaub, Stadt im Rhein-Lahn-Kreis, Rheinl.-Pf., am rechten Rheinufer, 1200 Ew.; Blüchermuseum; Lotsenstation; Weinbau; Fremdenverkehr. – Auf einer Felseninsel im Fluss liegt die Pfalz **Pfalzgrafenstein,** eine alte kurpfälz. Zollburg (erste Hälfte des 14. Jh.). Hier überschritt die schles. Armee unter Blücher in der Neujahrsnacht 1813/14 den Rhein. Oberhalb von K. die Burg Gutenfels (erste Hälfte 13. Jh., im 19. Jh. ausgebaut). Stadtrecht seit 1324.

Katzenhaie: Kleingefleckter Katzenhai (Länge bis 80 cm)

Kauderwelsch, unverständl. oder verworrene Sprache; urspr. Bez. für die rätoroman. (»welsche«) Sprache im Gebiet von Chur (mundartl. »Kauer«).

Kaudinische Pässe, Engpass beim samnit. Ort Caudium (heute Montesarchio), zw. Capua und Benevent, bekannt durch die Niederlage, die die Römer im 2. Samnitenkrieg hier durch die Samniten erlitten. Die Römer sollen als Besiegte unter einem Joch aus Speeren hindurchgezogen sein; danach: **kaudin. Joch,** eine Zwangslage, aus der es ohne Demütigung keine Rettung gibt.

Kauen, Stadt in Litauen, →Kaunas.

Katzenelnbogen: Im Rheintal gegenüber Sankt Goar liegt die im 14. Jh. erbaute Burg Neukatzenelnbogen; 1806 zerstört, wurde sie 1896–98 wieder aufgebaut

Kauf, ein Vertrag, durch den sich der Verkäufer verpflichtet, dem Käufer die Sache zu übergeben und das Eigentum an der Sache oder dem verkauften Recht zu übertragen, während sich der Käufer zur Kaufpreiszahlung und Abnahme des K.-Gegenstandes verpflichtet (§ 433 BGB). Mit Abschluss des K.-Vertrages geht das Eigentum an der Sache nicht automatisch über; es entsteht lediglich die Verpflichtung des Verkäufers, einen Übereignungsvertrag (→Übereignung) mit dem Käufer abzuschließen. Diese beiden, nach dem Abstraktionsprinzip unterschiedenen Ebenen fallen bei Geschäften des tägl. Lebens meist zusammen, sodass ihre rechtl. Unterschiedlichkeit nicht wahrgenommen wird. Der K. kann formlos abgeschlossen werden; bei K. von Grundstücken ist notarielle Beurkundung des K.-Vertrages vorgeschrieben (§ 313 BGB). Der Verkäufer haftet dafür, dass der K.-Gegenstand frei von Rechten Dritter ist (Rechtsmängelhaftung), ferner dafür, dass er keine tatsächl. Mängel, z.B. Hausschwamm beim Hausverkauf, aufweist (Sachmängelhaftung). Die Sachmängelhaftung ist ausgeschlossen bei Kenntnis des Käufers vom Mangel oder wenn seine Unkenntnis aus grober Fahrlässigkeit resultiert, ausgenommen, der Verkäufer hat den Mangel arglistig verschwiegen. Sachmängel geben dem Käufer das Recht, »Wandlung« (Rückgängigmachung des K.) oder »Minderung« (verhältnismäßige Herabsetzung des K.-Preises) zu verlangen, ggf. auch Schadensersatz wegen Nichterfüllung (sog. Gewährleistungsrechte, §§ 462, 463 BGB). Vertraglich wird häufig vereinbart, dass der Käufer bei leicht behebbaren

Mängeln vor Wandlung und Minderung das Recht auf Nachbesserung in Anspruch nehmen soll. Die Gewährleistungsansprüche können durch ausdrückl. Vereinbarung beschränkt oder ausgeschlossen werden, allerdings haftet der Verkäufer trotz einer solchen Vereinbarung für bewusst oder arglistig verschwiegene Mängel weiter. Die Gewährleistungsansprüche verjähren, wenn der Mangel nicht arglistig verschwiegen worden ist, bei bewegl. Sachen nach sechs Monaten, bei Grundstücken nach einem Jahr von der Übergabe an. Liegt ein Rechtsmangel vor, kann der Käufer Rechte aus §§320–327 BGB geltend machen (z.B. Schadensersatz sowie Rücktritt wegen Schuldnerverzugs oder Unmöglichkeit der Leistung). – Weitere Arten des K. sind z.B.: →Abzahlungsgeschäft (→Verbraucherkreditgesetz), →Gattungskauf, →Spezieskauf, →Kauf auf Probe sowie nach Probe. – In *Österreich* (§§1053 ff. ABGB) und in der *Schweiz* (Art. 184–236 OR) gelten ähnl. Regelungen wie in Dtl.; die Gewährleistungsfristen betragen bei bewegl. Sachen ein Jahr, bei Gebäudeschäden fünf Jahre. →Viehkauf

Angelica Kauffmann: Vor 1781 entstandenes Selbstbildnis der für ihre Porträts bekannten Malerin (Frankfurt am Main, Goethemuseum)

Kauf auf Probe, Kaufvertrag, der unter der aufschiebenden Bedingung geschlossen wird, dass der Käufer die Kaufsache fristgemäß billigt (§495 BGB); schweigt der Käufer, gilt dies als Billigung. **Kauf nach Probe,** Kaufvertrag, bei dem die Eigenschaften einer vorgelegten Probe (eines Musters) als zugesichert gelten (§494 BGB).

Kaufbeuren, kreisfreie Stadt im RegBez. Schwaben, Bayern, an der Wertach, 42600 Ew.;

Kaub: Der im frühen 14. Jh. als Zollburg erbaute Pfalzgrafenstein nimmt eine kleine Rheininsel ein; über der Stadt liegt die aus dem 13. Jh. stammende Burg Gutenfels (seit dem 19. Jh. fortlaufend restauriert)

Textil-, feinmechan., elektron. u.a. Ind. Sudetendt. Heimatvertriebene haben nach 1945 im Stadtteil K.-Neugablonz ihre Glas- und Schmuckwarenind. neu aufgebaut. – St.-Martin-Kirche (15. Jh.), St.-Blasius-Kapelle (15. Jh.), Rathaus (19. Jh.). – K., seit 1286 Reichsstadt, kam 1802 an Bayern.

Käufermarkt, Marktlage, bei der das Angebot die Nachfrage übersteigt; Angebot und Nachfrage passen sich bei funktionsfähigem Wettbewerb über sinkende Preise an; Ggs.: Verkäufermarkt.

Kauffmann, 1) Angelica, schweizer. Malerin und Radiererin, *Chur 30. 10. 1741, †Rom 5. 11. 1807; lebte 1766–81 in London (1768 Mitgl. in der Royal Academy) und seit 1782 in Rom, wo ihr Haus ein gesellschaftl. Mittelpunkt für Künstler und Gelehrte (Winckelmann, Herder, Goethe) war. Ihre Werke betonen den klassizist. Grundton des späten Rokoko. K. wurde bekannt v.a. durch ihre Porträts (zahlr. Selbstbildnisse).

2) Hans, Kunsthistoriker, *Kiel 30. 3. 1896, †Bonn 15. 3. 1983; 1936–56 Prof. in Köln, 1957–64 Prof. und Direktor des Kunsthistor. Inst. der Freien Univ. Berlin; neben Monographien v.a. Essays über die italien. Renaissancearchitektur, die holländ. Malerei des 17. Jh. und die Dürerrenaissance um 1600.

Kaufhaus, Großbetrieb des Einzelhandels, der überwiegend mit Bedienung ein tief gegliedertes, aber im Unterschied zum Warenhaus engeres Sortiment aus häufig nur einer Branche (z.B. Möbel) anbietet. Umgangssprachlich wird K. als Synonym für Warenhaus gebraucht.

Kaufhof Holding AG [- ˈhəʊldɪŋ -], →Metro AG.

Kaufkraft, allg. die Geldsumme, die einem Wirtschaftssubjekt in einer Zeiteinheit zur Verfü-

Kaufbeuren
Stadtwappen

gung steht (Einkommen und aufgenommene Kredite abzüglich der zu tilgenden Schulden); in der Volkswirtschaftslehre diejenige Gütermenge, die mit einer Geldeinheit gekauft werden kann. Diese K. des Geldes (Geldwert, Tauschwert des Geldes) entspricht dem Verhältnis von nominalem zu realem Volkseinkommen bzw. dem Kehrwert des Preisniveaus. Steigt (fällt) das Preisniveau, erhält man für eine Geldeinheit weniger (mehr) Güter, d.h. die K. sinkt (steigt).

Kaugummi

1906 brachte die Frank H. Fleer Corporation eine Weltneuheit auf den Markt: den »Blibber-Blubber«. Das Produkt wies aber zwei eigentlich unvereinbare, jedenfalls unangenehme Eigenschaften auf: Es war zu zäh und zu spröde. Deshalb wurde die Herstellung auch wieder eingestellt. In den Zwanzigerjahren hatte das Unternehmen dann die richtige Rezeptur gefunden und vermarktete sie nun nicht mehr als »Blibber-Blubber«, sondern unter dem neuen Namen »Dubble Bubble«.

Kaufkraftparität, Übereinstimmung des Austauschverhältnisses zweier Währungen mit dem Verhältnis ihrer jeweiligen Binnenkaufkraft. Nach der Kaufkraftparitätentheorie entsprechen die Wechselkurse zweier Währungen ihrer K.; in der Realität wird der Wechselkurs jedoch nicht nur von Preisentwicklungen und Güterströmen, sondern u.a. auch von Devisenspekulation, Zinsdifferenzen und polit. Faktoren bestimmt.

Kaufmann, nach §1 Abs. 1 HGB derjenige, der ein → Handelsgewerbe selbstständig betreibt. Wer ein → Grundhandelsgeschäft, z.B. Anschaffung und Weiterveräußerung von Waren, gewerbsmäßig betreibt, ist kraft Gesetzes K. **(Muss-K.);** Kapitalgesellschaften sind unabhängig vom Gegenstand des Unternehmens immer Kaufleute. Wer ein anderes Gewerbe ausübt, kann durch Eintragung ins Handelsregister K. werden. Zu dieser Eintragung ist er verpflichtet, sobald sein Unternehmen nach Art und Umfang einen kaufmännisch eingerichteten Geschäftsbetrieb erfordert **(Soll-K.).** Diese Vorschriften gelten auch für Land- und Forstwirte, allerdings ist ihnen freigestellt, durch Eintragung ins Handelsregister die K.-Eigenschaft zu erlangen, auch wenn mit einer Land- oder Forstwirtschaft ein Nebenbetrieb verbunden ist, der einen kaufmänn. Geschäftsbetrieb erfordert, z.B. Brennerei **(Kann-K.).** Wer K. im Sinne des HGB ist, hat die für Kaufleute festgesetzten Pflichten (z.B. Buch- und Firmenführung, Bilanzierung) und Rechte (z.B. Erteilung einer Prokura). Die von ihm vorgenommenen Rechtsgeschäfte gelten als Handelsgeschäfte. Ausnahmen bestehen für Personen, deren Gewerbebetrieb umfänglich so klein ist, dass er einen kaufmännisch eingerichteten Geschäftsbetrieb nicht erfordert (**Minder-K.** im Unterschied zum **Voll-K.**). – Das *österr.* Recht entspricht dem deutschen. Das *schweizer.* Recht unterscheidet formell keinen eigenen K.-Stand; es ordnet die kaufmänn. Verhältnisse im allg. Recht, bes. im Obligationenrecht. Sachlich wird aber, und zwar nach ähnl. Merkmalen wie im dt. Recht, die K.-Eigenschaft umschrieben; sie äußert sich v.a. in der Pflicht zur Eintragung ins Handelsregister und zur Führung von Geschäftsbüchern.

Kaufmann, Arthur, Strafrechtslehrer und Rechtsphilosoph, * Singen (Hohentwiel) 10. 5. 1923; Prof. in Saarbrücken und (seit 1969) München, befasst sich v.a. mit Problemen der Schuld; schrieb u.a. »Das Schuldprinzip« (1961); »Rechtsphilosophie im Wandel« (1972); »Gerechtigkeit – der vergessene Weg zum Frieden« (1986).

Kaufunger Wald, Buntsandsteinplateau in NO-Hessen, zw. Fulda und Werra, weitgehend bewaldet, im Hirschberg 643 m ü. M.

Kaufvertrag, → Kauf.

Kaugummi, feste, durch Kauen gummiartig werdende Masse, früher meist aus → Chiclegummi, heute aus Polyvinylester, Polyäthylen u.a., mit Zusatz von Zucker und Aromastoffen.

Kaukasien (russ. Kawkas), die Landbrücke zw. dem Schwarzen und dem Kasp. Meer, im N begrenzt von der Manytschniederung, im S von der Grenze zur Türkei und zu Iran; rd. 440 000 km^2. Politisch haben Russland, Georgien, Aserbaidschan und Armenien Anteile. Quer durch K. erstreckt sich der → Kaukasus. **Nord-K. (Zis-K.)** umfasst die Nordabdachung des Großen Kaukasus und das Kaukasusvorland mit der Stawropoler Höhe, der Kubanniederung und dem S-Teil der Kasp. Senke. **Trans-K.** erstreckt sich südlich des Hauptkammes des Großen Kaukasus und umfasst dessen Südabdachung, die fruchtbare Niederung der Kolchis, die Kura-Arax-Niederung, das Tiefland von Länkäran, den Kleinen Kaukasus sowie die armen. und aserbaidschan. Anteile am Ararathochland, am Tal des mittleren Arax und am Talyschgebirge.

Geschichte: Im Altertum kam es in K. nur südwestlich der Hauptkämme zur Bildung polit. Einheiten (Georgien, Armenien), die wie die Stämme im O und SO (u.a. Tschetschenen, Osseten, Tscherkessen) zumeist von anderen Mächten abhängig waren. Seit dem 8. Jh. wurde Ost-K. allmählich zum Islam bekehrt, der im 17.–19. Jh. das Christentum auch aus dem westl. K. verdrängte. Im 16./17. Jh. kämpften das Osman. Reich und Persien um die Vormachtstellung in K., dessen Unterwerfung durch Russland (seit Ende des 18. Jh.) im 1. Weltkrieg beendet wurde; die Bergvölker im Hochland leisteten bis 1859 (bes. unter Führung des Imams Schamil) Widerstand. Nach der Oktoberrevolution von 1917 verselbstständigten sich Provinzen und besetzte Gebiete und gründeten unabhängige Republiken. 1920/21 setzten sich die Bolschewiki in ganz K. durch. Nord-K. wurde unter Bildung versch. »autonomer« Gebiete und Republiken der RSFSR angeschlossen; in Süd-K. bestand 1922–36 die »Transkaukas. Sozialist. Föderative Sowjetrep.«, aus der die Sowjetrep. Georgien, Armenien und Aserbaidschan hervorgingen (seit 1991 unabhängige Staaten). Die während des 2. Weltkrieges unter dem Vorwand der Kollaboration mit den Deutschen nach Zentralasien zwangsdeportierten Bergvölker (u.a. Tschetschenen, Inguschen, Balkaren), die in den 50er-Jahren z.T. in ihre Heimat zurückkehren konnten, verstärkten Ende der 80er-/Anfang der 90er-Jahre ihre Unabhängigkeitsbestrebungen; in diesem Zusammenhang entstand 1991 die »Konföderation kaukas. Bergvölker«. Versch. lokale, z.T. blutige Konflikte seit Beginn der 90er-Jahre, die überwiegend in der russ. und sowjet. Nationalitätenpolitik wurzeln (u.a. Separationsbestrebungen Südossetiens und Abchasiens von Georgien, Kämpfe zw. Armenien und Aserbaidschan, zw. Inguschen und Nordosseten), ließen K. zu einer Krisenregion werden.

📖 *Krisenherd Kaukasus, hg. v.* U. HALBACH *u.* A. KAPPELER. *Baden-Baden 1995.* – PIETZONKA, B.: *Ethnisch-territoriale Konflikte in K. Baden-Baden 1995.*

kaukasische Sprachen, Sprachen des kaukas. Berglandes und der vorgelagerten Ebenen, soweit sie nicht zu den indogerman., semit. und den Turksprachen gehören. Sie gliedern sich in drei Hauptgruppen, die wohl auf je eine Grundsprache zurückgehen: **südkaukas. Sprachen** oder **Kartwelsprachen** (mit Georgisch, Sanisch und Swanisch), **nordwestkaukas.** (mit Abchasisch, Ubychisch, Tscherkessisch [Adygeisch]) und **ostkaukas. Sprachen,** die sich in dagestan. Sprachen (awaroand. und lakkisch-dargin. Gruppe), didoische Sprachen und lesg. Sprachen (u.a. Rutulisch) gliedern. Die einzige alte Literatursprache ist die zu den südkaukas. Sprachen zählende →georgische Sprache. Übereinstimmungen im Sprachbau zw. den k. S. und dem Baskischen sowie einigen altkleinasiat. Sprachen reichen nicht aus zum Nachweis einer genet. Verwandtschaft. Schriftgrundlage ist meist noch das kyrill. Alphabet.

kaukasische Völker (Kaukasusvölker, Kaukasier), i.e.S. die →kaukasische Sprachen sprechenden Völker, so die Georgier, Lesgier, Tschetschenen, Tscherkessen und Abchasen, i.w.S. auch andere in →Kaukasien lebende Völker: mit indogerman. Sprachen die Armenier, Osseten, Tataren, Talyschen, ferner die turksprachigen Aserbaidschaner, Kumüken, Karatschaier, Balkaren und Bergtataren.

Kaukasus, 1) Großer K., Hochgebirge zw. Schwarzem und Kasp. Meer, über 1100 km lang, bis 180 km breit, im Elbrus bis 5642 m ü.M. Die Hauptachse des Großen K. wird von W nach O wie folgt gegliedert: 1) **Schwarzmeer-K.** oder **Pont. K.** (von der Halbinsel Taman bis zum Berg Fischt), 600–1200 m ü.M., mit üppiger mediterraner Vegetation an der Küste und Laubwäldern in den höheren Lagen; 2) **westl. Hochgebirgs-K.**

Kaukasus 1): Tal im westlichen Hochgebirgskaukasus

(bis zum Elbrus-Meridian) im teilweise vergletscherten Dombai-Ulgen 4046 m ü.M.; über den Kluchoripass, 2781 m ü.M., führt die Suchum. Heerstraße; 3) **zentraler Hochgebirgs-K.** zw. Elbrus (5642 m ü.M.) und Kasbek (5033 m ü.M.); in diesem stark vergletscherten Abschnitt erheben sich noch mehrere andere Gipfel über 5000 m Höhe; Übergang für die Osset. Heerstraße ist der Mamissonpass (2829 m ü.M.), für eine 1989 fertig gestellte Autostraße (120 km) der untertunnelte Rokpass (2996 m ü.M.); 4) **Dagestan. K., östl. Hochgebirgs-K.** (zw. Kreuzpass, 2379 m ü.M., dem die →Georgische Heerstraße folgt, und dem Babadagh, 3629 m ü.M.), erreicht noch vielfach Höhen über 4000 m (Tebulosmta, 4493 m ü.M.); in einem 23 km langen Tunnel unter dem Archotskipass (etwa 1400 m ü.M.) wird der K.-Kamm durch eine neue Eisenbahnlinie (187 km lang) von Tiflis nach Wladikawkas überwunden; 5) **Kasp. K.** mit einer Durchschnittshöhe von 500–1000 m ü.M.; dieser läuft zur Halbinsel Apscheron hin aus. – Dem geolog. Bau nach gehört der K. zu den Gebirgen der tertiären Faltung.

2) Kleiner K., umfasst die nördl. Randketten des Ararathochlandes, z.T. in Georgien, z.T. in Aserbaidschan; erreicht Höhen bis 3724 m ü.M., weist aber i.Allg. Mittelgebirgscharakter auf. Er ist durch das Suramigebirge (1926 m ü.M.) mit dem Großen K. verbunden.

Kaukasusvölker, →kaukasische Völker.

Kaulbach, Wilhelm von (seit 1866), Maler, *Arolsen (heute Bad Arolsen) 15. 10. 1805, †Mün-

Wilhelm von Kaulbach: »Deutsche Maler in Rom« (1850; München, Bayerische Staatsgemäldesammlungen)

chen 7. 4. 1874; Schüler von P. von Cornelius, lebte seit 1826 in München, war dort ab 1837 Hofmaler; schuf u. a. effektvolle Wand- und Deckengemälde und Buchillustrationen.

Kenneth Kaunda

Kaulbarsch [zu Kaule »Kugel«], bis 25 cm langer Barschartiger Fisch in Flüssen und Seen, von Mitteleuropa bis Sibirien verbreitet, braungrün mit dunklen Flecken.

Kauliang [chines.], Art der →Sorghumhirse.

Kauliflorie [grch.] *die* (Stammblütigkeit), das Hervorbrechen der Blüten aus dem Stamm von Bäumen, z. B. beim Kakao- und Kolabaum.

Kaulquappen, die Larven der →Froschlurche.

Kaumagen, der Zerkleinerung der Nahrung dienender Abschnitt des Darmkanals bei manchen Tieren, z. B. Insekten. Funktionell als K. wirkt auch der als **Muskelmagen** ausgebildete Teil des Verdauungskanals der (Körner fressenden) Vögel.

Kaumuskulatur, der Bewegung des Unterkiefers zur Zerkleinerung der Nahrung dienende Muskelgruppe; besteht aus Schläfen-, Kau- sowie innerem und äußerem Flügelmuskel.

Kaunas (bis 1915 russ. Kowno, dt. Kauen), Stadt in Litauen, 424 200 Ew.; Hafen an der Mündung der Wilija in die Memel, Sitz eines kath. Erzbischofs; Univ., TU, mehrere Hochschulen, veterinärmedizin. Akademie, Museen, Zoo; Maschinen-, Motoren-, Turbinen-, Fernsehgerätebau, chem., Textil-, Nahrungsmittelindustrie; Flughafen. – Die Ruinen des alten Backsteinschlosses (13.–17. Jh.) und das Rathaus (1542–62) sind erhalten; spätgot. Dom und spätgot. Hansekontor. – K., im 13. Jh. erstmals als litauische Burgsiedlung erwähnt, wurde 1362 vom Dt. Orden erobert; 1404 wieder litauisch, erhielt 1408 Stadtrecht und war im MA. Sitz eines Hansekontors. Bei der 3. Teilung Polens (1795) kam K. an Russland (1915 von dt. Truppen erobert). 1920–40 war K. anstelle des von Polen besetzten Vilnius provisor. Hptst. Litauens.

Kaunda, Kenneth, samb. Politiker, *Lubwe 28. 4. 1924; Lehrer, führende Persönlichkeit der Unabhängigkeitsbewegung in Nordrhodesien. Nach der Unabhängigkeit Sambias (1964) war er bis 1991 Staatspräs.; er wandelte 1972 Sambia in einen Einparteienstaat um.

Kaunertal, rechtes Seitental des Oberinntals in den Ötztaler Alpen, Tirol, Österreich, 27 km lang, durchflossen vom Faggenbach, der im Oberlauf zum Stausee **Gepatsch** gestaut wird (Kraftwerk in Prutz, 395 MW am Ausgang ins Oberinntal); im Talschluss Sommerskigebiet Wiesjagglkopf (Mautstraße bis 2 750 m ü. M.).

Kaulbarsch: Der bis zu 25 cm lange Barschartige Fisch lebt in Seen und den Unterläufen großer Flüsse

Kaunitz, Wenzel Anton Graf von, seit 1764 Reichsfürst von K.-Rietberg, österr. Staatsmann, *Wien 2. 2. 1711, †ebd. 27. 6. 1794; leitete seit 1753 als Staatskanzler die österr. Außenpolitik, wobei er an dem Bündnis mit Russland festhielt und dem preußisch-engl. Abkommen 1756 ein Defensivbündnis mit Frankreich entgegenstellte, das nach dem Ausbruch des Siebenjährigen Krieges in ein Offensivbündnis umgewandelt wurde. Diese »Umkehrung der Allianzen« ist einer der Wendepunkte der europ. Politik. K. setzte mit Joseph II. (seit 1765 Mitregent) gegen Maria Theresia die Erwerbung Galiziens (1772), der Bukowina (1775) und des Innviertels (1779) durch. Sein Staatsdenken war absolutistisch und zugleich der Ideenwelt der rationalist. Aufklärung verhaftet; er hatte wesentl. Anteil an den Reformen Maria Theresias und Josephs II. (→Josephinismus), die Österreich zu einem modernen Staat werden ließen (Reorganisation der Staatskanzlei, Ausformung der Grundsätze des Staatskirchentums u.a.).

Wenzel Anton Graf von Kaunitz (Ausschnitt aus einem Kupferstich, um 1760)

Kauri [Hindi] *der* oder *die* (Kaurischnecken, Caorischnecken, Monetaria), Gattung bis 25 mm langer →Porzellanschnecken, die im Ind. und Pazif. Ozean an Korallenstöcken leben. Die Gehäuse der K. dienten in S- und SO-Asien und im trop. Afrika bis ins 19. Jh. als Zahlungsmittel.

Kaurifichte [Maori] (Kopalfichte, Agathis australis), in Neuseeland vorkommende Art der Araukariengewächsgattung Agathis; bis 50 m hoher Baum mit schmalen, blattartigen Nadeln und weißlich gelbem, sehr harzreichem (→Kopal) Holz (Bau- und Schiffsholz).

Kaurismäki, Aki, finn. Filmregisseur, *Helsinki 4. 4. 1957; drehte unkonventionelle, unspektakulärlakonisch wirkende, dialogarme Filme, u.a. die Trilogie: »Schatten im Paradies« (1986), »Ariel« (1988) und »Das Mädchen aus der Streichholzfabrik« (1989). 1989 verließ er Finnland und lebt seitdem in Portugal. – *Weitere Filme:* »Hamlet Goes Business« (1987), »I Hired a Contract Killer« (1991), »Das Leben der Bohème« (1992), »Tatjana« (1994).

kausal [lat.], ursächlich, dem Prinzip der Kausalität entsprechend.

Kausalität *die,* **1)** *allg.:* der Zusammenhang von Ursache und Wirkung.

2) *Philosophie:* das Vorliegen eines [gesetzmäßigen] Wirkungszusammenhangs zw. Ereignissen bzw. Erscheinungen in der Weise, dass ein Ereignis *A* (= Ursache) unter bestimmten Bedingungen ein bestimmtes Ereignis *B* (= Wirkung) (mit Notwendigkeit) hervorbringt (verursacht), wobei die Ursache *A* der Wirkung *B* zeitlich vorausgeht und *B* niemals eintritt, ohne dass vorher *A* eingetreten ist. Die universelle Gültigkeit der K. behauptet das **Kausalprinzip** (K.-Prinzip), wonach jedes Geschehen seine (materielle) Ursache hat und es keine ursachelosen, »akausalen« Dinge, Erscheinungen, Abläufe usw. gibt. Dieses in elementarer Form bereits von Aristoteles formulierte Kausalprinzip entspricht der Interpretation des **Satzes vom zureichenden Grund:** »nihil fit sine causa« (»nichts geschieht ohne Ursache«). Von den urspr. vier Ursachearten des Aristoteles entspricht die Wirkursache (causa efficiens) dem neuzeitl. K.-Begriff, der zum universellen Erklärungsmodell der Naturwiss. wurde. Die anderen Ursachearten, bes. die Zweckursache (causa finalis), wurden von der Neuzeit als unwissenschaftlich verworfen. Kausalprinzip und **Kausalgesetz** (»gleiche Ursachen haben gleiche Wirkungen«) wurden in der Folge sowohl realistisch-ontologisch (K. findet tatsächlich in der Natur statt) – so bei B. de Spinoza – als auch methodologisch-nominalistisch gedeutet: für D. Hume ist K. nichts als das Resultat gewohnheitsmäßiger Verknüpfung von Ereignissen durch den Wahrnehmenden; für Kant ist K. eine im Erkenntnissubjekt liegende, Erfahrung ermöglichende, d.h. apriorische Verstandesstruktur. Im 19. und bis ins 20. Jh. hinein wurde die K. systematisch vorwiegend im Rahmen der Logik behandelt, wobei sich allerdings ineinander fließende Einflüsse der rationalistischen wie empiristischen Erkenntnistheorie geltend machten. Mit der Entwicklung der Logik zu einer reinen Formalwiss. verschwand das Problem der K. fast völlig aus der log. Diskussion und wird erst wieder in neuerer Zeit v.a. im Rahmen der allg. Wissenschaftstheorie erörtert. – Ein neues philosoph. Verständnis der K. brachte die Relativitätstheorie: Ereignisse können hiernach jeweils nur mit Ereignissen aus bestimmten Bereichen des Raum-Zeit-Kontinuums kausal verknüpft sein und nicht mit beliebigen. Die Kopenhagener Deutung der Quantenmechanik erkennt zwar noch das Kausalprinzip an, aber nicht mehr, dass Ereignisse genau vorhersagbar seien. Auch im Rahmen der modernen Chaostheorie, wonach (kleine) Änderungen unvorhersehbare (große) Wirkungen hervorrufen können, musste das traditionelle K.-Denken modifiziert werden.

📖 FRANK, P.: *Das Kausalgesetz u. seine Grenzen, hg. v.* A. J. KOX. *Frankfurt am Main 1988.* – KOCH, G.: *K., Determinismus u. Zufall in der wissenschaftl. Naturbeschreibung. Berlin 1994.*

3) *Recht:* die ursächliche Verknüpfung einer menschl. Handlung mit einem bestimmten Ergebnis. Im *Strafrecht* ist eine Handlung dann kausal für den (schädl.) Erfolg, wenn sie nicht weggedacht werden kann, ohne dass der Erfolg entfiele, z.B. die Abgabe eines Schusses mit dem Erfolg einer

Aki Kaurismäki: Szene aus dem Film »Das Mädchen aus der Streichholzfabrik« (1989)

Kautschuk: Kautschukplantage auf Sumatra (links); zur Gewinnung des Latex wird die Rinde des Baumes bogenförmig angeschnitten (rechts unten); im Abstand von etwa zwei Tagen kann der Milchsaft jeweils einige Stunden lang aufgefangen werden

Körperverletzung. Für das *Zivilrecht* gilt, dass nur die Folgen durch die Handlung verursacht sind, mit deren Eintreten nach allg. Lebenserfahrung gerechnet werden konnte.

Karl Kautsky

Kausalsatz, Begründungssatz. (ÜBERSICHT Syntax)

Kausativ *das, Sprachwissenschaft:* Veranlassungsverb, z. B. *tränken* (zu trinken), *fällen* (zu fallen).

Kaustik [grch.] *die,* **1)** *Medizin:* die →Kauterisation.

2) *Optik:* (kaust. Fläche, Brennfläche) bei einem opt. System die einhüllende Fläche derjenigen Punkte, in denen sich die Bildstrahlen eines parallel einfallenden Lichtbündels schneiden. Die K. an spiegelnden Flächen heißt **Katakaustik,** die K. bei Abbildungen durch brechende Systeme (Linsen) wird als **Diakaustik** bezeichnet.

Kauterisation [grch.] *die* (Kaustik), operative Gewebszerstörung durch Anwendung von Hitze, Kälte oder Ätzmitteln. (→Elektrokoagulation)

Kaution [lat.] *die,* →Sicherheitsleistung.

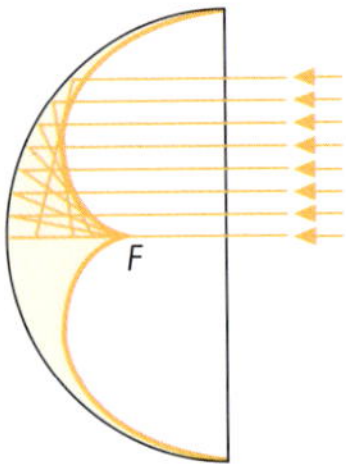

Kaustik 2): Schnittdarstellung der Katakaustik (gelb) eines Hohlspiegels (schwarz); die geschwungene, spitz zulaufende Fläche stellt die Schnittlinie der Kaustik dar; F Brennpunkt

Käutner, Helmut, Schauspieler, Film- und Bühnenregisseur, *Düsseldorf 25. 3. 1908, †Castellina in Chianti (Prov. Siena) 20. 4. 1980; 1930 Mitbegründer des Kabaretts »Die vier Nachrichter«, seit 1939 Filmregisseur: u. a. »Große Freiheit Nr. 7« (1944), »Unter den Brücken« (1945), »Die letzte Brücke« (1953), »Des Teufels General« (1955), »Der Hauptmann von Köpenick« (1956), »Schinderhannes« (1958), »Der Rest ist Schweigen« (1959), »Das Glas Wasser« (1960), »Das Haus in Montevideo« (1963).

Kautschuk [aus einer peruan. Indianersprache »tränender Baum«] *der,* unvernetztes, aber vernetzbares (vulkanisierbares) Polymer mit gummielast. Eigenschaften bei Raumtemperatur, das bei höherer Temperatur oder unter dem Einfluss deformierender Kräfte plastisch verformbar ist. K. ist Ausgangsstoff für die Herstellung von Elastomeren (Gummi). **Natur-K.** (engl. **Natural Rubber,** Abk. **NR**) ist im Milchsaft (Latex) versch. trop. Pflanzen enthalten, von denen Hevea brasiliensis die größte Bedeutung hat. Hauptproduzenten sind Malaysia und Indonesien. Zum Zapfen des Latex wird die Rinde des K.-Baumes bogenförmig angeschnitten. Latex ist eine kolloide Dispersion von 32–38 % K. und 1–2 % Eiweißstoffen in einer wässrigen Lösung. Fest-K. wird meist durch Koagulation mit Säuren erzeugt. Das Koagulat wird entweder zu »Fellen« ausgewalzt, durch Rauch konserviert (sog. Smoked Sheets) oder unter Waschen auf Walzwerken verarbeitet (sog. Crêpe). Der rohe Natur-K. wird nur in geringem Umfang direkt zur Herstellung von Klebebändern und -lösungen, Knetgummi u. a. verwendet; meist wird er durch →Mastikation und →Vulkanisation in **Gummi** überführt. Vulkanisierter Natur-K. zeichnet sich durch hohe Elastizität, Zugfestigkeit und Kälteflexibilität aus. Er wird u. a. zur Herstellung von Autoreifen und dünnwandigen Artikeln hoher Festigkeit verwendet. Das Polymer des Natur-K. ist linear angeordnetes cis-1,4-Polyisopren mit 3000–5000 Isopreneinheiten. Durch Chlorieren und Sulfonieren erhält man weitere Produkte (Chlor-K., Cyclo-K.), die zu Klebstoffen, Lackrohstoffen oder Verpackungsfolien verarbeitet werden. (→Synthesekautschuk)

Geschichte: Die Indianer Brasiliens verwendeten K. zur Herstellung von elast. und unzerbrechl. Flaschen, von Spielbällen und als Fackeln. 1744 brachte der frz. Gelehrte C. M. de la Condamine einige Proben aus Südamerika nach Frankreich. Industrielle Bedeutung erlangte der K. erst 1839, als C. Goodyear das Vulkanisieren erfand.

Kautsky, Karl, Sozialist, *Prag 16. 10. 1854, †Amsterdam 17. 10. 1938; schloss sich 1875 der österr. Sozialdemokratie an. In seinem Londoner Exil (1881–90) wurde er enger Mitarbeiter von F. Engels; er gründete 1883 das theoret. SPD-Organ »Die Neue Zeit«, war Hauptverf. des Erfurter Programms der SPD und trug wesentlich zur Durchsetzung marxist. Gedankenguts in der dt. Sozialdemokratie bei. Er bekämpfte sowohl den Revisionismus E. Bernsteins als auch den revolutionären Radikalismus Rosa Luxemburgs. Später lehnte er auch den Bolschewismus ab. Er betrachtete die demokrat. Republik als Rahmen für die Verwirklichung des Sozialismus. 1917–22 Mitgl. der USPD, seitdem wieder der SPD. 1938 emigrierte er nach Amsterdam.

📖 SCHELZ-BRANDENBURG, T.: *Eduard Bernstein u. K. K. Köln u. a. 1992.* – KOTH, H.: *»Meine Zeit wird wieder kommen ...«. Das Leben des K. K. Berlin 1993.*

Kauz, → Eulen.

Kavala (Kavalla), Hptst. des VerwBez. K. im östl. Makedonien, Griechenland, am Golf von K., 56 700 Ew.; Tabakind. und -handel, chem., Textilind.; Hafen mit Containerterminal, Fährverkehr nach Thasos. Seit 1981 Förderung der untermeer. Erdöl- und Erdgasvorkommen.

Kavalier [frz.-italien., zu lat. caballus »Pferd«] *der,* urspr. Angehöriger eines ritterl. Ordens, seit dem 17. Jh. Bez. für jeden adligen Herrn; umgangssprachlich gebildeter, taktvoller Herr.

Kavaliersdelikt, ein strafrechtl. Tatbestand, der in bestimmten Gruppen der Gesellschaft als nicht ehrenrührig gilt.

Kavalkade [italien.-frz.] *die,* (prächtiger) Reitertrupp, -zug.

Kavallerie [frz.-italien.] *die,* urspr. die Reiterei, d. h. eine berittene Truppe. K. wurde schon im Altertum eingesetzt. Nach dem 1. Weltkrieg wurde die K. durch motorisierte und Panzertruppen ersetzt und nach dem 2. Weltkrieg in fast allen Heeren aufgelöst. Die Hauptvorzüge der K. waren ihre Schnelligkeit und Beweglichkeit. Hauptaufgaben waren Aufklärung, Sicherung und Verfolgung.

Kavatine [italien.] *die* (Cavatina), in Oper und Oratorium des 18. und 19. Jh. kürzeres, instrumental begleitetes Sologesangsstück von einfachem, liedmäßigem Charakter; im 19. Jh. auch arioser Instrumentalsatz.

Kaverne [lat. »Höhle«] *die,* **1)** unterird. Hohlraum, der sich durch seine gedrungene Form von Tunnel, Stollen und Schächten unterscheidet. Künstl. K. werden durch Sprengungen oder im Solverfahren (in Salzlagern oder -stöcken) hergestellt. K. dienen als Speicher für Gas, Öl, Wasser o. Ä., als Lager für Sondermüll und radioaktive Abfälle sowie zur Unterbringung techn. oder militär. Einrichtungen.

2) *Medizin:* krankhafte Hohlraumbildung durch Gewebeeinschmelzung, bes. bei Lungentuberkulose.

Kaviar [türk.] *der,* die gereinigten und gesalzenen Rogen (Eier) der störartigen Fische, die hauptsächlich im Schwarzen und Kasp. Meer gefangen werden, z. B. Beluga, Schip, Ossiotr, Sewruga. Frischer Kaviar ist hell und durchsichtig. Nach der Zubereitung unterscheidet man **Malossol** (mild gesalzen) und **Fass-K.** (**Salz-K.,** stark mit Salz gemischt). Dt. K. wird v. a. aus Rogen vom Seehasen und anderen Seefischen hergestellt.

Kavitation [lat.] *die* (Hohlsog), Bildung und nachfolgende schlagartige Kondensation von Dampfblasen in strömenden Flüssigkeiten, hervorgerufen durch Geschwindigkeitsänderungen (z. B. auf Turbinenschaufeln oder Schiffsschrauben). In der Nähe der K.-Stelle kann es zur mechan. Zerstörung des Werkstoffes kommen.

Kawabata Yasunari, japanischer Schriftsteller, * Ōsaka 14. 6. 1899, † (Selbstmord) Zushi (bei Yokohama) 16. 4. 1972; urspr. Neoimpressionist, behandelte später in Erzählungen (»Die kleine Tänzerin von Izu«, 1926) und Romanen (»Schneeland«, endgültige Fassung 1948, »Tausend Kraniche«, endgültige Fassung 1952, »Ein Kirschbaum im Winter«, endgültige Fassung 1954, »Kyoto oder Die jungen Liebenden in der alten Kaiserstadt«, 1962) Themen wie Einsamkeit, Vergänglichkeit und Tod, aber auch Liebe und die Schönheit des alten Japans. 1968 erhielt K. den Nobelpreis für Literatur.

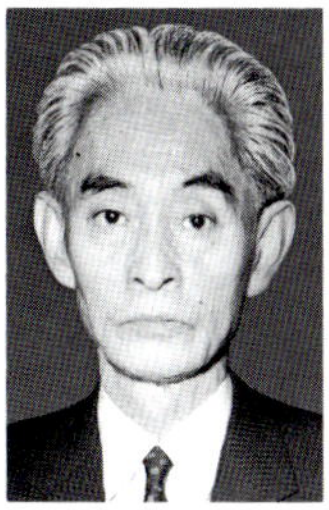

Kawabata Yasunari

Kawaguchi [-tʃi] (Kawagutschi), Stadt auf Honshū, Japan, nördlich von Tokio, 445 000 Ew.; geolog. Forschungsinst.; Maschinenbau, Textil-, elektrotechn. Industrie.

Kawalerowicz [-tʃ], Jerzy, poln. Filmregisseur, * Gwoździec (Wwschaft Katowice) 19. 1. 1922; drehte u. a. »Nachtzug« (1959), »Mutter Johanna von den Engeln« (1960), »Pharao« (1965), »Spiel« (1968), »Der Tod des Präsidenten« (1977), »Bronsteins Kinder« (1991).

Kawasaki, Hafenstadt in Japan, auf Honshū, an der W-Küste der Bucht von Tokio, 1,2 Mio. Ew.; Kernforschungszentrum u. a. Forschungsinstitute; Schiff- und Maschinenbau, Stahlwerke, petrochem., Stahl-, elektrotechn., Lebensmittelind., Erdölraffinerien. – Bemerkenswerte buddhist. Tempel: Orhidtempel (917 gegr.) und Heigenjitempel (1128 gegr., im 2. Weltkrieg zerstört, 1964 z. T. rekonstruiert).

Kaviar

Kaviar für das Volk

In Shakespeares »Hamlet« fordert der Titelheld in der zweiten Szene des zweiten Aktes einen der Schauspieler auf, eine Rede aus einem Stück vorzutragen, das seinerzeit nicht oder nicht mehr als einmal aufgeführt worden war. Das Stück hatte beim breiten Publikum keinen Anklang gefunden – mit Hamlets Worten: »'Twas caviare to the general« (»Es war Kaviar für das Volk«). Mit dem Zitat bezeichnet man auch heute etwas, das von der breiten Masse in seiner Qualität nicht erkannt wird.

Kawasaki-Syndrom [nach der Stadt Kawasaki] (mukokutanes Lymphknotensyndrom), zuerst in Japan beobachtete, v. a. bei Kleinkindern auftretende akute fieberhafte Erkrankung noch unbekannter (möglicherweise bakterieller) Ursache. Symptome sind Fieber, Entzündung der Augenbindehaut und Mundschleimhaut, Hautausschläge und Lymphknotenschwellung.

Kayseri: Döner Kümbet, ein seldschukisches Grabmal (um 1276/77)

Kawerin, Weniamin Alexandrowitsch, eigtl. W. A. Silber, russ. Schriftsteller, *Pskow 19. 4. 1902, †Moskau 4. 5. 1989; verfasste zunächst histor., fantast. und Kriminalerzählungen; sein Abenteuerroman »Zwei Kapitäne« (2 Bde., 1938–44) gehörte zu den populärsten sowjet. Jugendbüchern. Bedeutend sein Künstlerroman »Vor dem Spiegel« (1971).

Kawir (Kewir), Bez. der abflusslosen Salztonebenen der inneriran. Wüstenbecken.

Kayes [ke:z, frz. kaj], Regionshptst. in W-Mali, am Senegal (ab hier schiffbar), 67000 Ew.; kath. Bischofssitz; Marktzentrum (Rinder- und Schafhandel). K. ist einer der heißesten Orte der Erde.

Elia Kazan

Kaye-Smith [keɪ'smɪθ], Sheila, engl. Schriftstellerin, *Saint Leonard's-on-Sea (bei Hastings) 4. 2. 1887, †Northiam (Cty. Sussex) 14. 1. 1956; schrieb Romane über das Leben der Bauern in Sussex.

Kayser, 1) Christian Gottlob, Verleger und Bibliograph, *Priester (bei Eilenburg) 21. 12. 1782, †Leipzig 16. 11. 1857; begründete das für das zeitgenöss. Buchhandelswesen bed. »Vollständige Bücher-Lexicon ...« (36 Bde., 1834–1912).

2) Heinrich, Physiker, *Bingen am Rhein 16. 3. 1853, †Bonn 14. 10. 1940; untersuchte die Spektren zahlr. Elemente, wies so Helium in der Erdatmosphäre nach; Mithg. des »Hb. der Spektroskopie« (8 Bde., 1900–24).

Diane Keaton

3) Wolfgang, Literaturwissenschaftler, *Berlin 24. 12. 1906, †Göttingen 23. 1. 1960; verfasste richtungweisende Arbeiten zur Poetik (»Gesch. der dt. Ballade«, 1936; »Das sprachl. Kunstwerk«, 1948).

Kayseri, Provinz-Hptst. in Zentralanatolien, Türkei, 1040 m ü. M., am Fuß des Erciyas Daği, 416300 Ew.; Univ., Museen; Textilind., Herstellung von Teppichen, Lederwaren, Flugzeugteilen und Zement, Zuckerfabrik. – Stadtmauer und gut erhaltene Zitadelle, z. T. aus byzantin. Zeit (bis 1080); bed. seldschuk. Baudenkmäler, u. a. die Moscheen Ulu Cami (1205/06) und Külük Cami (1210), Komplex der Honat Hatun (1237/38); zahlr. seldschuk. Grabmäler, u. a. Döner Kümbet (um 1276/77). – K. war die bedeutendste Stadt Kappadokiens, im 12. und 13. Jh. zeitweilig Seldschukenresidenz.

Kazan [kə'zɑ:n], Elia, eigtl. Kasanioglus, amerikan. Regisseur und Schriftsteller grch. Abstammung, *Konstantinopel 7. 9. 1909; dreht sozialkrit., realist. Filme: »Endstation Sehnsucht« (1951), »Die Faust im Nacken« (1954), »Jenseits von Eden« (1955), »Baby Doll« (1956), »Das Arrangement« (1969), »Der letzte Tycoon« (1975) u. a.; auch Bühneninszenierungen und Romane.

Kazike [indian.] *der,* früher: Stammes- und Dorfhäuptling bei den Indianern Mittel- und Südamerikas. Heute Titel eines indian. Gemeindevorstehers in Mexiko und Guatemala.

kcal, Einheitenzeichen für Kilokalorie (→Kalorie).

Kea [Maori] *der,* Art der →Nestorpapageien.

Kea (altgrch. Keos), Insel im W der Kykladen, Griechenland, 131 km², 1600 Ew.; der Hauptort K. (im Altertum Iulis) liegt im Innern der Insel. Reste einer Siedlung mit keram. Import aus Kreta; Heiligtum aus der späten Bronzezeit.

Kean [ki:n], Edmund, engl. Schauspieler, *London 4. 11. 1787, †Richmond upon Thames (heute zu London) 15. 5. 1833; bed. Darsteller von Shakespeares Charakterrollen.

Buster Keaton in dem Film »Buster Keaton, der Cowboy« (1925)

Keaton [ki:tn], **1)** Buster, eigtl. Joseph Francis K., amerikan. Schauspieler und Regisseur, *Pickway (Kans.) 4. 10. 1895, †Los Angeles (Calif.) 1. 2. 1966; Darsteller und Regisseur in amerikan. Stummfilmkomödien (»Der General«, 1926; »Die Kreuzfahrt der Navigator«, 1924, u. a.); bekannt als »der Mann, der niemals lachte«.

2) Diane, amerikan. Filmschauspielerin und Regisseurin, *Los Angeles (Calif.) 5. 1. 1946; Darstellerin expressiver Emotionalität; Zusammenarbeit mit W. Allen u. a. in »Der Stadtneurotiker« (1977) und »Manhattan« (1979); trat u. a. 1987 als Regisseurin mit dem Dokumentarfilm »Heaven«, 1995 mit dem Spielfilm »Entfesselte Helden« hervor. *Weitere Filme:* Reds (1981), Der Club der Teufelinnen (1996).

Keats [ki:ts], John, engl. Dichter, *London 29. oder 31. 10. 1795, †Rom 23. 2. 1821; als Vertreter der zweiten Generation der engl. Romantik gehört K. zu den hervorragendsten engl. Odendichtern. Seine Dichtung, in bild- und klangreicher Sprache, erwuchs aus einer sinnenstarken Hingabe an die Natur; von hier aus fand er den Weg zur antiken Mythologie, die er nacherlebte und neu gestaltete, so in den Verserzählungen »Endymion« (1818) und »Hyperion« (1819). Fieberhafte Sinnlichkeit durchzieht das romant. Märchen »Isabella« (1818), die Romanze »The Eve of Saint Agnes« (1819), seine großen Oden (»To a nightingale« und »On a Grecian urn«, 1819 entstanden) und die düstere Ballade »La Belle Dame sans Merci« (1820).

📖 Wyrwa, C.: *J. K. (1795–1821). Annäherungen an Leben u. Werk. München 1995.*

Keban, Bergbauort in der Prov. Elâzığ, O-Türkei, 1000 m ü. M., am oberen Euphrat; 5600 Ew.; Abbau von silberhaltigen Blei-Zink-Erzen, Bleischmelze. Oberhalb von K. entstand 1974 am Zusammenfluss der Euphratquellflüsse Karasu und Murat der **K.-Stausee** (680 km^2) mit Kraftwerk (1240 MW).

Kebnekaise (Kebnekajse) *der,* mit 2117 m ü. M. höchster Berg Schwedens, in Lappland, westlich von Kiruna.

Kecskemét ['kɛtʃkɛme:t], Hptst. des Bezirks Bács-Kiskun, S-Ungarn, zw. Donau und Theiß, 105600 Ew.; Fachhochschule für Maschinenbau, Weinbauforschungsinst., Museen; Landmaschinenbau, Spirituosenfabrik; Obst- und Weinbau.

Kedah, Gliedstaat des Malaiischen Bundes, →Malaysia.

Kędzierzyn-Koźle [kɛn'dʒɛʒin 'kɔʒlɛ], Stadt in der Wwschaft Opole (Oppeln), Polen, an der Oder, 68000 Ew., entstand 1975 durch Zusammenlegung von Kędzierzyn (bis 1934 Kandrzin, 1934–45 Heydebreck O. S.) und Koźle (dt. Cosel); Hafen mit Werft; chem., Maschinenbau-, Papier-, Lebensmittelindustrie. – Koźle war 1312–55 Sitz einer Herzogslinie der Piasten; kam 1742 an Preußen.

Keeler ['ki:lə], James Edward, amerikan. Astronom, *La Salle (Ill.) 10. 9. 1857, †San Francisco 13. 8. 1900; bahnbrechend in der Fotografie von Sternhaufen, Nebelflecken, bes. Spiralnebeln.

Keelinginseln ['ki:lɪŋ-], die →Kokosinseln.

Keelung [dʒi-] (Chilung), Hafenstadt an der N-Küste von Taiwan, 365000 Ew.; Fachhochschule für Meerestechnologie, Fischereiforschungsinst.; chem. Ind., Schiff- und Maschinenbau; Fischerei- und zweitwichtigster Handelshafen Taiwans.

Keesom, Willem Hendrik, niederländ. Physiker, *Texel 21. 6. 1876, †Leiden 3. 3. 1956; K. gelang 1926 erstmals die Darstellung von Helium in festem Zustand; 1936 entdeckte er die Suprawärmeleitung.

Keetmanshoop [kiətmans'huəp], wichtigste Stadt von S-Namibia, 1001 m ü. M., an der Bahnstrecke Kapstadt–Windhuk, 14000 Ew.; Handelszentrum eines bed. Karakulschafzuchtgebiets; Flugplatz.

Kefermarkt, Marktgemeinde in Oberösterreich, nordöstlich von Linz, 1800 Ew.; in der Pfarrkirche spätgot. Schnitzaltar (13,50 m hoch; um 1500), eine der hervorragendsten Arbeiten der oberdt. Schnitzkunst.

Kefir [russ.] *der,* Sauermilcherzeugnis aus Frischmilch, die mit K.-Pilzen (Gemisch spezif. Bakterien und Hefen) versetzt ist; wegen der Gärung enthält K. 0,2–1 % Alkohol.

Keflavík ['kjɛblavi:k], Stadt in SW-Island, auf der Halbinsel Reykjanes, an der Faxabucht, 7500 Ew.; Fischfang und -verarbeitung; internat. Flughafen; seit 1946 amerikan. und seit 1951 NATO-Stützpunkt.

Kegel, 1) *Drucktechnik:* Abmessung der →Letter, von der die Höhe des Schriftbildes abhängt.

2) *Mathematik:* Körper, der von einer **K.-Fläche** mit geschlossener Leitkurve und einer die Leitkurve enthaltenden Ebene begrenzt wird. Dabei ist eine K.-Fläche eine Fläche, die ein durch einen festen Punkt S des Raumes (den **Scheitel**) gehender und längs einer Kurve k (der **Leitkurve, Leitlinie**) gleitender Strahl (die **Erzeugende**) beschreibt. Die K.-Fläche schneidet aus dieser Ebene die **Grundfläche** G des K. aus, nach der **Kreis-K., ellipt. K.** u. a. unterschieden werden. Der den K. begrenzende Teil der K.-Fläche heißt **K.-Mantel,** die auf ihr gelegenen Geradenstücke **Mantellinien.** Wird die Spitze eines K. durch einen parallel zur Grundfläche geführten Schnitt abgetrennt, bleibt ein **K.-Stumpf** zurück. – Für das Volumen V des K. gilt: $V = \frac{1}{3} G \cdot h$ (h = Höhe).

3) *Sport:* Figur des Kegelspiels, →Kegeln.

Kegellade, eine Windlade in der Orgel.

Kegellehre, Messzeuge zur Kontrolle der Maß- und Gestalttreue von Außenkegeln (mit **Kegellehrhülsen**) und Innenkegeln (mit **Kegellehrdornen**).

John Keats
(Zeichnung, 1819)

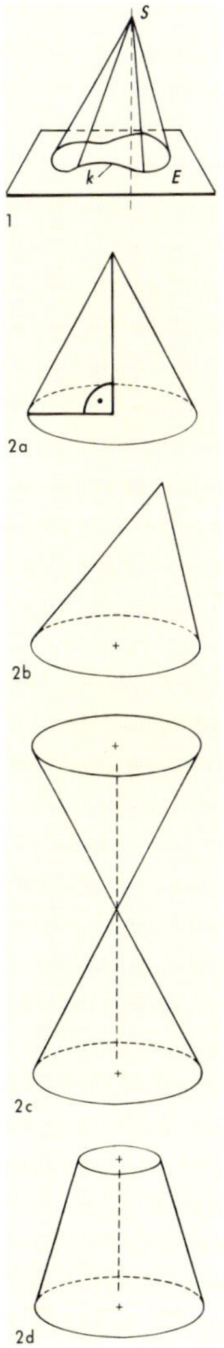

Kegel 2): 1 Allgemeiner Kegel, *E* Ebene, *k* Leitkurve, *S* Scheitel; 2 mögliche Formen von Kreiskegeln, *a* gerader Kreiskegel, *b* schiefer Kreiskegel, *c* Doppelkegel, *d* Kegelstumpf

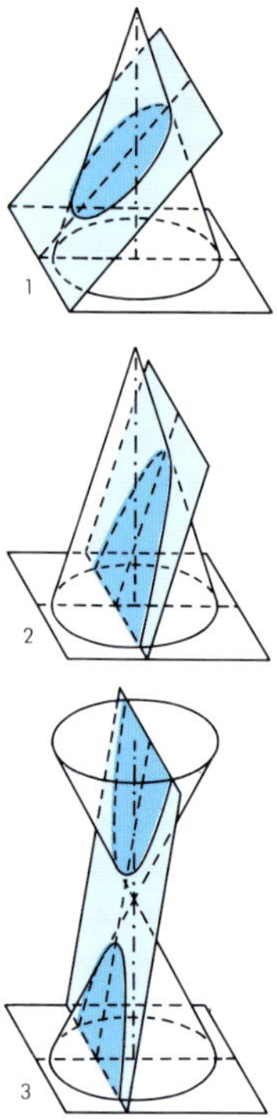

Kegelschnitt:
1 Ellipse, 2 Parabel,
3 Hyperbel

Kegeln (Kegelspiel), zur Gruppe der Ziel- und Treibspiele zählendes Sportspiel, bei dem in versch. Disziplinen mittels einer Kugel die größtmögl. Zahl von Kegeln am Ende der Kegelbahn umgeworfen werden soll. K. ist ein Hallensport. Aus der Vielzahl der urspr. Arten entwickelten sich vier in allen Teilen genormte Kegelbahnen. Die **Kegel** sind Zielfiguren aus Weißbuche oder Kunststoff, die in bestimmter Formation (neun oder zehn) oder in geringerer Zahl zu sog. Kegelbildern aufgestellt werden. In die Standfläche der Kegel ist eine Fassung eingelassen, aus der eine kleine Kugel durch eine Feder so weit herausgedrückt wird, dass sie in die Fleckstellung passt, wodurch die genaue Stellung des Kegels auf dem **Vierpass** gesichert ist. Die **Kugel** besteht aus Kunststoff oder Hartgummi. Asphalt- und Scherenkugeln sind 2800 bis 2900 g, Bohlenkugeln 3050 bis 3150 g, Bowlingkugeln 4536 bis 7255 g schwer. Letztere haben drei Fingerlöcher zum sicheren Halt der Kugel. – Auf der **Asphaltbahn** und der **Scherenbahn** gibt es für Leistungskegler das gemischte Spiel (meist 200 Wurf je Starter), d.h. die eine Hälfte der Würfe geht ins volle Kegelfeld, die andere ist zum Abräumen bis zum letzten Kegel bestimmt. Auf der **Bohlenbahn** wird nur ins volle Kegelfeld (mit Gassenwechsel) geworfen. Auf der **Bowlingbahn** wird in Durchgängen gespielt (je zehn Felder zu zehn Kegel). Zum Abräumen stehen je Feld zwei Würfe zur Verfügung. Im K. gibt es Einzel- und Mannschaftswettbewerbe, im Asphalt- und Bowling-K. auch den sog. Paarkampf (zwei gemeinsam gewertete Teilnehmer).

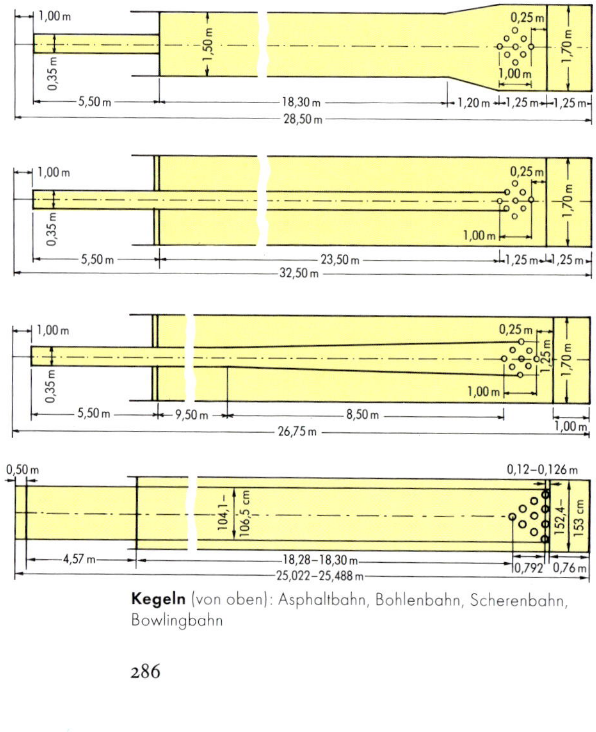

Kegeln (von oben): Asphaltbahn, Bohlenbahn, Scherenbahn, Bowlingbahn

Kegelprojektion, ein →Kartennetzentwurf.

Kegelrad, →Zahnrad.

Kegelschnecken (Conidae), Familie der Giftzüngler; Meeresschnecken mit kegelförmigem, meist buntem Gehäuse. Das Gift einiger Arten kann auch für den Menschen gefährlich werden.

Kegelschnitt, ebene Kurve, die sich aus dem Schnitt eines geraden Kreiskegels mit einer Ebene ergibt. Je nach Lage der Ebene zum Kegel ergeben sich die geschlossene Ellipse (im Sonderfall ein Kreis), die Parabel oder die aus zwei Ästen bestehende Hyperbel. Geht die Schnittebene durch den Scheitel des Kegels, so gerät der K. zu einem Punkt, einer Geraden oder einem Paar von Geraden. – In der analyt. Definition sind K. die geometr. Orte aller Punkte, für die das Verhältnis ihrer Abstände zu einem gegebenen Punkt (Brennpunkt) und zu einer gegebenen Geraden (Leitlinie) konstant ist. K. lassen sich in einem kartes. Koordinatensystem durch Gleichungen zweiten Grades beschreiben.

Kegelstumpf, →Kegel.

Kẹhdingen, Lạnd, Marsch- und Moorgebiet am linken Ufer der Unterelbe, Ndsachs.; auf den Marschböden werden Grünlandwirtschaft und Obstbau betrieben; größtes der Niedermoore ist das **Kehdinger Moor.**

Kẹhl, Stadt (Große Kreisstadt) im Ortenaukreis, Bad.-Württ., an der Mündung der Kinzig in den Rhein, 28600 Ew.; FH für öffentl. Verw.; Stahlwerke, Beton-, Holzind.; Hafen. Die Europabrücke zw. K. und Straßburg ist ein wichtiger Grenzübergang nach Frankreich. – K. wurde 1388 durch eine feste Brücke mit Straßburg verbunden. Nach Eroberung durch die Franzosen baute Vauban K. 1660–88 zur frz. Festung aus. K. wurde 1774 Stadt.

Kehle, 1) *Anatomie:* vorderer Halsteil der Säugetiere und des Menschen im Bereich von Kehlkopf und Luftröhre.

2) *Bautechnik:* Schnittkante oder gerundeter Verbindungsstreifen zw. zwei winklig aufeinander treffenden Flächen.

Kehlkopf (Larynx), beim Menschen und den lungenatmenden Wirbeltieren der Luftröhre vorgelagertes Organ zur Stimmbildung. Das Knorpelgerüst besteht aus Kehldeckel-, Schild-, Ring- und zwei Stell- (Gießbecken-)Knorpeln. Der Schildknorpel kann bei Männern als »Adamsapfel« vorspringen. Im Inneren des K. springen zwei Faltenpaare gegen die Mitte vor, oben die **Taschenfalten,** unten die zw. Schild- und Stellknorpel ausgespannten **Stimmbänder,** die die **Stimmritze (Glottis)** begrenzen. Der **Kehldeckel (Epiglottis),** die von Schleimhaut überzogene Knorpelplatte des K., verschließt dessen Eingang beim Schlucken.

Kehlkopf|entzündung (Kehlkopfkatarrh, Laryngitis), Entzündung der Kehlkopfschleimhaut einschl. der Stimmlippen. Die K. verläuft akut oder chronisch. Symptome sind bei Stimmbandbefall ständige Heiserkeit, rasche Ermüdung der Stimme und Missempfindungen beim Sprechen. *Behandlung:* Kopfdampfbäder, Antibiotika, daneben Schonung der Stimme und Rauchverbot.

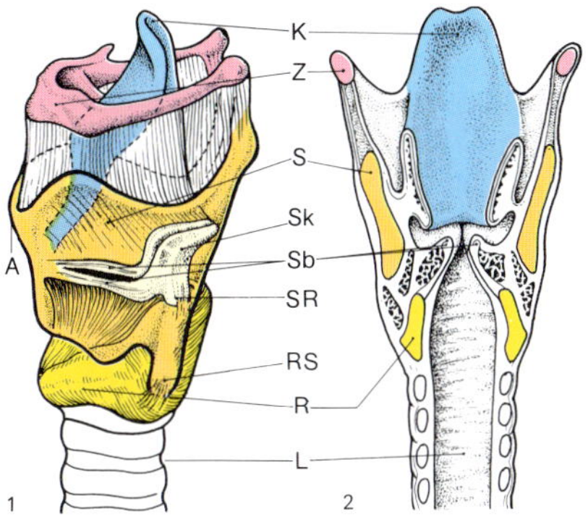

Kehlkopf des Mannes: 1 Seitenansicht von links, 2 Frontalschnitt; A Adamsapfel, K Kehldeckelknorpel, L Luftröhre, R Ringknorpel, RS Ringknorpel-Schildknorpel-Gelenk, S Schildknorpel, Sb Stimmbänder, Sk Stellknorpel, SR Stellknorpel-Ringknorpel-Gelenk, Z Zungenbein

Kehlkopfgenerator, → Sprechhilfen.

Kehlkopfkrebs (Larynxkarzinom), mit Heiserkeit und Schluckbeschwerden verbundene bösartige Geschwulstbildungen im Kehlkopfbereich; tritt v.a. zw. dem 50. und 70. Lebensjahr vorwiegend bei Männern auf. Die Behandlung besteht in einer teilweisen oder völligen operativen Entfernung des Kehlkopfs **(Laryngektomie)** mit anschließender Bestrahlung.

Kehlkopflähmung (Rekurrenslähmung, Stimmbandlähmung), durch Schädigung des Kehlkopfnervs (Nervus laryngeus recurrens) bedingte Lähmung der inneren Kehlkopfmuskeln; Symptome sind Heiserkeit, Stimmlosigkeit.

Kehlkopfpfeifen, Erkrankung des Kehlkopfs oder der Luftröhre beim Pferd; pfeifende oder röchelnde Geräusche beim Einatmen; Beseitigung durch operativen Eingriff.

Kehlkopfspiegelung (Laryngoskopie), Betrachtung des Kehlkopfs mit einem Laryngoskop. Dieses wird für die **indirekte K.** als Planspiegel (Kehlkopfspiegel), für die **direkte K.** oder **Autoskopie** als Kehlkopfspatel mit Beleuchtungseinrichtung oder als Bronchoskop (meist unter Vollnarkose) verwendet.

Kehllaut, *Phonetik:* → Laut.

Kehre, *Geräteturnen:* eine Beinschwungbewegung bzw. ein Stützsprung über ein Sprunggerät mit geschlossenen und gestreckten Beinen bei gebeugten Hüftgelenken und ¼-Drehung um die Körperlängsachse.

Kehrreim (Refrain), meist am Strophenende wiederkehrender Vers oder Versteil, häufig in Volksliedern (i.d.R. von allen mitzusingen); auch Stilmittel der Kunstlyrik.

Kehrwert (reziproker Wert), *Mathematik:* bei einem Bruch a/b der Wert b/a.

Keihin, urspr. Name der 1941 gegründeten Hafengemeinschaft Tokio, Chiba, Kawasaki und Yokohama; heute das bedeutendste Ind.gebiet Japans, auf Honshū.

Keil, *Physik, Technik:* gleichschenkliges dreiseitiges Prisma, bei dem zwei ebene Flächen unter einem spitzen Winkel in einer geradlinigen Kante zusammenlaufen und dessen Basis im Vergleich zur Schenkellänge klein ist; dient als Mittel zum Trennen oder Spalten. Die wirkende Kraft wird in zwei Teilkräfte zerlegt. K.-Form haben auch die Schneiden von Beil, Messer, Schere sowie von allen spanenden Werkzeugen, z.B. Meißel, Feile, Sägezahn. – Im *Maschinenbau* ist ein K. ein lösbares Verbindungselement zw. zwei Maschinenteilen (z.B. Welle und Rad). Kennzeichnend ist, dass eine der Begrenzungsflächen geneigt ist und ein selbstständiges Lösen der K.-Verbindung durch Selbsthemmung verhindert wird.

Keil, Birgit, Tänzerin, * Kowarschen (heute Kovářov) 22. 9. 1944; wurde 1961 Mitgl. des Stuttgarter Balletts; tanzt klassisch-romant. Ballerinenrollen und kreierte Hauptrollen in Balletten u.a. von J. Cranko, J. Kylián, H. Spoerli.

Keilbein, *Anatomie:* 1) Knochen der Schädelbasis mit der K.-Höhle; 2) Bez. für drei Fußwurzelknochen.

Keilberg (tschech. Klínovec), höchster Berg des Erzgebirges (1244 m ü.M.), in der Tschech. Rep.; Wintersportgebiet.

Keilberth, Joseph, Dirigent, * Karlsruhe 19. 4. 1908, † München 20. 7. 1968; war seit 1950 Chefdirigent der Bamberger Symphoniker, daneben seit 1959 Generalmusikdirektor an der Bayer. Staatsoper in München.

Keiler, das über zwei Jahre altes männl. Wildschwein.

Keilrahmen, durch Keile verstellbarer Rahmen zum Spannen der Malleinwand. Vorgänger ist der fest gefügte **Blendrahmen.**

Keilriemen, *Maschinenbau:* endloser Riemen aus Gummi mit Gewebeeinlagen; trapezförmiger Querschnitt. Dient z.B. bei Kfz u.a. zum Antrieb von Lichtmaschine, Wasserpumpe, Ventilator.

Keilschrift, die im antiken Vorderasien, bes. in Babylonien und Assyrien, verwendete Schrift, deren keilförmige Striche mit einem Rohrgriffel in Tontafeln eingedrückt wurden. Sie besteht aus urspr. meist bildmäßigen, dann stark vereinfachten Wortzeichen und von diesen abgeleiteten Silbenzeichen, die nicht den Wortsinn, sondern dessen

Kehl Stadtwappen

Birgit Keil

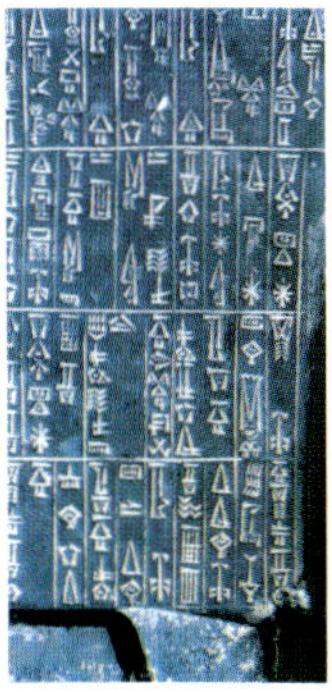

Keilschrift: Ausschnitt aus einer sumerischen Keilschrift

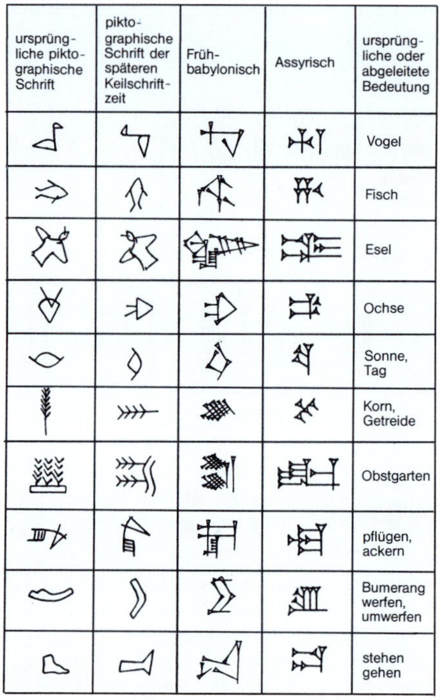

Keilschrift: Beispiele zur Entwicklung der Keilschrift von einfachen Bildern zur Keilform

Lautwert wiedergeben. Die K. entstand um 2900 v. Chr. bei den Sumerern und wurde bald auch von anderen kleinasiat. Völkern übernommen. Um 1400 v. Chr. war sie die internat. verwendete Schrift des Alten Orients, deren sich auch der ägypt. Hof im diplomat. Verkehr mit Vorderasien bediente. Ausgehend von der babylon. K. entstanden bei einigen Völkern Sonderformen und eigene Systeme, zu denen v. a. die altpers. K. der achaimenid. Könige gehört. Ihre Entzifferung durch den Sprachwissenschaftler G. F. Grotefend (1802) stand am Beginn der Erschließung der Keilschriften.

Keilschrift

Wie las man das Zeichen »König«?

Die leichte Übertragbarkeit der Keilschriftzeichen auf andere Sprachen lässt sich gut mit unseren Zahlzeichen vergleichen, bei denen etwa die Zahl 5 im Deutschen »fünf«, im Englischen »five« oder im Französischen »cinq« gelesen wird, aber dieselbe Bedeutung hat. Das Keilschriftzeichen, das den »König« bezeichnete, hatte etwa im Sumerischen eine Lesung »lugal«, im Akkadischen »scharrum«, im Hethitischen »chaschschu«, im Hurritischen »iwri«, im Urartäischen »ereli«.

📖 POPE, M.: *Die Rätsel alter Schriften. Hieroglyphen, K., Linear B. A. d. Engl. Bergisch Gladbach 1978.*

Keilschwanzsittiche, Gattungsgruppe mittelgroßer amerikan. Papageien der Unterfamilie **Psittacinae** mit kurzem, dickem Schnabel und langem, gestuftem Schwanz.

Keim, 1) *Biologie:* der →Embryo.

2) *Medizin:* Bez. für Krankheiten verursachende Mikroorganismen.

Keimbläs|chen (Blastozyste), aus dem Maulbeerkeim (Morula) hervorgehendes Entwicklungsstadium der plazentalen Säugetiere (einschl. Mensch).

Keimblatt, 1) *Botanik:* (Kotyledone) das erste, bereits an der Keimachse des pflanzl. Embryos im Samen angelegte, kurzlebige Blattorgan der Samenpflanzen.

2) *Embryologie:* in der Embryonalentwicklung vielzelliger Tiere auftretende Zellschicht, aus der sich Gewebe und Organe herausbilden. Das **äußere K. (Ektoderm)** bildet Hautepithel und Hautdrüsen, Vorder- und Enddarm, Nervensystem und Sinnesepithelien; das **innere K. (Entoderm)** bildet den Mitteldarm mit seinen Drüsen sowie z. B. Schilddrüse, Thymus. Bei den bilateralsymmetr. Tieren kommt ein drittes, das **mittlere K. (Mesoderm)** vor; es bildet v. a. Innenskelett, Muskulatur, Blutgefäße, Bindegewebe, Unterhaut und Exkretionsorgane.

Keimdrüsen, die →Geschlechtsdrüsen.

Keimgifte, chem. Substanzen, die direkt oder als Auslöser einer Wirkungskette dauerhafte Veränderungen des genet. Materials bewirken; bes. Stoffe, die Keimzellen abtöten, die Mitose und Meiose von Zellen der Keimbahn beeinflussen (Mitosegifte, zytostat. Mittel), das embryonale Wachstum stören (Teratogene) oder Mutationen erzeugen (Mutagene).

Keimhemmungsmittel, Substanzen, die bes. bei Kartoffeln die unerwünschte vorzeitige Keimung verhindern oder verzögern.

Keimling, der →Embryo, bes. der Pflanze.

Keimträger, *Medizin:* der →Dauerausscheider.

Keimung, Bez. für die ersten Entwicklungsvorgänge bei Pflanzen. Der Wiederaufnahme des Wachstums des Embryos nach der Samenruhe geht eine Wasseraufnahme unter Quellung des Sameninhalts und Sprengung der Samenschale voraus. Es folgt die Streckung der Keimwurzel des Embryos, die in den Boden einwächst, Wurzelhaare ausbildet und sich verzweigt. Damit ist die Keimpflanze verankert und die Aufnahme von Wasser und Nährstoffen aus dem Boden gewährleistet. Bei der Entwicklung des Sprosssystems durchbricht die sich stark streckende Keimachse (Hypokotyl) bogenförmig die Erdoberfläche und bringt die Keimblätter ans Tageslicht, wo sie die ersten Assimilationsorgane darstellen (**epigäische K.,** z. B. bei Raps). In anderen Fällen (**hypogäische K.,** z. B. bei Eichen) bleiben Hypokotyl und die als Nährstoffspeicher dienenden Keimblätter mit der Samenschale im Boden; dafür streckt sich das erste Sprossglied (Epikotyl) mit der Sprossknospe, durchbricht die Bodenoberfläche und bildet die ersten Laubblätter aus.

Keimzelle, die Geschlechtszelle (→Gameten).

K-Einfang, *Physik:* ein →Einfangprozess.

Keiser, Reinhard, Komponist, getauft Teuchern (bei Weißenfels) 12. 1. 1674, †Hamburg 12. 9. 1739; bed. Vertreter der frühen dt. Oper, Leiter der Oper am Gänsemarkt in Hamburg. K. schrieb mehr als 70 Opern sowie Kantaten, Kirchen- und Kammermusik.

Keistut (litauisch Keistutis, Kynstute), litauischer Fürst, *etwa 1297, †1382; Sohn des Großfürsten Gedimin, übernahm nach dessen Tod (1341) das Teilfürstentum Traken und Schamaiten, verteidigte die litauische Westgrenze. Mit seinem Bruder Algirdas kämpfte er gegen den Dt. Orden; im Auftrag seines Neffen Jagiełło ermordet.

Keitel, 1) [kaɪ'tel], Harvey, amerikan. Schauspieler, *New York 13. 5. 1939; v. a. Charakterdarsteller in Filmen von M. Scorsese (»Wer klopft denn da an meine Tür«, 1968; »Hexenkessel«, 1973; »Taxi Driver«, 1976; »Die letzte Versuchung Christi«, 1988); außerdem Rollen in »Das Piano« (1993) und »Pulp Fiction« (1993).

2) Wilhelm, Generalfeldmarschall (seit 1940), *Helmscherode (heute zu Bad Gandersheim) 22. 9. 1882, †(hingerichtet) Nürnberg 16. 10. 1946; leitete 1935–38 das Wehrmachtsamt. 1938–45 war er Chef des Oberkommandos der Wehrmacht. In Ausführung der Befehle Hitlers zeigte er sich sehr ergeben. 1940 führte er deutscherseits die Waffenstillstandsverhandlungen mit Frankreich. Er unterzeichnete am 8. 5. 1945 die bedingungslose Kapitulation der dt. Wehrmacht. 1946 verurteilte ihn das Internat. Militärtribunal in Nürnberg als einen der Hauptkriegsverbrecher zum Tod.

Keith [ki:θ], Sir Arthur, brit. Anatom und Anthropologe, *Old Machar (bei Aberdeen) 5. 2. 1866, †Downe (bei London) 7. 1. 1955; untersuchte mit M. W. Flack (*1882, †1931) den **Keith-Flack-Knoten,** den →Sinusknoten des Herzens.

KEK, Abk. für →**K**onferenz **E**uropäischer **K**irchen.

Kekkonen, Urho Kaleva, finn. Politiker, *Pielavesi 3. 9. 1900, †Helsinki 31. 8. 1986; Jurist, Mitgl. der Zentrumspartei, ab 1936 mehrfach Min. und Reichstagspräs., 1950–53 und 1954–56 MinPräs. Als Staatspräs. (1956–81) setzte K. die von seinem Vorgänger J. K. Paasikivi eingeleitete Politik eines gutnachbarl. Verhältnisses zur UdSSR bei Wahrung fester Beziehungen zu den westl. Demokratien fort. Er trug wesentlich zur Einberufung der KSZE (1973–75) bei.

Kekrops, *grch. Mythos:* erdgeborener erster König von Attika, halb Mensch, halb Schlange.

Kelch 2): Kelch eines Geistlichen aus Lothringen, Höhe 14 cm (10. Jh.; Nancy, Schatzkammer der Kathedrale); rechts daneben Kelch eines spanischen Grafen, Höhe 25 cm (Mitte 14. Jh.; Paris, Louvre)

Kekulé von Stradonitz, August, Chemiker, *Darmstadt 7. 9. 1829, †Bonn 13. 7. 1896; Prof. in Gent und Bonn, entdeckte die Vierwertigkeit des Kohlenstoffs und postulierte 1865 die Ringstruktur des Benzols.

Urho Kekkonen

Kelamayi, Stadt in China, →Karamai.

Kelang (früher Klang), Stadt an der W-Küste Malaysias, Sultanat Selangor, 243 700 Ew.; Zinnerzschmelze, Kautschukaufbereitung, Herstellung von Schuhen und Obstkonserven. Der Seehafen **Port K.** (früher **Port Swettenham**), durch Eisenbahn mit Kuala Lumpur verbunden, ist einer der wichtigsten Malaysias.

Kelantan, Gliedstaat (Sultanat) des Malaiischen Bundes, →Malaysia.

Kelch [von lat. calix »Trinkbecher«], **1)** *Botanik:* die äußeren Hüllblätter **(K.-Blätter)** der Blüte.

2) *christl. Liturgie:* liturg. Gefäß (Trinkbecher) zur Aufnahme des Weins bei der Feier des →Abendmahls bzw. der Eucharistie (→Laienkelch). – Der K., wohl aus dem spätröm. Doppelbecher hervorgegangen, bestand urspr. aus Fuß, Knauf (Nodus) und Trinkschale (Cuppa). Der »Tassilo-K.«, von Herzog Tassilo von Bayern dem Stift Kremsmünster geschenkt (um 780), ist einer der ältesten erhaltenen Kelche.

Kelchwürmer (Kelchtiere, Kamptozoa, Entoprocta), Stamm wirbelloser Tiere; meist im Meer lebend, bis zu 10 mm lang, mit Tentakelkranz am kelchförmigen Körper.

Kelemen, Milko, kroat. Komponist, *Podravska Slatina 30. 3. 1924; gründete 1961 die Musikbiennale Zagreb als Internat. Festival für Neue Musik, schrieb Orchester-, Kammer- und Vokal-

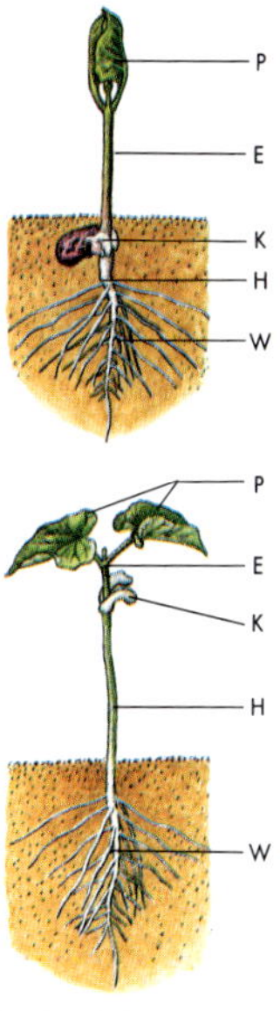

Keimung: Keimpflanzen der Feuerbohne (hypogäische Keimung; oben) und der Gartenbohne (epigäische Keimung); P Primärblätter, E Epikotyl, K Keimblätter (oben in der Samenschale), H Hypokotyl, W Primärwurzel musik sowie Bühnenwerke (u.a. Oper »Der Belagerungszustand« nach A. Camus, 1970; Multimedia-Ballettoper »Apocalyptica«, 1979).

Gottfried Keller: Gemälde von Karl Stauffer-Bern (1886; Zürich, Kunsthaus), darunter Autogramm

Kelheim, 1) Landkreis im RegBez. Niederbayern, 1067 km², (1996) 105 900 Einwohner.

2) Krst. von 1) in Bayern, am Zusammenfluss von Altmühl und Donau, am W-Ausgang des Durchbruchtals der Donau durch die Fränk. Alb, 15 800 Ew.; chem., Textil-, Baustoffind., Motorenbau, Parkettfabrik, Brauerei; Flusshafen. – Auf dem Michelsberg die im Auftrag Ludwigs I. von Bayern von F. Gärtner und L. v. Klenze zur Erinnerung an die Befreiungskriege erbaute Befreiungshalle (1837 ff.), ein antikisierender Rundbau. Nahebei die Benediktinerabtei →Weltenburg.

Helen Keller

Kelim [türk.] *der* (Kilim), Wandbehang, Decke oder Teppich in oriental. Musterung mit beidseitig gleichem Aussehen. Der Schussfaden wird eingeflochten, sodass im Ggs. zum Gobelin an den kettparallelen Rändern Schlitze entstehen, die später vernäht werden. Daher werden geometr. Muster mit rechtwinkligen Abstufungen bevorzugt.

Kelkheim (Taunus), Stadt im Main-Taunus-Kreis, Hessen, 26 600 Ew.; Wohnstadt für Frankfurt am Main am S-Hang des Taunus; bed. Möbelind., Forschungszentrum der Varta AG.

Bernhard Kellermann

Keller [zu lat. cella »Zelle«, »Kammer«], **1)** ganz oder teilweise unterird. Bereich, bes. unterstes Geschoss im Haus; oft Vorrats-, Heizungs- und Hobbyraum. Gegen aufsteigende Feuchtigkeit müssen K.-Sohle und K.-Wände durch Dämmschichten und/oder wasserfeste Anstriche isoliert werden.

2) *Informatik:* (K.-Speicher, Stapel, Stapelspeicher, engl. Stack) Form der Datenorganisation in einem Speicher, bei der die zuletzt eingegebene Information zuerst wieder ausgegeben wird (**Lifo-Prinzip,** engl. **l**ast **i**n/**f**irst **o**ut). Die aktuelle Adresse des K. wird in einem speziellen Register (engl. stack pointer) geführt. K. sind u.a. von Bedeutung für den Ablauf eines →Interrupts, bei dem die Inhalte des Befehlszählers und der Register in einen K. geschrieben und so gesichert werden.

Keller, 1) Adolf, schweizer. ref. Theologe, *Rüdlingen (Kt. Schaffhausen) 7.2.1872, †Los Angeles 10.2.1963; initiierte 1922 die Europ. Zentralstelle für kirchl. Hilfsaktionen; war entscheidend am Entstehen des Ökumen. Rates der Kirchen beteiligt.

2) Augustin, schweizer. Pädagoge und Politiker, *Sarmenstorf (Aargau) 10.11.1805, †Lenzburg 8.1.1883; liberal-kath. Schulpolitiker, initiierte die Aufhebung der Klöster im Aargau; Vorkämpfer der Antijesuitenbewegung, Mitbegründer der altkath. (christkath.) Kirche der Schweiz.

3) Evelyn Fox, Molekularbiologin und Philosophin, *New York 1936; seit 1992 Prof. am Massachusetts Institute of Technology. Aus ihren wissenschaftstheoret. Analysen, u.a. »Liebe, Macht und Erkenntnis« (1986) zieht K. den Schluss, dass nicht erst die techn. Anwendung der Wissenschaft u.a. zu den heutigen Problemen im Bereich der Bioethik führt, sondern bereits ihre innere Struktur, die von männl. Dominanz geprägt sei.

4) Gottfried, schweizer. Dichter, *Zürich 19.7.1819, †ebd. 15.7.1890; erkannte während seiner Ausbildung zum Maler in München (1840–42) seine dichter. Begabung; hörte 1848–50 Vorlesungen in Heidelberg, wo er durch den Atheismus L. Feuerbachs beeinflusst wurde. 1850–55 lebte K. in Berlin; hier entstand der autobiographisch bestimmte Roman »Der grüne Heinrich« (4 Bde., 1854/55, Umarbeitung 1879/80), ein in der Tradition des großen Bildungsromans stehendes Hauptwerk des »poet. Realismus«. Seit 1855 lebte K. wieder in Zürich; es erschienen die humorvollen Erzählungen »Die Leute von Seldwyla« (1856, erweitert 1874). 1861–76 war er 1. Staatsschreiber in Zürich. Neben die »Sieben Legenden« (1872) mit ihrer Einheit von Bildkraft und betrachtendem Gestus traten die »Züricher Novellen« (2 Bde., 1878) und »Das Sinngedicht« (1882). Sein letzter Roman, »Martin Salander« (1886), setzt sich mit der Gefährdung demokrat. Ideen in der Zeit der Gründerjahre auseinander. K. schuf auch ein umfangreiches lyr. Werk (»Gesammelte Gedichte«, 1883).

📖 BAUMANN, W.: *G. K. Leben, Werk, Zeit. Zürich 1986.* – BREITENBRUCH, B.: *G. K. Reinbek 61.–63. Tsd., [13]1994.*

5) Helen, amerikan. Schriftstellerin, *Tuscumbia (Ala.) 27. 6. 1880, †Westport (Conn.) 1. 6. 1968; verlor mit 19 Monaten Augenlicht und Gehör, bekam Unterricht bei Anne Sullivan Macy (*1866, †1936), studierte am Radcliffe College; schrieb autobiograph. Werke und Schriften zur Blindenerziehung, wie »Geschichte meines Lebens« (1902), »Meine Welt« (1908), »Dunkelheit« (1913).

6) Paul, Schriftsteller, *Arnsdorf 6. 7. 1873, †Breslau 20. 8. 1932; Gründer der Zeitschrift »Die Bergstadt« (1912–31); in Romanen (»Waldwinter«, 1902; »Sohn der Hagar«, 1907; »Ferien vom Ich«, 1915) schildert er die Menschen seiner schles. Heimat.

Keller|assel, Krebstier, →Asseln.

Kellermann, Bernhard, Schriftsteller, *Fürth 4. 3. 1879, †Klein-Glienicke (Potsdam) 17. 10. 1951; errang mit dem technisch-utop. Roman »Der Tunnel« (1913) Welterfolg; in gesellschaftskrit. Romanen schilderte er v.a. Zeiterscheinungen in Dtl. nach 1918.

Kellerschnecke (Limax flavus), 8–10 cm lange, gelbl. Nacktschnecke mit dunkler Netzzeichnung. Der graue Mantelschild ist hell gefleckt. Vorratsschädling (Kartoffeln, Gemüse).

Kellerschwamm (Warzenschwamm, Coniophora cerebella), neben dem Echten →Hausschwamm einer der gefährlichsten Holz zerstörenden Pilze (Holzfäule); kommt in Häusern bei hoher Holzfeuchtigkeit vor.

Kellerspeicher, *Informatik:* →Keller.

Kellerwald, bewaldetes Bergland zw. Eder und Schwalm, in Hessen, östlicher Ausläufer des Rheinischen Schiefergebirges, im Wüstegarten 675 m ü. M.; neben Forstwirtschaft spielt der Fremdenverkehr eine Rolle (Bad Wildungen, Edersee).

Kellinghusen, Stadt im Kreis Steinburg, Schlesw.-Holst., an der Stör, 8100 Ew.; Herstellung von keram. Erzeugnissen (von 1760 bis 1840 bed. Fayenceproduktion).

Kellogg, Frank Billings, amerikan. Politiker, *Potsdam (N. Y.) 22. 12. 1856, †Saint Paul (Minn.) 21. 12. 1937; Jurist, 1925–29 Außenmin., erhielt 1929 als Mitinitiator des →Briand-Kellogg-Paktes den Friedensnobelpreis. 1930–35 war er Mitgl. des Internat. Gerichtshofes in Den Haag.

Kelly ['kelɪ], **1)** Ellsworth, amerikan. Maler, Grafiker und Bildhauer, *Newburgh (N. Y.) 31. 5. 1923. Seine Werke stellen in scharfer Kontrastierung homogener Farbfelder und gekanteter Flächen wichtige Beiträge zur Kunst des →Hardedge dar.

2) Gene, amerikan. Filmschauspieler, Tänzer, Choreograph, *Pittsburgh 23. 8. 1912, †Los Angeles (Calif.) 2. 2. 1996; erfolgreicher Darsteller und Choreograph in Filmmusicals wie »Broadway Melodie 1950« (1946), »Ein Amerikaner in Paris« (1951) und »Du sollst mein Glücksstern sein« (»Singin' in the rain«, 1952); in »Hello Dolly!« (1968) führte er auch Regie.

3) Grace, amerikan. Filmschauspielerin, →Gracia Patricia.

4) Petra, Politikerin, *Günzburg 29. 11. 1947, †Bonn 1. 10. 1992 (nach dem Polizeibericht); bis 1979 Mitgl. der SPD; 1979 Gründungsmitgl. der Partei »Die Grünen«, 1980–82 eine ihrer Vors., 1983–90 MdB; engagierte sich bes. in der Friedens-, Menschenrechts- und Ökologiebewegung (alternativer Nobelpreis 1982). Am 19. 10. 1992 wurde sie zus. mit ihrem Mitstreiter und Lebensgefährten G. Bastian (*1923) tot aufgefunden; die Staatsanwaltschaft geht davon aus, dass K. von Bastian erschossen wurde, der sich danach selbst tötete.

Keloid [grch.] *das,* derbe Bindegewebswucherung im Bereich von Narben, z. B. nach Verbrennungen, Verätzungen oder Impfung.

Kelsen, Hans, amerikan. Jurist österr. Herkunft, *Prag 11. 10. 1881, †Berkeley (Calif.) 19. 4. 1973; 1919–1929 Prof. in Wien, 1930 in Köln; 1933 Emigration, 1942 Prof. in Berkeley (Calif.). K. gilt als Schöpfer der österr. Verfassung von 1920; er entwickelte als Vertreter des strengen Rechtspositivismus eine »Theorie des positiven Rechts«. – *Werke:* »Vom Wesen und Wert der Demokratie« (1920), »Reine Rechtslehre« (1934) u. a.

Kelsterbach, Industriestadt im Landkreis Groß-Gerau, Hessen, am Untermain, 14600 Ew.; Herstellung von Chemiefasern und Kunststoffen.

Kelten (grch. Keltoi, lat. Celtae), Sammelname für kelt. Sprachen sprechende Völkergruppen in Europa. Nach den frühesten (6./5. Jh.) schriftl. Nachrichten in Gallien, Spanien und Süd-Dtl. ansässig, bildeten sich die K. sehr wahrscheinlich im Bereich der westl. Urnenfelderkultur heraus und waren im 8./7. Jh. im Gebiet von Champagne und Saar, Mittelrhein, Bayern bis Böhmen ansässig. Vom heutigen Frankreich aus siedelten sie ab dem 8. Jh. nach Britannien über, seit dem 6. Jh. v. Chr. nach der Iber. Halbinsel. Die große Ausdehnung der K. begann jedoch erst mit der La-Tène-Zeit (5. Jh.). Um 400 fielen sie in Oberitalien ein, stießen mehrfach nach Mittelitalien vor (Besetzung Roms mit Ausnahme des Kapitols wohl 387) und konnten von den Römern, die die K. Gallier nannten, erst 222 v. Chr. endgültig besiegt werden. Im 4. Jh. v. Chr. drangen K. ins Gebiet des heutigen Siebenbürgen und nach Dalmatien ein; 280/279 stießen K. nach Makedonien und Griechenland vor und plünderten 279 Delphi. 278/277 siedelte eine Gruppe von K. nach Kämpfen mit den Seleukiden in Großphrygien, das nach ihnen den Na-

Frank B. Kellogg

Gene Kelly

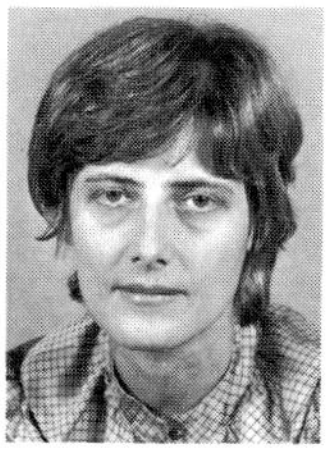
Petra Kelly

Hans Kelsen

Ausbreitung der Kelten

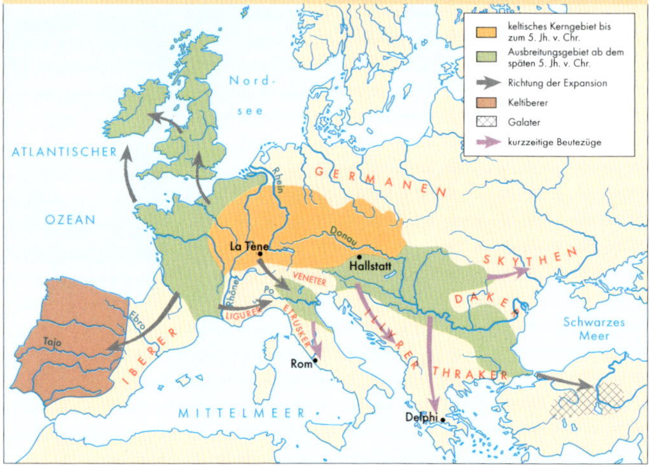

men Galatien (Galater) erhielt. Staaten- oder Stammesbünde wurden nicht gebildet (Ausnahme: das von etwa 277 bis etwa 212 blühende K.-Reich von Tylis [heute Tilios] in Thrakien mit dem Schwerpunkt am Tonzos [heute Tundza]). Der Rückgang der kelt. Macht begann im südl. Mitteleuropa und im transalpinen Gallien. Im N wurden die K. seit 300 v. Chr. von den Germanen eingeengt und auf die Mainlinie zurückgedrängt; die Eroberung Galliens durch Cäsar (58–51) und die röm. Unterwerfung Noricums, Vindelikiens und Pannoniens bedeuteten das Ende der letzten K.-Länder auf dem Festland. Unter dem Druck röm., später angelsächs. Eroberungen in Britannien wanderten im 5. und 6. Jh. n. Chr. trotz der Romanisierung noch Keltisch sprechende Volksgruppen aus Wales und Cornwall in die heutige Bretagne ein. Gleichzeitig erfolgten vom kelt. Irland aus Eroberungen in Wales und Schottland.

Rudolf Kelterborn

🕮 HERM, G.: *Die K. Das Volk, das aus dem Dunkel kam. Neuausg. Augsburg 1991.* – MAIER, B.: *Lexikon der kelt. Religion u. Kultur. Tb.-Ausg. Stuttgart 1994.* – BIRKHAN, H.: *K. Versuch einer Gesamtdarstellung ihrer Kultur. Wien 1997.*

Kelten

Herodot beschreibt die geographische Lage der Kelten so (Historien, 2, 33):

»Der Istros (die Donau) kommt aus dem Lande der Kelten, von der Stadt Pyrene (am Fuß der Ostpyrenäen) her und fließt mitten durch Europa. Die Kelten wohnen jenseits der Säulen des Herakles und sind Nachbarn der Kynesier, des am meisten westlich wohnenden Volkes unter allen Europäern.«

Kelter [von lat. calcatura, zu calcare »mit den Füßen stampfen«], Gerät zum Auspressen von Weintrauben, aber auch von anderen Früchten.

Kelterborn, Rudolf, schweizer. Komponist, *Basel 3. 9. 1931; komponiert auf der Basis der Zwölftontechnik, bezieht seit den späten 60er-Jahren auch serielle Verfahren und Aleatorik ein; schrieb Opern (u. a. »Ein Engel kommt nach Babylon«, 1977, nach F. Dürrenmatt; »Ophelia«, 1984; »Julia«, 1990), Orchesterwerke, Kammermusik, Vokalwerke (»Gesänge der Liebe«, 1988; für Bariton und Orchester).

Kelt|iberer, nach älterer Auffassung Mischbevölkerung aus Kelten und Iberern im Gebiet der span. Provinz Soria; wahrscheinlich jedoch zunächst Bez. aller kelt. Stämme auf der Iber. Halbinsel, später nur noch Name der Ebrokelten.

keltische Kunst, die v. a. in handwerkl. Arbeiten, aber auch in plast. Werken sich äußernde Kunst der Kelten, deren Beginn heute meist erst gegen Mitte des 6. Jh. v. Chr. angesetzt wird. Es sind Denkmäler der späteren Hallstattzeit (Westhallstattkreis) und der La-Tène-Kultur. Unter Einwirkung etrusk. und skyth. Elemente erfährt die frühe k. K. auf dem Kontinent ihre erste Blüte v. a. im Marne- und im Mittelrheingebiet sowie in S-Böhmen, wo in fürstl. Bestattungen (bes. Gräber von Hochdorf und vom Glauberg) Schmuck u. a. Beigaben aus Gold, Bronze und Eisen entdeckt worden sind. Am Mittelrhein und in Zentralfrankreich sind pflanzl., dem mittelmeer. Bereich entlehnte Motive vorherrschend (Palmetten, Lotosblüten, Leiern), während im O von Bayern bis Österreich abstrakt geometr., kurvilineare Muster vertreten sind. Die auf den frühkelt. Stil im 4. Jh. folgende 2. Stilphase wird nach dem Fundort (1869) im Kreis Mainz-Bingen »Waldalgesheim-Stil« genannt; sie knüpfte an die grch. Rankenornamentik an (v. a. auf Arbeiten der Flachgräberzone von Frankreich bis Ungarn). Aus ihm entwickelten sich im 3. Jh. sowohl der »Schwertstil« als auch der freie plast. Stil. Die Dekorationen wurden gehämmert, geritzt oder von innen gepunzt, auch kommen Durchbrucharbeiten vor, die den andersfarbigen Untergrund zur Wirkung bringen. In der Wanderzeit der Kelten sind die Funde spärlicher, bis es zu einer neuen Blütezeit im 2. und 1. Jh. v. Chr. kam, für die es im gesamten kelt. Bereich Zeugnisse gibt. Beliebt sind nun Einlagen aus Koralle und Bernstein sowie versch. Techniken der →Emailkunst. Seit der Mitte des 1. Jh. v. Chr. wurde die k. K. von der provinzialröm. Kultur assimiliert, jedoch lebten viele Motive (z. B. in der Bauplastik) weiter. In **Britannien** traten vom 4. bis 1. Jh. v. Chr. – nach Übernahme kontinentaler Motive im 5. Jh. – eine eigenständige Flechtwerk- und Kreisornamentik, aber auch Vogelmotive und fließende plast. Muster auf. Unter wachsendem röm. Einfluss wurden sie gegen Ende des 1. Jh. v. Chr. allmählich strenger symmetrisch konzi-

keltische Kunst

1

2

3

| **1** Situla (eimerartiges Gefäß) und Kanne aus dem Grabfund von Waldalgesheim im Kreis Mainz-Bingen, Bronze (4. Jh. v. Chr.; Bonn, Rheinisches Landesmuseum) | **2** Kalksteinskulptur »Le tarasque« aus Noves, Departement Bouches-du-Rhône in Frankreich (3. oder 2. Jh. v. Chr.; Avignon, Musée Calvet) | **3** Skulptur eines Gottes, Bronze und Email (1. Jh. v. Chr.; Saint-Germain-en-Laye, Musée des Antiquités Nationales)

piert, z. B. der bronzene »Battersea-Schild« aus der Themse (London, British Museum). In **Irland** bildeten sich gegen Ende des 1. Jh. v. Chr. eigenständige Leistungen in der Metallkunst (Goldhalsring von Broighter, 1. Jh. v. Chr., Dublin, Nat. Museum) heraus. Die Steinskulptur ist nur durch wenige im La-Tène-Stil verzierter Monolithe vertreten. Der schönste ist der Stein von Turoe (3. Jh.), der wohl kult. Zwecken diente, aus der Grafschaft Galway. Nach dem 6. Jh. traten in der ir. Kunst zu den kelt. Motiven german., wie verschlungene Bänder oder Tiere, und bis Ende des 7. Jh. auch christl. Bilddarstellungen. Aus dieser Synthese entstand ein neuer Kunststil (→ irische Kunst).

🕮 ELUÈRE, C.: *Das Gold der Kelten. A. d. Frz. München 1987.* – *Heiligtümer u. Opferkulte der Kelten, hg. v.* A. HAFFNER. *Stuttgart 1995.*

keltische Mythologie. In dem großen, zersplitterten Siedlungsgebiet der Kelten lassen sich nur wenige gemeinsame Züge einer urspr. k. M. finden. Durch die frühe Romanisierung erhielten auch die Gottheiten lat. Namen und wurden z. T. mit röm. Göttern identifiziert. Wahrscheinlich stand an der Spitze des Pantheons Lug (mit Merkur gleichgesetzt), Hauptgötter waren auch der krieger. Teutates (Mars) und der Himmelsgott Taranis (Jupiter). Auf Fruchtbarkeitskulte weisen die vielen Muttergottheiten hin, so die Matres (»Mütter«), die oft zu Dreiheiten (Matronen) zusammengefasst wurden. Verbreitet war die Verehrung aller Arten von Naturobjekten: die Pferdegöttin Epona, die Bärengöttin Artio, der Hirschgott Cernunnos u. a. Wichtigste religiöse Instanz waren die → Druiden. In der Mythologie der Inselkelten finden sich keine röm. Elemente. Ihre Spuren sind in der mittelalterl. irischen Literatur erhalten, wenn auch christlich umgedeutet. Götterkönig und Stammvater war hier Dagda (Ollothair), als seine Schwester oder Tochter wurde Brigantia angesehen, die in der hl. Brigit weiterlebt. Einige Züge der k. M. haben sich auch in den Sagen um König → Artus erhalten.

🕮 BOTHEROYD, S. *u.* P. F.: *Lexikon der k. M. München* [4]*1996.* – LENGYEL, L.: *Das geheime Wissen der Kelten enträtselt aus druidisch-kelt. Mythik u. Symbolik. A. d. Frz. Freiburg im Breisgau* [11]*1996.*

keltische Sprachen, Zweig der indogerman. Sprachfamilie, für den u. a. der Verlust des »p« kennzeichnend ist (z. B. lat. »palter«, altir. »athir«).

keltische Mythologie: Die Reliefplatte eines Silberkessels zeigt den keltischen Hirschgott Cernunnos mit einer Schlange zwischen den Tieren (2./1. Jh. v. Chr.; Kopenhagen, Nationalmuseet)

Kemal Atatürk

Rudolf Kempe

Wilhelm Kempff

Walter Kempowski

Geographisch unterscheidet man das chronologisch relativ früh überlieferte **Festlandkeltisch** und **Inselkeltisch,** genetisch 1) Goidelisch mit Irisch, Schottisch-Gälisch (Ersisch) und Manx-Gälisch, 2) Keltiberisch, 3) Lepontisch, 4) Gallobritannisch mit Gallisch (einschließlich Galatisch, der Sprache der Galater) und den britann. Sprachen Kymrisch (Walisisch), Kornisch (ausgestorben), Kumbrisch (bruchstückhaft überliefert) und Bretonisch, das seit der 2. Hälfte des 5. Jh. n. Chr. durch Auswanderung kelt. Briten aus SW-England in die Bretagne gelangte. Die Zugehörigkeit des Piktischen ist ungeklärt. Die k. S. sind sowohl durch archaische Züge als auch durch Übereinstimmung bes. mit westindogerman. Sprachen charakterisiert. In Irland wurde beschränkt die →Oghamschrift verwendet; die Inselkelten übernahmen später die röm. Schrift. Schriftl. Überlieferungen gibt es bes. in ir. und kymr. Sprache, von den Festlandkelten ist nur mündl. Überlieferung durch die Druiden bezeugt.

Kẹlvin [nach W. →Thomson, Lord Kelvin] *das,* Zeichen **K,** SI-Basiseinheit der thermodynam. Temperatur. Die Teilung der K.-Skala entspricht der Celsius-Skala, doch ist ihr Skalen-Nullpunkt der absolute Nullpunkt der Temperatur. Die thermodynam. Temperatur des Eispunktes beträgt T_0 = 273,15 K (= 0 °C) und die des Tripelpunktes von Wasser T_{tr} = 273,16 K. – Die angloamerikan. Einheit der thermodynam. Temperatur ist das auf der Fahrenheitskala aufbauende Grad Rankine (°R).

Kemạl, Yaşar, türk. Schriftsteller, →Yaşar Kemal.

Kemạl Atatụ̈rk, Mustafa, bis 1934 Mustafa Kemal Pascha, türk. Politiker, *Saloniki 12. 3. 1881, †Istanbul 10. 11. 1938; nahm 1908–09 am Aufstand der Jungtürken teil, führte im 1. Weltkrieg eine Armee. Nach dem militär. Zusammenbruch des Osman. Reiches 1918 trat er an die Spitze der nationalrepublikan. Bewegung und brach mit der Regierung des Sultans. 1920 berief er die 1. Große Nationalversammlung ein (1920–23 deren Präs.). 1922 zwang er die Griechen militärisch zur Räumung Kleinasiens, beseitigte das Sultanat, rief die Republik aus und schaffte das Kalifat ab. Ab 1923 Staatspräs., wurde er durch Reformen (u. a. Trennung von Staat und Religion, Gleichstellung der Frau, Entwicklung von Bildung, Schrift, Wirtschaft und Technik) und Ablehnung des Panislamismus Schöpfer der modernen Türkei. Ab 1934 führte er den Ehrennamen **Atatürk,** türk. »Vater der Türken«. Seine Ideen, der **Kemalismus,** bleiben trotz Einschränkungen die ideelle Basis des türk. Staates.

📖 GRONAU, D.: *M. K. A. oder die Geburt der Republik. Frankfurt am Main 1994.*

Kẹmelman [-mən], Harry, amerikan. Schriftsteller, *Boston (Mass.) 24. 11. 1908, †Marblehead (Mass.) 15. 12. 1996; belebte den traditionellen Kriminalroman, indem er Rabbi David Small als Detektiv agieren ließ: u. a. »Am Freitag schlief der Rabbi lang« (1964), »Am Samstag aß der Rabbi nichts« (1966), »Am Dienstag sah der Rabbi rot« (1974).

Kemenạte [von lat. caminata, zu caminus »Ofen«] *die,* urspr. Bez. für kleinere, z. T. beheizbare Wohngemächer im →Palas, später (auf größeren Burgen) übertragen auf den den Damen vorbehaltenen eigenen Wohnbau.

Kẹmerowo (bis 1932 Schtscheglowsk), Hauptstadt des Gebiets K., Russland, im Kusnezker Kohlenbecken (Kusbas) in W-Sibirien, 520 000 Ew.; Univ. (1973 gegr.) u. a. Hochschulen, mehrere Theater; Kohlenbergbau, bed. chem. Ind., Maschinenbau, elektrotechn. Industrie.

Kẹmi, Stadt in N-Finnland, am südl. Mündungsarm des Kemijoki in den Bottn. Meerbusen, 25 100 Ew.; Kunst-, Freilichtmuseum; Ausfuhrhafen und bed. Ind. (Sägewerke, Zellstoff- und Papierfabriken, Alkoholherstellung).

Kẹmijoki *der,* längster Fluss Finnlands, 520 km lang, entspringt im nördl. Lappland, mündet bei Kemi in den Bottn. Meerbusen. Der sehr wasserreiche K. ist bed. Floßweg; Kraftwerke.

Kẹmpe, Rudolf, Dirigent, *Niederpoyritz (heute zu Dresden) 14. 6. 1910, †Zürich 11. 5. 1976; leitete seit den 60er-Jahren das Royal Philharmonic Orchestra in London, das Tonhalle-Orchester in Zürich, die Münchner Philharmoniker und das Londoner BBC Symphony Orchestra; bes. bekannt als Wagner- und Straussinterpret.

Kẹmpen, Stadt im Kr. Viersen, NRW, in der niederrhein. Bucht, 36 200 Ew.; Textil- und Nahrungsmittelind., Herstellung von Werkzeugmaschinen, Elektroschaltanlagen und Stahlrohrmöbeln, graf. Gewerbe. – Gut erhaltener mittelalterl. Stadtkern, Burg (1396–1400), Pfarrkirche St. Maria (15. Jh.), im Franziskanerkloster und seiner Kirche (17./18. Jh.) zwei Museen. – Erhielt 1294 Stadtrecht.

Kẹmpenland (niederländ. Kempen, frz. Campine), grenzübergreifende Landschaft in N-Belgien und den S-Niederlanden, zw. Maas und Schelde. Mit der Erschließung der Fettkohlenlager begann die Industrialisierung in dem ursprüngl. Heideland; im niederländ. K. Elektroind. in Eindhoven, Tabak- und Zigarrenind. in Valkenswaard, Textilind. in Tilburg; in Belgien Zink- , Kupfer- und Glashütten, Kernforschungszentrum Mol; das Naturschutzgebiet »Bokrijk« mit Schloss und Freilichtmuseum liegt zw. Hasselt und Genk.

Kẹmpff, Wilhelm, Pianist und Komponist, *Jüterbog 25. 11. 1895, †Positano (Prov. Salerno) 23. 5. 1991; bed. Interpret der dt. Klassik und Romantik, v. a. Beethovens; schrieb Sinfonien, Chor- und Kammermusik, Opern, Konzerte.

Kẹmpner, 1) Alfred, Theaterkritiker und Schriftsteller, → Kerr, Alfred.

2) Friederike, Schriftstellerin, * Opatów (Posen) 25. 6. 1836, † Friederikenhof (bei Reichthal, Schlesien) 23. 2. 1904; schrieb unfreiwillig komisch wirkende Gedichte.

Kempọwski, Walter, Schriftsteller, * Rostock 29. 4. 1929; schildert in seinen Werken Zeitgeschichte (Nationalsozialismus, Kriegs- und Nachkriegszeit und Haft im Zuchthaus Bautzen) anhand des Lebensweges seiner Familie; u. a. »Im Block« (Haftbericht, 1969); Romanchronik: »Tadellöser & Wolff« (1971), »Uns geht's ja noch gold« (1972), »Ein Kapitel für sich« (1975), »Aus großer Zeit« (1978), »Schöne Aussicht« (1981), »Herzlich willkommen« (1984). Er schrieb ferner: »Hundstage« (R., 1988), »Mark und Bein« (R., 1992), »Das Echolot. Ein kollektives Tagebuch. Januar und Februar 1943« (1993), »Der arme König von Opplawur. Ein Märchen« (1994), »Weltschmerz. Kinderszenen fast zu ernst« (1995).

Kẹmpten (Ạllgäu), kreisfreie Stadt im Reg.-Bez. Schwaben, Bayern, an der Iller, 61 600 Ew.; Milchwirtsch. Untersuchungs- und Lehranstalt; kultureller und wirtsch. Mittelpunkt des Allgäus mit Süddt. Butter- und Käsebörse; Maschinen- und Apparatebau, Metall-, elektron., Verpackungs- und Nahrungsmittelind. (v. a. Milchverarbeitung), Druckereien. – In der Altstadt St.-Mang-Kirche (umgebaut im 15. Jh., 1767/68 barockisiert) und Rathaus (1474), in der Neustadt (Stadtrecht 1712) das Fürststift mit Residenz (1651–74) und der St.-Lorenz-Kirche (1651–66). – Spätkelt. Oppidum **Cambodunum** (Ausgrabungen seit 1885). Die sich um das 752 gegründete Benediktinerkloster, seit 1360 Fürststift (1803 säkularisiert), entwickelnde Stadt wurde 1289/1361 Reichsstadt, kaufte sich 1525 von der Grundherrschaft des Stiftes frei und wurde protestantisch; fiel 1803 an Bayern.

Ken, japan. Verwaltungseinheit (Präfektur, Provinz).

Kẹna (Kina, Qena), Gouvernoratshptst. in Oberägypten, am Ostufer des Nilknies, 142 000 Ew.; Inst. für Bergbau der Univ. Kairo; Handelszentrum, Töpferei, Textil-, Zuckerindustrie.

Kendall [kendl], **1)** Edward Calvin, amerikan. Biochemiker, * South Norwalk (Conn.) 8. 3. 1886, † Princeton (N. J.) 4. 5. 1972; entdeckte 1914 das Schilddrüsenhormon Thyroxin, stellte 1936 Cortison rein dar. Für seine Arbeiten über die Hormone der Nebenniere erhielt er 1950 mit P. S. Hench und T. Reichstein den Nobelpreis für Medizin.

2) Henry Way, amerikan. Physiker, * Boston (Mass.) 9. 12. 1926, † Wakulla Springs State Park (Fla.) 15. 2. 1999; seit 1967 Prof. am Massachusetts Institute of Technology. K. erhielt 1990 mit J. I. Friedman und R. E. Taylor für seine Forschungen über die unelast. Streuung von Elektronen an Protonen und gebundenen Neutronen, mit denen um 1970 das Quark-Modell bestätigt wurde, den Nobelpreis für Physik.

Edward C. Kendall

Henry W. Kendall

Kẹndo [japan. »Weg des Schwertes«] *das,* urspr. die Kriegskunst der Samurai, bei der mit Schwertern und ohne Schutzpanzer gekämpft wurde; heute zu den Budokünsten zählende zeremonielle Kampfsportart mit Bambusschwertern **(Shinai).** K. wird auf einer 11 × 11 m großen Fläche ausgeübt. Das Schwert besteht aus vier zusammengebundenen, 1,05–1,20 m langen Bambusspießen. Mit dem Bambusschwert wird nach den geschützten Körperstellen geschlagen. Hiebe und Stöße werden voll ausgeführt. Die Kampfzeit beträgt 5 Minuten.

Kendrew ['kendru:], Sir John Cowdery, brit. Molekularbiologe, * Oxford 24. 3. 1917, † Cambridge 23. 8. 1997; erhielt 1962 mit M. F. Perutz für die Strukturaufklärung des Myoglobins den Nobelpreis für Chemie.

Kẹnia (amtlich Suaheli: Jamhuri ya Kenya, engl. Republic of Kenya; dt. Rep. K.), Staat in Ostafrika, grenzt im N an die Rep. Sudan und an Äthiopien, im O an Somalia, im SO an den Ind. Ozean, im S an Tansania und im W an Uganda.

Kenia

Staat und Recht: Nach der Verf. von 1963 (danach mehrfach geändert) ist K. eine präsidiale Rep. mit Mehrparteiensystem. Staatsoberhaupt, Reg.chef und Oberbefehlshaber der Streitkräfte ist der auf fünf Jahre direkt gewählte Präsident. Er ernennt den Vizepräs. und die Mitgl. des Kabinetts, die der Nationalversammlung verantwortlich sind.

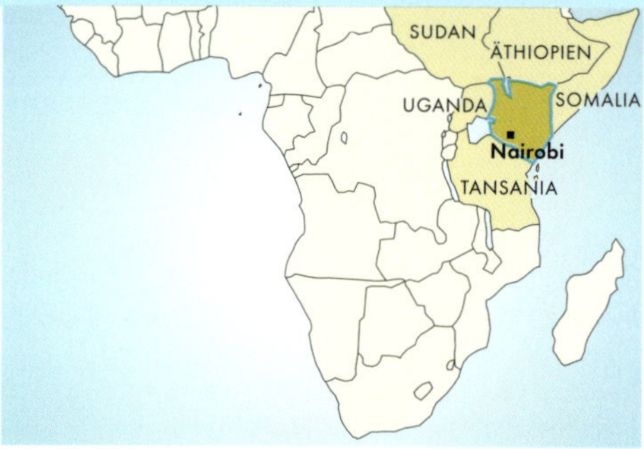

Kenia

Fläche: 582 646 km²
Einwohner: (1995) 28,26 Mio.
Hauptstadt: Nairobi
Verwaltungsgliederung: 7 Provinzen und die Hauptstadt
Amtssprachen: Suaheli, Englisch
Nationalfeiertag: 12. 12.
Währung: 1 Kenia-Schilling (K.Sh.) = 100 Cents (cts)
Zeitzone: MEZ +2 Std.

Staatswappen

EAK
Internationales Kfz-Kennzeichen

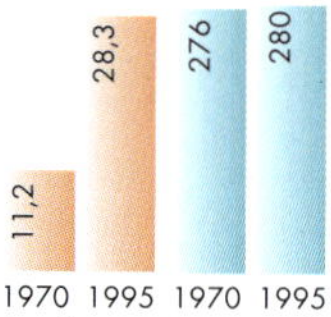

Bevölkerung (in Mio.) Bruttosozialprodukt je Ew. (in US-$)

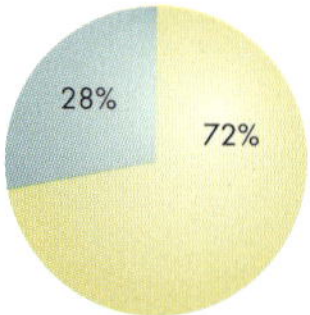

Stadt
Land
Bevölkerungsverteilung 1995

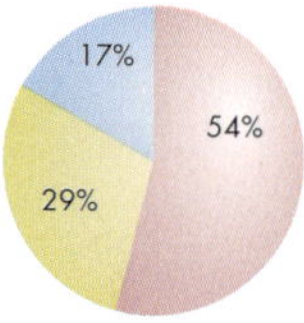

Industrie
Landwirtschaft
Dienstleistung
Bruttoinlandsprodukt 1995

Die Legislative liegt bei der Nationalversammlung (188 gewählte und 12 vom Präs. ernannte Abg.). Neben der bisherigen Einheitspartei Afrikan. Nationalunion K. (KANU) entwickelten sich zahlr. Oppositionsparteien, z.B. Forum für die Wiederherstellung der Demokratie (FORD; 1992 in FORD-Kenya und FORD-Asili aufgespalten), Demokrat. Partei, Islam. Partei).

Landesnatur: Von der Küste des Ind. Ozeans steigt das Land nach NW zu weiten Hochflächen (1500–2000 m ü. M.) an, überragt von einzelnen erloschenen Vulkanen (Mount →Kenia). Die Küstenebene ist im S schmal mit guten Naturhäfen, nach N wird sie breiter. Den westl. Teil des Landes durchzieht der Ostafrikan. Graben mit seinen abflusslosen Seen, unter ihnen der Turkanasee (Rudolfsee). Im SW hat K. Anteil am Victoriasee. K. liegt beiderseits des Äquators und hat trop. Klima; die an der Küste hohen Temperaturen sind im Innern durch die Höhenlage gemildert. Die Niederschläge sind an den Aufwölbungen der Grabenzone, an den Luvseiten der Vulkane und im südl. Küstengebiet reichlich und nehmen nach N und NO ab. Die Gebiete mit hohen Niederschlägen tragen Regenwald und Feuchtsavanne; ein großer Teil des Hochlandes ist Trocken- und Dornstrauchsavanne, der äußerste N ist Halbwüste. Infolge des Raubbaus an Holz sind die von Dürre bedrohten trockenen Gebiete auf etwa 87% der Gesamtfläche angewachsen. K. hat mehrere Nationalparks und Wildschutzgebiete, die reich an afrikan. Großtieren sind: u.a. Elefanten, Geparde, Strauße.

Bevölkerung: Die etwa 40 ethn. Gruppen unterscheiden sich sprachlich (30 Sprachen) und kulturell stark voneinander. Hauptgruppen sind die Bantuvölker (Kikuyu, Luhya, Kamba, Kisii), ferner nilot. und hamitonilot. Gruppen (Luo, Masai, Kalenjin u.a.). Vor der Unabhängigkeit des Landes lebte eine starke weiße Siedlerschicht im klimatisch begünstigten Hochland. Am dichtesten besiedelt sind die niederschlagsreichen Gebiete (mittleres und westl. Hochland, südl. Küstengebiet). Größte Städte sind Nairobi, Mombasa, Kisumu und Nakuru. – Schulpflicht besteht vom 7. bis 15. Lebensjahr, der Schulbesuch ist von der ersten bis zur vierten Klasse kostenlos; die Einschulungsquote liegt mit 90% sehr hoch. Neben Primar- und Sekundarschulen gibt es zahlr. Privat- und Missionsschulen, Einrichtungen für Erwachsenenbildung, höhere Berufs- und Lehrerbildung; die wichtigsten Univ. sind die von Nairobi (gegr. 1956) und die Moi Univ. in Eldoret (gegr. 1982). Die Analphabetenquote beträgt 31%. – Rd. 73% der Bev. sind Christen (davon gehören 17,6% zu afrikan. christl. Kirchen); 18,9% sind Anhänger traditioneller afrikan. Religionen, 6% sind Muslime.

Wirtschaft, Verkehr: Trotz einer entwickelten Ind. und bed. Tourismus (1993: 783 000 Auslandsgäste) ist die Landwirtschaft Existenzgrundlage für 70% der Bev., hat aber nur einen Anteil von 29% am Bruttoinlandsprodukt. Nur 17% des Landes sind land- und forstwirtschaftlich nutzbar (davon 3,3% ackerbaulich); die übrigen Gebiete (bes. im Hochland) sind v.a. Weideland für intensive sowie nomadisierende Viehhaltung und für Wildtiere (Reservate). Für den Eigenbedarf werden in bäuerl. Betrieben v.a. Mais, Kartoffeln, Maniok, Wei-

Kenia: Dornstrauchsavanne mit dem 5 199 m hohen Mount Kenia im Hintergrund zen, Bananen und Bataten angebaut; in Plantagenwirtschaften bes. für den Export Kaffee, Tee, Sisal, Südfrüchte, ferner zunehmend Gemüse und Blumen. Im Viktoriasee werden auch für den Export Fische gefangen. In der Ind. dominiert die Verarbeitung landwirtsch. Erzeugnisse, ferner Textil-, Zement-, Düngemittel-, Holz verarbeitende Ind. und Weiterverarbeitung von importiertem Erdöl. Der Tourismus ist der wichtigste Devisenbringer. Wichtigste Handelspartner sind Großbritannien, Dtl. und die Vereinigten Arab. Emirate. – Das Straßennetz beträgt insgesamt 63700 km (etwa 15% asphaltiert); das Eisenbahnnetz ist 2654 km lang, die Hauptverbindung führt von Mombasa über Nairobi und Nakuru nach Uganda. Der Haupthafen Mombasa am Ind. Ozean dient auch der Versorgung der Binnenstaaten Uganda, Burundi und Ruanda; von regionaler Bed. sind die Häfen Lamu und Malindi sowie Kisumu am Victoriasee. Internat. Großflughäfen sind Nairobi und Mombasa.

Geschichte: Im Bereich der islam. Suahelikultur (1000–1500 n. Chr.) bestanden an der Küste des heutigen K. u. a. die Stadtstaaten Mombasa und Malindi. Im 16. Jh. gewannen die Portugiesen, im 18. Jh. Araber aus Oman und im 19. Jh. das Sultanat Sansibar die Herrschaft in dieser Region. Ab 1848/49 begann die Erforschung des Landesinneren durch Europäer. 1890 (Helgoland-Sansibar-Vertrag) einigten sich Dtl. und Großbritannien über ihre Interessensphären in O-Afrika: Dtl. beschränkte sich auf Tanganjika mit Ruanda und Urundi, Großbritannien erhielt K. und Uganda. Das 1895 proklamierte brit. Protektorat Ostafrika wurde 1920 in die Kronkolonie K. umgewandelt; der Küstenstreifen, weiterhin formell unter dem Sultan von Sansibar, blieb Protektorat und kam mit der Unabhängigkeit 1963 als Prov. an K. Unter dem Druck des Mau-Mau-Aufstandes (1952–56) schuf die brit. Kolonialmacht 1954 einen mehrrassigen Min.rat. Als Basis der Unabhängigkeitsbewegung gründete 1960 J. Kenyatta die »Kenya African National Union« (KANU). Im Juni 1963 erhielt K. innere Autonomie, am 12. 12. 1963 die volle Unabhängigkeit, zunächst als Monarchie, seit dem 12. 12. 1964 als Rep. im Commonwealth. Staatspräs. wurde J. Kenyatta.

Infolge der Afrikanisierungspolitik der Reg. wanderten viele Asiaten v. a. nach Großbritannien aus. Nach dem Tode Präs. Kenyattas (1978), der alle ethn. und gesellschaftl. Gruppen oft unter Anwendung polit. Drucks in der KANU zusammengefasst hatte, folgte ihm der bisherige Vizepräs. D. arap Moi im Amt nach. Machtkämpfe und soziale Spannungen gipfelten 1982 in einem (gescheiterten) Militärputsch. Unter dem Druck internat. Kreditgeber und einer erstarkenden Demokratiebewegung wurde im Dez. 1991 die (seit 1969 faktisch und seit 1982 de jure bestehende) Einparteienherrschaft abgeschafft. Auf der Basis eines Mehrparteiensystems fanden 1992 Parlaments- und Präsidentenwahlen statt (Wiederwahl arap Mois). Aber auch unter den neuen verfassungspolit. Vorgaben setzte Präs. arap Moi seinen autokrat. Regierungsstil fort bei andauernder Unterdrückung der Opposition, die sich 1994 in der »United National Democratic Alliance« (UNDA) zusammenschloss. Die ethn. Spannungen führten zw. 1991 und 1994 zur massenhaften Vertreibung von Kikuyu, Luo und Luhya durch Angehörige der Kalenjin und Masai und 1997 zu schweren Unruhen.

📖 HECKLAU, H.: *K. München 1993.* – BRETT, M.: *K. Köln 1995.* – VOLL, K.: *Politik u. Gesellschaft in K. Frankfurt am Main u. a. 1995.* – HELMHAUSEN, O.: *K. Köln ^{2}1997.*

Kenia, Mount [maʊnt ˈkenjə] (engl. Mount Kenya), erloschener Vulkan, in dem nach ihm benannten Staat, 5194 m ü. M., zweithöchster Berg Afrikas. In den Höhenlagen zw. 1500 und 3600 m ü. M. trop. Nebelwald (mit Zedern, Kampfer, Bambus). Oberhalb 3300 m Naturschutzgebiet (Mount-Kenya-Nationalpark, 584 km^2) mit Klippschliefern und Leoparden. Die Gipfelregion ist z. T. vergletschert.

Kenitra (arab. El-Qenitra, 1932–56 Port Lyautey), Provinzhptst. in Marokko, an der Mündung des Sebou, in der fruchtbaren Agrarlandschaft Rharb, 407000 Ew.; Handels- und Marktzentrum; chem. Ind.; Flusshafen mit 11 km langem Kanal zur Atlantikküste, Vorhafen Mehdia-Plage; Flughafen.

Kennan [ˈkenən], George Frost, amerikan. Diplomat und Historiker, * Milwaukee (Wis.) 16. 2. 1904; seit 1926 im diplomat. Dienst (1944–46 Berater des amerikan. Botschafters in Moskau), konzipierte als Leiter des Planungsstabes im Außenministerium (1947–49) die Politik des →Containment. 1952–53 war er Botschafter in Moskau, 1961–63 in Belgrad. 1956 wurde er Prof. in Princeton; erhielt 1982 den Friedenspreis des Börsenvereins des Dt. Buchhandels.

Kennedy [ˈkenɪdɪ], **1)** Edward Moore, amerikan. Politiker, * Brookline (Mass.) 22. 2. 1932, Sohn von 3), Bruder von 2) und 6); seit 1963 Senator für Massachusetts, 1969–71 stellv. Fraktionsvors. der Demokrat. Partei im Senat, lehnte nach der Ermordung seines Bruders Robert F. K. 1968 und erneut 1974 eine Präsidentschaftskandidatur ab. 1980 scheiterte er mit seiner Bewerbung um die Präsidentschaftskandidatur der Demokraten.

2) John Fitzgerald, 35. Präs. der USA (1961–63), * Brookline (Mass.) 29. 5. 1917, † (ermordet) Dallas (Tex.) 22. 11. 1963, Sohn von 3), Bruder von 1) und 6); 1947–53 Abg. der Demokrat. Partei im Reprä-

Jomo Kenyatta

Daniel arap Moi

George F. Kennan

sentantenhaus, 1953–61 Senator für Massachusetts, wurde im Nov. 1960 mit knapper Mehrheit gegen R. Nixon zum (ersten kath.) Präs. der USA gewählt. Mit seinem Aufruf zur polit. Neubesinnung (»New Frontier«) suchte K. seiner Reg.übernahme den Charakter eines Durchbruchs der jungen Generation zu geben. Innenpolitisch verfolgte er ein weit reichendes Programm zur Ankurbelung der Wirtschaft, zur Verbesserung der sozialen Situation breiter Bev.kreise (Krankenversorgung, Sozialversicherung, Bildungswesen), zur Bürgerrechtsfrage und sah sich dabei mit dem Widerstand des von konservativen Kräften beherrschten Kongresses konfrontiert. In der Außenpolitik bemühte sich seine Administration um die Überwindung des Kalten Krieges und war bestrebt, die Entwicklungshilfe für die Staaten der Dritten Welt auf die Ebene gegenseitiger Partnerschaft zu stellen (Peace Corps). 1962 kam es zu einem schweren Konflikt mit der UdSSR um Kuba (→Kubakrise). Mit der Entsendung amerikan. Spezialeinheiten nach Südvietnam (seit 1961) intensivierte K. das militär. Engagement der USA in Vietnam (→Vietnamkrieg). – Die Hintergründe für seine Ermordung wurden bisher nicht restlos aufgeklärt. Dem Bericht der »Warren-Kommission« (1964), wonach L. H. Oswald als polit. Einzelgänger der alleinige Attentäter gewesen sei, steht die Feststellung eines Sonderausschusses des Kongresses (1977–79) gegenüber, dass es sich wahrscheinlich um eine Verschwörung handelte.

📖 Hamilton, N.: *J. F. K. Wilde Jugend. Leben u. Tod eines amerikan. Präsidenten. A. d. Engl. Frankfurt am Main 1993.* – Posener, A.: *J. F. K. Reinbek ^{4}1995.*

John F. Kennedy

»Ich bin ein Berliner«

Bei einem Besuch des nach dem Mauerbau geteilten Berlins am 26. 6. 1963 bekannte sich der amerikanische Präsident John F. Kennedy in einer Rede vor dem Schöneberger Rathaus zur Freiheit Berlins mit den Worten: »Alle freien Menschen, wo immer sie leben mögen, sind Bürger Berlins, und deshalb bin ich als freier Mann stolz darauf, sagen zu können ›Ich bin ein Berliner‹.« Dieser Ausspruch, dessen letzte Worte Kennedy in Deutsch vortrug, spielt auf das lateinische »Civis Romanus sum« (Ich bin ein römischer Bürger) an.

3) Joseph Patrick, amerikan. Politiker, *Boston (Mass.) 6. 9. 1888, †Hyannisport (Mass.) 18. 11. 1969, Vater von 1), 2) und 6); Bankier und Reeder, Mitgl. der Demokrat. Partei; verdiente durch Spekulationen ein großes Vermögen; ab 1930 Mitarbeiter F. D. Roosevelts, 1937–40 Botschafter in London.

4) Margaret, seit 1952 Lady Margaret Davies, brit. Schriftstellerin, *London 23. 4. 1896, †Adderbury 31. 7. 1967; verfasste elegant und witzig erzählte Romane: »Die treue Nymphe« (1924), »Gottesfinger« (1956) sowie eine krit. Biographie Jane Austens (1950).

5) Nigel Paul, brit. Violinist, *Brighton 28. 12. 1956; studierte u. a. bei Y. Menuhin; bekannt durch seine unkonventionelle Art der Darbietung klass. Violinwerke (bes. von A. Vivaldis »Vier Jahreszeiten«); bearbeitete für sein Instrument auch Kompositionen von D. Ellington.

6) Robert Francis, amerikan. Politiker, *Brookline (Mass.) 20. 11. 1925, †(ermordet) Los Angeles (Calif.) 6. 6. 1968, Sohn von 3), Bruder von 1) und 2); engster Berater seines Bruders John F. K., 1961–64 Justizmin., 1965–68 Senator für New York. K. war ein entschiedener Gegner jeder Rassendiskriminierung und heftiger Kritiker der Vietnampolitik L. B. Johnsons. Als aussichtsreicher Bewerber um die Präsidentschaftskandidatur der Demokrat. Partei fiel er während einer Wahlkampfreise einem Attentat zum Opfer.

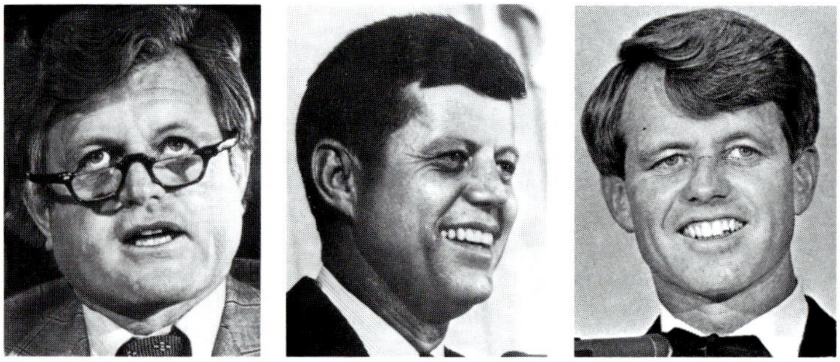

Kennedy (von links): Die Brüder Edward M., John F. und Robert F.

Kennedy Space Center ['kenɪdɪ 'speɪs 'sentə], Startgelände der NASA auf Cape →Canaveral.

Kennelly-Heaviside-Schicht ['kenəlɪ 'hevɪsaɪd-], frühere Bez. für die E-Schicht der →Ionosphäre, 1902 von E. A. Kennelly (*1861, †1939) und O. Heaviside (*1850, †1925) postuliert.

Kenngröße, *Physik:* die →Kennzahl.

Kenning [altnord.] *die,* die zwei- oder mehrgliedrige bildl. Umschreibung einfacher Begriffe,

z. B. in der altnord. Skaldendichtung, z. B. »fleina brak« (»Das Tosen der Pfeile«) für »Kampf«.

Kennleuchten, an Land-, Luft- und Seefahrzeugen angebrachte Lichter, zur Kennzeichnung von Position, Bewegungsrichtung und Einsatzart (→ Lichterführung). Über K. für Kraftfahrzeuge im Straßenverkehr → Rundum-Kennleuchten.

Kennlinie (Charakteristik), graf. Darstellung eines technisch wichtigen Zusammenhanges zw. den funktionalen Größen eines Systems.

Kennung, *Nachrichtentechnik* und *Navigation:* beim Leuchtfeuer charakterist. Folge, Dauer oder Farbe abgestrahlter Lichtsignale; beim Funkfeuer oder Sender bestimmtes, im Morsealphabet ausgesendetes Rufzeichen; im Sprechfunk Namens- oder Stationsangabe. – Im militär. Bereich dient die **Freund-Feind-K.** zur Unterscheidung eigener oder feindl. Kräfte, z. B. durch farbige Leuchtkugelkombinationen oder → IFF-Gerät.

Kennzahl, 1) *Betriebswirtschaftslehre:* (Kennziffer, betriebl. Kennziffer) ein Indikator, der für wichtige betriebl. Tatbestände ermittelt wird und dem inner- oder zwischenbetriebl. Vergleich oder dem Soll-Ist-Vergleich zur Kontrolle oder Planung dient. Man unterscheidet: **absolute K.,** die als Einzelzahlen, Summen oder Differenzen auftreten können, z. B. Gewinn, Umsatz oder Bilanzsumme, und **relative K.** oder Verhältniszahlen, bei denen zwei absolute K. zueinander in Beziehung gesetzt werden, z. B. K. der Produktivität, Rentabilität, Liquidität oder Umschlagshäufigkeiten.

2) *Physik:* (Kenngröße) sich aus der Ähnlichkeitstheorie ergebende dimensionslose Größe zur Beschreibung physikal. Vorgänge oder Zustände (bes. in der Strömungslehre, Thermodynamik sowie bei Wärme- und Stofftransport). Wichtige K. sind die → Mach-Zahl und die → Reynolds-Zahl. Gleichartige Vorgänge in geometrisch ähnl. Begrenzungen verlaufen bei ident. K. ähnlich.

Kennzeichenschutz, → Marken.

Kenotaph [grch.] *das,* Leer- oder Scheingrab zum Gedächtnis an einen Toten.

Kensington and Chelsea ['kenzɪŋtən ənd 'tʃelsɪ], London Bourough (seit 1965) im W vom Greater Londoner Stadtteil **K. and Chelsea,** (1991) 138 400 Einwohner.

Kent, Cty. in SO-England, 3 731 km², (1995) 1,551 Mio. Ew.; Verw.sitz ist Maidstone. Die Kreidekalkschichtstufe der North Downs quert das fruchtbare, von mildem Klima begünstigte, wellige Flachland (Getreide-, Obst-, Hopfen-, Gartenbau, Milch- und Schafwirtschaft), das zum Kanal hin wieder ansteigt und in steiler Kreideküste abfällt. Bedeutender Fremdenverkehr u. a. in den Seebädern Margate und Ramsgate sowie in Leeds Castle, einer urspr. normann. Festung; wichtige Häfen für den Verkehr über den Ärmelkanal sind Dover und Folkestone. K. ist eines der wichtigsten Pendelwohngebiete für London. – *Geschichte:* Im Altertum Siedlungsgebiet der kelt. Cantii; geriet 43 n. Chr. unter röm. Herrschaft; war nach der Einwanderung von Sachsen und Jüten (5. Jh.) eines der sieben angelsächs. Kleinkönigreiche. – Seit 1799 ist K. ein Herzogstitel für königl. Prinzen.

Kent, William, engl. Baumeister, Gartengestalter und Maler, *Bridlington (Cty. Humberside) um 1685, † London 12. 4. 1748; hielt sich 1709–19 in Rom auf. Seine in streng palladian. Stil entworfenen Bauten beeinflussten intensiv die engl. Architektur. Besondere Bedeutung hatte K. als Begründer des engl. Landschaftsgartens (→ Gartenkunst).

Kentaur [grch.] *der* (lat. Centaurus, dt. Zentaur), **1)** *Astronomie:* Sternbild am südl. Himmel mit dem sonnennächsten Fixstern **Proxima Centauri** (→ Alpha Centauri).

2) *grch. Mythos:* Fabelwesen mit Pferdeleib und menschl. Oberkörper; berühmt war der weise → Chiron.

Kenton ['kentən], Stan, eigtl. Stanley Newcomb K., amerikan. Jazzpianist, Bandleader, *Wichita (Kans.) 19. 2. 1912, † Los Angeles (Calif.) 25. 8. 1979; Hauptvertreter des Progressive Jazz.

Kentucky [ken'tʌkɪ], Abk. **Ky.,** einer der südöstl. Mittelstaaten der USA, zw. Ohio im N, Mississippi im W und dem Cumberlandplateau im O, 104 660 km², (1994) 3,83 Mio. Ew.; Hptst. ist Frankfort. Auf den fruchtbaren Böden der Bluegrass Region Anbau von Tabak, Mais, Sojabohnen, Weizen; bed. Rinder- und Pferdezucht. An Bodenschätzen kommen Kohle, Erdöl und Erdgas vor. Größte Stadt ist Louisville. K. hat Schiffsverkehr auf dem Ohio und Mississippi, an denen die wichtigsten Ind.orte liegen. – Seit 1775 (D. Boone u. a.) ständig besiedelt; während des Unabhängigkeitskrieges stark von Kriegszügen der mit den Briten verbündeten Indianer betroffen; wurde 1792 15. Staat der Union.

Kentucky River [ken'tʌkɪ 'rɪvə] *der,* linker Nebenfluss des Ohio, in Kentucky, USA, entsteht im Cumberlandplateau, 417 km lang, mündet bei Carrollton.

Kentumsprachen, eine Gruppe der → indogermanischen Sprachen.

Kenyatta [ken'jata; Kikuyu »Brennender Speer«], Jomo, eigtl. Johnstone Kamau Ngengi, kenian. Politiker, *Ichaweri 10. 10. 1891, † Mombasa 22. 8. 1978; lebte 1929–46 meist in Großbritannien, wo er mit G. Padmore und K. Nkrumah für die panafrikan. Bewegung arbeitete. 1953 wurde er als angebl. Anstifter der Mau-Mau-Verschwörung zu sieben Jahren Haft verurteilt. Ab 1960 Präs. der »Kenya African National Union« (KANU), führte K. als MinPräs. (1963–64) Kenia 1963 in die Unabhängigkeit; 1964–78 Staatspräsident. BILD S. 297

Nigel Kennedy

Stan Kenton

Kentucky
Flagge

Johannes Kepler: Anonymes Ölgemälde (1619/20; Straßburg, Collegium Wilhelmitanum), darunter Autogramm

Kenzan [-z-], japan. Maler und Keramikkünstler; Mitglied der Familie →Ogata.

Kenzō, Takada, japan. Modeschöpfer, *1939; arbeitet seit 1970 in Paris, bestimmt maßgeblich die Trends der Pariser Mode mit.

Keos, grch. Insel, →Kea.

kephal... [grch.], vor Konsonanten: **kephalo...,** kopf...

Kephaline [zu grch. kephalē »Kopf«] (Cephaline), Gruppe von bes. im Nervengewebe und in der Hirnsubstanz vorkommenden Glycerinphosphatiden; setzen sich wie die Lecithine aus Glycerin, Phosphorsäure sowie versch. gesättigten und ungesättigten Fettsäuren zusammen, enthalten jedoch anstelle des Cholins entweder das Colamin oder die Aminosäure Serin.

Kephallenia (ngrch. Kephallinia), die größte der Ion. Inseln, 781 km², vor dem Eingang des Golfs von Patras, 27 600 Ew.; Hauptort ist Argostolion; in fruchtbaren Tälern Anbau von Wein, Oliven, Feigen; Haupterwerbszweig ist der Fremdenverkehr. 1953 durch Erdbeben schwer betroffen. Der bewaldete Gipfel des Aenos (1628 m ü. M.) ist seit 1962 Nationalpark.

Kepheus [grch.] (lat. Cepheus), **1)** *Astronomie:* Sternbild in der Nähe des Nordpols mit dem Stern **Delta Cephei,** dem Prototyp einer Klasse veränderl. Sterne (→Cepheiden).

2) *grch. Mythos:* König von Äthiopien, Gemahl der Kassiopeia, Vater der Andromeda, wie diese in ein Sternbild verwandelt.

Kepler, Johannes, Astronom, *Weil (heute Weil der Stadt) 27. 12. 1571, †Regensburg 15. 11. 1630; wurde 1594 Lehrer der Stiftsschule in Graz, veröffentlichte 1596 die Schrift »Mysterium cosmographicum« (»Das Weltgeheimnis«) auf der Grundlage des kopernikan. Weltsystems. 1600 ging er als Gehilfe T. Brahes nach Prag; er war nach dessen Tod (1601) bis 1612 kaiserl. Mathematiker und Hofastronom Rudolfs II. In dieser Zeit veröffentlichte er ein Lehrbuch der geometr., physiolog. und astronom. Optik; er erkannte, dass sich die Planeten nicht auf Kreis-, sondern auf ellipt. Bahnen bewegen und formulierte die später nach ihm benannten Gesetze in seinem Hauptwerk »Astronomia nova« (»Neue Astronomie«, 1609). Seine Optik (»Dioptrice«, 1611) enthält den ersten Entwurf des astronom. (keplerschen) →Fernrohrs mit zwei Konvexlinsen. Nach dem Tode Rudolfs II. war er 1612–26 Prof. in Linz, vollendete hier »Harmonice mundi libri V« (»Weltharmonik«, 5 Bücher, 1619) und weitere astronom. und mathemat. Schriften, so die »Tabulae Rudolphinae« (»Rudolfin. Tafeln«, 1627), einen Sternkatalog mit Sonnen-, Mond- und Planetenörtern. 1626 siedelte er nach Ulm über, 1628 nach Sagan zu Wallenstein, dem er aus wirtsch. Gründen auch Horoskope erstellte. – K. vervollkommnete das kopernikan. Weltsystem: Er gab als Erster eine dynam. Erklärung der Planetenbewegung (→keplersche Gesetze), indem er von der Vorstellung ausging, dass die Planetenbewegungen durch eine von der Sonne ausgehende Kraft verursacht werden.

📖 GERLACH, W. *u.* LIST, M.: *J. K. Der Begründer der modernen Astronomie. München u. a.* ³*1987.* – HOPPE, J.: *J. K. Leipzig* ⁵*1987.*

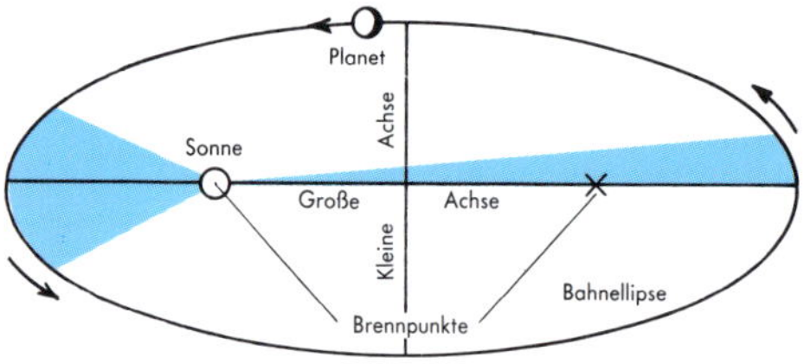

keplersche Gesetze: schematische Darstellung einer Planetenbahn um die Sonne; die vom Fahrstrahl in gleichen Zeitintervallen überstrichenen Flächen (blau unterlegt) sind nach dem Flächensatz gleich groß

keplersche Gesetze, die von J. Kepler gefundenen Gesetze der Planetenbewegung: 1) Die Bahnen der Planeten sind Ellipsen, in deren einem Brennpunkt die Sonne steht. 2) Die Verbindungslinie von der Sonne zum Planeten (Radiusvektor, Fahr- oder Leitstrahl) überstreicht in gleichen Zeiten gleiche Flächen (Flächensatz). 3) Die Quadrate der Umlaufzeiten der Planeten verhalten sich wie die Kuben (3. Potenzen) der großen Halbachsen ihrer Bahnellipsen. – Aus den k. G. leitete I. Newton das Gravitationsgesetz ab.

keplersches Problem [nach J. Kepler], das →Zweikörperproblem.

Kerala ['kerələ], Bundesstaat an der Malabarküste im SW →Indiens. 1956 wurden Travancore-Cochin und der Bezirk Malabar zum Unionsstaat K. vereint, um die Malayalam sprechende Bevölkerung staatlich zusammenzufassen.

Keramik [grch.] *die,* Bez. für durch Sintern hergestellte, anorganisch-nichtmetall. Erzeugnisse. Die Fertigung erfolgt durch Mischen feinkörniger Rohstoffe (durch Wasser plastifizierbare tonige Substanzen aus Kaolinit, Illit und Montmorillonit mit Quarz, Feldspat, Glimmer und Kalk), Formen zu Gegenständen bei Raumtemperatur und anschließendes Brennen. Hierbei bildet sich ein dauerhafter Werkstoff, der vorwiegend aus feinen Kristallen besteht, zw. denen sich häufig Poren und vielfach glasartige Bindesubstanz befinden. Urspr. gehörten zur K. nur vorwiegend aus Ton hergestellte Formkörper (Tonwaren) mit porösem bzw. dichtem →Scherben, die als Baustoffe oder Geschirr Verwendung fanden. – Die traditionelle Einteilung der klass. K. erfolgt in **Grob-** und **Fein-K.** Sind die Inhomogenitäten eines keram. Scherbens (Poren, Kristalle, Körner, Glasbereiche u.Ä.) mit dem bloßen Auge zu unterscheiden, spricht man von einem grobkeram., andernfalls von einem feinkeram. Werkstoff. Zur Fein-K. gehören →Steingut und →Porzellan, zur Grob-K. Erzeugnisse der Bau-K.: Ziegel, Klinker, Terrakotten, Steinzeug wie Kanalisationsrohre, säurefeste Steine, und Feuerfestwerkstoffe wie Schamottsteine, Silikasteine, Magnesit- und Dolomiterzeugnisse. Für die Verwendung wird zw. Bau-, Geschirr- (bzw. Haushalts-), Sanitär-, Kunst-, Dental- und Schneid-K. unterschieden. Neben dieser klass. K. gibt es sonderkeram. Werkstoffe, die durch Optimierung bestimmter Eigenschaften und Formgebungsverfahren eine spezielle Verwendung erlauben. Die **Oxid-K.** werden in einer Hochtemperaturbehandlung verfestigt. Die Rohstoffe sind völlig frei von Quarz (SiO_2), sodass keine glasige Bindephase entsteht. Ausgangsmaterialien sind z.B. die Oxide des Aluminiums, des Magnesiums, des Berylliums oder Oxidmischungen. Die technisch genutzten Eigenschaften der Oxid-K. sind u.a. Temperaturbeständigkeit, Isoliervermögen, Härte und Korrosionsbeständigkeit, Nachteile sind Sprödigkeit und Brüchigkeit. Die Oxid-K. werden u.a. für Werkzeuge zum Schleifen und Schneiden von hartem Material, als Halbleiter, Knochenersatz oder Reaktorwerkstoff verwendet. Eine neue, der Oxid-K. überlegene Klasse von Hochtemperaturmaterialien bilden **Verbundwerkstoffe** (→Cermets) aus einer keramikverstärkten intermetall. Verbindung, z.B. mit Siliciumcarbid (SiC) verstärktes Molybdändisilicid ($MoSi_2$). Die Festigkeit dieses Werkstoffes ist zw. 1200 und 1800°C der Aluminiumoxid-K. um das Vierzigfache überlegen. Anwendung zur Herstellung von Teilen für Kfz-Motoren und Flugzeugtriebwerken und für die Fertigung industrieller Heizelemente. Verbundwerkstoffe aus Kohlefasern und Keramik sind leicht, mechanisch stabil, bruchsicher und äußerst hitzebeständig (bis 2800°C); Anwendung für bes. belastete Teile bei Düsentriebwerken und für Brennkammern und Düsen von Flüssigtriebwerken bei Raketen. – Zu den sonderkeram. Werkstoffen gehört die →Glaskeramik.

Geschichte: (Idol)figuren aus Ton treten schon im Jungpaläolithikum (Dolní Věstonice) und erneut im Neolithikum auf. Die Scherben vorgeschichtl. keramischer, unterschiedlich verzierter Gefäße bilden das Hauptmaterial für die zeitl. und räuml. Gruppierung der Kulturen (Band-, Becher-, Schnur-K. usw.). In den frühen Hochkulturen künstlerisch bedeutende K. v.a. in N-Irak (Samarra-K., 6.Jt., weibl. Gesichtsgefäße, Schalen), SW-Iran (Elam, 4. und 3.Jt.), Ägypten (Negadekultur, Anfang 4.Jt.). Die Töpferscheibe ist seit dem 4.Jt. bezeugt (Mesopotamien), Fußantrieb um 3000 (Ägypten). Die ägypt. K. des 3.Jt. wurde bereits glasiert; grünblaue K. unter der 18. Dynastie. Die Harappakultur (4.–2.Jt. v.Chr.) formte neben Gefäß-K. Terrakottastatuetten. Die minoische Kultur überzog im 2.Jt. die gemusterten Gefäße mit Kalk; daneben gab es kunstvolle farbige K. (Kamaresvasen). Im antiken Griechenland wurde eine hohe Gefäßkunst (→Vase) entwickelt. Bes. die Etrusker schufen Terrakottaplastik (Sarkophagfiguren, Statuen, Bauplastik). Die Römer entwickelten die →Terra sigillata. In Anknüpfung an pers. Traditionen breitete sich die keram. Kunst im ganzen islam. Bereich aus. Durch Kontakt mit den Arabern kam die Lüsterglasur (Kupferoxid u.a.), seit dem 9.Jh. bezeugt (Samarra), sowie zinnglasierte Tonware nach Europa (→Fayence). Sie setzte sich in Dtl. erst im 17.Jh. gegen →Hafnerware und Steinzeug durch und wich im 18.Jh. dem Porzellan und auch dem Steingut.

Der Entwicklung des Porzellans geht in O-Asien eine lange keram. Tradition voraus. Gefäße, seit dem 5.Jt. v.Chr. bekannt, erlebten eine Blüte im 3.Jt. v.Chr. (→Yangshaokultur). Tönerne Wächterfiguren wurden für die unterird. Grabanlage des Kaisers Shi Huangdi (†210 v.Chr.) geschaffen. Die K. erlebte in der Songzeit einen künstler. Höhepunkt (→Seladon). In Japan bildeten sich – ebenfalls nach frühen Anfängen – K.-Zentren heraus, in denen seit dem 13.Jh. zunächst unglasierte Gefäße hergestellt wurden. Durch die Schlichtheit der Form, die die Teezeremonie verlangte, stieg im 16. Jh. der Bedarf an glasierten Schalen, Teedosen u. a. von hohem künstler. Wert. In Kyōto begann die Herstellung des Raku-yaki (dickwandige Gefäße mit mehrfarbigen Bleiglasuren). Im 17. Jh. entstand auf Kyūshū durch korean. Töpfer Karatsu-K., einfache, weißlich oder dunkel glasierte Ware. Die farbig glasierte K. beeinflusste das Porzellan, das seit 1616 in Arita entstand.

📖 WEINHOLD, R.: *Leben mit Ton u. Töpfern. Eine Kulturgeschichte der K.* Triesen *1982.* – CLARK, K.: *DuMont's Handbuch der keram. Techniken. A. d. Engl.* Köln *1985.*

Kerberos

Der Höllenhund Kerberos wurde nur zweimal überwunden: durch Orpheus, der ihn mit seinem Saitenspiel besänftigte, und durch Herakles, der ihn mit bloßen Händen bezwang, fesselte und aus der Unterwelt holte, um ihn Eurystheus zu zeigen und dann wieder in die Unterwelt zurückzuführen. Kerberos besaß in der Vorstellung der alten Griechen keine feste Gestalt, jedoch sind in ihm meist Hund und Schlange verbunden. So ist Kerberos auf griechischen Vasen und Reliefs teils einköpfig, teils mit zwei Köpfen und einer Schlange als Schwanz, teils dreiköpfig und schlangenbedeckt dargestellt.

Keramikfasern, anorgan. Chemiefasern (z. B. Silikat- oder Bornitridfasern), die für hochhitzebeständige und chemisch beständige Isoliermaterialien eingesetzt werden. Gerichtete K. dienen als Verstärkungskomponente in Verbundwerkstoffen.

keramische Farben, anorgan. Verbindungen zum Färben und Verzieren von Keramik, meist Oxide, Silikate, Aluminate und Borate von Metallen. Man unterscheidet Unterglasurfarben, Inglasurfarben (als Einsink- und Scharffeuerfarben) sowie Aufglasurfarben (Schmelz-, Emailfarben).

Alexander Kerenski

Keratine [zu grch. kéras »Horn«], Hornsubstanzen, Skleroproteine, die in der Hornhaut, in Haaren, Hufen, Nägeln, Hörnern, Geweihen u. a. vorkommen.

Keratitis [grch.] *die,* → Hornhautentzündung.

Keratom [grch.] *das,* geschwulstartige Verdickung der Hornschicht der Haut, bes. an Fußsohlen und Handinnenflächen.

Karl Kerényi

Keratophyr [grch.] *das,* ein helles, meist graues Erguss- und Ganggestein, enthält v. a. Alkalifeldspat, Chlorit und Quarz.

Keratoplastik, die → Hornhauttransplantation.

Kerbel (Anthriscus), Gattung weiß blühender Doldengewächse mit mehrfach fiederteiligen Blättern. Als Gewürzpflanze ist der im Mittelmeergebiet und in Vorderasien beheimatete und in vielen anderen Gegenden, darunter in Mitteleuropa, angebaute **Garten-K.** (Anthriscus cerefolium) bekannt. Der **Wiesen-K.** (Anthriscus sylvestris) ist eine in Eurasien verbreitete Wiesenpflanze.

Kerbela (Karbala), Hauptstadt der Prov. K., Irak, am O-Rand der Syr. Wüste, an einem Kanal des Euphrats, 186 000 Ew. – Mit den aus safawid. Zeit stammenden Grabmoscheen Husains (Sohn des Kalifen → Ali) und seines Halbbruders Abbas ist K. neben Nedjef der bedeutendste Wallfahrtsort der Schiiten.

Kerberos [grch.] (lat. Cerberus, Zerberus), *grch. Mythos:* der Höllenhund, der den Eingang zur Unterwelt bewachte. Er ließ jeden hinein, aber niemanden wieder hinaus. Orpheus besänftigte ihn durch sein Saitenspiel. Den K. zu bezwingen war eine der Arbeiten des → Herakles. K. wurde meist dreiköpfig und mit Schlangenschweif dargestellt. BILD Herakles

Kerbholz, im Rechtsleben des MA. häufig ein längs gespaltener Holzstab, in dessen beide Hälften Kerben zur Zählung und Abrechnung von Schuldforderungen, Leistungen oder Zeitangaben eingeschnitten wurden. Die Inhaber der Hälften kontrollierten die Richtigkeit der Kerben durch deren Aneinanderfügen. – **Kerbzettel** sind geteilte Urkunden (→ Charta).

Kerbstift, *Maschinenbau:* zylindr. Metallstift mit drei Kerbfurchen zum Verbinden zweier Teile oder zur Sicherung eines Teils gegen Lockerung. Der **Kerbnagel** besitzt einen Halbrund- oder Senkkopf und dient u. a. zur Befestigung von Blechteilen und Schildern.

Kerbtiere, die → Insekten.

Kerenski, Alexander Fjodorowitsch, russ. Politiker, * Simbirsk 4. 5. 1881, † New York 11. 6. 1970; Rechtsanwalt, nach der Februarrevolution 1917 Justizmin. in der ersten provisor. Reg.; setzte als Kriegsmin. (seit Mai 1917) die letzte von den Alliierten geforderte Offensive durch. Seit Juli 1917 MinPräs., wurde er von den Bolschewiki in der → Oktoberrevolution gestürzt. K. emigrierte 1918 und lebte seit 1940 in den USA.

Kerényi ['kɛre:nji], Karl (Károly), ungar. klass. Philologe und Religionswissenschaftler, * Temesvar 19. 1. 1897, † Kilchberg (ZH) 14. 4. 1973; seit 1943 in der Schweiz; erforschte v. a. die grch. Mythologie; zeitweise am C.-G.-Jung-Institut in Zürich.

Werke: Apollon (1937); Die antike Religion (1940); Einführung in das Wesen der Mythologie (1941, mit C. G. Jung); Prometheus (1946); Die Mythologie der Griechen (2 Bde., 1951–58); Die Heroen der Griechen (1958).

Kerfe, die → Insekten.

Kerguelen [kɛr'ge:lən, kɛrge'lɛn], Inselgruppe im südl. Ind. Ozean, Teil des frz. Überseeterritoriums Terres Australes et Antarctiques Françaises, etwa 300 Inseln, insgesamt 7215 km² groß, vulkan. Ursprungs, aus Basalt. Die Hauptinsel, 5800 km², bis 1960 m ü. M., ist im W vergletschert, im O seenreiche Glaziallandschaft mit Fjorden; wiss.

Station seit 1950. – 1772 von Y. J. de Kerguelen de Trémarec entdeckt, seit 1893 französisch.

Kerimäki, Dorf in SO-Finnland, nördlich von Savonlinna, mit der 1845–47 erbauten größten Holzkirche der Erde (3400 Sitzplätze).

Kerka *die,* Fluss in Slowenien, →Krka.

Kerker [von lat. carcer »Umfriedung«], 1) veraltet für Gefängnis; 2) bis 1974 in Österreich die schwerste Form der Freiheitsstrafe.

Kerkovius, Ida, Malerin und Teppichweberin, *Riga 31. 8. 1879, †Stuttgart 7. 6. 1970; studierte bei A. Hoelzel und 1920–23 am Bauhaus bei W. Kandinsky, P. Klee und J. Itten; sie schuf Bilder von expressiver Farbkraft und Dynamik.

Kerkrade, niederländ. Stadt in der Prov. Limburg, 53200 Ew.; vielfältige Konsumgüterind. in Industrieparks. Der seit dem Hoch-MA. betriebene Bergbau auf Steinkohle (älteste Bergbaustadt Europas mit dem Kloster Rolduc als ältester Bergbaugesellschaft) wurde 1970 eingestellt.

Kerkyra, grch. Name für Stadt und Insel →Korfu.

Kermadecgraben [kəːˈmædek-], Tiefseegraben im südwestl. Pazif. Ozean, östlich der Kermadecinseln, bis 10047 m u. M.; setzt sich im Tongagraben fort.

Kermadecinseln [kəːˈmædek-], zu Neuseeland gehörende Inselgruppe vulkan. Ursprungs, im Pazif. Ozean, 33 km^2 groß; auf Raoul Island meteorolog. und Flugsicherungsstation.

Kerman (Kirman), Hptst. der Prov. K., Iran, 1700 m ü. M., in wüstenhafter Umgebung, 311600 Ew.; Kreuzungspunkt von Karawanenrouten; Zentrum der Teppichknüpferei; im Umkreis Erzvorkommen. – K. besitzt einen großen Basar und mehrere bed. Moscheen, u. a. die Malikmoschee (11. Jh.) und die Freitagsmoschee (11. und 13. Jh.).

Kermanschah, iran. Stadt, →Bachtaran.

Kermesbeere (Phytolacca), Gattung der K.-Gewächse mit strahligen Blüten in Trauben, meist in den Tropen und Subtropen; v. a. in Weinbaugebieten wird vielfach die bis 3 m hohe **Amerikanische K.** kultiviert. Der dunkelrote Saft der Beeren wird im Mittelmeergebiet und in W-Asien als Färbemittel, z. B. für Rotwein, verwendet.

Kermeseiche (Quercus coccifera), bis 2 m hohe, meist strauchig wachsende Eichenart des Mittelmeerraumes, mit dornig gezähnten, ledrigen Blättern. Auf der K. leben die →Kermesschildläuse.

Kermesschildläuse, versch. Arten der Schildläuse, z. B. **Kermes vermilio** und **Kermes ilicis,** die in S-Europa und im Nahen Osten bes. auf der →Kermeseiche leben. Die erbsengroßen Weibchen wurden früher getrocknet (Scharlach-, Karmoisin-, Kermes-, Kermesinbeeren) und als Lieferanten des roten Farbstoffs Kermes gehandelt.

Kern, 1) *Biologie:* der in einer Zelle vorhandene Zell-K., auch Nervenzell-K.; der Samen des K.-Obstes **(Stein-K.);** innerer Bereich des Holzkörpers bestimmter Bäume **(K.-Holz).**

2) *Gießerei:* bei Metallformgussstücken ein in die Form eingelegter Körper zur Erzeugung von Durchbrüchen, Hohlräumen oder Aussparungen am Gussstück.

3) *Kernphysik:* der innerste, aus einem oder mehreren Nukleonen bestehende Teil eines →Atoms **(Atom-K.)** oder aus einer endl. Zahl von Nukleonen bestehendes System ähnl. Art, z. B. ein →Compoundkern oder ein →Nuklid.

Kern, 1) [kəːn], Jerome David, amerikan. Komponist, *New York 27. 1. 1885, †ebd. 11. 11. 1945; schrieb Operetten, Shows, Musicals (u. a. »Show Boat«, 1927, mit dem Song »Ol' man river«) und Filmmusiken.

2) Johann Konrad, schweizer. Politiker, *Berlingen (Kt. Thurgau) 11. 6. 1808, †Zürich 14. 4. 1888; 1833–48 Tagsatzungsgesandter, Gegner des →Sonderbundes, 1854 Präs. des eidgenöss. Schulrats, 1857–83 bevollmächtigter Min. in Paris.

Kernbeißer (Coccothraustes coccothraustes), bis 18 cm langer Finkenvogel in Eurasien und NW-Afrika, mit dickem, kegelförmigem Schnabel; frisst Sämereien und harte Kerne.

Kernbeißer: Männchen (Größe bis 18 cm)

Kernbindung, →Bindung, →Kernkräfte.

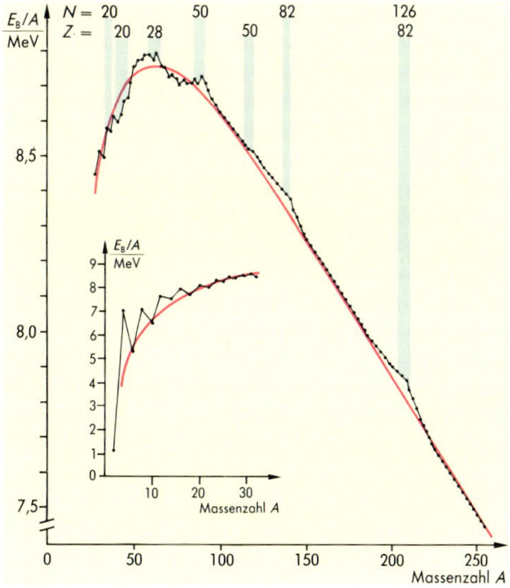

Kernbindungsenergie: Experimentelle Werte der Bindungsenergie je Nukleon (E_B/A, in MeV), aufgetragen gegen die Massenzahl A mit den magischen Zahlen für Neutronen (N) und Protonen (Z); die rote Kurve gibt die Werte nach dem Tröpfchenmodell wieder; unten links Darstellung in kleinerem Maßstab für kleine Massenzahlen

Kernbindungs|energie, die bei der Bildung eines Atomkerns frei werdende Energie E_B. Beim

Aufbau von leichten Kernen aus Protonen und Neutronen wird als K. derjenige Energiebetrag frei, der aufgewendet werden müsste, um den Kern gegen die Anziehung der →Kernkräfte wieder in seine einzelnen Bausteine zu zerlegen. Aufgrund der Masse-Energie-Äquivalenz sind zusammengesetzte Kerne leichter als die Summe ihrer Bausteine (→Massendefekt). Der Verlauf der K. pro Nukleon E_B/A, aufgetragen über der Massenzahl A, zeigt für stabile Kerne drei auffallende Merkmale: 1) E_B/A ändert sich nur wenig über den gesamten Bereich aller Nuklide; 2) es gibt ein ziemlich breites Maximum bei etwa $A = 60$; 3) der Verlauf hat eine Feinstruktur mit z.T. ausgeprägten relativen Maxima und Minima, v.a. bis etwa $A = 20$. Aus diesen drei Merkmalen folgt, dass die Kernkräfte im Kern abgesättigt sind, dass sowohl bei der Verschmelzung leichter (→Kernfusion) als auch bei der Spaltung schwerer (→Kernspaltung) Kerne Energie frei wird und dass es Nukleonenzahlen gibt, die →magischen Zahlen, bei denen die Kerne bes. fest gebunden sind, d.h. eine Schalenstruktur der Kerne besteht (→Schalenmodell). Aus dem Tröpfchenmodell (→Kernmodelle) kann der Verlauf von E_B/A sehr gut abgeleitet werden.

Kernbrennstoffe, Betriebsstoffe von Kernreaktoren; Bez. für das Material, aus dem durch **Kernspaltung** im Kernreaktor Kernenergie gewonnen wird. Der K. befindet sich als Metall, Legierung oder chem. Verbindung in den →Brennelementen der Kernreaktoren. Der K. enthält das spaltbare Material **(Spaltstoff),** d.h. Nuklide, die durch Neutronen exotherm spaltbar sind und dabei Neutronen für weitere Spaltungen freisetzen. Einziger natürl. Spaltstoff ist das Isotop Uran 235, das zu etwa 0,7% im Natururan enthalten ist und für Leichtwasserreaktoren auf ca. 3% angereichert wird. In schnellen Brutreaktoren entstehen aus Uran 238 bzw. in Hochtemperaturreaktoren aus Thorium 232 die künstl. Spaltstoffe Plutonium 239 bzw. Uran 233. – Die Bez. K. wird (seltener) auch für die zur Kernfusion benötigten Reaktionspartner (v.a. Deuterium und Tritium) verwendet.

Kernbrennstoffkreislauf, die Kette der Verfahren für die Versorgung der Kernreaktoren von Kernkraftwerken mit Kernbrennstoffen und für deren Entsorgung, einschließlich Gewinnung, Aufbereitung, ggf. Wiederaufarbeitung und Endlagerung der Kernbrennstoffe bzw. der radioaktiven Abfälle. Im Allg. ist der K. nur partiell oder i.w.S. ein wirklicher Kreislauf; einem solchen kommt ein K. mit →Wiederaufarbeitung nahe (»geschlossener« K.), der durch Rückführung der nicht verbrauchten Spaltstoffe in die Kernreaktoren zu ihrer vollständigen Nutzung führt. Eine Alternative zu einem geschlossenen K. ist die direkte →Endlagerung der verbrauchten Brennelemente.

Kernchemie (Nuklearchemie), Teilgebiet der Chemie, das sich mit der Erforschung von Atomkernen und Kernreaktionen unter Verwendung chem. Methoden befasst. Die K. untersucht u.a. Vorkommen, Reindarstellung, physikochem. Eigenschaften und Reaktionsverhalten von Radioelementen, -nukliden und -isotopen. Man unterscheidet zw. →Radiochemie und techn. K., die v.a. Verfahren des Kernbrennstoffkreislaufs umfasst.

Kern|energie (Atomenergie), der durch →Kernreaktionen freisetzbare oder freigesetzte Anteil der →Kernbindungsenergie. Nach dieser Definition ist K. auch eine Form von Primärenergie. Trotz bed. Fortschritte in der Forschung zur kontrollierten →Kernfusion ist die →Kernspaltung gegenwärtig die einzig mögl. und großtechnisch nutzbare Form der K.-Gewinnung; i.w.S. wird deshalb unter K.-Wirtschaft auch der wirtsch.-technolog. Bereich verstanden, der auf dieser Art der Gewinnung von Sekundärenergie (v.a. Elektroenergie) in Kernreaktoren basiert.

Geschichte: Die durch Neutronen induzierte Kernspaltung wurde 1938 von O. Hahn und F. Straßmann entdeckt und 1939 von L. Meitner und R. O. Frisch theoretisch erklärt. Nachdem F. und I. Joliot-Curie die Möglichkeit einer Kettenreaktion bei der Kernspaltung nachgewiesen hatten, gelang am 2. 12. 1942 E. Fermi in Chicago die Inbetriebnahme des ersten Kernreaktors. Die weitere Entwicklung wurde wesentlich durch die angestrebte militär. Nutzung der K. bestimmt. Am 16. 7. 1945 brachten die USA in Alamogordo (N. Mex.) die erste Atombombe zur Explosion, bald gefolgt von der militär. Anwendung in Hiroshima (6. Aug. 1945, Uranbombe) und Nagasaki (9. Aug. 1945, Plutoniumbombe). Die erste Wasserstoffbombe, bei deren Explosion K. durch Kernfusion frei wird, wurde 1952 gezündet. – Die Forschung zur friedl. Anwendung der K. setzte in größerem Umfang erst nach dem Krieg ein. Sie führte zur Entwicklung vieler Reaktortypen und zum Bau erster Kernkraftwerke: 1954 Inbetriebnahme des ersten Leistungsreaktors in Obninsk bei Moskau, 1956 erstes Großkernkraftwerk in Calder Hall in Großbritannien; in Dtl. erster Reaktor 1957 in Garching, erstes Kernkraftwerk 1961 in Kahl am Main. – Die Nutzung der K. ist seit den 70er-Jahren umstritten. Die K.-Gegner betonen v.a. die Freisetzung von Strahlung im Normalbetrieb, das Risiko eines Reaktorunfalls (→Tschernobyl), die ungelöste Entsorgung der radioaktiven Abfälle bzw. deren Wiederaufbereitung und die polit. Folgerungen einer Atomwirtschaft (»Atomstaat«).

📖 MÜLLER, W. D.: *Geschichte der K. in der Bundesrepublik Deutschland, 2 Bde. Stuttgart 1990–96.* – GOERING, R. W. *u.* OESTERWIND, D.: *Kernkraft stellt sich dem Wettbewerb. Ein Sachbuch zu strittigen*

Fragen unserer Zeit. Renningen-Malmsheim 1995. – *Handbuch K. Kompendium der Energiewirtschaft u. Energiepolitik, hg. v.* H. MICHAELIS *u.* C. SALANDER. *Frankfurt am Main* [4]*1995.*

Kern|energieantrieb (Atomenergieantrieb, Atomantrieb, Nuklearantrieb), Fahrzeugantrieb mithilfe eines Kernreaktors, dessen Wärmeenergie in zum Fahrzeugantrieb geeignete mechan. Energie umgewandelt wird. – Der K. ist bisher nur als **Schiffsantrieb** praktisch verwirklicht, wobei Druckwasserreaktoren hochgespannten Wasserdampf zum Antrieb von Dampfturbinen (Leistung bis etwa 15 MW) liefern. Die Gewichtsersparnis durch den Wegfall der bei anderen Antriebsarten benötigten großen Brennstoffmengen wird durch das größere Gewicht des Reaktors, einschließlich aller Kollisions- und Strahlenschutzeinrichtungen, wieder ausgeglichen. Wesentlicher Vorteil ist allein der praktisch unbegrenzte Fahrbereich, bes. bei U-Booten auch die hohe Geschwindigkeit ohne Zufuhr von Verbrennungsluft. Der Einführung des K. in die Handelsschifffahrt stehen teils polit. Gründe, teils Sicherheitsfragen (Versicherung, Hafenbeschränkung) und die geringe Wirtschaftlichkeit entgegen. – Das erste mit K. angetriebene Schiff war das amerikan. U-Boot »Nautilus« (Stapellauf 1954); erster Flugzeugträger mit K. war die »Enterprise« (Stapellauf 1960), erstes ziviles Überwasserschiff mit K. war der sowjet. Eisbrecher »Lenin« (Stapellauf 1957). Das dt. Forschungsfrachtschiff »Otto Hahn« (Stapellauf 1964, erste Fahrt 1968) wurde 1979 außer Dienst gestellt.

Kern|energierecht (Atomenergierecht, Atomrecht, Nuklearrecht), Gesamtheit der Rechtsvorschriften, die bei sämtlichen Anwendungsarten von spaltbarem Material und radioaktiven Stoffen einschließlich ihres Transports, ihrer Lagerung und der Beseitigung ihrer Abfälle zu beachten sind. In Ländern, in denen die militär. Nutzung der Kernenergie verboten ist, wie in Dtl., beschränkt sich das K. auf die friedl. Nutzung der Kernenergie. Ein Bereich des K. ist das Strahlenschutzrecht.

Wichtigste Rechtsgrundlage für das K. ist das Atom-Ges. i. d. F. v. 15. 7. 1985, das Einfuhr, Ausfuhr, Beförderung, Verwahrung, Besitz und Bearbeitung von Kernbrennstoffen, Errichtung von Anlagen zur Erzeugung oder zur Spaltung von Kernbrennstoffen und zur Beseitigung radioaktiver Abfälle der Genehmigungspflicht unterwirft. Nach dem Atom-Ges. hat der Besitzer von Kernbrennstoffen durch radioaktive Strahlung verursachte Schäden im Rahmen bestimmter Höchstbeträge ohne Rücksicht auf Verschulden zu ersetzen; übersteigen Schäden die Deckungssumme der obligator. Haftpflichtversicherung, so ist der Bund für den ungedeckten Rest zur Freistellung verpflichtet. Der strafrechtl. Schutz vor den Gefahren der Kernenergie ist in den §§ 310b–311e und 324–330d StGB verankert worden.

In *Österreich* wurden aufgrund einer Volksabstimmung durch Bundes-Ges. vom 15. 12. 1978 Errichtung und Betrieb von Kernkraftwerken verboten. Über den Bereich der Energieversorgung hinaus gelten das Atomhaftpflicht-Ges. von 1964 und das Strahlenschutz-Ges. von 1969. In der *Schweiz* bildet das Atom-Ges. vom 23. 12. 1959 (1986 geändert) die Grundlage des K. Durch Bundesbeschluss zum Atom-Ges. von 1987 wurden die Voraussetzungen für den Bau und Betrieb von Kernkraftwerken verschärft.

Den grenzüberschreitenden Risiken der Kernenergie versuchen versch. internat. Abkommen zu begegnen.

📖 HETT, F.-T.: *Öffentlichkeitsbeteiligung bei atom- u. immissionsschutzrechtl. Genehmigungsverfahren. Köln u. a. 1994.*

Kẹrner, Justinus, Arzt und Dichter, * Ludwigsburg 18. 9. 1786, † Weinsberg 21. 2. 1862; studierte Medizin in Tübingen, wo er L. Uhland und G. Schwab kennen lernte, mit denen er lebenslang befreundet war; seit 1819 Oberamtsarzt in Weinsberg. Hier pflegte er Friederike Hauffe, deren Lebensgeschichte in den Roman »Die Seherin von Prevorst« (2 Bde. 1829) einging; wichtiger Vertreter der spätromant. schwäb. Dichterschule. Seine dem Volkslied verpflichtete Lyrik ist durch schlichte Sprache und frischen Humor, andererseits jedoch durch tiefe Wehmut sowie Neigung zum Mystischen und Okkulten gekennzeichnet.

Justinus Kerner:
zeitgenössischer Holzstich

Kern|explosion, 1) Zerlegung eines Atomkerns in seine Bestandteile (Nukleonen) durch das Auftreffen eines energiereichen Teilchens (aus der kosm. Strahlung oder einem Beschleuniger). Bei der **Kernzertrümmerung (Spallation)** mit einer Geschossenergie von über 100 MeV ist die Kernauflösung nicht so vollständig wie bei der K., die erst bei deutlich höheren Energien auftritt. Es bleiben unter Aussendung von Nukleonen und α-Teilchen größere Kernbruchstücke (Fragmente) übrig (meist ein oder zwei). Bei der **Kernverdampfung,** der schwächsten Form der Auflösung eines Atomkerns, verlassen nur einzelne Nukleonen, Deuteronen oder α-Teilchen den Atomkern;

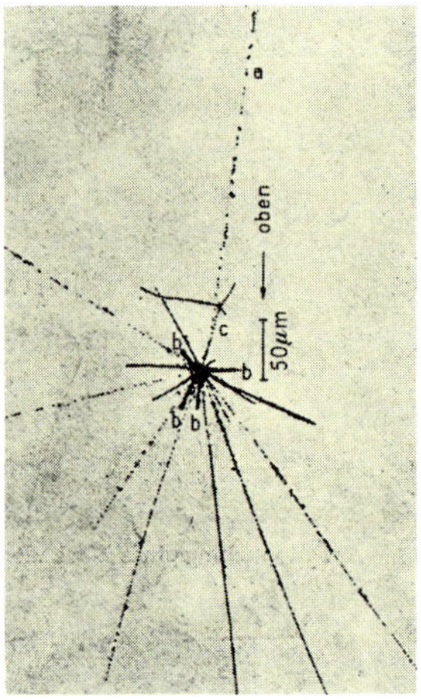

Kernexplosion 1): Zertrümmerungsstern, der durch ein von oben kommendes hochenergetisches Teilchen (a) ausgelöst wird; die kurzen dicken Spuren (b) stammen von Nukleonen und Nukleonenclustern, die bei der Kernexplosion emittiert werden; ein durch die Explosion erzeugtes hochenergetisches Teilchen (c) löst eine weitere Kernexplosion aus; der eingezeichnete Maßstab beträgt 50 Mikrometer (μm)

hierzu kann schon eine Anregungsenergie von 10 MeV ausreichen. Während diese Prozesse bei hinreichend hoher Energie der Geschossteilchen bei allen Kernen stattfinden können, tritt die bereits bei niedrigen Geschossenergien eintretende →Kernspaltung nur bei schweren Atomkernen auf, bei denen die Kernbindungsenergie kleiner ist als die ihrer beiden mittelschweren Bruchstücke. K. sind immer von der Aussendung hochenerget. γ-Strahlung begleitet. Sie wurden erstmals 1937 in →Kernspuremulsionen nachgewiesen. Die sternförmigen Spuren dieser Ereignisse, fotografisch in den Kernspurplatten nachweisbar, werden als **Zertrümmerungsstern** oder kurz **Stern** bezeichnet.

2) Explosion des Kernsprengstoffs (→ABC-Waffen).

Kernfächer, in der gymnasialen Oberstufe die Fächer Deutsch, Mathematik und eine Fremdsprache, von denen zwei durchgängig bis zum Abitur belegt und eines als Prüfungsfach gewählt werden muss. I.w.S. zählt auch Geschichte und eine Naturwissenschaft zu den Kernfächern.

Kernfäule, Zersetzung des Kerns lebender Bäume durch parasit. Pilze, z.B. Rotfäule.

Kernforschungsanlage Jülich GmbH, →Forschungszentrum Jülich GmbH.

Kernforschungszentrum Karlsruhe GmbH, →Forschungszentrum Karlsruhe GmbH.

Kernfusion (Kernverschmelzung), die Verschmelzung leichter Atomkerne zu einem schwereren Kern. Die K. tritt ein, wenn sich die Atomkerne bis zur Reichweite der anziehenden Kernkräfte nähern. Die sehr starke abstoßende Coulomb-Kraft wird v.a. in Teilchenbeschleunigern oder in Plasmen mit genügend hoher Temperatur überwunden, in denen Kerne mit extrem hoher Geschwindigkeit aufeinander treffen. Auch eine statische Annäherung der Kerne ist möglich, z.B. in myon. Molekülen des schweren Wasserstoffs, in denen das Elektron in der Atomhülle durch ein ca. 200-mal schwereres Myon ersetzt wird. Aufgrund seiner größeren Masse zwingt das Myon die beiden Atomkerne auf einen ca. 200-mal geringeren Abstand und erhöht damit die Wahrscheinlichkeit zur K. Die »kalte K.«, die 1989 angeblich entdeckt worden war, hat näheren Nachprüfungen nicht standgehalten.

Die K. ist die wichtigste Energiequelle der Natur. Die von der Sonne (→Sonnenenergie) und den Fixsternen ausgestrahlten Energien stammen größtenteils aus K.-Prozessen, die bei den in ihrem Inneren herrschenden extrem hohen Temperaturen (etwa 15 Mio. K bei der Sonne) und Drücken ablaufen. Dabei treten je nach den in den jeweiligen Fixsternen vorherrschenden Bedingungen versch. Prozesse auf, von denen die wichtigsten die →Proton-Proton-Reaktion, der →Bethe-Weizsäcker-Zyklus und der →Drei-Alpha-Prozess sind.

Eine künstl. K. mit positiver Energiebilanz konnte bisher nur unkontrolliert in der Wasserstoffbombe realisiert werden. Angestrebt wird die **kontrollierte (gesteuerte) K.** in Fusionsreaktoren, die als mögliche Energiequelle der Zukunft gilt. Bes. groß ist der Energiegewinn bei der Fusion der Wasserstoffisotope Deuterium (^{2}D) und Tritium (^{3}T) sowie des Heliumisotops ^{3}He (n = Neutron, p = Proton) mit den Reaktionen:

(1) $^2D + {}^3T \rightarrow {}^4He$ (3,517 MeV) + n (14,069 MeV)

(2) $^2D + {}^3He \rightarrow {}^4He$ (3,67 MeV) + p (14,681 MeV)

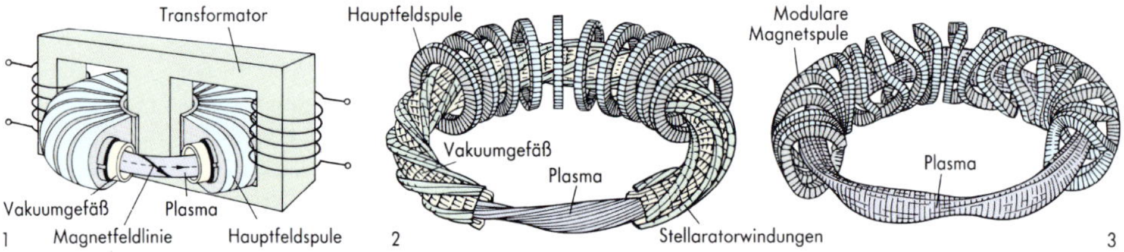

Kernfusion: schematische Darstellung des magnetischen Einschlusses mit toroidalen Konfigurationen; 1 Tokamak, 2 Stellarator mit helikalen Windungen, 3 Stellarator mit modularen Magnetspulen

Die Erforschung der kontrollierten K. hat sich bisher auf die Reaktion (1) konzentriert, da sie u. a. die höchste Reaktionswahrscheinlichkeit hat und ihre maximale Ausbeute bei der niedrigsten Temperatur auftritt. Tritium kann mithilfe der bei der K. erzeugten Neutronen aus Lithium erbrütet werden, das, wie auch Deuterium, praktisch unbegrenzt als Kernbrennstoff auf der Erde zur Verfügung steht. Um eine kontrollierte K. einzuleiten, müssen die Reaktionspartner mit Energien zw. 10 und 100 keV aufeinander treffen. Dafür werden Deuterium und Tritium auf Temperaturen über 100 Mio. K aufgeheizt **(thermonukleare Reaktion),** wobei die Gasatome vollständig ionisiert werden und ein Plasma, d.h. ein Gemisch aus Ionen und Elektronen großer Teilchendichte, bilden. Weiterhin muss das Plasma lange genug in einem Reaktionsvolumen eingeschlossen bleiben, damit Fusionsstöße häufig genug auftreten. Zum Einschluss des Plasmas wird die Wirkung von Magnetfeldern oder Trägheitskräften ausgenutzt. Beim **magnet. Einschluss** werden die Plasmateilchen aufgrund ihrer elektr. Ladung durch ein Magnetfeld auf eine Kreisbahn senkrecht zur Richtung der Feldlinien gezwungen. Bei toroidalen (geschlossenen) Konfigurationen schließt sich das Magnetfeld zu einem Ring oder Torus. Da das Magnetfeld hierdurch nicht mehr räumlich konstant ist, überlagert sich der Kreisbewegung der Plasmateilchen eine zusätzl. Driftbewegung, die zu einer radial nach außen an die Gefäßwand gerichteten Beschleunigung des Plasmas führt. Um diese radiale Bewegung zu unterdrücken, werden die Magnetfeldlinien »verdrillt«, indem man dem toroidalen Feld ein zusätzl. (poloidales) Feld derart überlagert, dass die Feldlinien nicht nur kreisförmig um die Torusachse laufen, sondern sich schraubenförmig um die Torusseele winden. – Nach der Art der Erzeugung des poloidalen Zusatzfeldes werden zwei Hauptklassen von toroidalen Anordnungen unterschieden. Beim **Tokamak-Prinzip** (russ. Abk. für »torusförmige Kammer mit Magnet«) besorgt dies ein toroidal im Plasma fließender Strom, der durch einen Transformator induziert oder durch andere Stromtriebmechanismen angetrieben wird. Der **Stellarator** vermeidet einen Plasmastrom und benutzt externe Zusatzspulen, die geeignet geformt sind (helikale Stellaratorwindungen oder modulare Magnetspulen). Beim **Trägheitseinschluss** wird ein Materiekügelchen (»Pellet«) mit intensiven Laser- oder Teilchenstrahlen so schnell aufgeheizt, dass die Atomkerne infolge ihrer Trägheit für einen Zeitraum zusammengehalten werden, der für genügend viele Fusionsstöße ausreicht.

Wegen des enormen apparativen und finanziellen Aufwands ist die K.-Forschung hauptsächlich in internat. Programmen organisiert. Neben den Tokamak-Großforschungsanlagen in den USA (TFTR, engl. Toroidal Fusion Test Reactor), Japan und Russland sowie dem europ. Fusionsprogramm EURATOM mit der Fusionsforschungsanlage →JET läuft u. a. seit 1988 ein internat. Forschungsprojekt unter dem Namen →ITER. Bis zur wirtsch. Nutzung der K. sind jedoch noch zahlreiche physikal. und technolog. Probleme zu lösen.

Kern|induktion, 1946 von F. Bloch entwickelte Methode der Hochfrequenzspektroskopie (→NMR-Spektroskopie) zum Nachweis der →Kernspinresonanz, bei der durch die Präzession der Kerndipolmomente bzw. Kernspins in der Empfangsspule ein Signal induziert wird.

Kern|isomerie, →Isomerie.

Kernit *der,* farbloses monoklines Mineral der chem. Zusammensetzung $Na_2B_4O_7 \cdot 4H_2O$, wichtig für die Borgewinnung; Hauptvorkommen in Kalifornien.

Kernkräfte, Kräfte zw. den Nukleonen, die deren Zusammenhalt in den Atomkernen, d.h. die **Kernbindung,** bewirken. Sie gehören zu den starken →Wechselwirkungen, die nur im Bereich des Kerns wirken, d.h. auf eine Entfernung von rd. 10^{-15} m; innerhalb des Kerns sind sie sehr viel stärker als die Coulomb-Kraft, außerhalb sind sie nicht nachzuweisen. Die K. sind ladungsunabhängig, wie Streuversuche von Nukleonen an Nukleonen zeigen, spinabhängig und haben den Charakter einer Zentralkraft. Eine theoret. Basis zur Beschreibung der K. liefert das im Rahmen der →Quantenchromodynamik entwickelte Quark-Gluonen-Bild.

Kernkraftwerk, Abk. **KKW,** ein mit →Kernreaktoren betriebenes Dampfkraftwerk. Die Energie wird bisher ausschließlich durch Spaltung schwerer Atomkerne (→Kernspaltung) gewonnen, die als kontrollierte Kettenreaktion in einem Kernreaktor abläuft. Zur näheren Kennzeichnung eines K. wird auch der verwendete Reaktortyp angegeben (z.B. Leichtwasser-K.), von dem Gestaltung und Auslegung eines K. wesentlich abhängen. In Dtl. werden in K. bisher fast nur Druckwasserreaktoren (DWR) und Siedewasserreaktoren (SWR) eingesetzt (→Kernreaktor). Die in den westlichen Ind.ländern übl. Blockgrößen liegen heute bei mehr als 1000 MW elektr. Leistung.

Die im Kernreaktor freigesetzte Wärme wird direkt (**Einkreisanlage,** z.B. bei K. mit SWR) oder über Dampferzeuger **(Zweikreisanlage)** den Turbinen eines Generators zur Umwandlung in elektr. Energie zugeleitet. Ein K. mit DWR hat zwei hintereinander geschaltete Kühlkreisläufe. Im **Primärkreislauf** fördert eine Hauptkühlmittelpumpe das unter hohem Druck stehende Kühlwasser in den Reaktordruckbehälter, wo es beim

Durchtritt durch den Reaktorkern erwärmt und einem Dampferzeuger zugeführt wird; von hier wird es wieder zum Reaktordruckbehälter zurückgeleitet. Abhängig von der Leistung des Reaktors werden mehrere Primärkreise an den Reaktordruckbehälter angeschlossen und entsprechend auch mehrere Dampferzeuger betrieben. In diesen übertragen die vom Primärkühlwasser durchströmten Heizrohre die Wärme an das Wasser des **Speisewasser-Dampf-Kreislaufs (Sekundärkreislaufs),** das unter geringem Druck steht und verdampft wird. Der erzeugte Sattdampf (Temperatur rd. 280 °C, Druck 6,45 MPa) wird einer Turbine zugeführt, die den Generator antreibt; außerdem beinhaltet der Sekundärkreis die Kühlung des Kondensators und die Umwandlung des Dampfes in Wasser. K. mit natriumgekühlten schnellen Brutreaktoren verfügen über einen zusätzl. Kühlkreislauf **(Dreikreisanlage).** Da Natrium beim Durchtritt durch den Reaktorkern in hohem Maße aktiviert wird, muss zw. Primärkreis und Dampferzeuger ein weiterer Kühlkreis installiert werden (meistens ebenfalls mit Natrium als Kühlmittel). – Die bei der Nutzung der Kernenergie unvermeidl. Strahlengefährdung macht umfangreiche Maßnahmen des Strahlenschutzes notwendig. Zur Vermeidung eines Austritts radioaktiver Stoffe in die Außenwelt sind der Kernreaktor und die Dampferzeuger mit einem stählernen Sicherheitsbehälter (Containment) umgeben; das Reaktorgebäude umschließt eine Stahlbetonhülle. Jedes K. ist außerdem zum Schutz vor Betriebsunfällen mit umfangreichen techn. Sicherheitseinrichtungen versehen, die bei schwerwiegenden Störungen für die Schnellabschaltung des Reaktors durch Steuerelemente sowie für die Abfuhr der nach der Abschaltung noch erzeugten Wärme (z. B. Notkühl-, Notspeisewassersystem, Nachwärmekühler, Abblasestation) sorgen. Bau und Betrieb von K. unterliegen in Dtl. dem → Kernenergierecht.

📖 *Kernkraftwerke, Beiträge v.* W. Rysy *u. a. Gräfelfing 1986.*

Kernkraftwerke in Betrieb 1975 und 1995 (Auswahl)

	1975		1995		Anteil
	Anzahl	MWe[1]	Anzahl	MWe[1]	des Atomstroms[2]
Argentinien	1	367	2	1 015	11,8
Belgien	4	1 752	7	5 807	55,5
Bulgarien	1	440	6	3 760	46,4
China	–	–	3	2 200	1,2
Deutschland	10[3]	3 493[3]	19	22 129	29,1
Frankreich	9	2 952	55	60 845	76,1
Großbritannien	14	6 126	29	15 020	25,0
Indien	3	630	10	2 270	1,9
Italien	3	642	–	–	–
Japan	10	5 211	51	42 712	33,4
Kanada	7	2 633	21	15 805	17,3
Litauen[4]	–	–	2	3 000	85,6
Niederlande	2	531	2	538	4,9
Russland[4]	–	–	29	21 242	11,8
Schweden	5	3 231	12	10 436	46,6
Schweiz	3	1 010	5	3 205	39,9
Slowakische Republik[4]	–	–	4	1 760	44,4
Spanien	3	1 113	9	7 400	34,1
Süd-Korea	–	–	11	9 616	36,1
Taiwan	–	–	6	5 144	28,8
Tschechische Republik[4]	–	–	4	1 782	20,1
Ukraine[4]	–	–	15	13 818	37,8
Ungarn	–	–	4	1 840	42,3
USA	52	37 539	109	104 757	22,5
gesamt	152	73 210	427	363 390	–

[1] installierte elektrische Bruttoleistung in Megawatt. – [2] Anteil der Kernenergie an der öffentlichen Stromversorgung in % (nach IAEA). – [3] alte Bundesländer. – [4] Zahlen für 1975 ggf. in den Vorgängerstaaten (Sowjetunion 19 KKW mit 4 061 MWe; Tschechoslowakei 1 KKW mit 110 MWe) enthalten

Kernladungszahl, Formelzeichen Z, die Anzahl der positiven Elementarladungen eines Atomkerns, stimmt mit der **Protonenzahl,** d. h. der Zahl der Protonen im Atomkern, überein. Die K. ist gleich der Ordnungszahl des chem. Elements.

kernmagnetische Resonanzspektroskopie, die → NMR-Spektroskopie.

Kernmagneton, Formelzeichen μ_N, physikal. Konstante von der Größenordnung der magnet. Momente der Atomkerne (→ Magneton).

Kernmodelle, von experimentellen Fakten ausgehende Modellvorstellungen über Struktur und Verhalten von Atomkernen (→ Atom). Zu den auf den Vorstellungen der klass. Physik beruhenden **phänomenolog. K.** gehören das **Cluster-Modell,** in dem Nukleonen in Kernen Unterstrukturen, sog. → Cluster, ausbilden, die ähnlich dem α-Teilchen eine große Bindungsenergie besitzen, und das **Tröpfchenmodell,** in dem der Atomkern als ein homogen geladenes Tröpfchen einer inkompressiblen, wirbel- und reibungsfreien Flüssigkeit aus Protonen und Neutronen betrachtet wird, die sich in ständiger Wechselwirkung befinden. Mit dem Tröpfchenmodell können u. a. Kernbindungsenergien berechnet und die Kernspaltung qualitativ erklärt werden; es eignet sich nicht zur Beschreibung der inneren Struktur der Kerne. – **Quantenmechan. K.,** speziell Einteilchenmodelle, sind z. B. das Modell eines → Fermi-Gases sowie das **Schalenmodell.** Dieses basiert auf der Annahme, dass sich jedes Nukleon praktisch frei im Kern bewegen kann, wobei die Wechselwirkung mit allen übrigen Nukleonen in Form eines mittleren Potenzials berücksichtigt wird. Nach der Quantentheorie sind bestimmte Nukleonenzustände ausgezeichnet, die sich, ähnlich wie die Elektronen in der Atomhülle, zu Schalen gruppieren. In jedem Kern sind die Zustände mit der niedrigsten Energie besetzt. Bei bestimmten Besetzungszahlen von Protonen und Neutronen, den → magischen Zahlen, liegt eine bes. stabile Kernkonfiguration vor. Dem Übergang eines Nukleons von einem energiereicheren zu einem energie-

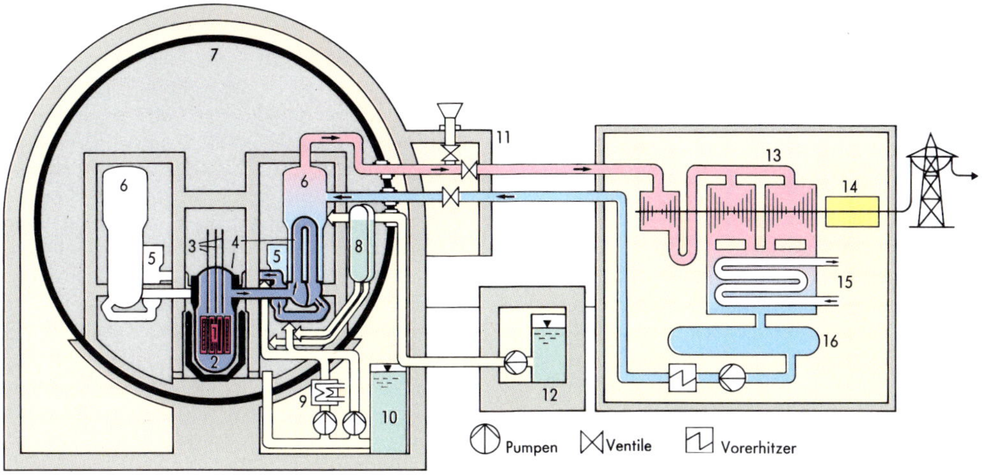

Kernkraftwerk: Schema eines Kernkraftwerks mit Druckwasserreaktor; 1 Reaktorkern im Reaktordruckbehälter, 2 Brennelemente, 3 Steuerelemente, 4 Primärkreislauf, 5 Hauptkühlmittelpumpe, 6 Dampferzeuger, 7 Sicherheitsbehälter (Containment), 8 Druckspeicher, 9 Nachwärmekühler, 10 Flutbehälter für Notkühlsystem, 11 Abblasestation, 12 Wasservorrat für Notspeisewassersystem, 13 Turbine, 14 Generator, 15 Kondensator, 16 Speisewasserbehälter

ärmeren Zustand entspricht die Emission eines Gammaquants. Das aus dem Schalen- und Tröpfchenmodell entwickelte **Kollektivmodell** berücksichtigt die Wechselwirkung der »Leuchtnukleonen« mit dem als Flüssigkeitstropfen betrachteten Kernrumpf und erklärt bes. Deformationen von Kernen und das Auftreten kollektiver Bewegungen der Nukleonen. Weitere K. sind u.a. die Vorstellung eines →Compoundkerns zur Beschreibung von Kernreaktionen sowie das **opt. K.** zur Erklärung von Streuung und Absorption bei Stoßprozessen von Kernen.

Kernmomente, die elektr. und magnet. Multipolmomente der Atomkerne.

Kernobst, die Obstsorten aus der Familie der Rosengewächse (z.B. Apfel, Birne, Quitte), die eine fleischige Sammelfrucht (Apfelfrucht) bilden. Die eigentl. Frucht ist das aus pergamentartigen Fruchtblättern bestehende Kernhaus mit den Kernen als Samen.

Kernphotoeffekt, durch Absorption energiereicher γ-Quanten eingeleitete Kernreaktion, bei der ein Atomkern so weit angeregt wird, dass er Nukleonen – meist ein Neutron – emittiert. 1934 von J. Chadwick und M. Goldhaber bei der Photospaltung des Deuterons entdeckt.

Kernphysik, Zweig der Physik, der Struktur und Eigenschaften der Atomkerne untersucht, wobei zw. **niederenerget.** und **hochenerget. K.** unterschieden wird. Letztere befasst sich mit der Physik und Struktur der →Elementarteilchen und hat sich als →Hochenergiephysik selbstständig entwickelt. Demgegenüber ist die niederenerget. K. – die K. i.e.S. – der Zweig der Physik, der sich mit den physikal. Eigenschaften der Atomkerne und den zw. den Kernbausteinen wirkenden →Kernkräften beschäftigt. Zu einem tieferen Verständnis der Eigenschaften von Kernmaterie hat in den letzten Jahren v.a. die **Schwerionenphysik** (→Schwerionenforschung) beigetragen. Experimentelle Daten über die Kerneigenschaften werden aus →Kernreaktionen, Streuexperimenten, massen- und kernspektroskop. Untersuchungen, der Hyperfeinstruktur der Atomspektren (Mößbauer-Effekt), Verfahren zur Untersuchung der Kernspinresonanz u.a. gewonnen. Zur theoret. Interpretation der Ergebnisse sind zahlr. Modellvorstellungen (→Kernmodelle) über den Aufbau der Atomkerne und die Wechselwirkungskräfte zw. ihren Bausteinen entwickelt worden. – Der Einsatz kernphysikal. Methoden reicht von der Bestrahlung von Lebensmitteln über die biolog. Wachstums- und Mutationsbeeinflussung, die medizin. Diagnostik und Therapie, die Anwendungen in der Materialforschung, die Altersbestimmung, die Erforschung der Sterne bis hin zur Aufklärung von Verbrechen. (→Kerntechnik)

Kernreaktion, jede durch einen Stoß mit einem anderen Kern oder Elementarteilchen (einschließlich γ-Quanten) bewirkte Umwandlung von Atomkernen. K. unterscheiden sich damit von spontan ablaufenden Kernumwandlungen (→Radioaktivität, spontane →Kernspaltung). Da die Bindung der Nukleonen im Kern millionenfach stärker ist als die Bindung der Hüllenelektronen (chem. Bindung), werden bei K. millionenmal größere Energien umgesetzt als bei chem. Reaktionen. Daher finden natürl. K. in größerem Umfang nur im Innern von Fixsternen statt, wo bei extremen Temperaturen die notwendigen kinet. Ener-

gien verfügbar sind (→Kernfusion). K. sind z.B. →Abstreifreaktionen, →Einfangprozesse und →Kernexplosionen; die technisch wichtigste K. ist die →Kernspaltung.
Für künstlich induzierte K. kann man energiereiche, in Beschleunigern erzeugte Teilchen gerichtet auf die Teilchen einer Probe (Target) schießen oder nutzt natürl. Kernumwandlungen wie die Uranspaltung zur Anregung; so werden die meisten künstlich erzeugten →Radionuklide durch Neutronenbeschuss im Kernreaktor gewonnen. E. Rutherford beobachtete 1919 die erste künstliche K.: Beim Prozess ${}^{14}_{7}\mathrm{N} + {}^{4}_{2}\mathrm{He} \rightarrow {}^{17}_{8}\mathrm{O} + {}^{1}_{1}\mathrm{H}$ wird ein α-Teilchen (Heliumkern) auf das Stickstoffisotop ${}^{14}_{7}\mathrm{N}$ geschossen, das sich dabei in das Sauerstoffisotop ${}^{17}_{8}\mathrm{O}$ umwandelt; gleichzeitig wird ein Proton ausgesendet.

Kernreaktor (Reaktor), Anlage, in der eine sich selbst erhaltende →Kettenreaktion zur Nutzung von Kernenergie geregelt abläuft. Die bei der →Kernspaltung eines Kernbrennstoffs frei werdende Kernenergie wird in **Leistungsreaktoren** (→Kernkraftwerk) in elektr. Energie umgewandelt oder dient zur Erzeugung von mechan. Antriebsenergie (→Kernenergieantrieb). Die meist kleineren **Forschungsreaktoren** werden für Forschung, Ausbildung, Materialprüfung sowie zur Produktion von Radionukliden verwendet.

Klassifizierung und prinzipieller Aufbau: Bei der Kernspaltung durch Neutronen bricht der Spaltstoffkern nach Einfang eines Neutrons unter Freigabe von →Kernbindungsenergie auseinander, wobei neben den Kernbruchstücken auch einige schnelle Neutronen entstehen. Diese werden entweder von anderen Atomkernen absorbiert, durch Zusammenstöße abgebremst oder verlassen den Brennstoff durch die Oberfläche. Wenn hierbei insgesamt im Mittel genauso viele Neutronen wie zu Beginn des Prozesses die Energie erreichen, die zur Spaltung neuer Kerne erforderlich ist (Neutronen-Multiplikationsfaktor $k = 1$), kommt eine gleichförmige Energiefreisetzung in Gang: der K. ist **kritisch.** Ist die Zahl dieser Neutronen größer bzw. kleiner als die ursprüngliche, dann ist der K. **überkritisch** bzw. **unterkritisch,** was im ersten Fall zur Leistungserhöhung, im zweiten zum Erlöschen der Kernkettenreaktion führen kann. – Kernspaltungen können durch therm. (langsame), epitherm. (mittelschnelle) oder schnelle Neutronen bewirkt werden. Neben dieser Unterscheidung und der durch den Verwendungszweck bestimmten Unterteilung werden K. klassifiziert nach dem verwendeten Kernbrennstoff, dem Arbeitsprinzip des zur Abführung der erzeugten Wärme dienenden Kühlsystems bzw. -mittels (z.B. Druckwasser-, Siedewasserreaktor oder gas-, wasser- bzw. natriumgekühlter Reaktor), nach den erzeugten Temperaturen (u.a. Hochtemperaturreaktor), nach dem Moderator (Leichtwasser-, Schwerwasser- oder Graphitreaktor) sowie nach den konstruktiven Merkmalen, je nachdem, ob die verschiedenen Komponenten des Reaktorkerns getrennt oder in homogener Mischung vorliegen, als **heterogener** bzw. **homogener K.;** nach dem Grad der Gewinnung neuen Spaltstoffs unterscheidet man Brutreaktoren (Brüter) und Konverter.

Der Kernbrennstoff befindet sich (meist in Form von sog. Pellets) in gasdicht abgeschlossenen Brenn(stoff)stäben, die zu Brennelementen zusammengesetzt sind. Diese bilden zus. mit dem Moderator die **Spaltzone (Reaktorkern,** engl. **Core)** des K. Der Moderator, ein zusätzlicher, den Brennstoff umgebender Stoff, wird bei **therm. K.** eingesetzt, um die durch die Kernspaltung entstehenden schnellen Neutronen auf therm. Energien abzubremsen, damit sie im Brennstoff zu weiteren Spaltungen führen können. Bes. wirksame Moderatoren sind gewöhnl. (leichtes) Wasser, schweres Wasser, Graphit und Beryllium. Der gesamte Reaktorkern ist meist von einem gasdichten Druckbehälter (Reaktordruckbehälter) umgeben, der innen mit einem Neutronen reflektierenden, aus den gleichen Stoffen wie der Moderator bestehenden Material (Reflektor) zur Verbesserung der

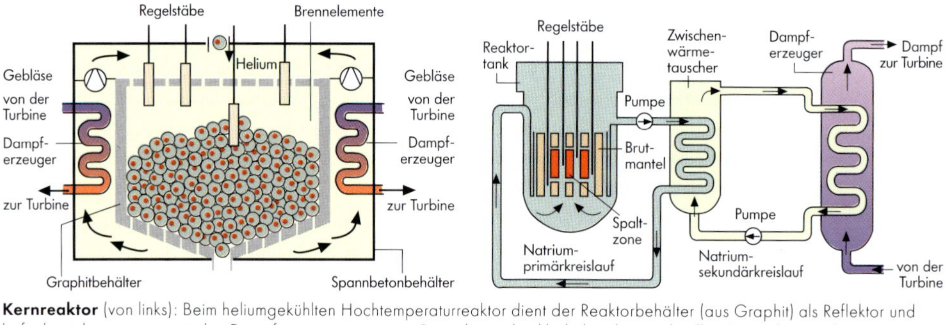

Kernreaktor (von links): Beim heliumgekühlten Hochtemperaturreaktor dient der Reaktorbehälter (aus Graphit) als Reflektor und befindet sich zusammen mit den Dampferzeugern in einem Spannbetondruckbehälter; beim schnellen Brutreaktor wird im Brutmantel aus Uran 238 thermisch spaltbares Plutonium 239 erbrütet; der Natriumsekundärkreislauf (Zwischenkühlkreislauf) trennt den radioaktiven Natriumprimärkreislauf vom Wasser-Dampf-Kreislauf des Dampferzeugers

Neutronenbilanz ausgekleidet ist. Durch einen vergrößerten oder verkleinerten Neutronenfluss lässt sich die Leistung eines K. während des Betriebes je nach Bedarf regeln, meistens durch Ein- und Ausfahren Neutronen absorbierender Regel-, Trimm- und Abschaltstäbe, z.B. aus Bor, Cadmium oder Hafnium. Zur Abführung der in Wärme umgewandelten Energie muss der Reaktorkern gekühlt werden. Als Kühlmittel werden Flüssigkeiten, Gase und niedrigschmelzende Metalle mit geringer Neutronenabsorption und guten Wärmeübertragungseigenschaften verwendet. Zu den verschiedenen Kreisläufen →Kernkraftwerk.

Reaktorarten: Der häufigste als Leistungsreaktor in Kernkraftwerken verwendete K.-Typ ist heute der **Leichtwasserreaktor (LWR),** ein therm. K. mit leichtem Wasser als Moderator und Kühlmittel. Er wird als **Druckwasserreaktor (DWR)** und **Siedewasserreaktor (SWR)** gebaut. Als Brennstoff wird leicht mit U235 (im Mittel auf 3%) angereichertes Uran (in Form von Urandioxid) verwendet, das sich in gasdicht verschlossenen Metallrohren befindet und zus. mit diesen die Brennstäbe bildet. Der hohe Druck im Primärkreislauf des DWR und die dadurch verursachte Siedepunkterhöhung verhindern eine Dampfbildung im Reaktorkern; die Wärme wird im indirekten Kreislauf abgeführt. Der DWR, der in Dtl. als Standardreaktor gilt, liefert eine elektr. Leistung bis zu etwa 1300 MW. Im Ggs. zum DWR kommt es beim SWR zum Sieden des Wassers; der im Reaktor erzeugte Dampf wird meist direkt zur Turbine geleitet. Der **Schwerwasserreaktor,** ein mit schwerem Wasser (D_2O) moderierter K., wird ebenfalls als Leistungs-K. eingesetzt. Wegen der guten Moderationseigenschaften des schweren Wassers (geringe Neutronenabsorption) kann dieser K. mit Natururan als Brennstoff arbeiten. Eine andere Baulinie, die **Druckröhrenreaktoren,** führen Moderator und Kühlmittel in sog. Druckröhren (ohne Reaktordruckbehälter) einzeln durch den Reaktorkern. Der **Hochtemperaturreaktor (HTR),** ein therm. K., arbeitet mit Graphit als Moderator und dem Edelgas Helium als Kühlgas. Kernbrennstoff ist ein Gemisch aus Uran- und Thoriumcarbid. Die hohen Kühlgastemperaturen erlauben den Einsatz moderner Turbogeneratoren und die Auskopplung von Prozesswärme. Beispiele sind die K. in Jülich und Hamm-Uentrop. – Da bei der Kernspaltung durch ein Neutron jeweils mehr als ein neues Neutron freigesetzt wird, ist nicht nur die Aufrechterhaltung einer Kernkettenreaktion, sondern unter bestimmten Bedingungen auch das sog. Brüten von neuem spaltbarem Material möglich: Es wird dadurch mehr spaltbares Material erzeugt, als gleichzeitig zur Energieerzeugung verbraucht wird. Für diesen Prozess eignen sich das Uranisotop U238 und das Thoriumisotop Th232. Beim bes. effektiven Uran-Plutonium-Brutprozess wandeln bei der Spaltung des U235 entstehende schnelle Neutronen U-238-Kerne in spaltbare Pu-239-Kerne um

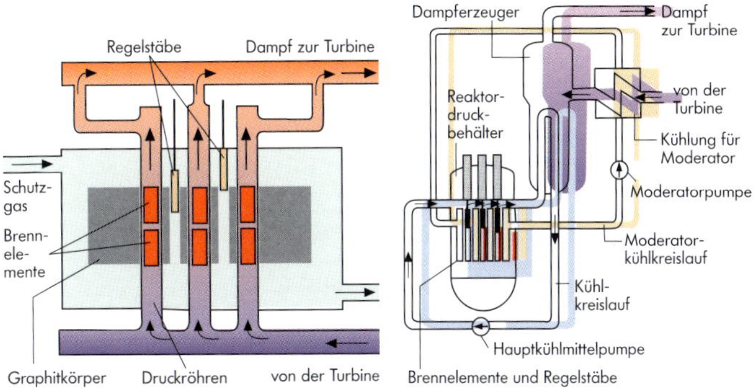

Kernreaktor (von links): Der Druckröhrenreaktor ist ein in der UdSSR entwickelter graphitmoderierter und leichtwassergekühlter Reaktor wie er u. a. auch in Tschernobyl betrieben wird; der Schwerwasserreaktor arbeitet mit schwerem Wasser sowohl im Moderatorkühlkreislauf als auch im Reaktorkühlkreislauf und kann mit Natururan als Brennstoff betrieben werden

(schneller Brutreaktor, schneller Brüter). Dieser Reaktortyp arbeitet ohne Moderator und mit flüssigem Natrium als Kühlmittel. Im Reaktorkern ist die Spaltzone von einem sog. Brutmantel umgeben, in dem der Brutprozess stattfindet. Brutreaktoren können durch Umwandlung des nichtspaltbaren U238 eine bis zu 100fach höhere Energieausbeute als Leichtwasserreaktoren liefern. Der schnelle Brutreaktor in Kalkar wurde 1991 aus wirtsch. und polit. Gründen nicht in Betrieb genommen. Im April 1994 wurde der Prototyp eines schnellen Brutreaktors in Japan (Monju) erstmals kritisch. Am 8. 12. 1995 traten dort bei einem schweren Störfall des Kühlsystems fast 3 t flüssiges Natrium aus. Die größte Anlage dieses Typs, der »Superphénix« (1200 MW) in Frankreich (Creys-Malville), soll nicht mehr der Stromerzeugung, sondern nur noch Forschungs- und Demonstrationszwecken dienen. – Weltweit sind heute über 1000 K. in Betrieb; davon etwa 400 Forschungs-, Materialtest- und Ausbildungsreaktoren, über 400 in Kernkraftwerken, die Übrigen in Schiffen mit Kernenergieantrieb.

📖 EMMENDÖRFER, D. *u.* HÖCKER, K.-H.: *Theorie der Kernreaktoren, 2 Bde. Mannheim u. a.* $^{1-2}$*1982–93.* – SEIFRITZ, W.: *K. von morgen. Eine Analyse u. Bewertung der zukünftigen Reaktorgeneration. Köln* ^{4}*1992.*

Kernresonanz, die →Kernspinresonanz.

Kernresonanzfluoreszenz, das Verhalten von Atomkernen (eines Absorbers) gegenüber der γ-Strahlung, die von gleichartigen Kernen ausgestrahlt wird: Atomkerne absorbieren unter bestimmten Bedingungen γ-Quanten **(Kernresonanzabsorption)** und emittieren wenig später die Anregungsenergie in Form eines γ-Quants gleicher Energie. Bei der Wechselwirkung zw. Atomkern und γ-Quant treten durch dessen großen Rückstoß (Impulserhaltung) Energieverluste auf, sodass Absorptions- und Emissionsfrequenz sich merklich unterscheiden. K. wird daher nur beobachtet, wenn der Unterschied durch Doppler-Verschiebung beim Strahler oder Absorber kompensiert wird; über rückstoßfreie K. →Mößbauer-Effekt.

Kernresonanzspektroskopie, die →NMR-Spektroskopie.

Kernsdorfer Höhe (poln. Dylewska Góra), höchste Erhebung Ostpreußens, im Hockerland, Polen, 312 m über dem Meeresspiegel.

Kernseife, harte Natronseife. (→Seife)

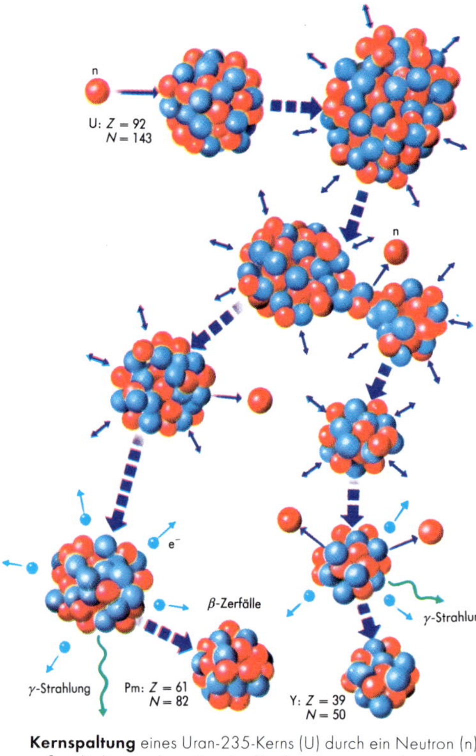

Kernspaltung eines Uran-235-Kerns (U) durch ein Neutron (n); außer direkten und verzögerten Spaltneutronen werden auch Elektronen (e^-) emittiert, die aus β-Zerfällen der Spaltprodukte stammen; die Endkerne sind Promethium 143 (Pm) und Yttrium 89 (Y); Z Protonenzahl, N Neutronenzahl

Kernspaltung, Ende 1938 von O. Hahn und F. Straßmann beim Beschuss des Elements Uran mit langsamen Neutronen entdeckte Zerlegung eines Atomkerns mit hoher Nukleonenzahl in zwei Kerne mittlerer Nukleonenzahl und vergleichbarer Massen; die K. ist mit der Emission von Elementarteilchen wie Neutronen, Neutrinos, β-Teilchen und Photonen (γ-Strahlung) verbunden. Die erste theoret. Erklärung für die K. gaben 1939 L. Meitner und O. R. Fritsch. Die schwersten Atomkerne zerfallen nach einer bestimmten Lebensdauer entweder von selbst **(spontane K.)** oder durch Zuführung einer geeigneten Anregungsenergie **(induzierte K.),** z. B. durch das Eindringen eines Neutrons in den Atomkern. Hierbei werden je Spaltung etwa 10 % der gesamten Kernbindungsenergie, rd. 200 MeV, frei, die sich zunächst in kinet. Energie der Spaltprodukte und Strahlungsenergie, schließlich in Wärmeenergie umsetzen. Die Energie entsteht durch Massenumwandlung des Spaltstoffes (→Massendefekt). Pro Spaltvorgang werden zwei bis drei schnelle Neutronen **(Spaltneutronen)** ausgesandt, die den Spaltprozess aufrechterhalten können (→Kettenreaktion); weil die Neutronen i. Allg. nicht sofort, sondern z. T. erst nach einigen Sekunden **(verzögerte Neutronen)** frei werden, ist die Spaltung steuerbar. Die Spaltprodukte sind meist radioaktiv, da sie i. Allg. einen erheblichen Neutronenüberschuss besitzen, den sie durch mehrfache Emission von β-Strahlung ausgleichen (β-Zerfälle).

Am wichtigsten sind die K. der Uranisotope U 233 und U 235 sowie des Plutoniumisotops Pu 239, da sie bereits durch therm. Neutronen (Energie < 1 eV) ausgelöst werden können **(therm. K.).** Diese Isotope dienen als Kernbrennstoff zur Energieerzeugung in Kernreaktoren oder als Spaltmaterial in Kernwaffen. Mit höherer Neutronenenergie sind nicht nur alle Uran- und Thoriumkerne und alle weiteren Transurane spaltbar, sondern bei geeigneter Energiezufuhr durch Stoßprozesse beliebiger Art (α-Teilchen, Deuteronen, Protonen, Lichtquanten) sogar stabile Kerne wie die von Wismut, Blei, Thallium, Quecksilber und Gold bis herab zum Platin.

Am Schwerionenbeschleuniger UNILAC der Gesellschaft für Schwerionenforschung in Darmstadt wurde beim Beschuss von Uran-Targetkernen mit energiereichen Uranionen 1979 erstmals eine K. beobachtet, die allein durch die starken elektr. Kräfte zw. den nahe aneinander vorbeifliegenden Teilchen mit hoher Kernladungszahl eingeleitet wurde **(Coulomb-Spaltung).**

Kernspektroskopie, kernphysikal. Verfahren zur Bestimmung der Energieniveaus von Atomkernen, ihrer Quantenzahlen sowie der erlaubten Übergänge zw. ihnen. Methoden der K. sind die β-, γ- und NMR-Spektroskopie, der Kernphotoeffekt und die Kernresonanzfluoreszenz.

Kernspinresonanz (Kernresonanz, [para]magnetische Kernresonanz), Abk. **NMR** (von engl. **N**uclear **M**agnetic **R**esonance), die Auslösung von

Richtungsänderungen der Drehimpuls- bzw. Spinachse eines Atomkerns, der in einem homogenen Magnetfeld eine →Larmor-Präzession ausführt, durch ein äußeres magnet. Wechselfeld. Der Übergang eines Teils der Spins in ein Niveau mit größerer magnet. Energie ist an der Energieentnahme aus dem Wechselfeld als Dämpfung (Absorption) erkennbar und wird als Absorptionssignal des Wechselfeldes (Purcell-Methode) oder durch →Kerninduktion (Bloch-Methode) nachgewiesen. Die K. wird als spezielles Verfahren der Hochfrequenzspektroskopie (→NMR-Spektroskopie) bes. zur Strukturaufklärung genutzt.

Kernspintomographie (Kernspinresonanztomographie), Untersuchungsverfahren zur Erzeugung von Querschnittsbildern des menschl. Körpers unter Nutzung der Kernspinresonanz. Der Patient befindet sich im starken Magnetfeld eines Kernspintomographen. Aus den Verteilungen der Kernresonanzsignale können, ähnlich wie bei der Computertomographie mit Röntgenstrahlen, mittels Computer Schichtbilder mit versch. Orientierungen der Schnittflächen erzeugt oder Stoffwechselvorgänge verfolgt werden. Die K. arbeitet ohne ionisierende Strahlung, d.h., es besteht kein Strahlenrisiko. Sie dient u.a. zur Darstellung und z.T. zur Unterscheidung gut- oder bösartiger Tumoren oder z.B. einer Leberzirrhose.

Kernsprung, Zerspaltung von Gesteinsblöcken an radial verlaufenden Fugen oder Klüften in zwei oder mehrere größere Einzelblöcke, v.a. in ariden Gebieten; bedingt durch Hydratation, Temperaturverwitterung oder Frostsprengung.

Kernspur|emulsion, Silberhalogenidschicht (auf einer Fotoplatte, **Kernspurplatte**), die durch Erhöhung des Silberhalogenidanteils und Verminderung sowie Gleichmäßigkeit der Korngröße für die Untersuchung von Kernreaktionen und Vorgängen der kosm. Höhenstrahlung bes. empfindlich ist. Durchsetzen Kernbruchstücke oder andere geladene Teilchen die Schicht, so erzeugen sie längs ihrer Bahnen in dichter Folge Ionenpaare, die die getroffenen Silberhalogenidkristalle entwickelbar machen. Man erhält Reihen von Schwärzungskörnern, die die Teilchenspuren markieren. Deren Auswertung liefert Daten über Masse, Energie, Ladung u.a. der Teilchen und erlaubt ihre Identifizierung.

Kerntechnik (Kernenergietechnik), Bereich der Technik, der die prakt. Nutzbarmachung der Kernenergie und die Anwendung von →Radionukliden umfasst. Die K. beinhaltet v.a. Entwicklung, Bau und Betrieb von Kernreaktoren und Kernkraftwerken sowie alle damit zusammenhängenden Probleme: Entwicklung von automat. Kontroll-, Bedienungs- und Sicherheitseinrichtungen, Gewinnung, Verarbeitung und Wiederaufarbeitung von Kernbrennstoffen, Produktion und Gewinnung von Radionukliden, Beseitigung radioaktiver Abfälle, Bau von Strahlenschutzanlagen, Entwicklung von Reaktorwerkstoffen sowie von Systemen zur Abführung und Ausnutzung der in einem Kernreaktor freiwerdenden Wärme.

Kernteilung, die direkte **(Amitose)** oder indirekte Teilung **(Karyokinese, Mitose, Meiose)** des Zellkerns der Organismen, der meist eine Zellteilung folgt.

Kern|umwandlungen, durch äußere Einwirkung bewirkte (induzierte) oder spontane Umwandlungen von Atomkernen, d.h. sowohl →Kernreaktionen als auch radioaktive Umwandlungen (→Radioaktivität).

Kernverdampfung, Form der Auflösung eines Atomkerns (→Kernexplosion).

Kernverschmelzung, die →Kernfusion.

Kernwaffen, →ABC-Waffen.

Kernwaffensperrvertrag (Atomwaffensperrvertrag, offiziell engl. Treaty on the Non-Proliferation of Nuclear Weapons), Vertrag über die Nichtweiterverbreitung von Kernwaffen, ausgehandelt 1965–68 von den USA, der UdSSR und Großbritannien, unterzeichnet am 1. 7. 1968; trat 1970 nach der Ratifizierung durch die Depositarmächte (USA, UdSSR, Großbritannien) und 40 weitere Unterzeichnerstaaten in Kraft. Unter Hinweis auf ihre nat. Souveränität und die Gefahr eines weltpolit. Übergewichts der USA und der UdSSR unterzeichneten Frankreich und China den Vertrag erst 1992. Konferenzen über die Wirksamkeit des K. fanden seit 1975 alle 5 Jahre statt. Am 11. 5. 1995 wurde der Vertrag von mittlerweile 178 Staaten unbefristet verlängert. Ziel des K. ist es, die Verbreitung von Kernwaffen, ihren Ankauf oder ihre Herstellung durch bisher kernwaffenlose Staaten zu verhindern. Die Wirksamkeit des K. wird durch die ihm nicht beigetretenen **Schwellenmächte** (Staaten mit dem technolog. und wirtschaftl. Potenzial zur Produktion von Atomwaffen) beeinträchtigt.

Kernzertrümmerung, Form der Auflösung eines Atomkerns (→Kernexplosion).

Kerogen *das,* in Sedimentgesteinen dispers verteilte, gelbe bis braune, feste Substanz aus hochpolymeren organ. Verbindungen. Aus K. können Erdöl und Erdgas entstehen.

Kerosin [grch. kērós »Wachs«] *das,* zw. etwa 150 und 250 °C siedende Erdölfraktion. K. wird v.a. als Flugturbinenkraftstoff, in geringerem Umfang für Beleuchtungszwecke und zur Gewinnung von Normalparaffinen verwendet.

Jack Kerouac

Kerouac ['kerʊæk], Jack, amerikan. Schriftsteller, *Lowell (Mass.) 13. 3. 1922, †Saint Petersburg (Fla.) 21. 10. 1969; neben A. Ginsberg und W. S. Burroughs einer der bekanntesten Autoren der

Beatgeneration; gestaltete in dem Roman »Unterwegs« (1958) den Bruch mit der als erstarrt erlebten Wohlstandsgesellschaft; spätere Werke sind außerdem vom Zen-Buddhismus beeinflusst (»Gammler, Zen und hohe Berge«, 1959; »Engel, Kif und neue Länder«, 1960).

Kerpen, Stadt im Erftkreis, NRW, am Westrand der Ville, 56100 Ew.; Metall- und Fahrzeugbau, elektrotechn. Ind.; der Braunkohlenbergbau ist erloschen; Kartbahn. – Kath. Pfarrkirche St. Martin (13.–15. Jh.). – 871 erstmals urkundlich erwähnt; 1975 mit sieben umliegenden Gemeinden zur Stadt K. zusammengeschlossen.

Kerr, 1) Alfred, urspr. A. Kempner, Schriftsteller, *Breslau 25. 12. 1867, †Hamburg 12. 10. 1948; einflussreicher Kritiker Berlins in der Zeit vom Naturalismus bis 1933 (»Tag«, »Neue Rundschau«, »Berliner Tageblatt«); förderte H. Ibsen und G. Hauptmann. K. sah in der Kritik eine eigene Kunstform und prägte einen treffenden, geistreich-ironischen, oft saloppen Stil (»Die Welt im Drama«, 5 Bde., 1917; »Was wird aus Deutschlands Theater?«, 1932). 1933 emigrierte K. nach London.

Alfred Kerr
(Zeichnung, 1928)

2) [kɑː, kəː], John, brit. Physiker, *Ardrossan (North Ayrshire) 17. 12. 1824, †Glasgow 18. 8. 1907; entdeckte 1875 und 1876 die →Kerr-Effekte und entwickelte die →Kerr-Zelle.

Kerr-Effekt, 1) (elektroopt. K.-E.) die von J. Kerr (1875) beobachtete Erscheinung, dass isotrope Stoffe durch Ausrichtung ihrer polaren Moleküle im elektr. Feld doppelbrechend werden. Der relative opt. Gangunterschied für die beiden parallel und senkrecht zum elektr. Feld polarisierten Komponenten eines einfallenden Lichtstrahls ist dem Quadrat der elektr. Feldstärke und der durchlaufenen Strecke des Feldes proportional; die Proportionalitätskonstante ist die wellenlängenabhängige **Kerr-Konstante** des betreffenden Stoffes. Der K.-E. ist besonders stark bei Flüssigkeiten.

2) (magnetoopt. K.-E.) an magnetisierten ferromagnet. Spiegeln bei der Reflexion von Licht auftretende Änderung der Amplituden und Phasen. Die Drehung der Schwingungsellipse des reflektierten Lichts und die Änderung des Achsenverhältnisses sind der im Spiegel erzeugten Magnetisierung proportional.

Kerrie

Kerri|e *die* (Goldröschen, Ranunkelstrauch, Kerria japonica), ostasiat. Rosengewächs mit tief gesägten Blättern und gelben Blüten; Parkpflanze.

Kerry ['keri] (irisch Ciarraí), Cty. im SW der Rep. Irland, 4701 km^2, (1991) 121900 Ew.; Hptst. ist Tralee. Gebirgige, moorbedeckte Halbinseln ragen weit in den Atlantik. Die eiszeitl. Überprägung hat Täler und Seenlandschaften entstehen lassen. Milchwirtschaft, Jungviehaufzucht, Schafwirtschaft, daneben Küstenfischerei und Tourismus.

Kerr-Zelle (Karolus-Zelle) [nach den Physikern J. Kerr und A. Karolus, *1893, †1972], Gerät zur Umwandlung elektr. Spannungsschwankungen in Lichtintensitätsschwankungen. In einem mit Nitrobenzol gefüllten Glasgefäß befinden sich in geringem Abstand zwei Elektroden, an die Wechselspannung angelegt wird. Die Polarisationsebene eines hindurchgehenden polarisierten Lichtstrahls wird infolge der induzierten Doppelbrechung (→Kerr-Effekt) beim Durchgang durch die K.-Z. gedreht, wobei die Größe der Drehung von der Spannung an den Elektroden abhängt. Fängt man Licht mit der Schwingungsrichtung der einfallenden Welle durch einen (gekreuzten) Analysator ab, so erhält man einen Lichtstrahl, dessen Helligkeit sich im Takt der Spannungsschwankungen ändert. K.-Z. werden u.a. zur Umwandlung von Mikrofonströmen in Lichtimpulse beim Tonfilm (Lichtsteuergeräte), als Lichtmodulator bei der La-

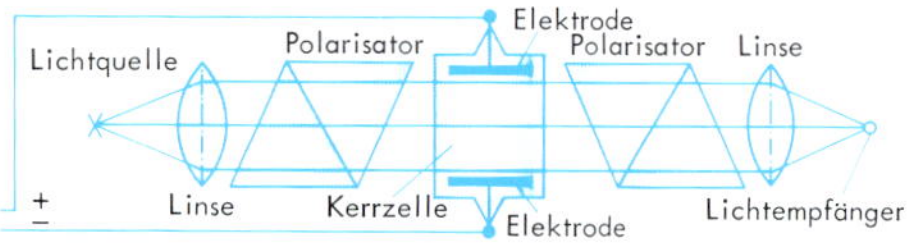

Kerr-Zelle: schematischer Aufbau eines Gerätes zur Umwandlung elektrischer Spannungsschwankungen in Lichtintensitätsschwankungen mithilfe der Kerr-Zelle sersteuerung und als schnelle elektroopt. Schalter z.B. bei der Hochgeschwindigkeitsfotografie verwendet. Höhere Modulationsfrequenzen erzielt man aber erst mit Kristallen als aktivem Medium.

Kersantit *der,* zu den Lamprophyren gehörendes dunkles Ganggestein, besteht vorwiegend aus Plagioklas und Biotit.

Kerschensteiner, Georg, Pädagoge, * München 29. 7. 1854, † ebd. 15. 1. 1932; Schulreformer, Bildungstheoretiker, Begründer der Berufsschule; Vorkämpfer der Arbeitsschule (mit Betonung des Werkunterrichts); setzte sich für ein begabungs- und entwicklungsgemäßes Schulsystem ein.

Werke: Der Begriff der staatsbürgerl. Erziehung (1910); Begriff der Arbeitsschule (1912); Das Grundaxiom des Bildungsprozesses (1917); Die Seele des Erziehers und das Problem der Lehrerbildung (1921); Theorie der Bildung (1926).

Kersting, Georg Friedrich, Maler, * Güstrow 31. 10. 1785, † Meißen 1. 7. 1847; leitete ab 1818 die Malereiabteilung der Meißener Porzellanmanufaktur; malte, von C. D. Friedrich beeinflusst, kleinformatige Bilder schlichter Innenräume mit einzelnen, in ihre Tätigkeit vertieften Menschen.

Kertsch, 1) Halbinsel im O der Krim, Ukraine, rd. 3 000 km² groß, mehrere Schwefelwasserstoff ausscheidende Schlammvulkane; Ackerbau und bed. Eisenerztagebau (Limonit).

2) Stadt auf 1) an der Straße von K., Ukraine, 182 000 Ew.; Forschungsinst. für Seefischerei und Ozeanographie; Hüttenwerk, Großtankerbau, Fischverarbeitung. – K., das altgrch. Pantikapaion, war seit dem 5. Jh. v. Chr. Hptst. des Bosporan. Reiches, im 13. Jh. genues. Handelsplatz; vom 13. Jh. bis 1475 unter mongol. Herrschaft, danach türkisch und seit 1774 russisch; im Krimkrieg 1855 zerstört. – Archäolog. Funde um K. sind v.a. der 6 km westlich der Stadt liegende skyth. Grabhügel Kul-Oba mit reichen Funden (4. Jh. v. Chr.), **Kertscher Vasen** (attisch-rotfigurige Vasen des 4. Jh. v. Chr.), Reste von Terrassenanlagen und Häusern.

Kertsch, Straße von, Meerenge zw. den Halbinseln Krim und Taman, 4–15 km breit, 41 km lang; Eisenbahnfähre; im Winter Eisgang.

Kerulen *der* (chines. Herlen He), Fluss im O der Mongolei (1 090 km) und in China (164 km), entspringt am S-Hang des Kenteigebirges, durchfließt steppenhafte Gebiete, endet im See Hulun Nur, der in niederschlagsreichen Jahren einen Abfluss zum Argun hat.

Kerullarios, Patriarch, → Michael Kerullarios.

Kerygma [grch. »das durch den Herold Ausgerufene«] *das,* im N. T. Bez. der Predigt Jesu und der nachösterl. Predigt über Jesus Christus (Röm. 16,25); ihr Zentrum ist das Zeugnis von Tod und Auferstehung Jesu Christi als der Mitte des christl. Glaubens (1. Kor. 15). Die von der historisch-krit. Exegese vorgenommene Unterscheidung zw. **histor. Jesus** als der geschichtlich geformten Überlieferung und **kerygmat.** (d.h. verkündigtem) **Christus** als dem sich immer neu ereignenden, den Hörer treffenden Wort Gottes (R. Bultmann) führte in der Konsequenz zu einer Abwertung des Interesses an der Person Jesu, was v.a. von E. Käsemann kritisiert worden ist.

Kerze, 1) *allg.:* Beleuchtungsmittel aus Talg, Bienenwachs, Stearin oder Paraffin; mit Docht. – Bei den Griechen waren K. wohl unbekannt, die Römer benutzten Talg-, Pech- und Wachskerzen. In der christl. Kirche sind K. seit dem 3. Jh. bei Begräbnisfeiern nachweisbar, als Oster-K. (»Lumen Christi«) erstmals im 5. Jh. in der Jerusalemer Grabeskirche. In der Frömmigkeit der orth. Kirchen ist das Stiften von Opfer-K. weit verbreitet. Im MA. war die K. die gebräuchlichste Beleuchtungsart. Seit 1818 gibt es Stearin-K., seit etwa 1830 K. aus Paraffin.

2) *Physik:* (Hefner-K.) → Hefner-Alteneck.

Kerzen|nussbaum, der → Bankul.

Keschm (Kischm, Qeshm), lang gestreckte Felseninsel am Eingang zum Pers. Golf, zu Iran, rd. 3 000 km²; Salzgewinnung, Perlenfischerei; ergiebige Erdgasfelder.

Georg Kerschensteiner

Georg Friedrich Kersting: Caspar David Friedrich in seinem Atelier (1811; Hamburg, Kunsthalle)

Kesey ['ki:sɪ], Ken Elton, amerikan. Schriftsteller, * La Junta (Colo.) 17. 9. 1935; zentrale Figur der Hippiekultur; benutzt in dem Roman »Einer flog über das Kuckucksnest« (1962; verfilmt) die Metapher der geschlossenen psychiatr. Anstalt zu scharfer Kritik an der amerikan. Gesellschaft; schrieb außerdem »Manchmal ein großes Verlangen« (R., 1964), »Der Tag, an dem Superman starb« (Prosa, 1980), »Demon« (R., 1986).

Kessel, 1) [kɛ'sɛl], Joseph, frz. Schriftsteller russ. Herkunft, *Clara (Prov. Entre Ríos, Argentinien) 10. 2. 1898, †Avernes (Dép. Val d'Oise) 23. 7. 1979; schrieb den ersten frz. Fliegerroman »L'équipage« (1923), später Abenteuerromane, sehr erfolgreiche Gesellschaftsromane (»Die Spaziergängerin von Sanssouci«, 1936; verfilmt) und Reportagen.

2) Martin, Schriftsteller, *Plauen 14. 4. 1901, †Berlin 14. 4. 1990; schrieb Gedichte und Romane aus dem Großstadtleben und war ein Meister der essayist. und aphorist. Kleinform: »Herrn Brechers Fiasko« (R., 1932), »Lydia Faude« (R., 1965); »Aphorismen« (1948). K. erhielt 1954 den Georg-Büchner-Preis.

Kẹsselring, Albert, Generalfeldmarschall (seit 1940), *Marktsteft (Kr. Kitzingen) 30. 11. 1885, †Bad Nauheim 16. 7. 1960; war 1936–37 Chef des Generalstabs der Luftwaffe; führte im 2. Weltkrieg Luftflotten; 1941–45 war er Oberbefehlshaber Süd (seit 1943 Südwest) im Mittelmeergebiet (Italien, N-Afrika), 1945 (März–April) Oberbefehlshaber West (W-Dtl.); 1947 wegen Geiselerschießungen von einem brit. Gericht zum Tod verurteilt, später zu lebenslängl. Haft begnadigt, 1952 freigelassen.

Harry Graf Keßler

Kesselstein, Belag in Kesseln, Rohren, Kochgefäßen; entsteht beim Erhitzen von hartem Wasser unter Ausscheidung von Carbonaten (→Wasserhärte). K. lässt sich mit verdünnter Säure (z. B. Essigessenz) entfernen (Entkalkung).

Kesseltreiben, Treibjagd auf einen Mittelpunkt zu; eine ausschl. auf dem Feld ausgeübte Jagdart auf Hasen.

Kẹßler, Harry Graf, Schriftsteller und Diplomat, *Paris 23. 5. 1868, †Lyon 30. 11. 1937; studierte Jura und Kunstgeschichte; langjähriger Präs. der Dt. Friedensgesellschaft, gründete 1913 in Weimar die »Cranach-Presse«, auf der mustergültige Handpressendrucke hergestellt wurden; war Mitherausgeber der Ztschr. »Pan« (1895–1900). K. schrieb »Walter Rathenau« (1928), »Gesichter und Zeiten« (1935), »Tagebücher 1918–37« (hg. 1961).

Hermann Kesten

Kẹsten, Hermann, Schriftsteller, *Podwołoczyska (heute Podwolotschisk, Gebiet Ternopol, Ukraine) 28. 1. 1900, †Riehen (bei Basel) 3. 5. 1996; galt vor 1933 bes. mit den Romanen »Josef sucht die Freiheit« (1927), »Glückl. Menschen« (1931), »Der Scharlatan« (1932) als einer der wichtigsten Vertreter der Neuen Sachlichkeit; danach wurden seine Bücher verboten und verbrannt. K. lebte ab 1933 im Exil in Amsterdam und den USA (amerikan. Staatsbürger), von 1949 an lebte er in Rom und New York, ab 1980 in der Schweiz. K. war 1972–76 Präs. des PEN-Zentrums der Bundesrep. Dtl.; er erhielt 1974 den Georg-Büchner-Preis. Seine Romane und Novellen enthalten Gesellschaftskritik und satir. Zeitdiagnose und sind Bekenntnisse zu Humanität und Freiheit (»Die Kinder von Gernika«, R., 1939; »Ein Mann von sechzig Jahren«, R., 1972; »Der Freund im Schrank«, Nov., 1983). K. schrieb auch Dramen (»Babel oder Der Weg zur Macht«, Uraufführung 1990), Gedichte (»Ich bin der ich bin«, 1974) und Essays und war als Übersetzer, Kritiker und Herausgeber tätig.

Keszthely ['kɛsthɛj], Kur- und Badeort am W-Ende des Plattensees, Ungarn, 21 000 Ew.; landwirtsch. Univ.; Plattenseemuseum. – Ehem. Franziskanerkirche (1386; 1747 barock umgebaut), Rathaus (1790), ehem. Schloss Festetics (ab 1745).

Ketene, sehr reaktionsfähige, unbeständige organ. Verbindungen mit der allgemeinen Formel $R_1R_2C{=}C{=}O$ (R_1, R_2 organ. Reste). Das einfachste der K. ist das Keten, $CH_2{=}C{=}O$, ein giftiges, scharf riechendes Gas, das für Acetylierungen dient; durch Dimerisierung entsteht **Diketen.**

Ketone, organ. Verbindungen, bei denen die Carbonylgruppe $>C{=}O$ an Alkyl- oder Arylgruppen gebunden ist. Der einfachste aliphat. Vertreter ist das →Aceton, das einfachste aromat. K. das Benzophenon (Diphenylketon), $C_6H_5{-}CO{-}C_6H_5$. K. sind u. a. Lösemittel und Riechstoffe. Ketonverbindungen sind u. a. intermediäre Stoffwechselprodukte (→Ketonkörper). Ketonharze, bes. in der Lackind. eingesetzt, sind meist sehr helle Kunstharze.

Ketonkörper, Substanzen des intermediären Stoffwechsels (Aceton, Acetessigsäure, β-Hydroxybuttersäure), die beim Fettsäureabbau entstehen und bes. bei Hungerzuständen und Diabetes mellitus vermehrt im Blut **(Ketonämie)** und im Harn **(Ketonurie)** vorkommen können.

Ketosäuren, →Oxocarbonsäuren.

Ketosen, Monosaccharide, die eine Ketongruppe enthalten, z. B. Fructose.

Kẹtrzyn ['kɛntʃin] (dt. Rastenburg), Stadt in der Wwschaft Olsztyn (Allenstein), Polen, im ehem. Ostpreußen, 30 000 Ew.; Lebensmittel-, elektrotechn., Holz-, Bekleidungsindustrie. – Ordensburg (14. Jh., im 17. Jh. umgebaut). Bei K. befand sich Hitlers Hauptquartier →Wolfsschanze (dort am 20. 7. 1944 missglücktes Attentat auf Hitler).

Kẹtsch [engl.] *die,* größere Segeljacht mit zwei Masten. Der hintere, kleinere (Besan-)Mast steht vor dem Ruder.

Kẹtschua (Quechua), **1)** *das,* agglutinierende Sprache der Indios in den Zentralanden, mit einer Vielzahl voneinander abweichender Dialekte. Einstige Verw.sprache des Inkareichs; heute in Peru neben Spanisch Amtssprache. Bekanntestes Literaturwerk in K. ist das Drama »Ollanta(y)« (15. Jh.).

2) die Ketschua sprechenden Indios in den Zentralanden; meist Bauern und Hirten, die sich aufgrund ihrer gemeinsamen Geschichte (staatstragende Bev. des Inkareiches) als Kulturgemeinschaft, nicht aber als einheitl. Volk begreifen. Die etwa 9 Mio. K. (Eigen-Bez. Runakuna) stellen heute noch den überwiegenden Teil der indian. Bev. in Peru, Bolivien, N-Chile, NW-Argentinien und S-Kolumbien.

Wilhelm Emmanuel Freiherr von Ketteler (Holzstich, um 1870)

Ketschup ['ketʃʌp] *der* oder *das* (Ketchup, Catchup), Würze ostind. Herkunft i. Allg. aus Tomaten, Zwiebeln, Zucker, Essig und Gewürzen.

Kette, 1) *Maschinenbau:* aus einzelnen Gliedern zusammengesetztes Zug- oder Treiborgan. Man unterscheidet **Glieder-K.,** deren Einzelglieder beweglich ineinander greifen und für schwerste Beanspruchungen mit zusätzl. Gliedstegen **(Steg-K.)** versehen sind, sowie **Gelenk-K. (Laschen-K.),** deren Einzelglieder durch eingesteckte Bolzen gelenkig miteinander verbunden sind. Zu Letzteren gehören **Bolzen-K.** (Laschen sitzen auf Bolzen), **Hülsen-K.** (**Buchsen-K.;** Innenlaschen sind auf Buchsen gepresst, die beweglich auf den mit den Außenlaschen fest verbundenen Bolzen sitzen), **Rollen-K.** (zur Verminderung der Reibung ist über die Bolzen der Hülsen-K. noch eine lose Rolle geschoben), **Zahn-K.** (Laschen besitzen Zähne, die in Zahnräder eingreifen) sowie **Raupen-K.** für die Fahrwerke von geländegängigen Förder- und Gleiskettenfahrzeugen.

2) *Schmuck:* ein Hals-, Hand-, oder Fußschmuck, der u.a. aus ineinander greifenden Metallgliedern, beweglich miteinander verbundenen Plättchen (aus unterschiedl. Material) oder aufgereihten Perlen oder Schmucksteinen besteht.

3) *Textiltechnik:* 1) Weberei: Gesamtheit der in der Webmaschine gespannt geführten Fäden (Kettgarn), die für den Schusseintrag durch Heben und Senken das Webfach bilden; im Gewebe das in Längsrichtung verlaufende Fadensystem; 2) Wirkerei: Gesamtheit der in einer Kettenwirk- bzw. Raschelmaschine (→Wirkerei) den Nadeln von einem Kettbaum für die Maschenbildung gespannt zugeführten Fäden.

Ketteler, Wilhelm Emmanuel Freiherr von, kath. Bischof, *Münster 25. 12. 1811, †Burghausen (Landkr. Altötting) 13. 7. 1877; seit 1850 Bischof von Mainz; 1848/49 Mitgl. der Frankfurter Nationalversammlung; 1871/72 MdR; forderte die rechtl. und kulturelle Autonomie der Kirche; war Gegner des Staatskirchentums; erkannte früh die Bedeutung der sozialen Frage (→christlich-soziale Bewegungen); Gegner der Unfehlbarkeitserklärung des 1. Vatikan. Konzils; unterwarf sich aber dessen Beschluss.

Ketten|arbeitsvertrag, Aneinanderreihung mehrerer befristeter Arbeitsverträge zw. denselben Parteien, nur zulässig, wenn für die Befristung ein sachlich billigenswerter Grund vorhanden ist. Fehlt dieser, gilt der Vertrag unbefristet. Maßgebend ist der zuletzt geschlossene Vertrag.

Kettenbruch, *Mathematik:* ein Bruch der Form

$$z = b_0 + \cfrac{a_1}{b_1 + \cfrac{a_2}{b_2 + \cfrac{a_3}{b_3 + \dots}}}$$

Man unterscheidet endl. und unendl. K.; für die unendl. K. gibt es Konvergenzkriterien. Sind alle $a_i = 1$, alle b_i ganze Zahlen und für $i > 1$, $b_i > 0$, so heißt der K. regelmäßig. Man kann jede reelle Zahl durch einen **regelmäßigen K.** darstellen. Beispiel:

$$\frac{12}{7} = 1 + \frac{5}{7} = 1 + \frac{1}{\frac{7}{5}} = 1 + \frac{1}{1 + \frac{2}{5}} =$$

$$= 1 + \frac{1}{1 + \frac{1}{\frac{5}{2}}} = 1 + \frac{1}{\frac{1}{2 + \frac{1}{2}}}$$

Auch irrationale Zahlen lassen sich in K. entwickeln, sie sind dann aber nicht endlich.

Kettenbrücke, histor. Form von Hängebrücken (→Brücken), bei denen die Haupttragglieder aus hängenden Ketten bestehen (z.B. die 1839–49 erbaute K. in Budapest).

Kettenfahrzeuge, die →Gleiskettenfahrzeuge.

Kettengebirge, lang gestreckte Gebirge von kettenförmiger Anordnung der Hauptkämme wie die meisten jungen Faltengebirge der Erde (Alpen, Himalaja, Anden); Ggs.: Massive.

Kettenlini|e (Seilkurve), parabelähnl. Kurve, die ein biegsamer, undehnbarer Faden bei freier Aufhängung an zwei Punkten infolge der Schwerkrafteinwirkung bildet.

Kettenmoleküle, die →Makromoleküle.

Kettenreaktion, physikal. oder chem. Vorgang, der sich, einmal eingeleitet, von selbst wiederholt, da die für die Auslösung (oder Aufrechterhaltung) des Prozessablaufs benötigten Produkte oder Reaktionspartner immer wieder neu erzeugt werden.

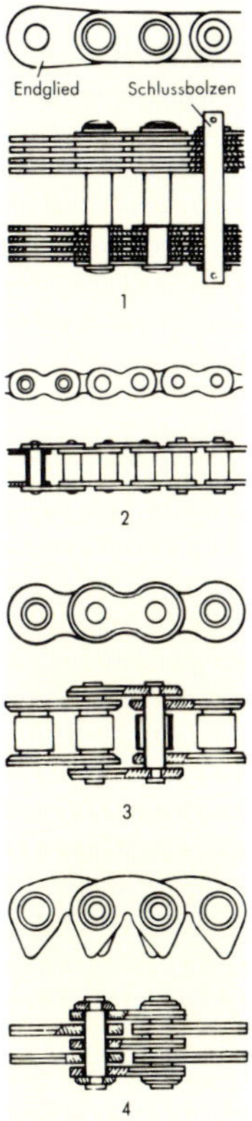

Kette 1): Seitenansicht und Aufsicht 1 der Bolzenkette, 2 der Hülsenkette, 3 der Rollenkette und 4 der Zahnkette

Eine K. besteht aus Start-, Wachstums- und Abbruchreaktion. Eine **physikal. K.** ist die **Kern-K.,** die im Kernreaktor kontrolliert unter gleichförmiger Energiefreisetzung abläuft, da im Mittel pro Kernspaltung genau ein Neutron eine weitere Kernspaltung hervorruft. Bei Kernwaffen schwillt die Zahl der Kernspaltungen rasch an, weil im Mittel mehr als ein Neutron pro Kernspaltung eine weitere Kernspaltung bewirkt, was zu einer explosionsartigen Energiefreisetzung führt. Bei **chem. K.** überträgt sich die an einer Stelle eingeleitete Reaktion auf viele Moleküle, die weitere Moleküle zur Reaktion bringen. Dabei treten instabile, reaktionsfähige Zwischenprodukte (K.-Träger) auf, bei Radikal-K. Radikale und bei Ionen-K. Ionen. Chem. und biochem. K. heißen Stufenreaktionen. Beispiel einer photochem. K. ist die Chlorknallgasreaktion (*hν* Lichtquantenenergie):

$$Cl_2 + h\nu \rightarrow Cl^{\cdot} + Cl^{\cdot} \quad \} \text{ Startreaktion}$$

$$\left.\begin{array}{l} Cl^{\cdot} + H_2 \rightarrow HCl + H^{\cdot} \\ H^{\cdot} + Cl_2 \rightarrow HCl + Cl^{\cdot} \end{array}\right\} \text{ Wachstumsreaktion}$$

$$\left.\begin{array}{l} H^{\cdot} + Cl^{\cdot} \rightarrow HCl \\ 2H^{\cdot} + 2Cl_2 \rightarrow H_2 + Cl_2 \end{array}\right\} \text{ Abbruchreaktion}$$

Kettenreim, *Verslehre:* 1) **innerer K.,** das Ende der Verszeile reimt mit einem Wort innerhalb des folgenden Verses. 2) **äußerer K.,** Endreime mit der Reimstellung a b a, b c b, c d c, z.B. die Reimfolge der Terzine.

Kettenstich (Kettelstich), Zierstich mit einem Faden, der als Schleife durch das Nähgut geführt und auf der Austrittsseite mit sich selbst verkettet wird.

Kẹttering, Charles Franklin, amerikan. Ingenieur und Erfinder, *Ashland County (Oh.) 29. 8. 1876, †Dayton (Oh.) 25. 11. 1958; leitete 1919–47 das Forschungslaboratorium von General Motors, erfand u.a. die Batteriezündung (»Delco«-System, 1908), den elektr. Anlasser (1911), sowie das Antiklopfmittel Bleitetraethyl (1921).

Kẹttler, Gotthard, →Gotthard Kettler.

Irmgard Keun

Kẹttner, Gerhard, Grafiker, *Mumsdorf (heute zu Meuselwitz) 10. 8. 1928, †Dresden 14. 6. 1993; war seit 1969 Prof. in Dresden; gestaltete in Zeichnungen und Lithographien psychologisch eindringl. Porträts, histor. und polit. Themen.

Ketzer [von →Katharer abgeleitet], seit dem 13. Jh. übl. Bez. für den Anhänger einer von der kirchl. Lehre abweichenden Lehre. (→Häresie)

Keuchhusten (Stickhusten, Pertussis, Tussis convulsiva), äußerst ansteckende, akute Infektionskrankheit der Atemwege; tritt vorwiegend bei Kleinkindern auf und ist lebensbedrohlich bei Säuglingen. Erreger des K. ist das Bakterium Bordetella pertussis, dessen Übertragung durch Tröpfcheninfektion erfolgt. Die Inkubationszeit beträgt 7–14 Tage. Kennzeichnend sind krampfhafte, stoßartige Hustenattacken mit Blauwerden und typ. ziehendem Einatmungsgeräusch (Keuchen) sowie Erbrechen zähen Schleims. Der K. dauert i. Allg. 6–8 (auch bis 10) Wochen und hinterlässt eine lang andauernde Immunität. Die *Behandlung* erfolgt v.a. mit Antibiotika. Vorbeugende Maßnahmen sind die Isolierung von Säuglingen und die Schutzimpfung mit inaktivierten Erregern zw. dem 3. und 5. Lebensmonat.

Keule, 1) Hieb-, Schlag- und Wurfwaffe, meist aus Holz, z.T. mit schweren Schlagköpfen aus Stein, Metall oder Knochen versehen.

2) *Gastronomie* und *Weidmannssprache:* Oberschenkel des Schlachtviehs (beim Schwein Schinken) und Haarwildes.

3) *Sport:* 1) Handgerät der rhythm. Sportgymnastik; wird paarweise angewendet. 2) Im Hockey der untere, geschwungene Teil des Stockes (Schlägers).

Keulenpilze, Pilze mit keulenförmigen oder verzweigt keulenförmigen Fruchtkörpern, z.B. Arten der Gattung **Keule** (Clavaria) und der Gattung **Wiesenkoralle** (Clavulinopsis).

Keulenpilze: Die Herkuleskeule, eine Art der Gattung Clavaria

Keun, Irmgard, Schriftstellerin, *Berlin 6. 2. 1910, †Köln 5. 5. 1982; schrieb Unterhaltungsromane, z.T. mit scharfer satir. und zeitkrit. Tendenz: »Gilgi – eine von uns« (1931; verfilmt), »Das kunstseidene Mädchen« (1932; verfilmt) und Erzählungen (»Blühende Neurosen«, 1962).

Keuper [von fränk. »Kipper« oder »Keiper«], obere Abteilung der german. Trias, gegliedert in unteren K. oder **Letten-K.,** mittleren K. oder **Gips-K.** und oberen K. oder **Rät.** Der K. besteht aus bunten Mergeln, kohligen Schichten, Sandsteinen und Gips-Salz-, Kalkstein- und Dolomiteinlagerungen, überwiegend festländ. Entstehung.

Keuschheit, geschlechtl. Enthaltsamkeit und Selbstbeherrschung im phys., aber auch im psych. Sinn; als zeitweilige oder ständige K. in vielen Religionen im Sinne von kultisch-ritueller Reinheit von Bedeutung; im Christentum schon in der frühen Kirche wesentl. Teil des Vollkommenheitsideals; zum kath. Kirchenrecht →Zölibat.

Keuschheitsgürtel (Florentiner Gürtel, Venusgurt), angeblich zur Zeit der Kreuzzüge erfundener metallener Gürtel, der, mit einem Schloss und einem die Genitalien bedeckenden Steg versehen, von Frauen bei längerer Abwesenheit des Ehemannes getragen werden musste; nachgewiesen und dargestellt jedoch erst im Kyeser-Codex von 1405 (Göttingen, Univ.-Bibliothek), dem zufolge K. von Florentinerinnen getragen wurden.

Keusch|lamm, eine Art der Pflanzengattung →Mönchspfeffer.

keV, Einheitenzeichen für Kiloelektronvolt, 1 keV = 1000 eV (→Elektronvolt).

Kevelaer ['ke:vəla:r], Stadt im Kr. Kleve, NRW, in der Niederrhein. Tiefebene, 25 m ü. M., 26 100 Ew.; volkskundl. Museum; Kunsthandwerk, Orgelbau, Metall-, Leder- und graf. Ind., Blumenzucht. – K. ist der größte nordwesteurop. Wallfahrtsort (seit 1642) mit rd. 700 000 Pilgern im Jahr. Die erste Wallfahrtskirche (Kerzenkapelle) wurde 1643–45, die Gnadenkapelle 1654 und die neue Wallfahrtskapelle St. Maria 1858–64 erbaut.

Kevlar® ['kef-], Handelsname einer Aramidfaser (→Aramide) mit hohem Dehnungswiderstand sowie großer Festigkeit und Biegsamkeit; verwendet als Verstärkungsmaterial in der Reifen- und Flugzeugindustrie.

Kewir, Salztonebene in Iran, →Kawir.

Key [kɛj], **1)** Ellen Karolina Sofia, schwed. Pädagogin, *Sundsholm (Småland) 11. 12. 1849, †Gut Strand (am Vättersee) 25. 4. 1926; behandelte Fragen der Frauenbewegung und Kindererziehung. (»Das Jh. des Kindes«, 1900).

2) Lieven de, niederländ. Baumeister an der Wende zw. Renaissance und Barock, *Gent um 1560, †Haarlem 17. 7. 1627; seit 1593 Stadtbaumeister in Haarlem, sein Hauptwerk sind die Entwürfe für die Fassade des Leidener Rathauses (1594) und die Fleischhalle in Haarlem (1602–03).

Keyboard ['ki:bɔ:d, engl. »Klaviatur«], allgemeine Bez. für alle Tasteninstrumente, i. e. S. Bez. für elektron. Tasteninstrumente (Elektronenorgel, E-Piano, Synthesizer).

Keynes [keɪnz], John Maynard, Lord K. of Tilton (seit 1942), brit. Volkswirtschaftler und Diplomat, *Cambridge 5. 6. 1883, †Firle (Cty. East Sussex) 21. 4. 1946; leitete als Berater des brit. Schatzamtes dessen Delegation bei der Versailler Friedenskonferenz, trat 1919 von dieser Funktion zurück, weil er die Dtl. auferlegten Reparationslasten für volkswirtschaftlich nicht vertretbar hielt; 1920–46 Prof. am King's College in Cambridge. K. befasste sich mit Fragen der Geldtheorie und dem Problem der Arbeitslosigkeit, zu deren Bekämpfung er staatl. Interventionen befürwortete. Unter dem Eindruck der Weltwirtschaftskrise widerlegte er die klass. wirtschaftsliberale Sicht, nach der das sich bei freier Konkurrenz einspielende Preis-, Lohn- und Zinsniveau automatisch zur Vollbeschäftigung führe. Er wies nach, dass Unterbeschäftigung auch bei gesamtwirtsch. Gleichgewicht möglich ist. Die in seinem Hauptwerk (»Die allg. Theorie der Beschäftigung, des Zinses und des Geldes«, 1936) entwickelte Wirtschaftstheorie löste eine nachhaltige und kontroverse Diskussion aus und ließ K. zum Begründer einer neuen Richtung der Nationalökonomie (→Keynesianismus) werden. Seine beschäftigungs- und geldtheoret. Vorstellungen wurden von der Wirtschaftspolitik zahlr. westl. Länder v. a. in den 1970er-Jahren aufgegriffen. Insbesondere wurde seine Auffassung Allgemeingut, dass in der wirtschaftl. Krise staatl. Arbeitsbeschaffungsprogramme, ggf. durch eine Defizitfinanzierung, zur Überwindung der Arbeitslosigkeit eingesetzt werden müssten.

Weitere Werke: Die wirtsch. Folgen des Friedensvertrages (1920); Vom Gelde, 2 Bde. (1930).

📖 HESSION, C. H.: *J. M. K. A. d. Engl. Stuttgart 1986.* – MINSKY, H. P.: *J. M. K. Aus dem Engl. Marburg 1990.* – *Marx u. K. u. die Krise der Neunziger, hg. v.* A. HEISE *u. a. Marburg 1994.*

John Maynard Keynes

Keynesianismus [keɪnz-] *der,* die von J. M. Keynes entwickelte und von seinen Anhängern (den »Keynesianern« wie N. Kaldor, L. R. Klein, J. Robinson, P. A. Samuelson, J. Tobin) weiter ausgebaute ökonom. Theorie; deren wesentl. Kennzeichen sind: 1. Die ökonom. Analyse richtet sich auf die Gesamtgrößen des Wirtschaftskreislaufs (Makrogrößen). 2. Ein wirtsch. Gleichgewicht mit Vollbeschäftigung wird lediglich als ein Sonderfall der mögl. Gleichgewichtszustände verstanden. 3. In der Geldtheorie wird ein Zusammenhang zw. monetärem und güterwirtsch. Bereich abgeleitet. 4. In die Analyse werden auch psycholog. Annahmen über das wirtsch. Verhalten der Wirtschaftssubjekte und dessen Bestimmungsgründe (u. a. Liquiditätspräferenz, Hang zum Verbrauch) eingeführt. 5. Ausgehend von einer Abhängigkeit der Konsumausgaben vom Einkommen, der Investitionen vom Zinssatz, der Geldnachfrage von Einkommen und Zinssatz wird der Zusammenhang zw. Geldmenge, Zinssatz, Investitionen, Einkommen und Beschäftigung analysiert. – Der K. war von Anfang an praktisch ausgerichtet, da er die theoret. Grundlage für eine staatl. Wirtschaftspolitik liefern wollte, die v. a. durch variables Nachfrageverhalten des öffentl. Sektors zum Ausgleich einer ungenügenden effektiven Nachfrage der Privaten – ggf. auch durch Haushaltsdefizite (→Defizitfinanzierung) – den Wirtschaftsprozess

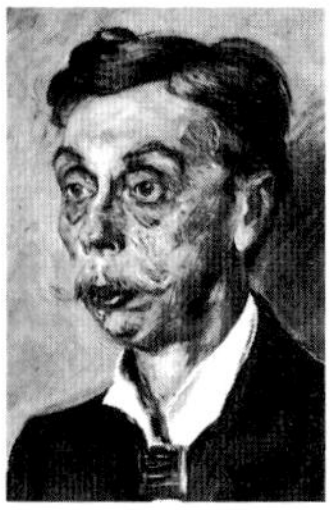

Eduard Graf von Keyserling (Ausschnitt aus einem Gemälde von Lovis Corinth, 1910)

Hermann Graf Keyserling

Hodjatoleslam Ali Khamenei

Khieu Samphan

beeinflussen sollte, z.B. in Form der →Globalsteuerung.

🕮 *Der K., hg. v.* G. BOMBACH *u.a., 5 Bde. Berlin u.a. 1976–84, Bd. 1 Nachdr. 1981.* – WINKLER, A.: *Geld, Zins u. keynesian. Angebotspolitik. Berlin 1992.* – FELDERER, B. *u.* HOMBURG, S.: *Makroökonomik u. neue Makroökonomik. Berlin u.a. [6]1994.* – PFLÜGER, M.: *Neukeynesianismus u. Marktmacht. Freiburg im Breisgau 1994.*

Keyserling, 1) Eduard Graf von, Schriftsteller, *Schloss Paddern (Kurland) 14. oder 15. 5. 1855, †München 28. 9. 1918; schildert in seinen impressionist. Romanen (u.a. »Dumala«, 1908; »Wellen«, 1911; »Abendl. Häuser«, 1914) und Erzählungen (u.a. »Beate und Mareile«, 1903) in kunstvoller Stimmungsmalerei und voller Resignation die Welt des kurländ. Adels.

2) Hermann Graf, Philosoph, *Könno (Livland) 20. 7. 1880, †Innsbruck 26. 4. 1946; entwickelte eine Philosophie der »Sinn«-Erkenntnis, die er bes. als Kulturpsychologe ausbaute. In seinem »Reisetagebuch eines Philosophen« (2 Bde., 1919) versuchte er zu zeigen, wie fremde Kulturen (Indien, China) durch Erfassen ihres »Sinnes« für unser geistiges Sein fruchtbar gemacht werden können. In seiner 1920 in Darmstadt gegr. »Schule der Weisheit« wollte er den Menschen durch schöpfer. Erkenntnis zur Selbstverwirklichung führen und damit eine Erneuerung des modernen Lebens bewirken.

Key West ['ki: 'west], die südlichste Stadt der festländ. USA, in Florida, auf den durch eine Dammstraße verbundenen Florida Keys, 25 300 Ew.; Fremdenverkehr, Fischerei.

Kežmarok ['kɛʒmarɔk] (dt. Käsmark), Stadt im Ostslowak. Gebiet, Slowakei, am Fuß der Hohen Tatra in der Zips, 17 800 Ew.; Leineweberei; Fremdenverkehr. – Die got. Burg, im 16. Jh. zum Schloss ausgebaut, ist heute Museum. – 1190 von dt. Siedlern (»Zipser Sachsen«) gegr., wurde 1380 königlich-ungar. Freistadt.

kg, Einheitenzeichen für →Kilogramm.

KG, Abk. für **K**ommandit**g**esellschaft, **KGaA** für **K**ommandit**g**esellschaft **a**uf **A**ktien.

KGB, russ. Abk. für »Komitee für Staatssicherheit«, seit 1954 Name des sowjet. Geheimdienstes. Dem Innenministerium unterstellt, hatte das KGB v.a. die Herrschaft der KPdSU in der UdSSR zu sichern, dafür übernahm es auch die Überwachung und Ausschaltung der inneren Opposition (Dissidenten), den Schutz der Staatsgrenze und die Kontrolle des Funktionärs- und Staatsapparates. Neben der Auslandsspionage (Agentennetz, Besetzung wichtiger Stellen in diplomat. Vertretungen) betrieb es die Einflussnahme auf die Entwicklung in den Ländern des sowjet. Einflussbereiches. Nach seiner maßgebl. Beteiligung am Putschversuch gegen Staatspräs. M. S. Gorbatschow (Aug. 1991) wurde im Okt. 1991 die Auflösung des KGB beschlossen; es blieb jedoch – zergliedert in drei einzelne Dienste (Interrepublikan. Sicherheitsdienst, zentraler Aufklärungsdienst, Grenzschutztruppen) – bestehen. Mit Auflösung der UdSSR (Dez. 1991) organisierte die russ. Regierung die Inlands- uns Auslandstätigkeit des Geheimdienstes auf formal föderativer Basis neu. Nach mehreren Umstrukturierungen und Umbenennungen besteht seit 1993/94 der »Föderale Dienst für Gegenaufklärung« und der »Föderale Sicherheitsdienst«. Die russ. Grenztruppen wurden direkt dem Staatspräs. unterstellt. (→Tscheka, →GPU, →NKWD)

k.g.V., Abk. für das →**k**leinste **g**emeinsame **V**ielfache.

Khaiberpass (Chaiber, Khyber), Pass in Pakistan nahe der Grenze zu Afghanistan, 1072 m ü.M. Die 53 km lange serpentinenreiche Passstraße über den K. ist die wichtigste Verbindung zw. beiden Ländern. – Der K. war in beiden angloafghan. Kriegen (1838–42, 1878–80) heftig umkämpft.

Khaki [engl., von pers.-Hindi »staubfarben«, »erdfarben«] *der* (Kaki), erdfarbener Stoff aus Baumwolle in Atlas- oder Köperbindung; erstmals 1857 für die Uniform ind. Regimenter bei der Belagerung von Delhi verwendet. Seit dem 19. Jh. ist K. auch Bez. für die entsprechende Modefarbe.

Khamenei [xamə'neɪ] (Chamenei), Hodjatoleslam Ali, iran. Geistlicher und Politiker, *Meschhed 1940; 1981–89 Staatspräs., wurde nach dem Tod Khomeinis (Juni 1989) geistl. Führer Irans.

Khan [x-, k-] (Chan), türkisch-mongol. Herrschertitel; wird dem Namen angefügt; in den muslim. Nachfolgestaaten des Mongolenreichs in Zentralasien Titel der regierenden Fürsten (das Fürstentum ist das **Khanat**); in Persien Titel hoher Würdenträger des Staates.

Khartum [arab. xar'tu:m] (Al-Chartum, Khartoum), Hptst. der Rep. Sudan, am Zusammenfluss von Weißem und Blauem Nil, 378 m ü.M., 924 500 Ew., bildet mit **K.-Nord** und **Omdurman** eine städt. Agglomeration von über 3 Mio. Ew.; Kulturzentrum, Univ., Sitz eines kath. Erzbischofs, bed. Museen; wichtigster Handelsplatz (Baumwollauktionen) und Ind.standort des Landes (Textilfabriken, Ölmühlen, pharmazeut. Ind., Brauerei u.a.); Verkehrsknotenpunkt mit Flusshafen und internat. Flughafen. – K. wurde 1820 als ägypt. Militärlager gegründet, wurde 1830 Hptst.; 1885 von den Truppen des Mahdi eingenommen, 1898 von H. Kitchener wieder zurückerobert.

Khashm el-Girba [xaʃm -], Bewässerungsgebiet in O-Sudan, →New-Halfa-Projekt.

Khasi, paläomongolides Volk (etwa 870 000 Menschen) mit Mon-Khmer-Sprache in NO-Indien, im Gebiet der K.-Berge. Die K. betreiben Nassreisfeldbau und haben Mutterrecht.

Khatchaturian [xatʃa-], Aram, armen. Komponist, →Chatschaturjan.

Khedive [aus pers. »Herr«], 1867–1914 Titel des Vizekönigs von Ägypten.

Khieu Samphan [kjø sam'pan], kambodschan. Politiker, *in der Prov. Svay Rieng 27. 7. 1931; entwickelte das Konzept eines autarken Agrarkommunismus, die später unter der Herrschaft der Roten Khmer zur ideolog. Grundlage der gesellschaftl., mit Terror durchgeführten Umwandlung Kambodschas wurde. 1976–79 war er Vors. des Staatspräsidiums (Staatsoberhaupt) des von den Roten Khmer errichteten »Demokrat. Kampuchea«. Nach dem Sturz dieses Terrorregimes (1979) blieb K. S. als wichtigster Vertrauter Pol Pots einer der Führer der Roten Khmer. 1991 gehörte er (kurzzeitig) einem aus allen Bürgerkriegsparteien gebildeten Obersten Nationalrat an. (BILD Kambodscha)

Khmer, austroasiat. Volk in Hinterindien, stellt in Kambodscha die Bev.mehrheit; K. leben auch in den angrenzenden Gebieten von Thailand, Vietnam und Laos, seit dem kambodschan. Bürgerkrieg auch als Flüchtlinge in den Ländern der westl. Welt; insgesamt (geschätzt) 10,4 Mio. Menschen. Das eigentl. **K.-Reich** (Reich von Angkor, seit dem 9. Jh.) erreichte im 12. Jh. seine Blüte (Bau der Tempelanlagen von →Angkor). Mit dem 14. Jh. setzte der Niedergang ein; Taivölker, Vietnamesen und Cham drängten die K. immer mehr zurück. Der Aufteilung entging das K.-Reich nur durch die Errichtung des frz. Protektorats über Kambodscha 1863. – Die K. sind Reisbauern und Fischer; ihre Religion ist der Buddhismus. Ihre Sprache gehört zu den Mon-Khmer-Sprachen, ihre Schrift ist von ind. Silbenschriften abgeleitet; die reiche Lit. umfasst religiöse Werke, Chroniken, Romane, Volkserzählungen, Gedichte. Die histor. Kunst der K. im heutigen Kambodscha und im südöstl. Thailand entwickelte sich zunächst nach ind. Vorbildern (Reich Funan); Anfang des 7. Jh. entstanden dann mit den Tempelanlagen von Sambor Prei Kuk die ersten eigenständigen Ausdrucksformen der Khmer. Vorderind. Tempel, Statuen des Gupta- und Pallavareiches wurden übernommen, ihre Religionen mit einheim. Berg- und Ahnenkulten vermischt. BILD Angkor

📖 GITEAU, M.: *K. Kunst u. Kultur von Angkor. Fotografien v.* H. HINZ. *A. d. Frz. München* ³*1973.*

Khoisan (Khoi-San), wiss. Gesamtname für Hottentotten (Khoikhoin) und Buschmänner (San), die urspr. Bev. Süd- und Südwestafrikas, und zwar aufgrund sprachl., anthropolog. und z. T. kultureller Gemeinsamkeiten; auch als **Khoisanide** bezeichnet.

Khomeini [xɔ'meɪni] (Chomeini), Ruhollah Mussawi, iran. Schiitenführer (Ayatollah) und Politiker, *Khomein 17. 5. 1900, †Teheran 3. 6. 1989; lebte 1964–79 im Exil, zunächst in Irak, ab 1978 in Frankreich, von wo aus er eine Aufstandsbewegung gegen Schah Mohammed Resa Pahlewi führte. Nach dessen Sturz am 1. 2. 1979 kehrte er nach Teheran zurück und rief am 2. 4. 1979 eine »Islam. Republik Iran« aus. Im Zuge einer als Revolution verstandenen Neuordnung von Verwaltung und Wirtschaft, von Erziehung und Rechtswesen setzte K. den Islam als allein maßgebl. Kraft durch, legte in der Verf. vom Dez. 1979 die führende Rolle der schiit. Geistlichkeit fest und führte das Amt des »Fakih« (»Führer der Nation«) ein, das er selbst übernahm. Gestützt v. a. auf die islam. »Revolutionswächter«, ließ er religös und politisch anders Denkende inhaftieren und viele von ihnen hinrichten. 1989 rief er alle Muslime zur Ermordung des Schriftstellers S. →Rushdie auf. Weiteres BILD Iran

Ruhollah Mussawi Khomeini

Khond, ind. Volksstamm, →Kond.

Khorana [kɔ'rɑːnə], Har Gobind, amerikan. Biochemiker ind. Herkunft, *Raipur 9. 1. 1922; synthetisierte als Erster Polynucleotide mit bekannter Basensequenz und konnte damit im genet. Code alle Codons den Aminosäuren zuordnen und zeigen, dass ein Codon jeweils drei Nucleinbasen enthält. 1968 erhielt K. (mit M. W. Nirenberg und R. Holley) den Nobelpreis für Physiologie oder Medizin.

Har Gobind Khorana

Khoratplateau, →Koratplateau.

Khorramshahr [xɔramʃ-] (Chorramschahr), Stadt und wichtiger Hafen in Iran, an der Mündung des Karun in den Schatt el-Arab, 34 800 Ew.; neben Bender Khomeini Ausgangspunkt der transiran. Bahn. Im 1. Golfkrieg völlig zerstört.

Khotan [x-], Oase in China, →Hotan.

Khouribga [ku-], Provinz-Hptst. in W-Marokko, südöstlich von Casablanca, 127 200 Ew.; Zentrum des marokkan. Phosphatbergbaus; außerdem Abbau von Eisen- und Bleierz.

Khubilai, mongol. Khan, →Kubilai.

Khulna, Stadt in Bangladesh, an einem Mündungsarm des Ganges, 877 400 Ew.; Verarbeitung von Jute und Baumwolle, Nahrungsmittel-, chem., Lederind.; Werft. 30 km südlich von K. entstand der neue Hafen von Chalna.

Khusistan [x-] (Chusistan, früher Arabistan), wirtschaftlich wichtigste Provinz Irans, im SW des Landes am Pers. Golf; 66 532 km², (1986) 3,18 Mio. Ew.; Hptst. ist Ahwas; den Kernraum bilden die Flussgebiete des Karun und des Kherka im südiran. Tiefland; Wüstensteppen- und Sumpfgebiete überwiegen; Anbau von Weizen, Reis, Zuckerrohr und Baumwolle. In K. liegen die ergiebigsten Erdölvorkommen Irans (erschlossen seit 1908); Erdölindustrie. – Der Einmarsch irak. Truppen 1980 in K. löste den 1. Golfkrieg aus.

Kiebitz (Größe etwa 32 cm)

Khyber ['kaibə], Pass in Pakistan, →Khaiberpass.

kHz, Einheitenzeichen für Kilohertz, 1 kHz = 1000 Hz (→Hertz).

Kiamusze [dʒjamusi], chines. Stadt, →Jiamusi.

Kiang [tibet.] *der,* ein →Halbesel.

Kiangsi [dʒjaŋɕi], chines. Provinz, →Jiangxi.

Kiangsu [dʒjaɲ-], chines. Provinz, →Jiangsu.

Kiautschou [kiau'tʃaʊ] (chines. Jiaozhou), ehem. dt. Pachtgebiet und dt. Flottenstützpunkt an der K.-Bucht im S der Halbinsel Shandong, China, 515 km², (1914) 200 000 Ew.; Hptst. war Tsingtau. – K. wurde 1898 auf 99 Jahre durch das Dt. Reich gepachtet, aber 1914 an die Japaner übergeben; seit 1922 zu China.

Kibbuz [hebr. »Sammlung«] *der,* seit 1909 entstandene kollektive, basisdemokratisch organisierte ländl. Siedlung in Israel, heute vielfach in die Bereiche Industrie und Dienstleistung diversifiziert. Weniger als 3 % der israel. Bevölkerung leben heute in Kibbuzim. Der Anteil der Kibbuzim an den israel. Agrarexporten beträgt rd. 40 % und an den Industrieausfuhren 10–15 %. Der von der Nat. Bodenbehörde gestellte Boden und die Produktionsmittel sind im K. Gemeineigentum. Die materiell gleichgestellten Mitgl. arbeiten entsprechend ihren Fähigkeiten und leben und arbeiten im Kollektiv. Diese an sozialist. Idealen orientierten Prinzipien sind heute zunehmend marktwirtschaftl. Methoden und Vorstellungen gewichen. Um die in den 1980er-Jahren entstandene Überschuldung zu überwinden wurden die Kibbuzim 1989 vom Staat entschuldet.

📖 *Der Kibbutz als Utopie, hg. v.* W. MELZER *u.* G. NEUBAUER. *Weinheim u. a. 1988.*

Kibla [arab.] *die,* im Islam die Gebetsrichtung, in die die Muslime beim Gebet blicken; urspr. Jerusalem, später Mekka.

Kibo *der,* Hauptgipfel des →Kilimandscharo.

Kicher|erbse (Cicer arietinum), Schmetterlingsblütler mit gefiederten Blättern, weißl. oder violetten Blüten und kurzen, leicht bauchigen Hülsen mit 1–3 erbsengroßen Samen; wird im Mittelmeergebiet, in Asien und Lateinamerika als Gemüse angebaut.

Kichererbse: Zweig mit Blüten und Hülse (unten)

Kickstarter, bei leichten Motorrädern Fußhebel zum mechan. Starten des Motors.

Kidderminster ['kɪdəmɪnstə], Stadt in der Cty. Hereford and Worcester, W-England, am Stour, 51 300 Ew.; Teppichherstellung, Zuckerfabrik, elektrotechn., Textil-, chem. Industrie.

Kidinnu, babylon. Astronom der 2. Hälfte des 4. Jh. v. Chr., leitete die astronom. Schule von Sippar; berechnete Planetenbewegungen.

Kidnapping [-næpɪŋ, engl. »Kinderraub«] *das,* Entführung eines Menschen mit Gewalt oder List, oft um Lösegeld zu erpressen (→Menschenraub).

Kidron, Tal zw. Jerusalem und dem Ölberg; alte Begräbnisstätte; nach Joel 4, 12 (Tal Josaphat) Ort des Endgerichts.

Kiebitz (Vanellus vanellus), etwa 32 cm langer Regenpfeifer Eurasiens; grünschwarz und weiß, rotbeinig, Kopf mit weißen Wangen und schwarzer Federhaube; K. sind Teilzieher.

Kiedrich, Weinbaugemeinde im Rheingau-Taunus-Kreis, Hessen, 3 700 Ew.; spätgot. Kirche St. Valentin mit reicher Ausstattung, Orgel aus dem 16. Jh. (wohl älteste spielbare Orgel Dtl.s); alte Adelshöfe, Renaissancerathaus.

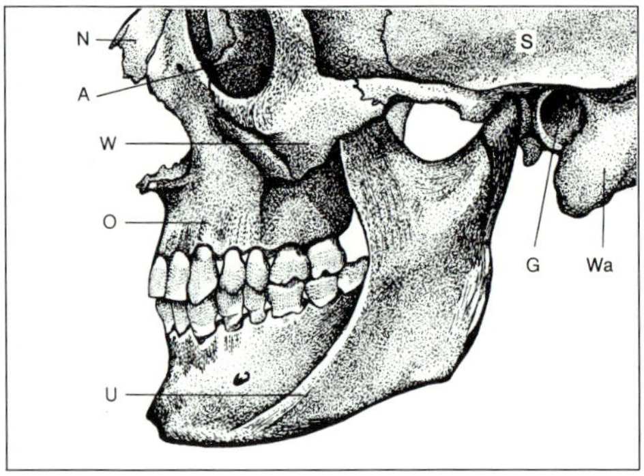

Kiefer: menschlicher Kieferbogen; A Augenhöhle, G Gehörgang, Wa Warzenfortsatz, N Nasenbein, O Oberkieferknochen, S Schläfenbein, U Unterkieferknochen, W Wangenbein

Kiefer, bei wirbellosen Tieren aus harter Kutikula (z. B. Chitin) bestehende Bildungen in der Mundregion, die der Nahrungsaufnahme dienen; Gliederfüßer haben umgebildete Gliedmaßen als K. (Mundgliedmaßen). Bei den Wirbeltieren gehört der knöcherne Anteil der K. zum Kopfskelett (K.-Bogen). Die K. der Vögel sind zu einem zahnlosen, hornüberzogenen Schnabel geworden, sonst tragen die K. der Wirbeltiere meist Zähne. Beim Menschen ist der **Ober-K. (Oberkieferbein, Maxillare)** unbeweglich, er ist mit eingeschobenem Zwischenkieferknochen fest mit dem Gesichtsschädel verwachsen und bestimmt durch seine Form, Größe und Stellung die Gesichtsform mit. Der **Unter-K. (Unterkieferbein, Mandibula)** ist gelenkig mit den Schädelbeinen verbunden. Er wird durch eine kräftige Kaumuskulatur bewegt. Die K. tragen die Zähne, sind urspr. paarig angelegt, verschmelzen aber noch vor der Geburt.

Kiefer (Pinus), Gattung immergrüner, einhäusiger Nadelhölzer (Kieferngewächse) fast ausschl. auf der nördl. Erdhalbkugel. Die langen, von einer Scheide umgebenen Nadeln sitzen zu zweit bis zu fünft, selten einzeln, an Kurztrieben. Die Früchte (Zapfen) fallen nach der Reife (2–3 Jahre) als Ganzes ab. Das Holz ist meist harzreich. Die **Wald-K. (Gemeine K., Föhre, Forche,** Pinus sylvestris) mit rotgelber Rinde am oberen Stammteil und zu zweit an den Kurztrieben sitzenden Nadeln und gestielten Zapfen ist sehr anpassungsfähig an Klima und Boden und bildet in Europa und Nordasien ausgedehnte Wälder; sie ist, v.a. im Flachland, wichtiger Lieferant von Wirtschaftsholz. Auf trockenen Böden wird in Dtl. die aus SO-Europa stammende **Schwarz-K.** (Pinus nigra) angepflanzt; sie hat schwarzgraue Rinde, längere Nadeln und ungestielte Zapfen. In höheren Lagen (z.B. Alpen) bis zur Baumgrenze tritt die **Berg-K.** (Pinus mugo) auf, die in aufrechten und in strauchig niederliegenden Wuchsformen **(Latsche, Legföhre)** mit knieförmig aufsteigenden Zweigen **(Krummholz)** vorkommt. In Hochmooren wächst die **Moor-K.,** eine meist verkrüppelt wachsende Form der Berg-K. Ein seltener Baum der Hochgebirge (Alpen, Karpaten) mit essbaren Samen (Zirbelnüsse) und wertvollem Holz ist die **Zirbel-K. (Arve,** Pinus cembra); nahe verwandt ist die fälschlich als Zeder bezeichnete **Sibir. Zirbel-K.** (Pinus sibirica). Die nordamerikan. **Sumpf-K.** (Pinus palustris) liefert das echte Pitchpineholz. Ebenfalls in Nordamerika beheimatet, oft auch in Europa angepflanzt, ist die **Weymouths-K. (Strobe,** Pinus strobus) mit langen, weichen Nadeln und glatter graugrüner Rinde. Durch ihre schirmförmige Krone gibt die **Pinie** (Pinus pinea) den Mittelmeerländern ihr charakterist. Bild; ihre Nadeln sind bis 20 cm lang, die Samen (Piniennüsse) essbar. Die **Grannen-K.** (Pinus aristata) aus den Hochgebirgen Kaliforniens wird bis zu 4900 Jahre alt.

Kiefer, Anselm, Maler, *Donaueschingen 8. 3. 1945; gestaltet großformatige expressive Bilder zu mytholog., histor. und polit. Themen. Eine wichtige Rolle spielt für K. außerdem das Buch, u.a. zur Umsetzung von Bildprojekten.

Kiefernspanner (von links): Männchen und Weibchen

Kiefer|anomalien, nicht normgerechte Entwicklungszustände im Kieferbereich mit Biss-, Gebiss- und Kieferunregelmäßigkeiten; hervorgerufen meist durch das Zusammenwirken innerer (Vererbung, Keimschädigung, Sekretion) und äußerer (Kaufunktion, schlechte Angewohnheiten u.a.) Einflüsse. Die häufigsten K. sind **Schmalkiefer,** eine Kieferverengung, häufig mit vorstehenden Frontzähnen **(Prognathie); Kreuzbiss,** die unteren Zähne umfassen die oberen und hemmen das Oberkieferwachstum; **Vorbiss (Progenie),** die

Anselm Kiefer: »Glaube, Hoffnung, Liebe«, Collage (1973; Stuttgart, Staatsgalerie)

unteren Frontzähne beißen vor; **Deckbiss,** die oberen Zähne sind nach innen geneigt, überdecken teilweise oder völlig die unteren Frontzähne und beißen mitunter auf den unteren äußeren Zahnfleischsaum; **offener Biss,** der Kiefer schließt nur im Seitenzahngebiet; **Rückbiss,** der Unterkiefer liegt gegenüber dem Oberkiefer zu weit vor; **Diastema,** zwischen den mittleren Schneidezähnen liegt eine Lücke.

Kieferhöhle, die größte der →Nasennebenhöhlen.

Kieferklemme, durch Entzündungen und Veränderungen der Kaumuskulatur, des Kiefergelenkes, durch Narben oder nervale Störungen verursachte Öffnungsbehinderung des Mundes.

Kieferlose (Agnatha), Überklasse im Wasser lebender, fischähnl. Wirbeltiere ohne Kieferskelett; heute existiert nur noch die Klasse der →Rundmäuler.

Kiefern|eule, der Schmetterling →Forleule.

Kiefernschwärmer (Tannenpfeil, Hyloicius pinastri), grau gemusterter, bis 8 cm spannender Schmetterling. Die Raupe, grün mit hellen Seitenlinien und einem rotbraunen Rückenstreifen, frisst meist Kiefernnadeln (Schäden unbedeutend).

Kiefernspanner (Bupalus piniarius), Schmetterling mit 3–4 cm Flügelspannweite; die Flügel der Männchen sind schwarzbraun mit hellen Flecken, die Flügel der Weibchen rötlich hellbraun; Raupe grün mit weißl. Längsstreifen, frisst Kiefernnadeln; gefürchteter Forstschädling, da zu Massenvermehrung neigend.

Kiefernspinner (Dendrolimus pini), rötlich grauer Schmetterling der Familie Glucken, 5–8 cm spannend; v.a. in Kiefernwäldern. Die Raupe ist bis 8 cm lang und behaart.

Kiefer (von oben): Zweig der Zirbelkiefer mit Zapfen und weiblichen (rechts) sowie männlichen (links) Blütenständen; Zweig mit Zapfen der Bergkiefer und offener Zapfen der Bergkiefer

Kiel: Luftaufnahme über dem Ostufer der Kieler Förde; in der von einer seenartigen Erweiterung der Förde umgebenen Altstadt ist im Bildvordergrund die Nikolaikirche zu erkennen

Kiefer|orthopädie, Fachgebiet der Zahnheilkunde, das sich mit der Behandlung von Gebiss- und Kieferanomalien befasst. Bei der **Orthodontie** werden Korrekturen durch direkt mechanisch einwirkende Kräfte (fest sitzende Apparate) durchgeführt, bei der **Funktions-K.** indirekt durch lose sitzende Apparate (Aktivatoren), die kaufunktionell wirkende Kräfte erzeugen.

Kieferspalte (Gnathoschisis), angeborene Spaltbildung im Bereich des Ober- oder Unterkiefers; tritt immer in Kombination mit Lippenspalte (→Spaltbildungen) auf.

Kiefersperre (Bisssperre), Unfähigkeit, die Zahnreihen zu schließen; am häufigsten bei beidseitiger Verrenkung des Kiefergelenks **(Kieferluxation),** Kieferbrüchen oder akuten Gelenkentzündungen. (→Kieferklemme)

Kiel
Stadtwappen

Kiel, Landeshptst. von Schlesw.-Holst., kreisfreie Stadt, 246 000 Ew. K. liegt an der Ostsee beiderseits der Kieler Förde und am Nord-Ostsee-Kanal. K. ist Sitz des Landtags, der Landesreg. und vieler nachgeordneter Landesbehörden, Wasser- und Schifffahrtsdirektion, Kirchenamt der Nordelbischen Ev. Luth. Kirche. Christian-Albrechts-Univ. (gegr. 1665) mit dem →Institut für Weltwirtschaft und dem Institut für Meereskunde. Außerdem hat K. PH und FH, viele Institute und Forschungseinrichtungen (u.a. Bundesanstalt für Milchforschung, Bundesforschungsanstalt für Fischerei, Institut für Schadensverhütung und Schadensforschung der öffentlich-rechtl. Versicherer), Landesbibliothek, Museen (u.a. Schifffahrtsmuseum), Opernhaus, Theater, Funkhaus, Botan. Garten. Der Kieler Hafen hat einen Güterumschlag von (1994) 3,03 Mio. t. K. ist Austragungsort der →Kieler Woche. Bed. Werftind., Maschinenbau, elektrotechn., feinmechan. und opt. Ind., Fischkonservenind.; Flugplatz in K.-Holtenau. Seit 1956 ist K. wieder Marinestützpunkt. – Der Altstadtkern am Südende der Förde wurde im 2. Weltkrieg schwer zerstört. Vom ehem. Schloss ist nur der Rantzau-Bau (1695–97) erhalten; Alte Univ.bibliothek (1881–84, Entwurf M. Gropius); Rathaus (1907–11 von H. Billing) mit 106 m hohem Turm und Stadttheater (1905–07). Vor der got. Nikolaikirche (13.–15. Jh., Wiederaufbau mit Betonpfeilern) die Bronzeplastik »Geistkämpfer« (1927/28) von E. Barlach. Mensa und Bauten für das Studentenwerk (1963–66 von F. W. Kraemer); Sportforum (1970–77 von M. von Gerkan und K. Nickels). – K. wurde zw. 1233 und 1242 gegr., erhielt 1242 Stadtrecht, war Mitgl. der Hanse, 1721–73 Sitz der Herzöge von Holstein-Gottorf, 1773–1866 dänisch, danach preußisch; wurde 1871 dt. Reichskriegshafen und 1917 preuß. Provinz-Hptst.; 1918 gaben die Matrosen des Kieler Hafens den Auftakt zur Novemberrevolution. Seit 1946 ist K. Landeshauptstadt. – Im **Kieler Frieden** (14. 1. 1814) musste Dänemark der antinapoleon. Koalition beitreten und verlor Norwegen an Schweden.

📖 *Geschichte der Stadt K., hg. v.* J. JENSEN *u.* P. WULF. *Neumünster 1991.*

Kiel, 1) *Schiff-* und *Bootsbau:* unterster, mittschiffs verlaufender Längsverband, auf dem das Schiff im Dock ruht; ausgeführt als **Balken-K.** (Holz- oder Stahlbalken, aus dem Boden herausragend), **Flach-K.** (verstärkter Plattengang, eben) oder **Flossen-K.** (bei Segeljachten mit Ballast beschwerte K.-Flosse). Ein **Schlinger-K.** dämpft die Bewegungen im Seegang.

2) *Zoologie:* der Feder-K. (→Federn).

Kielbogen (Eselsrücken), *Baukunst:* kielförmig geschweifter Spitzbogen, bes. in der islam. Kunst, auch in der Spätgotik.

Kielce ['kjɛltsɛ], Hptst. der Wwschaft K., Polen, am W-Rand des Kielcer Berglandes, 214 100 Ew.; kath. Bischofssitz; TH, PH; Kugellagerfabrik, Maschinen-, Chemieanlagen-, Motorrad-, Lkw-Bau, Nahrungsmittelindustrie. – Kathedrale (1171 gegr., im 16./17. Jh. neu gestaltet), ehem. Schloss der Bischöfe von Krakau (17. Jh.; Nationalmuseum). – K. erhielt 1384 Magdeburger Stadtrecht.

Kiel des Schiffes (lat. Carina), ein Sternbild des südl. Himmels, Teil des alten Sternbilds Schiff Argo. Der Hauptstern Canopus ist der zweithellste Fixstern.

Kieler Bucht, Teil der westl. Ostsee vor der schleswig-holstein. Küste, zw. der Landschaft Schwansen (im NW) und der Insel Fehmarn.

Kieler Förde, weit (17 km, bei 1–6 km Breite) in das holstein. Küstengebiet eingreifender Teil der Kieler Bucht (Ostsee), untergliedert in die **Innenförde** (hier endet in Kiel der Nord-Ostsee-

Kanal) und die **Außenförde** (mit den Seebädern Laboe, Kiel-Schilksee, Strande).

Kieler Woche, alljährlich im Juni stattfindende internat. Segelregatten auf der Kieler Förde, erstmals 1882; nach dem 2. Weltkrieg auch mit anderen sportl. und kulturellen Veranstaltungen.

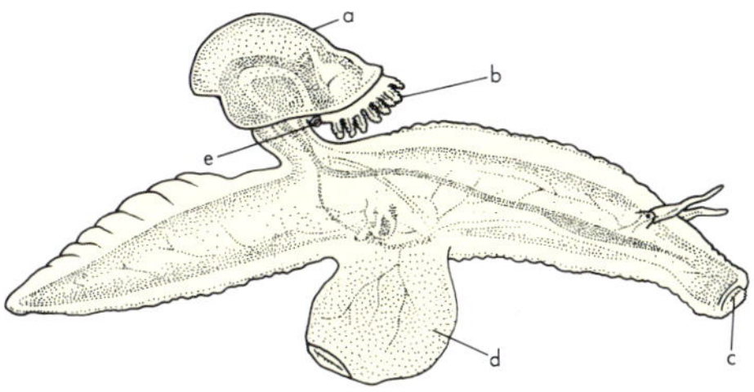

Kielfüßer: a Schale, b Kiemen, c Mund, d Fuß, e After

Kielfüßer (Atlantoidea, Heteropoda), Vorderkiemerschnecken warmer Meere, bei denen der Fuß zu einem Flossenblatt geworden ist.

Kielland ['çɛlan], Alexander Lange, norweg. Schriftsteller, *Stavanger 18. 2. 1849, †Bergen 6. 4. 1906; witziger Satiriker, bekämpfte in seinen realist. Romanen soziale Missstände und gab kulturhistor. Schilderungen seiner Heimat (»Garman und Worse«, 1880; »Schiffer Worse«, 1882).

Kiel|lini|e, seetakt. Formation eines Schiffsverbandes, in der die einzelnen Schiffe hintereinander in gleichen Abständen auf gleichem Kurs fahren.

Edward Kienholz: Ausschnitt aus dem 1965 entstandenen Werk »The Beanery« (Amsterdam, Stedelijk Museum)

Kiemen [niederdt. Form für Kimme »Einschnitt«] (Branchien), Atmungsorgane im Wasser lebender Tiere. Meist sind es stark mit Blut bzw. Körperflüssigkeit versorgte oder von Tracheen **(Tracheen-K.)** durchzogene dünnhäutige Ausstülpungen der Körperwand (äußere K.) oder der Schleimhaut des Vorderdarms (innere K.), die den Gasaustausch zw. Wasser und Blut ermöglichen; unterschiedlich ausgebildet. Gitterförmige **Faden-K.** kommen bei versch. Muschelgruppen vor. Aus ihnen gehen die **Blatt-K.** mit zahlr. blättchenförmigen Lamellen hervor. Federartig sind die **Fieder-K.,** z.B. bei den Nussmuscheln. Durch Rückbildung einer Fiederblättchenreihe werden **Kamm-K.** (bei vielen Schnecken) ausgebildet. – Manteltiere, Lanzettfischchen und Fische haben einen von K.-Spalten durchbrochenen Vorderdarm, den sog. **K.-Darm.** Die K. der Fische werden durch ein knorpeliges oder knöchernes K.-Skelett, die **K.-Bögen,** gestützt.

Kienholz, harzdurchtränktes Kiefernholz; abgespaltene Späne **(Kienspäne)** dienten früher als Fackeln.

Kienholz, Edward, amerikan. Objektkünstler, *Fairfield (Wash.) 23. 10. 1927, †Hope (Id.) 10. 6. 1994; setzt in seinen gesellschaftskrit. und polit. Environments die spanisch-mexikan. Tradition eines Objektrealismus fort; arbeitete ab 1973 mit seiner Frau Nancy Reddin K. (*1943) zusammen.

Kienzl, Wilhelm, österr. Komponist und Musikkritiker, *Waizenkirchen (OÖ) 17. 1. 1857, †Wien 3. 10. 1941; schrieb spätromant. Volksopern (»Der Evangelimann«, 1895), Orchester-, Kammer-, Klaviermusik und Lieder.

Kiepenheuer, Karl-Otto, Astrophysiker, *Weimar 10. 11. 1910, †Ensenada (Mexiko) 23. 5. 1975; Begründer und Direktor des Fraunhofer-Instituts (heute Kiepenheuer-Instituts) für Sonnenforschung in Freiburg im Breisgau; arbeitete v.a. über die Phänomenologie der Sonnenaktivität.

Kiepenhut (Schute), haubenförmiger Frauenhut mit einer gewölbten, das Gesicht rahmenden Krempe, kam vor 1800 in Mode; zahlr. Varianten, meist mit reichem Band-, Rüschen- und Spitzenschmuck; um 1880 wurde die kleine, schräg auf dem Scheitel sitzende **Kapotte** modern.

Kiepura [kjɛ'pura], Jan, amerikan. Sänger (Tenor) poln. Herkunft, *Sosnowitz (heute Sosnowiec) 16. 5. 1902, †Harrison (N. Y.) 15. 8. 1966; sang an allen bed. Opernhäusern; wurde auch durch Operetten- und Filmrollen populär.

Kierkegaard ['kergəgɔ:r], Søren Aabye, dän. Theologe, Philosoph und Schriftsteller, *Kopenhagen 5. 5. 1813, †ebd. 11. 11. 1855; 1841 Prediger in Kopenhagen; studierte 1841/42 in Berlin (u.a. bei F. W. J. Schelling); lebte nach seiner Rückkehr als Schriftsteller in Kopenhagen, wo er durch seine radikale Kritik an der akadem. Theologie und dem bürgerl. Christen- und Staatskirchentum zunehmend in Ggs. zur dänischen luth. Staatskirche geriet; trat 1854 aus der Kirche aus. – Dem Systemdenken Hegels stellt K. seine Philosophie der individuellen Existenz entgegen: Existenz vollzieht sich als Werden des je Einzelnen in drei »Stadien des Lebens«, dem ästhet. (passives Erleben), eth. (aktives

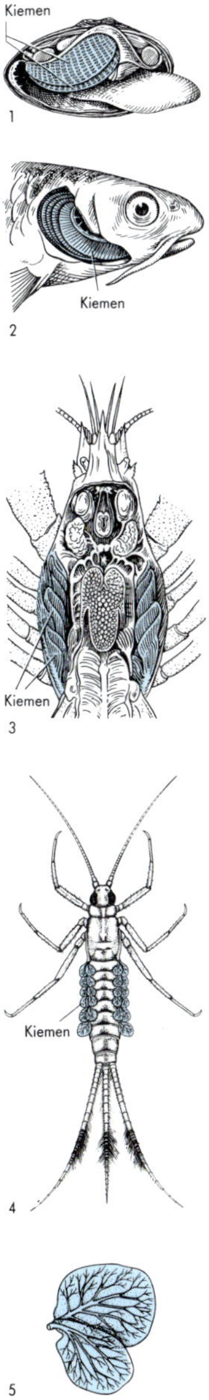

Kiemen:
1 Fadenkiemen der Muschel,
2 Blattkiemen eines Fisches,
3 Fiederkiemen eines Flusskrebses,
4 Blattkiemen der Eintagsfliege,
5 Tracheenkiemen in der Vergrößerung

Søren Kierkegaard (Ausschnitt aus einer Kohlezeichnung des dänischen Zeichners Niels Kierkegaard, um 1840)

Handeln, Entscheidung) und religiösen Stadium. In Letzterem erst ist der Aufstieg aus Angst und Verzweiflung – durch die Gnade Gottes – möglich. An seine subjektivistisch-individualist. christl. Existenzdeutung, v.a. seine Analyse der Begriffe »Existenz«, »Freiheit« und »Angst«, sowie den Gedanken des »absoluten qualitativen Unterschieds zw. Gott und Mensch«, knüpften die →dialektische Theologie und die Existenzphilosophie des 20. Jh. an.

Werke: Entweder–Oder, 2 Bde. (1843); Furcht und Zittern (1843); Der Begriff der Angst (1844); Philosoph. Brocken (1844); Die Krankheit zum Tode (1849); Einübung im Christentum (1850).

📖 LIESSMANN, K. P.: *K. zur Einführung. Hamburg 1993.* – BÖSCH, M.: *S. K. Schicksal – Angst – Freiheit. Paderborn u. a. 1994.*

Kurt Georg Kiesinger

Kierspe, Stadt im Märk. Kreis, NRW, Luftkurort (350 m ü. M.) im Sauerland, 15 800 Ew.; Metall-, elektrotechn. Ind., Kunststoffverarbeitung.

Kies, 1) Bez. für vom Wasser rund geschliffene Gesteinstrümmer von 2 bis 63 mm Durchmesser. In der Bautechnik werden Grob-, Mittel- und Fein-K. unterschieden.

2) metallisch glänzende, harte sulfid. Erzminerale, z. B. Eisen-K., Arsen-K., Kupfer-K.; bilden oft wichtige Erzlagerstätten.

Kiesel (Kieselstein), durch fließendes Wasser abgerundeter, kleiner Stein, meist aus Quarz.

Krzysztof Kieślowski

Kiesel|algen (Diatomeen, Diatomeae, Bacillariophyceae), Klasse mikroskopisch kleiner, einzelliger Algen des Süß- und Meerwassers; Chromatophoren meist braun gefärbt; die zwei Zellen haben einen schachtelartig zusammenpassenden, zweiteiligen Panzer aus Kieselsäure. Man unterscheidet zwei Ordnungen, die unbewegl. **Centrales** mit runden Schalen und die bewegl. **Pennales** mit stab- oder schiffchenförmigen Schalen. – Fossile Lager von K. liefern die technisch vielfältig verwendete →Kieselgur.

Kieselfluorwasserstoffsäure, die →Fluorokieselsäure.

Kieselglas, das →Quarzglas.

Kieselgur (Diatomeenerde, auch Diatomit und fälschlich Infusorienerde), Süßwassersediment, das zu über 70 % aus Panzern von Kieselalgen besteht; leicht, hochporös, hell- bis dunkelgrau; Vorkommen in ehem. Seebecken des Tertiärs oder Pleistozäns, u. a. im Vogelsberg und in der Lüneburger Heide; dient als Absorptionsmaterial, Füllstoff, Filtrier-, Isolier- und Poliermittel.

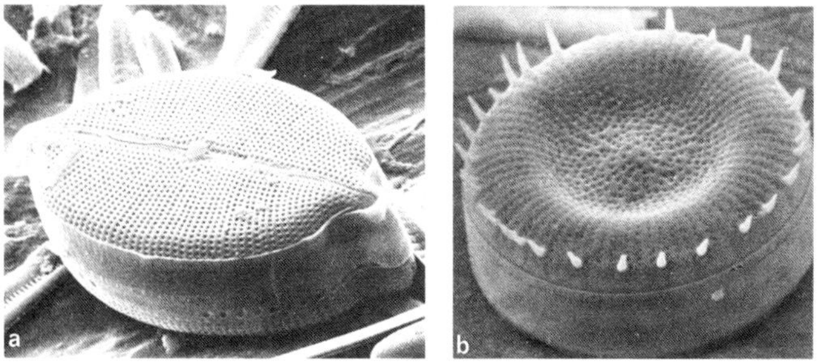

Kiesel|algen: Rasterelektronenmikroskopische Aufnahmen aus der Ordnung a Pennales und b Centrales

Kieselkupfer, Mineral, der →Chrysokoll.

Kieselsäuren, Sammelbez. für die Sauerstoffsäuren des Siliciums, die in der Natur nur in Form ihrer Salze, der Silikate, vorkommen und aus diesen durch Ansäuern hergestellt werden. Die am einfachsten gebaute K. ist die nur kurzzeitig beständige **Mono-** oder **Ortho-K.,** H_4SiO_4, die unter fortschreitendem Wasseraustritt (Kondensation) in komplizierte Polymere übergeht, die als **Poly-K.,** $H_{2n+2}Si_nO_{3n+1}$, bezeichnet werden. Beim Überschreiten eines bestimmten Kondensationsgrades können aus den kolloidal gelösten K. stark wasserhaltige, gallertige K., die **Kieselgele** oder **Kieselsäuregele,** und als Endstufe der Kondensation Siliciumdioxid entstehen. Beim Erhitzen der Kieselgele entweicht langsam das eingeschlossene Wasser und ein weißes, trübes, äußerst poröses Produkt, das **Silicagel** (oder **Kieselxerogel**), bleibt zurück, das wegen seiner großen inneren Oberfläche als sehr wirksames Adsorptions-, Reinigungs- und Trockenmittel für Gase und Lösungen verwendet wird.

Kieselschiefer, dichtes, hartes, splittrig brechendes Sedimentgestein, vorwiegend aus Quarz oder Chalcedon; grau bis schwarz gefärbt.

Kieselsinter (Geysirit), aus heißen Quellen sich absetzender Opal.

Kieselzin|kerz, Mineral, der →Hemimorphit.

Kieserit [nach dem Arzt D. G. Kieser, *1779, †1862] *der,* weißes oder gelbl. monoklines Mineral der chem. Zusammensetzung $MgSO_4 \cdot H_2O$, meist feinkörnige Massen in Salzlagerstätten.

Kiesinger, Kurt Georg, Politiker (CDU) *Ebingen (heute zu Albstadt) 6. 4. 1904, †Tübingen 9. 3. 1988; Rechtsanwalt, 1949–58 und 1969–80 MdB; 1958–66 MinPräs. von Bad.-Württ. Als Bundeskanzler (1966–69) einer großen Koalition (CDU/CSU-SPD) bemühte er sich, eine mittelfristige Finanzplanung, Notstandsgesetze, Reformen der Sozialpolitik und des Strafrechts sowie eine vorsichtige Neuorientierung der Ostpolitik durchzusetzen; 1967–71 Bundesvors. der CDU.

Kieślowski [kjɛɕ-], Krzysztof, poln. Filmregisseur, *Warschau 27. 6. 1941, †ebd. 13. 3. 1996; drehte neben Dokumentarfilmen u. a. »Dekalog« (1987/88), eine zehnteilige Fernsehserie zu den Zehn Geboten (Uraufführung 1989; daraus zwei Episoden als Kinofassung: »Ein kurzer Film über das Töten«, 1988; »Ein kurzer Film über die Liebe«, 1988). Weitere Filme: »Das Personal« (1974), »Der Filmamateur« (1979), »Veronique«

(1991) sowie 1993/94 die Trilogie »Drei Farben: Blau, Weiß, Rot«.

Kiew (ukrain. Kyjiw), Hptst. der Ukraine, beiderseits des Dnjepr, 2,645 Mio. Ew.; Sitz eines russisch-orth. Metropoliten; kultureller Mittelpunkt der Ukraine mit Univ. (gegr. 1834), Ukrain. Akademie der Wiss., 17 Hochschulen, zahlr. Museen, Theater, Planetarium, botan. und zoolog. Garten und Filmstudios sowie Ind.stadt (Maschinen-, Apparate-, Präzisionsgeräte-, Fahrzeugbau, chem. und pharmazeut., Textil-, Nahrungsmittelind., Werft); Flusshafen (für kleinere Seeschiffe erreichbar), U-Bahn, internat. Flughafen. Oberhalb von K. Staudamm (Stausee 922 km^2) mit Kraftwerk (551 MW) und Pumpspeicherwerk. – K. ist reich an histor. Bauten, u.a. die Sophienkathedrale, eine fünfschiffige Kreuzkuppelanlage (1037 bis um 1100, 1240 zerstört, 17./18. Jh. Wiederaufbau; UNESCO-Weltkulturerbe), das 1051 gegr. Kiewer Höhlenkloster (Kiewo-Petscherskaja Lawra; UNESCO-Weltkulturerbe), das älteste russ. Kloster sowie weitere Klöster und zahlr. Kirchen aus dem MA. und dem Kiewer Barock. – K., um 860 erstmals in einer Chronik erwähnt, erhielt seinen Namen von dem legendären Stadtgründer Ki; im 9. bis 12. Jh. war es Zentrum eines ausgedehnten Reiches (Kiewer Rus); 988–1300 auch der kirchl. Mittelpunkt Russlands. 1240 durch die Mongolen zerstört, kam K. 1362 an Litauen, 1569 an Polen, 1654/67 an Russland und wurde 1793 Gouv.-Hptst., 1934 Hptst. der Ukraine; 1941–43 von dt. Truppen besetzt.

Kiez [slaw.], kleine Auenrandsiedlung in Form einer gedrängten, kurzen Dorfzeile, im slaw. Siedlungsgebiet rechts der Elbe. K. entstanden zw. 600 und 900 neben Burgen als Wohnsitze niederer Dienstleute slaw. Abkunft (häufig Fischer, daher **Fischer-K.**). Manche wurden zu Vorstädten (nach ihnen wurde K. auch regionale Bez. für arme Stadtviertel).

Kigali, Hptst. von Ruanda, in einem weiten Hochtal im Zentrum des Landes, 1540 m ü.M., (1991) 237800 Ew.; kath. Erzbischofssitz; Handelszentrum, Nahrungsmittel-, Textil- u.a. Ind.; Straßenknotenpunkt, internat. Flughafen.

Kikuyu, Bantuvolk in Kenia, mit etwa 5 Mio. Angehörigen eines der größten Völker Ostafrikas. Die K., deren Stammgebiet zw. Mount Kenia und Nairobi lag, waren 1952–56 Hauptträger des Aufstandes der →Mau-Mau.

Kilauea, Vulkan auf der Insel Hawaii, 1243 m ü.M., Nebenkrater des →Mauna Loa; letzter Ausbruch 1983.

Kildare [kɪl'deə] (irisch Cill Dara), Cty. in der Rep. Irland, westlich von Dublin, 1694 km^2, (1991) 122500 Ew.; Verw.sitz ist Naas; Rindermastgebiet und Zentrum der irischen Pferdezucht; Torfabbau.

Kiew: Der aus dem 11. Jh. stammende fünfschiffige Kreuzkuppelbau der Sophienkathedrale wurde nach Zerstörung im Jahre 1240 im 17./18. Jh. in barocker Gestaltung wieder aufgebaut

Kilian, irischer Wanderbischof, Missionar, † (ermordet) Würzburg um 689; wirkte in Ostfranken, Patron des Bistums Würzburg und der fränk. Winzer; Heiliger, Tag: 8. 7.

Kilikien, antike Landschaft im SO Kleinasiens, umfasst den Mitteltaurus und im SO die fruchtbare **Kilik. Ebene;** wichtigster Durchlass durch den Mitteltaurus ist die **Kilik. Pforte,** durch die Eisenbahnlinie und Straße von Zentralanatolien in die Küstenebene führen.

Kiew

Über den Ausbau Kiews zur prunkvollen Residenzstadt durch Jaroslaw den Weisen berichtet die altrussische Chronik: »Im Jahre 6545 (das ist 1037). Jaroslaw legte den Grundstein zu der großen Stadtbefestigung, zu der das Goldene Tor gehört. Er legte auch den Grundstein zur Sophien-Kathedrale, die auch die Mutterkirche ist, danach zur Kirche der Verkündigung der heiligen Gottesmutter über dem Goldenen Tor, darauf zum Kloster des heiligen Georg und zu dem der heiligen Irene. Und danach begann nun der christliche Glaube zuzunehmen und sich auszubreiten, und die Mönche wurden zahlreicher, und die Klöster nahmen ihren Anfang.«

Kilimandscharo [Suaheli »Berg des bösen Geistes«] *der* (Kilimandjaro), vulkan. Gebirgsstock in Ostafrika, in NO-Tansania, mit 5895 m ü.M. höchster Berg Afrikas; aus drei Vulkanen zusammengewachsen: Schira (4000 m ü.M.), Mawensi (5270 m ü.M.) und Kibo (5895 m ü.M.; mit Firnkappe und Hängegletschern); weist ausgeprägte Vegetations- und Bodennutzungsstufen auf; Nationalpark (UNESCO-Welterbe). – Erstbesteigung 1889 durch Hans Meyer und L. Purtscheller. BILD S. 328

Kilimandscharo

Kilimane [keləˈmanə] (Quelimane), Provinz-Hptst. in Moçambique, am Mündungstrichter des Rio dos Bons Sinais, 146 200 Ew.; kath. Bischofssitz; Verarbeitung landwirtsch. Produkte (Kokosnüsse, Zuckerrohr, Sisal); Hafen. – K., eine arab. Gründung, war schon im 10. Jh. ein bed. Handelsplatz.

Kilius, Marika, Eiskunstläuferin, *Frankfurt am Main 24. 3. 1943; mit Hans-Jürgen Bäumler (*1942) 1963–64 Welt-, 1959–64 Europameister, 1960 und 1964 Olympiazweite im Paarlauf.

Kilkenny (irisch Cill Chainnigh), **1)** Cty. in der Rep. Irland, 2 062 km^2, (1991) 73 600 Ew.; durchflossen vom Nore; Viehwirtschaft, Ackerbau.

2) Hptst. von 1), am Nore, 9 000 Ew.; kath. und anglikan. Bischofssitz; Brauerei, moderne Leichtindustrie. – Zwei Kathedralen (12. und 19. Jh.), Dominikanerkloster (13. Jh).

Walter Killy

Killarney [kɪˈlɑːnɪ] (irisch Cill Áirne), Stadt in der Cty. Kerry, Irland, 7 900 Ew.; Bischofssitz; Maschinenbau, Schuh-, Textilind.; Fremdenverkehr.

Killer|alge (Caulerpa taxifolia), giftige trop. Grünalge, die im Mittelmeer die heim. Algenarten überwuchert (und erstickt) und sich aufgrund fehlender Fressfeinde sehr stark ausbreitet.

Killerbienen, die →Mörderbienen.

Killersatellit, →militärische Satelliten.

Kilt

Die Prohibition Act verbot den Schotten das Tragen von Kilts und Tartanstoffen (Stoffe, die die Clanzugehörigkeit zeigen). Nach dem fehlgeschlagenen Aufstand von 1745 wollten die Engländer damit das schottische Nationalgefühl treffen. Aber wie das so ist mit der Prohibition: Dass die Schotten noch heute stolz ihre Kilts tragen, hat seine Ursache in eben dieser Verordnung. Denn natürlich hielten sie sich nicht daran und zogen auch weiterhin das Kleidungsstück an, in dem man so praktisch die zahlreichen Bäche und Flüsse des Hochlands überqueren kann.

Killy, Walter, Germanist, *Bonn 26. 8. 1917, †Kampen (Sylt) 28. 12. 1995; 1978–83 Direktor an der Herzog-August-Bibliothek, Wolfenbüttel; Hg. von Textsammlungen und des »Literatur Lexikon. Autoren und Werke dt. Sprache« (15 Bde., 1988 ff.).

Kilmarnock [kɪlˈmɑːnək], Stadt in Schottland, nördlich des Firth of Clyde, 52 100 Ew.; Zentrum von East Ayrshire; Textil-, Schuhindustrie, Maschinenbau, Whiskybrennereien.

Kilo [grch.], Vorsatzzeichen **k,** Vorsatz vor Einheiten für das Tausendfache, z. B. 1 Kilogramm = 1 000 g, 1 km = 1 000 m. In der Datenverarbeitung als **K** Vorsatz vor →Byte.

Kilogramm, Einheitenzeichen **kg,** SI-Basiseinheit der Masse, definiert durch das seit 1889 in Sèvres bei Paris aufbewahrte Urkilogramm (Platin-Iridium-Zylinder).

Kilometerpauschale, Bez. für die bei der Lohn- und Einkommensteuer als Werbungskosten oder Betriebsausgaben absetzbaren Aufwendungen für berufsbedingte Fahrten mit dem privaten Fahrzeug. Arbeitnehmer können pro Arbeitstag für Fahrten zw. Wohnung und Arbeitsstätte je Entfernungskilometer (also nicht je gefahrenem km) einen bestimmten Pauschbetrag geltend machen: bei Kfz 0,70 DM, bei Motorrädern (-rollern) 0,33 DM, bei Moped/Mofa 0,28 DM, beim Fahrrad 0,14 DM. Arbeitgeber können die Aufwendungen mittels Lohnsteuerpauschalierung (Steuersatz 15 %) übernehmen.

Kilopond, Einheitenzeichen **kp,** veraltete Einheit der Kraft; 1 kp = 1 000 p (Pond) ist die Gewichtskraft einer Masse von 1 kg bei der Normalfallbeschleunigung. Die SI-Einheit der Kraft ist das Newton (N); 1 kp = 9,80665 N.

Kilowattstunde, Einheitenzeichen **kW · h,** gesetzl. Einheit der Energie, bes. in der Elektrotechnik: 1 kW · h = 3 600 kW · s = $3{,}6 \cdot 10^6$ W · s = 3,6 MJ (Megajoule).

Kilt [engl.] *der,* kurzer Schottenrock, der wahrscheinlich Anfang des 18. Jh. aufkam. Der in den Farben des Clans gemusterte karierte, vorn umgeschlagene Rock aus Wollstoff wird mit einer silbernen Nadel zusammengehalten; das schott. Militär trägt den K. in Parade- und Ausgehuniform.

Kim, Anatoli Andrejewitsch, russ. Schriftsteller korean. Herkunft, *Sergijewka (Kasachstan) 15. 9. 1939; gestaltet in Erzählungen und Romanen Menschenschicksale unter Verwendung allegorisch-fantast. Mittel und ostasiat. Mythologien (»Nachtigallenecho«, Erz., 1980; »Der Nephritgürtel«, R., 1981; »Eichhörnchen«, R., 1984; »Der Waldvater«, R., 1989).

Kimbangu, Simon, afrikan. Evangelist und Prophet, *1889, †Elisabethville (heute Lubumbashi) 12. 10. 1951; begründete in Belgisch-Kongo (heute Demokrat. Rep. Kongo) eine christl. Massenbewegung afrikan. Gepräges, aus der die **Kimbangische Kirche** hervorging (seit 1975 Mitgl. des ökumen. Rates der Kirchen); heute größte unabhängige Kirche Schwarzafrikas.

Kimberley ['kɪmbəlɪ], Stadt in der Rep. Südafrika, Hptst. der Prov. Nord-Kap, 1223 m ü. M., 149 700 Ew.; Zentrum der Diamantengewinnung und -schleiferei sowie eines Viehzuchtgebietes mit verarbeitender Ind. – K. wurde 1871 nach Diamantenfunden gegründet.

Kimberleyplateau ['kɪmbəlɪplato], Gebirgslandschaft in NW-Australien, bis 936 m ü. M. (Mount Ord); Rinderzucht; Eisenerzabbau, Diamantengewinnung, Bauxitvorkommen.

Kimberlit [nach der Stadt Kimberley] *der,* dunkles Tiefengestein (ein Peridotit), Muttergestein der Diamanten; wird in engen Eruptionsschloten (Pipes) gefördert. Das in frischem Zustand bläulich grüne Gestein **(Blauer Grund, Blue Ground)** wird durch die Verwitterung gelblich braun **(Gelber Grund, Yellow Ground).**

Kimbern (lat. Cimbri), german. Stamm, wanderte Ende des 2. Jh. v. Chr. von Jütland in die Ostalpen und nach Gallien; besiegten mehrfach röm. Heere. Als sie in Oberitalien eindrangen, wurden sie 101 v. Chr. von den Römern unter Marius bei Vercellae (→Vercelli) vernichtend geschlagen (→Teutonen).

Kim Dae Jung [- dɛ -], südkorean. Politiker, *auf der Insel Hayi-do 6. 1. 1924; 1971 Präsidentschaftskandidat; wurde zur Kristallisationsfigur der Opposition gegen das autoritäre Reg.system Park Chung Hees und seiner Nachfolger. Beschuldigt, am Aufstand von →Kwangju maßgeblich beteiligt gewesen zu sein, verurteilte ihn 1980 ein Militärgericht zum Tode (1981 zu lebenslanger Haft begnadigt). 1982 durfte er in die USA ausreisen. Nach seiner Rückkehr (1985) wurde er 1987 Vors. der neu gegründeten Partei für Frieden und Demokratie (heute Demokrat. Partei); kandidierte 1987 und 1992 bei den Präsidentschaftswahlen. Der von ihm 1995 gegründete Nationalkongress für neue Politik wurde bei den Wahlen von 1996 stärkste Oppositionspartei. Im Dez. 1997 wurde er zum Staatspräs. gewählt.

Kim Il Sung, nordkorean. Politiker, *Mangyongdae (bei Pjöngjang) 15. 4. 1912, †Pjöngjang 8. 7. 1994; führte ab 1932 die Korean. Revolutionäre Volksarmee gegen Japan, zog sich 1941 mit seinen Truppen in die UdSSR zurück. 1945 zurückgekehrt, rief er im nördl. Korea unter sowjet. Schutz 1948 die kommunist. Demokrat. Volksrepublik Korea aus. Dort war er 1948–72 MinPräs. und ab 1972 Staatspräs., 1948–66 Vors., seitdem Gen.-Sekr. des ZK der Korean. Arbeiterpartei. 1950–53 führte er Krieg gegen Süd-Korea (→Koreakrieg). Mit der Korean. Arbeiterpartei errichtete er ein diktator., von einem Kult um ihn und seine Familie geprägtes Reg.system. Seit den 80er-Jahren setzte er sich für die Wiedervereinigung Koreas ein. 1992 ließ er sich zum Großen Marschall ernennen. – K. bestimmte seinen Sohn Kim Jong Il zu seinem Nachfolger.

Kim Il Sung

Kim Jong Il, korean. Politiker, *(offiziell) in einem antijapan. Widerstandslager, (inoffiziell) Chabarowsk 16. 2. 1942 (oder 1941); Sohn von Kim Il Sung; seit 1980 Mitgl. des Politbüros und der Zentralen Militärkommission der Korean. Arbeiterpartei wurde er 1991 Oberbefehlshaber der Armee, 1992 Marschall der Streitkräfte und 1993 Chef der Nat. Verteidigungskommission. Nach dem Tode seines Vaters übernahm er die Partei- und Staatsführung.

Kim Jong Il

Kimm, 1) *Seefahrt:* die sichtbare Horizontlinie auf See.

2) *Schiffbau:* gekrümmter Übergang vom Schiffsboden zur Schiffswand.

Kimme, bei Hand- und Faustfeuerwaffen der (meist dreieckige) Ausschnitt des Visiers, durch den der Schütze über das Korn nach dem Zielpunkt sieht.

Kimmeri|er, ein urspr. in S-Russland ansässiges nomad. Reitervolk; stieß über den Kaukasus nach S vor und zerstörte um 700 v. Chr. das phryg. Großreich. 652 eroberten die K. die lyd. Hptst. Sardes, wurden aber um 600 von dem Lyderkönig Alyattes endgültig geschlagen und aufgerieben.

Kimon, athen. Staatsmann und Feldherr, Sohn des Miltiades, *um 510, ⚔ vor Kition (Zypern) 449 v. Chr.; seit 478/477 immer wieder Stratege, siegte 466 am Eurymedon über die Perser, wurde wegen spartafreundl. Politik 461 verbannt, 451 zurückgerufen. K. fiel 449 bei dem Versuch, den Persern Zypern zu entreißen.

Kimono

Der Kimono ist aus rechteckigen, 40 cm breiten Stoffbahnen zusammengesetzt und hat weite Ärmel, die als Taschen dienen. Er wird vorn übereinander geschlagen und mit einem breiten, oft kostbaren Gürtel (»obi«) zusammengehalten. Seine Schönheit liegt in Material und Dekor, nicht im Schnitt. Den Musterzeichnern war die Gesamtwirkung am wichtigsten.
Der Kimono entwickelte sich aus dem ursprünglich (etwa seit dem 10. Jahrhundert) als Untergewand getragenen »kosode«.
In der Kamakurazeit (1192–1333) begann man, das »kosode« im häuslichen Bereich ohne zusätzliche Kleidung zu tragen; bereits in der Muromachizeit (1338–1573) wurde es zum Hauptgewand und ersetzte die übrigen Kleidungsstücke. In der Edozeit schließlich (1603–1867) war »kosode« nur noch die Bezeichnung für den gefütterten, wattierten Seidenkimono.

Kimono [auch ki'mo:no, japan.] *der,* japan. kaftanartiges Bekleidungsstück beider Geschlechter; aus zwei geraden Stoffbahnen zusammengesetzt mit mittlerer Rückennaht, weitärmelig, vorn offen und von einem Gürtel (Obi) zusammengehalten.

Kim Young Sam

Kim Young Sam [-jɔŋ -], südkorean. Politiker, *auf der Insel Koje (bei Pusan) 20. 12. 1927; lange Zeit einer der führenden Oppositionspolitiker, arbeitete zeitweilig mit Kim Dae Jung zusammen. Nach den Unruhen von Kwangju (1980) stand K. unter Hausarrest. Als Vors. der Partei für Wiedervereinigung und Demokratie (1987–90) unterlag er bei den Präsidentschaftswahlen von Dez. 1987. Nach dem Zusammenschluss seiner Partei mit der regierenden Demokratisch-Liberalen Partei (seit 1995 Neue Korea-Partei) wurde er 1992 deren Vors. Im Dez. 1992 wählte ihn die Bev. zum Staatspräs. (im Amt 1993–98).

Kinabalu (Gunung K.), der höchste Berg Borneos, in Sabah, Ostmalaysia, 4101 m ü. M.; Teil des K. National Parks.

kinästhetische Empfindungen [zu griech. kineīn »bewegen« und aísthēsis »Empfindung«] (Kinästhesie, Bewegungsempfindungen), die Fähigkeit, Lage und Bewegungsrichtung von Körperteilen zueinander und in Bezug zur Umwelt unbewusst reflektorisch zu kontrollieren und zu steuern.

Kind, der Mensch in der ersten Alters- und Entwicklungsphase. Im Allg. unterscheidet man jedoch zw. Neugeborenem (bis 10. Lebenstag), Säugling (1. Lebensjahr), Kleinst-K. (im 2. und 3. Lebensjahr), Klein-K. (4.–6. Lebensjahr) und Schul-K. (7.–14. Lebensjahr). Bis zum 2. Lebensjahr ist eine relativ schnelle Zunahme von Körperlänge und -größe charakteristisch. Danach findet eine langsamere Längen- und Gewichtszunahme statt, die in der Pubertät noch einmal eine Beschleunigung erfährt. Das unterschiedl. Wachstum der einzelnen Körperabschnitte bewirkt dabei Proportionsverschiebungen.

Geistig-seel. Entwicklung: Bereits für den Fetus wird Erinnerungs- und Lernfähigkeit angenommen; die Psyche des Neugeborenen ist in Grundzügen strukturiert. Etwa bis zum 7. Lebensmonat besteht eine intensive Beziehung zur Hauptbezugsperson (meist die Mutter); bis zum 12. Monat beginnt der Säugling, zw. sich und der Umwelt zu unterscheiden. Das Kleinst-K. hat einen starken Bewegungsdrang. Sein Wortschatz, der mit 1½ Jahren rasch anwächst, enthält vorerst hauptsächlich Gegenstands-, dann Tätigkeits- und schließlich Eigenschaftsbezeichnungen. Zw. 2½ und drei Jahren schreitet die Entwicklung der Fantasie und des Willens schnell voran. Stürmisch geäußerte Ansprüche auf Liebe und Beachtung offenbaren die Sozialbezogenheit. Vom 4. Lebensjahr an tritt beim Klein-K. der Wunsch nach Selbstständigkeit und nach Umgang mit Gleichaltrigen hervor; sein Denken ist primär anschaulich und die vorrangige Betätigung das →Spiel. Im beginnenden Schulkindalter werden Gemeinschaftsspiele und Gruppenunternehmungen bevorzugt. Mit etwa zehn Jahren erreicht die kindl. Entwicklung einen Höhepunkt. Das K. ist leistungswillig; Abstraktionsfähigkeit und schlussfolgerndes Denken machen große Fortschritte. Das 10- bis 14-jährige K. versucht, in die Bereiche der Natur und Technik einzudringen, indem es experimentiert und sammelt. Es löst sich mehr und mehr aus der elterl. Pflege und beginnt Einsicht in die sozialen Aufgaben in der Gesellschaft zu gewinnen.

Im *Recht* sind K. die Verwandten ersten Grades (Abkömmlinge): 1) leibl. K. (ehel. und nichtehel.), 2) die als ehelich geltenden K. eines Mannes, der die Ehelichkeit nicht oder nicht wirksam angefochten hat, 3) Adoptivkinder. (→Ehelichkeit, →elterliche Sorge, →nichteheliche Kinder, →Geschäftsfähigkeit, →Strafmündigkeit)

📖 *Die Kindheit. Kleidung u. Wohnung, Arbeit u. Spiel. Eine Kulturgeschichte, hg. v.* I. WEBER-KELLERMANN. *Neuausg. Frankfurt am Main 1989.* – ARIÈS, P.: *Geschichte der Kindheit. A. d. Frz. Neuausg. München* [12]*1996.* – BRÜNDEL, H. *u.* HURRELMANN, K.: *Einführung in die Kindheitsforschung. Weinheim u. a. 1996.* – GIESECKE, H.: *Das Ende der Erziehung. Neuausg. Stuttgart 1996.* – MONTESSORI, M.: *Die Entdeckung des K. A. d. Italien. Freiburg im Breisgau* [12]*1996.*

Kindbettfieber, das →Wochenbettfieber.

Kinderarbeit in ausgewählten Ländern*) (1995, in %)

Staaten	Erwerbsquote	Staaten	Erwerbsquote
Bhutan	55,1	Pakistan	17,2
Mali	54,5	Guatemala	16,2
Burkina Faso	51,1	Thailand	16,2
Burundi	49,0	Brasilien	16,1
Uganda	45,3	Indien	14,4
Nepal	45,2	Portugal	1,8
Bangladesh	30,1	Albanien	1,1
Haiti	25,3	Italien	0,4
Türkei	24,0	Rumänien	0,2

*) Anteil der erwerbstätigen Kinder zwischen 10 und 14 Jahren an allen Kindern dieser Altersklasse.

Kinder|arbeit, i. e. S. die im Einklang mit gesetzl. Schutzbestimmungen erfolgende Erwerbstätigkeit von Kindern und Jugendlichen (→Jugendschutz), i. w. S. die darüber hinaus erfolgende, d. h. illegale Beschäftigung von Kindern. Rechtl. Bestimmungen zur K. auf internat. Ebene wurden von der Internat. Arbeitsorganisation (IAO) erarbeitet. Das IAO-Übereinkommen von 1973 bestimmt, dass das Mindestalter für eine Arbeitsaufnahme nicht unter demjenigen liegen darf, in dem die Schulpflicht endet; auf keinen Fall unter 15 Jahren (Ausnahme landwirtsch. Familienbetriebe).

Nach einer Richtlinie der EU von 1993, 1994 in nat. dt. Recht umgesetzt, ist die reine Erwerbstätigkeit Jugendlicher grundsätzlich verboten. Nach einer Studie der Univ. Münster (1993) leisten in Dtl. etwa 40% der Jugendlichen zw. 13 und 15 Jahren K., die Hälfte arbeitet länger als zulässig bzw. übt verbotene Tätigkeiten aus.

Geschichte: Im MA hatten Kinder, soweit sie als arbeitsfähig galten, Hand- und Frondienste wie ihre Eltern zu leisten. In den Manufakturen, nunmehr getrennt von ihren Familien, wurden K. in großem Umfang eingesetzt. In der Industrie nutzte man die große Fingerfertigkeit von K. (z.B. in Spinnereien) oder setzte sie bedenkenlos schwerster Arbeit aus. Mit Blick auf die Volksgesundheit und die Rekrutierbarkeit für die Armeen setzte sich im 19. Jh. das Verbot der K. durch, in Preußen 1839 erstmals zur Beseitigung ihrer gravierendsten Auswirkungen (Verbot der K. für Kinder bis zum 9. Lebensjahr, 10-Stunden-Tag für Kinder ab dem 9. Lebensjahr). Da K. für den Lebensunterhalt vieler Familien notwendig war, wurden Verbote oft umgangen. Erst 1903 wurde im Kinderschutz-Ges. der Arbeitsschutz auf alle gewerbl. Betriebe ausgedehnt.

Entwicklungsländer: Gravierend ist das Problem der K. in armen und ärmsten Ländern. Nach Schätzungen der IAO verrichten jährlich weltweit 200 Mio. heranwachsende K., davon etwa 20 Mio. als »Kindersklaven«, die von Unternehmen gezwungen werden, ohne Lohn zu arbeiten, um die Schulden ihrer Eltern zu tilgen. Einen Schwerpunkt der K. bildet die Teppichknüpferei; zur Bekämpfung illegaler K. in diesem Bereich sind Gütesiegel geschaffen worden, die das Produkt als frei von illegaler K. ausweisen sollen. In letzter Zeit wächst auch die Einsicht in die Notwendigkeit der Bekämpfung der Kinderprostitution.

📖 GROSSE-OETRINGHAUS, H.-M. *u.* NUSCHELER, F.: *Kinderhände. K. in der Dritten Welt. Baden-Baden 1988.* – TRUBE-BECKER, E.: *Mißbrauchte Kinder. Sexuelle Gewalt u. wirtschaftl. Ausbeutung. Heidelberg 1992.* – *K. Probleme, polit. Ansätze, Projekte, hg. v.* R. BRUNING *u.* B. SOMMER. *Neuausg. Unkel 1993.* – *Verkaufte Kindheit. K. für den Weltmarkt, hg. v.* H.-M. GROSSE-OETRINGHAUS *u.* P. STRACK. *Münster 1995.* – *Zum Beispiel K., Redaktion:* U. POLLMANN. *Göttingen* ^{2}*1995.*

Kinder|arzt, Arzt für →Kinderheilkunde.

Kinderbetreuungskosten, einkommensteuerrechtlich bedeutsamer Betrag, der vom Gesamtbetrag der Einkünfte abzugsfähig ist: Alleinerziehende können Aufwendungen für die Betreuung von Kindern unter 16 Jahren geltend machen, soweit diese durch Erwerbstätigkeit, Behinderung oder längere Krankheit des Alleinerziehenden veranlasst sind (die beiden zuletzt genannten Bedingungen gelten auch bei Ehepaaren, wenn sie auf einen Teil zutreffen). Unter Anrechnung einer zumutbaren Eigenbelastung können für das erste Kind pro Jahr bis zu 4000 DM, für jedes weitere bis zu 2000 DM berücksichtigt werden; ohne Nachweis pauschal 480 DM pro Kind und Jahr.

Kinderbuch, →Bilderbuch, →Kinder- und Jugendliteratur.

Kinderdörfer, Siedlungen zur ständigen Betreuung von Kindern und Jugendlichen außerhalb ihrer Herkunftsfamilien. Die Aufnahme erfolgt im Kindesalter in familienähnl. Gemeinschaften, die jeweils ein Haus bewohnen. Jugendliche werden in →Jugenddörfer aufgenommen, Ausnahmen bilden Geschwister. Nach Anfängen schon im 19. Jh. (J. H. Wicherns »Rauhes Haus« in Hamburg, 1833) nahm die Kinderdorfbewegung nach dem 2. Weltkrieg einen großen Aufschwung. Bedeutendste Organisation ist das von H. Gmeiner initiierte Sozialwerk **SOS-Kinderdorf e. V.,** das seine familiennahe Erziehung auf Kinderdorfmütter stützt. In Dtl. bestehen 14 K. und 70 ergänzende Einrichtungen, bes. Jugendhäuser, -wohngemeinschaften und -wohngruppen sowie zwei Berufsausbildungszentren; Beratungsstellen, Behinderteneinrichtungen, Mütterzentren. Im Dachverband **SOS-Kinderdorf International** sind 124 nat. Vereinigungen zusammengeschlossen. Insgesamt gibt es heute 326 SOS-Kinderdörfer.

Kinderdörfer: Logo des Sozialwerks SOS-Kinderdorf

Kinder|erziehungszeiten, →Rentenversicherung.

Kinderfreibetrag, →Kinderlastenausgleich.

Kindergarten, halb- oder ganztägige (auch Kindertagesstätte gen.) Einrichtung zur Betreuung und pädagog. Förderung der Drei- bis Sechsjährigen; z. T. rein privat organisiert (Kinderladen). Zu den Hauptaufgaben des K. gehört es, die Selbstständigkeit und das Selbstbewusstsein, den Gemeinschaftssinn und die Umweltbegegnung sowie die allgemeine geistige, bes. sprachl. Entwicklung der Kinder zu fördern; schulähnl. Leistungsdenken soll fern gehalten werden. – **Sonderschul-K.** betreuen behinderte Kinder und **Schul-K.** Kinder im Schulalter, die noch nicht schulreif sind. – Die Idee der außerhäusl. Kleinkindbetreuung geht bes. auf J. A. Comenius und E. Weigel zurück. Der Begriff »K.« stammt von F. Fröbel, der in Blankenburg (Thür.) den ersten K. gründete.

Kindergeld, quantitativ die wichtigste Maßnahme des →Kinderlastenausgleichs; wird vom Bund getragen. K. wird unabhängig davon, ob das Kind (auch Stief- und Adoptivkinder sowie ggf. Pflegekinder und Enkel) eine Ausbildung absolviert oder eigene Einkünfte hat, bis zum 18. Lebensjahr gezahlt. Bei Kindern zw. 18 und 27 Jahren, die in einer Ausbildung sind, entfällt das K., wenn die Einkünfte des Kindes 12000 DM jährlich übersteigen. Das K. beträgt für das 1. und das 2. Kind monatlich 220 DM, für das 3. Kind 300 DM und für jedes weitere 350 DM (Bundeskindergeld-Ges. i.d.F. vom 11. 10. 1995). Seit 1996 wird das K. grundsätzlich als Steuervergütung und unabhängig vom Einkommen der Eltern gewährt. K. wird bei der Familienkasse des Arbeitsamts beantragt und von dieser oder vom Arbeitgeber ausgezahlt. K. wurde in West-Dtl. zuerst als Arbeitgeberleistung (seit 1954 für das 3. Kind), dann als staatl. Unterstützung (ab 1964 für das 2. Kind) gezahlt; in Ost-Dtl. wurde es 1958 eingeführt. – In Österreich entspricht dem K. die **Familienbeihilfe.** In der Schweiz gibt es keine vergleichbare Leistung.

Kinderhandel, aufgrund des internat. Abkommens zur Unterdrückung des Frauen- und K. vom 30. 9. 1921 unter Strafe gestellte Tat. In Dtl. wird K. durch die Tatbestände Menschenraub (§ 234 StGB), Kindesentziehung (§ 235 StGB) oder Menschenhandel (§§ 181, 181b StGB) erfasst und bestraft; → Menschenhandel.

Kinderheilkunde (Pädiatrie), Fachgebiet der Medizin, das durch Ärzte für K. **(Pädiater)** vertreten wird. Die K. beschäftigt sich mit der Erkennung und Behandlung, auch Vorbeugung der körperl. und seel. Erkrankungen im Kindes- und Jugendalter. Spezialgebiete sind z.B. Kinderchirurgie, Kinderkardiologie und Kinder- und Jugendpsychiatrie. Wiss. Vereinigung ist die Dt. Ges. für K., gegr. 1883 in Freiburg im Breisgau.

Kinderhort, → Kindertagesstätte.

Kinderkanal, von ARD und ZDF getragener Spartenkanal, gegr. 1997; Sitz: Erfurt.

Kinderkrankheiten, die vorwiegend oder ausschl. im Kindesalter auftretenden Erkrankungen. K. i.e.S. sind bestimmte Infektionskrankheiten wie Masern, Röteln, Scharlach, Windpocken, aber auch Mumps, Keuchhusten und Diphtherie. Diese K. sind äußerst ansteckend, sodass meist schon der erste Kontakt zur Erkrankung führt; sie hinterlassen aber meist eine lebenslange Immunität. Die nichtinfektiösen K. sind auf den hohen Stoffumsatz des wachsenden kindl. Organismus und seinen hohen Wasser- und Mineralstoffbedarf zurückzuführen. Ernährungsstörungen (Erbrechen, Durchfälle, Dyspepsien) führen daher bes. beim Säugling und Kleinkind relativ rasch zu ernstl. Störungen. Allg. besteht bei Kindern eine erhöhte Empfänglichkeit für katarrhal. Entzündungen der Atemwege, Hautreizungen und eine erhöhte Krampfbereitschaft.

📖 Stoppard, M.: *Das große Buch der K. A.d. Engl. Ravensburg* [13]*1995.*

Kinderkriminalität, die Gesamtheit der von Kindern begangenen, mit Strafe bedrohten Handlungen. In Dtl. sind Personen unter 14 Jahren strafunmündig, d.h., sie werden nicht strafrechtlich zur Verantwortung gezogen (ebenso in Österreich; anders in der Schweiz, wo eine beschränkte strafrechtl. Verantwortung ab dem 7. Lebensjahr beginnt). Der Anteil der K. (v.a. Diebstähle, Sachbeschädigung, Brandstiftung) an der Gesamtkriminalität wird mit etwa 6 % angenommen; allerdings ist bei der K. die Dunkelziffer bes. hoch.

📖 Pongratz, L. *u.* Jürgensen, P.: *Kinderdelinquenz u. kriminelle Karrieren. Pfaffenweiler 1990.* – Glogauer, W.: *Kriminalisierung von Kindern u. Jugendlichen durch Medien. Baden-Baden* [4]*1994.*

Kinderkrippe, → Kindertagesstätte.

Kinderlähmung (spinale K., Poliomyelitis anterior acuta, kurz Polio, Heine-Medin-Krankheit), meldepflichtige, durch Tröpfchen- oder Kotinfektion übertragene akute Infektionskrankheit der grauen Rückenmarksubstanz, seltener des Gehirns mit (irreparablen) Lähmungen; befällt bes. Kinder. Die Inkubationszeit beträgt 7–14 Tage. Akute Erkrankungen und latente Infektionen hinterlassen lebenslängl. Immunität. Die K. beginnt uncharakteristisch (grippeartig) mit Fieber, Kopfschmerzen, Entzündung der Nasen-Rachen-Schleimhaut, trockenem Husten, häufig auch mit Gliederschmerzen oder mit Erbrechen und Durchfall. Nur in etwa 10–20 % der Erkrankungsfälle kündigt sich die Beteiligung des Zentralnervensystems durch neurolog. Zeichen wie starke Kopfschmerzen, Nackensteifigkeit, Überempfindlichkeit der Haut, Muskelschmerzen und Muskelschwäche sowie durch Reflexübererregbarkeit und seitenungleiche Sehnenreflexe an. – Nach einem meist kurzen fieberfreien Intervall setzt plötzlich die paralyt. Phase (Lähmungsphase) mit schlaffen Lähmungen, bes. der Beine, ein. In der Reparationsphase bilden sich die Lähmungen allmählich mehr oder weniger zurück. Der endgültige Zustand (Wachstumshemmungen, Kontrakturen, Gelenkfehlstellungen) ist oft erst nach 1 bis 2 Jahren abzusehen. Eine spezif. Behandlung ist nicht bekannt; wichtig ist die wirkungsvolle Vorbeugung durch Schluckimpfung (→ Impfkalender).

Kinderlastenausgleich, Maßnahmen, die auf eine Entlastung der Eltern von einem Teil ihrer Kinderkosten abzielen. Es wird zw. dem K. i.e.S. (Maßnahmen die auf das i.d.R. einkommenlose Kind als Individuum gerichtet sind) und dem K. i.w.S. oder **Familienlastenausgleich** (auf die Familie bezogene Maßnahmen) unterschieden. Zum K. gehören u.a.: a) direkte Einkommensübertragungen der öffentl. Hand (z.B. Kindergeld, Zuschläge, Zulagen); b) steuerl. Erleichterungen durch Freibeträge (z.B. Kinder- und Ausbildungsfreibetrag), Abzüge von der Steuerschuld; c) verbilligte oder unentgeltl. öffentl. Sachleistungen (Beförderung in öffentl. Verkehrsmitteln, Kindergärten); d) Regelungen im Beitrags- und Leistungsrecht der gesetzl. Kranken-, Renten- und Unfallversicherung (z.B. Mutterschaftshilfe, Waisenrente). Seit 1996 werden das Kindergeld und der einkommensteuerl. Kinderfreibetrag nicht mehr nebeneinander, sondern alternativ gewährt und bei der Steuerveranlagung im Nachhinein die günstigere Alternative berücksichtigt.

Kinderlieder (Kinderreime), textlich und musikalisch meist einfache Lieder, die Kindern vorgesungen werden oder die zum Aufsagen oder Singen für Kinder bestimmt sind, z.B. Wiegenlieder, Spottlieder, Lieder zu Ball- und Reigenspielen, Abzählreime.

Kinderraub, veraltet für →Kindesentziehung.

Kindertagesstätte, Sammel-Bez. für Einrichtungen des pädagog. Elementarbereichs mit familienergänzender oder -unterstützender Zielsetzung, in denen Kinder versch. Altersstufen regelmäßig, z.T. ganztägig betreut werden. Die K. umfassen Kindergärten, **Kinderkrippen** (für Säuglinge), Krabbelstuben (für Kleinkinder im Alter von 1–3 Jahren) und Einrichtungen für schulpflichtige Kinder **(Kinderhorte).** Kinderkrippen und Krabbelstuben sind meist zusammengefasst. In Dtl. besuchten 1994 9,9% der Kinder unter drei Jahren und 71,9% der drei- bis achtjährigen Kinder eine entsprechende Einrichtung.

Kinder- und Jugendhilfe, die staatl. und sonstigen Maßnahmen zur sozialen Förderung von Kindern, Jugendlichen und jungen Erwachsenen, die von Jugendämtern und Landesjugendämtern sowie Verbänden und nichtstaatl. Organisationen (Träger der freien Jugendhilfe) erbracht werden. Die K.-u.J. ist im Kinder- und Jugendhilfe-Ges. vom 26.6.1990 geregelt, das als achtes Buch in das Sozialgesetzbuch (SGB VIII) eingefügt wurde. Die Leistungen der K.-u.J. werden unterschieden in a) allg. angebotene Hilfen und Einrichtungen, z.B. Jugendarbeit, Jugendsozialarbeit, erzieher. Kinder- und Jugendschutz, Förderung der Erziehung in der Familie, bes. von allein erziehenden Elternteilen, individuelle →Erziehungshilfe, Hilfe bei Trennung und der Entscheidung über das Sorgerecht und b) Hilfen für Einzelne (i.d.R. den Personensorgeberechtigten), z.B. Erziehungsberatung, Hilfe durch Erziehungsbeistände und Beratungshelfer, Erziehung im Heim oder in einer fremden Familie. Andere Aufgaben der K.-u.J. sind die Inobhutnahme von Kindern und Jugendlichen in Notfällen, die Mitwirkung in Verfahren vor dem Vormundschafts- und Familiengericht sowie vor dem Jugendgericht, Beratung und Unterstützung von Pflegern und Vormündern. – In *Österreich* sind die Grundsätze über Mutterschafts-, Säuglings- und Jugendfürsorge im Jugendwohlfahrts-Ges. vom 15.3.1989 geregelt. In der *Schweiz* ist die Jugendfürsorge überwiegend Aufgabe der Kantone, die die Ausführung den Gemeinden übertragen.

📖 GERNERT, W.: *Jugendhilfe. Einführung in die sozialpädagog. Praxis. München u.a. ⁴1993.* – MÜNDER, J.: *Einführung in das Kinder- u. Jugendhilferecht. Münster 1996.*

Kinder- und Jugendliteratur, Sammelbez. für bildlich-literar. Werke, die von Kindern und Jugendlichen bevorzugt (gelesen) werden. Ältere Darstellungen beschränken den Begriff K.-u.J. auf die Bücher, die eigens für Kinder und Jugendliche geschrieben wurden.

Entwicklung: Schon in der grch. und röm. Antike gab es didakt. Bearbeitungen von Homers »Ilias«. Während des gesamten MA. dienten Äsops Fabeln als K.-u.J., speziell als Schullektüre. Seit dem 18.Jh., beginnend mit J.H. Campes Umarbeitung von D. Defoes »Robinson Crusoe« (1719), wurden v.a. erzählende Werke der Weltliteratur in speziellen Jugendausgaben verlegt, z.B. J.F. Coopers »Lederstrumpf«-Erzählungen, J. Swifts »Gullivers Reisen«, Cervantes' »Don Quijote«, Grimmelshausens »Simplicius Simplicissimus« und H. Melvilles »Moby Dick«. Viele Strömungen der K.-u.J. entstanden im 19.Jh.: W. Scott schuf mit »Ivanhoe« (1819) die bis heute beliebte Form der erzählten Geschichte; A. von Chamisso, E.T.A. Hoffmann und später H.C. Andersen führten die fantast. Erzählungen ein. Kindergedichte schrieben v.a. H. Hoffmann (»Struwwelpeter«) und A.H. Hoffmann von Fallersleben. Ebenfalls zu Beginn des 19.Jh. wurde durch die Romantiker die Volksliteratur für die K.-u.J. erschlossen; Kinderreime, Volkslieder, Märchen, Legenden, Volksbücher, Sagen, Schelmengeschichten (»Till Eulenspiegel«) wurden neu erzählt und illustriert. Später pflegten K. May u.a. den Wert der Exotik und Spannung. Zu Beginn des 20.Jh. wurde die Umwelterzählung entwickelt; kindl. Helden, die ihre Probleme selbst in die Hand nehmen, wurden in der deutschsprachigen K.-u.J. zum ersten Mal von F. Molnár (»Die Jungen der Paulstraße«, 1907) und E. Kästner (»Emil und die Detektive«, 1929) vorgestellt. Nach dem 2. Weltkrieg fanden die fantastisch-abenteuerlichen utop. Erzählung, das jugendl. populärwiss. Sachbuch und die Comics weite Verbreitung. Zunehmende Bedeutung gewinnt das realistisch-zeitgemäße Problembuch mit bisher gemiedenen Themen wie Sexualität, Umweltschutz, Drogenprobleme, Jugendstrafvollzug, körperlich und geistig Behinderte, Rocker, Wohngemeinschaft, Jugendarbeitslosigkeit, Arbeitswelt und Probleme der Dritten Welt.

Förderung: Versch. private und staatl. Institutionen und Organisationen fördern anspruchsvolle K.-u.J. auf nat. und internat. Ebene. In Dtl. sind das u.a. die Internat. Jugendbibliothek in München, der Arbeitskreis »Das gute Jugendbuch« e.V. im Börsenverein des Dt. Buchhandels und der Arbeitskreis für Jugendliteratur in München, der jährlich den vom Bundesministerium für Frauen und Jugend gestifteten Dt. Jugendliteraturpreis vergibt. Dieser Arbeitskreis ist Mitgl. des Internat. Kuratoriums für das Jugendbuch (International Board on Books for Young People, IBBY) in Zürich; er verleiht alle zwei Jahre (seit 1956) die Hans-Christian-Andersen-Medaille, den wichtigsten internat. Jugendbuchpreis, seit 1966 auch an Illustratoren. Auf seine Anregung hin wird seit 1966 jährlich am 2.4. (Geburtstag H. C. Andersens) der Internat. Kinderbuchtag begangen.

📖 PAPE, W.: *Das literar. Kinderbuch. Berlin u. a. 1981. – Lexikon der K.- u. J., hg. v.* K. DODERER, *4 Bde. Sonderausg. Weinheim u. a. 1984. – Handbuch zur K.- u. J., hg. v.* T. BRÜGGEMANN *u. a., auf mehrere Bde. ber. Stuttgart 1987ff. –* MAIER, KARL E.: *Jugendliteratur. Bad Heilbrunn 1993. –* KAMINSKI, W.: *Einf. in die K.- u. J. Weinheim u. a. ³1994.*

Kinder- und Jugendplan des Bundes, Maßnahmen der Bundesreg. zur Förderung der Jugendarbeit, verkündet am 18. 12. 1950; frühere Bez.: Bundesjugendplan. Er stellt die finanzielle Grundlage für mehrere Hundert Verbände und Einrichtungen auf Bundesebene und deren Projekte dar.

Kinder- und Jugendpsychiatrie (Pädopsychiatrie), eigenständiges Fachgebiet der Psychiatrie, das sich mit psych., psychosomat. und neurolog. Krankheiten von Kindern und Jugendlichen beschäftigt.

Kinder- und Jugendpsychologie, Teilbereiche der Entwicklungspsychologie, die sich mit der Eigenart und Entwicklung des kindl. Erlebens und Verhaltens und der geistigen Fähigkeiten (Sprache, Denken, Gedächtnis) des Kindes, dem Einfluss von Erziehung, Milieu und Umwelt sowie den entwicklungs- und persönlichkeits-, sexual- und sozialpsycholog. Aspekten der Pubertät und Adoleszenz beschäftigen (biolog. Veränderungen, Krisenerscheinungen, soziale Reifung, Einfluss von Vorbildern).

📖 →Jugend.

Kindes|annahme, die →Annahme als Kind.

Kindes|entziehung (früher Kinderraub), Straftat, die begeht, wer einen Minderjährigen unter 18 Jahren durch List, Drohung oder Gewalt seinen Eltern oder seinem Vormund entzieht; bestraft mit Freiheitsstrafe bis zu fünf Jahren oder mit Geldstrafe, in bes. schweren Fällen mit Freiheitsstrafe bis zu zehn Jahren (§235 StGB). Wer eine K. zum Zweck der Erpressung von Lösegeld (Kidnapping) begeht, wird nach §239a wegen erpresser. →Menschenraubes bestraft. – In *Österreich* und der *Schweiz* wird die K. als Entführung bestraft.

Kindesmisshandlung (eigtl. Misshandlung von Schutzbefohlenen), schwere Form der →Körperverletzung nach §223b StGB (Freiheitsstrafen von drei Monaten bis zu fünf Jahren). Geschützt sind u.a. Personen unter 18 Jahren, die von Fürsorge- oder Obhutspflichtigen gequält, roh misshandelt oder böswillig vernachlässigt werden. Zur K. i.w.S. zählen auch die **Kindesvernachlässigung** – Gefährdung des körperl. und sittl. Wohls eines Kindes (unter 16 Jahren) durch gröbl. Vernachlässigung der Fürsorgepflichten (§170d StGB) – und der **sexuelle Missbrauch von Schutzbefohlenen und von Kindern** (§§174, 176 StGB). – Ähnl. Strafvorschriften zum Schutz von Kindern haben *Österreich* (§§92ff., 197, 199, 206ff., 212 StGB) und die *Schweiz* (Art. 123ff., 191ff. StGB). – Nur ein kleiner Teil der K. wird bekannt; man schätzt über 300000 Fälle pro Jahr in Dtl.; zahlr. Kinder kommen dabei zu Tode.

📖 BAIN, Q. *u.* SANDERS, M.: *Wege aus dem Labyrinth. Fragen von Jugendlichen zu sexuellem Mißbrauch. Aus dem Engl. Ruhnmark ²1993. –* COVITZ, J.: *Der Familienfluch. Seel. Kindesmißhandlung. A. d. Engl. Olten u. a. ²1993. –* BRAECKER, S. *u.* WIRTZ-WEINRICH, W.: *Sexueller Mißbrauch an Mädchen u. Jungen. Handbuch für Interventions- u. Präventionsmöglichkeiten. Weinheim u. a. ⁴1994. – Zart war ich, bitter war's. Handbuch gegen sexuelle Gewalt an Mädchen u. Jungen, hg. v.* U. ENDERS. *Köln 1995. –* LENZ, H.-J.: *Spirale der Gewalt. Jungen u. Männer als Opfer von Gewalt. Berlin 1996.*

Kindestötung, spezieller Straftatbestand, der die vorsätzl. Tötung eines nichtehel. Kindes durch die Mutter bei oder gleich nach der Geburt erfasst; wird nach §217 StGB mit Freiheitsstrafe nicht unter drei Jahren, bei mildernden Umständen mit Freiheitsstrafe von sechs Monaten bis zu fünf Jahren bestraft. – Das *österr.* (§79 StGB) und das *schweizer.* Strafrecht (Art. 116 StGB) behandeln dagegen die Tötung eines ehel. oder nichtehel. Kindes bei der Geburt gleich.

Kindes|unterschiebung, →Personenstandsfälschung.

Kịndi, al-, Jakub ibn Ishak, arab. Philosoph, *Basra um 800, †Bagdad nach 870; suchte als erster arab. Philosoph die aristotelisch-neuplaton. Philosophie mit dem Islam zu verbinden.

Kindsbewegungen, fühlbare, z.T. sichtbare Bewegungen des Kindes im Mutterleib; werden von der Schwangeren erstmals zw. der 18. und 20. Schwangerschaftswoche wahrgenommen.

Kindschaftssachen, Rechtsstreitigkeiten bezüglich 1) Feststellung, ob zw. den Parteien ein Eltern-Kind-Verhältnis besteht, 2) Ehelichkeitsanfechtung, 3) Anfechtung eines Vaterschaftsanerkenntnisses, 4) Feststellung, dass der einen Partei über die andere die elterl. Sorge zu- oder nicht zusteht (§§ 640–641 k ZPO). Zu den K. gehören nicht Streitigkeiten über die Unterhaltspflicht.

Kindspech (Mekonium), geruchlose, klebrige, schwarzgrüne Stuhlentleerung des Neugeborenen während der ersten beiden Lebenstage, die noch keine Nahrungsreste enthält.

Kinefilm, der in der →Kinematographie und bes. in der Kleinbildfotografie verwendete 35 mm breite, beidseitig perforierte →Film.

Kinemathek [grch.] *die* (Cinemathek, Filmothek, Filmmuseum), Sammlung von Filmen (→Filmarchiv).

Kinematik [grch.] *die* (Bewegungslehre), die Untersuchung und Beschreibung von Bewegungen (Bahnkurve, Geschwindigkeit, Beschleunigung) der Körper ohne Berücksichtigung der sie verursachenden Kräfte. – In der Technik ist die K. ein wichtiger Teil der Getriebelehre.

Kinematographie [grch.] *die,* Gesamtheit der Verfahren zur (fotograf.) Aufnahme und Wiedergabe von Bewegungsabläufen; innerhalb der Filmtechnik Sammelbegriff für die physiolog., opt. und gerätetechn. Grundlagen der Aufnahme und Wiedergabe von (Ton-)Filmen.

Kinetik [grch., zu kineīn »bewegen«] *die,*
1) *Chemie:* →Reaktionskinetik.

2) *Physik:* Teilgebiet der Mechanik; Lehre von den Bewegungen der Körper unter dem Einfluss innerer oder äußerer Kräfte.

kinetische Energie, die Bewegungsenergie (→Energie).

kinetische Gastheorie, Teilgebiet der statist. Mechanik, das die Gesetzmäßigkeiten und makroskop. Eigenschaften eines Gases, wie Druck, Volumen, Wärmeleitung, innere Reibung und Diffusion, aus der Bewegung seiner Moleküle ableitet. In der Modellvorstellung der k. G. betrachtet man die Atome und Moleküle eines Gases als Massenpunkte, die sich in ständiger regelloser, nur statistisch erfassbarer Bewegung befinden sowie untereinander und auf die Gefäßwand nur elast. Stöße ausüben. Auf dieser Grundlage folgt u.a. der Zusammenhang zw. absoluter Temperatur T und der mittleren kinetischen Energie der Moleküle: $W_{kin} = k \cdot T \cdot 3/2$ (k = Boltzmann-Konstante). – Die k. G. wurde 1738 von D. Bernoulli begründet und 1856–68 von A. Krönig, R. Clausius, C. Maxwell und L. Boltzmann weiter ausgebaut.

kinetische Kunst, Richtung der zeitgenöss. Kunst, die die Bewegung an sich zum Gestaltungsprinzip erhebt; durch bewegte Objekte (mittels Magnetismus, Elektroenergie u.Ä.) wird ein optisch variiertes Erscheinungsbild erzeugt; werden Lichtspiele und -spiegelungen einbezogen, entsteht **kinet. Lichtkunst.** Anregungen lieferte der »Dynamismus« der Futuristen sowie v.a. der →Konstruktivismus (A. Rodtschenko, N. Gabo, L. Moholy-Nagy). Zahlr. Vertreter, u.a. A. Calder, L. Nussberg, G. Rickey, N. Schöffer, W. Takis, J. Tinguely; dt. Vertreter sind u.a. H. Mack, G. Uecker, H. Goepfert (*1926, †1982), H. Kramer, A. Luther.

kinetische Kunst: Hermann Goepfert, Lichtkinetisches Reflektorbild, Aluminium auf Leinwand (undatiert; Privatbesitz)

Kinetose [grch.] *die* (Bewegungskrankheit), bei Mensch und Tier auftretende Störungen in den Funktionen des vegetativen Nervensystems, verbunden mit Schweißausbruch, Schwindelgefühl, Übelkeit, Erbrechen, hervorgerufen durch andauernde Bewegungen, z.B. Schlingern eines Schiffes. Die K. beruht auf Übererregung von Teilen des Gleichgewichtsorgans und der vegetativen Zentren im Stammhirn. Sie tritt v.a. als Reisekrankheit (Auto-, Eisenbahn-, Luft-, Seekrankheit) auf. Vorbeugend wirken beruhigende und brechreizhemmende Arzneimittel.

King [kɪŋ], **1)** James, amerikan. Sänger (Heldentenor), *Dodge City (Kans.) 22. 5. 1928; trat an den führenden Opernbühnen der Welt sowie bei Festspielen (Salzburg, Bayreuth) auf.

2) Martin Luther, amerikan. Theologe, Baptistenpfarrer und Bürgerrechtler, *Atlanta (Ga.) 15. 1. 1929, †(ermordet) Memphis (Tenn.) 4. 4. 1968; seit Mitte der 1950er-Jahre in der Bürgerrechtsbewegung der USA aktiv, war ab 1957 Vors. der Bewegung für den gewaltlosen Widerstand gegen Diskriminierung und Rassenhetze »Southern Christian Leadership Conference« (SCLC). Anlasslich eines Demonstrationszuges nach Washington forderte er am 28. 8. 1963 unter dem Leitwort »I have a dream« eine freie und zugleich auf Gleichheit beruhende Gesellschaft. K. war mehrfach inhaftiert. 1964 erhielt er den Friedensnobelpreis. Nach mehreren erfolglosen Mordanschlägen fiel er einem Attentat zum Opfer.

📖 ZITELMANN, A.: *»Keiner dreht mich um«. Die Lebensgeschichte des M. L. K. Weinheim ⁹1996.*

Martin Luther King (Bildmitte) bei einem Protestmarsch in Montgomery (Alabama) 1965

3) Philipp, brit. Bildhauer, *Tunis 1. 5. 1934; war einer der ersten Bildhauer, die mit Kunststoff und Fiberglas arbeiteten. In mehrteiligen geometr. Konstruktionen betont er die Beziehungen von Farbe, Raum und Licht.

4) Stephen, amerikan. Schriftsteller, *Portland (Me.) 21. 9. 1947; schildert in seinen fantast. Horrorgeschichten, mit denen er große Popularität erlangte, bizarre Einbrüche des Übernatürlichen in ein psychologisch genau ausgeleuchtetes Milieu; u. a. »Carrie« (R., 1974), »Friedhof der Kuscheltiere« (R., 1983), »Es« (R., 1986), »Sie« (R., 1987).

5) William Lyon Mackenzie, kanad. Politiker, *Berlin (heute zu Kitchener, Ontario) 17. 12. 1874, †Kingsmere (bei Ottawa) 22. 7. 1950; 1919–48 Führer der Liberalen Partei, war 1921–26, 1926–30 und 1935–48 Premiermin. Er erreichte die Unabhängigkeit Kanadas von Großbritannien.

Martin Luther King

»I have a dream«

Am 28. August 1963, anlässlich des historischen »Marschs auf Washington«, hielt der schwarze amerikanische Bürgerrechtler Martin Luther King eine Rede, in der er mehrmals seine Visionen von einer gerechteren Gesellschaft mit den Worten »I have a dream« (Ich habe einen Traum) einleitete. So sagte er z. B.: »Ich habe einen Traum, dass eines Tages auf den roten Hügeln von Georgia die Söhne früherer Sklaven und die Söhne früherer Sklavenhalter miteinander am Tisch der Brüderlichkeit sitzen können« und »Ich habe einen Traum, dass meine vier kleinen Kinder eines Tages in einer Nation leben werden, in der man sie nicht nach ihrer Hautfarbe, sondern nach ihrem Charakter beurteilen wird.«

Kingisepp, 1952–88 Name der estnischen Stadt →Kuressaare.

Kingsley ['kɪŋzlɪ], **1)** Ben, eigtl. Krishna Bhanji, brit. Schauspieler indischer Abstammung, *Snainton (Cty. North Yorkshire) 31. 12. 1943; war 1970–80 Mitgl. der Royal Shakespeare Company; vielseitiger Charakterdarsteller, u. a. Titelrolle in R. Attenboroughs Film »Gandhi« (1982), außerdem »Schindlers Liste« (1993), »Der Tod und das Mädchen« (1995), »Species« (1995).

2) Charles, engl. Schriftsteller, *Holne (Cty. Devon) 12. 6. 1819, †Eversley (Cty. Hampshire) 23. 1. 1875; führendes Mitgl. der christlich-sozialen Bewegung, schrieb u. a. den kultur- und religionsgeschichtl. Roman »Hypatia« (1853).

Kingston ['kɪŋstən], **1)** Hptst. und Haupthafen von Jamaika, 105 000 Ew.; Erzbischofssitz; Univ.; botan. und zoolog. Garten; Stahlwerk, Erdölraffinerie, Herstellung von Pharmazeutika, Elektrogeräten u. a.; internat. Flughafen. – K. wurde 1692 gegründet; nach Erdbeben von 1907 wieder aufgebaut.

2) Hafenstadt in der Prov. Ontario, Kanada, am Ontariosee; 55 000 Ew.; Erzbischofssitz; Univ., Militärakademie; Lokomotivenbau u. a. Industrie.

Kingston upon Hull ['kɪŋstən ə'pɔn 'hʌl] (Hull), Hafenstadt in O-England, an der Mündung des Hull in den Humber, 247 000 Ew.; Univ.; Schifffahrtsmuseum; Handelshafen mit Fährverkehr nach Rotterdam und Zeebrugge; bed. Fischereihafen; Fischverarbeitung, Mühlen, Ölpressen, Fahrzeugbau, Farben-, Metall-, Druckind.; bei K. u. H. die 2 200 m lange Hängebrücke über den Humber. – Kirche Holy Trinity (14./15. Jh.).

Kingston upon Thames ['kɪŋstən ə'pɔn 'temz], London Borough (seit 1963) im SW von Greater London, 138 900 Ew.; war die Krönungsstadt der angelsächs. Könige.

Kingtehchen, chines. Stadt, →Jingdezhen.

Kinine, 1) *Botanik:* Gruppe von Phytohormonen, die die Zellteilung fördern und eine Stimulierung des pflanzl. Stoffwechsels bewirken.

2) *Physiologie:* zu den Gewebshormonen zählende Substanzen, die stark gefäßerweiternd wirken, die Permeabilität der Kapillaren steigern sowie eine Kontraktion der glatten Muskulatur verursachen. K. werden aus Vorstufen, den Kininogenen, durch die Protease →Kallikrein freigesetzt; hierbei entsteht zuerst das aus 10 Aminosäuren bestehende **Kallidin,** das zu →Bradykinin weiter abgebaut werden kann.

Kinkel, 1) Gottfried, Schriftsteller, *Oberkassel (heute zu Bonn) 11. 8. 1815, †Zürich 13. 11. 1882; ab 1846 Prof. für Kunst- und Kulturgesch. in Bonn, wegen Beteiligung am pfälzisch-bad. Aufstand 1849 zu lebenslängl. Festungsstrafe verurteilt, 1850 von C. Schurz befreit, floh nach England, wurde

1866 Prof. in Zürich; Verserzählung (»Otto der Schütz«, 1846), »Selbstbiographie 1838–48« (hg. 1931).

2) Klaus, Politiker, *Metzingen 17. 12. 1936; Jurist, 1979–82 Präs. des BND, 1982–90 Staatssekr. im Justizministerium, 1991–92 Bundesmin. der Justiz, seit 1991 Mitgl. der FDP, 1993–95 deren Vors., wurde 1992 Außenmin. und 1993 Vizekanzler.

Gottfried Kinkel

Klaus Kinkel

Kinn (Mentum), mittlerer, mehr oder weniger stark hervortretender Abschnitt des Unterkiefers beim Menschen; fehlt bei Affen und fossilen früheren Menschenformen.

Kinnock, Neil, brit. Politiker, *Tredegar (Wales) 28. 3. 1942; setzte als Führer der Labour Party (1983–92) ein gemäßigtes gesellschaftspolit. Reformprogramm durch. 1995 wurde K. EU-Kommissar.

Kino [Kw. für **Kin**emat**o**graph], 1) Gebäude oder Raum zur Vorführung von Filmen, Lichtspieltheater; 2) die Filmvorführung selbst; 3) Film als Medium.

Kinorhyncha [grch.] (Hakenrüssler), artenarme Gruppe der Schlauchwürmer; höchstens 1 mm lange, getrenntgeschlechtige Meereswürmer mit in 13 Segmente **(Zonite)** gegliedertem Körperpanzer und einem ausstülpbaren Kopfteil mit mehreren Stachelgürteln.

Kinsey ['kɪnzɪ], Alfred Charles, amerikan. Zoologe und Sexualforscher, *Hoboken (N. J.) 23. 6. 1894, †Bloomington (Ind.) 25. 8. 1956. Unter seiner Leitung entstand der **K.-Report,** eine durch Befragung von rd. 20 000 Amerikanern ermittelte und statistisch ausgewertete Datensamml. über das geschlechtl. Verhalten des Menschen.

Rudyard Kipling:
(Bleistiftzeichnung, 1900)

Kinshasa [kɪn'ʃa:za] (bis 1966 Léopoldville), Hptst. der Demokrat. Rep. Kongo, am linken Ufer des unteren Kongo, am Ende des Stanleypool, 4,66 Mio. Ew.; Verw.-, Wirtschafts- und Kulturzentrum des Landes, kath. Erzbischofssitz, Univ., Goethe-Inst., Kunstakademie, Nationalmuseum, botan. Garten; Nahrungsmittel-, Textil-, Metallind., internat. Flughafen; Hauptumschlagplatz zw. Kongoschifffahrt und Bahn zum Hafen Matadi (mit Erdölraffinerie). – 1881 gegr., war ab 1923 Hptst. von Belgisch-Kongo.

Kinski, 1) Klaus, eigtl. Nikolaus Nakszynski, Bühnen- und Filmschauspieler poln. Herkunft, *Zoppot (heute Sopot) 18. 10. 1926, †Lagunitas (Calif.) 23. 11. 1991, Vater von 2); auch Rezitator; spielte in Edgar-Wallace-Filmen, Italowestern und Filmen von W. Herzog (»Aguirre, der Zorn Gottes«, 1973; »Nosferatu – Phantom der Nacht«, 1979; »Fitzcarraldo«, 1982; »Cobra Verde«, 1987; »Paganini«, 1988).

2) Nastassja, Filmschauspielerin, *Berlin (West) 24. 1. 1961, Tochter von 1); spielte u. a. in »Tess« (1979), »Katzenmenschen« (1981), »Frühlingssinfonie« (1982), »Paris, Texas« (1984), »Maria's Lovers« (1984), »Nachtsonne« (1989).

Klaus Kinski

Nastassja Kinski

Kintatal (engl. Kinta Valley), Kegelkarstlandschaft in W-Malaysia, im Staat Perak, eine der reichsten Zinnerzlagerstätten der Erde.

Kinyaruanda, Bantusprache, gesprochen in Ruanda und in angrenzenden Gebieten der Demokrat. Rep. Kongo und Ugandas; weicht vom **Rundi,** der Amtssprache von Burundi, nur mundartlich ab.

Kinzig *die,* **1)** rechter Nebenfluss des Mains, in Hessen, 82 km lang, entspringt bei Schlüchtern, durchfließt die Wetterau, mündet bei Hanau.

2) rechter Nebenfluss des Rheins, in Bad.-Württ., 95 km lang, entspringt bei Freudenstadt, durchquert den Schwarzwald, mündet unterhalb von Kehl.

Kiosk [auch -'ɔsk, türk.] *der,* **1)** *allg.:* Verkaufshäuschen u. a. für Zeitungen, Zeitschriften, Erfrischungen.

2) in der islam. *Baukunst* ein Pavillon.

Kioto, Stadt und Verw.gebiet in Japan, →Kyōto.

Kiowa ['kaɪɔwa:], Stamm der →Prärie- und Plains-Indianer in den südl. Great Plains, USA. Seit 1868 leben die K. (heute etwa 6 000) und die K.-Apachen zus. mit den Comanchen in einem Gebiet in SW-Oklahoma.

Kipling, Rudyard, engl. Schriftsteller, *Bombay 30. 12. 1865, †London 18. 1. 1936; lebte bis 1872 sowie ab 1882 in Indien, ab 1902 in England; Meister der Kurzgeschichte; Höhepunkte seines v. a. das Indien der Kolonialzeit beschreibenden Erzählens sind die Tiergeschichten seiner »Dschungelbücher« (1894, 1895) und der farbenprächtige Roman »Kim« (1901); schrieb auch Lyrik, v. a. Balladen, eine Autobiographie und Reisebeschreibungen. 1907 Nobelpreis für Literatur.

Kippah [hebr. »Kappe«] *die* (Kippa), die flache kappenförmige Kopfbedeckung der Juden (»Judenkäppchen«), die in der Synagoge, auf dem Friedhof und (von frommen Juden) zu Hause zur Sabbatfeier (deshalb auch **Schabbes** oder **Schebbes** gen.) getragen wird.

Heinar Kipphardt

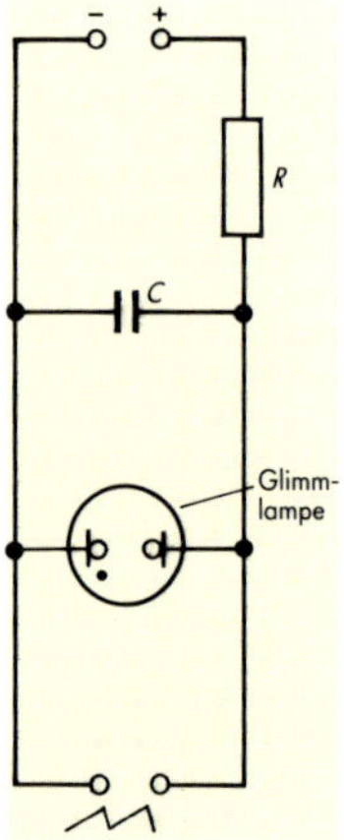

Kippschaltung: Erzeugung einer Kippschwingung mit einer einfachen Kippschaltung aus RC-Glied und Entladung über einer Glimmlampe (R Widerstand, C Kondensator)

Kipp-Apparat (Kipp-Gasentwickler) [nach dem niederländ. Apotheker Petrus Jacobus Kipp, *1808, †1864], gläsernes Laborgerät zur Entwicklung von Gasen durch Umsetzung von Feststoffen mit Flüssigkeiten, z.B. zur Gewinnung von Wasserstoff aus Zink und Salzsäure.

Kippe, *Geräteturnen:* Grundübung an Reck, Barren, Ringen und im Bodenturnen; stoßartige, aus gebeugtem Körper (Kipplage) nach oben vorwärts gerichtete Bewegung, die durch den Kippstoß den Körper in eine höhere Position führt.

Kippenberg, Anton, Verleger, *Bremen 22. 5. 1874, †Luzern 21. 9. 1950; wurde 1905 Leiter des Insel-Verlags in Leipzig; schuf die größte private Goethe-Sammlung (seit 1953 im Goethe-Museum, Düsseldorf); 1938–50 Präs. der Goethe-Gesellschaft.

Kippenberger, Martin, Künstler, *Dortmund 25. 2. 1953, †Wien 7. 3. 1997; zählt als Maler zum Kreis der →Neuen Wilden; setzte sich in seinen Werkserien, in denen er alle künstler. Mittel nutzte, mit der Mythenbildung in Alltag und Kunst auseinander.

Kipper und Wipper [von niederdt. kippen »abschneiden« und wippen »wägen«], Geldfälscher während der Inflation in Dtl. von 1618 bis 1622/23 **(Kipper-und-Wipper-Zeit),** die vollwertige Münzen gegen unterwertige aufkauften und durch Abkippen der Ränder und ungenauen Gebrauch der Goldwaage weitere untergewichtige Münzen in den Verkehr brachten. Rüstungsausgaben und Soldzahlungen bei Ausbruch des Dreißigjährigen Krieges veranlassten nicht nur illegale Münzstätten (→Heckenmünze), sondern auch große Münzstände des Reiches sowie den Kaiser, ebenfalls unterwertige kleine Sorten auszuprägen.

Kippflügelflugzeug, ein →Senkrechtstarter.

Kipphardt, Heinar, Schriftsteller, *Heidersdorf (Schlesien) 8. 3. 1922, †München 18. 11. 1982; war 1950–59 Chefdramaturg am Dt. Theater in Berlin (Ost), 1959 Übersiedlung in die Bundesrep. Dtl.; schrieb z.T. dokumentarische Dramen: »Der Hund des Generals« (1963), »In der Sache J. Robert Oppenheimer« (1964), »Joel Brand« (1965), »Bruder Eichmann« (hg. 1983), Erzählungen, den Roman »März« (1976, dramatisiert 1980) sowie »Traumprotokolle« (1981).

Kippmoment, das maximale Drehmoment, das eine mit Nennfrequenz und -spannung gespeiste elektr. Wechselstrommaschine bei langsamer Steigerung der Belastung erreichen kann. Wird das K. überschritten, kommt es zu einem Drehmomentenabfall und bei Motorbetrieb zu einem Absinken der Drehzahl, im Generatorbetrieb zu einem spontanen, unzulässigen Drehzahlanstieg.

Kippschaltung (Kippstufe), elektron. Schaltung, bei der sich das Ausgangssignal sprunghaft oder nach einer bestimmten Zeit zw. zwei Werten ändert. Die Änderung (Kippen) kann durch die Schaltung selbst oder durch ein Auslösesignal erfolgen. Die **bistabile K.** (→Flipflop) besitzt zwei stabile Ausgangszustände, wobei der jeweilige Zustand auch nach Wegnahme der Eingangssignale bis zur nächsten Umschaltung erhalten bleibt; sie dient u.a. der Speicherung von Informationen. Die **monostabile K.** (Monoflop) ist eine Digitalschaltung, bei der ein Eingangsimpuls den Ausgang vom stabilen in den nichtstabilen Zustand schaltet. Nach einer bestimmten Zeit kehrt die monostabile K. selbsttätig in den stabilen Zustand zurück; sie wird z.B. als Impulsgeber in Zeitschaltern oder Frequenzteilern verwendet. Die **astabile K.** (Multivibrator) wird in der Impulstechnik als Rechteckspannungsgenerator verwendet, wobei ihre Frequenz durch →RC-Glieder bestimmt wird. Als K. werden auch solche Anordnungen bezeichnet, die sägezahnförmige →Kippschwingungen liefern.

Kippschwingungen, elektr. Schwingungen, die auf periodisch sich wiederholenden Ausgleichsvorgängen in Kippschaltungen beruhen und deren zeitl. Verlauf oder dessen Ableitung einen Sprung oder Knick aufweist. Unter K. wird insbes. die Sägezahnschwingung verstanden, die als Zeitablenkspannung oder -strom für die Horizontalablenkung des Elektronenstrahls in Bild- und Oszilloskopröhren verwendet wird.

Kippstufe, →Kippschaltung.

Kiprenski, Orest Adamowitsch, russ. Maler, *Gut Neschinskaja (bei Sankt Petersburg) 24. 3. 1782, †Rom 17. 10. 1836; bed. Porträtist, auch Historien- und Genrebilder.

Kiptschak, türk. Volksgruppe, die im MA. im Gebiet von Aralsee, Kasp. Meer und Schwarzem Meer lebte; ihren westl. Zweig bildeten die →Kumanen.

Kir [nach dem Bürgermeister von Dijon, Félix Kir, *1876, †1968] *der,* alkohol. Mixgetränk aus weißem Burgunder und Cassislikör; **K. royal** wird mit Champagner statt mit Wein bereitet.

Kirchdorf an der Krems, Bezirkshptst. im oberen Kremstal, OÖ, 3900 Ew.; Zementwerke, Herstellung landwirtsch. Maschinen, Waagen, Keramikwaren. – Wurde 1437 Marktort.

Kirche [zu grch. kyriakón »das zum Herrn (grch. kýrios) gehörige (Haus)«] (Ecclesia), Ort der öffentl. Versammlung der christl. Gemeinde; später Bez. des Gebäudes, in dem sich Christen zum Gottesdienst versammeln; *religionssoziologisch* die christl. Religionsgemeinschaften, deren theolog. Lehrgrundlage (im Unterschied zu den →Sekten) die christl. Glaubenslehre in ihrer Gesamtheit ist. – Begründung der K. *im theolog. Sinn* ist das in Apg. 2 geschilderte Pfingstwunder (→Pfingsten), das sie als vom Hl. Geist gestiftet ausweist; als *geschichtl.*

Größe begegnet sie erstmals in der →Urgemeinde von Jerusalem. Zu einer K.-Bildung im Sinn eines zentral organisierten Verbandes christl. Gemeinden kam es im 2. Jh. durch Zusammenschluss der Einzelgemeinden im Röm. Reich zur (früh-)kath. K. und Festlegung der für alle verbindlichen sog. »Normen der Orthodoxie« (einheitl. Taufbekenntnis, →Kanon des N.T., apostol. Bischofsamt). Cyprianus von Karthago begründete als erster Theologe eine Lehre von der Einheit der K. Die kath. Theologie sieht in der K. das Volk Gottes; als solches ist K. die vom Hl. Geist gestiftete Gemeinschaft der Heiligen, vereint unter dem gleichen Bekenntnis, den gleichen Sakramenten und der in der apostol. Nachfolge stehenden Hierarchie. Die orth. Theologie begreift K. v.a. als (mystischen) Leib Christi, der sich in der zeitl. irdischen K., die Abbild der ewigen himml. K. ist, in Raum und Zeit entfaltet. Für luther. Verständnis ist K. »die Versammlung der Gläubigen, in denen das Evangelium unverfälscht verkündet und die Sakramente (Taufe und Abendmahl) in rechter Weise verwaltet werden« (→Augsburgische Konfession). Für die ref. K. und die Freikirchen ist – in der Tradition des N.T. – die um Wort und Sakrament versammelte Gemeinde K. im vollgültigen Sinn.

📖 GARIJO-GUEMBE, M. M.: *Gemeinschaft der Heiligen. Grund, Wesen u. Struktur der K. Düsseldorf 1988.* – BOFF, L.: *K.: Charisma u. Macht. Studien zu einer streitbaren Ekklesiologie. München 1990.* – KÜNG, H.: *Die K. Neuausg. München [3]1992.* – DESCHNER, K.: *Abermals krähte der Hahn. Eine krit. Kirchengeschichte. München 1996.* – *Die K. in der dt. Geschichte. Von der Christianisierung der Germanen bis zur Gegenwart, hg. v.* P. DINZELBACHER, *Beiträge v.* W. BECKER *u. a. Stuttgart 1996.*

Kirchen|ältester, →Presbyter.

Kirchen|amt, in der *kath. Kirche* ein auf Dauer eingerichteter kirchl. Dienst mit bestimmten Aufgaben, der nach kirchl. Recht von der zuständigen Autorität (Bischof) übertragen wird. In den *evang. Kirchen* im ursprünglich reformator. Verständnis das geistl. Amt der Wortverkündigung und Sakramentsverwaltung.

Kirchen|austritt, rechtl. Trennung des Kirchenmitgl. von der Kirche durch eine Erklärung vor dem Amtsgericht oder Standesamt. (→Kirchenmitgliedschaft)

Kirchenbann, frühere Bez. für →Exkommunikation.

Kirchenbau, dem Gottesdienst bzw. der Kultausübung dienender Bau. Man unterscheidet nach Funktion und Rang Bischofskirchen (Dom oder Münster, Kathedrale), Pfarr-, Kloster-, Wallfahrts-, Taufkirchen, Kapellen, Oratorien u.a. Der K. hat seine Hauptformen der Spätantike entlehnt. Wichtigste Grundrissform ist ein gerichteter **Langbau** (→Ostung), ein- oder mehrschiffig, mit meist hervortretendem Chor (meist im Osten). Er wird häufig durch ein oder zwei Querhäuser (mit Chor) bereichert; dazu treten Türme oder Turmgruppen (Ein- und Zweiturmfassaden, Vierungstürme) sowie Vorhallen, Unterkirchen oder Krypten. Der über diesem Grundriss errichtete Baukörper ist entweder eine Saalkirche, eine →Basilika oder eine →Hallenkirche. Der Grundriss des zweiten Haupttypus, des **Zentralbaus,** zeigt einen beherrschenden zentralen Raum, um den sich Teilräume gleichmäßig gruppieren. Der mitunter mehrgeschossige Aufbau ist oft von einer Kuppel geschlossen. Daneben bestehen Kombinationen aus den beiden Haupttypen; bes. im Barock gelangen Verschmelzung von Langhaus und Zentralraum. Der K. der Gegenwart hat außer zahlr. Varianten der histor. Bautypen auch Trapez- und Parabelformen in den Grundriss aufgenommen sowie stumpfwinklig aneinander stoßende Formen und Kreissegmente damit verbunden. Im Extremfall sind geometr. Grundformen aufgegeben (Ronchamp). Ebenso vielgestaltig ist der Aufbau, wobei häufig die traditionellen Fenster durch Fensterbänder, Glas- oder Betonglaswände ersetzt sind.

📖 SEDLMAYR, H.: *Die Entstehung der Kathedrale. Neuausg. Freiburg im Breisgau 1993.* – CONRAD, D.: *K. im Mittelalter. Bauplanung u. Bauausführung. Leipzig [2]1997.*

Kirche

Der englische Franziskaner Wilhelm von Ockham, selbst als Ketzer exkommuniziert, war im Armutsstreit ein scharfer Gegner des Papstes. Sein Verständnis von Kirche vermag noch heute zu provozieren (I Dialogus VI.100, 1332/34):
»Es wäre völlig unsinnig, wenn die Sache des Glaubens oder Gottes in keiner Weise einem weltlichen Richter oder überhaupt Laien zukäme. Das ist nämlich eine Aussage herrschsüchtiger und hochmütiger Kleriker, die die Laien deshalb aus der Kirche Gottes auszuschließen versuchen, damit sie selbst, wenn sie ausgeschlossen sind, als Herren über die Laien in der Kirche gelten können. Dabei sind, wie in vielen Belegen der Heiligen Schrift deutlich wird, niemals die Laien aus dem Begriff der Kirche ausgeschlossen, sondern überall in der Heiligen Schrift umfasst der Begriff »Kirche« Männer und Frauen und auch die Laien. (...) Wie Gott nämlich ein Gott der Kleriker ist, so ist er auch ein Gott der Laien.«

Kirchenbeiträge, österr. Form der →Kirchensteuer.

Kirchenbücher, in den evang. und kath. Gemeinden geführte Register der Taufen, Konfirmationen, Firmungen, Trauungen und Todesfälle; in Dtl. seit dem 16. Jh. allg. vorgeschrieben.

Kirchenburg, →Wehrkirchen.

Kirchengebote, *kath. Kirche:* i.w.S. alle Normen des Kirchenrechts, i.e.S. die fünf K.: Sonntags- und Feiertagsheiligung, Messbesuch, Einhaltung der Fasttage, jährl. Beichte und Osterkommunion.

Kirchengemeinde, →Gemeinde 1).

Kirchengeschichte, 1) die in der Jerusalemer →Urgemeinde ihren Anfang nehmende geschichtl. Entwicklung der christl. Kirchen.

2) theolog. Teildisziplin oder histor. Hilfswiss. der Theologie, die sich wiss. mit 1) beschäftigt; Einzeldisziplinen sind u.a. Frömmigkeits-, Papst-, Reformations-, Missionsgeschichte, K. der einzelnen Länder.

Kirchengeschichtsschreibung, die schriftl. Darstellung der Kirchengeschichte; theologisch verstanden als Darstellung der Wirkungen des Evangeliums in den jeweils konkreten gesellschaftl., polit. und kulturellen Zusammenhängen der Zeit. In der frühen Kirche unkritisch und im Wesentlichen apologetisch, nach der Reformation im Sinne des Konfessionalismus oft polem. Charakters, ist die heutige K. meist um krit. (aus kirchl. Sicht selbstkrit.) Reflexion der histor. Entwicklung der Kirchen bemüht. Erste Ansätze zu einer K. finden sich bereits in der Apostelgeschichte des N.T.; die eigentl. K. beginnt mit Eusebius von Caesarea (*um 263, †339). Seine bis 324 reichende Kirchengeschichte (»Historia Ekklesiastike«) bildete ein Jt. lang die Grundlage jegl. K. Das für die luth. K. grundlegende Werk entstand unter M. Flacius mit den »Magdeburger Zenturien« (1559–74), dem auf kath. Seite Cäsar Baronius (*1538, †1607) die »Annales ecclesiasticae« (1588–1605) entgegensetzte. Grundlegend für die K. des Pietismus wurden Gottfried Arnolds (*1666, †1714) »Unparteiische Kirchen- und Ketzerhistorie« (1699–1700), für die K. der Aufklärung die Arbeiten Johann Lorenz von Mosheims (*1694, †1755). Von der Geschichtsauffassung der Romantik beeinflusst sind die Schriften K. A. von Hases, vom hegelschen Geschichtsbegriff die Arbeiten F. C. Baurs. Bed. Kirchenhistoriker des 19. und 20. Jh. waren auf evang. Seite u.a. A. von Harnack und Albert Hauck (*1845, †1918), dessen »Kirchengeschichte Dtl.s« als eines der klass. Werke der K. gilt; auf kath. Seite u.a. J. I. Döllinger, Hubert Jedin (*1900, †1980) und Joseph Lortz (*1887, †1975) mit »Die Reformation in Dtl.« (1939).

Kirchengewalt, in der *kath. Kirche* die Vollmacht, die Kirche zu leiten (Jurisdiktionsgewalt) und die gottesdienstl. Handlungen zu vollziehen (Weihegewalt). In den *evang. Kirchen* die Verw. des →Kirchenamtes durch die dazu in besonderer Weise durch →Ordination Beauftragten und die Befugnisse der Kirchenleitungen. (→Kirchenregiment, →Hierarchie)

Kirchenjahr, die sich aus dem christl. Festkalender ergebende Ordnung des Jahres; in den abendländ. Kirchen beginnt das K. am 1. Advent, in den Ostkirchen am 1. 9. (Indikation; Gedenken an das erste Auftreten Jesu in Nazareth).

Kirchenkampf, die Kampfmaßnahmen des Nationalsozialismus gegen die Kirchen in Dtl. und der Widerstand der Kirchen dagegen (1933–45).

Die Unterdrückung des Christentums war ein weltanschaul. und polit. Hauptziel der nat.-soz. Diktatur unter Hitler. Mit der ab 1934 propagierten »Entkonfessionalisierung des öffentl. Lebens« kam es zu sich verschärfenden Diskriminierungen von Christentum und Kirchen, u.a. Zerschlagung der den Kirchen angeschlossenen Vereine und Verbände, Unterdrückung der kirchl. Presse, Aufhebung der konfessionellen Schulen, Verfolgung von Ordensangehörigen durch Devisen- und Sittlichkeitsprozesse, Überwachung von Gottesdiensten und Verhaftung von Pfarrern. Der K. wurde, v.a. seit 1938, bes. getragen von H. Himmler, J. Goebbels, A. Rosenberg, M. Bormann.

Gegenüber der evang. Kirche zeigte sich der K. in stärkster Parteinahme für die →Deutschen Christen (Einsetzung des Reichsbischofs L. Müller) sowie in harten Maßnahmen gegen die →Bekennende Kirche (Amtsenthebung, Verfolgung, Inhaftierung von Pastoren, Professoren und Laien, Bücherverbote, Behinderung der kirchl. Organisationen und Presse u.a.). Gegenüber der kath. Kirche verband sich damit (trotz der Regelung der Beziehung im Reichskonkordat vom 20. 7. 1933) die Bekämpfung der Klöster und die rücksichtslose Verfolgung (zeitweilig in Schauprozessen) aller von einzelnen Geistlichen oder Klosterleuten begangenen Verstöße gegen staatl. Gesetze. Die Kirchen traten dem Vorwurf der Staatsfeindlichkeit entgegen; sie griffen aber auch die Ideologie und offenkundige Menschenrechtsverletzungen an (u.a. in der vom dt. Episkopat mitverfassten Enzyklika Pius' XI. »Mit brennender Sorge«, 1937; Predigten von Bischof C. A. Graf von Galen gegen die Euthanasie, 1941). Bekannte christl. Persönlichkeiten des Widerstands waren u.a. D. Bonhoeffer, A. Delp, E. Gerstenmaier.

📖 HÜRTEN, H.: *Verfolgung, Widerstand u. Zeugnis. Kirche im Nationalsozialismus. Mainz 1987.* – *Die Katholiken u. das Dritte Reich, hg. v.* K. GOTTO *u.* K. REPGEN. *Mainz* [3]*1990.* – MEIER, KURT: *Kreuz u. Hakenkreuz. Die evang. Kirche im Dritten Reich. München 1992.* – *Priester unter Hitlers Terror, bearb. v.* U. VON HEHL *u.a. 2 Bde.* [3]*1996.*

Kirchenkreis, *evang. Kirche:* mittlere Verwaltungseinheit, in der mehrere Kirchengemeinden unter eigenen Leitungs- und Verfassungsorganen (Superintendent, Dekan, Kreissynode) zusammengefasst sind; entspricht dem kath. Dekanat.

Kirchenlehrer (Doctores ecclesiae), seit dem 4. Jh. in der Kirche Bez. für normgebende Theologen, die sich durch Rechtgläubigkeit, Heiligkeit des Lebens und Gelehrtheit auszeichnen; seit dem 16. Jh. durch den Papst ernannt, 1970 durch Papst Paul VI. erstmals Frauen (Theresia von Ávila und Katharina von Siena). Gegenwärtig (1997) werden in der kath. Kirche 33 K. verehrt.

Kirchenlied, das von der Gemeinde im christl. Gottesdienst gesungene stroph. volkssprachl. Lied mit z. T. liturg. Funktion.

Kirchenmitgliedschaft (Kirchengliedschaft), theologisch die durch die Taufe begründete Zugehörigkeit zur universalen Kirche Jesu Christi; kirchenrechtlich die mit bestimmten Rechten und Pflichten verbundene Zugehörigkeit zu einer bestimmten christl. Kirche. Die K. im theolog. Sinn kann durch den Menschen nicht beendet werden; die K. im kirchenrechtl. Sinn wird durch →Kirchenaustritt, Übertritt in eine andere christl. Kirche (→Konversion) oder den Tod beendet. Nach kath. Verständnis ist ein Kirchenaustritt auch kirchenrechtlich nicht möglich und wird als schwere Verfehlung, ggf. als Glaubensabfall (Apostasie) angesehen. Voraussetzungen für die K. sind in der *kath. Kirche* neben der Taufe das Bekenntnis des gleichen Glaubens, die Gemeinschaft der gleichen Sakramente und die Unterordnung unter die →Hierarchie; in den *evang. Kirchen* das evang. Bekenntnis, die Zugehörigkeit zu einer Landeskirche bzw. bei den nach dem Vereinsrecht organisierten Freikirchen die Beitrittserklärung. Die Ostkirchen unterscheiden in frühchristl. Tradition nicht zw. der K. im theolog. und kirchenrechtl. Sinn. Die K. in den *orth. Kirchen* hat allein die Taufe und die unmittelbar mit ihr verbundene Firmung (Myronsalbung) zur Voraussetzung.

Kirchenmusik, die für den christl. Gottesdienst bestimmte liturg. und außerliturg. Musik in ihrer Bindung an den Kirchenraum, überwiegend Gesangsmusik ohne oder mit Instrumentalbegleitung; Hauptinstrument ist die Orgel. Die Grundlage der kath. K. ist der einstimmige gregorian. Gesang. Mit dem →Organum beginnt um 900 die Geschichte der mehrstimmigen K. Höhepunkt der mittelalterl. K. ist die Motettenkunst des 12. und 13. Jh. Das 14. Jh. brachte die ersten bekannten vollständigen Kompositionen des Ordinarium missae (Kyrie, Gloria, Credo, Sanctus, Agnus Dei). Messe und Motette sind die dominierenden Formen der K. im 15. Jh., wobei sich das künstler. Schwergewicht seit 1450 von Italien und Frankreich in den burgundisch-niederländ. Kulturkreis verschob. Im Schaffen der führenden Musiker (u. a. J. Dunstable, G. Dufay, J. Ockeghem, J. Obrecht, Josquin Desprez) stehen an Zahl wie an Bedeutung die Werke der K. an erster Stelle. Mit dem Wirken von A. Willaert in Venedig kündigt sich eine Schwerpunktverlagerung nach Italien an (A. und G. Gabrieli, G. P. da Palestrina, Orlando di Lasso). Auf dem Wege über Oratorium und geistl. Konzert drangen im 17. Jh. Rezitativ und Arie in die Messe ein. Das Vordringen von Elementen aus Oper und Instrumentalmusik kennzeichnete die K. des 18. Jh. und der Klassik ebenso wie die Werke des 19. Jh., in denen (wie etwa in A. Bruckners K.) das Orchester einen beherrschenden Part einnahm. Demgegenüber haben – auf kath. Seite – C. Ett, F. X. Haberl, F. X. Witt auf die eigentl. Aufgaben und die Vorbilder der K. im 16. Jh. hingewiesen und eine Restauration einzuleiten versucht (Caecilianismus).

Die evang. K. war anfangs von der kath. nur durch die Einführung der dt. Sprache (Luther) unterschieden. Im 16. Jh. gelangte mit dem einstimmigen Gemeindegesang der evang. Choral mit Orgelbegleitung zu hoher Blüte. Seit etwa 1600 drang der neue Sologesang mit Generalbass in Gestalt der geistl. Konzerte ein (J. H. Schein). Der überragende Meister des 17. Jh. war H. Schütz. Einen weiteren Höhepunkt erreichte die evang. K. in den Kirchenkantaten und Passionen J. S. Bachs, ferner in den Werken von G. P. Telemann, G. F. Händel u. a. Auf Bach griffen J. Brahms und M. Reger zurück. – In neuerer Zeit zeigen sich neben der Hinwendung zu den alten Meistern in beiden Konfessionen Bemühungen um eine den liturg. Ansprüchen entsprechende zeitgenöss. K., die neben gottesdienstl. Gebrauchsmusik auch Werke von künstler. Rang hervorgebracht hat (I. Strawinsky, D. Milhaud, W. Fortner, O. Messiaen, K. Huber, H. W. Zimmermann, K. Penderecki u. a.). Daneben gibt es Versuche, auch Elemente des absoluten Rhythmus und des Jazz, elektron., Rock- und Popmusik in die K. einzubauen.

📖 WILSON-DICKSON, A.: *Geistl. Musik. Ihre großen Traditionen. A. d. Engl. Gießen 1994.*

Kirchen|ordnung, schriftlich niedergelegte, für die Kirchenmitgl. i. d. R. verbindl. Anweisungen und Bestimmungen zur Regelung des Lebens in den Kirchen und einzelnen Kirchengemeinden. Die älteste erhaltene K. ist die →Didache.

Kirchenpatron, 1) Inhaber eines →Patronats. **2)** Schutzheiliger einer kath. Kirche.

Kirchenprovinz, in der *kath. Kirche* mit bestimmten Rechten ausgestattete Zusammenfassung mehrerer Bistümer unter einem Erzbischof; in der *Evang. Kirche der altpreuß. Union* bis 1945 Bez. der den staatl. preuß. Provinzen entsprechenden kirchl. Verwaltungseinheiten; seit 1945 selbstständige Gliedkirchen der EKD.

Kirchenrat, *evang. Kirchen:* 1) in manchen Gemeinden der Kirchenvorstand; 2) in einzelnen Landeskirchen die kirchl. Verwaltungsbehörde; 3) Amtsbez. für Mitgl. der kirchl. Verwaltung.

Kirchenstaat (von links): Kaiser Konstantin der Große überlässt Papst Silvester I. die Insignien der kaiserlichen Gewalt über Rom und die umliegenden Gebiete; diese »Konstantinische Schenkung«, auf die die Päpste ihre Herrschaftsansprüche zurückführten, wurde im 15. Jh. als Fälschung erkannt, Ausschnitt aus einem Fresko (1246; Rom, Oratorio di San Silvestro); Der »Thronende Papst Gregor der Große«, der Inspiration durch die Taube des Heiligen Geistes lauschend, wird von seinem Schreiberdiakon beobachtet, Ausschnitt aus einer Miniaturmalerei (983/84; Trier, Stadtbibliothek)

Kirchenrecht (lat. Ius ecclesiasticum, geistliches Recht), **1)** die Gesamtheit der von einer Kirche erlassenen, für ihre Mitgl. verbindl. Vorschriften zur Regelung des innerkirchl. Lebens. Das *kath. K.* (kanon. Recht) wurde seit dem 2. Vatikan. Konzil überarbeitet und liegt seit 1983 in der erneuerten Fassung des →Codex Iuris Canonici vor. Grundlage des K. in den *evang. Kirchen* bilden die bibl. Weisungen (v.a. des N.T.), konkretisiert wird es durch die Bekenntnisschriften und Ordnungen der Landeskirchen. Bei den *Ostkirchen* schließt der Begriff des Ritus das Kirchenrecht, das bürgerl. Recht, die Kultur und manchmal die Staatszugehörigkeit ein. Einen Hauptbestandteil des byzantin. Kirchenrechts der orth. Kirchen bildet die Gesetzgebung des Trullanum II (das »fünfsechste« Konzil in Konstantinopel, das Quinisextum, 691–692).

2) *Theologie:* Disziplin, die sich wiss. mit der kirchl. Rechtsordnung befasst **(Kanonistik).**

Kirchenregiment, *evang. Kirchen:* die bis 1918 ausgeübte Kirchenleitung durch die Landesherren (→Summepiskopat).

Kirchenslawisch, urspr. die Sprache der bibl. und liturg. Bücher der orth. Slawen, in zwei Schriftformen: der älteren →Glagoliza und der →Kyrilliza. Die älteste Form des K. **(Alt-K.** oder **Altbulgarisch)** geht auf die Übersetzungen der Slawenapostel →Kyrillos und Methodios zurück und beruht auf deren Heimatdialekt (Umgebung von Saloniki). Unter dem Einfluss der einzelnen Volkssprachen nahm das K. seit dem 12. Jh. versch. Färbungen an **(Bulgarisch-K.** oder **Mittelbulgarisch, Serbisch-K., Russisch-K.),** sie hielten sich jahrhundertelang als Literatursprachen.

Kirchensprache, die →liturgische Sprache.

Kirchenstaat, das ehem. Herrschaftsgebiet des Papstes in Mittelitalien; seit dem 6. Jh. auch **Patrimonium Petri** (Vermögen des Petrus) genannt. Den Kern des K. bildete der (zunächst private) Grundbesitz der Kirche von Rom, der dieser seit dem 4. Jh. in Rom und Italien (bes. in Mittel- und Süditalien und in Sizilien) aus zahlr. Schenkungen und Vermächtnissen zuwuchs. Bereits im 6. Jh. war der Papst in seiner Funktion als Bischof von Rom der größte Grundbesitzer Italiens. Papst Gregor d. Gr. (590–604) richtete für den Gesamtbesitz eine zentrale Verw. ein, der zunehmend öffentl. Aufgaben zufielen (innere Verw., Versorgung der Bevölkerung, Verteidigung), die unter Anerkennung der Oberhoheit des oström. Kaisers über den byzantin. Verwaltungsbezirk (Dukat) von Rom (zuletzt nur noch formal) wahrgenommen wurden. Die Expansionspolitik des Langobardenkönigs Aistulf führte zum Bündnis Papst Stephans II. (752–75) mit dem Fränk. Reich. Als Gegenleistung für die kirchl. Legitimierung der Karolinger erwarb er im Ergebnis der Pippinschen Schenkung (754; durch Karl d. Gr. bestätigt und erweitert) die bis dahin byzantin. Gebiete des Exarchats von Ravenna und der →Pentapolis, die Dukate Spoleto und Benevent und die Emilia. Die Beerbung der in Mittelitalien reich begüterten Markgräfin Mathilde von Tuszien (†1115) führte in der Folgezeit zu einer beträchtl. Gebietserweiterung. Nach dem Zusammenbruch der byzantin. Macht in Italien versuchten die Päpste unter Berufung auf die Konstantinische Schenkung die volle Souveränität über ihre Besitzungen zu erlangen; die durch die Pippinsche Schenkung begründete Schutz- und Oberhoheit der abendländ. Kaiser über die päpstl. Besitzungen blieb noch bis zum Sturz der Staufer (1266/68) erhalten. Papst Innozenz III. (1198–1216) ist im eigentl. Sinn als Begründer des K. anzusehen, doch erst Papst Julius II. (1503–13) gelang es, seine volle Souveränität auch gegenüber dem italien. Adel durchzusetzen. Er gestaltete den K. zu einem zentralistisch organisierten Staatswesen um. Unter ihm erreichte der K. seine größte Ausdehnung. Der Versuch einer selbstständigen Außenpolitik scheiterte jedoch. Wie die übrigen italien. Staaten blieb der K. bis Ende des 18. Jh. von den Großmächten abhängig, die um die Vorherrschaft in Italien rangen. Durch die napoleon. Kirchenpolitik wurde der durch Gebietsabtretungen stark verkleinerte K. am Ende des 18. Jh. zur Röm. Republik erklärt und 1809 dem Königreich Italien eingegliedert. Nach dem Wiener Kongress 1815 fast vollständig wiedererrichtet, wurde der K. 1860 auf das einstige Patrimonium Petri reduziert und 1870 dem italien. Nationalstaat eingegliedert, woraufhin sich Papst Pius IX. (1846–78) als »Gefangener des Vatikans« betrachtete (→ Italien, Geschichte). Erst 1929 wurde dem Papst in den → Lateranverträgen die volle Souveränität über das päpstl. Territorium zugesprochen.

📖 *Quellen zur Entstehung des K., eingeleitet u. zus.gestellt v.* H. FUHRMANN. *Göttingen 1968.* – WEBER, C.: *Die Territorien des K. im 18. Jh. Frankfurt am Main u. a. 1991.*

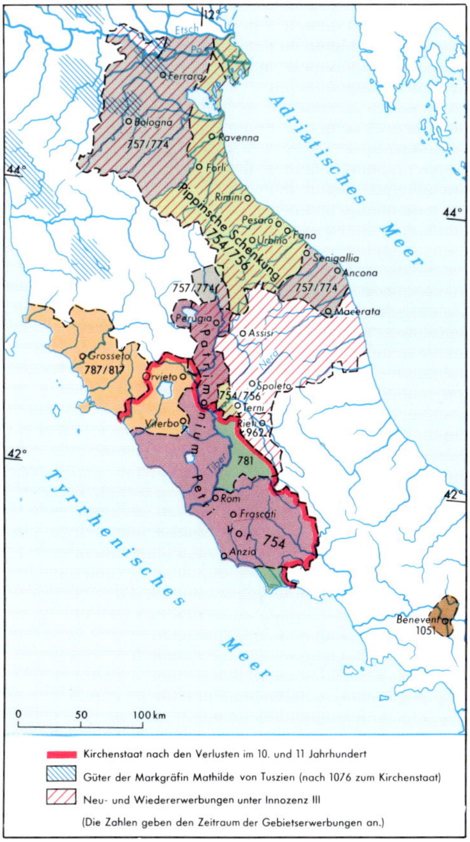

Kirchenstaat: Entwicklung bis ins 13. Jahrhundert

Kirchensteuer, von den als Körperschaften des öffentl. Rechts anerkannten Religionsgemeinschaften aufgrund der bürgerl. Steuerlisten erhobene und von staatl. Behörden (Finanzämter) eingezogene Abgabe der Kirchenmitgl. Rechtl. Grundlage in Dtl. ist Art. 140 GG in Verbindung mit Art. 137 Abs. 6 der Weimarer Reichs-Verf., Landes-Ges., Konkordaten, Kirchensteuerordnungen u. Ä. Der Steuerpflicht unterliegen nur Kirchenmitglieder. Erhoben wird die K. als Zuschlag zur Einkommen- bzw. Lohnsteuer in Höhe von 8% oder 9% (je nach Bundesland), meist gibt es (auf Antrag) einen Höchstsatz (3 bis 4% des zu versteuernden Einkommens). K. ist bei der Einkommensteuer unbeschränkt als Sonderausgabe abzugsfähig. Die Einnahmen aus der K. fließen den Landeskirchen bzw. Diözesen, seltener den Ortsgemeinden zu; sie betrugen 1995 in Dtl. bei den evang. Kirchen 8,382 Mrd. (plus 35 Mio. DM Kirchgeld), bei der kath. Kirche 8,666 Mrd. DM (plus 4,93 Mio. DM Kirchgeld). Das **Kirchgeld** ist ein von den Kirchengemeinden neben der K. erhobener einkommensteuerunabhängiger (freiwilliger) Geldbetrag (v. a. bei glaubensverschiedenen Ehen). – In *Österreich* entsprechen der K. von den Kirchen durch eigene Kirchenbeitragsordnungen festgesetzte Kirchenbeiträge, die sich eng an die staatl. Einkommensteuer und Lohnsteuer anlehnen, der Sache nach aber privatrechtl. Pflichtleistungen sind. In der *Schweiz* wird die K. von den Finanzbehörden der Kantone eingezogen.

Kirchenstrafen, → Kirchenzucht.

Kirchentag (Deutscher Evangelischer K.), seit 1949 alle zwei Jahre (abwechselnd mit dem Katholikentag) stattfindende Großveranstaltung evang. Christen in Dtl.; ein Organ der Laienbewegung und Forum für theologische, gesellschaftspolit. und ökumen. Diskussionen. Der erste gemeinsame K. evang. und kath. Kirchen fand 1996 in Eisleben statt.

Kirchentonarten (Kirchentöne, Modi), Tonordnungen, die der altgrch. Musik entstammen und in abgewandelter Form der mittelalterl. kirchl. Musik, bes. der Gregorianik, zugrunde lagen. Die K. sind keine Tonleitern im modernen Sinn, sondern Skalenausschnitte, die das Tonmaterial von modellartig verwendeten Melodien enthalten. Man unterscheidet **authent.** und **plagale Modi.** Besondere Bedeutung für den einzelnen Modus haben die Finalis (Endton, Zielton), die für je einen authent. und einen plagalen Modus dieselben sind, und der Tenor (Tuba, Reperkussionston), der bei den authent. Modie eine Quinte, bei den plagalen eine Terz oder eine Quarte über der Finalis liegt. Die authent. Modi bauen sich über der Finalis auf, bei den plagalen liegt die Finalis in der Mitte des Skalenausschnittes. Sie wurden abgelöst

Kirchentag: Plakat des ersten gemeinsamen Kirchentages der evangelischen und katholischen Kirchen in Deutschland

durch die um 1600 aufkommenden Dur- und Molltonarten.

Kirchenväter, Ehrentitel der frühchristl. →Kirchenlehrer und Kirchenschriftsteller des 2.–7. Jh., die die beginnende christl. Theologie mit dem geistigen Erbe der griechisch-röm. Antike verschmolzen (→Patristik).

Kirchentonarten

Modus	ältere Benennung	jüngere Benennung	Skalenausschnitt	Finalis	Tenor
I	Protus authentus	dorisch	d-d^{1}	d	a
II	Protus plagalis	hypodorisch	A-a	d	f
III	Deuterus auth.	phrygisch	e-e^{1}	e	(h) c^{1}
IV	Deuterus plag.	hypophrygisch	H-h	e	(g) a
V	Tritus auth.	lydisch	f-f^{1}	f	c^{1}
VI	Tritus plag.	hypolydisch	c-c^{1}	f	a
VII	Tetrardus auth.	mixolydisch	g-g^{1}	g	d^{1}
VIII	Tetrardus plag.	hypomixolydisch	d-d^{1}	g	(h) c^{1}

Kirchenvertrag, ein Vertrag zw. dem Staat und einer oder mehreren evang. Kirchen, der im Unterschied zu einem →Konkordat jedoch nicht als völkerrechtl., sondern als öffentlich-rechtl. Vertrag betrachtet wird.

Kirchenvorstand, das bei der Leitung und Verw. der Kirchengemeinde mitwirkende, von wahlberechtigten Gemeindemitgl. gewählte kollegiale Organ; in der *kath. Kirche* in Dtl. unter Leitung des Pfarrers das Beschlussorgan über das Kirchenvermögen (Fragen der Seelsorge obliegen dem Pfarrgemeinderat), in den *evang. Kirchen* obliegt dem Gemeindekirchenrat, K. oder Presbyterium in gemeinsamer Verantwortung mit dem Pfarrer auch die Leitung der Kirchengemeinde.

Kirchenzucht, von den Kirchen gegenüber ihren Mitgl. ausgeübte Disziplinargewalt; in der *kath. Kirche* wird sowohl in Zusammenhang mit dem Sakrament der Buße wie auch durch Kirchenstrafen (Exkommunikation, Interdikt, Suspension) K. geübt, in den *evang. Kirchen* sind nach vorangegangener Ermahnung der Ausschluss vom Abendmahl, die Aberkennung kirchl. Rechte (z. B. Patenamt), die Versagung von Amtshandlungen (z. B. Trauung, Begräbnis) und der Verlust des kirchl. Wahlrechts möglich.

Kirche von England

Mit der Suprematsakte (Act of Supremacy) vom November 1534 bestätigte das Parlament Heinrich VIII. und seinen Nachfolgern die Würde eines Oberhaupts der Kirche von England, die im Januar 1535 in die königliche Titulatur aufgenommen wurde: »(Der König wird anerkannt als) das einzige Oberhaupt (Supreme Head) auf Erden der Kirche von England, genannt Anglicana Ecclesia, und soll in Verbindung und Vereinigung mit der Krone dieses Reiches sowohl den Titel davon als auch alle dazugehörigen Ehren, Würden, Vorrechte, Zuständigkeiten, Privilegien, Vollmachten, Freiheiten, Vorteile und Güter haben und genießen.«

Kirche von England (engl. Church of England, anglikanische Kirche), die engl. Staatskirche; Mutterkirche der aus ihr hervorgegangenen, in der →Anglikanischen Kirchengemeinschaft zusammengeschlossenen anglikan. Kirchen. Oberhaupt der K. v. E. ist der König bzw. die Königin. Die Krone ernennt die Bischöfe, an deren Spitze der Erzbischof von Canterbury (»Primas von ganz England«) steht, der auch Vors. der Vollversammlung der anglikan. Bischöfe (→Lambeth-Konferenzen) ist. Die K. v. E. gliedert sich in die Kirchenprovinzen Canterbury und York mit insgesamt 43 Diözesen. Die beiden Erzbischöfe und 27 Bischöfe haben Sitz im Oberhaus. Grundlage für Gottesdienst und Bekenntnis ist neben der Bibel das →Common Prayer Book in der Fassung von 1662 mit den 39 Glaubensartikeln, die im Wesentlichen der stark kalvinistisch beeinflussten Fassung von 1552 entspricht. Daneben gibt es seit 1980 ein Alternative Service Book. In ihrer jurist. Gestalt entstand die K. v. E. durch den Bruch Heinrichs VIII. mit dem Papst und seiner darauf folgenden Ernennung zum »Alleinigen Oberhaupt der K. v. E. auf Erden« durch das Parlament in der Suprematsakte von 1534. Die K. v. E. verstand sich weiterhin als Bestandteil der kath. Kirche und hielt in Bezug auf Bischofsamt (apostol. Sukzession), Gottesdienst und Hierarchie an der kath. Tradition fest. Unter Eduard VI. (1547–53) kam es durch den für den minderjährigen König die Regentschaft führenden Edward Seymour Somerset zu Reformen im prot. Sinn. Seit den 60er-Jahren des 16. Jh. setzte die Bewegung der →Puritaner ein.

Seit dem 19. Jh. gibt es drei Hauptrichtungen in der K. v. E.: die niederkirchl. **Low Church,** die ein aktives Christsein im Alltag fordert und sozial stark engagiert ist, die hochkirchl. **High Church,** die als konservative Richtung in Theologie und Kultus auf das kath. Erbe zurückgreift, und die gemäßigt liberale, von der historisch-krit. Theologie beeinflusste **Board Church.** Seit 1992 sind in der K. v. E. Frauen zum Priesteramt zugelassen, was zu heftigen innerkirchl. Auseinandersetzungen geführt hat.

📖 THIEDE, C. P.: *Religion in England. Gütersloh 1994.*

Kirchgeld, →Kirchensteuer.

Kirch-Gruppe, eines der größten europ. Medienunternehmen mit zahlr. Film-, Fernseh- und Videoproduktions- und -vertriebsfirmen, Filmverleih- und Filmtheaterbetrieben, Beteiligungen an privaten Fernseh- und Hörfunksendern (u. a. SAT. 1, Premiere, DSF Dt. Sportfernsehen) sowie Aktivitäten im digitalen Fernsehen (DF 1) und im Verlagswesen (Beteiligung an der Axel Springer

Verlag AG); gegr. 1956 von Leo Kirch (* 1926); Sitz: Ismaning (bei München). Die starke Marktposition im Handel mit Film- und Fernsehrechten wird durch die jährl. Neuproduktion von mehr als 500 Programmstunden gesichert; insgesamt verfügt die K.-G. über etwa 80 000 Programmstunden für Kino, Fernsehen und Video.

Kirchhain, Stadt im Kr. Marburg-Biedenkopf, Hessen, im N des Amöneburger Beckens, 16 300 Ew.; Tapetenfabrik, Metall verarbeitende Industrie. – Evang. Pfarrkirche (14. Jh.), Fachwerkrathaus (1562), Wohnhäuser des 16./17. Jh. – 1352 Stadtrecht.

Kirchheimbolanden, Krst. des Donnersbergkreises, RegBez. Rheinhessen-Pfalz, Rheinl.-Pf., 7400 Ew.; Schuh-, Maschinen-, Fahrzeug-, Glasindustrie. – Pfarrkirche Sankt Paul (1739–44) mit Fürstengruft und Orgel (1745), ehem. Schloss (1738–40). – 714 erstmals erwähnt; 1368 Stadtrecht.

Kirchheim unter Teck, Große Krst. im Landkr. Esslingen, Bad.-Württ., am Fuß der Teck (Schwäb. Alb), 38 200 Ew.; pädagog. Fachinstitut; Metall-, Textil-, Papier-, Holzind., Maschinenbau. – Spätgot. Pfarrkirche, Kornhaus (um 1560, heute Heimatmuseum), Schloss (1538), Rathaus (1722–24). – 960 erstmals erwähnt, Stadtrecht seit 1220/30.

Kirchhoff, Gustav Robert, Physiker, * Königsberg (Pr) 12. 3. 1824, † Berlin 17. 10. 1887; stellte 1845 bereits als Student in Königsberg weit allgemeiner als G. S. Ohm die Gesetze der Stromverzweigung auf (→ kirchhoffsche Regeln). 1850–54 Prof. in Breslau, ab 1854 in Heidelberg, wo er zus. mit R. W. Bunsen 1859/60 Untersuchungen zur Emission und Absorption des Lichts durchführte, die die Grundlage der Spektralanalyse darstellten und zur Aufstellung des → kirchhoffschen Strahlungsgesetzes (1859) führten. Mit der Spektralanalyse konnte er die fraunhoferschen Linien als Absorptionslinien erklären und entdeckte dadurch zusammen mit Bunsen die Elemente Cäsium und Rubidium. In diese Zeit fällt auch die Definition des schwarzen Strahlers (1862, → schwarzer Körper). K. behandelte außerdem Fragen der Mechanik, der Akustik (Erklärung der Chladni-Figuren) und der Elektrizitätsleitung, wobei er 1857 erkannte, dass diese annähernd mit Lichtgeschwindigkeit erfolgt. 1875–86 war K. Professor in Berlin.

kirchhoffsche Regeln [nach G. R. Kirchhoff], Sätze über stationäre Strom- und Spannungsverteilungen, von großer Bedeutung bei der Hintereinander- und Parallelschaltung linearer elektr. Leiter: 1) **Knotenregel, Verzweigungssatz:** In jedem Verzweigungspunkt (Knoten) ist die Summe der zufließenden Ströme gleich der Summe der abfließenden, sodass für die Ströme I_ν allg. gilt:

$$\sum_{\nu=1}^{n} I_\nu = 0$$

2) **Maschenregel:** In jedem geschlossenen Stromkreis (Masche) ist die Summe der elektromotor. Kräfte (Urspannungen) E_ν gleich der Summe aller Spannungsabfälle, d. h. der Produkte $I \cdot R$ (I = Strom, R = Widerstand), d. h.

$$\sum_{\nu=1}^{n} E_\nu = \sum_{\nu=1}^{n} I_\nu R_\nu$$

Die 2. k. R. ist eine Erweiterung des ohmschen Gesetzes (→ Ohm).

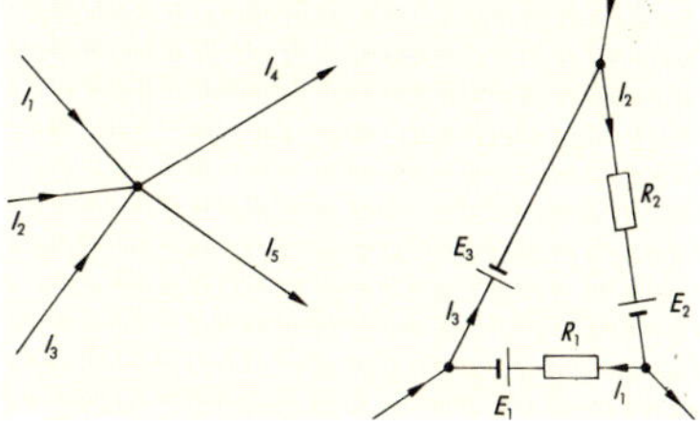

kirchhoffsche Regeln (von links): Knotenregel, die Summe der in den Knoten fließenden Ströme I_1, I_2 und I_3 ist gleich der Summe der abfließenden Ströme I_4 und I_5; Maschenregel, die Summe der Spannungsabfälle IR an den Widerständen R_1 und R_2 ist gleich der Summe der Urspannungen E_1, E_2 und E_3

kirchhoffsches Strahlungsgesetz, von G. R. Kirchhoff 1859 formulierter Zusammenhang, nach dem bei → Temperaturstrahlern der Quotient aus Emissions- und Absorptionsvermögen bei gegebener Wellenlänge und Temperatur – unabhängig von allen Materialeigenschaften – gleich dem Strahlungsvermögen eines → schwarzen Körpers bei der gleichen Temperatur und Wellenlänge ist.

kirchliche Gerichtsbarkeit, Rechtsprechung der *kath. Kirche* gegenüber ihren Mitgl. in geistl. und gemischten Sachen, bes. Ehesachen, auf Grundlage des → Kirchenrechts durch eigene Institutionen der Rechtspflege und die auf Kleriker beschränkte kirchl. Verwaltungsgerichtsbarkeit. Die *evang. Kirchen* kennen keine k. G. Im Konfliktfall werden gegenüber den Mitgl. Maßnahmen der → Kirchenzucht und gegenüber den Amtsträgern Maßnahmen der innerkirchl. Disziplinargewalt wirksam.

Gustav Robert Kirchhoff

kirchliche Hochschulen, von den Kirchen getragene wiss. Hochschulen, vorwiegend zur Ausbildung ihrer Geistlichen in kirchl. und in weltl. Disziplinen. Zu den ältesten k. H. gehören die päpstl. Hochschulen in Rom (Atenei Romani), 17 Einrichtungen mit Univ.-Rang: neben der → Gregoriana weitere vier Voll-Univ. sowie zwölf wiss. Spezialhochschulen (vier Atenei, acht Institute oder Fakultäten). Bes. bekannte kath. Univ. befinden sich in Löwen, Mailand, Paris (Institut Catholique), Tokio und Washington. In Dtl. bestehen die Kath. Univ. Eichstätt, außerdem zehn k. H. mit Promotionsrecht (»theolog. Fakultäten«), vier werden von der zuständigen Erzdiözese getragen

Volker David Kirchner

(Erfurt, Fulda, Paderborn und Trier), sechs sind Ordenshochschulen: die Philosophisch-Theolog. Hochschulen in Benediktbeuern (Salesianer Don Boscos), Frankfurt am Main (Gesellschaft Jesu), Münster (Franziskaner und Kapuziner), St. Augustin (Gesellschaft des Göttl. Wortes) sowie Vallendar (Pallotiner) und die Hochschule für Philosophie in München (Gesellschaft Jesu).

Die älteste evang. k. H. ist die Kirchl. Hochschule Bethel (gegr. 1905) in Bielefeld. Die Kirchl. Hochschule in Wuppertal wurde 1935 von den Bruderräten der Bekennenden Kirche gegr. Nach dem 2. Weltkrieg entstanden die Augustana-Hochschule in Neuendettelsau (gegr. 1947) und die Luther. Theolog. Hochschule in Oberursel (Taunus), gegr. 1950.

Ernst Ludwig Kirchner: »Fünf Frauen auf der Straße« (1913; Köln, Museum Ludwig)

kirchliches Lehramt, in der *kath. Kirche* die Lehrautorität, der die verbindl. Auslegung und Weitergabe des Glaubens zukommt; Träger des k. L. sind der Papst, das ökumen. Konzil, die regierenden Bischöfe und die durch kirchl. Sendung (→Missio canonica) mit Lehr- und Verkündigungsaufgaben Beauftragten (z.B. Priester, Theologieprofessoren, Katecheten). Das Selbstverständnis der *evang. Kirchen* schließt ein k. L. nach kath. Verständnis aus.

Alfred Kirchner

Kirchner, 1) Alfred, Theaterregisseur, *Göppingen 22. 5. 1937; war als Oberspielleiter v.a. in Stuttgart, Bochum und am Wiener Burgtheater (1986–90) tätig, 1990–92/93 Generaldirektor der Staatl. Schauspielbühnen in Berlin.

2) Ernst Ludwig, Maler und Grafiker, *Aschaffenburg 6. 5. 1880, † (Selbstmord) Frauenkirch (heute zu Davos) 15. 6. 1938; studierte in Dresden Architektur und gründete dort 1905 mit E. Heckel und K. Schmidt-Rottluff die →Brücke. Seit 1911 arbeitete er in Berlin und ab 1917 nach schwerer Erkrankung in Frauenkirch. 1937 wurden in Dtl. seine als »entartet« diffamierten Werke beschlagnahmt. – K. war ein Hauptvertreter und der führende Grafiker des →Expressionismus. Eines seiner Hauptthemen war das Großstadtleben. Seit 1927 gelangte er zu einem abstrahierenden Stil (Einflüsse des Kubismus, bes. Picassos). K.s graf. Hauptwerk ist die Folge von 47 Holzschnitten zu G. Heyms »Umbra vitae« (1924). Seine bedeutendsten bildhauer. Arbeiten (v.a. Skulpturen aus Holz) entstanden in der Schweiz.

📖 GRISEBACH, L.: *E. L. K. Köln 1995.*

3) Volker David, Komponist, *Mainz 25. 6. 1942. Seine Musik bewegt sich zw. eingängigen, dissonanzfreien Dur- und Moll-Klängen und ganztönigen Klangballungen sowie chromat. Reihungen; schrieb u.a. »Die fünf Minuten des Isaak Babel« (1980, szen. Oratorium), »Das kalte Herz« (1980, szen. Ballade für Musik), »Totentanz« (1980, 1. Sinfonie), »Mythen« (1991, 2. Sinfonie, für drei Frauenstimmen, Orchester und Tonband).

Kirchschläger, Rudolf, österr. Politiker, *Obermühl (heute zu Kirchberg ob der Donau, OÖ) 20. 3. 1915; Jurist; an den Abschlussverhandlungen über den Österr. Staatsvertrag 1955 in Moskau beteiligt, Mitautor des österr. Neutralitätsgesetzes; 1970–74 Außenmin. und 1974–86 Bundespräsident.

Kirchweih, alljährl. Fest zur Erinnerung an die Kirchweihe, oft in Verbindung mit dem Erntefest, als Volksfest (Tanz, Jahrmarkt) begangen (auch **Kirchmesse, Kirmes, Kirmse, Kirbe, Kirwe, Kerwe, Kerbe, Kermes, Kirta** gen., schweizer. **Kilbe, Chilbi**).

Kirchweihe, in der *kath. Kirche* und den *orth. Kirchen* die vom Bischof vollzogene feierl. Einweihung einer Kirche mit Eucharistiefeier; in den *evang. Kirchen* erfolgt die Übergabe einer Kirche an die Gemeinde mit einem Festgottesdienst.

Kirejewski, Iwan Wassiljewitsch, russ. Religions- und Kulturphilosoph, *Moskau 22. 3. 1806, † Sankt Petersburg 10. 6. 1856; einer der Theoretiker der →Slawophilen.

Kirgisen, mongolides Turkvolk im Gebiet der Hochgebirge Zentralasiens (Tienschan, Kunlun Shan, Pamir, Alaigebirge), bes. in Kirgistan (2,23 Mio.), Usbekistan, Tadschikistan und Kasachstan (insgesamt 2,7 Mio.), sowie in China, im nordöstl. Afghanistan (heute z.T. in Pakistan und der Türkei); früher Hirtennomaden (lebten in Filzjurten), heute meist Ackerbauern (Lehmhäuser).

Kirgistan

Fläche: 198 500 km²
Einwohner: (1995) 4,75 Mio.
Hauptstadt: Bischkek
Verwaltungsgliederung: sechs Gebiete und die Hauptstadt
Amtssprachen: Kirgisisch, Russisch
Nationalfeiertag: 31. 8.
Währung: 1 Kirgistan-Som (K.S.) = 100 Tyin
Zeitzone: MEZ +4 Std.

Kirgistan (amtlich Kyrgyzstan Respublikasy; dt. Rep. K.; auch Kirgisien, Kirgisistan, Kyrgyzstan), Staat in Mittelasien, grenzt im N an Kasachstan, im SO und O an China, im SW an Tadschikistan und im W an Usbekistan.

Staat und Recht: Nach der Verf. vom 5. 5. 1993 ist K. eine souveräne präsidiale Rep. mit Mehrparteiensystem. Staatsoberhaupt ist der mit weit reichenden Befugnissen ausgestattete, für fünf Jahre direkt gewählte Präs. Die Legislative besteht aus zwei Kammern, der Gesetzgebenden Versammlung mit 35 und der Versammlung der Volksvertreter mit 70 Abg., die jeweils im Mehrheitswahlsystem für fünf Jahre gewählt werden. Die Exekutive wird von der Reg. unter Vorsitz des MinPräs. ausgeübt; sie wird vom Präs. ernannt und entlassen. Einflussreichste Parteien sind die Demokrat. Bewegung K., die Republikan. Volkspartei K. und die Demokrat. Bewegung der Volkseinheit (Nachfolgeorganisation der Kommunist. Partei).

Landesnatur: Fast ganz K. ist ein Hochgebirgsland (etwa die Hälfte seines Territoriums liegt zw. 1 000 und 3 000 m, ein Drittel über 3 000 m ü. M.); es gehört überwiegend zum erdbebenreichen Gebirgssystem des Tienschan (höchste Erhebungen Pik Pobeda, 7 439 m ü. M.; Chan-Tengri, 6 995 m ü. M.) im NO-Teil der Rep. Den kleineren Teil nehmen Alai- und Transalaigebirge (Pik Lenin, 7 134 m ü. M.) im SW ein. Die stark vergletscherten Gebirgsketten umschließen Längstäler (Talas-, Tschu-, Alaital) und Becken (Issykkulbecken, Ferganabecken), die Lebensräume der Bevölkerung. – Das Klima ist ausgeprägt kontinental und trocken, deutlich sind Höhenstufen erkennbar. In den Becken herrscht kontinentales Klima mit Dauerfrost im Winter und trockenen, heißen Sommern. Die jährl. Niederschlagsmenge bleibt meistens unter 300 mm, nur die West- und Nordhänge der Gebirge erhalten 800–1 000 mm/Jahr. – Die Vegetation ist durch das Vorherrschen von Wüsten, Halbwüsten und Steppen gekennzeichnet. Zw. 1 500 und 4 000 m ü. M. gibt es trockene Bergsteppen, die mit zunehmender Höhe in Wiesensteppen, subalpine und alpine Wiesen übergehen; 1 % Wald. Für den S sind Nussbaumwälder charakteristisch.

Bevölkerung: Nach Schätzungen von 1993 setzt sie sich aus Kirgisen (55,5 %), Russen (18,8 %), Usbeken (13,3 %), Ukrainern (2,1 %), Tataren (2,0 %), Deutschen (0,8 %) und Angehörigen kleinerer Nationalitäten (6,7 %; Kasachen, Dunganen, Tadschiken, Uiguren u. a.) zusammen. Große ethn. Spannungen zw. den Kirgisen einerseits und den Usbeken u. a. Minderheiten andererseits führten in den letzten Jahren zu starker Abwanderung der nichtkirgis. Bev. (v. a. Russen und Deutsche). 39 % der Bewohner lebten 1994 in Städten. Am dichtesten sind die Agrargebiete in den Tälern der Tschu und Talas sowie das Issykkul- und Ferganabecken besiedelt. Die der turksprachigen Völker gehören dem Islam an und sind hauptsächlich sunnit. Muslime, die nichtturksprachigen sind überwiegend orth. Christen. Es besteht eine zehnjährige Grundschulpflicht. K. verfügt über zehn Hochschulen, darunter eine Univ. und eine TH in Bischkek.

Wirtschaft, Verkehr: Nach dem Zerfall der Sowjetunion begann K. eine marktwirtschaftlich orientierte Entwicklung. Gesetze gestatten die Privatisierung der Staats- und unrentablen landwirtsch. Betriebe. Trotz der Reformen ist K. stark von der Transformationskrise betroffen, was zu einer Verarmung großer Teile der einkommensschwachen Bev. führte. Etwa ein Drittel der Beschäftigten sind in der Landwirtschaft tätig. Nur die Hälfte der Landesfläche ist landwirtschaftlich nutzbar, davon rd. 85 % Weiden und Wiesen, 10 % Ackerland (über 70 % bewässert). Etwa ein Drittel des Agrarlandes ist privatisiert. Größte Bedeutung haben die Schafwollproduktion, die Ziegen-, Jak- und Mastrinderhaltung und die Seidenraupenzucht (Naturseideerzeugung) sowie der Anbau von Kartoffeln, Zuckerrüben, Baumwolle, Getreide, Tabak, Futterpflanzen (bes. Luzerne), Mohn und Gemüse, der Obst- und Weinbau. K. ist arm an Rohstoffen. Bodenschätze, bergbaulich genutzt, finden sich in der Randzone des Ferganabeckens mit Kohle-, Erdöl-, Erdgasvorkommen,

Staatswappen

KS

Internationales Kfz-Kennzeichen

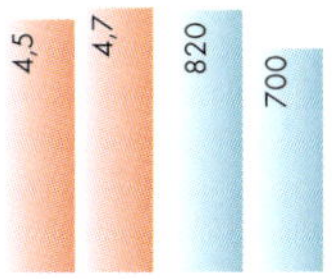

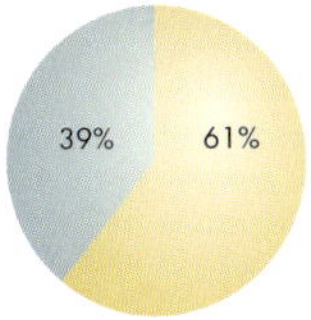

Bevölkerungsverteilung 1995

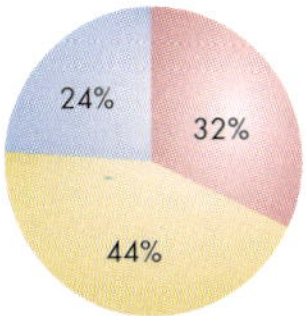

Bruttoinlandsprodukt 1995

Quecksilber-, Antimon- und Golderzen sowie im Issykkulgebiet, ebenfalls mit Kohle und Erzen; in beiden Bereichen auch Marmorabbau. In Ind. und Bauwirtschaft sind knapp drei Zehntel der Beschäftigten tätig. Die Ind. konzentriert sich auf das Tschutal (v.a. Buntmetallerzverhüttung, Maschinenbau, elektrotechn., Textil-, Nahrungsmittel- und Lederind.) und die kirgis. Randzone des Ferganabeckens mit den Schwerpunkten Bischkek und Osch. Die Wasserkraftwerke an den Hochgebirgsflüssen sind zu 80% an der Elektroenergieerzeugung beteiligt. Am Issykkul und im zentralen Tienschan liegen an Thermal- und Mineralquellen zahlr. Erholungsorte. – Ausgeführt werden Nichteisenmetalle, Kohle, Schafwolle, Nahrungsmittel und Textilien, eingeführt Eisenmetalle, Erdöl, -gas, Holz, Maschinen und Ind.anlagen, Pkw u.a. Umfangreichere Handelsbeziehungen bestehen mit China, den mittelasiat. Nachbarrepubliken und mit Russland. – Bes. das Landesinnere K.s ist verkehrsmäßig wenig erschlossen. Das Straßennetz ist 28400 km lang (davon 25900 km mit fester Decke), darunter die Hochgebirgsstraßen Ostpamir- (Osch–Chorog) und Großer Kirgistantrakt (Bischkek–Osch). Der Eisenbahnverkehr (nur 340 km langes Schienennetz) spielt eine untergeordnete Rolle. Der Flugverkehr ist für die Personenbeförderung, in schwer zugängl. Gegenden auch für den Gütertransport bedeutsam. Internat. Flughäfen liegen bei Bischkek und Osch. Auf dem Issykkul Schiffsverkehr.

Kirgistan

Geschichte: Die turksprachigen kirgis. Stämme, die im 7./8. Jh. zw. Jenissei und Orchon siedelten und im 9. Jh. das Reich der Uiguren in der Mongolei zerstörten, wanderten seit dem 10./11. Jh. in das Gebiet des heutigen K. ein. Dieses kam im 13. Jh. unter die Herrschaft der Mongolen, im 17./18. Jh. unter die der Dsungaren. Zu Beginn des 19. Jh. gerieten die Kirgisen in Abhängigkeit des kasach. Khanats Kokand; mit diesem wurde K. 1876 Russland angegliedert. Nach der Teilnahme am Mittelasiat. Aufstand gegen Russland (1916) und der Oktoberrevolution wurde in K. 1918 die Sowjetmacht errichtet (bis Mitte der 20er-Jahre Widerstand der islam. Basmatschen). K. gehörte zunächst zu der 1918 gegründeten Turkestan. ASSR. Das 1924 innerhalb der RSFSR gebildete Karakirgis. Autonome Gebiet wurde 1925 in Kirgis. Autonomes Gebiet umbenannt, aus ihm ging 1926 die Kirgis. ASSR hervor; 1936 Umwandlung in eine Unionsrepublik. Im Juni 1990 kam es zu blutigen ethn. Auseinandersetzungen zw. Kirgisen und der usbek. Minderheit im S der Rep. (Gebiet von Osch). Im Dez. 1990 erklärte K. seine Souveränität innerhalb der UdSSR, am 31. 8. 1991 seine Unabhängigkeit. Staatspräs. A. Akajew (seit Okt. 1990 im Amt, durch Wahlen im Okt. 1991 und Dez. 1995 bestätigt) leitete nach dem Verbot der KP 1991 eine allmähl. Demokratisierung der polit. Strukturen (Verabschiedung einer neuen Verf. am 5. 5. 1993 durch das Parlament) sowie Reformen in der Wirtschaft (bes. Privatisierung von Unternehmen, Bekämpfung der Korruption und Schutz der sozial Bedürftigen) ein. Unter der Aufsicht internat. Beobachter wählte die Bev. im Febr. 1995 erstmals seit der Unabhängigkeit ein Parlament (Mehrheit der Mandate für Präs. Akajew nahe stehende Abgeordnete).

In seinen Außenbeziehungen trat K. im Dez. 1991 der →GUS bei. Mit dem Beitritt zur kasachisch-usbek. Wirtschaftsunion (1994) und zur Gemeinschaft Integrierter Staaten (GIS; 1996) innerhalb der GUS intensivierte K. die Beziehungen zu seinen Nachbarstaaten. 1994 unterzeichnete K., seit 1992 Mitgl. der UNO, die NATO-Initiative »Partnerschaft für den Frieden«.

📖 GÖTZ, R. *u.* HALBACH, U.: *Polit. Lexikon GUS. München* [3]*1996.*

Kiribati (amtlich engl. Republic of K.; dt. Rep. K.), Inselstaat im südwestl. Pazifik, umfasst die Gilbert- und Phönixinseln, Banaba (Ocean Island) und acht der elf Linieninseln, erstreckt sich beiderseits der Datumsgrenze über mehrere Zeitzonen, beiderseits des Äquators 3870 km in W-O- und 2050 km in N-S-Ausdehnung in einem Meeresgebiet von rd. 5 Mio. km² (200-Seemeilen-Meereszone 3,55 Mio. km²).

Staat und Recht: Nach der Verf. von 1979 ist K. eine präsidiale Rep. im Commonwealth. Staatsoberhaupt und Reg.chef ist der direkt gewählte Präs.; die Legislative liegt beim Einkammerparlament (39 gewählte Abg., ein von Banaba nominierter Vertreter sowie der Generalstaatsanwalt). Bisher einzige Partei ist die Christlich-Demokrat. Partei.

Landesnatur: Außer Banaba (bis 81 m ü.M.) sind alle übrigen 32 Inseln Koralleninseln und -eilande (Atolle), die nur 1–3 m über Fluthöhe liegen. Banaba umfasst 6 km² und (1990) 280 Ew.; Gilbert-

Kiribati

Fläche: 811 km² (Landfläche 717 km²)
Einwohner: (1995) 79 000
Hauptstadt: Bairiki (auf Tarawa)
Amtssprachen: Gilbertesisch, Englisch
Nationalfeiertag: 12. 7.
Währung: 1 Austral. Dollar/Kiribati ($A/K) = 100 Cents (c)
Zeitzone: MEZ +11 Std. (Bairiki)

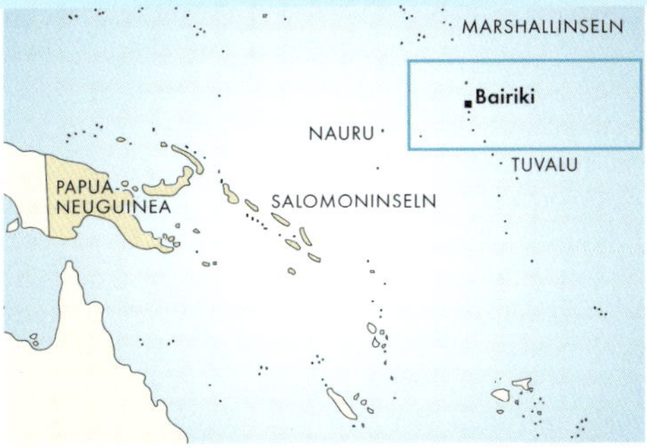

inseln: 16 Atolle, 286 km², 67 500 Ew. (davon 29 000 auf Tarawa); Phönixinseln: acht Atolle, ohne ständige Bewohner; drei bewohnte Linieninseln (Teraina oder Washington Island, Tabuaeran oder Fanning Island, Kirimati oder Christmas Island; zus. 4 700 Ew.). – Tropisch-ozean. Klima, mit sehr geringen jahreszeitl. Temperaturunterschieden und schwankenden Niederschlägen (in Äquatornähe geringer als auf den nördl. und südl. Inseln; Regenzeit Okt.–März); verbreitet sind Kokospalme und Schraubenbaum.

Bevölkerung: 97 % sind Mikronesier, daneben gibt es polynes., europ. und chines. Minderheiten. Schulpflicht besteht vom 6. bis 14. Lebensjahr. In Bairiki gibt es ein Univ.-College (Außenstelle der Univ. von Suva, Fidschi). Die Ew. sind überwiegend Christen (über 50 % kath.).

Wirtschaft, Verkehr: Seit Einstellung des Phosphatabbaus 1979 (Vorkommen erschöpft) basiert die Wirtschaft v. a. auf Kopraproduktion und Fischerei (bes. für Export); zur Eigenversorgung dienen Taro, Bananen, Papaya, Brotfrüchte; Algenkulturen. Einfuhr von Lebensmitteln, Maschinen, Fahrzeugen, Konsumgütern und Mineralöl. Haupthandelspartner sind Australien, Japan, Neuseeland und die USA. Zinseinkünfte aus dem Phosphatfonds und Einkünfte aus Fischereilizenzen. – Straßennetz 640 km lang; Haupthafen Betio und internat. Flughafen Bonriki auf Tarawa.

Geschichte: Die Inseln wurden 1576 von Spaniern, 1765 von Engländern erstmals besucht. 1892 Errichtung des brit. Protektorats (ab 1916 Kronkolonie) Gilbert and Ellice Islands; 1941–43 von Japan besetzt; 1976 Lösung der Elliceinseln aus der gemeinsamen Verwaltung (→Tuvalu). Am 12. 7. 1979 entließ Großbritannien die Gilbertinseln als K. in die Unabhängigkeit. 1985 schloss sich der Inselstaat der atomwaffenfeien Zone des Südpazifik an. Nach der Wiederaufnahme der frz. Atomtests 1995 suspendierte K. seine diplomat. Beziehungen zu Frankreich.

Kırıkkale [kɘ'rɘkkalɛ], Provinzhauptstadt in Zentralanatolien, Türkei, 203 700 Ew.; Stahlwerk, Fahrzeugbau, chem. Ind., Waffen- und Munitionsfabrik.

Kirin, Stadt und Provinz in China, →Jilin.

Kiritimạti (früher Christmas Island, dt. Weihnachtsinsel), Korallenatoll der Linieninseln, Kiribati, im W des Pazifik, 575 km², (1990) 2 500 Ew.; Kokospalmenplantagen; Flugplatz. Am 24. 12. 1777 von J. Cook entdeckt.

Kịrke (lat. Circe), *grch. Mythos:* die zaubermächtige Tochter des Helios auf der Insel Aia, die Odysseus' Gefährten in Schweine verwandelte; von ihm durch Gegenzauber überwunden; gebar ihm den Sohn Telegonos.

Kịrkeby, Per, dän. Künstler, *Kopenhagen 1. 9. 1938; nahm als Geologe an Expeditionen u. a. nach

Per Kirkeby: Ohne Titel (1981; Humlebæk bei Helsingør, Louisiana-Museum)

Staatswappen

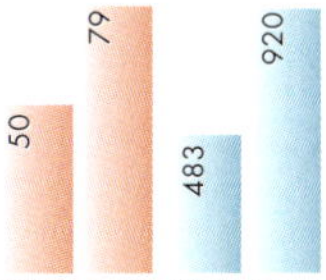

Bevölkerung (in Tausend)   Bruttosozialprodukt je Ew. (in US-$)

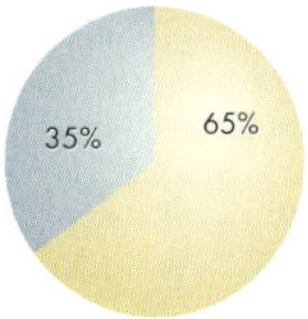

Stadt
Land

Bevölkerungsverteilung 1993

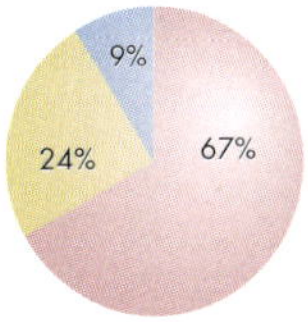

Industrie
Landwirtschaft
Dienstleistung

Bruttoinlandsprodukt 1992

Rainer Kirsch

Sarah Kirsch

Grönland, Mittelamerika und Zentralasien teil und verarbeitete seine Eindrücke in Bildzyklen in Mischtechnik, ging um 1977 zur Ölmalerei in neoexpressionist. Stil über. Trat mit architekton. Backsteinskulpturen hervor (Dt. Bibliothek, Frankfurt am Main, 1997); auch schriftstellerisch tätig.

Kirkenes ['çirkəne:s], Ort in N-Norwegen, an einem Nebenarm des Varangerfjords, heute Teil der Gemeinde Sør-Varanger; Endpunkt der Schifffahrtslinie Hurtigrute, Verschiffungshafen der südlich von K. abgebauten Eisenerze; chem., Holz-, Zementindustrie; Flughafen.

Kirkpatrick [kə:k'pætrɪk], Ralph, amerikan. Cembalist, *Leominster (Mass.) 10. 6. 1911, †Guilford (Conn.) 13. 4. 1984; trat bes. als Interpret barocker und zeitgenöss. Cembalomusik hervor.

Kirkuk (Kerkuk), Prov.-Hptst. in Irak, 419 000 Ew.; Zentrum eines Erdölgebiets; Erdölraffinerie.

Kirkwall ['kə:kwɔ:l], Hptst. der Orkneyinseln, Schottland, auf Mainland, 6 800 Ew.; Handelshafen, Bootsbau, Whiskyherstellung; Versorgungszentrum für die Nordseeölfelder. – Ehem. Kathedrale (12.–16. Jh.). – Stadt seit 1486.

Kirlian-Fotografie [nach dem russ. Techniker S. D. Kirlian] (Hochspannungsfotografie), Verfahren zur Registrierung von Hochspannungsentladungsmustern. Zw. einer flächigen Elektrode und einem geerdeten Objekt befindet sich ein lichtempfindl. Aufzeichnungsmaterial. Bei der Entladung tritt blaues Licht auf, das von der lichtempfindl. Schicht registriert wird. Je nach Art und Form des Objekts werden verschiedene, charakterist. Muster erzeugt. Die Anwendung für medizin. Diagnosen ist umstritten.

Kirmes (Kirmse), →Kirchweih.

Kirn, Stadt im Landkreis Bad Kreuznach, Rheinl.-Pf., an der Nahe, 9 200 Ew.; Leder-, Kunststoffind. – Über der Stadt die Ruine Kyrburg (1128 erstmals erwähnt, 1734 zerstört). – Seit 1857 Stadt.

Kirow, 1934–91 Name der Stadt →Wjatka.

Kirow, Sergei Mironowitsch, eigtl. S. M. Kostrikow, sowjet. Politiker, *Urschum (Gouv. Wjatka) 27. 3. 1886, †(ermordet) Leningrad (heute Sankt Petersburg) 1. 12. 1934; schloss sich 1904 den Bolschewiki an. Als enger Mitarbeiter Stalins wurde er 1926 Erster Sekretär der Leningrader Parteiorganisation, 1930 Mitgl. des Politbüros, 1934 ZK-Sekretär. Seine (wahrscheinlich von Stalin veranlasste) Ermordung durch einen Studenten, löste die große Säuberung (→Tschistka) aus.

Kirowabad, Stadt in Aserbaidschan, →Gäncä.

Kirowakan [nach S. M. Kirow], Stadt in Armenien, →Wanadsor.

Kirow-Ballett, →Sankt Petersburger Ballett.

Kirowograd (ukrain. Kirowohrad, bis 1924 Jelisawetgrad, 1924–36 Sinowjewsk, 1936–39 Kirowo), Hptst. des Gebietes K., Ukraine, am Ingul, 269 000 Ew.; Hochschule für Landmaschinenbau; Landmaschinenbau, Zuckerfabrik. – Gegr. 1764.

Kirsche: Blütendolde der Süßkirsche (oben) und Zweig mit Früchten der Knorpelkirsche

Kirsch, 1) Rainer, Schriftsteller, *Döbeln 17. 7. 1934; 1958–68 ⚭ mit 2); schreibt krit. Gedichte, Erzählungen, Dramen, Hörspiele, Kinderbücher, u. a. »Heinrich Schlaghands Höllenfahrt« (Komödie, 1973), die Anlass zum Ausschluss aus der SED war. 1990 (letzter) Vors. des Schriftstellerverbandes der DDR.

2) Sarah, geb. Ingrid Bernstein, Schriftstellerin, *Limlingerode (heute zu Hohenstein, Kr. Nordhausen) 16. 4. 1935; siedelte 1977 nach Berlin (West) über, lebt heute in Schlesw.-Holst. Die persönlich gehaltene, z. T. idyll. Naturlyrik in bildreicher und reduzierter Sprache wird durch zeit- und sozialkrit. Themen ergänzt. Neben Gedichtbänden (»Gespräch mit dem Saurier«, 1965; mit Rainer K.; »Drachensteigen«, 1979; »Katzenleben«, 1984; »Erlkönigs Tochter«, 1992) stehen Prosa (»Die Pantherfrau«, Erz. 1973; »Irrstern«, 1986; »Allerlei-Rauh. Eine Chronik«, 1988; »Das simple Leben«, 1994), Hörspiele, Kinderbücher, Übersetzungen. 1996 mit dem Georg-Büchner-Preis ausgezeichnet.

Kirlian-Fotografie eines Distelblattes

Kirsche (Kirschbaum), Bez. für mehrere zur Rosengewächsgattung Prunus zählende Steinobstgewächse. Die **Süß-** oder **Vogel-K.** (Prunus avium), ein bis 20 m hoher Baum Mitteleuropas und West-Asiens, hat weiße Blüten in Doldenbüscheln. Die kugeligen Früchte sind bei der wild wachsenden Vogel-K. erbsengroß, rot oder schwarzrot, bei Kulturformen größer und süß. Sie werden in **Herz-K.** mit weichfleischigen, roten oder schwarzroten Früchten und **Knorpel-K.** mit hartfleischigen, gelben oder roten Früchten unterteilt. Die wild oder verwildert im Kaukasus und Kleinasien vorkommende **Sauer-K.** (**Weichsel-K.,** Prunus cerasus) wird auf der N-Halbkugel in vielen Sorten und Varietäten als Obstbaum kultiviert; die roten Früchte (Sauer-K.) enthalten reichlich Fruchtsäuren. Die wichtigsten Varietäten der Sauer-K. sind: **Schattenmorelle** (Strauchweichsel) mit sauren, schwarzroten Früchten; **Glas-K.** (Amarelle, Baumweichsel) mit nur mäßig sauren Früchten; **Morelle** (Süßweichsel) und die v. a. in SO-Europa angepflanzte **Maraskakirsche.**

Kirschfruchtfliege (Kirschfliege, Rhagoletis cerasi), 3–5 mm lange Bohrfliege mit gelbem Schildchen und vier bläulich schwarzen Flügelquerbinden, die ihre Eier bes. an gerade sich verfärbende Süßkirschen ablegt. Die Larve **(Kirschenmade)** frisst das Fruchtfleisch.

Kirschlorbeer (Lorbeerkirsche, Prunus laurocerasus), aus SO-Europa und Kleinasien stammendes Rosengewächs mit glänzenden, immergrünen Blättern, weißen Blütentrauben und schwärzl. Früchten; Zierstrauch. Der K. enthält in allen Pflanzenteilen das giftige **Kirschlorbeeröl.**

Kirschwasser (Kirsch), Obstbranntwein aus vergorener Kirschmaische, Alkoholgehalt mindestens 38 Vol.-%.

Kịrst, Hans Hellmut, Schriftsteller, *Osterode in Ostpreußen (heute Ostróda) 5. 12. 1914, †Bremen 23. 2. 1989; schrieb zeitbezogene Unterhaltungsromane: »08/15« (Trilogie, 1954/55), »Verdammt zum Erfolg« (1971), »Ende '45« (1982) u. a.

Kiruna ['kiryna], nördlichste Stadt Schwedens, im Bez. (Län) Norrbotten, am Luossajärvi, 500–570 m ü. M., 26 200 Ew.; Polarlichtforschungszentrum der ESA; bed. Eisenerzbergbau (Magnetit); Bau von Förderanlagen. K. liegt zw. den Erzbergen Kirunavaara (urspr. 749 m) und Luossavaara (urspr. 729 m); Ausfuhr über die 168 km lange Bahnlinie nach Narvik; Flughafen. – Bergbau seit 1900.

Kirụndi, afrikan. Sprache, →Rundi.

Kiš [-ʃ], Danilo, serb. Schriftsteller, *Subotica 22. 2. 1935, †Paris 15. 10. 1989; lebte seit 1979 in Paris; behandelte in seinen von einer poet., subjektiven Weltsicht geprägten Romanen und Erzählungen häufig jüd. Schicksale (»Garten, Asche«, R., 1965; »Ein Grabmal für Boris Dawidowitsch«, R., 1976; »Enzyklopädie der Toten« (Erz., 1983).

Kisangani (bis 1966 Stanleyville), Regionshauptstadt in der Demokrat. Rep. Kongo, am Kongo, unterhalb der Stanleyfälle (Boyomafälle), 315 500 Ew.; Erzbischofssitz, Univ., Institut Pasteur; Nahrungsmittel-, Textil- u. a. Ind.; Endpunkt der Schifffahrt auf dem Kongo und der Eisenbahnlinie von Ubundu, internat. Flughafen.

Kịsch, Egon Erwin, tschech. Journalist und Schriftsteller, *Prag 29. 4. 1885, †ebd. 31. 3. 1948; schrieb in dt. Sprache, war Reporter in Prag, Wien und Berlin. 1933 Abschiebung in die Tschechoslowakei, 1937/38 Kämpfer für das republikan. Spanien; 1939–46 Emigration (USA, Mexiko); K. erhob die Reportage zu literar. Rang; der Titel seiner Sammlung »Der rasende Reporter« (1925) wurde zum Synonym für K. selbst.

Kịschi, Insel im Onegasee, Karelien (Russ. Föderation), mit bed. Werken der russ. Holzbaukunst (UNESCO-Weltkulturerbe): Glockenturm (1874), Verklärungskirche (Preobraschenskijkirche, 1714) mit 22 Kuppeln; Kirche zu Mariä Schutz und Fürbitte (Podrowkirche, 1764); Freilichtmuseum.

Kischinjọw (Kischinew), russ. Name der Stadt →Chişinău.

Kishi [-ʃi], Nobusuke, japan. Politiker, *Präfektur Yamaguchi (Honshū) 13. 11. 1896, †Tokio 7. 8. 1987; Jurist, 1956–57 Außenmin., war 1957–60 Min.-Präs. und Vors. der Liberaldemokrat. Partei. In seiner Reg.zeit wurde im Jan. 1960 der japanisch-amerikan. Sicherheitsvertrag abgeschlossen.

Kishon [ki'ʃɔn], Ephraim, israel. Schriftsteller, *Budapest 23. 8. 1924; kam 1949 nach Israel, seit 1952 satir. Kolumnist an versch. Tageszeitungen, glossiert und kritisiert in Erzählungen, Romanen, Theaterstücken und Hörspielen bes. das israel. Alltagsleben. Er schrieb u. a. »Drehn Sie sich um, Frau Lot« (1962), »Arche Noah, Touristenklasse« (1963), »Kein Öl, Moses?« (1974), »Mein Freund Jossele« (1977), »Total verkabelt« (1989), »Ein Apfel ist an allem schuld« (1994), »Picassos süße Rache« (1996).

Kislowọdsk, Stadt in der Region Stawropol, Russland, im Vorland des Großen Kaukasus, 121 300 Ew.; Kurort mit Heilquellen; Mineralwasserversand; künstl. See (70 ha).

Kismaayo (Kisimaju, früher italien. Chisimaio), Hafenstadt in S-Somalia, an der Mündung

Kirschlorbeer: Zweig mit Früchten

Egon Erwin Kisch (Federzeichnung, 1925)

Ephraim Kishon

Hans Hellmut Kirst

Nullachtfünfzehn

Die als geflügeltes Wort (auch in der Form Nullachtfuffzehn) in die Umgangssprache eingegangene Zahlenkombination ist zu einem Begriff geworden, mit dem man etwas als alltäglich und gänzlich unoriginell charakterisiert. Sie kam durch den deutschen Schriftsteller Hans Hellmut Kirst ins allgemeine Bewusstsein, der seiner Romantrilogie aus den Jahren 1954/55 den Titel »08/15« gegeben hatte. Zugrunde liegt die militärische Bezeichnung für ein Maschinengewehr aus dem Jahr 1908, das 1915 technisch verändert wurde und die Bezeichnung LMG 08/15 bekam.

des Juba, 70 000 Ew.; Flughafen; seit dem MA. bed. Handelsplatz der Suaheli.

Kismet [türk., zu arab. kisma »Los«] *das,* im volkstüml. Islam das dem Menschen von Allah zugeteilte, unabänderl. Schicksal.

Kisseljowsk (Kiselevsk), Stadt im Gebiet Kemerowo, Russland, im Kusnezker Kohlenbecken, 126 900 Ew.; Steinkohlenbergbau, Maschinenbau.

Kissin, Jewgenij, russ. Pianist, *Moskau 10. 10. 1971; bed. Interpret v. a. russ. Klaviermusik.

Kissingen, Bad, →Bad Kissingen.

Henry Kissinger

Kissinger ['kɪsɪndʒə], Henry Alfred, amerikan. Politiker dt. Herkunft, *Fürth 27. 5. 1923; emigrierte 1938 mit seinen Eltern in die USA; wurde 1962 Prof. für polit. Wiss.en zunächst an der Harvard University, dann an der Georgetown University. Ab 1961 war er zeitweilig Berater der Präs. J. F. Kennedy und L. B. Johnson. Als Sicherheitsberater der Präs. R. M. Nixon und G. R. Ford sowie als Außenmin. (1973–77) bereitete er eine amerikanisch-chines. Annäherung vor und förderte Entspannung und Rüstungskontrolle im Ost-West-Konflikt. Der von ihm mit →Le Duc Tho ausgehandelte Waffenstillstand in Vietnam (1973), für den beide den Friedensnobelpreis erhielten, leitete den Rückzug der USA aus SO-Asien ein. Im →Nahostkonflikt, bes. nach dem israelisch-arab. Krieg vom Okt. 1973, suchte K. im Rahmen einer ausgedehnten Reisediplomatie zu vermitteln. 1982 gründete K. die Beratungsfirma »K. Associates, Inc.«, die Reg.en und Unternehmen weltweit Informationen und Analysen anbietet. Nach dem Zusammenbruch des Ostblocks 1989–91 trat er für die Erhaltung der transatlant. Beziehungen ein.

Shibasaburō Kitasato

Kistna, Fluss in Indien, →Krishna.

Kisuaheli *das* (Kiswahili), →Suaheli.

Kitaj ['kitɑ:ʒ], R(onald) B., amerikan. Maler und Grafiker, *Chagrin Falls (Oh.) 29. 10. 1932; schuf montageartig angelegte Kompositionen mit gesellschaftspolit. Thematik, Pastelle und Kohlezeichnungen.

Horatio Herbert Kitchener

Kitakyūshū [-ʃu:], Hafen- und Industriestadt im N der japan. Insel Kyūshū, 1,02 Mio. Ew.; TH; Eisen- und Stahl-, chem., elektrotechn. Ind., Maschinen- und Fahrzeugbau; durch zwei untermeer. Eisenbahntunnel und einen Straßentunnel (→Kammontunnel) sowie eine Hochbrücke mit Shimonoseki (Honshū) verbunden; Flughafen. – 1963 durch Vereinigung der Städte Yahata, Tobata, Wakamatsu, Moji, Kokura entstanden.

Kitan (Qidan, Chi-tan), mongol. Stämmeverband, seit dem 5. Jh. n. Chr. bekannt, in NO-China ansässig, gründete 907 ein Reich, das 937 den chines. Namen **Liao** annahm und in seiner Blütezeit von Korea bis in die westl. Mongolei reichte, aber 1125 vernichtet wurde. Die nach W geflüchteten Überlebenden gründeten zw. 1129 und 1141 das Reich der **Kara Kitai.** Dieses Reich wurde 1218 von den Mongolen erobert.

Kitasato, Shibasaburō, japan. Bakteriologe, *Oguni (Präfektur Kumamoto) 20. 12. 1856, †Nakanojō (Präfektur Gunma) 13. 6. 1931; Schüler und Mitarbeiter R. Kochs in Berlin; mit E. von Behring entdeckte er die Diphtherie- und Tetanusantitoxine (1890), fand 1894 den Pestbazillus, 1898 entdeckte er den Erreger der Ruhr.

Kitchener ['kɪtʃɪnə] (bis 1916 Berlin), Stadt in der kanad. Prov. Ontario, 168 300 Ew. (Agglomeration 356 400 Ew.); Reifen-, Textil-, Leder-, Möbelind., Maschinenbau. – 1824 von deutschsprachigen Mennoniten gegründet.

Kitchener ['kɪtʃɪnə], Horatio Herbert, Earl (seit 1914) K. of Khartoum and of Broome, brit. Feldmarschall (seit 1909), *Crotter House bei Listowel (Cty. Kerry, Irland) 24. 6. 1850, †vor den Orkneyinseln 5. 6. 1916; eroberte als Oberbefehlshaber der ägypt. Armee 1896–98 den Sudan, zwang die Franzosen in der →Faschodakrise zum Rückzug, war im Burenkrieg (1899–1902) Oberbefehlshaber, 1914–16 Heeresmin. (Durchsetzung der allg. Wehrpflicht). K. ertrank beim Untergang des Panzerkreuzers »Hampshire« auf einer diplomat. Reise.

Kithara [grch.] *die,* altgrch. Saiteninstrument, eine Leier (→Lyra) mit geschwungenen Jocharmen und urspr. sieben, später zwölf Saiten.

Kitimat [-mæt], Hafenort in der Prov. British Columbia, Kanada, 11 200 Ew., Aluminiumwerk, Papier-, Methanolfabrik. – Gegr. 1948 als Werksiedlung.

Kitsch, um 1870 in Münchener Künstlerkreisen entstandener Begriff (Wortherkunft nicht geklärt), der urspr. billig hergestellten Kunstersatz bezeichnete; heute dient der Begriff zur Umschreibung von Produkten aus allen Bereichen der Darstellung (Bild, Text, Musik), die (im Unterschied zum Kunstgewerblichen, zur Unterhaltungsliteratur, -musik) »höhere Werte« vortäuschen und so als etwas »Schönes« erscheinen. Die Grenze zw. K. und Kunst ist nicht immer deutlich, wobei Kunst u. a. auch durch die Art und Weise der Rezeption verkitscht werden kann.

📖 FULLER, G.: *K. art. Wie K. zur Kunst wird. Köln 1992.* – ROSENKRANZ, G.: *Ästhetik des Häßlichen. Leipzig ²1996.*

Kitt, Bez. für knetbare bis zähflüssige Massen, die je nach Anforderung an die Haftfestigkeit in Kleb- und Füll-K. unterteilt werden. **Kleb-K.** sind bei Raumtemperatur plastisch verformbare Klebstoffe, die i. d. R. Füllstoffe und keine oder nur flüchtige Lösungsmittel enthalten. Sie dienen gleichzeitig zum Füllen dickerer Klebfugen. **Füll-K.** sind für das Ausfüllen oder Abdichten (z. B. von Hohlräumen, dickeren Fugen) geeignete

Massen, an die keine besonderen Anforderungen hinsichtlich der Haftfestigkeit gestellt werden.

Kitt Peak [-pi:k], Berg in Arizona, USA, 90 km südwestlich von Tucson, 2095 m ü. M. Das auf dem Gipfel gelegene **K. P. National Observatory** (u. a. mit 4-m-Spiegelteleskop und derzeit weltweit größtem Sonnenteleskop) gehört zu den bedeutendsten astronom. Observatorien der Erde.

Kitwe, Bergbau- und Ind.stadt in N-Sambia, 1350 m ü. M., 348600 Ew.; Technikum, forstwiss. Institut; Zentrum des Kupfererzbergbaus, Metall-, Holz-, Lebensmittel- u. a. Ind. – Gegr. 1936.

Kitz, Junges von Reh, Gämse, Steinwild. Das männl. heißt **Bock-K.**, das weibl. **Geiß-Kitz.**

Kitzbühel, Bezirkshptst. in den Kitzbüheler Alpen, Tirol, Österreich, 762–1800 m ü. M., 8100 Ew.; internat. Fremdenverkehrsort, Wintersport (u. a. Hahnenkammrennen); zahlr. Lift- und vier Seilbahnanlagen (**Hahnenkamm** 1655 m ü. M., **Kitzbüheler Horn** 1996 m ü. M.); am Schwarzsee Moorbad. – Maler. Stadtbild, v. a. barock geprägt. – 1165 erstmals erwähnt, Stadt seit 1271.

Kitzbüheler Alpen, Teil der Ostalpen in Tirol und Salzburg, Österreich, zw. Zillertal im W und Zeller See im O, im Kreuzjoch 2559 m ü. M.; Teil der Schiefer- und Grauwackenzone, Wald und »Grasberge«.

Kitzingen, 1) Landkreis im RegBez. Unterfranken, Bayern, 684 km^2, (1997) 87800 Einwohner.

2) Krst. von 1) in Bayern, Große Krst., am Main, 21300 Ew.; Fachschulen; Dt. Fastnachtmuseum; Rebveredlungsanstalt; Maschinenbau; Metall-, Textil-, Farben-, Glaswarenind., bed. Weinbau; Hafen. – Teile der Befestigung (15. Jh.) sind erhalten, dazu Rathaus (1561–63), got. Hallenkirche St. Johannes (15. Jh.), ev. Pfarrkirche (1686–93); in K.-Etwashausen Heiligkreuzkapelle von B. Neumann (1741–45). – Entstand im 12./13. Jh.

Kitzler (Klitoris, Clitoris), das entwicklungsgeschichtlich dem Penis entspr. Geschlechtsorgan der weibl. Säugetiere. Bei der Frau liegt der K. (als wichtigste erogene Zone) am Ende der kleinen Schamlippen und besteht aus zwei Schwellkörpern und der Eichel.

Kitzsteinhorn, Gipfel der Hohen Tauern, Österreich, →Kaprun.

Kiukiang, chines. Stadt, →Jiujiang.

Kiuschu, japan. Insel, →Kyūshū.

Kiutschüan, Oasenstadt in China, →Jiuquan.

Kivi, Aleksis, eigtl. A. Stenvall, finn. Dichter, *Nurmijärvi 10. 10. 1834, †Tuusula 31. 12. 1872; leitete den Beginn der modernen Literatur in finn. Sprache ein. Seine Dramen (»Die Heideschuster«, 1864, u. a.) ermöglichten die Gründung des finn. Nationaltheaters.

Kivik ['tçi:vik], Fundort eines bronzezeitl. Hügelgrabs mit Grabkammer in Megalithbauweise bei Södra Mellby, S-Schweden; erhalten sind Wandsteine mit kult. Darstellungen.

Kiwi [engl., Herkunft ungeklärt] *die* (Chinesische Stachelbeere), die essbare Frucht des Chines. Strahlengriffels (Actinidia chinensis), eines in China beheimateten, bis 8 m hoch rankenden, wärmeliebenden windenden Strauches mit großen Blättern und zweihäusigen, weißl. Blüten. Die K. sind länglich oval, bis über 8 cm groß, mit brauner, behaarter Schale und grünem, saftigem Fruchtfleisch; reich an Vitamin C.

Kiwis [Maori] (Schnepfenstrauße, Apterygidae), Familie bis 35 cm hoher, flugunfähiger, nachtaktiver Laufvögel mit drei Arten in den Wäldern Neuseelands; mit graubraunem, strähnigem Gefieder, kräftigen Beinen und langem, schnepfenartigem Schnabel; stehen unter Naturschutz.

Kiwusee (Kivusee), See im Zentralafrikan. Graben, 1460 m ü. M., 2650 km^2 groß, über 80 m tief, fischarm. Der W-Teil gehört zur Demokrat. Rep. Kongo, der O-Teil zu Ruanda. Vom N-Ufer erstreckt sich der 8000 km^2 große **Kiwu-Nationalpark.**

Kızılırmak [kə'zələrmak; türk. »Roter Fluss«] (im Altertum Halys), der längste Fluss der Türkei, 1355 km lang, entspringt mit zwei Quellflüssen östlich von Sivas am Kızıl Dağ und am Dumanlı Dağ, fließt durch Zentralanatolien, durchbricht das Pont. Gebirge und mündet bei Bafra ins Schwarze Meer; mehrere Talsperren.

kJ, Einheitenzeichen für Kilojoule, 1 kJ = 1000 J (→Joule).

Kjellén [tçɛ'le:n], Rudolf, schwed. Politiker und Staatsrechtler, *Torsö 13. 6. 1864, †Uppsala 14. 11. 1922; prägte den Begriff und entwickelte die Lehre von der →Geopolitik in Fortführung der polit. Geographie F. Ratzels.

Kjökkenmöddinger ['kø:-] (dän. Køkkenmøddinger), Abfallhaufen, Reste von vorgeschichtl. Siedlungsstellen in Strandnähe, bes. in Dänemark (aus der Mittelsteinzeit).

Kjui, Zesar Antonowitsch (César Cui), russ. Komponist frz. Herkunft, *Wilna 18. 1. 1835, †Petrograd (heute Sankt Petersburg) 26. 3. 1918; Schüler M. A. Balakirews; gehörte zur »Gruppe der 5«; komponierte Opern, Orchester-, Kammermusik, Chöre und Lieder, die Einflüsse R. Schumanns zeigen. Schrieb »La musique en Russie« (1880).

k. k., Abk. für kaiserlich-königlich im Unterschied zur Abk. **k.** für königlich-ungar., →Österreich-Ungarn.

KKW, Abk. für →**K**ern**k**raft**w**erk.

Klabautermann [zu kalfatern], *Volksglaube:* Schiffskobold, der Segelschiffe begleitet und durch Hämmern auf Schäden hinweist.

Klabund, eigtl. Alfred Henschke, Schriftsteller, *Crossen a. d. Oder 4. 11. 1890, †Davos 14. 8. 1928;

Kiwi:
Zweig mit Früchten und aufgeschnittene Frucht

Kiwi
(Höhe etwa 35 cm)

⚭ mit Carola Neher. Subtiler Lyriker (»Der himml. Vagant«, 1919), zu seiner Zeit bes. bekannt durch seine provokanten Chansons und erot. Lieder; als Erzähler stilistisch zw. Impressionismus und Expressionismus angesiedelt, auch einfühlsamer Nachdichter fernöstl. Lyrik (nach engl. und frz. Übersetzungen); schrieb die Kurzromane »Moreau« (1916) und »Bracke« (1918) sowie das später von B. Brecht verwertete Drama »Der Kreidekreis« (1924, nach einer chines. Vorlage).

Klabund: Fotografie aus dem Nachlass Gottfried Benns (heute Marbach, Deutsches Literaturarchiv)

Kladderadatsch, 1848–1944 in Berlin erschienenes politisch-satir., national ausgerichtetes Wochenblatt, gegr. u.a. von D. Kalisch; wichtigster Karikaturist war W. Scholz.

Kladno, Stadt im Mittelböhm. Gebiet, Tschech. Rep., westlich von Prag, 72000 Ew.; Steinkohlenbergbau, Eisen-, Stahlind. – Schloss (1740) von K. I. Dientzenhofer.

Kladogenese [grch.] *die, Abstammungslehre:* Abwandlung der anagenetisch entstandenen Grundtypen (→Anagenese) durch Spezialisation zu größerer Formenmannigfaltigkeit.

Klaffmuscheln: Sandklaffmuschel (Länge bis 12 cm)

Klaffmuscheln (Mya), Gattung der Muscheln, mit weißer, klaffender Schale. Die bis 12 cm lange **Sandklaffmuschel (Strandauster,** Mya arenaria) lebt im Wattenmeer (beliebte Speisemuschel).

Klage, im gerichtl. Verfahren (mit Ausnahme des Strafprozesses, →Anklage, →Privatklage) das Begehren um Rechtsschutz durch richterl. Entscheidung. Die K. wird i.d.R. schriftlich eingereicht, unterliegt im Verfahren vor den Landgerichten dem Anwaltszwang. Vor den Amtsgerichten, im Arbeits-, Sozial-, Verwaltungs- und Finanzgerichtsprozess kann sie von der Partei selbst abgefasst oder zu Protokoll des Urkundsbeamten der Geschäftsstelle erhoben werden. Wesentl. Erfordernisse der **K.-Schrift** sind die Bez. der Parteien (des Klägers und des Beklagten) und des Gerichts, die bestimmte Angabe des K.-Gegenstands und Grundes des erhobenen Anspruchs **(K.-Grund)** sowie der daraus hergeleitete **K.-Antrag.** In der K. soll im Zivilprozess auch der Streitwert angegeben werden. Über den K.-Antrag darf das Gericht im Urteil nicht hinausgehen (§ 308 ZPO). Die K.-Erhebung erfolgt durch Zustellung der K. an den Beklagten (§ 253 ZPO). Die K. unterbricht die Verjährung des geltend gemachten Anspruchs. Zw. der Zustellung und dem Verhandlungstermin soll die →Einlassungsfrist liegen, ohne die der Beklagte nicht zu verhandeln braucht. Eine **K.-Änderung** als Änderung des mit der K. geltend gemachten Streitgegenstandes ist zulässig, wenn der Gegner einwilligt oder sie sachdienlich ist. Die **K.-Rücknahme** beendet den Prozess ohne Entscheidung über den K.-Antrag, der Kläger hat die Prozesskosten zu tragen. War bereits mündlich verhandelt, bedarf sie der gegner. Zustimmung. Ein **K.-Verzicht** hat die Abweisung der Klage zur Folge und verwehrt dem Kläger, denselben K.-Antrag erneut zu stellen. Das Prozessrecht, bes. das Zivilprozessrecht, kennt mehrere K.-Arten, z.B. →Feststellungsklage, →Gestaltungsklage, →Leistungsklage. Das Gericht entscheidet über die K. i.d.R. durch Urteil. War die K. (ganz oder teilweise) begründet, spricht es dem Kläger den Anspruch (ganz oder teilweise) zu, andernfalls weist es die K. ab. – Für *Österreich* gelten ähnl. Bestimmungen; der Termin zur mündl. Verhandlung heißt **Tagsatzung.** In der *Schweiz* ist das Prozessrecht durch das kantonale Recht nach ähnl. Grundsätzen geordnet; Anwaltszwang besteht nicht.

Klage, Die, mhd. Dichtung des 13. Jh. in vierhebigen Reimpaaren; vermutlich in Bayern entstanden; mit dem »Nibelungenlied« überliefert.

Klage|erzwingungsverfahren, strafprozessrechtl. Verfahren, das der durch eine Straftat Verletzte einleiten und mit dem er die öffentl. Klage (Anklage) erzwingen kann, wenn die Staatsanwaltschaft das Strafverfahren eingestellt hat (§§ 172 ff. StPO). Hat der Verletzte bei den Strafverfolgungsbehörden die Verfolgung einer Straftat beantragt, ist er von der Einstellung zu unterrichten und über die Möglichkeit einer Anfechtung dieser Entscheidung zu belehren. Er kann dann binnen zwei Wochen bei dem vorgesetzten Beamten Beschwerde einlegen und, wenn diese erfolglos bleibt, innerhalb eines weiteren Monats die Entscheidung des OLG beantragen. Dieser Antrag muss von einem Rechtsanwalt unterzeichnet sein und darf nicht die

Verfolgung von Privatklagedelikten oder Ordnungswidrigkeiten bezwecken.

Klagelieder Jeremias, bibl. Buch, →Jeremia.

Klagemauer, Teil der westl. Umfassungsmauer des Jerusalemer Tempelplatzes; als hl. Stätte der Juden Ort des Gebets, v.a. der persönl. Bitt- und Dankgebete, die auf Zettel geschrieben, zusammengerollt und in die Fugen der K. gesteckt werden; 1949–67 war den Juden der Zugang durch die jordan. Behörden verwehrt.

Klagenfurt, Hptst. des österr. Bundeslandes Kärnten, im Klagenfurter Becken, östlich des Wörther Sees, Stadt mit eigenem Statut, 89400 Ew.; Sitz der Landesregierung, des Landgerichts, des Bischofs des Bistums Gurk, Univ. für Bildungswiss., Höhere techn. Lehr- und Versuchsanstalt, Landesarchiv, Landeskonservatorium, Theater, Landes-, Bergbau-, Eisenbahn-, Freilichtmuseum; jährl. K.er und Holzmesse, Leder-, Holz-, Maschinen-, Elektroind.; Flughafen. – In der Altstadt u.a. Dom (als evang. Kirche 1582–91 erbaut, seit 1604 kath.), Landhaus (1574–90, 1740 z.T. barockisiert), Lindwurmbrunnen (1593), Laubenhöfe (16. Jh. ff.). – Als Markt um 1195 gen.; um 1270 Stadtrecht.

Klages, Ludwig, Philosoph und Psychologe, *Hannover 10. 12. 1872, †Kilchberg (bei Zürich) 29. 7. 1956; Chemiker. K. baute die Graphologie zu einer Wiss. aus und schuf eine allg. Ausdrucks- und Charakterkunde. Er vertrat das philosoph. Weltbild einer ursprüngl. Leib-Seele-Einheit, die durch den Intellekt gestört werde (»Der Geist als Widersacher der Seele«, 1929–33).

Klaipėda (russ. Klajpeda, dt. Memel), Stadt in Litauen, gegenüber der N-Spitze der Kur. Nehrung, am Ausgang des Kur. Haffs zur Ostsee, 202800 Ew.; Werft; Fischverarbeitungs-, Holz-, Papier-, Textilind.; eisfreier Hafen (Eisenbahnfähre nach Mukran, Rügen), über einen Kanal mit der Memel verbunden; Flughafen. – Gegr. 1252 vom livländ. Zweig des Dt. Ordens. Die Stadt, die seit 1254 lüb. Recht besaß, erhielt 1475 Culmer Recht. 1807/08 Zufluchtsort des preuß. Hofes vor Napoleon I., 1854 weitgehende Zerstörung der Altstadt durch einen Brand. 1924–39 Sitz des Gouv. und Direktoriums des →Memelgebietes.

Klaj [klaɪ], latinisiert Clajus, **1)** Johannes, Grammatiker, *Herzberg a.d. Elster 24. 6. 1535, †Bendeleben (bei Sondershausen) 11. 4. 1592; stellte in seiner »Grammatica germanicae linguae« (1578) die dt. Betonungslehre und Syntax anhand von Luthers Bibelübersetzung dar.

2) Johannes, Dichter, *Meißen 1616, †Kitzingen 1656; gründete 1644 in Nürnberg mit G. P. Harsdörffer den →Pegnitzorden, schrieb weltl. und geistl. Lieder und lyrisch-dramat. »Geistl. Trauer- und Freudenspiele«; Wegbereiter des Oratoriums.

Klagenfurt: Das Wahrzeichen von Klagenfurt ist der Lindwurmbrunnen (1593)

Klamm, schmale, von einem Gebirgsbach tief eingeschnittene Felsschlucht, meist geologisch jung.

Klammer, 1) *Chirurgie:* **Wund-K.,** ein kleiner u-förmig gebogener korrosionsfreier Metalldraht; mithilfe eines K.-Nahtgerätes werden die Hautränder von Operations- o.a. Wunden vereinigt.

2) *Mathematik:* paarweise verwendete Zeichen (z.B. (), [], ⟨⟩, {}) mit vielfältigen Bedeutungen, in der Elementarmathematik v.a. zur Kennzeichnung der Abarbeitungsreihenfolge einer Berechnung.

Klammer|affen (Ateles), Gattung der Klammerschwanzaffen mit dünnen, sehr langen Gliedmaßen und langem, muskulösem Schwanz; leben in Wäldern Mittel- und Südamerikas.

Klampfe, Musikinstrument, →Gitarre.

Klan *der* (Clan), *Völkerkunde:* eine Bev.gruppe, die ihre Abstammung von einem gemeinsamen Ahnen (oft einem übernatürl. Wesen oder Totem) ableitet.

Klagenfurt
Stadtwappen

Ludwig Klages

Klagemauer

Als die Römer 70 n. Chr. Jerusalem zerstörten, wurde auch der jüdische Tempel bis auf einen Teil der Westwand des Tempelplatzes verwüstet. Die Westwand ist 18 m hoch und war ursprünglich 485 m lang, wovon bisher 170 m freigelegt sind. Nach der Eroberung Jerusalems durch die islamischen Araber (638) war der Tempelplatz mit Ausnahme der Westwand den Juden nicht mehr zugänglich, da die Araber auf dem Gelände des ehemaligen Tempels ein islamisches Heiligtum, den Felsendom, errichteten. So wurde die Westwand des Tempelplatzes nicht nur zu einer Stätte des Gebets und des Gottesdienstes, sondern auch zu einem Ort der Klage über die Zerstörung des Tempels. Männern und Frauen ist dabei jeweils ein eigener, deutlich abgegrenzter Bereich zugewiesen. In den Fugen der Klagemauer stecken zahlreiche zusammengerollte Zettel mit den Bitten und Gebeten der Gläubigen. Auch der Zugang zur Klagemauer wurde den Juden immer wieder verwehrt, so z.B. nach dem Bar-Kochba-Aufstand im Jahr 135, dann unter den Kreuzfahrern und zuletzt 1949–67 durch ein Verbot seitens Jordaniens.

Klappertopf: Kleiner Klappertopf (Höhe 10–50 cm)

Klang, *Akustik:* eine vom Ohr wahrnehmbare period. mechan. Schwingung, die durch das Zusammenklingen von mehreren Tönen **(Teiltönen)** entsteht, deren Schwingungen sinusförmig verlaufen. Dabei bestimmt der tiefste Teilton **(Grundton)** die subjektiv empfundene **K.-Höhe.** Die Frequenzen der höheren Teiltöne **(harmon. Töne, Obertöne)** sind ganzzahlige Vielfache des Grundtons. Die Anzahl und die relative Stärke der Obertöne bestimmen die **K.-Farbe** einer Tonquelle, z.B. eines Musikinstruments. – Im Ggs. zum K. besteht das Tongemisch aus sinusförmigen Schwingungen mit beliebigen Frequenzen, d.h., die auftretenden Teiltöne sind nicht harmonisch. Das **K.-Gemisch** setzt sich aus Klängen mit Grundtönen beliebiger Frequenz zusammen. – Die **K.-Analyse,** eine Form der →harmonischen Analyse, ist die Auflösung eines K. in die ihn zusammensetzenden Teiltöne mithilfe von Filtern und Resonatoren. Das dabei entstehende **K.-Spektrum** gibt die Frequenzen der Einzeltöne mit ihren Intensitätsverhältnissen wieder. Ihr Gegenteil, die **K.-Synthese,** ist ein Verfahren zum Aufbau künstl. Klänge aus willkürlich ausgewählten Komponenten, z.B. mit einem →Synthesizer.

Klang, früherer Name der malaysischen Stadt →Kelang.

Klangfarben|einsteller (Klangeinsteller, Klangregler), Vorrichtung an Audiogeräten zur Klangkorrektur; meist zweifach zur Beeinflussung (Anhebung oder Absenkung) der hohen und tiefen Frequenzen vorhanden; einfachste Form ist die →Tonblende. Klangregeleinrichtungen oder selbstständige Geräte mit mehr als zwei K. werden auch als →Equalizer bezeichnet.

Klangfarbenmelodie, von A. Schönberg in seiner »Harmonielehre« (1911) geprägter Begriff für die Aufeinanderfolge wechselnder Klangfarben eines Tons oder Akkords entsprechend den wechselnden Tonhöhen einer Melodie aus Tönen, erstmals verwirklicht im dritten seiner »Fünf Orchesterstücke« op. 16 (1909).

Klangfiguren (chladnische K.), →Chladni.

Klanghöhe, →Klang.

Klangstufen, *Musik:* →Stufenbezeichnung.

Klapheck, Konrad, Maler und Objektkünstler, *Düsseldorf 10. 2. 1935; gestaltet Bildserien von Maschinen und Alltagsobjekten (Schreib-, Nähmaschinen, Telefone), die sich in ihrer sachl. Präzision zu Metaphern menschl. Verhaltens und allg. Vorstellungen des Lebens verdichten. K.s Bilder waren 1955 eines der entschiedensten Signale für die Rückkehr zur gegenständl. Malerei.

Klappe, 1) *Anatomie:* bei Mensch und Tieren Membran oder häutiges Gebilde, das Hohlräume ventilartig verschließt und zur Strömungsregulation in Herz, Venen oder Lymphgefäßen dient.

2) *Musik:* bei Blasinstrumenten das über Hebel durch die Finger bewegbare Plättchen, mit dem die Tonlöcher geöffnet oder geschlossen werden können.

3) *Technik:* plattenförmiges Absperrorgan, das um eine in der Klappenebene liegende Achse drehbar ist; die Betätigung erfolgt mechanisch (z.B. Drossel-K.) oder selbsttätig (z.B. Rückschlag-K.) durch das Strömungsmedium.

Klapper, Rhythmusinstrument, meist aus zwei gegeneinander zu schlagenden Teilen gleicher Bauart und gleichen Materials (u.a. Holz, Metall); bes. bei Naturvölkern.

Klappernuss, der Strauch →Pimpernuss.

Klapperschlangen (Crotalus), Gattung amerikan. Grubenottern, die bei Erregung mit Hornringen am Schwanzende ein rasselndes Geräusch erzeugen; bei jeder Häutung entsteht ein neues Segment der Klapper. Das hochwirksame Gift der K. enthält vorwiegend zytotox. und hämotox., aber auch neurotox. Komponenten, bes. bei der einzigen südamerikan. Art, der **Schauer-K.** (Crotalus durissus). Im südl. Nordamerika leben die etwa 2 m lange **Texas-K.** (Crotalus atrox) und die mehr als 2,5 m lange **Diamant-K.** (Crotalus adamanteus).

Klappertopf (Rhinanthus), Rachenblütlergattung in Europa, W-Asien und Nordamerika; Blattgrün enthaltende Halbschmarotzer an Wurzeln, v.a. von Wiesenpflanzen; Samen in reifen Früchten sind lose, beim Schütteln klappernd. In Deutschland ist die verbreitetste Art der **Kleine K.** (Rhinanthus minor).

Klappmütze, →Seehunde.

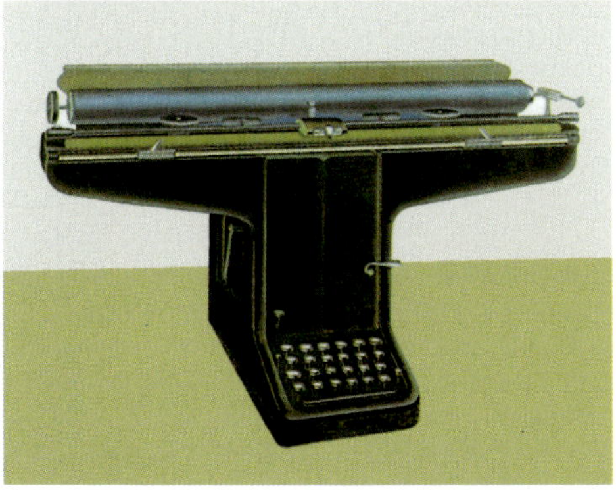

Konrad Klapheck: Athletisches Selbstporträt (1958; Aachen, Neue Galerie – Sammlung Ludwig)

Martin Heinrich Klaproth

Klaproth, Martin Heinrich, Chemiker, *Wernigerode 1. 12. 1743, †Berlin 1. 1. 1817; dort seit 1810 Prof., Wegbereiter der analyt. Chemie. Entdeckte zahlreiche Elemente, u.a. Kalium, Uran, Zirkonium, Strontium, Cer, Tellur und Titan, führte wichtige Mineralanalysen durch; verhalf der antiphlogist. Lehre Lavoisiers in Dtl. zum Durchbruch.

Klarälv *der* (in Norwegen Trysilelv), Zufluss des Vänersees in Schweden, 397 km lang (davon 132 km in Norwegen); entfließt dem Femundsee (663 m ü. M.) in Norwegen, mündet bei Karlstad; Flößerei, Kraftwerk.

Klär|anlage (Klärwerk), Anlage zur →Abwasserreinigung.

Klara von Assisi, Ordensgründerin, *Assisi 1194, †San Damiano (heute zu Assisi) 11. 8. 1253; gründete den weibl. Zweig der →Franziskaner (Klarissen); Heilige; Tag: 11. 8.

Klären, *Verfahrenstechnik:* das Beseitigen von Verunreinigungen aus flüssigen Substanzen durch Absetzen (Sedimentieren), Aufschwimmen (Flotation), Filtrieren oder Zentrifugieren.

klarieren [lat.], die Zoll- u. a. Formalitäten beim Ein- und Auslaufen eines Schiffes erledigen.

Klarinette [von italien. clarinetto, zu lat. clarus »hell tönend«], Holzblasinstrument mit einfachem Rohrblatt und zylindr. Röhre. Die K. besteht aus dem Mundstück (Schnabel), der Birne, dem Ober- und Unterstück und dem trichterförmigen Schallbecher. Das Rohrblatt wird mit einer Metallzwinge an den schräg abgeflachten Schnabel gepresst. Die K. dt. Systems hat zur Veränderung der Tonhöhe in der Regel 22 Klappen und fünf Ringe. Am gebräuchlichsten ist die B-Stimmung (Umfang des/d–b^3), daneben sind Instrumente in A- und C-Stimmung verbreitet. Ferner gibt es tiefere K., so das →Bassetthorn, Bass-K. und Kontrabass-K., daneben auch höhere K. – Die K. wurde nach 1700 vermutlich von J. C. Denner aus dem Chalumeau entwickelt. Die Klappenzahl wurde von zwei allmählich auf 13 erhöht (I. Müller, um 1810). 1839 erhielt die K. durch die Franzosen H. E. Klosé und L. A. Buffet den von T. Boehm für die Querflöte erfundenen Klappenmechanismus. BILD Holzblasinstrumente

📖 BIRSAK, K.: *Die K. Eine Kulturgeschichte. Buchloe 1992.*

Klarissen (lat. Ordo Sanctae Clarae), Abk. **OSCl,** weibl. Zweig der →Franziskaner.

Klarluftturbulenz (Clear-Air-Turbulenz) heftige Turbulenz im wolkenfreien Raum der Troposphäre, die zur Gefährdung von Luftfahrzeugen führen kann. K. entsteht durch vertikale therm. Konvektionsströmungen, durch Leewellenströmungen hinter Gebirgszügen oder durch Windscherungen in den Randbezirken der hohen →Jetstreams.

Klärschlamm, wässrige Suspensionen mit etwa 5% Trockenmasse, die bei der →Abwasserreinigung in den Absetzbecken (Klärbecken) einer Kläranlage anfallen. Bei der anaeroben Schlammfaulung in Faultürmen bildet sich **Klärgas** (etwa 65% Methan und 35% Kohlendioxid), das zur Erwärmung des K. und zur Energieversorung der Anlage verwendet wird. Der ausgefaulte Schlamm wird in Trockenbeeten bzw. mit Maschinen bis zur Stichfestigkeit getrocknet. Bei Großanlagen, bes. bei biolog. Kläranlagen für industrielle Abwässer, gibt man aus Zeit- und Platzgründen der therm. Entwässerung den Vorzug. – Derzeit werden 60% des K. auf Mülldeponien gelagert, 25% als Dünger in der Landwirtschaft eingesetzt und der Rest verbrannt. Die **K.-VO** vom 15. 4. 1992 regelt den zulässigen Gehalt an Schwermetallen und organ. Schadstoffen (z. B. Dioxine, Furane, polychlorierte Biphenyle) für K., der als Dünger verwendet wird.

Klarschrift, *Datenverarbeitung:* aus Buchstaben, Ziffern und Sonderzeichen bestehende Druck- oder Schreibschrift (meist Normschrift), im Ggs. zu besonderen Codes (z. B. →Strichcode).

Klarschriftleser, *Datenverarbeitung:* i. e. S. Gerät für das opt. Erkennen von (auch für den Menschen lesbaren, i. Allg. genormten) Schriftzeichen und deren Umsetzung in einen für die Eingabe in eine Datenverarbeitungsanlage geeigneten Code; i. w. S. auch der →Magnetschriftleser.

Klasse [lat. classis »Abteilung«], **1)** *allg.:* Gruppe von Lebewesen oder Dingen mit gemeinsamen Merkmalen.

2) *biolog. Systematik:* Bez. für eine taxonom. Einheit zw. Stamm und Ordnung.

3) *Logik:* durch mindestens ein gemeinsames Merkmal verbundene Gruppe von Gegenständen (Individuen), welche als Elemente der K. bezeichnet werden.

4) *Mathematik:* a) meist gleichbedeutend mit →Menge; b) Bez. für eine Teilmenge, die entsteht, wenn man eine Menge M von Elementen derart unterteilt, dass ein Element immer nur zu genau einer Teilmenge gehört; man spricht auch von einer **K.-Zerlegung (K.-Einteilung)** von M (z. B. in Äquivalenzklassen).

5) *Pädagogik:* Schüler, die mindestens ein Schuljahr hindurch in (fast) allen Fächern gemeinsam unterrichtet werden; in den Kurssystemen der Gesamtschulen und Gymnasien gibt es keine festen K. mehr.

6) *Sozialwiss.:* soziale Gruppe innerhalb einer Gesellschaft, deren Mitglieder v. a. durch eine bestimmte ökonom. Lage, ähnl. Bildungsgrad und ähnl. Interessen gekennzeichnet werden können, im Unterschied zu Stand, Kaste u. a. meist auf die industrielle Gesellschaft bezogen. Der Begriff K. wird oft synonym mit →Schicht gebraucht. Die umfassendste **Klassentheorie** entwickelte der →Marxismus; K. Marx führte den Begriff der K. zur Kennzeichnung jeder geschichtl. Gesellschaftsform ein. Die in einem unversöhnl. Ggs. (Klassengegensatz) befindl. K. der jeweiligen Besitzenden und Herrschenden einerseits (Bourgeoisie) und der Ausgebeuteten andererseits (Proletariat) seien in ihrer Klassenlage durch den histor. Entwicklungsstand der Produktivkräfte und die Produktions- und Herrschaftsverhältnisse bestimmt. Die Geschichte der K. wird als eine Geschichte der →Klassenkämpfe gedeutet. – Die moderne sozialwiss. Ungleichheitsforschung steht zu einem nicht geringen Teil in Auseinandersetzung mit der Klassentheorie von Marx, v.a. im Anschluss an M. Weber, G. Mosca, R. Dahrendorf. Neben der ökonom. Stellung des Menschen (Vermögen, Einkommen) spielen in nichtmarxist. Theorien auch andere Kriterien eine die K. kennzeichnende Rolle, z.B. Beruf, Bildung, Umwelt, Familie, Konfession. Auch seien Übergänge von einer Klasse zur anderen möglich (soziale Mobilität), weshalb von sozialer →Schichtung statt von K. gesprochen wird.

Klassement [-'mã, frz.] *das, Sport:* Rangliste (der Wettbewerbsteilnehmer).

Klassenkampf, nach der marxist. Geschichtsauffassung die sich im geschichtl. Ablauf ständig vollziehende Auseinandersetzung zw. jener sozialen Gruppe, die über die Produktionsmittel, und damit über die Herrschaft, Machtmittel und Privilegien verfügt, und der übrigen, der beherrschten Bev., deren »objektives Interesse« es sei, sich von dieser Herrschaft zu befreien. Die Geschichte aller bisherigen Gesellschaft wird als eine Geschichte von K. beschrieben. Als Hauptbeispiele gelten: im Altertum der Aufstand der Plebejer und Sklaven, im MA. die Auflehnung des niederen Rittertums, dann die der Bauern und der städt. Handwerker im 15. und 16. Jh., im 18. und 19. Jh. die Erhebung des Bürgertums gegen den Feudalismus, schließlich die proletar. Erhebung gegen die herrschende bürgerl. Klasse. Die proletar. Revolution gilt als der letzte K.: Die aus ihr hervorgehende Diktatur des Proletariats diene der Vorbereitung der **klassenlosen Gesellschaft.** Die Sozialdemokratie (→Revisionismus) erkannte zwar die Realität des K. an, erwartete aber seine Abschwächung und seine Überwindung durch friedl. Reformen (→Marxismus).

Klassensprachen, Sprachen, deren hervorstechendes morpholog. Merkmal die Einteilung der Nomina in Klassen ist (z.B. für Menschen, Tiere, Großes, Kleines). Mit diesen Nominalklassen verbinden sich weitere Unterscheidungen. Die Klassen werden durch Präfixe oder Suffixe oder beides gekennzeichnet. Bekannte K. sind die →Niger-Kongo-Sprachen, wozu z.B. das Ful (im Rahmen der westatlant. K.) und die →Bantusprachen (im Rahmen der Benue-Kongo-Sprachen) zählen.

Klassensteuer, Vorläuferin der Einkommensteuer, bei der sich die Steuerschuld des Steuerpflichtigen nicht aus dem Einkommen, sondern aus seiner gesellschaftl. Stellung ergab. Die in Preußen 1820 eingeführte K. bezweckte, ein »Eindringen in die Geheimnisse des Eigentums« zu vermeiden.

Klassierung (Separierung, Sortierung), Auftrennung feinkörniger Feststoffgemische nach der Teilchengröße oder Masse. K. kann durch Sieben **(Sieb-K.)** oder durch Ausnutzung der unterschiedl. Sinkgeschwindigkeit verschieden großer Teilchen in einem Luft- **(Aero-K., Windsichten)** oder Wasserstrom **(Strom-K., Hydro-K.)** oder durch Fliehkraft (→Zyklon) erreicht werden.

Klassifikation [lat.] *die,* Einteilung von Dingen oder Begriffen nach gemeinsamen Merkmalen, z.B. →Dezimalklassifikation, →Schiffsklassifikation; K. der Lebewesen, →Systematik.

Klassik [zu »klassisch« gebildet], **1)** [zu lat. classicus »die (ersten) Bürgerklassen betreffend«, übertragen: »ersten Ranges, mustergültig«], Bez. für eine geistesgeschichtl. Epoche, die von nachfolgenden Zeiten als vorbildhaft, normbildend, kanonisch anerkannt wird. Als K. im normbildenden kanon. Sinne betrachtete bereits die röm. Antike die grch. Lit. und Kunst. In der Renaissance verstand man unter K. einerseits die gesamte grch.-röm. Antike, andererseits deren Höhepunkte: im grch. Altertum die perikleische Epoche, im röm. Altertum die Zeit der goldenen Latinität. Dieses an Maßhalten, Harmonie und Vorbildlichkeit von Kunst und Lit. v.a. der Griechen im 5. und 4. Jh. v. Chr. orientierte Verständnis wurde später auch auf andere geschichtl. Räume, Völker und Kulturepochen übertragen. In Dtl. bezeichnet der Begriff für die Zeit um 1800 die →Weimarer Klassik. (→klassisch)

2) *Musik:* 1) Wertbez. für höchste Vollendung musikal. Gestaltung; 2) Stilbez. für die Epoche Haydns, Mozarts und Beethovens (→Wiener Klassik), in der auf der Basis neu entwickelter, im Wesentlichen instrumentaler Formen, v.a. der Sonatensatzform, und durch Gestaltungsprinzipien, wie leichte Verständlichkeit, Liedhaftigkeit und Einfachheit der kompositor. Anlage, Gestalt und Gehalt der Musik zu vollkommener Einheit gebracht sind.

3) *Wirtschaft:* →klassische Nationalökonomie.

klassisch [lat. »classicus«, die höchsten Vermögensklassen betreffend, erstklassig], 1) die grch.-röm. Antike oder bestimmte Epochen der Antike betreffend, bezogen auf die Kultur, Dichter, Philosophen und Künstler, auf die Sprachen (Griechisch, Latein), auch auf die Wiss., die sich mit Sprache und Lit. der Antike beschäftigt (klass. Philologie); 2) aufgrund bestimmter Merkmale den antiken Klassikern, Werken oder Epochen gleichgestellte neuzeitl. Autoren und Künstler, Werke oder Epochen; 3) Stilbegriff in der Bedeutung von harmonisch, maßvoll, vollendet; 4) allg. vorbildhaft, mustergültig, Maßstäbe setzend, normativ; typisch, zeitlos, z. B. ein klass. Beispiel, ein klass. Kostüm; 5) als Bez. für den Teilbereich einer Wiss., der vor einer umwälzenden neuen Theorie bzw. ohne die dieser zugrunde liegenden Vorstellungen entwickelt wurde, z. B. die klass. Physik.

klassische Nationalökonomie (Klassik), Bez. für eine im 18. und 19. Jh. v. a. von brit. Volkswirtschaftlern begründete ökonom. Lehre, deren Hauptkennzeichen die Auffassung ist, durch die autonome Verfolgung der Privatinteressen werde zugleich und automatisch der Wohlstand der Nation gemehrt. Am Anfang der k. N. steht das Werk von A. Smith. Weitere bed. Vertreter sind D. Ricardo, T. R. Malthus und J. S. Mill in Großbritannien, J. B. Say und F. Bastiat in Frankreich sowie in Dtl. J. H. von Thünen und H. H. Gossen.

Die unter dem Eindruck der industriellen Revolution entstandene k. N. nimmt eine Position des Wirtschaftsliberalismus (Manchestertum) ein, nach der dem Staat lediglich die Aufgabe zufällt, Ordnungs- und Schutzfunktionen auszuüben und solche Probleme zu lösen, die die Möglichkeiten des Einzelnen übersteigen. Eine darüber hinausgehende Wirtschaftspolitik des Staates wird abgelehnt (»Laissez faire, laissez aller«), da nur durch freie Konkurrenz Preise, Beschäftigung, Einkommen bzw. Produktion und Verteilung sowie Konsum, Sparen und Investition wie von einer »unsichtbaren Hand« (A. Smith) in ein natürl. Gleichgewicht gebracht werden. Wichtigste Voraussetzung dafür sei die Handlungs- und Entscheidungsfreiheit des Einzelnen (Homo oeconomicus).

Die Annahme der automat. Herstellung eines wirtsch. Gleichgewichts bei Vollbeschäftigung war Hauptkritikpunkt für J. M. Keynes, der alle Vertreter einer solchen Auffassung der k. N. zurechnet. Nach einem engeren Begriff von k. N. ist ihr letzter Vertreter bereits J. S. Mill, der das Bestehen einer natürlichen harmon. Ordnung zumindest teilweise bezweifelte und staatl. Maßnahmen zur Milderung der Einkommensunterschiede für erforderlich hielt. (→Neoklassik)

Klassizismus [lat.] *der,* **1)** *Kunst:* Stilbegriff zur Bez. von wiederkehrenden Kunstströmungen, die sich bewusst auf antike, meist grch. Vorbilder berufen. In der Architektur lassen sich klassizist. Richtungen seit dem 16. Jh. in Frankreich (Classicisme), England und den Niederlanden (Palladianismus) nachweisen, die um 1770 zum vorherrschenden Stil in der europ. und amerikan. Kunst wurden. Klassizist. Tendenzen, die sich oft nur schwer vom Historismus abgrenzen lassen und meist als Neo-K. bezeichnet werden, finden sich um 1870, im 1. Viertel des 20. Jh. und wieder in der postmodernen Architektur seit 1970. K. im Besonderen ist die Stilepoche zw. 1750 und 1830, der die Stile Biedermeier, Directoire, Empire und Louisseize untergeordnet sind. Die eingehende wiss. Erforschung der antiken Kunst und Architektur bildeten die Grundlage für die Rezeption antiker Vorbilder in allen Bereichen der Kunst. Anstöße gaben u. a. die frühen Ausgrabungen von Herculaneum und Pompeji und die Schriften J. J. Winckelmanns. Seine deutlichste Ausprägung erfuhr der K. in Architektur und Stadtplanung fürstl. Residenzen des aufgeklärten Absolutismus. Bezeichnend sind blockartige, streng gegliederte Bauformationen mit vorgesetzten Säulenordnungen. In Dtl. traten hervor: G. W. von Knobelsdorff (Schloss Sanssouci, Rückfront, Marmorsaal, 1745–47), F. W. von Erdmannsdorff (Schloss in Wörlitz, 1769–73), C. G. Langhans (Brandenburger Tor, Berlin, 1788–91), F. Gilly (Denkmal für Friedrich d. Gr., Entwurf 1796), F. Weinbrenner in Karlsruhe, L. von Klenze in München und v. a. K. F. Schinkel in Berlin; in Frankreich: J.-G. Soufflot (Panthéon in Paris, 1764–90), C.-N. Ledoux, C. Percier und P. F. L. Fontaine; in England: die Brüder Adam sowie W. Chambers, R. Smirke und J. Soane, die v. a. unter dem Einfluss der palladian. Lehre standen. Das gilt auch für Italien und die skandinav. Länder.

In der Plastik bilden in Frankreich einen Höhepunkt die unpathet., an grch. Statuen geschulten Werke J. A. Houdons. Aus der Schule von A. Canova ging der Däne B. Thorvaldsen hervor. In England wurde J. Flaxman bedeutendster Vertreter klassizist. Bildhauerkunst, der sich in Dtl. J. H. von Dannecker, G. Schadow und C. D. Rauch, in Schweden J. T. Sergel, in den USA H. Greenough und in Russland I. P. Martos verschrieben.

Für die Malerei des K. bedeutet das Deckengemälde »Parnaß« (1761) von A. R. Mengs in der Villa Albani in Rom den programmat. Anfang, an den u. a. seine Schüler H. F. Füger und Angelica Kauffmann anknüpften. J. P. Hackert und v. a. J. A. Koch traten mit heroischen Landschaften hervor. A. J. Carstens und Flaxman orientierten sich bei ihren strengen Umrisszeichnungen an antiken Vasenbildern. Gestaltungsprinzipien einer scharfen Linienführung und klaren Farbgebung wurden in Frankreich in den Gemälden von J. L. David und J. A. D. Ingres weiterentwickelt; das Historienbild galt als wichtigste Gattung. In England fand G. Hamilton, ein wichtiger Wegbereiter des K., keine ebenbürtige Nachfolge. BILDTAFEL S. 360/361

📖 FEIST, D. H.: *Geschichte der dt. Kunst 1760–1848. Leipzig 1986. – K., bearb. v.* D. DOLGNER. *Leipzig 1991.*

2) *Literatur:* auf die klass. Antike bezogener Stil- und Wertbegriff für Dichtung, die sich antiker Stilformen und Stoffe bedient. Unter dem Aspekt der Imitation älterer Formmuster wurde bisweilen

Klassizismus 1): Antonio Canova, »Venus« (1812; Florenz, Galleria Pitti)

Václav Klaus

schon die röm. Klassik in ihrem Verhältnis zur grch. als klassizistisch eingestuft. In der Neuzeit tritt klassizist. Dichtung, orientiert an einem an der Antike gebildeten Regelkanon, erstmals in der italien. Renaissance auf; diese Strömung wirkte im Rahmen des europ. Humanismus v.a. auf Frankreich (P. de Ronsard) und auf die im Frz. als »classicisme« bezeichnete Blütezeit der frz. Kultur (17. Jh.). In England lassen sich breitere klassizist. Strömungen erst im 18. Jh. feststellen (A. Pope, J. Gay), in der russ. Lit. setzte der aufklärer. K. in den 40er-Jahren des 18. Jh. als erste Epoche der neuruss. Lit. ein (A. Cantemir, M. W. Lomonossow, A. P. Sumarokow, G. R. Derschawin, D. J. Fonwisin). In Dtl. erfolgte die Hinwendung zu antiken Formidealen insbesondere durch J. C. Gottsched, dann in der Anakreontik, bei C. M. Wieland, im 19. und 20. Jh. bei A. von Platen und dem Münchner Dichterkreis, im 20. Jh. u. a. bei S. George und dem Neoklassizismus.

📖 Ernst, F.: *Der K. in Italien, Frankreich u. Deutschland. Zürich 1924.* – Heussler, A.: *Klassik u. K. in der dt. Literatur. Studie über 2 literarhistor. Begriffe. Bern 1952, Nachdr. Nendeln 1970.*

klastische Gesteine (Klastite, Trümmergesteine), aus den Bruchstücken älterer Gesteine gebildete Sedimentgesteine; man unterscheidet →Pelite, →Psammite und →Psephite.

Klatschmohn, Art der Pflanzengattung →Mohn.

Klau, *Schifffahrt:* gabelförmiges Ende der →Gaffel, mit dem diese auf dem Mast gleitet.

Klaue, 1) *Maschinenbau:* klauenförmiger Ansatz an einem Maschinenteil, der mit einer korrespondierend geformten Vertiefung oder Aussparung an einem zweiten Maschinenteil eine lösbare, formschlüssige Verbindung bildet.

2) *Zoologie:* das dem Huf entsprechende Endglied der beiden Zehen der Paarhufer.

Klauer, Martin Gottlieb, Bildhauer, *Rudolstadt 29. 8. 1742, †Weimar 4. 4. 1801; dort seit 1773 Hofbildhauer, schuf lebensnahe, monumentale Bildnisbüsten aus dem Weimarer Goethekreis in klassizist. Stil, auch Grab- und Gartenplastik.

Klaus, 1) Josef, österr. Politiker, *Mauthen (heute zu Kötschach-Mauten, Kärnten) 15. 8. 1910; Jurist, Mitgl. der ÖVP, 1949–61 Landeshauptmann von Salzburg, 1961–63 Finanzmin., war 1963–70 Parteiobmann und 1964–70 Bundeskanzler.

2) Václav, tschech. Politiker, *Prag 19. 6. 1941; Volkswirtschaftler, im Nov. 1989 Mitbegründer, von Okt. 1990 bis Febr. 1991 Vors. des **Bürgerforums**, war von Dez. 1989 bis Juni 1992 Finanzmin. der ČSFR; seit April 1991 Vors. der Demokrat. Bürgerpartei (ODS), 1992–97 MinPräs. der Tschech. Republik.

Klause [lat.], **1)** (Kloster-)Zelle, Einsiedelei.

2) *Botanik:* die aus zwei Fruchtblättern gebildete Spaltfrucht der Lippenblütler und Borretschgewächse.

3) *Geologie:* Talenge, Engpass (in den Alpen). Eine bes. Form ist die »Kluse« im Schweizer Jura.

Klausel [lat.], **1)** *Recht:* jede im Rahmen eines Rechtsgeschäfts (Vertrag, Testament) getroffene Einzelbestimmung, z.B. die →Wertsicherungsklausel. Im Ggs. dazu steht die →Generalklausel. Eine K. eigener Art ist die Vollstreckungs-K. in der →Zwangsvollstreckung.

2) Schlussformel (in der antiken Rhetorik; in der Musik des MA.).

Klausen (italien. Chiusa), Südtiroler Stadt, Prov. Bozen, Italien, am Eisack, 4300 Ew. – Roman. Kirche St. Sebastian (13. Jh.), Pfarrkirche St. Andreas und Apostelkirche (beide 15. Jh., spätgot.). K. wird von der Burg Branzoll und dem Kloster

Klassizismus 1)

1

2

| **1** Die 1816–18 von Karl Friedrich Schinkel erbaute Neue Wache in Berlin ist seit 1993 Zentrale Gedenkstätte Deutschlands
| **2** Glasfenster mit Darstellung antiker Sagengestalten (um 1810; München, Bayerisches Nationalmuseum)

Säben mit Hl.-Kreuz-Kirche (7. und 17. Jh.) und Klosterkirche (17. Jh.) überragt.

Klausenburg (rumän. Cluj-Napoca, ungar. Kolozsvár), Hptst. des Kreises Cluj, Rumänien, in Siebenbürgen, 326 000 Ew.; Mittelpunkt der in Rumänien lebenden Ungarn; Sitz eines rumänisch-orth., eines ref. und eines unitar. Bischofs; Univ. (1872 gegr.), polytechn., medizinisch-pharmazeut., landwirtsch. und Kunsthochschule, Konservatorium, Museen für die Geschichte und Volkskunde Siebenbürgens. Industriezentrum: Metall-, Maschinen-, Leder-, Textil-, pharmazeut. Ind. – Got. Michaelskirche (1350–1580); spätgot. Franziskanerkirche (15. Jh.), barocke orth. Kirche (1797); Rathaus (16.–18. Jh.), barocker Bánffypalast (18. Jh.; jetzt Kunstmuseum). – Das dakisch-röm. **Napoca** wurde etwa zur Zeit Hadrians Munizipium, im 3. Jh. Mittelpunkt Dakiens. Als **Castrum Clus** im 12. Jh. Mittelpunkt eines ungar. Komitats; 1405 königlich-ungar. Freistadt. Ansiedlung dt. Kolonisten (Siebenbürger Sachsen) im 13. Jh.; 1316 Stadterhebung; ab 1541 unter osman. Oberhoheit. Ab 1569 Sitz des siebenbürg. Landtags; seit 1691 unter österr. Herrschaft. 1790–1848 und 1861–67 Hptst. Siebenbürgens; seit 1919/20 rumänisch; 1940–44/47 zu Ungarn.

Klausenpass, Alpenpass im schweizer. Kt. Uri, 1952 m ü. M. Die 38 km lange **Klausenstraße** über den K. verbindet Altdorf im Kt. Uri mit Linthal im Kt. Glarus.

Klausner, → Einsiedler.

Klaustrophobie [lat.-grch.] *die,* krankhafte Angst vor Aufenthalt in geschlossenen Räumen.

Klausur [lat. »Einschließung« zu claudere »(ab-, ver)schließen«] *die,* **1)** *kath. Ordenswesen:* der ausschließlich Ordensangehörigen vorbehaltene Be-

| 3

| 4

| 5

| 6

| 7

| **3** Die Stiftskirche in Buchau, Baden-Württemberg, wurde 1774–76 klassizistisch umgestaltet | **4** Jean Auguste Dominique Ingres, »Die Apotheose Homers« (1827; Paris, Louvre) | **5** Gottfried Schadow, Friedrich Gilly (1801; Berlin, Neue Nationalgalerie) | **6** Karl Friedrich Schinkel, Schauspielhaus am Gendarmenmarkt in Berlin (1819–21) | **7** Antonio Canova, Pauline Bonaparte als ruhende Venus (1807; Rom, Villa Borghese)

reich eines kath. Klosters, zu dem Außenstehende keinen Zutritt haben.

2) *Pädagogik:* (K.-Arbeit) schriftl. Prüfungsarbeit unter Aufsicht

Klaviatur [von mlat. clavis »Taste«] *die* (Tastatur), die Gesamtheit der Tasten eines Tasteninstruments (Klavier, Orgel), sowohl Manual als auch Pedal.

Klavichord [-ˈkɔrd] *das* (Clavichord), ein im 14. Jh. aus dem Monochord entwickeltes Tasteninstrument, dessen quer zur Tastatur verlaufende Saiten von Metallstiften (Tangenten) angeschlagen werden. Dieselbe Saite (bzw. der Saitenchor) kann für versch. Tonhöhen (bis zu fünf) verwendet werden, wobei die Tangente wie ein →Bund wirkt **(gebundenes K.);** um 1700 wurde jeder Taste ein Saitenchor zugeordnet **(bundfreies K.).** Das K. wurde um 1800 durch das Hammerklavier verdrängt.

Klavier [von mlat. clavis »Taste«], urspr. svw. Klaviatur, später Sammelbez. für Tasteninstrumente; im 18. Jh. bes. Bez. für das →Klavichord.

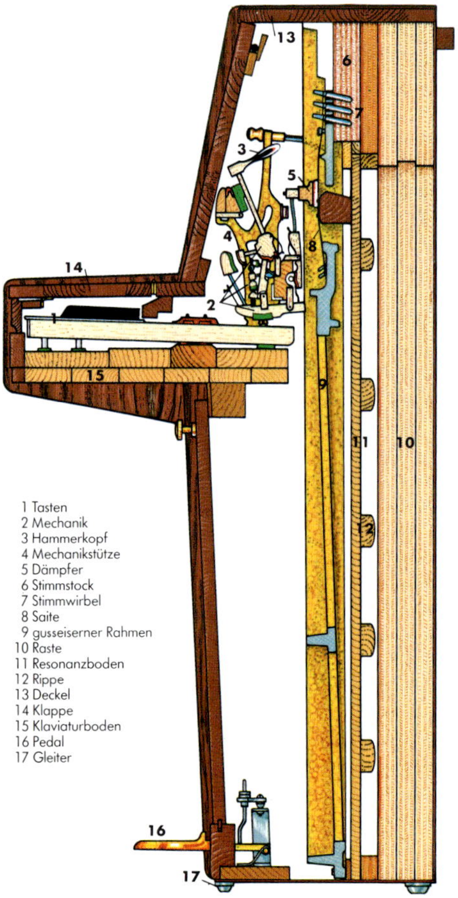

Klavier

Seit 1800 ist K. die Bez. für Tasteninstrumente, deren Saiten durch Hämmerchen **(Hammer-K.)** angeschlagen werden; wegen der Möglichkeit des Laut-leise-Spiels auch **Pianoforte** oder **Fortepiano** genannt.

Über den tonverstärkenden und -abstrahlenden Resonanzboden, der auf einem Balkengefüge ruht, läuft der Saitenbezug. Die Schwingungen der Metallsaiten werden durch den Steg auf den Resonanzboden übertragen. Gespannt werden die Saiten in dem früher hölzernen, heute gusseisernen Rahmen, indem man sie auf der einen Seite in Stifte einhängt, auf der anderen durch die im Stimmstock (Hartholz oder Metall) sitzenden Stimmwirbel anzieht. Urspr. entsprach jedem Ton eine Saite. Der Bezug ist heute chörig, d. h., außer bei den tiefsten Tönen gehören jeweils zwei oder drei Saiten zu je einem Ton. Der Umfang des K. reichte zuerst von C bis f^4, er wurde immer mehr erweitert und ist jetzt mit über sieben Oktaven genormt ($_2A$–a^4 beim Pianino, $_2A$–c^5 beim Flügel).

Der zw. Tasten und Saiten liegende Teil des K. wird Mechanik genannt. Die um 1775 von J. A. Stein entwickelte Prellmechanik (dt. oder Wiener Mechanik) prägte das ganze 19. Jh. hindurch den Wiener Klavierbau. Endgültig setzte sich jedoch die im Prinzip schon bei B. Cristofori vorhandene, durch Broadwood & Sons gebaute Stoßmechanik (engl. Mechanik) durch. Wird bei dieser die Taste vorn niedergedrückt, so hebt sie hinten den Stößer, der in die Hammernuss greift, den Hammer (Hammerkopf) gegen die Saite schleudert und gleichzeitig ausrastet, sodass der Hammer zurückfallen kann. Bei der von S. Érard vor 1821 entwickelten Repetitionsmechanik fängt der Stößer den Hammer nach dem Anschlag in einer zweiten Kerbe auf. Dadurch kann der Ton repetiert (wiederholt) werden, ohne dass die Taste erst ganz in die Ausgangsstellung zurückkehren muss.

Alle Saiten des K., außer den höchsten, haben je einen Dämpfer, der beim Anschlag emporgehoben, beim Freilassen der Taste wieder gegengedrückt wird. Der rechte Fußhebel (Fortepedal) ermöglicht eine ständige Aufhebung aller Dämpfer. Durch das linke Pedal (Pianopedal, Verschiebung) kann beim Flügel die Mechanik etwas verschoben werden, sodass von den chörigen Saiten je eine weniger angeschlagen wird, beim Pianino rückt es die Hämmer näher an die Saiten.

Geschichte: 1709 Erfindung des Hammer-K. durch B. Cristofori. Die äußere Form wurde zunächst vom Cembalo übernommen. Neben diesem noch heute gebräuchlichen, **Flügel** genannten Typ, kam 1742 das dem Klavichord nachgestaltete, inzwischen verschwundene, rechteckige **Tafel-K.** auf. Das schlechthin K. genannte Instrument mit senkrechtem Saitenbezug und Resonanzboden

(Pianino) hat sich um 1800 aus dem Pyramiden-K. entwickelt. Die seit etwa 1850 vorgenommenen technisch-klangl. Verbesserungen haben am Wesen des K. nichts mehr ändern können. Seit den 1980er-Jahren werden auch digitale K. gebaut. Sie basieren auf der elektron. Speicherung und Umwandlung analoger Klänge in digitale Werte, die auf Tastendruck abgerufen und, in analoge Signale zurückverwandelt, über Lautsprecher wiedergegeben werden.

📖 HIRT, F. J.: *Meisterwerke des Klavierbaus. Dietikon* ^{2}*1981. – Der Piano- u. Flügelbau, hg. v.* H. JUNGHANNS, *bearb. u. ergänzt v.* H. K. HERZOG. *Frankfurt am Main* ^{7}*1991.*

Klavierauszug, Bearbeitung eines zunächst nicht für das Klavier komponierten Musikstücks zur Wiedergabe auf dem Klavier. Bei dem zum Studium dienenden K. größerer Vokalwerke ist nur der Instrumentalteil bearbeitet; die Singstimmen werden unverändert darüber gesetzt.

Klaviermusik, Musik für Tasteninstrumente (Klaviaturinstrumente) wie Cembalo, Klavichord, Pianoforte und bis ins 17. Jh. auch für Orgel. Die frühesten Quellen der K. sind Umarbeitungen mehrstimmiger Vokalsätze des 14./15. Jh. Die Tabulaturbücher der dt. Orgelmeister des 16. Jh. (u. a. A. Schlick, P. Hofhaimer) enthalten neben Übertragungen auch eigenständige Kompositionen. Italien. Organisten (A. und G. Gabrieli, G. Frescobaldi u. a.), engl. Virginalisten, J. P. Sweelinck und seine dt. Schüler bildeten selbstständige Formen instrumentalen Charakters aus (Ricerar, Fantasie, Toccata u. a.). Die Klaviersuite und das Programmstück gehen auf frz. Clavecinisten (u. a. F. Couperin) und J. J. Froberger zurück, die Entwicklung der italien. Klaviersonate auf D. Scarlatti. G. F. Händel und J. S. Bach (»Wohltemperiertes Klavier«) pflegten bes. die Suite und als Erste das Orgel- bzw. Klavierkonzert (Cembalokonzert). Die in Italien entstandene Klaviersonate erhielt in der Wiener Klassik (J. Haydn, W. A. Mozart, L. van Beethoven) ebenso wie das Klavierkonzert die endgültige Form. Im 19. Jh. wurden von F. Schubert, F. Mendelssohn Bartholdy, R. Schumann und J. Brahms lyr. Kleinformen (Moment musical, Impromptu, Intermezzo u. a.) gepflegt. F. Liszt und F. Chopin schufen virtuose K. (Etüden) von hohem Rang. Der Klavierstil Liszts wurde von F. Busoni, P. I. Tschaikowsky, S. W. Rachmaninow und den frz. Impressionisten (C. Debussy, M. Ravel) fortentwickelt. Die K. des 20. Jh. ist gekennzeichnet durch die Erweiterung der Klangfarben mittels neuer Techniken (direktes Anschlagen der Saiten und des Instrumentenkörpers, Cluster, präpariertes Klavier, Elektronik) sowie durch Versuche der Verschmelzung von Klavier- und Orchesterklang. Bed. Werke für Klavier schrieben A. N. Skrjabin, I. Strawinsky, B. Bartók, P. Hindemith, C. Ives, H. Cowell, J. Cage, A. Schönberg, A. Berg, A. Webern, L. Nono, P. Boulez, O. Messiaen und K. Stockhausen.

📖 *Reclams Klaviermusikführer, hg. v.* W. OEHLMANN, *2 Bde. Stuttgart* $^{6-7}$*1993–96.*

Klavizimbel [lat.-grch.] *das,* das → Cembalo.

Klazomenai, ion. Stadt am S-Ufer des Golfs von İzmir (Türkei), Fundort einer großen Gruppe bemalter Tonsarkophage des 6. und frühen 5. Jh. v. Chr. **(Klazomenische Sarkophage).** Heimat des grch. Philosophen Anaxagoras.

Klebe, Giselher, Komponist, *Mannheim 28. 6. 1925; schuf Werke im gemäßigt modernen Stil: Orchester-, Kammermusik, Kirchenmusik, Ballette, Opern, u. a. »Die Räuber« (1957); »Alkmene« (1961); »Das Märchen von der schönen Lilie« (1969); »Ein wahrer Held« (1975); »Der jüngste Tag« (1980); »Die Fastnachtsbeichte« (1983).

Giselher Klebe

Klebebindung, fadenloses Buchbindeverfahren, bei dem Einzelblätter oder im Bundsteg geschlitzte Bogen durch Auftragen eines Klebstoffs auf den aufgerauten Rücken zu einem Buchblock verbunden werden.

Kleber (Klebereiweiß, Gluten), im Mehlkörper v. a. von Weizen und Mais enthaltenes Eiweiß, das die Backfähigkeit des Mehls beeinflusst.

Kléber [kle'bɛ:r], Jean-Baptiste, frz. General, *Straßburg 9. 3. 1753, † (ermordet) Kairo 14. 6. 1800; schlug 1793 den royalist. Aufstand in der Vendée nieder, war im Ägyptenfeldzug ab Aug. 1799 Oberbefehlshaber, eroberte Kairo und siegte über die Türken bei Heliopolis (1800).

Klebsiella [nach dem Bakteriologen Edwin Klebs, *1834, †1919] *die,* Bakteriengattung, gramnegative, unbewegl. Stäbchen, die beim Menschen u. a. eine Lungenentzündung hervorrufen können.

Klebstoffe, nichtmetall. Werkstoffe, die Körper durch Oberflächenhaftung (Adhäsion) und innere Festigkeit (Kohäsion) verbinden können, ohne das Gefüge der Körper wesentlich zu verändern (Leim, Kleister, Kitt). Zu den natürl. K. gehören Kasein-, Glutinleime, Stärkeprodukte (Kleister) und Naturharze. Von größerer Bedeutung sind heute synthet. Klebstoffe. **Schmelz-K.** werden heiß als Schmelze aufgetragen und bilden beim Erstarren die Klebverbindung. Verwendet werden v. a. Mischungen von Äthylen-Vinylacetat-Copolymeren mit Harzen und Wachsen. **Heißsiegel-K.** werden als Lösungen oder Dispersionen aufgetragen. Die getrockneten Schichten schmelzen bei der Siegelung in der Wärme und bilden die Klebverbindung. **Kontakt-K.** müssen auf beide zu verklebenden Oberflächen aufgetragen werden. Nach einer Vortrocknung erfolgt die Klebung durch kurzzeitiges, starkes Zusammendrücken. Verwendet werden Lösungen von Synthesekaut-

Paul Klee: »Der Goldene Fisch« (1925; Hamburg, Kunsthalle)

schuk (Chloroprenkautschuk) und Harzen (Phenolharze, Kolophonium). **Haft-K.** sind dauerklebrige K., meist auf Kautschukbasis, die unter geringem Druck haften, bei dauernder Last aber zum »Kriechen« neigen. Sie werden für Haftetiketten und Dekofolien verwendet. **Alleskleber** sind Lösungen von Nitrocellulose, Polyvinylacetat u. a. in Estern und Ketonen, die durch Verdunsten des Lösungsmittels abbinden. **Anlösende K.** werden für Kunststoffe verwendet. Sie enthalten ein Lösungsmittel (z. B. Tetrahydrofuran für PVC), das die zu verklebenden Oberflächen anlöst, sodass nach Diffusion der Makromoleküle und Verdunstung des Lösungsmittels Klebung eintritt. **Reaktions-K.** (Ein- und Zweikomponentenkleber) binden durch chem. Reaktion ab. Sie enthalten u. a. Aminoplaste oder Epoxidharze.

Klee: Der Wiesenklee gehört zu den wichtigen Futterpflanzen

Klecki ['klɛtski], Kletzki, Paweł (Paul), schweizer. Dirigent poln. Herkunft, *Lodz 21. 3. 1900, †Liverpool 5. 3. 1973; leitete u. a. 1967–70 das Orchestre de la Suisse Romande; komponierte u. a. Orchesterwerke, Klavier- und Kammermusik.

Klee (Trifolium), Gattung der Schmetterlingsblütler mit etwa 300 Arten; Kräuter mit meist dreizähligen Blättern, kopfig, doldig oder traubig angeordneten Blütenständen und kurzen Fruchthülsen. Mitteleurop. Arten und wichtige Futterpflanzen sind: **Wiesenklee** (Trifolium pratense) mit roten Blütenköpfchen, **Inkarnatklee** (Trifolium incarnatum) mit blutroten längl. Blütenköpfchen, **Weißklee** (Trifolium repens) mit weißen Blüten, am weitesten verbreiteter Weidenklee. Wildpflanzen sind der meist rot blühende **Voralpenklee** (Trifolium alpinum) und der weißlich bis rötlich blühende **Hasenklee** (Trifolium arvense).

Kleiber: Europäischer Kleiber (Größe bis 14 cm)

Klee, Paul, Maler und Grafiker, *Münchenbuchsee (bei Bern) 18. 12. 1879, †Muralto (bei Locarno) 29. 6. 1940; studierte 1898–1901 bei F. von Stuck u. a. in München, war 1901 in Italien und ließ sich 1906 in München nieder, wo er mit den Malern des →Blauen Reiters befreundet war. 1912 empfing er in Paris Anregungen bes. von R. Delaunay, P. Picasso und H. Rousseau. 1914 reiste K. mit A. Macke und L. R. Moillet nach Tunis und Kairouan. Seit 1921 wirkte er als Meister am Bauhaus in Weimar und Dessau, seit 1931 als Akademieprof. in Düsseldorf, 1933 übersiedelte er nach seiner Entlassung nach Bern. 1937 wurden in Dtl. 102 seiner Werke als »entartet« beschlagnahmt. – Das Frühwerk umfasst v. a. Handzeichnungen und Druckgrafik von linearer Dynamik bei z. T. primitivierender Reduzierung der Gegenstandswiedergabe. Die Tunisreise wurde ausschlaggebend für den Durchbruch der Farbe. In der Folgezeit befasste sich K. mit einer Vielzahl maler. Techniken, die er in subtiler Differenzierung anwandte. Seine Kompositionen reichen von relativer Gegenständlichkeit über poet. Traumassoziationen und ironisch-skurrile Themen bis zu reiner Abstraktion. Im Spätwerk ist die künstler. Ausdrucksweise auf eine elementare Symbol- und Zeichensprache reduziert. K. übte bedeutenden Einfluss auf die Kunst des 20. Jh. aus. – Schriften: »Über die moderne Kunst« (hg. 1945), »Tagebücher 1898–1918«, hg. von Felix Klee (1957).

📖 BISCHOFF, U.: *P. K. München 1992.* – GIEDION-WELCKER, C.: *P. K. mit Selbstzeugnissen u. Bilddokumenten. Reinbek 76.–78. Tsd.,* ^{17}*1995.*

Kleefarn (Marsilea), Gattung der Kleefarngewächse; mit vierzähligen, kleeblattähnl. Blättern, auf sumpfigem Boden in der Uferzone von Teichen. In Süd- und Mitteleuropa heimisch ist der **Vierblättrige K.** (Marsilea quadrifolia).

Kleeseide, Art der Gattung →Seide.

Kleeteufel, →Sommerwurz.

Kleiber (Sittidae), den Meisen verwandte Familie der Singvögel, die an Baumstämmen (auch kopfabwärts) klettern und einen kräftigen, zum Hämmern geeigneten Schnabel haben. Die meisten Arten verkleinern den Eingang zur Nisthöhle mit Lehm. In den Wäldern und Parks Eurasiens heimisch ist der **Europ. K.** (Sitta europaea) mit schieferblauer Ober- und rostroter Unterseite.

Kleiber, 1) Carlos, argentin. Dirigent, *Berlin 3. 7. 1930, Sohn von 2); seit Mitte der 50er-Jahre an den Opernhäusern Düsseldorf, Zürich, Stuttgart tätig, seit 1975 internat. als Gastdirigent.

2) Erich, argentin. Dirigent österr. Herkunft, *Wien 5. 8. 1890, †Zürich 27. 1. 1956, Vater von 1); war u. a. 1923–34 Generalmusikdirektor an der Berliner Staatsoper; lebte seit 1935 in der Emigration und wirkte 1936–49 in Buenos Aires; trat seit 1947 wieder in Europa auf.

Kleidermotte, Schmetterling, →Motten 2).

Kleider|ordnungen, obrigkeitl. Erlasse über Zuschnitt, Material, Ausstattung der Kleidung, auch über die zulässige Anzahl, Farben und Anlässe zum Tragen einzelner Kleidungsstücke. Bereits im Röm. Reich gab es Standeszeichen. Im Jahre 808 erließ Karl d. Gr. Kapitularien über die Kleidung. Bis zum 18. Jh. blieben K. Teil der städt. oder landesherrl. Gesetzgebung.

Kleidung, die in verschiedensten Formen und aus unterschiedl. Material gefertigte Körperbedeckung einschl. Unter-K., Fußbekleidung und Kopfbedeckung zum Schutz gegen Wetter und Verletzungsgefahren, auch zum Verhüllen und zum Schmuck.

Als Material dienten dem Menschen zuerst Tierfelle, seit dem Neolithikum auch Gewebe. Im alten Ägypten bestand die K. des Mannes aus einem knie- oder wadenlangen Schurz, die der Frau aus einem knöchellangen Trägergewand. Im Neuen Reich trug der Mann über dem Schurz ein fußlanges, durchsichtiges Gewand, das auch das K.-Stück der Frau war. Beide Geschlechter trugen einen Ringkragen, die Vornehmen schnabelförmige Sandalen. Schuhe wurden gelegentlich von Vornehmen getragen. Die K. der babylon.-assyr. Bev. bestand aus einem kurzärmligen, hemdartigen Gewand, i. Allg. knielang, bei den Vornehmen bis zum Boden reichend, ergänzt durch ein schräg um den Körper gewickeltes langes Tuch. In kretisch-myken. Zeit trugen die Männer einen Lendenschurz, der mit einem Gürtel in der Taille befestigt wurde. Die wohl übl. Frauentracht war ein glockiger Rock, zu dem ein enges, kurzärmliges Jäckchen getragen wurde, das Schultern und Brüste unbedeckt ließ. Wichtigste K.-Stücke im alten Griechenland, aus Stoffbahnen drapiert und in den Grundzügen bis in den Hellenismus unverändert, waren in der Frauen-K. der →Peplos, beim Mann →Himation und (als Untergewand) →Chiton. Jugendliche, Krieger und Reiter hatten die →Chlamys. Beide Geschlechter trugen Sandalen, daneben gebundene Schlupfschuhe, Jäger und Krieger bevorzugten Stiefel. In der röm. K., wesentlich durch die grch. beeinflusst, entsprechen →Toga, →Pallium und →Palla dem Himation, die von beiden Geschlechtern getragene →Tunika bzw. die von den Matronen getragene längere Stola dem Chiton. Frauen trugen als Kopfbedeckung einen Schleier, an den Füßen Sandalen, die Männer Sandalen im Haus, zur Toga den →Calceus. Vom 3. Jh. n. Chr. an setzte sich die zuvor nur von niederen Schichten getragene Paenula durch, ein Kapuzengewand, zunächst als Reisemantel. Die Frauen der europ. Bronzezeit trugen meist wadenlange Röcke oder gegürtete Gewänder, Jacken sowie Überhänge und Kopfputz. Charakteristisch für die Tracht der Skythen, ebenso der Parther in Iran sowie der Kelten und der Germanen war die Hose, dazu Kittel und Umhänge. Die Sandalen der Germanen, die auch von den mittelalterl. Bauern getragen wurden, werden als Bundschuhe bezeichnet. Im MA. war für beide Geschlechter von Stand die reich verzierte Tunika typisch. Der Mann des Volkes behielt den knielangen Kittel (Rock) bei. Seit Mitte des 14. Jh. trug der Mann eine allmählich bis zur Schritthöhe verkürzte Jacke (Schecke) und einen kurzen Mantel, dazu Schnabelschuhe. In der K. der Frau ersetzte der Nuschenmantel den Schnurmantel, der Schleier wurde mit einer Krause versehen. Die Rockformen des 15. Jh. waren Houppelande und →Tappert. Die nun bestimmende burgund. Mode brachte für die Frau das unter der Brust gegürtete Gewand mit weiten Ärmeln und neue Haubenformen sowie die →Sendelbinde. Die Beinlinge des Mannes, bislang an der um die Hüfte geschlungenen Bruche befestigt, wurden im 15. Jh. unter dem kurzen Rock zur Hose vereinigt, neu in der Form war das Wams. Im 16. Jh. wurde in der Männer-K. die →Schaube üblich, die man über dem Wams oder über Wams und Faltrock trug. Das Hemd zeigte am Hals eine Krause. Auch die Frauen trugen eine (fußlange) Schaube. Das Kleid wurde in Rock und Mieder, unter dem das Hemd sichtbar wurde, geteilt. Ein breiter Kragen überdeckte den großen Ausschnitt und entwickelte sich zum eigenständigen Jäckchen. In der 2. Hälfte des Jh. dominierte die span. Tracht, damit für beide Geschlechter die steife Halskrause (Kröse), für die Frau der Reifrock. In England entwickelte sich abweichend der →Stuartkragen. Im 17. Jh. trat neben die steife Kröse der breite, spitzenverzierte, liegende Kragen, es kamen neue Hosenformen (Pump-, Schlumperhose und →Rhingrave) auf. Spitzenkragen und -manschetten zierten auch die Robe der Frau. Im 18. Jh. trug der Mann unter dem Einfluss der frz. Hoftracht einen

Carlos Kleiber

Erich Kleiber

Kleidung

Kleiderordnungen – wie für Zürich 1357 – sind typisch für die Reglementierung städtischen Lebens und zugleich ein Indiz für den neuen Wohlstand nach den Pestjahren: »Es soll keine Frau, weder eine Ehefrau noch eine unverheiratete Tochter, ein Obergewand mehr tragen, bei dem der Ausschnitt zwei Finger breit auf der Schulter liegen soll. Und es soll auch von diesen Kleidern keines mehr vorn, oben oder seitlich geknöpft oder geschnürt sein, und es soll auch keine Ehefrau oder Witwe weder Gold noch Silber, Edelstein noch Seide auf diesen Gewändern künftig tragen. Aber die Töchter können auf ihrem Gewand Gold, Silber, Perlen und Seide tragen, wie sie das bisher getan haben. (...) Es soll auch jeder Mann und Knabe, arm oder reich, jedes Gewand, das er oberhalb tragen wird, so lang machen, dass es ihm unten an den Knien abschließt (...), und es soll auch künftig keiner eine geteilte oder gestreifte Hose tragen, da vielmehr beide Hosenbeine ohne Einschränkung von derselben Farbe sein sollen.«

Kleidung (von links): Reifrockkleid, Bildnis einer Schauspielerin von Antoine Pesne (um 1750; Berlin, Schloss Charlottenburg); Biedermeierkleidung, Illustration aus der Modezeitschrift »Les Modes Parisiennes« von 1848

vorn geknöpften, etwa knielangen Leibrock mit breiten Ärmelaufschlägen (Justaucorps), Kniehose und Weste. Die Perücke gehörte ebenso dazu wie der →Dreispitz. In der Frauenmode wurde um 1720 erneut der Reifrock beliebt. Oberer Rock und Mieder bildeten den anspruchsvollen Manteau. Im letzten Viertel des Jh. begann eine von England ausgehende bürgerl. K. Fuß zu fassen: Gehrock, Frack, ärmel- und schoßlose Weste, Kniehosen, Mäntel. Die Kniehosen wurden seit der Frz. Revolution durch lange Röhrenhosen (→Pantalons) ersetzt, der Zylinderhut wurde Mode. Die Revolutionstracht der Frauen (Rock und Jacke) wurde bald durch antikisierende Hemdkleider abgelöst. Im Biedermeier zeigte das Kleid einen weiten, knöchellangen Rock, das Oberteil war anliegend, die Ärmel weit; dazu ein Schutenhut. Der Rock wurde in der Mitte des 19. Jh. zum Reifrock (→Krinoline), gegen Ende der 1860er-Jahre wurden Rock und Schleppe über einer Turnüre im Rücken drapiert. Die mod. Figur wurde durch das Korsett bestimmt, gegen das das lose Reformkleid propagiert wurde. Mit der Begründung der →Haute Couture (1859) und der sich ausbreitenden Konfektions-K. waren die Weichen für das K.-Verhalten des 20. Jh. gestellt worden. Reifengestelle und Hüftpolster verschwanden endgültig. Die Betonung lag nun auf einer schmalen, nach unten glockig erweiterten Silhouette. Das Schneiderkostüm kam auf; Rock und Bluse wurden immer beliebter. 1911 kreierte Paul Poiret den ersten Hosenrock, daneben jedoch auch den engen »Humpelrock«. Die Herrenmode der 2. Hälfte des 19. Jh. entwickelte Paletot, Hänger, Havelock, Ulster und Raglanmantel, für den Tagesanzug Jackett (Sakko), →Cutaway und um 1900 die Smokingjacke. Schon vor dem 1. Weltkrieg wurde zum Kostüm Bluse und Jumper (Pullover) getragen, in den 20er-Jahren des 20. Jh. bestimmten das Modebild Kostüme, kurze Röcke, Hänge- und Hemdblusenkleider, deren Verbreitung durch die Entwürfe Coco Chanels wegweisend wurde (Garçonnemode); Sweater (Pullover) traten ihren Siegeszug an, die Mäntel wurden schmal und erhielten oft Pelzkragen. Weiter veränderten Sport und Freizeit die K. In der Herrenmode gelangten Blazer, Trenchcoat, Regenmantel in die Tages-K., auch Knickerbocker, Sweater. Der Zylinder wich dem Filzhut, zunächst dem steifen Homburger. Nach dem 2. Weltkrieg kreierte Dior 1947 den femininen »New-Look« mit weiten wadenlangen Röcken (mit Petticoat). Daneben setzten sich seit Mitte der 1950er-Jahre enge Hosen für beide Geschlechter durch, Jeans sind bis heute aktuell. Sie werden seit den 1960er-Jahren mit T-Shirts getragen. Heute überlagern sich vielfältige Trends, vorangetrieben von der Haute Couture und kommerziellen Interessen der Modeindustrie (→Mode).

📖 LEHMANN, P. J.: *Die K., unsere zweite Haut.* Königstein [3]*1992.* – PEACOCK, P.: *Kostüm u. Mode –*

das Bildhandbuch. Von den frühen Hochkulturen bis zur Gegenwart. A. d. Engl. Bern u. a. ²1996.

Kleie, beim Mahlen abgesonderte Schalen, Keime und äußere Schichten der Getreidekörner; enthält 15–18 % Eiweiß, die Vitamine B und E; Verwendung: früher als Viehfutter, heute auch zur Herstellung von einigen Brotsorten.

Kleienpilzflechte, die → Pityriasis.

Kleihues [-hu:s], Josef Paul, Architekt, * Rheine 11. 6. 1933; 1979 Berufung zum Planungsdirektor der Internat. Bauausstellung in Berlin (IBA) 1987. Seine Bauten sind geprägt von der Auseinandersetzung mit der rationalen Architektur (u. a. Museum für Vor- und Frühgeschichte in Frankfurt am Main, 1980–89).

Klein, 1) Christian Felix, Mathematiker, * Düsseldorf 25. 4. 1849, † Göttingen 22. 6. 1925; arbeitete zur Funktionentheorie, Geometrie und zur Theorie des Kreisels; begründete mit dem »Erlanger Programm« auf Basis der Gruppentheorie eine Systematisierung der Geometrie; setzte sich für eine Neuordnung des mathematisch-naturwiss. Unterrichts ein.

2) Hans, Politiker (CSU), * Mährisch-Schönberg (heute Šumperk, Nordmähr. Gebiet) 11. 7. 1931, † Bonn 26. 11. 1996; Journalist, seit 1976 MdB, war 1987–89 Bundesmin. für wirtsch. Zusammenarbeit, 1989–90 Bundesmin. für besondere Aufgaben und Reg.sprecher, seitdem Vizepräs. des Dt. Bundestages.

3) Lawrence Robert, amerikan. Volkswirtschaftler, * Omaha (Nebr.) 14. 9. 1920; seit 1958 Prof. in Philadelphia; ein Hauptvertreter des Keynesianismus; erhielt 1980 für die Konstruktion ökonometr. Konjunkturmodelle und deren Verwendung bei Analysen der Wirtschaftspolitik den Nobelpreis für Wirtschaftswissenschaften.

4) [klɛn], Yves, frz. Maler und Bildhauer, * Nizza 28. 4. 1928, † Paris 6. 6. 1962; schuf seit 1949 monochrome Bilder, bes. in leuchtendem Blau. Von seinen Anthropometrien (Körperabdrücke), Feuerbildern und anderen Experimenten gingen Anregungen auf die zeitgenöss. Kunst aus. K. war Mitbegründer des → Nouveau Réalisme.

Kleinaktilen, Aktien mit geringem Nennbetrag; nach Reduzierung des Mindestnennbetrags von 50 DM auf 5 DM 1994 (§ 8 Aktienges.) Aktien, die auf den neuen Mindestnennbetrag lauten (Babyaktien).

Kleinasilen, die zw. Schwarzem Meer, Marmarameer, Ägäischem Meer und östl. Mittelmeer nach W vorspringende Halbinsel Asiens, umfasst mit dem westl. und mittleren Anatolien den Großteil des asiat. Gebietes der → Türkei.

Geschichte: Bed. jungsteinzeitl. Fundorte sind Hacılar und → Çatal Hüyük, dessen Funde ein bemerkenswert hohes Kulturniveau bezeugen. Für die Bronzezeit ist der wichtigste Fundplatz → Troja. In der mittleren Bronzezeit treten bereits schriftl. Quellen hinzu. Um 1200 v. Chr. brach das Reich der → Hethiter zusammen. Danach wanderten von NW versch. Völker ein: Karer (→ Pelasger), Lykier, Lyder, Kilikier, Pisidier, Tyrrhener (→ Etrusker) u. a. Von ihnen bildeten die Phryger im 8. Jh. v. Chr. und die Lyder im 7./6. Jh. v. Chr. (v. a. unter Alyattes und Krösus) größere Reiche. Noch vor 1000 v. Chr. siedelten Griechen an der W-Küste. Auch die Thraker griffen nach K. über. 546 v. Chr. ging das Lyd. Reich im Perserreich auf. Unter Alexander d. Gr. wurde K. mit Ausnahme von Kappadokien und Armenien makedonisch. Im 2. Jh. v. Chr. entstand das Pergamen. Reich, das 133 v. Chr. an die Römer fiel, die daraus die Provinz Asia schufen und dann ganz K. eroberten. Später gehörte K. zum Byzantin. Reich, im 11. Jh. kam es unter die Herrschaft der Seldschuken, im 14. Jh. an die Osmanen (→ Türkei, Geschichte).

Kleinbären (Procyonidae), Raubtierfamilie von marder- bis bärenähnl. Gestalt; gute Kletterer; vorwiegend nachtaktive Allesfresser. Ursprünglichster Vertreter ist das in Mittel- und Nordamerika lebende **Katzenfrett** (Bassariscus astutus) mit katzenartigem Gesicht und schwarzweiß geringeltem Schwanz. Zu den K. gehören weiterhin die → Waschbären, → Nasenbären (Coatis) und der → Wickelbär.

Christian Felix Klein

Lawrence R. Klein

Yves Klein: »Anthropométrie ANT 13« (1960; Privatbesitz)

Kleinbildkamera, → fotografische Apparate.

Kleinbürgertum, Teil der Stadtbev. der vor- und frühindustriellen Gesellschaft, gegenüber dem

Großbürgertum von geringerem Besitz und Bildungsstand. Abgesehen von begrenzten Wirkungsmöglichkeiten in polit. Parteien war das K. ohne größeren polit. Einfluss. Heute meint der Begriff einen mit Kleinbesitz und sozialen Vorurteilen verbundenen Lebensstil.

Kleine Propheten

Mit Amos, der um 760 v. Chr. am Heiligtum von Bethel wirkte, beginnt die für die religiöse Entwicklung des Judentums außerordentlich einflussreiche Reihe der Schriftpropheten. Während im Vordergrund der vorexilischen prophetischen Verkündigung die Gesellschaftskritik und die Forderung der Umkehr von fremden religiösen Praktiken zur alleinigen kultischen Verehrung Jahwes und die Ankündigung des »Tages Jahwes«, des »Tages des Unheils«, standen, ist die große religionsgeschichtliche Leistung der Propheten des Babylonischen Exils, vor allem des Deuterojesaja, die Entwicklung und theologische Begründung des theoretischen Monotheismus. Darüber hinaus sprechen die Propheten von der Erwartung eines Messias als eines endzeitlichen Heilbringers und Erlösers, der am Ende der Weltgeschichte erscheinen und ein Reich des Friedens und der Gerechtigkeit errichten werde.

Kleindeutsche, im 19. Jh., v. a. in der Frankfurter Nationalversammlung, die Befürworter einer Lösung der dt. Frage (im Unterschied zu den Großdeutschen) durch einen Bundesstaat unter preuß. Führung und unter Ausschluss Österreichs (auch Erbkaiserliche gen.). In der Geschichtsschreibung vertraten die kleindt. Richtung u. a. J. G. Droysen, H. von Sybel, H. von Treitschke.

Kleine Brüder und Schwestern Jesu (frz. Petits Frères [Petites Sœurs] de Jésus), 1933 **(Kleine Brüder Jesu)** und 1939 **(Kleine Schwestern Jesu)** in der Sahara gegründete kath. Ordensgemeinschaften zur Verbreitung des christl. Glaubens. Die K. B. u. S. J. setzen die christl. Mission im Sinne C. de →Foucaulds fort; diese besteht v. a. im persönl. Vorleben eines durch Gastfreundschaft, Gebet, gemeinsame Arbeit und einfache Lebensführung geprägten christl. Lebens.

Kleine Entente [ãˈtã:t], Bündnissystem zw. der Tschechoslowakei, Rumänien und Jugoslawien, um den durch die Pariser Vorortverträge 1919/20 geschaffenen Status quo im Donauraum gegen Revisionsforderungen Ungarns, Bulgariens und Italiens zu sichern. Initiator war der damalige tschechoslowak. Außenmin. E. Beneš. Aufgrund seines Bündnisses mit der Tschechoslowakei (1924) betrachtete Frankreich die K. E. als einen wichtigen Pfeiler der frz. Sicherheitspolitik. Die K. E. zerbrach 1938 mit dem Abschluss des Münchener Abkommens.

Kleine Fahrt, in Dtl. der die gesamte Ostsee und die Nordsee bis 61° n. Br. und 7° w. L. sowie die Häfen Großbritanniens, Irlands und der frz. Atlantikküste umfassende Fahrtbereich eines Schiffes.

Kleine Propheten (Zwölfprophetenbuch, grch. Dodekapropheton), in der Bibelwiss. Sammelbez. für die zwölf alttestamentl. Prophetenbücher Hosea, Joel, Amos, Obadja (Abdias), Jona, Micha, Nahum, Habakuk, Zephanja, Haggai, Sacharja und Maleachi.

Kleiner Bär, das Sternbild Ursa Minor (→Bär).

Kleiner Sankt Bernhard, Alpenpass an der frz.-italien. Grenze, 2188 m ü. M., zw. Isère- und Aostatal.

Kleiner Sklavensee (engl. Lesser Slave Lake), See in der kanad. Prov. Alberta, 1168 km², 577 m ü. M., entwässert zum mittleren Athabasca.

Kleiner Wagen, Teil des Sternbilds Kleiner Bär (→Bär).

Kleinerzeichen, das Zeichen <, das zur abkürzenden Schreibweise bei Ungleichungen verwendet wird, z. B. $7 < 9$.

Kleingärten, kleine Wirtschaftsgärten, die der nichterwerbsmäßigen gärtner. Nutzung, insbesondere zur Gewinnung von Obst und Gemüse für den Eigenbedarf, und zur Erholung dienen. K. sind in Anlagen mit gemeinschaftl. Einrichtungen (bes. Wege, Spielflächen, Vereinshäuser) zusammengefasst. K. sollen nicht größer als 400 m² sein, sie werden oft auch **Schrebergärten** genannt (nach dem Arzt D. →Schreber).

Kleingruppenforschung, empir. Forschungsrichtung der Mikrosoziologie und Sozialpsychologie, die sich mit Fragen der Entstehung sozialer Kleingruppen sowie Kommunikationsstrukturen, sozialen Rollen, Konflikten, Außenbeziehungen usw. in ihnen befasst.

Kleinhirn, →Gehirn.

Kleinkirchheim, →Bad Kleinkirchheim.

Kleinklima (Mikroklima), kleinräumige Klimaerscheinungen, bes. der bodennahen Luftschicht bis zu etwa 2 m Höhe; K. ergibt sich u. a. aus dem Strahlungsumsatz und der daraus abgeleiteten Temperaturverteilung an der Erdoberfläche.

Kleinkredit, →Konsumentenkredit.

Kleinkunst, 1) *bildende Kunst:* unterschiedlich gebrauchter kunstwiss. Begriff, urspr. im 19./20. Jh. für kunstgewerbl. Arbeiten verwendet, dann eher zur Abhebung von Werken kleineren Formats von hoher künstler. Qualität gegenüber der breiteren Masse von Erzeugnissen des Kunsthandwerks. Der Begriff K. wird auch verwendet, um den intimen Charakter einer Kunstgattung zu unterstreichen (z. B. Buchkunst, Kleinplastik, Siegel).

2) *darstellende Kunst:* Sammelbez. für kabarettist. Darbietungen.

Kleinmeister, nach ihren kleinformatigen Stichen benannte Gruppe von Kupferstechern und Radierern bes. der 1. Hälfte des 16. Jh. in der Nachfolge A. Dürers und A. Altdorfers (u.a. B. Beham und G. Pencz in Nürnberg, H. Aldegrever in Soest).

Ewald von Kleist: Ausschnitt aus einem zeitgenössischen Kupferstich

Kleinpolen (poln. Małopolska), seit dem 15. Jh. der amtl. Name für den südöstl., »jüngeren« Teil des Königreichs Polen (im Unterschied zum »älteren« Großpolen), urspr. die Wwschaften Krakau, Sandomir und Lublin; 1569 kamen Rotreußen, Podlachien, Wolhynien und Podolien hinzu.

Kleinrussen, → Ukrainer.

Kleinrussland (russ. Malorossija), vom 17. bis zum Beginn des 20. Jh. offizielle Bez. für die Ukraine.

Kleinspecht, → Buntspechte.

Kleinstaat, ein Staat, dessen Größe (Territorium, Bev.zahl) oder Machtpotenzial (wirtsch. und militär. Stärke) im Vergleich zu einer Großmacht sehr gering ist. Nach dem völkerrechtl. Grundsatz der Staatengleichheit haben auch die K. Anspruch auf uneingeschränkte Achtung ihrer Souveränität, auf Gleichbehandlung in internat. Beziehungen und Organisationen sowie auf Unverletzlichkeit ihrer Gebietshoheit. Im internat. Kräftefeld suchen sie sich u.a. durch Neutralität, Bündnisse, internat. Garantien zu behaupten.

Kleinstadt, in der amtl. dt. Statistik eine Gemeinde von 5000 bis unter 20000 Einwohner.

kleinstes gemeinsames Vielfaches, Abk. **k.g.V.,** die kleinste natürl. Zahl, die durch zwei oder mehrere gegebene Zahlen ohne Rest teilbar ist. Man kann das k.g.V. mithilfe der Primfaktorzerlegung bestimmen; z.B. erhält man für die Zahlen 8 $(=2^3)$ und 12 $(=2^2 \cdot 3)$ das k.g.V. 24 $(=2^3 \cdot 3)$.

Kleintierzucht, die Zucht bes. von Geflügel, Kaninchen, Ziegen, Hunden, Pelztieren, Bienen.

Kleist, pommersches Adelsgeschlecht, 1263 erstmals genannt. **1)** Ewald von, Generalfeldmarschall (seit 1943), *Braunfels 8. 8. 1881, †Lager Wladimirowka (UdSSR) Okt. 1954; im 2. Weltkrieg 1939–42 Oberbefehlshaber einer Panzerarmee (1940 Durchbruch zum Kanal bei Abbeville; 1942 Vorstoß zum Kaukasus), 1942–44 der Heeresgruppe A (S-Ukraine), wurde 1944 von Hitler seines Kommandos enthoben. Als brit. Kriegsgefangener wurde K. 1946 an Jugoslawien, von dort 1948 an die UdSSR ausgeliefert.

2) Ewald Christian von, Dichter, *Zeblin (bei Köslin) 7. 3. 1715, †Frankfurt (Oder) 24. 8. 1759; wurde 1736 dän. Offizier, ab 1740 in preuß. Diensten; in Leipzig schloss er Freundschaft mit G. E. Lessing; er ist der Adressat von Lessings »Briefen, die neueste Literatur betreffend« und Vorbild für die Figur des Tellheim in Lessings »Minna von Barnhelm«. K. verfasste unter dem Einfluss F. G. Klopstocks die bukol. Idylle »Der Frühling« (1749), daneben Oden, vaterländ. Gedichte und Versepik.

3) Friedrich, Graf K. von Nollendorf (seit 1814), preuß. Generalfeldmarschall, *Berlin 9. 4. 1762, †ebd. 17. 2. 1823; zeichnete sich in den Befreiungskriegen aus (v.a. Herbstfeldzug 1813), vereitelte bei Kulm und Nollendorf den frz. Ausbruchsversuch.

4) Heinrich von, Schriftsteller, *Frankfurt (Oder) 18. 10. 1777 (nach eigener Angabe 10. 10.), †Berlin 21. 11. 1811; Sohn eines preuß. Hauptmanns; quittierte 1799 den Dienst in der preuß. Armee und begann ein Philosophiestudium (v.a. Kant). Arbeit an den Trauerspielen »Familie Schroffenstein« (erschienen 1803) und »Robert Guiskard. Herzog der Normänner« (als Fragment in der Ztschr. »Phoebus« 1808 erschienen); in Dresden Bekanntschaft mit dem Satiriker J. D. Falk, der K. zu dem Lustspiel »Amphitryon« (1807) anregte; gleichzeitig Beginn der Arbeit am Lust-

Heinrich von Kleist: Holzstich nach einer zeitgenössischen Miniatur und Autogramm

spiel »Der zerbrochene Krug« (aufgeführt 1808, erschienen 1811). 1807 wurde er in Berlin als Spion von den Franzosen verhaftet und sechs Monate inhaftiert; danach ging er nach Dresden, redigierte den einzigen Jahrgang der Ztschr. »Phoebus« und arbeitete u.a. an den Dramen »Penthesilea« und

»Käthchen von Heilbronn« (erschienen 1820) sowie an den Erzählungen »Michael Kohlhaas«, »Die Marquise von O. …«. Das Drama »Penthesilea« (1808) wurde vom Publikum abgelehnt; auch die Aufführung des Lustspiels »Der zerbrochene Krug« im gleichen Jahr wurde ein Misserfolg. Danach wandte sich K. politisch-historisierenden Stoffen zu und schrieb das Tendenzdrama »Die Hermannsschlacht« (gedruckt 1821). Nachdem er sich kurze Zeit in Prag aufgehalten hatte, kehrte er 1809 nach Berlin zurück und gab dort 1810/11 die »Berliner Abendblätter« heraus. Ebenfalls 1810/11 erschienen in 2 Bänden seine Erzählungen. Nachdem ihm sein letztes Drama »Prinz Friedrich von Homburg« (1811; gedruckt 1821) nicht den erhofften Erfolg gebracht hatte, schied er zus. mit der befreundeten Henriette Vogel (*1773) am Morgen des 21. 11. 1811 am Ufer des Kleinen Wannsees freiwillig aus dem Leben. Mit L. Tiecks Herausgabe der »Hinterlassenen Schriften« (1821) begann das Verständnis für die überragende Gestaltungskraft des Dichters. Seine extremen Situationen ausgesetzten Figuren treffen ihre Entscheidungen allein nach ihrem innersten Gefühl, ohne Rücksicht auf die Gesellschaft: Die populärste, Michael Kohlhaas, wird aufgrund des kompromisslosen Rechtsgefühls zum Räuber und Rebellen. Mit K. gewann die dt. Novelle ihren konzentriert-dramat. Charakter. K.s Dichtung ist keiner literar. Schule zuzurechnen, sie weist auf die Moderne voraus und nimmt, v.a. durch die spannungsreiche Sprache, in manchem den Expressionismus vorweg.

Papst Klemens XIV. (Ausschnitt aus einem zeitgenössischen Punktierstich)

📖 *H. v. K., hg. v.* G. NEUMANN. *Freiburg im Breisgau 1994.* – HOHOFF, C.: *H. v. K. mit Selbstzeugnissen u. Bilddokumenten. Reinbek 166.–168. Tsd., [29]1995.*

Kleister [mhd. klīster »Klebstoff«], pastöser Papierklebstoff aus Stärke, Mehl oder wasserlösl. Cellulose- und Stärkeäthern; als Buchbinder-K. und Tapeten-K. verwendet.

Klemensbriefe

Der 1. Klemensbrief um das Jahr 97 versteht die Auferstehung ganz im kosmischen Sinn, als vegetativen Zyklus (24, 1–4):

»Bedenken wir, Geliebte, wie der Herr uns fortwährend anzeigt, dass die künftige Auferstehung stattfinden wird … Tag und Nacht zeigt uns die Auferstehung an; die Nacht entschläft, der Tag steht auf … Nehmen wir die Früchte … Es ging der Sämann aus und warf jedes der Samenkörner auf die Erde; diese fallen nackt und trocken auf die Erde und lösen sich auf; aus der Auflösung lässt sie dann die großartige Fürsorge des Herrn auferstehen …«

Kleisthenes, athen. Staatsmann des 6. Jh. v.Chr.; bewirkte 510 v.Chr. die Vertreibung des Hippias, schuf 507 durch eine Phylenordnung (→Phyle) die Grundlage der Demokratie in Athen. Der →Ostrakismos geht wohl auf ihn zurück.

Kleistogamie [grch.] *die,* Selbstbestäubung in geschlossener Blüte (z.B. bei Veilchen).

Kleist-Preis, Förderpreis für junge dt. Dichter, der von 1912 bis 1932 vergeben wurde, u.a. an: O. Loerke (1913), A. Zweig (1915), H. H. Jahnn (1920), B. Brecht (1922), R. Musil (1923), E. Barlach (1924), C. Zuckmayer (1925), A. Neumann und A. Lernet-Holenia (1926), Anna Seghers (1928), Ö. von Horváth (1931), Else Lasker-Schüler (1932). Er wurde erstmals wieder 1985 auf der Jahrestagung der 1962 neu gegründeten Heinrich-von-Kleist-Ges. vergeben. Preisträger: A. Kluge (1985), Diana Kempff (1986), T. Brasch (1987), Ulrich Horstmann (1988), E. Augustin (1989), Heiner Müller (1990), G. Salvatore (1991), M. Maron (1992), E. Jandl (1993), Herta Müller (1994), 1995 nicht verliehen, H. J. Schädlich (1996), M. von Mayenburg (1997).

kleistsche Flasche, die →Leidener Flasche.

Klemens (Clemens), Päpste: **1) K. I.,** →Klemens von Rom.

2) K. V. (1305–14), eigtl. Bertrand de Got, *in der Gascogne, †Roquemaure (bei Avignon) 20. 4. 1314; begründete durch die Wahl Avignons zur Residenz (1309) das »Babylon. Exil« der Päpste (bis 1377).

3) K. VII. (1523–34), eigtl. Giulio de' Medici, *Florenz 26. 5. 1478, †Rom 25. 9. 1534; bekämpfte Kaiser Karl V., um dessen Vorherrschaft in Italien einzudämmen, was die Erstürmung Roms (→Sacco di Roma) zur Folge hatte; K. wurde gefangen genommen; 1529 musste er den Frieden von Barcelona schließen, 1530 Karl V. in Bologna zum Kaiser krönen; konnte die Loslösung der engl. Kirche von Rom durch Heinrich VIII. nicht verhindern.

4) K. XI. (1700–21), eigtl. Giovanni Francesco Albani, *Urbino 22. 7. 1649, †Rom 19. 3. 1721; neigte im Span. Erbfolgekrieg Frankreich zu; entschied im →Ritenstreit gegen die Jesuiten; verurteilte den →Jansenismus 1713 in der Bulle »Unigenitus«.

5) K. XIV. (1769–74), eigtl. Giovanni Vincenzo Antonio Ganganelli, *Sant' Arcangelo (bei Rimini) 31. 10. 1705, †Rom 22. 9. 1774; hob 1773 den Jesuitenorden auf; förderte Künste und Wiss. und gründete das »Museo Clementino« in Rom.

Klemensbriefe, zwei Schriften der frühen Kirche; der **1. K.** ist ein Schreiben der christl. Gemeinde Roms an die Gemeinde in Korinth, verfasst um 96–98 wahrscheinlich von Klemens von Rom. Der ihm fälschlich zugeschriebene, um 150 entstandene **2. K.** ist die älteste christl. Homilie.

Klemens von Alexandria (Titus Flavius Clemens Alexandrinus), Theologe und Philosoph, *Athen (?) um 140/50, †Kleinasien um 215; verbindet grch.-philosoph. Denken (Platon, Stoa) mit der kirchlich-theolog. Überlieferung; versteht das Christentum als die »wahre Philosophie« und den göttl. →Logos, Fleisch geworden in Jesus Christus, als die Fülle der Wahrheit und Quelle aller Erkenntnis.

Klẹmens von Rọm, Ende des 1. Jh. Bischof von Rom; nach altkirchl. Überlieferung der dritte Nachfolger des Petrus; wird in der kath. Kirche als Papst K. I. (90/92–101 [?]) gezählt; wahrscheinlich Verf. des 1. →Klemensbriefes. Heiliger, Tag: 23. 11.

Klementine [frz.] *die* (Clementine), kernlose Sorte der Mandarine, bes. süß.

Klẹmke, Werner, Grafiker, *Berlin 12. 3. 1917, †ebd. 26. 8. 1994; gestaltete neben zahlr. Illustrationen auch Plakate, Theaterprospekte, Schallplattenhüllen, Figurinen.

Klẹmm, 1) Friedrich, Technikhistoriker, *Mulda/Sa. (Kr. Freiberg) 22. 1. 1904, †München 16. 3. 1983; war Bibliotheksdirektor am Dt. Museum in München und wegweisend als Prof. für Gesch. der exakten Naturwissenschaften und der Technik.

2) Hanns, Flugzeugkonstrukteur, *Stuttgart 4. 4. 1885, †Fischbachau (Kr. Miesbach) 30. 4. 1961; entwickelte als Chefkonstrukteur der Daimler-Flugzeugbau in Sindelfingen u. a. das für den Leichtflugzeugbau vorbildl. L 20 (zweisitziger Tiefdecker mit 20-PS-Mercedes-Flugmotor, 1924). K. gründete 1926 die Firma **Leichtflugzeugbau K. GmbH** in Böblingen (1945 erloschen).

Klemmenspannung (Klemmspannung), i. e. S. an den Anschlussklemmen einer elektr. Maschine messbare Spannung; i. w. S. Spannung an den Eingangs- oder Ausgangsklemmen eines Betriebsmittels oder einer Anlage.

Klẹmperer, 1) Otto, Dirigent, *Breslau 14. 5. 1885, †Zürich 6. 7. 1973; war seit 1927 Leiter der Kroll-Oper und des Philharmon. Chores Berlin, emigrierte 1933 in die USA und leitete dort u. a. bis 1939 das Los Angeles Philharmonic Orchestra; wurde 1955 Chefdirigent des (New) Philharmonic Orchestra in London; bed. Interpret der Musik der Wiener Klassik und der Werke G. Mahlers.

2) Victor, Romanist, *Landsberg (Warthe) 9. 10. 1881, †Dresden 11. 2. 1960; Arbeiten zur frz. Literatur und »LTI. Lingua Tertii Imperii« (1947, 1966 u. d. T. »Die unbewältigte Sprache«) mit entlarvenden Beobachtungen und Analysen zum Zusammenhang zw. Sprache und Totalitarismus. 1995 erschien »Ich will Zeugnis ablegen bis zum letzten. Tagebücher 1933–1945«, ein wichtiges Dokument für den alltägl. Terror in nat.-soz. Zeit; für diese Tagebuchaufzeichnungen wurde ihm postum der Geschwister-Scholl-Preis verliehen.

Klenau, Paul August von, dän. Komponist und Dirigent, *Kopenhagen 11. 2. 1883, †ebd. 31. 8. 1946; vereinigte spätromant. Grundhaltung mit moderner Tonalität (z. T. Zwölftontechnik). – Opern (u. a. »Michael Kohlhaas«, 1933; »Rembrandt van Rijn«, 1937), Sinfonien, Chorwerke, Lieder, Kammermusik.

Leo von Klenze: Der Königsbau der Residenz am Max-Joseph-Platz in München entstand in den Jahren 1826–35

Klẹnze, Franz Karl Leo von (seit 1833), Baumeister, *Schladen 29. 2. 1784, †München 27. 1. 1864; Vertreter des Klassizismus; 1808–13 war er in Kassel Hofarchitekt des Königs Jérôme von Westfalen, ab 1816 des späteren Königs Ludwig I. von Bayern (seit 1819 Hofbauintendant), in dessen Auftrag er Plätze und Straßen in München einheitlich gestaltete (Königsplatz, Ludwigstraße, Odeonsplatz, große Teile der Brienner Straße). Er erbaute die Walhalla bei Regensburg (1830–42), die Neue Eremitage in Sankt Petersburg (1839–52) und vollendete die von F. von Gärtner begonnene Befreiungshalle bei Kelheim (1842–63). Sein Baustil entfaltete sich aus Elementen der antiken grch. Baukunst und Formen der italien. Hochrenaissance. – *Weitere Bauten* (alle in München): Leuchtenberg-Palais (1816–21); Glyptothek (1816–30); Festsaalbau (1823–42) und Königsbau (1826–35) der Residenz; Alte Pinakothek (1826–36); Allerheiligen-Hofkirche (1826–37); Monopteros im Engl. Garten (1833–35); Ruhmeshalle (1843–54); Propyläen am Königsplatz (1846–60).

Hanns Klemm

🕮 HEDERER, O.: *L. von K. München* ²*1981.*

Otto Klemperer

Klẹon, athen. Politiker, ⚔ Amphipolis 422 v. Chr.; Gegner des Perikles und des Nikias und schärfster Vertreter der Kriegspartei, ließ 425 Friedensversuche scheitern. Fiel im Kampf gegen die Spartaner.

Kleọpatra VII., die Große, ägypt. Königin (seit 51 v. Chr.), *69, †Alexandria 30 v. Chr.; regierte zunächst mit ihrem Bruder Ptolemaios XIII. (†47 v. Chr.); von ihm vertrieben, wandte sie sich um Hilfe an Cäsar. Dieser gab ihr nach schweren Kämpfen (Alexandrin. Krieg) die Herrschaft zurück. 46–44 lebte sie in Rom, kehrte nach Cäsars Tod nach Ägypten zurück, wo sie ihren von Cäsar

Victor Klemperer

Jochen Klepper

Glafkos Klerides

Thomas Klestil

Klette:
Große Klette
(Höhe 30–180 cm)

stammenden Sohn Kaisarion (*47 v. Chr.) zum Mitregenten erhob. Im Bürgerkrieg von 43/42 neutral, gewann sie 41 Antonius für sich, mit dem sie seit 37 (Eheschließung) verbunden blieb. Ihr Ziel, ihrem Land und ihrer Dynastie neuen Glanz zu geben, wurde von Antonius gefördert. Von Oktavian wurde K. als Feindin Roms hingestellt und der Kampf gegen Antonius offiziell gegen sie geführt. Nach der verlorenen Schlacht bei Aktium (31) floh K. nach Ägypten und tötete sich durch Schlangenbiss.

🕮 Clauss, M.: *K. München 1995.*

Klephten [ngrch. »Räuber«], räuber. Freischärler in den Gebirgen N-Griechenlands, Thessaliens und Makedoniens, die einen Kleinkrieg gegen die osman. Fremdherrschaft führten, wurden in den **Klephtenliedern** besungen.

Klepper, Jochen, Schriftsteller, *Beuthen (heute Bytom) 22. 3. 1903, † (Selbstmord mit seiner jüd. Frau und deren Tochter) Berlin 11. 12. 1942; schrieb christlich-histor. Romane (»Der Vater«, 1937) und geistl. Lyrik; seine Tagebücher (hg. 1956 und 1958) sind erschütternde Zeitdokumente.

Klepsch, Egon Alfred, Politiker (CDU), *Bodenbach (heute zu Děčín) 30. 1. 1930; 1963–69 Bundesvors. der Jungen Union, 1965–80 MdB, seit 1973 MdEP, seit 1976 Vors. der christlich-demokrat. Fraktion, seit 1979 Vors. der Europ. Volkspartei (EVP), war 1992–94 Präs. des Europ. Parlaments.

Kleptomanie [grch.] *die,* zwanghafter, vom Willen nicht kontrollierbarer Trieb zum Stehlen, u. a. bei Psychopathen und Neurotikern.

Klerides, Glafkos, zypr. Politiker, *Nikosia 24. 4. 1919; gründete 1969 die konservative Vereinigte Demokrat. Partei, 1976 die Demokrat. Sammlung (DISY). 1968–76 führte er auf grch.-zypriot. Seite die Verhandlungen mit der türkisch-zypr. Volksgruppe (R. Denktasch). Von Juli bis Dez. 1974 amtierte K. als provisor., seit 1993 ist er gewählter Staatspräsident.

klerikal [kirchenlat. »priesterlich«], i. w. S. streng kirchlich gesinnt; i. e. S. zum →Klerus gehörig.

klerikale Standesprivilegien, Vorrechte des Klerus. (→Immunität)

Klerikalismus *der* (politischer K.), polem. Bez. für Bestrebungen des Klerus, die Interessen und Auffassung der (kath.) Amtskirche in Gesellschaft und Staat durchzusetzen (z. B. über die Gesetzgebung); in der Verbindung mit dem Faschismus oft als **Klerikalfaschismus** bezeichnet (z. B. in Österreich zw. 1934 und 1938; in der Slowakei zw. 1939 und 1945).

Kleriker *der,* allg. der Geistliche; in der kath. Kirche der geistl. Amtsträger.

Klerk, 1) Frederik Willem De, südafrikan. Politiker, →De Klerk.

2) Michel de, niederländ. Architekt, *Amsterdam 24. 11. 1884, † ebd. 24. 11. 1923; Vertreter des Expressionismus, schuf u. a. in Amsterdam Wohnbauten (»Spaarndammerbuurt«, 1913–19); auch Möbelentwürfe.

Klerus [grch.-(kirchen-)lat.] *der* (Geistlichkeit), allg. der geistl. Stand. Die Aufnahme in den K. erfolgt durch die Weihe zum Diakon.

Klestil, Thomas, österr. Politiker, *Wien 4. 11. 1932; Diplomat, 1969–74 Generalkonsul, 1978–82 Botschafter bei den UN, 1982–87 Botschafter in Washington (D. C.) und 1987–92 Gen.-Sekr. im österr. Außenministerium. Der parteilose K. wurde 1992 zum Bundes-Präs. gewählt.

Klette (Arctium), Gattung der Korbblütler in den gemäßigten Zonen der Alten Welt. Die häufigste Art ist die auf Schuttplätzen, Ödland, an Wegrändern und Ufern vorkommende, graufilzig behaarte **Große K.** (Arctium lappa) mit bis 4 cm großen, rötl. bis purpurfarbenen Blütenköpfchen, deren Hüllblätter mit einer hakigen Stachelspitze versehen sind.

Klettenberg, Susanna Katharina von, *Frankfurt am Main 9. 12. 1723, † ebd. 13. 12. 1774; war eng befreundet mit Goethes Mutter; schrieb geistl. Lieder und pietist. Aufsätze; nahm sich Goethes während seiner körperl. und seel. Krise 1768/69 an; wurde das Urbild der »Schönen Seele« in Goethes »Wilhelm Meister« (in Erinnerung an ihren mystisch-pietist. Einfluss).

Kletterbeutler, Familie der Beuteltiere in Australien und Indonesien, z. B. Beutelbär (→Koala) und →Flugbeutler.

Kletterfisch, Art der →Labyrinthfische.

Klettergarten, Bez. für eine Felsgruppe mit unterschiedl. Schwierigkeiten (zur Einübung der Kletter- und Seiltechnik).

Kletterpflanzen, die →Lianen.

Klettertrompete (Trompetenblume, Campsis), Gattung der Bignoniengewächse; Schlingsträucher mit Haftwurzeln, Fiederblättern und großen scharlachroten bis gelben Blüten. In wärmeren Gebieten Europas wird v. a. die nordamerikan. Art **Campsis radicans** kultiviert.

Klettgau, histor. Landschaft zw. Schaffhausen und dem Schwarzwald, kam z. T. an die Stadt Schaffhausen, z. T. 1687 an die Fürsten von Schwarzenberg (1813 an Baden).

Klett-Verlag (Ernst Klett AG), Verlagsgruppe, entstanden aus der 1844 gegründeten »Buchdruckerei zu Gutenberg«, 1897 von Ernst Klett sen. (*1863, † 1947) übernommen; Sitz: Stuttgart und Leipzig. Das Unternehmen mit den Verlagsschwerpunkten Schulbücher, Wörterbücher (Pons), audiovisuelle Lehr- und Lernprodukte, Software für Aus- und Weiterbildung wurde 1995 von einer GmbH & Co. in eine AG in Familienbesitz umgewandelt (bis 1983 Ernst Klett OHG). 1977 übernahm der K.-V. die »J. G. Cotta'sche Buchhandlung Nachf.«, die unter der Bez. **Verlag Klett-Cotta** belletrist. und wiss. Werke veröffentlicht.

Klẹtzki, Paul, →Klecki, Paweł.

Klẹve, 1) Kreis im RegBez. Düsseldorf, NRW, 1231 km², (1996) 289 300 Einwohner.

2) Kreisstadt von 1) in NRW, nahe dem unteren Niederrhein, 48 500 Ew.; Nahrungsmittel-, Lederind., Maschinenbau; Herstellung von Spektralanalysegeräten und magnet. Datenträgern; Hafen, durch den Spoykanal mit dem Rhein verbunden. – Die bemerkenswertesten Bauwerke wurden im 2. Weltkrieg zerstört. Die Schwanenburg über der Stadt (1. Anlage im 10. Jh., heutiger Bestand v.a. 15.–17. Jh.; Handlungsort der Lohengrinsage) und die got. Stiftskirche (mit Schnitzaltären; Grablege der Herzöge von K.) wurden wieder aufgebaut. – K. entstand im frühen 13. Jh. bei dem schon bestehenden Burgort; 1242 Stadtrecht; im 18./19. Jh. viel besuchter Kurort.

3) histor. Grafschaft am Niederrhein; entstand im 11. Jh. um die Burg K., kam 1368 an die Grafen von der Mark; 1417 zum Herzogtum erhoben; 1511/21 Personalunion mit Jülich-Berg-Ravensburg; fiel 1614 nach dem →Jülich-Kleveschen Erbfolgestreit an Brandenburg. 1795/1805 frz., ab 1815 preußisch.

Klẹzmer [-z-], seit dem 15./16. Jh. v.a. in Osteuropa gespielte Musik jüd. Volksmusikanten, die umherzogen und zu privaten Festen, religiösen Feiertagen oder zum Tanz aufspielten. Ein K.-Ensemble bestand urspr. aus Streichinstrumenten mit Hackbrett, Flöte und Trommel. Im 19. Jh. wurde die stimmführende Geige durch die Klarinette ersetzt, im 20. Jh. kamen Blechblasinstrumente, Klavier (statt Hackbrett) und Akkordeon hinzu. Durch das Folk-Revival ab Ende der 1960-Jahre wurde K. in Europa wieder populär.

Kliẹnt [lat.] *der,* **1)** *allg.:* Auftraggeber, z. B. eines Rechtsanwalts (Mandant) oder Steuerberaters.

2) *Rechtsgeschichte:* im altröm. Recht landloser oder landarmer Halbfreier, später den Plebejern gleichgestellt, der sozial und rechtlich von seinem Patronus abhängig war.

Kliesche, Fisch, →Plattfische.

Kliff [engl.], von der Brandung beständig abgetragener Steilhang der Küste.

Klịma [grch.-lat. clima »Neigung (zum Äquator)«] *das,* der mittlere Zustand der Atmosphäre über einem bestimmten Gebiet und der für dieses Gebiet charakterist. (durchschnittliche) Ablauf der Witterung. Wegen der Schwankungen ist das K. nur für bestimmte Zeiträume, z. B. für die als Normalperiode angenommene Zeit von 1931 bis 1960, streng definiert. Erforscht wird es von der Klimatologie. Die wichtigsten **K.-Elemente** sind Temperatur, Luftdruck, Windrichtung und -stärke, Niederschläge, Luftfeuchtigkeit, Bewölkung und Sonnenscheindauer. Das K. eines Ortes ergibt sich aus dem Zusammenwirken der durch die allg. Zirkulation der Atmosphäre bedingten Häufigkeit von Advektion und dynam. Stabilität mit den lokalen **K.-Faktoren.** Dazu gehören: die geograph. Breite, die unterschiedl. Ausbildung der Erdoberfläche als Land und Meer, Berg und Tal, Wald und Freiland sowie die Höhe über dem Meer. Trotz des vielfältigen Zusammenwirkens der Faktoren folgt aus der breitenabhängigen Strahlungsintensität und der jeweils typ. unterschiedl. Zirkulation der Atmosphäre über Kontinenten und Ozeanen eine gewisse Regelmäßigkeit in der räuml. Verteilung der **K.-Zonen.** So befindet sich um den Äquator die Region der **trop. Regenwaldklimate** mit jahreszeitlich variablen Niederschlägen; innere Tropen (immerfeucht/vollhumid) im Ggs. zu den äußeren Tropen (wechselfeucht/semihumid). Die Temperatur hat in den inneren Tropen fast gleich bleibende Monatsmittelwerte über 18 °C. Zu den Wendekreisen hin steigt die Jahresamplitude allmählich an. Mit Übergang zu den sie umgebenden Savannen und Steppen bilden die Wüsten die Zone der **Trockenklimate,** in denen die mögl. Verdunstung den Niederschlag stets übertrifft. Polwärts folgen in den hohen Mittelbreiten **warmgemäßigte Klimate,** winter- oder sommertrocken, mit großen jahreszeitl. Temperaturunterschieden. Relativ warme Sommer und kalte Winter sowie geringe Luftfeuchtigkeit und Niederschläge zeichnen das **kontinentale K.** aus. Das entsprechende **maritime K.** zeigt thermisch wie den Niederschlag bzw. die Luftfeuchte betreffend

Klettertrompete: Campsis radicans (Höhe etwa 10 cm)

Kleve 2) Stadtwappen

Klima

Die »Planetarische Zirkulation« ist das klassische Erklärungsmodell für alles Klimageschehen: Intensive Aufheizung der Luft über dem Äquator lässt diese aufsteigen und in der Höhe polwärts abfließen. Dabei kühlt sie sich ab und sinkt zwischen dem 20. und 30. Grad nördlicher und südlicher Breite wieder auf die Erdoberfläche zurück. Dort angekommen, fließt sie – vom Tief am Äquator angezogen – wieder dorthin zurück (die Passate), oder sie fließt polwärts ab. Wo Luft aufsteigt, bilden sich bodennah Tiefdruckgebiete (mit Instabilität, Kondensationsprozessen und Niederschlägen), wo sie absteigt, entstehen Hochdruckgebiete (mit starker Austrocknung, klaren Himmeln und stabilen Wetterverhältnissen). Wo kalte Polarluft und warme Tropenluft aufeinandertreffen, entsteht eine Polarfront, aus der die außertropischen Tiefdruckgebiete ausbrechen. Die Lage solcher Fronten hängt vom Jetstream in der oberen Troposphäre ab, einer Art mäandrierenden Windkanals, der im Zweiten Weltkrieg als Gegen- oder Rückenwind von Aufklärungsflugzeugen über dem Atlantik endeckt wurde.

einen ausgeglicheneren Verlauf. Monatsmittel unter 10 °C haben die **Schnee-** oder **Eisklimate** der Polargebiete.

Klima: Klimaklassifikationen

A	trop. Klimate	alle Monate über 18 °C Mitteltemperatur
B	Trockenklimate	die Vegetation leidet unter Wassermangel
C	warmgemäßigte Klimate	kältester Monat 18 °C bis −3 °C Mitteltemperatur
D	Schneeklimate	wärmster Monat über 10 °C kältester Monat unter −3 °C Mitteltemperatur
E	Eisklimate	wärmster Monat unter 10 °C Mitteltemperatur

K.-Schwankungen sind kurzzeitige period. Veränderungen der klimat. Gegebenheiten durch Abweichungen (Anomalien) von einem mittleren Wert, der sich über einen sehr langen Zeitraum hin ergibt. Sie stehen im Ggs. zu nachhaltigen Veränderungen des K., die nur in einer Richtung verlaufen, den K.änderungen, sind aber von diesen nicht immer deutlich zu unterscheiden. Auffällige Erscheinungen sind Temperaturerhöhung (K.optimum) und -rückgang (K.pessimum). Extreme sind die Eiszeiten, in denen die Tieflandvereisung äquatorwärts bis 50° Breite vordrang, sowie Warmzeiten mit weitgehend eisfreiem Polarmeer. (→Klimaänderung)

📖 HEYER, E.: *Witterung u. K. Stuttgart u. a.* [9]*1993.* – SCHÖNWIESE, C.-D.: *K. Grundlagen, Änderungen, menschl. Eingriffe. Mannheim u. a. 1994.* – *Atmosphäre, K., Umwelt, hg. v.* P. J. CRUTZEN. *Heidelberg 1996.* – GRAEDEL, T. E. *u.* CRUTZEN, P. J.: *Die Atmosphäre im Wandel. Die empfindl. Lufthülle unseres Planeten. A. d. Engl. Heidelberg u. a. 1996.*

Viktor Klima

Klima, Viktor, österr. Politiker, *Wien 4. 6. 1947; Mitgl. der SPÖ, 1992–95 Min. für öffentl. Wirtschaft (u. a. Abschluss des Transitvertrages mit der EU), 1995–97 Finanzmin., wurde am 27. 1. 1997 Bundeskanzler.

Klima, Ivan, tschech. Schriftsteller, *Prag 14. 9. 1931; war als Kind im KZ Theresienstadt; lebte 1969/70 in den USA; schildert kritisch, z. T. satirisch-bitter den tschech. Alltag, schrieb Reportagen, Erzählungen (»Ein Liebessommer«, 1973; »Liebe und Müll«, 1990), Theaterstücke (»Ein Schloß«, Dr., 1964; »Spiele«, Dr., 1974; »Gesellschaftsspiele«, 1976; »Der Gnadenrichter«, 1979).

Klima|änderung, Sammelbez. für alle nachhaltigen Veränderungen des Klimas. Von K. werden v. a. die allg. Zirkulation der Atmosphäre, Luftdruck, Temperatur und Niederschlag betroffen, wobei vielfältige, auch Rückkopplungseffekte enthaltende Wechselwirkungen bestehen. Neben den **natürl. K.,** bedingt u. a. durch Variabilität der Sonneneinflüsse (v. a. Veränderungen der Strahlungsbilanz) und Vulkaneruptionen (Verstärkung der stratosphär. Aerosolschicht), gibt es vom Menschen verursachte **(anthropogene K.),** v. a. durch Energiezufuhr, Abgase, Zunahme von Kohlendioxid, Spurengasen sowie Veränderungen durch Zerstörung der Vegetation. Es werden räumlich begrenzte Beeinträchtigungen der Atmosphäre hervorgerufen, die vielfach schwere Schäden verursachen (u. a. →Abwärme, →saurer Regen, →Smog, →Photooxidantien, →Luftverschmutzung). Noch folgenreicher sind global wirksame K.; ob sie natürlich oder anthropogen entstanden sind, ist oft schwer nachzuweisen, so die Tatsache, dass seit rd. 100 Jahren mit der Industrialisierung die globale Temperatur der Atmosphäre in Erdbodennähe um 0,7 °C zugenommen hat, am stärksten in den letzten 10 Jahren. Die gegenwärtige Erwärmung ist statistisch signifikant, also nicht als mehr oder minder übl. Schwankung zu erklären. (→Treibhauseffekt, →Ozonloch, →Regenwald)

Klima|anlage, raumlufttechn. Anlage, die die Lufttemperatur und die Luftfeuchte in einem Raum selbsttätig auf vorgegebenen Werten hält. Die von Ventilatoren angesaugte Außenluft wird

Klima: Klimazonen

Klimazonen	*Klimatypen*	*Vegetation*
trop. Regenklimate	trop. Regenwaldklimate Savannenklimate	trop. Regenwald Savannen, Grasfluren
Trockenklimate	Steppenklimate Wüstenklimate	Gras- und Staudenfluren Oasenvegetation, Sukkulenten, Xerophyten
warmgemäßigte Regenklimate	warme wintertrockene Klimate warme sommertrockene Klimate feuchttemperierte Klimate	Laub-, Nadel- und Mischwälder Hartlaubgehölze Laub-, Nadel-, Mischwälder, Heiden, Moore
Schneeklimate	kalte wintertrockene Klimate kalte winterfeuchte Klimate	Nadelwälder subarktische Strauchformation
Eisklimate	Tundrenklimate Klimate ewigen Frostes	Moose und Flechten keine

Klimazonen

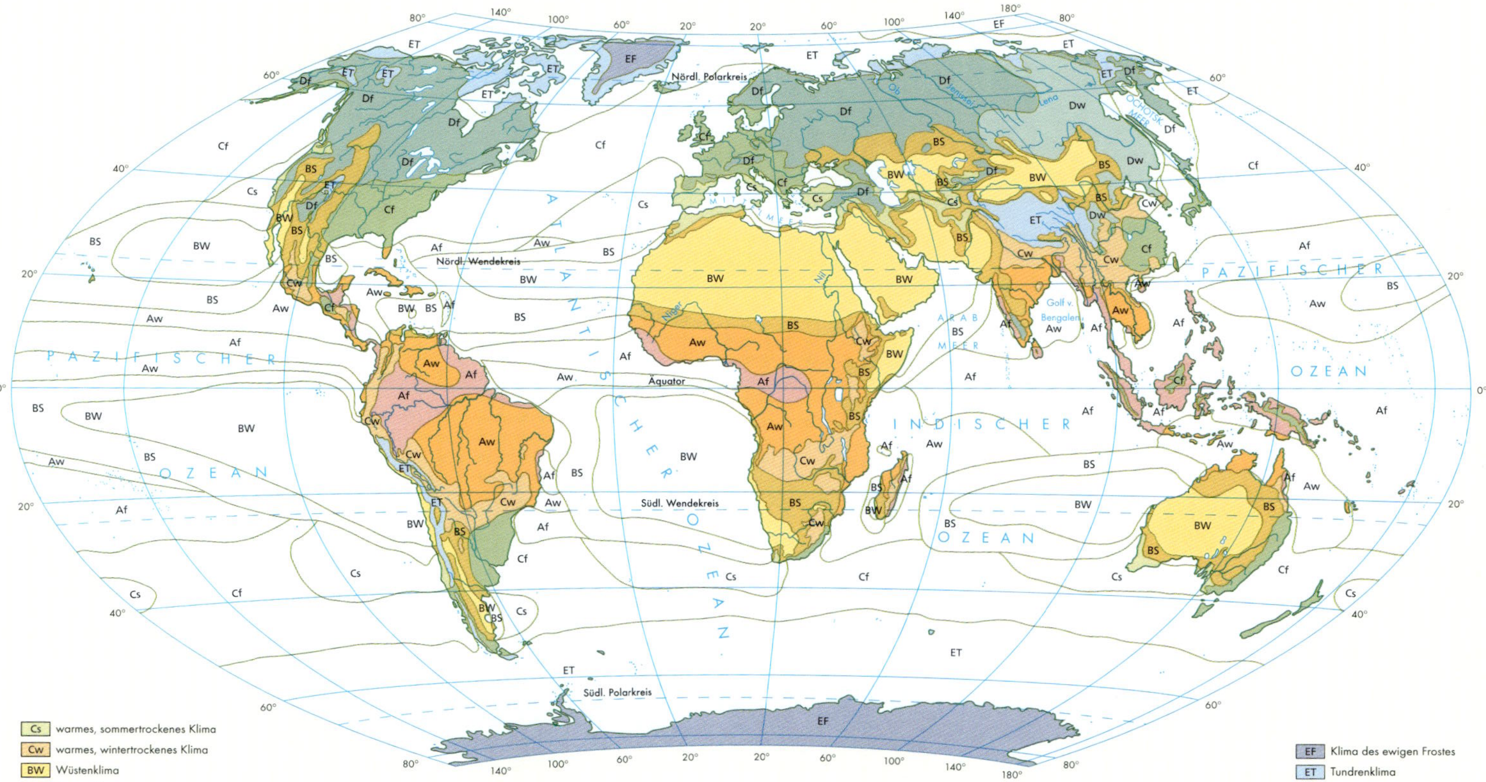

Cs	warmes, sommertrockenes Klima
Cw	warmes, wintertrockenes Klima
BW	Wüstenklima
BS	Steppenklima
Aw	Savannenklima
Af	tropisches Regenwaldklima

EF	Klima des ewigen Frostes
ET	Tundrenklima
Df	winterfeuchtkaltes Klima
Dw	wintertrockenkaltes Klima
Cf	feuchttemperiertes Klima

gefiltert, vorgewärmt (oder abgekühlt), in der Düsenkammer durch Wasserzerstäubung befeuchtet, im Nacherhitzer auf die gewünschte Temperatur eingestellt und als so aufbereitete Zuluft dem Raum zugeführt. Die verbrauchte Luft wird als Abluft aus dem Raum abgeführt; soweit diese nicht als Fortluft über die Trennkammer ins Freie gelangt, wird sie in der Mischkammer mit Außenluft vermischt. Zu- und Abluftventilatoren sorgen für den Transport der Luft in den entsprechenden Kanalleitungen. Die Bez. **Niederdruck-** oder **Hochdruck-K.** bezieht sich auf den Förderdruck der Ventilatoren, von dem die Luftgeschwindigkeit in den Luftkanälen abhängt. Im Unterschied zur **Einkanal-K.** wird bei der **Zweikanal-K.** Kalt- und Warmluft getrennt zugeführt, wobei durch entsprechende Mischung beider Luftströme den einzelnen Räumen Luft mit unterschiedl. Temperaturen zugeführt werden kann. Bei **Induktions-K. (Primärluftanlagen)** wird nur ein Teil (Primärluft) der benötigten Luftmenge zentral aufbereitet und ein Mehrfaches davon als Sekundärluft aus dem Raum angesaugt und dezentral erwärmt oder gekühlt. Das bietet den Vorteil der Einzelraumregelung bei kleinen Abmessungen der Luftkanäle.

Klimabehandlung, die →Klimatherapie.

Klimakammer, luftdicht abgeschlossener Raum, in dem versch. Klimakomponenten (Temperatur, Feuchte, Luftdruck, Luftgeschwindigkeit, Luftzusammensetzung, Lichtverhältnisse u.a.) künstlich verändert werden können; wird zu therapeut. Zwecken (z.B. bei Erkrankungen der Atmungsorgane), für physiolog. Untersuchungen an Menschen, Tieren und Pflanzen sowie zur Materialprüfung verwendet.

Klimakterium [grch.] *das,* die →Wechseljahre.

Klimatechnik (Raumlufttechnik), Fachrichtung der Ingenieurwissenschaften, die die Beeinflussung der klimat. Umgebungszustände in geschlossenen Räumen durch Änderung von Temperatur, Druck, Feuchte, Geschwindigkeit und Zusammensetzung der Raumluft und durch Änderung der Temperatur der Raumumgrenzungsflächen zum Inhalt hat. Die bekanntesten Verfahren sind Heizung, Kühlung, Lüftung, Entstaubungsverfahren sowie Be- und Entfeuchtung. Darüber hinaus sind Thermodynamik, Strömungs-, Mess- und Regelungstechnik, Hygiene sowie Akustik wesentl. Bestandteile der modernen K. Vonseiten des Raumklimas lassen sich zwei Gebiete abgrenzen, von denen sich das eine mit der Entwicklung von **Humanklimaanlagen** befasst, die die klimat. Verhältnisse in Aufenthalts- und Arbeitsräumen den menschl. Bedürfnissen anpassen, das andere mit der Entwicklung von **Industrieklimaanlagen,** die den Bedürfnissen zu lagernder bzw. zu verarbeitender Stoffe oder bestimmter Verarbeitungsprozesse angepasst sind.

📖 *Handbuch der K., hg. vom Arbeitskreis der Dozenten für K., 3 Bde. Karlsruhe* [1–3]*1988 ff.* – IHLE, C.: *K. mit Kältetechnik. Düsseldorf* [3]*1996.*

Klimatherapie (Klimabehandlung), die Ausnutzung der Reiz- bzw. Schonwirkung klimat. Wirkungskomplexe auf den Organismus zur Verhütung oder Besserung von Erkrankungen. Das beruhigende, dämpfende **Schonklima** der Mittelgebirge ist bei Herz- und Kreislaufkrankheiten, das anregende und abhärtende **Reizklima** des Hochgebirges (niedriger Sauerstoffpartialdruck, starke UV-Strahlung; nur bei guter Herz- und Kreislauffunktion) und der Meeresküste (jod- und kochsalzhaltige Aerosole) bei chron. Erkrankungen der Atemwege und bei Ekzemen angezeigt.

Klimatologie *die* (Klimakunde), Wiss. vom Klima; Teilgebiet der Meteorologie, aber auch der Geographie (Klimageographie). Eine wichtige Aufgabe der K. ist die statist. Auswertung langjähriger Mess- und Beobachtungsreihen von Klimaelementen; mithilfe der EDV kann sie heute in wesentlich größerem Umfang durchgeführt werden. Um vergleichbare Elemente zu erhalten, wählt man gewöhnlich Mittelwerte 30-jähriger Normalperioden aus (gegenwärtig: 1931–60). Neben der **Mittelwerts-K.** steht die **Witterungs-K.,** die sich mit der Aufeinanderfolge, Häufigkeit und örtl. Ausbildung typ. Witterungen im Jahresablauf unter Einbeziehung der Großwetterlage befasst. Mittelwerts- und Witterungs-K. ergänzen sich und führen erst miteinander zur vollständigen Erfassung der Erscheinungen, die in den Begriffen Klima und Klimaklassifikation zusammengefasst werden. Die **synopt. K.** untersucht das Klima auf der Grundlage der großräumigen atmosphär. Zirkulation, der Steuerung und Luftmassenbeeinflussung. Die **dynam. K.** setzt die dynam. Vorgänge in der Atmosphäre in Bezug zu den meteorolog. Erscheinungen und Wetterlagen. Von besonderer Bedeutung für den Menschen und die anderen Lebewesen ist das Klima der bodennahen Luftschicht, das Aufgabengebiet der **Mikro-K.** In der **theoret. K.** wird die theoret. Behandlung klimatolog. Vorgänge vorgenommen, wobei von den Ursachen der Klimabildung (Klimagenese) und den dabei auftretenden Kräften (z.B. Änderung der Erdbahnelemente, Polverlagerungen, Verschiebung von Meeres- und Luftströmungen, die Lage von Aktionszentren und Frontalzonen) ausgegangen wird. Sie führt u.a., ausgehend von globalen Energiebilanzen, zu einfachen und dreidimensionalen Klimamodellen. Zu den Anwendungsbereichen der **angewandten K.** gehören Wirtschaft, Technik (u.a. Heizung, Lüftung, Klimatisierung), Bauwesen (Gebäude-K.), Energiewesen, Gesundheitswesen (Bio-K.), Landwirtschaft (Agrarmeteorologie), Wasserwirtschaft (Hydrometeorologie), Verkehrswesen, Standort-, Stadt-, Regional- und Landesplanung, Umweltplanung und Luftreinhaltung.

📖 WEISCHET, W.: *Einführung in die allgemeine K. Stuttgart* [6]*1995.*

Klimax [grch.] *die,* **1)** *Medizin:* seltene Bez. für → Wechseljahre.

2) *Rhetorik:* stufenartige Ausdruckssteigerung, z.B. lat. »veni, vidi, vici« (»ich kam, ich sah, ich siegte«).

Klimme, Pflanzengattung, → Cissus.

Klimow, Elem Germanowitsch, russ. Filmregisseur, *Stalingrad (heute Wolgograd) 11. 11. 1933; gesellschaftskrit. Filme; beendete 1983 den von seiner Frau Larissa J. Schepitko (†1979) begonnenen Film »Abschied von Matjora«, außerdem »Agonia – Rasputin, Gott und Satan« (1974, Uraufführung 1981), »Komm und sieh« (1985).

Klimsch, Fritz, Bildhauer, *Frankfurt am Main 10. 2. 1870, †Freiburg im Breisgau 30. 3. 1960; geschult an der Berliner Bildhauertradition und ihrer Verbindung von klass. Figurenstrenge und Realistik, schuf weibl. Aktfiguren, Bildnisbüsten, Denk- und Grabmäler, Brunnen und Brunnenplastik.

Gustav Klimt: »Der Kuß« (1908; Wien, Österreichische Galerie im Belvedere)

Klimt, Gustav, österr. Maler, *Baumgarten (heute zu Wien) 14. 7. 1862, †Wien 6. 2. 1918; Hauptvertreter des österr. Jugendstils, leitete 1897–1905 die von ihm mitbegründete »Wiener Sezession«. K. schuf zartfarbige Kompositionen meist symbol. Bedeutung, in deren flächenhaftem, mosaikartigem Stil sich Figürliches mit Jugendstilornamentik zu dekorativen Wirkungen verbindet. In seinen Zeichnungen und Gemälden dominieren erot. Motive.

📖 NEBEHAY, C. M.: *G. K., von der Zeichnung zum Bild. Wien 1992.*

Klindworth, Karl, Pianist und Komponist, *Hannover 25. 9. 1830, †Stolpe 27. 7. 1916; dirigierte in Berlin die Philharmon. Konzerte, gründete ebd. eine Klavierschule; bekannt als Verf. von Klavierauszügen sämtl. Opern R. Wagners.

Kline [klaɪn], **1)** Franz, amerikan. Maler, *Wilkes-Barre (Pa.) 23. 5. 1910, †New York 13. 5. 1962; gehörte zu den führenden Vertretern des → abstrakten Expressionismus in den USA.

2) Kevin, amerikan. Schauspieler, *Saint Louis (Mo.) 24. 10. 1947; machte sich mit vielseitigen Charakterrollen einen Namen. Filme: »Sophies Entscheidung« (1982); »The pirates of Penzance« (1983); »Schrei nach Freiheit« (1987); »Ein Fisch namens Wanda« (1988); »French Kiss« (1995).

Kevin Kline

Klinefelter-Syndrom ['klaɪnəfeltə-, nach dem amerikan. Arzt Harry Klinefelter, *1912], angeborene, durch eine → Chromosomenanomalie verursachte Keimdrüsenstörung beim Mann; vermutlich durch fehlendes Auseinanderweichen der Geschlechtschromosomen bei der ersten Reifeteilung entsteht ein 47-XXY-Chromosomenmuster. Folgen: reduzierte sekundäre männl. Geschlechtsmerkmale, Hodenatrophie, Sterilität, eunuchoider Hochwuchs, auch Intelligenzstörungen.

Klingel, akust. Signalgerät, z.B. kleine Glocke. Bei dem nach dem Prinzip des wagnerschen Hammers (→ Unterbrecher) arbeitenden **Rasselwecker (elektrische K.)** schwingt der Unterbrecherkontakt hin und her, solange der Stromkreis durch Druck auf den K.-Knopf geschlossen bleibt; die Glocke wird dauernd angeschlagen. In Fernsprechern verwendete **Wechselstromwecker** enthalten einen drehbar gelagerten Permanentmagneten, der im magnet. Wechselfeld eines vom Rufstrom durchflossenen Elektromagneten im Takt der Rufstromfrequenz hin- und herpendelt.

Klingeln, bei Ottomotoren das → Klopfen.

Klingemann, Ernst August, Schriftsteller und Bühnenleiter, *Braunschweig 31. 8. 1777, †ebd. 25. 1. 1831; Theaterdirektor in Braunschweig (1829 erste öffentl. Aufführung von Goethes »Faust«), schrieb Ritterromane, romant. Dramen.

Gerhard Klingenberg

Klingenberg, Gerhard, Theaterleiter und Regisseur, *Wien 11. 5. 1929; ab 1968 Regisseur des Wiener Burgtheaters, 1971–76 dessen Direktor, 1977–82 Direktor des Schauspielhauses Zürich, seit 1985 Intendant des Renaissance-Theaters Berlin.

Klingenkulturen, Kulturgruppen der Altsteinzeit, deren Geräteinventar hauptsächlich aus klingenförmigen Feuersteinabschlägen besteht.

Klingenthal/Sa. Stadtwappen

Klingenthal/Sa., Stadt im Vogtlandkreis, Sachsen, im oberen Vogtland, 554 m ü. M., am Fuße des Aschbergs (936 m ü. M.), 11 000 Ew.; Musikinstrumentenbau; Erholungsort und Wintersport-

Friedrich Maximilian von Klinger (Zeichnung von Johann Heinrich Lips)

platz. – Schloss (1628, 1828 umgebaut), Stadtkirche (1736/37). – Entstand um 1600; seit 1919 Stadt; war bis 1995 Kreisstadt.

Klinger, 1) Friedrich Maximilian von (seit 1780), Dichter, *Frankfurt am Main 17. 2. 1752, †Dorpat (heute Tartu) 9. 3. 1831; mit Goethe befreundet; 1776/77 Schauspieler und Theaterdichter der Seylerschen Truppe; 1780 russ. Offizier, als Kurator der Univ. in Dorpat (1803–17) wichtiger Vermittler dt. Kultur. Neben J. M. R. Lenz bedeutendster Dramatiker des Sturm und Drang, dem er mit seinem gleich lautenden Drama (1776; urspr. Titel »Wirrwarr«) die Epochenbez. gab; in späteren Jahren schrieb er lebensphilosoph. Romane (»Fausts Leben, Thaten und Höllenfahrt«, 1791).

Max Klinger: Bildnis von Elsa Asenijeff (um 1900; München, Neue Pinakothek)

2) Max, Maler, Radierer, Bildhauer, *Leipzig 18. 2. 1857, †Großjena (heute zu Naumburg [Saale]) 4. 7. 1920; lebte 1888–93 in Rom, wo ihn A. Böcklin beeinflusste, seitdem in Leipzig; bed. Vertreter des Symbolismus. Seine künstler. Ausdrucksmittel reichen vom Klassizismus über die Romantik bis zum Jugendstil. K. schuf virtuose Radierungen, ferner meist großformatige Gemälde mit antiker und christl. Thematik sowie Porträts und einige Landschaftsbilder. Als Bildhauer suchte er durch Verwendung von verschiedenfarbigem Marmor und anderen Materialien die farbige Wirkung antiker Plastiken zu realisieren.

Werke: Radierfolgen: Paraphrase über den Fund eines Handschuhs (1881), Ein Leben (1884), Vom Tode I (1889), II (1898ff.), Brahmsphantasie (1894). Gemälde: Das Urteil des Paris (1886/87; Wien, Kunsthistor. Museum), Die Kreuzigung Christi (1890; Leipzig, Museum der Bildenden Künste), Christus im Olymp (1889–97; erhaltene Teile ebd.). Skulpturen: Die neue Salome (1893; Leipzig, Museum der Bildenden Künste), Kassandra (1895; ebd.), Beethovendenkmal (1897–1902; Leipzig, Neues Gewandhaus), Brahmsdenkmal (1905–09; Hamburg, Musikhalle).

Klaus von Klitzing

Klingsor (Klinschor), mächtiger Zauberer im »Parzival« von Wolfram von Eschenbach; im Gedicht »Der Sängerkrieg auf der Wartburg« ist er als König von Ungarland im Rätselspiel der Gegner Wolframs; auch Figur im »Parsifal« R. Wagners.

Klingspor, Karl, Schriftgießer, *Gießen 25. 6. 1868, †Kronberg im Taunus 1. 1. 1950; übernahm 1892 die von seinem Vater Carl K. erworbene Schriftgießerei (seit 1806 Gebr. K.). Durch Zusammenarbeit mit bed. Schriftkünstlern wurde K. zum Wiedererwecker der künstler. Druckschrift in Deutschland. Seine privaten Samml. bildeten den Grundstock des 1953 gegründeten **K.-Museums** (Offenbach) für Buch- und Schriftkunst seit Ende des 19. Jahrhunderts.

Klingstein, das Gestein →Phonolith.

Klinik [grch.] *die,* Krankenhaus mit Spezialeinrichtungen, z. B. als Fach-K. (Frauen-, chirurg. K.), v. a. im universitären Bereich; dort als Poli-K. auch zur ambulanten Versorgung von Patienten.

Klinikum *das,* **1)** Zusammenschluss mehrerer Univ.-Kliniken unter einheitl. Leitung und Verwaltung.

2) prakt. Teil der ärztl. Ausbildung.

klinische Psychologie, Teilgebiet der Psychologie, das sich mit der Entstehung, Beschreibung und Feststellung, Beeinflussung, Heilung und Vorbeugung von Störungen des Erlebens und Verhaltens befasst. Psych. Störungen werden dabei vorwiegend als Fehlentwicklungen des sozialen Lernens verstanden, die verändert werden können. – Für die Praxis bemüht sich die k. P. um die Erstellung wiss. Klassifikationssysteme zur Erfassung solcher Störungen und die Entwicklung verbesserter diagnost. (Tests, Interviews, Beobachtung) und therapeut. Verfahren (Verhaltens-, Kommunikationstherapie).

Klinkenstecker, *Elektroakustik:* zwei- oder mehrpoliger Steckverbinder, dessen Kontaktkopf aus zwei oder mehreren zylindr. und isoliert axial hintereinander liegenden Kontaktstücken besteht. Die zugehörige Klinkenkupplung oder -buchse enthält die Kontaktfedern und z. T. weitere gesonderte Schaltkontakte, die beim Steckvorgang ausgelöst werden.

Klinker, aus kalkarmen Tonen mit etwa 5–8% Eisengehalt bis zur Sinterung (Schmelzbeginn, etwa 1100–1400 °C) gebrannter Ziegel sehr großer Festigkeit; Mauer-, Schmuck- und Pflasterstein.

Klinkerbau, *Schiffbau:* Bauweise mit dachziegelartig übereinander liegenden Planken; größere Festigkeit als beim →Kraweelbau.

Klio (grch. Kleio »die Rühmende«), Muse der Geschichte.

Klippe [mittelniederländ.], für die Schifffahrt gefährl. Felsen wenig unter oder über einer Wasserfläche, bes. häufig an Steilküsten; entsteht im Meer durch die Brandungserosion.

Klipper [engl. clipper, zu to clip »schneiden«] *der* (Clipper), in der Mitte des 19. Jh. gebautes, schnelles Segelschiff mit schlankem Rumpf, scharfem Bug, drei oder vier hohen Masten und einer großen Segelfläche; meist als Vollschiff getakelt.

Klippfisch, gesalzener, (urspr. auf Klippen) getrockneter Kabeljau, Schellfisch u.a. Fisch.

Klippschliefer (Procavia), zu den Schliefern gehörende, hasengroße, primitive Säugetiere (fünf Arten) mit stummelförmigem Schwanz und elast. Polstern an den Sohlen; gesellige, tagaktive Pflanzenfresser, die felsige Steppen Afrikas (bis 4200 m ü.M.) bewohnen.

Klippspringer (Oreotragus oreotragus), gedrungene, knapp rehgroße Antilope mit steil stehenden, parallelen Hörnern beim männl. Geschlecht; tritt nur mit den Spitzen der senkrecht gestellten Klauen auf; Gebirgsbewohner S- und O-Afrikas.

Klirrfaktor, ein Maß für die in einem →Vierpol (z.B. Verstärker, Schallwandler) auftretenden nichtlinearen Verzerrungen innerhalb der Aussteuerungsgrenzen. Der K. wird meist als **Klirrgrad** *k* in Prozent angegeben. Man unterscheidet den **Einsatz-K.** für die einzelnen Oberwellen und den **Gesamt-K.** als Verhältnis des Effektivwerts der Oberwellenspannung zum Effektivwert des Gesamtspannungsgemisches. Der K. ist frequenzabhängig und wird meist bei 1000 Hz angegeben; die Messung erfolgt z.B. mit K.-Messgeräten, bei denen die Frequenzabhängigkeit der Einstellung einer wienschen Brücke ausgenutzt wird. Die Wahrnehmbarkeitsgrenze liegt bei Musik bei etwa 1–2 %; bei großen Lautstärken überwiegt jedoch bald die im Ohr selbst entstehende Verzerrung.

Klischee [frz.] *das,* **1)** *allg.:* Abklatsch, unschöpfer. Nachbildung, eingefahrene Vorstellung, abgedroschene Redewendung.

2) *Drucktechnik:* Druckstock, sämtl. Arten von Hochdruckformen.

Klistier [grch.] *das* (Klysma), der →Einlauf.

Klitoris [grch.] *die,* der →Kitzler.

Klitzing, Klaus von, Physiker, *Schroda (heute Środa, Wwschaft Poznań) 28. 6. 1943; seit 1985 Direktor am Max-Planck-Institut für Festkörperphysik und Prof. in Stuttgart; erhielt 1985 für die Entdeckung des →Quanten-Hall-Effekts (auch K.-Effekt) den Nobelpreis für Physik.

Kljutschewskaja Sopka, mit 4835 m ü.M. höchster tätiger Vulkan Russlands, auf der Halbinsel Kamtschatka.

Kljutschewski, Wassili Ossipowitsch, russ. Historiker, *Wosnessenskoje (Gouv. Pensa) 28. 1. 1841, †Moskau 25. 5. 1911; ab 1882 Prof. in Moskau. Sein Hauptwerk ist eine v.a. sozialgeschichtlich orientierte »Geschichte Rußlands« (5 Bde., 1904–10).

KLM, Abk. für **K**oninklijke **L**uchtvaart **M**aatschappij N. V., niederländ. Luftverkehrsgesellschaft; gegr. 1919, Sitz: Amstelveen; älteste Fluggesellschaft der Erde; Hauptaktionär ist mit rd. 38 % der niederländ. Staat (→Luftverkehrsgesellschaften, ÜBERSICHT).

Kloake [lat.] *die,* **1)** *allg.:* unterird. Abzugskanal zur Ableitung häusl. Abwässer.

2) *Zoologie:* gemeinsamer Endabschnitt von Darm, Harn- und Geschlechtsorganen bei Haifischen, Lurchen, Reptilien, Vögeln und Kloakentieren sowie wenigen Wirbellosen.

Kloakentiere (Monotremata), primitivste Säugetiergruppe mit einer →Kloake 2); die Weibchen legen dotterreiche Eier (→Ameisenigel, →Schnabeltier).

Kloben [ahd. klobo »gespaltenes Holz«], **1)** *Fertigungstechnik:* Vorrichtung zum Einspannen kleiner Werkstücke, z.B. Feilkloben.

2) *Fördertechnik:* Bez. für die Flaschen eines →Flaschenzugs.

Klöckner & Co. AG, Handels- und Dienstleistungskonzern, Sitz: Duisburg; gegr. 1906 von Peter Klöckner (*1863, †1940), seit 1988 AG; Tochtergesellschaft der →VIAG AG.

Klöckner-Werke AG, Unternehmen der Kunststoffverarbeitung und des Maschinenbaus, Sitz: Duisburg; gegr. 1897, heutiger Firmenname seit 1923, als Peter Klöckner in diesem Unternehmen seine Industriebeteiligungen zusammenfasste; Hauptaktionär: Klöckner & Co. AG (13 %).

Klodnitz *die* (poln. Kłodnica), rechter Nebenfluss der Oder, in Oberschlesien, Polen, entspringt südlich von Kattowitz und mündet gegenüber von Kędzierzyn-Koźle, 75 km lang. Neben ihr verläuft der Gleiwitzkanal.

Kłodzko ['kuɔtskɔ] (dt. Glatz), Stadt in der Wwschaft Wałbrzych (Waldenburg), Polen, im Glatzer Kessel, beiderseits der Glatzer Neiße, Niederschlesien, 31000 Ew.; Zweig der TH Breslau, Museen; Lebensmittel-, Metall-, Holz-, Bekleidungsindustrie. – Pfarrkirche (spätgotisch, innen barock), Franziskanerkloster (17./18. Jh.), Rathaus und Bürgerhäuser aus Renaissance und Barock, Marien-, Pestsäule (beide 17. Jh.). – G., im 10. Jh. als böhm. Grenzfeste gegen Polen gegr., wurde seit dem 12. Jh. von Deutschen besiedelt; 1114 erstmals

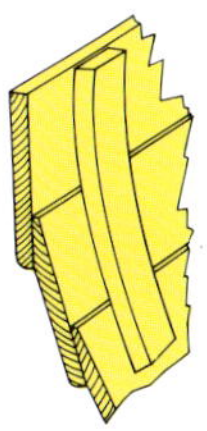

Klinkerbau

KLM

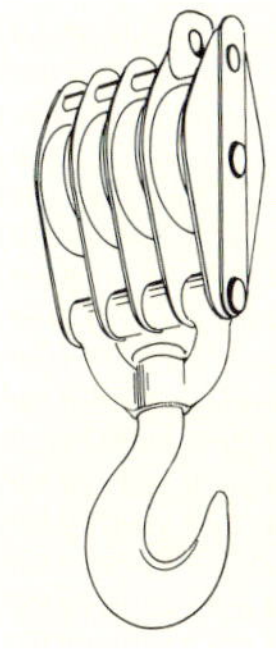

Kloben 2)

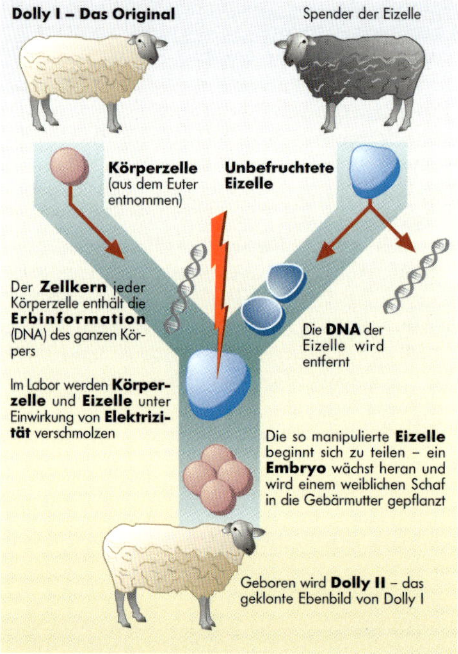

Klonieren: Verschmelzung einer unbefruchteten entkernten Eizelle mit der Körperzelle eines erwachsenen Schafes

als Stadt bezeichnet. G. war Hptst. der gleichnamigen Grafschaft und diente bis 1877 als Festung.

Klon [engl., zu grch. klṓn »Schössling, Zweig«] *der,* durch ungeschlechtl. Vermehrung (Zellteilung bei Einzellern, Abgliederung vegetativer Keime, Stecklinge, Teilung von Embryonalzellen u.a.) aus einem pflanzl. oder tier. Individuum entstandene erbgleiche Nachkommenschaft (→Klonieren).

Klondike River ['klɔndaɪk 'rɪvə] *der,* rechter Nebenfluss des Yukon River, im kanad. Yukon Territory, mündet bei Dawson, etwa 150 km lang. Der Goldfund am Bonanza Creek, einem Nebenflüsschen des K. R., löste den Goldrausch von 1897 aus, dem bald der maschinelle Abbau der Goldseifen folgte (1966 eingestellt).

Klonieren (Klonen), Bez. für das Herstellen einer größeren Anzahl gleichartiger, genetisch ident. Nachkommen von einem Individuum (→Klon). Die moderne Biologie arbeitet mit mehreren Verfahren: 1) Selektion und Vermehrung eines einzelnen Bakteriums, das Träger für eine bestimmte Mutation ist; 2) Anregung einzelner Lymphozyten des Immunsystems zu Zellteilungen auf einen Reiz durch ein Antigen hin; 3) Vermehrung von DNS-Stücken, d.h. von Genen, durch den Einbau in Plasmide von Bakterien; 4) Züchtung von vollständigen, normalen Pflanzen aus isolierten Zellen in einem Nährmedium durch bestimmte Wuchsstoffzusätze; 5) Ersatz der Zellkerne in befruchteten Eizellen durch Kerne aus Körperzellen eines anderen Tierembryos (v.a. Frösche, Mäuse). Das K. eines Säugers aus Somazellen (Körperzellen) eines erwachsenen Tieres gelang erstmals 1996 in einem schott. Labor unter Leitung von Ian Wilmut und ist 1997 der Öffentlichkeit in Gestalt eines sieben Monate alten Schafes (»Dolly«) vorgestellt worden. Hierbei wurde die entkernte Eizelle eines Schafes mit einer Körperzelle aus dem Euter eines anderen Schafes verschmolzen. Die so manipulierte Eizelle teilte sich, ein Embryo wuchs heran, den man einem dritten Schaf in die Gebärmutter einpflanzte. Geboren wurde ein genetisch ident. Ebenbild des Schafes, dem die Körperzelle aus dem Euter entnommen worden war. – Durch die Gentechnologie ist auch das Herstellen menschl. Klone technisch möglich.

Kloos, Willem, niederländ. Dichter und Kritiker, *Amsterdam 6.5.1859, †Den Haag 31.3.1938; einer der Hauptvertreter der neueren niederländ. Literatur und führender Theoretiker der Tachtigers, die Naturalismus, Impressionismus und Symbolismus in der niederländ. Literatur durchsetzten; Mitbegründer der Ztschr. »De Nieuwe Gids« (1885); formstrenge, sprachlich virtuose Lyrik.

Klopfen (Klingeln), unregelmäßiges, häufig hell klingelndes oder klopfendes Geräusch in Kolbenkraftmaschinen infolge ungleichmäßiger, schlagartiger Verbrennung des Kraftstoff-Luft-Gemisches. (→Antiklopfmittel)

Klopffestigkeit, Eigenschaft eines Ottokraftstoffs, ohne →Klopfen zu verbrennen. Einer hohen Selbstzündungstemperatur des Ottokraftstoffes entspricht eine hohe K.; sie wird in speziellen Prüfmotoren bestimmt und als →Oktanzahl angegeben. Je höher das Verdichtungsverhältnis eines Motors ist, umso höher muss die K. des Kraftstoffs sein. (→Antiklopfmittel)

Klöppeln

Die Kunst des Klöppelns war in Italien schon im 15. Jahrhundert bekannt, bereits im frühen 16. Jahrhundert dann in den Niederlanden. Die im 16. Jahrhundert modischen Spitzenkragen begünstigten die rasche Verbreitung des Klöppelns. Beim Klöppeln dreht und kreuzt man Fäden um Stecknadeln, die nach einem vorgezeichneten Muster, dem Klöppelbrief, der auf einem Klöppelkissen befestigt ist, gesteckt werden. Das zu verarbeitende Material wird auf Holzspulen (Klöppeln) aufgewickelt, deren Anzahl sich nach der Feinheit der Spitze und ihrem Motiv richtet. So kann etwa die Valenciennes-Spitze auf wenigen Zentimetern Breite bis zu 150 Klöppel benötigen. Die ursprünglich auf die Entstehungsorte bezogenen Namen der Spitzen (u.a. Genua, Mailand, Chantilly, Caen, Valenciennes, Brüssel, Böhmen) wurden später auf besondere technische oder auch formale Eigenarten (z.B. typische Muster), die sich am Ort der Entstehung herausgebildet hatten, bezogen.

Klopfkäfer (Nagekäfer, Pochkäfer, Anobiidae), Familie bis 6 mm langer, walzenförmiger, meist dunkler Käfer, deren Larven (»Holzwürmer«) in Holz und trockenen pflanzl. Substanzen bohren. Einige Arten erzeugen mit dem Kopf Klopfgeräusche; viele sind Holzschädlinge.

Klöppeln, Herstellen von Klöppelspitze durch fortschreitendes mustergemäßes Umeinanderdrehen, Verkreuzen oder Verflechten von auf Kegel **(Klöppel)** aufgewundenen Fäden, von Hand auf dem **Klöppelkissen (Klöppelsack)** nach dem **Klöppelbrief** (Muster) über Stecknadeln mit Glaskopf oder mithilfe einer Klöppelmaschine.

Friedrich Gottlieb Klopstock: Gemälde von Jens Juel, Ausschnitt (1780; Berlin, Gemäldegalerie) und Autogramm

Klopstock, Friedrich Gottlieb, Dichter, *Quedlinburg 2. 7. 1724, †Hamburg 14. 3. 1803; pietistisch erzogen, besuchte die Fürstenschule Schulpforta (1739–45), studierte Theologie in Jena (1745/46) und Leipzig (1746–48) und war 1748–50 als Hauslehrer in Langensalza tätig (unglückl. Liebe zu seiner Kusine, der »Fanny« seiner Oden). 1750 traf er J. J. Bodmer in Zürich; 1751 ging er nach Kopenhagen, erhielt vom dän. König eine Lebensrente und heiratete 1754 Meta Moller (*1728, †1758), die »Cidli« seiner Oden; lebte seit 1770 in Hamburg. Mit seinen eigenwilligen sprachl. Neuprägungen und freien Rhythmen löste sich K. vom Spätbarock und wies mit seiner individuell geprägten Sprach- und Gefühlswelt auf Empfindsamkeit sowie Sturm und Drang. Sein bekanntestes Werk ist das pietist. Denken verpflichtete Hexameterepos »Der Messias« (1748–73); in diesen Umkreis gehören auch die »Geistl. Lieder« (2 Tle., 1758–69). Seine Oden (u. a. »Die Frühlingsfeier«, »An meine Freunde«, erschienen 1771) behandeln Themen wie Liebe, Freundschaft, Vaterland. Die Prosaschrift »Die dt. Gelehrtenrepublik, ...« (1774) enthält Ansätze einer eigenen Poetik.

📖 ZIMMERMANN, H.: *Freiheit u. Geschichte. F. G. K. als histor. Dichter u. Denker. Heidelberg 1987.* – *K. an der Grenze der Epochen. Mit K.-Bibliographie 1972–1992, bearb. v.* H. RIEGE, *hg. v.* K. HILLIARD *u.* K. KOHL. *Berlin u. a. 1995.*

Klos, Vladimir, Tänzer tschech. Herkunft, *Prag 1. 7. 1946; seit 1981 dt. Staatsbürger; begann beim Prager Studio-Ballett, wurde 1968 Mitgl. (1973 Solist) des Stuttgarter Balletts; tanzte in klass. und modernen Balletten.

Hans-Ulrich Klose

Klose, 1) Hans-Ulrich, Politiker (SPD), *Breslau 14. 6. 1937; 1974–81 Erster Bürgermeister der Freien und Hansestadt Hamburg, seit 1983 MdB, 1987–91 Schatzmeister der SPD, seit Nov. 1994 Vizepräs. des Bundestages.

2) Margarete Frida, Opernsängerin (Alt), *Berlin 6. 8. 1902, †ebd. 14. 12. 1968; wurde bes. als Wagner- und Verdi-Interpretin bekannt.

Klossowski, Pierre, frz. Schriftsteller und Maler, *Paris 9. 8. 1905, Bruder des Malers →Balthus; schrieb Essays (über Sade, Nietzsche) sowie Romane, die sexuelle und religiöse Thematik verbinden: »Die Gesetze der Gastfreundschaft« (Trilogie 1954–60), »Lebendes Geld« (1970); großformatige Farbstiftzeichnungen.

Kloster [von lat. claustrum »abgeschlossener Ort«], in versch. Religionen (Buddhismus, Christentum, Islam, Dschainismus, Daoismus) der gegenüber der Außenwelt abgeschlossene Lebens- und Kultbereich einer Nonnen- oder Mönchsgemeinschaft. Die christl. K. haben ihre Wurzeln im frühchristl. Mönchtum des 3. Jh., das Askese mit radikaler Jesusnachfolge verbindet. Der Kopte Pachomius begründete das K. im eigentl. Sinn als den Zusammenschluss der bis dahin als Einsiedler lebenden Mönche unter einer für alle verbindl. Regel **(Zönobitentum).** Begründer des abendländ. Mönchtums ist →Benedikt von Nursia, dessen Regel zur Hauptordnung der europ. K. wurde. Als geistige und wirtsch. Mittelpunkte übten die K. seit dem frühen MA. entscheidenden Einfluss auf die Entwicklung der sie umgebenden Regionen aus und waren Ausgangspunkte innerkirchl. Reformen (→Cluny). In der kath. und in den orth.

Friedrich Gottlieb Klopstock

»Wer wird nicht einen
Klopstock loben?
Doch wird ihn jeder lesen? – Nein.
Wir wollen weniger erhoben
Und fleißiger gelesen sein.«

Dieser Vierzeiler ist das erste der Sinngedichte an den Leser aus Gotthold Ephraim Lessings Sammlung von Sinngedichten. Lessing stellt sein auf Wirkung in der Gesellschaft zielendes schriftstellerisches Werk der erhabenen, schon durch eine gesonderte Sprache vom Alltag abgehobenen Dichtung Klopstocks gegenüber. Er greift hier eine Stelle aus den Epigrammen (IV, 49) des römischen Dichters Martial (um 40 bis um 103) auf: »Laudant illa, sed ista legunt« (»Jenes loben sie, aber dieses lesen sie«).

Kirchen haben die K. nach wie vor große, v.a. geistl., sozial-diakon. und missionar. Bedeutung. In den evang. Gebieten wurden sie durch die Reformation nahezu vollständig aufgehoben; in neuerer Zeit versuchen **evang. Kommunitäten** den Gedanken des K.-Lebens als geistl. Gemeinschaft zu verwirklichen.

Kloster

Das später allenthalben übliche Klosterschema ist bereits für die karolingische Zeit mit dem um 820 entstandenen St. Galler Klosterplan nachweisbar, der den Grundriss einer vollständigen Anlage zeigt: Im Zentrum liegt die lang gestreckte Abteikirche in Gestalt einer doppelchörigen Basilika mit Gallus-Chor im Osten und Petrus-Chor im Westen. An ihrer südlichen Breitseite schließt die Klausur der Mönche mit dem Kreuzgang und den Klausurgebäuden – Wärmestube und Schlafsaal mit Bad und Latrine im Osten, Speisesaal mit Küche und Kleiderkammer im Süden sowie Vorratsräume und Klausurpforte im Westen – an. Im Süden des Komplexes finden sich Werkstätten, im Osten Garten, Noviziat, Krankenstation und Friedhof der Mönche, im Norden die Gebäude des Abtes und der vornehmen Gäste, im Westen die Pilgerherberge sowie Viehställe.

Baugeschichtlich sind die K. aus den Einsiedlerkolonien, die sich seit Beginn des 4. Jh. in Ägypten und Palästina bildeten, hervorgegangen (→Lawra). Diese machte schon Pachomius durch Umschließung mit einer Mauer, den Einbau einer Kirche, gemeinsame Speise-, Wohn-, Bücherräume zu einem Kloster. Die abendländ. K. unterscheiden sich infolge der Benediktregel durch eine straffer organisierte Gesamtanlage. Das älteste erhaltene Zeugnis ist der Plan von St. Gallen (um 820), dem im Wesentlichen die meisten K.-Anlagen entsprechen: An die Südseite der die Anlage beherrschenden Kirche schließt sich der Kreuzgang an, den die der Klausur unterworfenen Bauten des gemeinsamen Lebens umgeben: der Speisesaal (Refektorium, meist gegenüber der Kirche und parallel zu ihr), der Kapitelsaal und der Schlafsaal (Dormitorium, später manchmal über dem Kapitelsaal). Sie bilden mit der Kirche eine architekton. Einheit, um die andere Bauten und Anlagen errichtet wurden wie Abts-, Arzt-, Schul-, Novizen-, Gäste-, Krankenhaus, Bibliothek, Ställe, Wirtschaftsgebäude, Gärten, Friedhof.

📖 *Mönchtum, Orden, Klöster von den Anfängen bis zur Gegenwart. Ein Lexikon,* hg. v. G. SCHWAIGER. *München ^{2}1994.* – GRÉGOIRE, R. *u. a.: Die Kultur der Klöster. A. d. Italien. Sonderausg. Stuttgart 1995.* – FRANK, K. S: *Geschichte des christl. Mönchtums. Darmstadt ^{5}1996.*

Klosterbibliotheken, im MA. die wichtigsten Stätten zur Pflege von Wissenschaft und Literatur; in den Schreibstuben (Skriptorien) wurden kostbare Handschriften angefertigt, oft Abschriften. Dank der K. wurden klass. und kirchl. Literatur, histor. Quellen und ein großer Teil der Nationalliteratur der Nachwelt erhalten. Bed. waren in Italien Bobbio, Montecassino, in Frankreich Tours, Corbie, Fleury, Cluny, Saint-Victor, Saint-Germain-des-Prés, im Dtl. des MA. St. Gallen, Reichenau, Fulda, Murbach, Lorsch, Corvey, Hersfeld, Werden (Essen). In den evang. Ländern gelangten die K. im 16. Jh. in weltl. Hände, in den kath. Ländern (einschließlich der im Barock neu entstandenen K.) durch die Frz. Revolution und die Säkularisation 1802/03. Viele K. sind wegen ihrer barocken Ausstattung berühmt (u. a. Waldsassen, Wiblingen in Ulm, St. Gallen). In Österreich gibt es noch große K. in Sankt Florian, Kremsmünster, Admont, Klosterneuburg und Melk, in der Schweiz in Einsiedeln.

Klostergelübde, →Gelübde.

Klosterlausnitz, →Bad Klosterlausnitz.

Klosterneuburg, Stadt in Niederösterreich, am rechten Ufer der Donau, 24 400 Ew.; Bundeslehranstalt für Wein- und Obstbau, Museen; Maschinenbau, Nahrungsmittel-, chem., pharmazeut., Baustoffind. – Augustiner-Chorherrenstift (gegr. um 1100, 1133 den Augustinern übergeben), 1730–50 barock ausgebaut; die Stiftskirche des ehem. Klosters ist im Kern romanisch (1136 geweiht) und wurde im 17. Jh. barockisiert. In der anschließenden Leopoldskapelle, dem ehem. Kapitelsaal, befindet sich der Verduner Altar (1181). Die Klosterbibliothek umfasst 160 000 Bände.

Klosters, Kurort im Kt. Graubünden, Schweiz, an der Landquart, 1125–1313 m ü. M., als Gemeinde Klosters-Serneus 3500 Ew.; Wintersport. – Benannt nach einem 1222 gegründeten und 1525 aufgelösten Prämonstratenserkloster.

Klosterschulen, im MA. die an den Klöstern bestehenden Schulen; im 6./7. Jh. aufgekommen; die Klöster waren Träger des frühmittelalterl. und zus. mit den Erzbistümern (→Domschulen) Träger des mittelalterl. Schulwesens. Urspr. nur zur Ausbildung des geistl. Nachwuchses gedacht, wurden seit dem 9. Jh. auch Laienschüler in die K. aufgenommen. Gelehrt wurden, neben dem Elementarunterricht (Latein, Rechnen, Gesang), die Fächer des Triviums, in einigen K. auch die des Quadriviums (→freie Künste). Bed. K. waren Fulda, Reichenau, St. Gallen, Melk u. a. Die heutigen Ordensschulen haben den Status von Privatschulen.

Klostertal, rechtes Nebental der Ill in Vorarlberg, Österreich, zw. den Lechtaler Alpen im N und der Verwallgruppe im S, von der Alfenz durchflossen; durch das K. verlaufen Straße und Eisenbahn über den Arlberg. Bei Braz und Wald Kraftwerke.

Kloten, Gemeinde im Kt. Zürich, Schweiz, 15600 Ew.; Wohnvorort von Zürich; internat. Flughafen.

Klotho, grch. Schicksalsgöttin, eine der drei →Moiren.

Klothoide [grch.] *die* (Cornu-Spirale) ebene Kurve, deren Krümmungsradius *r* in jedem Punkt ihrer Bogenlänge *s* vom Ursprung aus umgekehrt proportional ist: $r = a^2/s$ (a = const.). Anwendung z. B. im Straßenbau zur Konstruktion von Kurven oder in der Optik zur Berechnung fresnelscher Integrale.

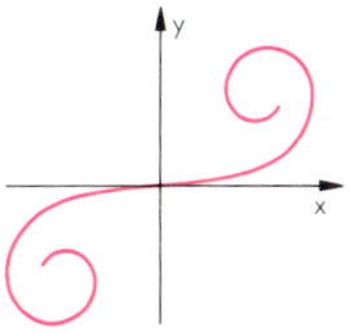

Klothoide

Klotz, Mathias, Geigenbauer, *Mittenwald 11. 6. 1653, †ebd. 16. 8. 1745; bed. Vertreter der Mittenwalder Geigenbauerfamilie K. und des Mittenwalder Geigenbaus.

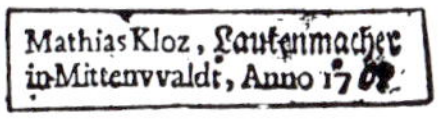

Mathias Klotz: Geigeninschrift

Klub (engl. club), Gemeinschaft zur Pflege bestimmter Interessen. Das K.-Wesen kam in England im 16. Jh. auf und ist dort heute noch am ausgeprägtesten und stark an soziale Gruppen gebunden. – Gegenwärtig dienen viele K. sportl. Freizeitgestaltung oder sind zu Massenorganisationen geworden (z. B. Automobil-K.), andere übernehmen z. B. erzieher. Aufgaben (Jugend-K.).

Kluckhohn, 1) ['klʌkhəʊn], Clyde Kay Maben, amerikan. Ethnologe und Ethnopsychologe, *Le Mars (Ia) 11. 1. 1905, †Santa Fe (N. M.) 28. 7. 1960; versuchte, ausgehend von einem psychoanalyt. Ansatz, für alle Kulturen gemeinsame Erlebnis- und Handlungsweisen aufzuzeigen.

2) Paul, Literarwissenschaftler, *Göttingen 10. 4. 1886, †Tübingen 20. 5. 1957; vertrat die geistesgeschichtl. Methode in der Literaturwiss., schrieb bes. Werke zur Romantik.

Kluczbork ['kludʒbɔrk] (dt. Kreuzburg [Oberschlesien]), Stadt in der Wwschaft Opole (Oppeln), Polen, 25000 Ew.; Maschinen-, Möbelbau. – Rathaus (1752). – 1252/53 als Stadt nach dt. Recht angelegt.

Kluft, Riss oder Fuge im Gestein.

Klug, Aaron, brit. Biochemiker südafrikan. Herkunft, *Johannesburg 11. 8. 1926; Prof. für Molekularbiologie in Cambridge, erhielt für seine kristallograph. Untersuchungen der molekularen Strukturen von Proteinen, Nucleinsäuren und deren Komplexen, insbesondere für ein genaueres Modell der molekularen Chromosomenstruktur, 1982 den Nobelpreis für Chemie.

Aaron Klug

Kluge, 1) Alexander, Jurist, Schriftsteller und Filmregisseur, *Halberstadt 14. 2. 1932; schreibt Prosa, häufig im Dokumentar- und Montagestil: »Lebensläufe« (1962), »Schlachtbeschreibung« (1964, veränderte Fassung 1968), »Lernprozesse mit tödl. Ausgang« (1973), »Neue Geschichten« (1977). Filme: »Abschied von gestern« (1966), »Die Artisten in der Zirkuskuppel: ratlos« (1967), »Gelegenheitsarbeit einer Sklavin« (1973), »In Gefahr und größter Not bringt der Mittelweg den Tod« (1975), »Die Macht der Gefühle« (1983), »Der Angriff der Gegenwart auf die übrige Zeit« (1985), »Vermischte Nachrichten« (1986).

Alexander Kluge

2) Hans Günther von, Generalfeldmarschall (seit 1940), *Posen 30. 10. 1882, †(Selbstmord) bei Metz 18. 8. 1944; im 2. Weltkrieg 1939–41 Oberbefehlshaber der 4. Armee, 1941–43 der Heeresgruppe Mitte in Russland; übernahm nach der alliierten Invasion in der Normandie im Juli 1944 den Oberbefehl im Westen, dann die Führung der Heeresgruppe B in Frankreich. Wegen seiner Mitwisserschaft an den Umsturzplänen gegen Hitler (20. 7. 1944) von diesem im Aug. 1944 abgesetzt.

3) Kurt, Schriftsteller, Erzgießer, Bildhauer, *Leipzig 29. 4. 1886, †Fort Eben Emael (bei Lüttich) 26. 7. 1940; war Prof. für Erzguss an der Akademie für bildende Künste Berlin. In seinen Romanen (»Der Glockengießer Christoph Mahr«, 1934; »Der Herr Kortüm«, 1938; »Die Zaubergeige«, 1940) steht K. in der Tradition von Jean Paul und W. Raabe.

Klumpfuß, →Fußdeformitäten.

kluniazensische Reform, von der Benediktinerabtei →Cluny im 10. Jh. ausgegangene Klosterreformbewegung. Im Kampf gegen die allg. Verweltlichung des Ordenslebens sollten das Mönchtum geistlich erneuert, die Ordensregel wieder in Geltung gesetzt und die Unabhängigkeit der Klöster gegenüber den weltl. Herrschern wieder hergestellt werden. Die urspr. rein geistl. Erneuerungsbewegung wurde zum Ausgangspunkt der von verschiedenen Päpsten unterstützten kirchl. Reformbewegung des 11. Jahrhunderts.

Kluppe, *Metallbearbeitung:* Werkzeug zum Schneiden von Außengewinden, v. a. auf Rohren **(Schneidkluppe).**

Kluse (Klus, Klause), enger Taldurchbruch.

Klute, Fritz, Geograph, *Freiburg im Breisgau 29. 11. 1885, †Mainz 7. 2. 1952; arbeitete bes. über Klima und Eiszeit sowie Länderkunde Afrikas. Herausgeber des »Hb. der Geograph. Wiss.«, 12 Bde. (1930–50).

Kluterthöhle, Kalksteinhöhle bei →Ennepetal.

Klüver [aus niederländ. kluiver, zu kluif »Klaue«] *der,* auf kleineren Segelschiffen dreieckiges Stagsegel zw. Fockmast und **K.-Baum,** der vorderen Verlängerung des Bugspriets.

Klystron [grch.] *das* (Triftröhre), zu den →Laufzeitröhren gehörende Elektronenröhre, bei der die Wechselwirkung zw. einem Elektronenstrahl und stehenden elektromagnet. Feldern in Spalten von Resonatoren ausgenutzt wird. Beim einfachsten

K., dem **Zweikammer-K.,** werden die aus der Kathode austretenden Elektronen beschleunigt und durch den Spalt eines ersten →Hohlraumresonators geschickt, in dem eine Geschwindigkeitsmodulation stattfindet. Im anschließenden feldfreien Raum, dem **Triftraum (Laufraum),** kommt es zur Modulation der Elektronenstrahldichte; es bilden sich Elektronenpakete, die durch den Spalt eines zweiten Hohlraumresonators **(Auskoppelraum)** fliegen und den Resonator zu hochfrequenten Schwingungen anregen. Danach werden die Elektronen von einer speziellen Elektrode **(Kollektor)** aufgefangen. Da die Nutzleistung größer ist als die aufgewendete Steuerleistung, arbeitet das Zweikammer-K. als Verstärker; der Einsatzbereich liegt bei Frequenzen von 0,5 bis 100 GHz. Ein **Mehrkammer-K.** besteht aus einem Eingangs- und Ausgangskreis sowie mehreren Trifträumen, die durch Wechselwirkungsräume voneinander getrennt sind. Beim **Reflex-K.** fallen Eingangs- und Ausgangskreis zusammen. Die Elektronen durchlaufen zunächst den Spalt des Hohlraumresonators und werden anschließend durch das Feld einer negativ vorgespannten Elektrode (Reflektor) zur Umkehr gezwungen, wobei sie Energie abgeben. Das Reflex-K. kann als rückgekoppeltes Zweikammer-K. angesehen werden und dient zur Schwingungserzeugung im Bereich von 1 bis 100 GHz.

Knabenkraut: Geflecktes Knabenkraut (Höhe bis 65 cm)

Klytämnestra, *grch. Mythos:* die Frau des Agamemnon, Mutter von Iphigenie, Elektra und Orest. Sie ließ Agamemnon bei dessen Heimkehr aus dem Trojan. Krieg durch Ägisth ermorden und wurde deshalb später von Orest getötet.

km, Einheitenzeichen für Kilometer; **km^2,** Einheitenzeichen für Quadratkilometer.

km/h, Einheitenzeichen für Kilometer je Stunde.

kn, Abk. für →**Kn**oten.

kN, Einheitenzeichen für Kilonewton, 1 kN = 1000 N (→Newton).

KNA, Abk. für **K**atholische **N**achrichten-**A**gentur GmbH; 1953 in München gegründeter konfessioneller Nachrichten- und Informationsdienst; Sitz von Geschäftsleitung und Zentralredaktion: Bonn; Tochterfirma **KNA-Bild** (Kath. Nachrichten-Agentur Pressebild GmbH); Sitz: Frankfurt am Main.

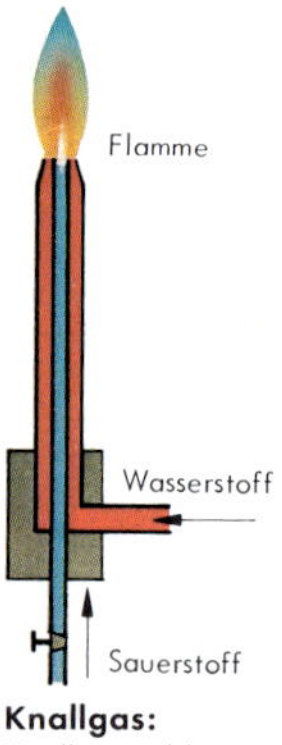

Knallgas: Knallgasgebläse

Knab, Armin, Komponist, *Neuschleichach (heute zu Oberaurach, Landkr. Haßberge) 19. 2. 1881, †Bad Wörishofen 23. 6. 1951; komponierte v.a. Vokalwerke, darunter viele volkstüml. Lieder.

Knabenkraut [nach den hodenähnl. Wurzelknollen], Bez. für zwei bodenbewohnende Orchideengattungen: 1) **Orchis** u.a. mit der Art **Purpur-K. (Purpurorchis,** Orchis purpurea), bis 80 cm hoch, Blütentrauben mit zahlr. purpurbraunen Blüten; Lippe weiß oder hellrosa und braun getüpfelt; auf kalkhaltigen Wiesen und in Kiefernwäldern Mitteleuropas; 2) **Dactylorhiza,** darunter das **Gefleckte K.** (Dactylorhiza maculata), mit purpur gefleckten Blättern und hellrosafarbenen, selten weißen Blüten; auf feuchten oder moorigen Wiesen und in Wäldern. – In Dtl. unter Naturschutz.

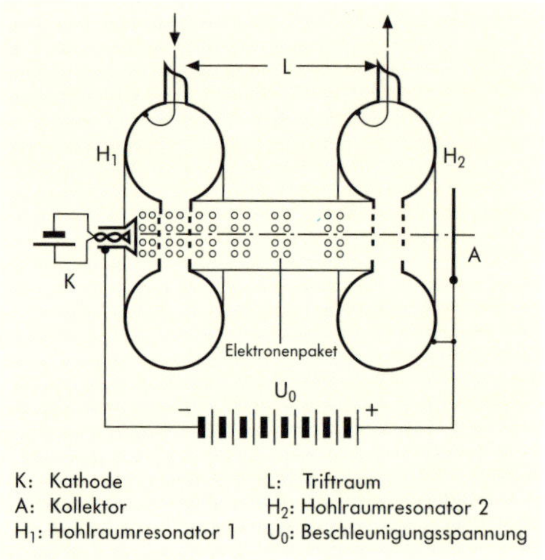

Klystron: Schema eines Zweikammerklystrons

Knabenliebe, die →Päderastie.

Knäckebrot [von schwed. knäcka »knacken«], Schrotbrot aus Weizen oder Roggen in Form dünner Fladen; Dauerbackware.

Knagge (Knaggen), **1)** *Bautechnik:* dreikantiges Verbindungs- und Stützteil im Holzbau, auch im Stahlbau.

2) *Maschinenbau:* Blech- oder Winkelstück zum Aufspannen (z.B. an der Planscheibe einer Drehbank) oder Zusammenziehen von Werkstücken (z.B. beim Schweißen).

Knallgas, Gemisch aus Wasserstoff und Sauerstoff (2 : 1), das bei Zündung mit scharfem Knall explodiert; i.w.S. auch zündfähige Mischungen brennbarer Gase mit Luft. Im **K.-Gebläse** werden Sauerstoff und Wasserstoff über einen daniellschen Hahn getrennt zugeführt, sodass die Zündung im Augenblick des gleichzeitigen Austritts erfolgt; hierbei erreicht man Temperaturen bis 3300 °C (Anwendung im chemischen Labor und beim autogenen Schweißen). Die **K.-Reaktion** ($2H_2 + O_2 \rightarrow 2H_2O + 485$ kJ) läuft beim Erhitzen des Gasgemisches auf 500–600 °C spontan ab, kann aber in Gegenwart von geeigneten Katalysatoren auch bei Raumtemperatur und kontrolliert vor sich gehen (→Brennstoffzelle).

Knallquecksilber (Quecksilberfulminat), $Hg(CNO)_2$, das äußerst explosive Quecksilbersalz der Knallsäure, entsteht durch Lösen von Quecksilber in Salpetersäure und Eintragen der Lösung in Alkohol; wird als Initialsprengstoff verwendet.

Knallsatz, → Pyrotechnik.

Knallsäure, HCNO, eine isomere Form der Cyansäure, die frei ein giftiges Gas ist; wenig beständig. Die knallsauren Salze oder **Fulminate,** z. B. Knallquecksilber und Knallsilber, sind äußerst explosiv.

Knappe, im MA junger Mann von edler Geburt, der im persönlichen Dienst eines Ritters als **Schild-K.** oder **Edel-K.** zur Schwertleite geführt wurde. – Die Bez. wurde später auf Lehrlinge versch. Berufe übertragen und war auch Berufsbez. für den Bergmann (→ Knappschaft).

Knappertsbusch, Hans, Dirigent, *Elberfeld (heute zu Wuppertal) 12. 3. 1888, †München 25. 10. 1965; Generalmusikdirektor der Münchner Staatsoper (1922–35; Dirigierverbot durch die Nationalsozialisten); übernahm 1936 die kommissar. Leitung der Wiener Staatsoper; nach 1945 als Gastdirigent (u. a. in München und Bayreuth) tätig.

Knappschaft (Knappschaftsverein), seit dem 13. Jh. zunftmäßiger Zusammenschluss der Bergleute **(Knappen),** v. a. zu gegenseitiger Unterstützung bei Krankheit und Unfällen. In Dtl. sind die Mitgl. in der **Bundesknappschaft** (gegr. 1969, Sitz: Bochum) zusammengeschlossen. Diese öffentlich-rechtl. Selbstverwaltungskörperschaft ist Trägerin der → Knappschaftsversicherung. Vertreterversammlung und Vorstand bestehen zu zwei Dritteln aus Vertretern der Versicherten und zu einem Drittel aus Vertretern der Arbeitgeber.

Knappschaftsversicherung, die Kranken-, Pflege- und Rentenversicherung für Beschäftigte in knappschaftl. Betrieben, getragen von der Bundesknappschaft. In der knappschaftl. Rentenversicherung wird die Schwere der Bergmannsarbeit und die vorzeitige Minderung der Leistungsfähigkeit der Bergleute bes. berücksichtigt.

Knauf [verwandt mit Knopf], kugel-, birnen-, scheiben- oder pilzförmiges, auch künstlerisch gestaltetes Griffende oder Zierstück.

Knäulgras (Knaulgras, Dactylis), Gattung der Süßgräser, weltweit verbreitet. In Mitteleuropa kommen zwei Arten vor, davon häufig das **Wiesen-K.** (**Gemeines K.,** Dactylis glomerata), ein ausdauerndes, horstbildendes Wiesengras; es wird auch als Futtergras kultiviert.

Knaus-Ogino-Methode [nach dem österr. Gynäkologen Hermann Knaus, *1892, †1970, und dem japan. Gynäkologen Ogino Kynsaku, *1882, †1975], natürl. Methode der → Empfängnisverhütung.

Knautie *die* (Knautia, Witwenblume), Gattung der Kardengewächse. Die **Acker-K.** (Knautia arvensis) ist eine bis 1,5 m hohe steifhaarige Staude mit Pfahlwurzel, graugrünen Blättern und violetten bis weißen Blütenköpfen; sie wächst auf trockenen Wiesen.

Knautschzone, bei Kfz Teil der → Karosserie.

Knebelungsvertrag, Vertrag, durch den eine Partei von der anderen in ihrer wirtsch. oder persönl. Freiheit in einer den guten Sitten widersprechenden Weise beschränkt wird bzw. von der anderen Partei abhängig wird. Der K. ist nichtig.

Knecht Ruprecht, im Brauchtum der Weihnachtszeit pelzvermummte Gestalt mit Sack und Rute oder Kette, seit dem späten 17. Jh. im Gefolge des Christkinds, seit dem 18. Jh. als Begleiter des hl. Nikolaus am Vorabend des 6. Dezember. Verwandt sind der **Pelznickel** am Mittelrhein, der **Bartel** im östl. Österreich, der **Krampus** in Wien, Beelzebub, schwarzer Piet u. a. Figuren mit (mittelalterl.) Namen für den Teufel, was in der Rolle des K. R. als Kinderschreck noch fortlebt.

Knechtsände, Wattengebiet in der Nordsee **(Kleine K., Großer Knechtsand)** zw. Weser- und Elbmündung südlich der Insel Neuwerk, Teil des Nationalparks Niedersächs. Wattenmeer (v. a. Naturschutzgebiet für Vögel).

Hildegard Knef

Knef, Hildegard, Schauspielerin, Chansonsängerin, *Ulm 28. 12. 1925; spielte u. a. in den Filmen »Die Mörder sind unter uns« (1946), »Die Sünderin« (1951), »Jeder stirbt für sich allein« (1976), »Haus am See« (TV-Serie, 1992); ab 1954 auch am New Yorker Broadway; tritt seit 1963 auch als Chansonsängerin (z. T. eigene Texte) auf; auch Autorin (autobiograph.: »Der geschenkte Gaul«, 1970; »Das Urteil«, 1975; »Romy«, 1983).

Kneip, Jakob, Schriftsteller, *Morshausen (Rhein-Hunsrück-Kreis) 24. 4. 1881, †Mechernich 14. 2. 1958; gründete mit J. Winckler und W. Vershofen die Dichtergemeinschaft der »Werkleute auf Haus Nyland«; mit der bäuerl. und kath. Tradition seiner Heimat verbundener Erzähler (Romane: »Hampit der Jäger«, 1927; »Porta Nigra«, 1932; »Feuer vom Himmel«, 1936; »Der Apostel«, 1955), Lyriker und Essayist.

Sebastian Kneipp

Kneipp, Sebastian, kath. Geistlicher und Naturheilkundiger, *Stephansried (heute zu Ottobeuren) 17. 5. 1821, †Bad Wörishofen 17. 6. 1897; Begründer der → Hydrotherapie. Er propagierte die Anwendung des Wassers als Abhärtungs- und Heilmittel.

Kneippkur, von S. Kneipp entwickeltes Heilverfahren mit Anwendungen kalten Wassers, meist mit anderen Reizwirkungen wie Luft, Sonne, Bewegung und Diät kombiniert; angewendet v. a. zum Anregen der Kreislauftätigkeit, bei Erschöpfungszuständen und Störungen des vegetativen Nervensystems sowie zur Vorbeugung vor sog. Zivilisationskrankheiten.

Knesset (Knesseth, Kneset) [neuhebräisch »Versammlung«] *die,* das israel. Parlament.

Adolph Freiherr von Knigge

Knick, mit Gebüsch bepflanzter Erdwall als Einfriedigung von Wiesen und Äckern, auch Windschutz. (→Heckenlandschaft)

Knickerbocker ['nɪkəbɔkə, engl.] *Pl.,* seit Ende des 19. Jh. beliebte sportl. Hose mit Kniebund, aber über diesen fallenden Hosenbeinen.

Knickfuß, →Fußdeformitäten.

Knidos, antike grch. Stadt auf der Halbinsel Reşadiye, Türkei; heute Ruinenstätte. K. war berühmt durch seine Ärzteschule (seit dem 5. Jh. v. Chr.) und ein Aphroditeheiligtum, für das Praxiteles die **Knidische Aphrodite** schuf.

Knie, das →Kniegelenk.

Kniebis *der,* Buntsandsteinhochfläche des nördl. Schwarzwalds, bei Freudenstadt, bis 971 m ü. M.; bedeckt mit Wald, Hochmoor und Heide; beliebtes Ausflugsziel.

Knigge

Adolph Freiherr von Knigge wurde v. a. bekannt durch sein Werk »Über den Umgang mit Menschen« (1788, kurz »Knigge« genannt), in welchem er, im Konversationston und zum Teil minutiös belehrend, vielfältige Lebensregeln bietet. Etwa über den Umgang mit Menschen aus einem anderen deutschen Staat: »Der treuherzige, naive, zuweilen ein wenig bäurische, materielle Bayer ist äußerst verlegen, wenn er auf alle verbindlichen, artigen Dinge antworten soll, die ihm der feine Ober-Sachse in einem Othem entgegenschickt; dem schwerfälligen Westphälinger ist alles hebräisch, was ihm der Österreicher in seiner, ihm gänzlich fremden Mundart vorpoltert; die zuvorkommende Höflichkeit und Geschmeidigkeit des durch französische Nachbarn polierten Rheinländers würde man in manchen Städten von Niedersachsen für Zudringlichkeit, für Niederträchtigkeit halten ... Sich nun also nach Ort, Zeit und Umständen umzuformen und von verjährten Gewohnheiten sich loszumachen, das erfordert Studium und Kunst.«

Kniegeige, svw. Viola da Gamba (→Gambe).

Kniegelenk (Knie), beim Menschen und den Wirbeltieren bewegl. Verbindung zw. Oberschenkelknochen und Schienbein. Der Raum zw. den Gelenkhöckern des Oberschenkels und den beiden Gelenkflächen des Schienbeins wird von halbrunden, im Querschnitt keilförmigen Knorpelscheiben **(innerer** und **äußerer Meniskus)** ausgefüllt. Von der Rinne zw. den Gelenkhöckern ziehen zwei sich überkreuzende starke, bei jeder Stellung des Knies sich spannende und damit dieses sichernde Bänder (Kreuzbänder) nach vorn und hinten zu dem Mittelrand des Schienbeins. In die durch Bänder verstärkte Gelenkkapsel ist vorn die **Kniescheibe** (Patella) eingelassen. Durch mehrere Schleimbeutel werden bes. belastete Stellen des K. gegen Druck und Reibung geschützt.

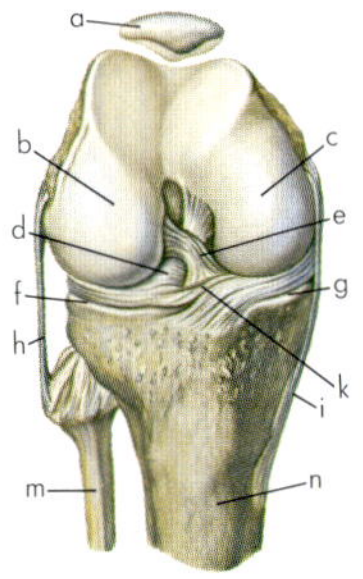

Kniegelenk: Ansicht von vorn; a Kniescheibe (hochgeschoben), b äußerer Gelenkhöcker, c innerer Gelenkhöcker, d hinteres Kreuzband, e vorderes Kreuzband, f äußerer Meniskus, g innerer Meniskus, h äußeres Seitenband, i inneres Seitenband, k Querband, m Wadenbein, n Schienbein

Kniegrotte, Höhle in einem Zechsteinriff bei Döbritz (Saale-Orla-Kreis); in altsteinzeitl. Fundschichten (Magdalénien) entdeckte man 1930 zahlreiche Stein- und Knochengeräte u. a. Artefakte.

Kniehebel, Mechanismus, der aus zwei einarmigen, durch ein Gelenk (**Knie**) miteinander verbundenen Hebeln besteht, die an ihren Enden ebenfalls gelenkig gelagert sind. Durch eine am Knie senkrecht zur Verbindungslinie seiner äußeren Endpunkte angreifende Kraft wird der K. gestreckt. Anwendung findet er bei Pressen (**K.-Presse**), Schneidgeräten u. a.

Knielauf, in der Siegel- und Reliefkunst des Altertums (seit der akkad. Kunst) und der Antike (archaische Zeit) sowie auf antiken Münzen, z. B. den Dareiken, dargestellte Haltung des Menschen, bei der ein Knie aufgestützt zu sein scheint; sie gibt eine Bewegungsphase des Laufens wieder.

Kniesehnenreflex (Patellarsehnenreflex), reflektorische Streckbewegung des Unterschenkels, wenn bei entspannter Haltung des Beins ein Schlag mit dem »Reflexhammer« gegen die Patellarsehne des vierköpfigen Schenkelstreckers (Musculus quadriceps femoris) unterhalb der Kniescheibe geführt wird; kann bei bestimmten Erkrankungen des Nervensystems fehlen, abgeschwächt oder gesteigert sein.

Knietsch, Rudolf Theophil Joseph, Chemiker, *Oppeln 13. 12. 1854, †Ludwigshafen am Rhein 28. 5. 1906; entwickelte bei der BASF das Kontaktverfahren zur Herstellung von Schwefelsäure sowie ein kontinuierl. Verfahren zur Indigoproduktion; arbeitete über Kontaktgifte.

Knigge, Adolph Freiherr, Schriftsteller, *Bredenbeck (bei Hannover) 16. 10. 1752, †Bremen 6. 5. 1796; studierte Jura in Göttingen; 1780–84 führendes Mitgl. des aufklärer. Illuminatenordens; bekannt v. a. durch die Sammlung von Lebensregeln: »Über den Umgang mit Menschen« (2 Bde., 1788, kurz »Knigge« genannt). K. verfasste auch zeitkrit. Romane, Satiren, moral. und polit. Schriften sowie den autobiograph. Roman »Der Roman meines Lebens. In Briefen« (4 Bde., 1781–83).

🕮 KAEDING, P.: *A. von K. Begegnungen mit einem freien Herrn. Berlin 1991.*

Knight [naɪt, engl. »Knecht« »Knappe«], die unterste Stufe des Adels in Großbritannien; nicht erblich. Der K. führt den Titel »Sir« (weibl. Entsprechung »Dame«).

Knipperdolling, Bernhard (Bernt), Täufer, *Münster um 1490, †(hingerichtet) ebd. 22. 1. 1536; urspr. Tuchhändler, seit 1534 Bürgermeister von Münster; errichtete zusammen mit Johann Bockelson (*1509, †1536) die Herrschaft der →Täufer in Münster (das »neue Reich Zion«).

Knittel, John, schweizer. Schriftsteller, *Dharwar (Indien) 24. 3. 1891, †Maienfeld (Kt. Graubünden) 26. 4. 1970; schrieb, anfangs in engl. Sprache, Abenteuer- und Gesellschaftsromane: »Therese Etienne« (1927), »Via mala« (1934), »El Hakim« (1936), »Amadeus« (1939), »Terra magna« (2 Bde., 1948), »Arietta« (1959).

Knittelfeld, Bezirks-Hptst. in der Obersteiermark, Österreich, an der Mur, 12 900 Ew.; Werkstätten der Österr. Bundesbahnen, Elektromotorenwerk, Emailfabrik. – Seit 1302 Stadt.

Knittelvers (Knüttelvers, Knüppelvers), der in der frühneuhochdt. Dichtung dominierende vierhebige Reimvers, der auf den altdt. Reimpaarvers zurückzuführen ist; zunächst im 17. Jh. auf leonin. Verse, dann auch auf Alexandriner mit Zäsur und Endreim angewandt. Beide Formen galten als regelwidrig und waren daher in der Poetik des 17./18. Jh. verpönt (M. Opitz). Seit der 2. Hälfte des 18. Jh. wieder verschiedentlich verwendet.

Knittergold, das →Rauschgold.

Knivskjelodden ['kniːvʃeːlɔdən], Nordspitze der Insel Magerøy, N-Norwegen, und nördlichster Punkt Europas, 71° 11' 08'' n. Br. und 25° 43' ö. L. Nur 1,5 km südlicher liegt das →Nordkap.

Knobelsdorff, Georg Wenzeslaus von, Baumeister und Maler, *Kuckädel (heute Kukodło, bei Krosno Odrzańskie) 17. 2. 1699, †Berlin 16. 9. 1753; nach Studien in Italien und Paris von Friedrich II., d. Gr. 1740 als Oberintendant der königl. Schlösser und Gärten berufen, entwickelte das »friderizian. Rokoko«. – Bauten: Um- und Ausbau des Schlosses Rheinsberg (1737–39); Neuer Flügel des Charlottenburger Schlosses (1740–43); Opernhaus in Berlin (1741–43); Umbau und Kolonnade des Potsdamer Stadtschlosses (1744–51); Schloss Sanssouci, nach Entwürfen des Königs (1745–47).

Georg von Knobelsdorff: Das 1741–43 erbaute Opernhaus in Berlin

📖 *G. W. von K. Baumeister Friedrichs II. Text:* H.-J. Kadatz, *Fotos:* G. Murza. *München* [2]*1985.*

John Knittel

Knoblauch (Allium sativum), Lauchart aus Zentralasien; mit länglich-eiförmigen Nebenzwiebeln (Zehen), die als Gewürz und als Heilmittel verwendet werden. K. enthält schwefelhaltiges, scharfes Öl.

Knoblauch (Höhe bis 70 cm)

Knöchel (Fuß-K., Malleolus), am distalen Ende des Unterschenkels an der Wadenbein- **(äußerer K.)** und an der Schienbeinseite **(innerer K.)** auftretender Knochenhöcker.

Knöchelbruch (Malleolarfraktur), häufigster Bruch der unteren Extremität; beim einfachen K. tritt nur die Verletzung eines Knöchels auf, beim doppelten K. kommt es zu einer Sprengung der Knöchelgabel des Sprunggelenks. Der K. entsteht meist durch Gewalteinwirkung beim Umknicken des Fußes, wobei durch Zug der Sprunggelenkbänder Abrissbrüche des inneren oder äußeren Knöchels auftreten.

Knochen (Ossa), Stützelemente der Wirbeltiere (einschl. Mensch), die meist über Gelenke miteinander verbunden sind und in ihrer Gesamtheit das Skelett bilden. Alle K. sind bis auf die Gelenkflächen und die Ansatzstellen von Sehnen und Bändern von **K.-Haut** (Periost, Beinhaut), die Blutgefäße und Nerven heranführt, umhüllt. Unter der K.-Haut liegt die K.-Substanz. Sie besteht zu 20 % aus Wasser, zu 25 % aus organ. Material (bewirkt Biegeelastizität) und zu 55 % aus anorgan. Salzen (bewirken Stabilität; hauptsächlich Calciumphosphat, Calciumcarbonat). Die massiven K.-Bezirke werden als **Kompakta,** die gerüstartigen (schwammähnl. K.-Bälkchen) als **Spongiosa** be-

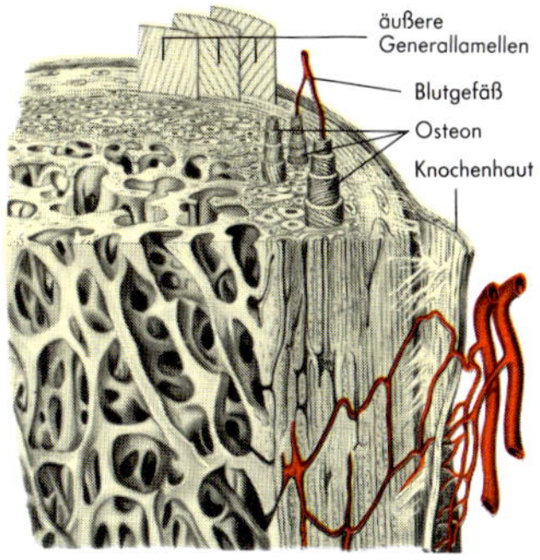

Knochen: schematische Darstellung vom inneren Bau eines Röhrenknochens; in dem sektorartigen Ausschnitt ist links das Maschenwerk aus Knochenbälkchen (Spongiosa), rechts die massive Knochenrinde (Kompakta) dargestellt; plastisch hervorgehoben sind drei äußere Generallamellen (Zwischensubstanz an der äußeren und inneren Oberfläche der Kompakta) und drei Osteone, Blutgefäßkanälchen umschließende Knochenlamellen; rechts ist die faserige Knochenhaut (Periost) mit ihren Gefäßen dargestellt zeichnet. Entsprechend ihrer Gestalt unterscheidet man lange, kurze und platte K.; die langen K. werden **Röhren-K.** genannt, weil sie eine mit Knochenmark ausgefüllte Markhöhle besitzen. Sie bestehen aus einem Schaft **(Diaphyse)** und den zwei verdickten Enden **(Epiphysen). Deck-K.** (Haut-K., Bindegewebs-K., sekundäre K.) gehen ohne knorpeliges Vorstadium direkt aus dem Hautbindegewebe hervor (z.B. Stirnbein und Nasenbein). **Ersatz-K.** (primäre K.) entstehen durch Verknöcherung (Härtung von Gewebe durch anorgan. Substanzen) knorpelig vorgebildeter Skelettteile (fast alle Skelett-K.). Histologisch besteht K.-Gewebe aus K.-Zellen (Osteozyten) und K.-Grundsubstanz mit eingelagerten kollagenen Fasern. K. haben die gleiche Elastizität wie Eichenholz und die gleiche Zugfestigkeit wie Kupfer. Die Druckfestigkeit ist größer als die des Sandsteins, die Biegefestigkeit entspricht der des Flussstahls.

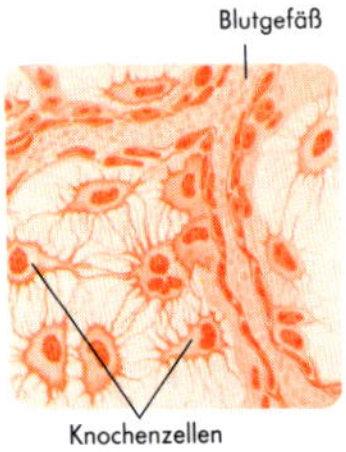

Knochen: Feinbau des Knochengewebes bei starker Vergrößerung; die in der Umgebung eines Blutgefäßes entstehenden, stark verzweigten Knochenzellen sind miteinander verbunden

Knochenbildung, die →Ossifikation.

Knochenbreccie [-brɛtʃə], das →Bonebed.

Knochenbruch (Fraktur), Trennung des natürl. Gewebezusammenhanges eines Knochens, meist durch äußere Gewalteinwirkung (Schlag, Stoß, Fall u.Ä.). Beim **offenen K.** sind auch Weichteile und Haut durchtrennt (Infektionsgefahr). Sichere Zeichen des K. sind abnorme Beweglichkeit, Knochenreiben, Formabweichung durch Verschieben (Dislokation) der Bruchstücke (Fragmente). Die Behandlung erfolgt nach klin. und Röntgenuntersuchung durch Einrichten (Reposition) und Ruhigstellen im Gips-, Schienen- oder Streckverband oder durch Operation (z.B. Nagelung, Verplattung; →Osteosynthese). Die Heilung wird durch Bildung von Kallus (Schwiele, festes Bindegewebe), das den Bruchspalt überbrückt und später verknöchert, eingeleitet.

Knochen

Der kleinste menschliche Knochen befindet sich im Ohr. Es ist der höchstens 3,4 mm lang werdende Steigbügel, eines der drei gelenkig miteinander verbundenen Gehörknöchelchen im Mittelohr. Hammer, Amboss und Steigbügel übernehmen die Schallleitung vom Trommelfell zum Innenohr, wobei die Luft im Mittelohr ihnen ein fast reibungsloses Schwingen ermöglicht. Der Hebelmechanismus dieser winzigen Knochen verstärkt die ankommenden Schallwellen beim Menschen um das Zwei- bis Dreifache.

Knochen

Etwa 17 000 v. Chr. erfand der Mensch die Nadel mit Öhr und etwas später, um 13 000 v. Chr., die Harpune – beides gefertigt aus Tierknochen. Da war er mit diesem Werkstoff allerdings schon bestens vertraut, denn bereits vor 1,9 Millionen Jahren verwendeten ihn seine Vorfahren in Olduvai und im Tal des Omo (Ostafrika). Eine regelrechte Knochenindustrie bildete sich im Jungpaläolithikum aus, die ganz modern auf eine Standardisierung der Formen setzte. Damit einher ging auch eine räumliche Differenzierung der Arbeitsbereiche, wie die Ausgrabungen eines Lagerplatzes in Mezine (Ukraine) zeigen, der vor etwa 20 000 Jahren bewohnt war. Die Bodenfläche dieses Lagers weist klar unterschiedene Bezirke für das Zerlegen der Jagdbeute, die Bearbeitung der Feuersteine und auch der Knochen auf. Mit Bohrer und Stichel durchlöcherten die frühen Menschen Häute, um sie mit Lederriemen zu Kleidungsstücken zu fügen. Dabei wurden auch durchbohrte Knochenplättchen zur Zierde eingearbeitet, wie der älteste Fund dieser Art zeigt, eine 25 000 Jahre alte Hose aus einem Grab im russischen Soungir.

Knochen|erweichung (Osteomalazie), der Rachitis ähnl. Veränderungen am Skelett des Erwachsenen, die in einer unzureichenden Mineralisation der Knochengrundsubstanz infolge Calcium- und Phosphatmangels bestehen. Ursache ist meist eine Störung des Vitamin-D-Stoffwechsels. Symptome sind Glieder- und Kreuzschmerzen, Skelettverformungen v.a. im Bereich des Beckens und der Wirbelsäule, X- und O-Beine; Behandlung meist mit hoch dosierten Vitamin-D-Gaben.

Knochenfische (Osteichthyes), Klasse der Wirbeltiere; Fische mit weitgehend oder völlig verknöchertem Skelett; Ggs. Knorpelfische. 424 Familien mit rd. 20 000 Arten.

Knochenganoiden (Holostei), Überordnung der Strahlenflosser mit z.T. verknöchertem Skelett; Schuppen vielfach mit Ganoinüberzug; zwei Ordnungen: Knochenhechte und Kahlhechte.

Knochenhaut|entzündung (Periostitis), ein schmerzhafter Reizzustand der gefäß- und nervenreichen Knochenhaut; kann durch lokale Verletzung oder bei fortgeleiteten Entzündungen aus der Umgebung (Weichteile, Knochen) entstehen. Die Behandlung besteht in Ruhigstellung, Antibiotikagaben oder operativer Beseitigung des Entzündungsherdes.

Knochenhechte (Lepisosteiformes), Ordnung der Knochenganoiden mit nur einer Gattung, deren Arten in Süßgewässern Nord- und Mittelamerikas verbreitet sind. K. besitzen Ganoidschuppen und eine gekammerte Schwimmblase, die als Lunge dienen kann. Zu den K. gehören u.a. der bis 3 m lange **Kaimanfisch** sowie der **Gefleckte Alligatorhecht.**

Knochenkohle, durch Glühen frischer und entfetteter Knochen unter Luftabschluss gewonnene →Aktivkohle.

Knochenmark (Medulla ossium), Bindegewebe, das die Markhöhle der Knochen ausfüllt; ist als **rotes K.** die Hauptbildungsstätte der roten und weißen Blutkörperchen und der Blutplättchen; wandelt sich, v.a. in Röhrenknochen, abhängig vom Lebensalter, in **gelbes K.** (Fettmark) um.

Knochenmark|entzündung (Osteomyelitis), v.a. im Jugendalter vorkommende Erkrankung entzündl. Ursprungs; das von Eiter bzw. von Granulationsgewebe umgebene Knochenstück stirbt ab. Die Behandlung erfolgt vorwiegend chirurgisch und mit Antibiotika.

Knochenmark|transplantation, die Übertragung von Knochenmarkzellen, die durch Punktion markreicher Knochen (Brustbein, Beckenkamm) von einem Spender gewonnen und nach Aufschwemmung in physiolog. Lösung intravenös eingespritzt werden. Eine K. wird v.a. bei Krankheiten mit Funktionsausfall des Knochenmarks (aplastische Anämie, akute Leukämie, Strahlenschäden) vorgenommen.

Knochenmehl, fein gemahlene Knochen; dient in entleimter Form wegen des Gehalts an Phosphorsäure als Dünger; unentleimtes K. ist ein wertvolles Zusatzfuttermittel.

Knochentransplantation, Übertragung von frisch entnommenem oder in einer Knochenbank konserviertem Knochengewebe; das Transplantationsmaterial (z.B. Knochenspäne von Beckenkamm oder Rippen) entstammt entweder dem eigenen Körper oder einem fremden (auch tier.) Spender. Es stimuliert nach Auffüllung des Knochendefekts das Knochenwachstum. K. dienen z.B. zur Tumorbehandlung.

Knochenzüngler (Osteoglissidae), Familie der Knochenfische in den Süßgewässern Afrikas, Südamerikas und des Indoaustral. Archipels. Der **Arapaima** (**Barramunda,** Arapaima gigas) des Amazonasgebietes ist einer der größten Süßwasserfische (3–4,5 m lang); mit großen, meist grünl. Schuppen und karmesinroter Schwanzwurzel.

knock-out [nɔk'aʊt, engl.], Abk. **k.o.,** *Boxen:* kampfunfähig, besiegt.

Knọkke-Heist [-hɛjst], Seebad in der belg. Provinz Westflandern, 30 000 Einwohner.

Knöllchenbakteri|en, gramnegative Bakterien der Gattung Rhizobium, die mit Hülsenfrüchtlern (Leguminosen) in Symbiose leben. Nach Infektion mit den Bakterien bilden sich 1–3 mm große Knöllchen an den Wurzeln, worin die K. leben. Diese fixieren elementaren Stickstoff (oft ein Mangelfaktor für die Pflanzen), dafür werden sie mit Assimilationsprodukten der Pflanze versorgt. K. sind wichtig für die Stickstoffanreicherung im Boden. – Die Symbiose mit K. macht Hülsenfrüchtler bes. gut zur Gründüngung geeignet.

Knolle (Knollen), meist unterird. fleischig verdickter Spross- oder Wurzelabschnitt (**Spross-K., Wurzel-K.**), der bes. mit Stärke angefüllt ist und als Überdauerungsorgan für Kälte- oder Trockenperioden dient.

Knollenblätterpilz, Bez. für mehrere Arten der Ständerpilzgattung Amanita mit deutl. Knolle am Grunde des Stiels, weißl. Lamellen (»Blätter«) an der Unterseite des Hutes und einem häutigen Ring um den Stiel. Zu den K. gehören die gefährlichsten einheim. Giftpilze, der **Grüne K.** (**Grüner Giftwulstling, Grüner Wulstling,** Amanita phalloides) mit weißem bis olivgrünl., 8–12 cm breitem Hut und die beiden auch unter der Bez. **Weißer K.** bekannten Arten **Frühlings-K.** (Amanita verna) mit weißem, 3–10 cm breitem Hut und **Spitzhütiger K.** (Amanita virosa) mit spitzkegeligem oder glockigem, ebenfalls weißem, 4–10 cm breitem Hut. Die Gefährlichkeit beruht v.a. darauf, dass die Symptome der **K.-Vergiftung** häufig erst nach 10–20 Stunden einsetzen und das Gift (Phalloidin und α-Amanitin) dann schon vollständig vom Körper aufgenommen ist. Die Vergiftung ist gekennzeichnet durch Leibschmerzen, Erbrechen, Durchfall, Kreislaufstörungen, Bewusstlosigkeit; eine sinnvolle Behandlung besteht, sofern der Verzehr noch nicht allzu lange zurückliegt, in Magenspülungen und Darmentleerung, zusätzlich gibt man Kohletabletten. Die Entfernung des Giftes erfolgt außerdem durch Hämodialyse oder Austauschtransfusionen. Zur Verhinderung oder Begrenzung der Toxinaufnahme durch die Leber werden Silibinininfusionen angewendet. Über 90 % aller tödlich verlaufenden Pilzvergiftungen gehen auf K. zurück.

Knollengewächs, Pflanze mit unterird. Knollen, z.B. Kartoffel, Topinambur, Batate.

Knọller, Martin, österr. Maler, * Steinach (am Brenner) 8. 11. 1725, † Mailand 4. 7. 1804; malte v.a. Deckenfresken für Kirchen in Tirol und Süd-Dtl. (Ettal, Neresheim), auch Altarbilder und Porträts. K. ging von der italien. Barockmalerei aus, schloss sich dem bayer. Rokoko an und gelangte schließlich zum Klassizismus.

Knopf [»Knoten«, urspr. »Zusammengeballtes«], Kleidungsverschluss, auch Zierbesatz aus unterschiedl. Material; bereits aus der Jungsteinzeit bekannt, wahrscheinlich ohne prakt. Funktion; in der Antike nicht geläufig, in der Völkerwanderungszeit bezeugt. Im europ. MA. taucht er im 14. Jh. auf und wurde zeitweise mod. Attribut.

Knopfkraut (Franzosenkraut, Galinsoga), Gattung der Korbblütler in Amerika. Nach Mitteleuropa wurden im 19. Jh. zwei Arten eingeschleppt, darunter das **Kleinblütige Knopfkraut** (Galinsoga parviflora) mit zahlr., etwa 5 mm großen, vier- bis sechsstrahligen Köpfchen mit gelben Scheibenblüten und weißen Strahlenblüten; Acker- und Gartenunkraut.

Knopfspießer, *Jägersprache:* ein Rehbock oder Hirsch, der ein knopfförmiges Gehörn oder Geweih trägt.

Knopfzelle, *Elektrotechnik:* Primärzelle (→ Batterie) mit runder, flacher Bauform und Zellspan-

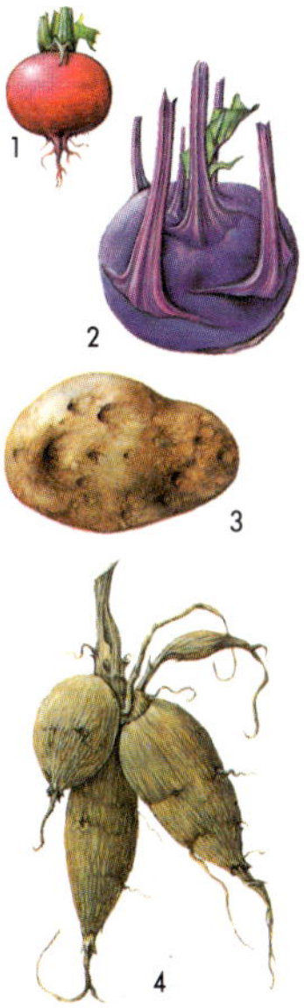

Knolle:
1–3 Sprossknollen;
1 Radieschen,
2 Kohlrabi,
3 Kartoffel;
4 Wurzelknolle einer Dahlie

Knollenblätterpilz:
Frühlingsknollenblätterpilz (oben) und Spitzhütiger Knollenblätterpilz

Knossos: Ansicht der Palastanlage von Südosten

nungen zw. 1,35 und 3,6 V, Stromquelle z.B. für Digitaluhren, Taschenrechner, Hörgeräte; z.T. wieder aufladbar. Nach dem Elektrodenmaterial unterscheidet man u.a. Silberoxidzelle, Quecksilberoxidzelle und Lithiumbatterie.

Knossos: Stierkopfrhyton (16. Jh. v. Chr.; Heraklion, Archäologisches Museum)

Knorpel, festes, druckelast., biegsames Stützgewebe der Wirbeltiere und des Menschen, das aus K.-Zellen (Chondrozyten) und K.-Grundsubstanz mit eingelagerten Bindegewebefasern besteht und von K.-Haut (Perichondrium) umgeben ist. Nach dem Fasergehalt und der Zusammensetzung der K.-Grundsubstanz werden drei K.-Arten unterschieden: **hyaline K.** (Wasser- oder Glas-K.), die sich z.B. in Gelenken, Nase oder Luftröhre finden, **elast. K.** (Netz-K.), die z.B. in der Ohrmuschel und am Kehlkopf vorkommen, und **Faser-K.** (Bindegewebe-K.), die z.B. Bestandteil von Zwischenwirbel- und Zwischengelenkscheiben sind.

Knorpelfische (Chondrichthyes), Klasse der Wirbeltiere; Fische mit knorpeligem Skelett (im Ggs. zu den Knochenfischen); gegliedert in die Unterklassen Elasmobranchii (z.B. Haie und Rochen) und Holocephali (Seedrachen).

Knorpelganoiden (Chondrostei), Überordnung der Strahlenflosser mit z.T. knorpeligem Skelett, Schuppen mit Ganoinüberzug; eine Ordnung: Störe.

Knorpelkirsche, eine Süßkirsche mit festem Fruchtfleisch.

Knorpelwerk, Ornamentform des 17. Jh., ohrmuschelförmige, sich knorpelartig verdickende Gebilde, oft mit Masken.

Knospe, **1)** *Botanik:* Bez. für die noch nicht voll entwickelte Sprossspitze höherer Pflanzen. Je nach Art der aus der K. hervorgehenden Organe werden Laub-, Blüten- und gemischte K. unterschieden. Am Ende des Hauptsprosses befindet sich die **End-** oder **Gipfel-K.**, die bei einigen Pflanzen enorme Größe erreichen kann (z.B. Köpfe von Weiß-, Rot- und Wirsingkohl). In den Achseln von Laubblättern bilden sich **Achsel-K.** (Seiten-K.), von denen die Verzweigung des Sprosssystems ausgeht. K. treiben entweder im Jahr der Bildung als **Bereicherungs-K.** oder im folgenden Jahr als **Erneuerungs-K.** (Winter-K.) aus. Manche K. können auch als »schlafende Augen« ruhen.

2) *Zoologie:* →Knospung.

Knospung (Sprossung), Form der ungeschlechtl. Fortpflanzung bei verschiedenen niederen Lebewesen, u.a. bei Algen, Pilzen, vielen Schwämmen und Moostierchen. Dabei werden Zellkomplexe als Körperauswüchse (Knospen) mehr oder weniger weitgehend abgeschnürt (Tochterindividuen). Verbleiben diese am Mutterorganismus, so entstehen Kolonien oder Tierstöcke.

Knossos, Stadt des minoischen Kreta, 5 km südöstlich des heutigen Heraklion; nach grch. Mythos die Stätte des von Daidalos erbauten Labyrinths; Herrschersitz des Königs Minos und Schauplatz der Sage von Theseus und Ariadne. Bed. Fundstätte (Besiedlung seit dem Neolithikum, bis zu 7 m hohe Kulturschichten). Um 2000 v. Chr. wurde hier der bedeutendste der minoischen Paläste Kretas errichtet; durch ein Erdbeben um 1700 v. Chr. zerstört. Bald darauf wurde auf dem alten Grundriss der jüngere Palast erbaut, um 1375 v. Chr. abermals zerstört; ab 1900 von A. J. Evans freigelegt und z.T. rekonstruiert. Fresken schildern das tägl. Leben (Originale im Archäolog. Museum von Heraklion; hier auch die Schrifttafeln mit Abrechnungen in der Linear-B-Schrift). Weiteres BILD Kreta

🕮 FAURE, P.: *Kreta. Das Leben im Reich des Minos. Stuttgart* [3]*1983.* – BRAUNE, A.: *Menes, Moses, Minos. Die Altpalastzeit auf Kreta u. ihre geschichtl. Ursprünge. Essen 1988.*

Knötchenflechte, Hautkrankheit, →Lichen.

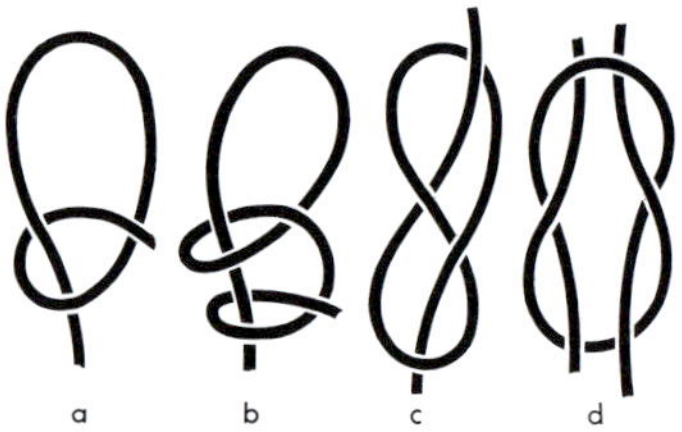

Knoten 1): Seemannsknoten; a halber Schlag, b zwei halbe Schläge, c Achtknoten, d Kreuzknoten

Knoten, **1)** festgezogene Verschlingung von Fäden, Schnüren, Tauen u.a.; die speziellen, in der Schifffahrt verwendeten K. werden als **Seemanns-K.**, **Schiffer-K.** oder **Steks** bezeichnet. Bei Knüpfteppichen unterscheidet man den türk. Ghordes- (Gördes-) vom pers. Sennehknoten.

2) *Astronomie:* die beiden Schnittpunkte der Bahn eines Himmelskörpers mit einer anderen Ebene, bes. der Ekliptik **(aufsteigender K.** in nördl. und **absteigender K.** in südl. Richtung). Die Länge des aufsteigenden K. ist eines der sechs Bahnelemente (→Bahn 2). Die Knoten der Mondbahn heißen **Drachenpunkte,** Drachenkopf der aufsteigende, Drachenschwanz der absteigende.

3) *Botanik:* Verdickung des Stängels am Blattansatz.

4) *Mathematik:* Einfache (doppelpunktfreie) geschlossene Kurve im Raum.

5) *Medizin:* krankhafte, bei oberflächl. Lage tastbare Gewebsverdickung von fester, auch harter Beschaffenheit unterschiedl. Ursache, z.B. als Gicht-K., Geschwulst-K. (Tumor).

6) *Metrologie:* Einheitenzeichen **kn,** Einheit für die Fahrtgeschwindigkeit eines Schiffes; 1 kn = 1 Seemeile je Stunde = 1,852 km je Stunde.

7) *Physik:* bei stehenden Wellen diejenigen Orte (Punkte, Linien oder Flächen), an denen die Amplitude der Schwingung ständig gleich null ist.

Knotenblume (Leucojum), Gattung der Amaryllisgewächse in Europa und Vorderasien; Zwiebelpflanzen mit schmalen, grundständigen Blättern und weitglockigen Blüten. Die **Frühlings-K.** (**Märzenbecher,** Leucojum vernum) hat weiße Blüten mit gelblich grünen Malen am Blütensaum, wächst in feuchten Wäldern und auf Bergwiesen und ist geschützt; auch Gartenzierpflanze.

Knotenschiefer, →Kontaktschiefer.

Knotenschnur, →Quipu.

Knöterich (Polygonum), Gattung der zweikeimblättrigen Pflanzenfamilie K.-Gewächse (Polygonaceae) mit rd. 150 weltweit verbreiteten Arten: u.a. **Vogel-K.** (Polygonum aviculare), mit kleinen grünl. Blüten mit weißem oder rötl. Rand, sowie **Wiesen-K.** (**Schlangen-K.,** Polygonum bistorta), 30–100 cm hoch, mit rötl. Blüten; auf Feuchtwiesen und in Auwäldern. Eine beliebte Zierpflanze zum Begrünen von Mauern, Zäunen u.a. ist der aus W-China stammende, schnell wachsende **Schling-K.** (Polygonum aubertii, Fallopia aubertii) mit weißen Blütenrispen.

Knotten|erz, in Buntsandstein eingesprengter Bleiglanz u.a. Erzminerale in Form erbsengroßer, knötchenförmiger »Knotten«; u.a. in der Eifel und in Schweden.

Know-how [nəʊ 'haʊ, engl. »wissen wie«] *das,* Bez. für spezielle, bes. technisch oder ökonomisch verwertbare Kenntnisse, Erfahrungen und Wissen, z.B. die Herstellung und/oder Vertrieb von Waren, Bedienung von Maschinen.

Knox [nɔks], John, schott. Reformator, *Giffordgate (heute zu Haddington) 1513 (?), †Edinburgh 24. 11. 1572; wirkte seit 1546 als Prediger für die Reformation in Schottland, musste 1554 (Regierungsantritt Marias I., der Katholischen) aus England fliehen; seit 1556 in Genf (enger Kontakt mit Calvin) Pfarrer der engl. Auslandsgemeinde; kehrte 1559 nach Schottland zurück und kämpfte dort zus. mit dem prot. Adel für die Reformation.

Knoxville ['nɔksvɪl], Stadt in Tennessee, USA, am Tennessee River, 169 300 Ew.; Univ. (seit 1794), Sitz der →Tennessee Valley Authority; Maschinenbau, chem., Bekleidungs-, Marmorind., Tabakmarkt. – Gegr. 1786; 1796–1812 und 1817–19 Hptst. von Tennessee.

Knüll *der,* Basalt- und Buntsandsteingebirge im Hess. Bergland, im Eisenberg 636 m ü.M., im Knüllköpfchen 634 m ü.M.

Knüpfen, eine der ältesten Handarbeitstechniken (seit etwa 3000 v.Chr.), bei der Fäden durch Verschlingungen und Knoten miteinander verbunden werden; dient zur Herstellung von Netzen, Spitzen und Fransen. – K. ist auch der wesentl. Arbeitsgang bei der Herstellung von Knüpfteppichen.

Knurrhähne (Seehähne, Triglidae), Familie der Knochenfische (Ordnung: Panzerwangen); der Kopf besteht aus einem festen Knochenpanzer, oft mit Stacheln besetzt. Die unteren Strahlen der flügelartigen, bunten Brustflossen werden fingerartig bewegt und dienen zum Laufen auf dem Meeresboden. Viele Arten können mithilfe der Schwimmblase knurrende Töne erzeugen. An der europ. Atlantikküste kommen bes. der bis 50 cm lange **Graue K.** oder **Gurnard** (Eutrigla gurnardus) und der etwas längere **Rote K.** (Trigla lucerna) vor.

Knut, Herrscher:

Dänemark: **1) K. der Große,** König (1018–35), *um 995, †Shaftesbury (Cty. Dorset) 12. 11. 1035; schuf ein skandinav. Großreich (König von England 1016–35, von Norwegen 1028–35), das nach seinem Tod wieder zerfiel. Kaiser Konrad II. trat ihm die Mark Schleswig ab.

2) K. IV., der Heilige, König (1080–86), *um 1040, †(ermordet) Odense 10. 7. 1086; wurde 1101 heilig gesprochen (Tag: 10. 7.), Schutzheiliger Dänemarks.

3) K. VI., König (1182–1202), *1163, †12. 11. 1202; Sohn Waldemars I., gewann bis 1187 Pommern (»König der Wenden«) und Mecklenburg, 1201 Holstein; entzog sich der dt. Lehnshoheit.

Knuth, Gustav, Schauspieler, *Braunschweig 7. 7. 1901, †Zollikon (Kt. Zürich) 1. 2. 1987; wirkte als Charakterdarsteller in Basel, Hamburg und Berlin; seit 1949 in Zürich; gestaltete auch Film- und Fernsehrollen.

Knüttelvers, →Knittelvers.

KO, Abk. für **K**onkurs**o**rdnung, →Konkurs.

k.o., Abk. für →**k**nock-**o**ut.

Koadjutor [lat. »Mitgehilfe«] *der, kath. Kirchenrecht:* vom Papst ernannter, dem Diözesanbischof zugeordneter Titularbischof mit dem Recht der Nachfolge.

Knotenblume: Frühlingsknotenblume (Höhe 10–35 cm)

Knöterich: Wiesenknöterich

Gustav Knuth

Koagulanzi|en (Koagulantia, blutgerinnungsfördernde Mittel), blutstillende Mittel; gerinnungsfördernd wirken z. B. Fibrinogen, Thrombokinase oder antihämophiles Globulin.

Koagulation [lat. »das Gerinnen«] *die,* das Ausfällen (Ausflocken) kolloidaler Stoffe aus ihrer Lösung durch chem., physikal. oder therm. Einflüsse, z. B. der Übergang von Eiweiß aus dem lösl. in den unlösl. Zustand bei Temperaturänderungen, beim Schütteln, bei Zusatz von Fremdstoffen, insbesondere von Ionen, u. a. Einwirkungen. Der ausgeflockte Stoff wird **Koagulat** genannt.

Koala (Größe 60–80 cm)

Koala [austral.] *der* (Beutelbär, Phascolarctos cinereus), Kletterbeutler in den Eukalyptuswäldern O-Australiens; mit rd. 60–80 cm Körperlänge und 16 kg Höchstgewicht größte Kletterbeutlerart; Kopf rundlich mit kurzer Schnauze und großen, runden Ohren; besitzt ein silbergraues, wolliges Fell sowie eine mit spitzen Krallen versehene Greifhand; nachtaktiver Baumbewohner; lebt nur von bestimmten Eukalyptusblättern, die bis 67 % Wasser enthalten; trinkt nie Wasser. Der K. wurde durch Bejagung (Felle) stark dezimiert und steht unter strengem Schutz.

Kobalt

Die Bergleute des Mittelalters glaubten, das Bergmännlein fräße das Silber und ließe andere silberfarbene Erze an seiner Stelle zurück. Diese Erze belegten sie mit Spottnamen wie Nickel, Wolfram (d. h. »Wolfsspucke«) und eben Kobolderz, also Kobalt.

Durch Kobaltverbindungen blau gefärbte Gläser und Töpferwaren gab es schon im Altertum. Außer in Meteoriten kommt Kobalt nie gediegen vor und wurde in reiner Form erstmals 1780 isoliert. Technische Bedeutung bekam das Metall aber erst im 20. Jahrhundert, als man begann, es als Bestandteil besonders harter Legierungen zu benutzen.

Koaleszenz *die,* das Zusammenfließen der Tröpfchen einer →Emulsion zu einer kompakten Flüssigkeitsphase.

Koalition [engl.-frz., zu lat. coalescere »zusammenwachsen«] *die,* ein zweckgerichtetes Bündnis unabhängiger Partner; erfolgt v. a. zw. Staaten (bes.) zu gemeinsamer Kriegführung **(K.-Krieg)** und in parlamentar. Demokratien zw. selbstständigen Parteien zur Bildung einer gemeinsamen Regierung **(K.-Regierung)** auf der Grundlage von **K.-Vereinbarungen.** Im Hinblick auf die zahlenmäßige Stärke gibt es die **Allparteien-K.,** die **große K.** (meist von den beiden stärksten parlamentarischen Gruppen gebildet, daher mit großer Mehrheit im Parlament) und die **kleine K.** (mit relativ geringer Mehrheit im Parlament).

Auch in der Wirtschaft können Angehörige einer bestimmten Berufsgruppe eine K. bilden (→Koalitionsfreiheit).

Koalitionsfreiheit, das Grundrecht, zur Wahrung und Förderung der Arbeits- und Wirtschaftsbedingungen Vereinigungen (insbesondere der Arbeitnehmer und Arbeitgeber, der Gewerkschaften und der Arbeitgeberverbände) zu bilden (Art. 9 Abs. 3 GG). Dazu gehört sowohl das Recht, Koalitionen zu gründen, den bestehenden beizutreten und sich in ihnen zu betätigen, sowie das Recht der Koalition selbst auf Bestand und Betätigung **(positive K.)** als auch das Recht, einer bestimmten Koalition nicht oder überhaupt keiner Koalition beizutreten **(negative K.).** Ein wesentl. Bestandteil der K. ist das Recht, Tarifverträge abzuschließen und Arbeitskämpfe zu führen. – Die K. ist in *Österreich* durch Art. 12 des Staatsgrundgesetzes von 1867, in der *Schweiz* durch Art. 56 der Bundes-Verf. gewährleistet.

Koalitionskrieg, Bez. für vier Kriege wechselnder europ. Verbündeter zw. 1792 und 1807 gegen das revolutionäre und napoleon. Frankreich (→Französische Revolutionskriege, →Napoleonische Kriege).

Koaxial|leitung (Koaxialkabel), elektr. Doppelleitung, bestehend aus einem zylindr. Innenleiter, der von einem verlustarmen Dielektrikum umgeben ist und von einem rohrförmigen Außenleiter (meist Kupfer- oder Aluminiumdrahtgeflecht) koaxial (d. h. mit gleicher Achse) eingeschlossen wird. Die übertragenen elektromagnet. Wellen werden im Dielektrikum geführt und durch den Außenleiter begrenzt. K. eignen sich als Breitbandkabel zur Übertragung breiter Frequenzbänder (z. B. in UKW- und Fernsehantennen).

Kobalt [eigtl. »vom Kobold verzaubertes Erz«] (fachsprachlich Cobalt) *das,* chem. Symbol **Co,** stahlgraues, ferromagnet., metall. Element aus der 8. Nebengruppe des Periodensystems; Ordnungszahl 27, relative Atommasse 58,9332, Dichte 8,9 g/cm³, Schmelzpunkt 1495 °C, Siedepunkt ca. 3100 °C. K. hat nur ein einziges stabiles Isotop (^{59}Co), alle anderen Isotope sind radioaktiv mit Halbwertszeiten zw. 0,3 Sekunden und 5,2 Jahren. – K. ist härter und fester als Stahl und sehr zäh. Im chem. Verhalten dem Eisen und Nickel ähnlich, an der Luft beständig, wird es von oxidierend wirkenden Säuren gelöst. K. kommt stets als Begleiter des Nickels vor, ist aber etwa viermal weniger häufig als dieses (Gehalt der Erdkruste 0,001 %). In Eisenmeteoriten ist K. stark angereichert (0,6 %), vermutlich auch im Erdkern. Gediegenes K. kommt in der Natur nicht vor. Es findet sich in Erzen, bes. in Speis-K., K.-Glanz, K.-Nickel-Kiesen, Linneit, K.-Blüte. Wichtige K.-Erzlagerstätten liegen v. a. in der Demokrat. Rep. Kongo, in Sambia, Kanada, Marokko, Australien und den USA. Technisch gewonnen wird K. durch Reduktion der beim Rösten der Minerale gewonnenen K.-Oxide mit Koks. Insgesamt umfasst die Gewinnung des K. alle auch in der Metallurgie des Nickels angewandten Methoden. Über 80 % der K.-Erzeugung dienen der Herstellung von Werkzeugstählen, korrosionsbeständigen und hoch warmfesten Legierungen und Dauermagneten. Kobalthaltiges **Wolframcarbid, WC,** ist ein äußerst harter Sinterwerkstoff. **Smalte,** ein K.-Pigment, wird zum Blaufärben von Glasflüssen in der keram. und Glasind. verwendet. Das K.-Isotop 60 ist ein starker Gammastrahler, der für Bestrahlungen in Medizin, Ind. und Technik angewendet wird.

K. tritt in seinen Verbindungen v. a. zwei- und dreiwertig auf. **K.(II)-Oxid,** CoO, ein olivgrünes Pulver, entsteht durch Glühen von **K.(II)-Hydroxid,** $Co(OH)_2$, oder **K.(II)-Carbonat,** $CoCO_3$, unter Luftabschluss. In feuchtem Zustand oxidiert es zu braunem **K.(III)-Hydroxid,** CoO(OH), beim Glühen unter Luftzutritt entsteht blauschwarzes **K.(II, III)-Oxid,** Co_3O_4. Das aus K.(II)-Oxid und Aluminiumoxid, Al_2O_3, beim Glühen sich bildende tiefblaue Doppeloxid $CoO \cdot Al_2O_3$ ist als Malerfarbe **Thenards Blau,** das Doppeloxid mit Zinkoxid, $ZnOCo_2O_3$, als **Rinmanns Grün** bekannt. K.-Oxide lösen sich mit tiefblauer Farbe (»Kobaltblau«) in Schmelzen von Phosphaten, Boraten und Silikaten auf, worauf Nachweis und vielfältige Anwendungen beruhen (K.-Glas, K.-Glasuren). Außerdem gibt es eine ganze Reihe anderer K.-Pigmente. – In Komplexverbindungen ist das dreiwertige K. außerordentlich stabil. Es weist darin stets die Koordinationszahl 6 auf. Neben Ammoniak, NH_3, sind Hauptliganden die Halogenidionen, ferner CN^-, NO_2^- und Wasser. Auf diese Weise ist eine Vielzahl von Komplexverbindungen möglich (allein mit Ammoniak etwa 2 000 **K.-Ammine** oder **Kobaltiake**). Viele davon tragen Namen, die ihre Farbe angeben, z. B. **Purpureosalze, Roseosalze.** Eine organ. K.-Verbindung ist das Vitamin B_{12}.

Kobalt|arsenkiese, Minerale, kobalthaltige Arsenkiese; Abarten: **Danait** mit 6–12 % Kobalt und **Glaukodot** mit über 46 % Kobalt (statt Eisen); wichtige Kobalterze.

Kobaltbestrahlungsgerät (Telekobaltgerät, Kobaltkanone), Gerät zur Strahlentherapie mit dem gammastrahlenden Kobaltisotop 60 als Strahlenquelle (für Stehfeld- und Bewegungsbestrahlung von Geschwulstkrankheiten geeignet).

Kobaltblüte (Erythrin), karmesin- bis pfirsichrotes, durchscheinendes monoklines Mineral, $Co_3[AsO_4]_2 \cdot 8\,H_2O$, Verwitterungserz, das Kobaltgänge anzeigt.

Kobaltglanz (Cobaltin, Cobaltit, Glanzkobalt), silberweißes bis graues, metallisch glänzendes kub. Mineral, CoAsS, kontaktpneumatolytisch oder hydrothermal entstanden, wichtiges Kobalterz (bis 35 % Co).

Kobaltglanz (Kristalle)

Kobaltnickelkiese, Gruppe meist hydrothermal gebildeter Sulfidminerale der allg. Formel $M^{II}M_2^{III}S_4$ (M = Ni, Co, Fe, Cu), z. B. → Linneit.

Kobankultur, spätbronze- bis früheisenzeitl. Kulturgruppe des mittleren Kaukasus (1100–500 v. Chr.), ben. nach einem Gräberfeld bei Koban (Nordossetien); typisch sind Bestattungen in Gruben und Steinkisten, darin oft als Beigaben verzierte bronzene Streitäxte, Fibeln u. a.; starke vorderasiat. Einflüsse.

Kobayashi [-ʃi], **1)** Hideo, japan. Essayist und Literaturkritiker, * Tokio 11. 4. 1902, † ebd. 5. 10. 1978; gilt als Begründer der modernen Literatur- und Kulturkritik in Japan.

2) Masaki, japan. Filmregisseur, * Otaru auf Hokkaidō 14. 2. 1916, † Anfang Oktober 1996; bekannt durch seine Trilogie über den 2. Weltkrieg »Barfuß durch die Hölle«, »Die Straße zur Ewigkeit«, »Und dann kam das Ende« (1959–61). Bed. Samuraifilme sind »Harakiri« (1962) und »Rebellion« (1967); außerdem »Kaseki« (1973), »Der Prozeß von Tokio« (1984), »Haus ohne Tisch« (1985).

Kōbe, Hptst. der Präfektur Hyōgo auf Honshū, Japan, 1,51 Mio. Ew.; zwei Univ. u. a. Hochschulen, Museen; zweitgrößter Seehafen Japans (Hafengemeinschaft Hanshin zus. mit Ōsaka) und bed. Handels- und Ind.zentrum (z. T. auf dem Meer abgewonnenem Neuland): Eisen- und Stahlind., Schiff-, Maschinenbau, Herstellung von Gummiwaren, Metallerzeugnissen, Textilien, Nahrungsmitteln, Getränken (Sake); U-Bahn. – Mehrere buddhist. Tempel und Schreine aus dem 3. (?), 8., 9. und 14. Jh.; moderne Bauten: u. a. Rathaus (1957), der 108 m hohe Port Tower (1963; mit Schifffahrtsmuseum) und die Terrassensiedlungen Rokkō I und II (1980–86). – Bis zur Öffnung Japans 1867

Ferdinand Kobell: »Mainbrücke« (1786; München, Neue Pinakothek)

Koblenz 2) Stadtwappen

Koboldmakis (Kopf-Rumpf-Länge etwa 15–18 cm, Schwanzlänge etwa 22–25 cm)

unbed. Fischerdorf, dann Ausländerwohnbezirk, Ende des 19. Jh. mit dem alten Handelszentrum Hyōgo zusammengelegt.

Kobell [ko'bɛl, 'ko:bəl], **1)** Ferdinand, Maler und Radierer, *Mannheim 7. 6. 1740, †München 1. 2. 1799, Vater von 2); folgte in seinen Landschaftsbildern zunächst holländ. Meistern und C. Lorrain und wurde nach 1780, bes. mit seinen Aschaffenburger Veduten, zum Wegbereiter der realist. Landschaftsmalerei des 19. Jahrhunderts.

2) Wilhelm von (seit 1817), Maler und Radierer, *Mannheim 6. 4. 1766, †München 15. 7. 1855, Sohn von 1); wichtiger Vertreter des Biedermeier in München, dort 1792 Hofmaler, 1814 Prof. an der Akademie, malte nach seinem von holländ. Vorbildern bestimmten Frühwerk realist. Landschaften, für die sorgfältig behandelte Vordergründe mit Staffage und atmosphär., weiträumige Hintergründe charakteristisch sind.

Koberger, Anton, Buchdrucker, Verleger und Buchhändler, *Nürnberg um 1440, †3. 10. 1513. Seine Firma war eine der bedeutendsten des 15. Jh. (bis 1533); ihr Vertrieb erfasste große Teile Europas. Bekannteste Druckwerke sind die dt. Bibel mit Holzschnitten (1483) und Hartmann Schedels Weltchronik in lat. und dt. Ausgabe (1493).

Koblenz, 1) RegBez. in Rheinl.-Pf., 8072 km², (1996) 1,49 Mio. Ew.; umfasst die kreisfreie Stadt K. und die Landkreise Ahrweiler, Altenkirchen (Westerwald), Bad Kreuznach, Birkenfeld, Cochem-Zell, Mayen-K., Neuwied, Rhein-Hunsrück-Kr., Rhein-Lahn-Kr., Westerwaldkreis; soll 1998 aufgelöst werden (→Rheinland-Pfalz).

2) kreisfreie Stadt, Sitz der Verw. des RegBez. K. und des Landkreises Mayen-K., Rheinl.-Pf., an der Mündung der Mosel in den Rhein (Deutsches Eck), 109200 Ew.; Bundesarchiv, Bundesamt für Wehrtechnik und Beschaffung, Bundesgrenzschutzdirektion, Bundesanstalt für Gewässerkunde, Verf.gerichtshof Rheinl.-Pfalz; Univ. K.-Landau, FH, Landespolizeischule, Verw.- und Wirtschaftsakademie; Landes-, Rhein-, Mittelrhein-, Ludwig-Museum. – Ind.: Bremsenherstellung, Aluminiumwerke, Brauerei, Druckerei, Sekt-, Weinkellereien, Stoßdämpfer-, Dosen-, Waschmittelherstellung u.a.; Verkehrsknoten mit Rhein- und Moselhafen; Fremdenverkehr. – Bauwerke: Stiftskirche St. Kastor (Gründungsbau 836 geweiht, hochroman. Neubau um 1200, spätgot. Einwölbung 1496–99); St. Florin (um 1100, got. Chor um 1350); Liebfrauenkirche (12./13. Jh., Chor und Einwölbung 1404 ff.); Jesuitenkirche (1613–17, nur Giebelfassade erhalten); Rathaus (16./17. Jh., urspr. Jesuitenkolleg); Ballei der Deutschordensritter (1216); frühklassizist. Schloss (1777–91); Theater (1786/87); Deutsches Eck mit Mahnmal für die dt. Einheit. Gegenüber der Moselmündung die Festung →Ehrenbreitstein; unterhalb der Festung das Dikasterialgebäude (1739–48 von B. Neumann und J. Seitz). Im Vorort Güls die alte Servatiuskirche, heute Klosterkirche (Anfang 13. Jh.). Bei K. Schloss →Stolzenfels. – 9 v. Chr. als röm. Kastell am Zusammenfluss von Mosel und Rhein **(Confluentes)** gegr.; fiel 1018 an die Erzbischöfe von Trier (seit Mitte des 15. Jh. Residenz); 1794–1813/14 zum frz. Rhein-Mosel-Dep.; 1815–1946 preußisch (seit 1822 Hptst. der Rheinprov.; stärkste Rheinfestung); 1946–50 Landeshptst. von Rheinl.-Pfalz. BILD Deutsches Eck

📖 *Geschichte der Stadt K., Gesamtredaktion:* I. BÁTORI *u. a., 2 Bde. Stuttgart 1992–93.*

Kobold [»Walter des Hauses«], im dt. Volksglauben (auch tück.) Geist im Haus- und Hofbereich; zwergenhaft klein, bringt Wohlstand, spielt Schabernack; trägt regional versch. Namen.

Koboldmakis (Gespenstaffen, Gespensttiere, Tarsiidae), Familie bis 18 cm großer, langschwänziger Halbaffen mit drei Arten in den Wäldern der Sundainseln und Philippinen; nachtaktive Tiere mit außergewöhnlich großen Augen und unabhängig voneinander bewegl. Ohren. Finger- und Zehenenden sind scheibenförmig verbreitert. K. ernähren sich von Insekten u. a. Kleintieren.

Kobras (Hutschlangen, Schildottern, Naja), Gattung südasiat. und afrikan. Giftnattern. Einige Arten richten den Vorderkörper senkrecht auf und flachen den Nacken durch Spreizen der Halsrippen scheibenförmig ab (Hut); bei der **Brillenschlange** (Naja naja) tritt dabei zw. den Schuppen eine brillenähnl. Zeichnung hervor. Die **Speikobra** (Naja nigricollis) spritzt zur Verteidigung dem Gegner bis 3 m weit ihr Gift meist in die Augen. – Durch eigene Bewegungen reizen Flöten blasende

»Schlangenbeschwörer« die Tiere zum Pendeln des Oberkörpers; auf die Töne können die Schlangen infolge ihrer Taubheit nicht reagieren.

Kočevje [kɔˈtʃeːvjɛ] (dt. Gottschee), Stadt in Slowenien, im S der Krain, 18 000 Ew.; Holzind. – K. war bis 1941 Mittelpunkt der dt. Sprachinsel Gottschee.

Koch, 1) Joseph Anton, österr. Maler, *Obergiblen (heute zu Elbigenalp, Tirol) 27. 7. 1768, †Rom 12. 1. 1839; lebte seit 1795 in Rom, wo er sich v.a. A. J. Carstens anschloss; ab 1803 konzentrierte er sich auf die Ölmalerei und malte unter dem Einfluss der Werke N. Poussins und C. Lorrains Landschaften, die er mit architekton. Strenge aufbaute und mit Staffage versah. Nach einem Aufenthalt in Wien (1812–15) wurde K. zum Mittelpunkt der Deutschrömer. Den Höhepunkt seiner langjährigen Beschäftigung mit der Dichtung Dante Alighieris bilden die 1824–29 ausgeführten Fresken im Casino Massimo in Rom.

2) Robert, Bakteriologe, *Clausthal (heute Clausthal-Zellerfeld) 11. 12. 1843, †Baden-Baden 27. 5. 1910; Mitbegründer der modernen experimentellen Bakteriologie; mit der Entdeckung der Milzbrandsporen und der Klärung der Ursache des Milzbrandes (1876) wies K. erstmals einen lebenden Mikroorganismus als Erreger einer Infektionskrankheit nach. 1882 entdeckte er den Tuberkelbazillus, 1883 den Erreger der Cholera; 1905 Nobelpreis für Physiologie oder Medizin.

📖 Bochalli, R.: *R. K. Stuttgart ²1982.*

3) Rudolf, Schriftkünstler, Grafiker, Kunsthandwerker, *Nürnberg 20. 11. 1876, †Offenbach am Main 9. 4. 1934; einer der fruchtbarsten dt. Schriftschöpfer seiner Zeit; arbeitete seit 1906 für die Schriftgießerei Gebrüder →Klingspor, 1911–24 gab er mit Rudolf Gerstung die »Rudolfin. Drucke« (z.T. mit Holzschnitten, nach Art der Blockbücher) heraus. K. entwarf rd. 30 Druckschriften.

Kochab *der,* Stern 2. Größe, der Stern β im Kleinen Bären.

Kobras: Brillenschlange (Länge 1,4–1,8 m)

Kochanowski, Jan, poln. Dichter, *Sycyna (bei Radom) 1530, †Lublin 22. 8. 1584; bedeutendster Dichter der poln. Renaissance; seine an humanist. Traditionen orientierte Lyrik schöpfte erstmals die künstler. Möglichkeiten der poln. Sprache aus. – Schriften: Nachdichtung der Psalmen (1579), Klagelieder auf den Tod seiner Tochter (1580), die Renaissancetragödie »Die Abfertigung der grch. Gesandten« (1578).

Kochel a. See, Gemeinde und Luftkurort im Kr. Bad Tölz-Wolfratshausen, Oberbayern, am **Kochelsee,** 605 m ü. M., 4 000 Ew.; Franz-Marc-Museum; Walchenseekraftwerk, Keramikmaschinenbau; Bade- und Freizeitzentrum. Der Kochelsee ist 5,9 km² groß, 599 m ü. M., bis 66 m tief.

Köchelverzeichnis, Abk. **KV,** 1862 von dem Österreicher Ludwig Ritter von Köchel (*1800, †1877) herausgegebenes »Chronologisch-themat. Verzeichnis sämtl. Tonwerke W. A. Mozarts«.

Robert Koch

Kochen (Sieden), Erhitzen bis zum Siedepunkt; speziell das Garen von Lebensmitteln in siedendem Wasser, um sie leichter verdaulich und wohlschmeckender zu machen. I. w. S. wird unter K. jedes Zubereiten von Lebensmitteln durch Erhitzen verstanden, also auch Braten, Schmoren, Grillen, Dünsten und Dämpfen. Beim Erhitzen werden u. a. Zellgewebe aufgeschlossen, Geschmacksstoffe gebildet, Mineralstoffe und Zucker ausgelaugt, Eiweiß ausgefällt und Stärke verkleistert, Vitamine z. T. zerstört, Mikroorganismen z. T. abgetötet. – Die **Kochkunst** umfasst neben der Wahl des geeigneten Garverfahrens auch die Zusammenstellung harmonierender Lebensmittel, die Auswahl und Dosierung von Gewürzen und anderen geschmacksverbessernden Zutaten sowie das appetitanregende Anrichten und die wirtsch. Verarbeitung. **Kochbücher** gab es bereits im antiken Griechenland sowie in Rom. Das älteste gedruckte dt. Kochbuch, »Die Kuchemeystrey«, wurde 1485 in Nürnberg veröffentlicht.

📖 This-Benckhard, H.: *Rätsel der Kochkunst naturwissenschaftl. erklärt. A. d. Frz. Berlin u. a. 1996.*

Emil Theodor Kocher (zeitgenössischer Holzstich)

Kocher *der,* rechter Nebenfluss des Neckars, 180 km lang, entspringt auf der Schwäb. Alb bei Oberkochen, durchschneidet die Hohenloher Ebene, mündet bei Bad Friedrichshall.

Kocher, Emil Theodor, schweizer. Chirurg, *Bern 25. 8. 1841, †ebd. 27. 7. 1917; beschäftigte sich v. a. mit der operativen Behandlung des Kropfes und gilt als einer der Begründer der Bauchchirurgie. 1909 erhielt er für seine Verdienste um die Schilddrüsenforschung den Nobelpreis für Physiologie oder Medizin.

Köcherblümchen, die Gattung →Cuphea.

Köcherfliegen (Frühlingsfliegen, Trichoptera), Ordnung 0,3–6 cm langer, mottenähnl. Insekten mit behaarten, meist dachförmig gelegten Flügeln. Die Eier werden am oder im Wasser abgelegt. Die raupenförmige Larve **(Sprock, Köcherlarve, Kärder)** lebt in Gewässern, meist in einem köcherförmigen Gehäuse. Bekannte einheim. Fa-

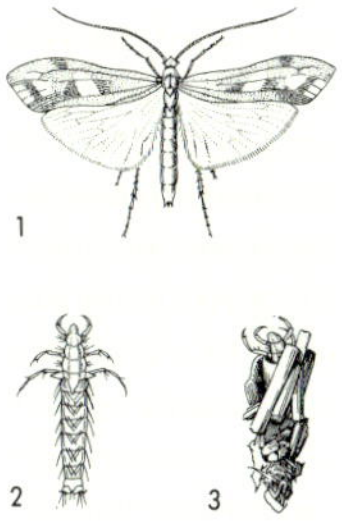

Köcherfliegen: 1 geschlechtsreifes Vollinsekt (Imago), 2 Larve, 3 köcherförmiges Larvengehäuse milien sind: **Frühlingsfliegen** (Phryganeidae) und **Wassermotten** (Hydropsychidae).

Koch-Gotha, Fritz, Maler und Illustrator, *Eberstädt (heute zu Sonneborn, Kr. Gotha) 5. 1. 1877, †Rostock 16. 6. 1956; zeichnete seit 1904 v.a. für die »Berliner Illustrirte Zeitung« Blätter von treffend charakterisierendem Spott über Großstadttypen und Großstadtleben, auch Buchillustrationen.

Kochi ['kəʊtʃɪ], Stadt in Indien, →Cochin.

Kōchi [-tʃi], Hptst. der Präfektur K. auf Shikoku, Japan, 319200 Ew.; Papier-, Zement-, Seidenindustrie. – Chikurinjitempel (724). – Ehem. Burgstadt, 1603 erbaut (Turmbau 1748 wieder errichtet).

Kochsalz, Bez. für handelsübl., aus natürl. Vorkommen gewonnenes, mehr oder weniger reines Natriumchlorid, NaCl; es ist meist bis zu 3% mit anderen Salzen (Magnesium- und Calciumchlorid, Sulfate des Magnesiums, Calciums und Natriums) gemischt, von denen Magnesiumchlorid das Feuchtwerden des K. bewirkt (reines NaCl ist nicht hygroskopisch); außerdem enthält es versch. Spurenelemente. Verschiedentlich wird Jod beigesetzt (Jodsalz). K. bildet farblose, in Wasser leicht lösl. Kristalle; es kommt in der Natur als →Steinsalz in Salzlagerstätten, in Solen und →Salzseen sowie im Meerwasser (Anteil 2,7%) vor. Gewonnen wird K. durch Vermahlen von bergmännisch abgebautem Steinsalz oder durch Eindampfen von gesättigten Solen in flachen Siedepfannen **(Sole-** oder **Sudsalz).** Bei 60 °C erhält man das **Grobsalz,** das durch Zentrifugieren von der restl. Sole getrennt und dann getrocknet wird, bei Siedehitze das weiße, feinkörnige **Siedesalz,** das vorwiegend als **Speisesalz (Tafelsalz)** verwendet wird. Durch Eindunsten von Meerwasser in →Salinen gewinnt man in wärmeren Ländern das **Meer-, See-** oder **Baysalz** (mit 96% NaCl). – Der durchschnittl. Tagesbedarf eines Erwachsenen beträgt 3–5 g und kann bei starken Verlusten, z.B. durch Schwitzen, auf bis zu 20 g ansteigen. In großen Mengen aufgenommen, wirkt K. auf alle Organismen giftig.

Zoltán Kodály

Kocor ['kɔtsɔr], Korla Awgust, dt. Karl August Katzer, sorb. Komponist, Lehrer und Kantor, *Berge (bei Großpostwitz) 3. 12. 1822, †Kittlitz (bei Löbau) 19. 5. 1904; Begründer der sorb. Kunstmusik, komponierte u.a. die sorb. Nationalhymne und die erste sorb. Oper (»Jakub a Katha«, 1871).

Koda [italien. »Schwanz«] *die* (Coda), in der Musik der an eine Komposition angehängte Schlussteil, bes. eines Sonatensatzes.

Kodály ['koda:j], Zoltán, ungar. Komponist, *Kecskemét 16. 12. 1882, †Budapest 6. 3. 1967; lehrte seit 1907 an der Budapester Musikakademie; Volksliedsammler und -forscher (zus. mit B. Bartók). Seine Werke stellen eine Synthese von westeurop. Kunst- und ungar. Volksmusik dar.

Werke: Psalmus hungaricus (1923); die Singspiele Háry János (1926), Székler Spinnstube (1924–32), Czinka Panna (1946–48); Tänze aus Galánta (1933); Lieder, Chöre, Kammermusik.

Kode [ko:t], eingedeutscht für →Code.

Kodein, →Codein.

Köderflugkörper, von strateg. Angriffsflugzeugen (Bombern) gestartete und diesen vorausfliegende Flugkörper, welche die gegner. Luftverteidigung täuschen und auf sich lenken (ködern) sollen.

Kodex [lat.] *der,* **1)** (Codex), Buchform, die in der Spätantike und im MA. an die Stelle der Buchrolle trat; der K. ist rechteckig, besteht aus Lagen von Pergamentblättern in Holzdeckeln, die mit Leder, Edelmetall u.a. überzogen sein können. (→Codex argenteus, →Codex aureus).

2) (Ehren-K.), die Regeln und Verhaltensweisen, deren Beachtung von den Angehörigen einer bestimmten Gesellschaftsgruppe erwartet wird.

Kodiak Island ['kəʊdɪæk 'aɪlənd], gebirgige, fjordreiche Insel vor der S-Küste von Alaska, USA, 8975 km², 7100 Ew.; Hauptort: Kodiak (bed. Fischereihafen).

Kodifikation [lat.] *die,* Zusammenfassung des Stoffes eines oder mehrerer Rechtsgebiete in systematisch aufgebauten Gesetzen oder Gesetzbüchern.

Kodizill [lat.] *das,* im röm. und noch heute im österr. Recht (§ 553 ABGB) letztwillige Verfügung, die keine Erbeinsetzung oder Enterbung, sondern andere Anordnungen enthält.

Koedukation ['ko-, -'tsjo:n, zu lat. educatio »Erziehung«], die gemeinsame Erziehung von Jungen und Mädchen in der Schule. Sie wurde in der Bundesrep. Dtl. Ende der 1960er-Jahre realisiert, um die Gleichbehandlung von Mädchen und gleiche Chancen für Frauen zu fördern. Es hat sich jedoch erwiesen, dass Jungen im Schnitt aggressiver sind, im Unterricht größere Aufmerksamkeit auf sich ziehen und Mädchen sich in den Hintergrund drängen lassen. Heute werden Modifikationen gefordert, so zeitweise Geschlechtertrennung, bes. für bestimmte Fächer.

Ko|effizient [lat.] *der,* **1)** *Mathematik:* konstanter Faktor vor einer veränderl. Größe.

2) *Physik* und *Technik:* Größe, die den Einfluss einer Stoffeigenschaft oder eines Systems auf einen physikal. Zusammenhang kennzeichnet, z.B. Absorptions- oder Diffusionskoeffizient.

Koenig ['kø-], **1)** Friedrich, Buchdrucker, *Eisleben 17. 4. 1774, †Oberzell (heute zu Zell a. Main) 17. 1. 1833; entwickelte mit A. F. Bauer 1812 die Zylinderdruckmaschine (Flachformzylinderpresse, Schnellpresse) für den Buchdruck.

2) Fritz, Bildhauer, * Würzburg 20. 6. 1924; fasste in seinen freiplast. Arbeiten aus Bronze seit Mitte der 50er-Jahre figurale Elemente durch rhythm. Wiederholung zu Gruppen, Reihen und Mengen zusammen, seit den 60er-Jahren geht er in seinen Kompositionen von Elementarformen aus; u.a. Brunnenskulptur vor dem World Trade Center in New York (1967–72).

Fritz Koenig: Die Brunnenskulptur vor dem World Trade Center in New York entstand 1967–72

3) [kø'nig], Marie Pierre, frz. General, * Caen 10. 10. 1898, † Neuilly-sur-Seine 3. 9. 1970; schloss sich 1940 nach der Niederlage Frankreichs Gen. Ch. de Gaulle an. 1944 wurde er Oberbefehlshaber der frz. Truppen in Großbritannien und der Résistance-Verbände. 1945–49 war er Oberbefehlshaber der frz. Truppen in Dtl. und zugleich Militärgouv. in der frz. Zone; 1954 und 1955 Verteidigungsminister.

Koeppen ['kœ-], Wolfgang, Schriftsteller, * Greifswald 23. 6. 1906, † München 15. 3. 1996; war Schauspieler, Dramaturg, Feuilleton-Redakteur. Seine zeitkrit. Romane (»Eine unglückliche Liebe«, 1934; R.-Trilogie: »Tauben im Gras« 1951, »Das Treibhaus«, 1953, »Der Tod in Rom«, 1954; »Morgenrot«, 1987) sind von moderner Romankunst (innerer Monolog, film. Schnitt- und Rückblendetechnik) bestimmt; daneben Filmdrehbücher, Reiseberichte, Essays (»Die elenden Skribenten«, 1981). 1962 Georg-Büchner-Preis. Unter dem Pseud. **Jakob Littner** schrieb er den Roman »Aufzeichnungen aus einem Erdloch«, 1948).

Wolfgang Koeppen

Koerzitivkraft [lat.], *Physik:* → Hysterese.

Koestler ['kœ-], Arthur, engl. Schriftsteller ungar. Herkunft, * Budapest 5. 9. 1905, † (Selbstmord) London 3. 3. 1983; 1931–37 Mitgl. der KP, war 1932/33 in der UdSSR, 1936/37 als Korrespondent im Span. Bürgerkrieg, entfloh 1939 aus einem frz. Gefängnis; 1941/42 in der brit. Armee. In seinen Berichten und Romanen (»Sonnenfinsternis«, R., 1940; »Die Geheimschrift«, Autobiographie, 1954) setzte er sich mit dem Kommunismus auseinander und wandte sich eth. und naturphilosoph. Fragen zu (»Das Gespenst in der Maschine«, Studie, 1967).

Arthur Koestler

Kōetsu, eigtl. Honami K., japan. Maler, Kalligraph, Lackmeister, Töpfer, * Kyōto 1558, † Takagamine (bei Kyōto) 1637, gründete ebd. eine Kolonie für Handwerker und Künstler. Er schuf die Grundlagen eines neuen dekorativen Stils, ausgehend von Motiven des Yamato-e, die er meisterhaft mit der Kalligraphie in Einklang brachte. Er schrieb Gedichte auf Pflanzen- und Landschaftsdarstellungen, die mit Gold- und Silberbrei gemalt waren und meist Sōtatsu zugeschrieben werden.

Koexistenz [lat.], das Nebeneinander unterschiedl. geistiger, ökonom., polit. und gesellschaftl. Systeme. – Nach der Machtübernahme durch N. S. Chruschtschow (1953) wurde die **friedliche K.** zur außenpolit. Leitlinie der UdSSR und der von ihr geführten Staaten. Sie besagte, dass der gesellschaftl. Konflikt zw. den »sozialist.« und »kapitalist.« Staaten ohne den Einsatz militär. Mittel ausgetragen werden soll. Sie ging von der Vermeidbarkeit von Kriegen zw. den Staaten unterschiedl. Gesellschaftssysteme aus, schloss aber »revolutionäre Volkserhebungen« und »nat. Befreiungskriege« gegen »kapitalist.« und »imperialist.« Systeme nicht aus.

Koffein [zu engl. coffee »Kaffee«] *das* (Coffein), in den Samen des Kaffeestrauchs, in den Blättern des Teestrauchs (hier früher Tein gen.) und der Matepflanze sowie in den Früchten des Kakao- und Kolabaums vorkommendes Alkaloid (chemisch das 1,3,7-Trimethylxanthin, $C_8H_{10}N_4O_2$); auch synthetisch herstellbar. K. wirkt in den übl. Dosen (eine Tasse Kaffee enthält etwa 100 mg) erregend auf das Zentralnervensystem, bes. die Großhirnrinde (klarerer Gedankenfluss, Verzögerung oder Unterdrückung des Müdigkeitsgefühls), sowie das Atem- und Gefäßzentrum; es beschleunigt die Herztätigkeit und wirkt herzkranzgefäßerweiternd und diuretisch. Überdosierung von K. führt zu Unruhe, Gedankenflucht, Schweißaus-

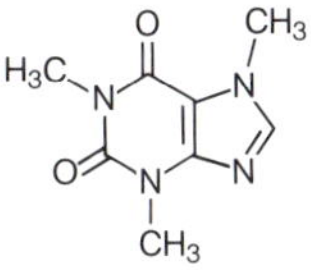

Koffein

Kōetsu: Kalligraphie (etwa zwischen 1606 und 1615; Berlin, Museum für Ostasiatische Kunst)

brüchen, Schlaflosigkeit, Muskelzittern, extrem hohe Dosierung zu Krämpfen **(K.-Vergiftung).**

Kofferfische (Ostraciontidae), zu den Haftkiefern gehörende Familie etwa 10–50 cm langer Knochenfische in trop. Küstengebieten, bes. in Korallenriffen. Körper kastenförmig mit einem aus Platten bestehenden Knochenpanzer.

Köflach, Stadt in der Steiermark, Österreich, 11300 Ew.; Museum; Braunkohlenbergbau (seit 1768); Glasind., Schuhfabrik. In der Nähe das Gestüt **Piber** mit Lipizzanerzucht. – Stadtrecht 1939.

Kofler, Leo, Philosoph und Soziologe, *Chocimierz (Polen) 26. 4. 1907, †Köln 29. 7. 1995; von M. Adler und G. Lukács beeinflusster Theoretiker des Marxismus (»Zur Gesch. der bürgerl. Gesellschaft«, 1948; »Soziologie des Ideologischen«, 1975; »Geistiger Verfall und progressive Elite«, 1981; »Der Alltag zw. Eros und Entfremdung«, 1982).

Kōfu, Hptst. der Präfektur Yamanashi, auf Honshū, Japan, 199800 Ew.; Mittelpunkt des japan. Weinbaus; Seidenweberei, Glasind., Edelsteinschleifereien.

Kog *der,* der →Koog.

Kogan, Leonid Borissowitsch, russ. Violinist, *Dnjepropetrowsk (Ukraine) 14. 11. 1924, †Moskau 17. 12. 1982; Solist an der Moskauer Philharmonie.

Køge ['kø:ɣə], Stadt in Dänemark, an der O-Küste Seelands; 38200 Ew.; Seifen-, Gummi-, Holz- u. a. Ind.; Badeort und Naherholungsort von Kopenhagen. – Fachwerkhäuser, u. a. »Spindehus« (Museum). – Stadtrecht 1288.

Kogel, *der* (Kofel), süddt. und österr. Bez. für kegel- oder haubenförmige Bergspitze.

Kogge, gedrungenes, breites Handels- oder Kriegsschiff des 13.–15. Jh., bes. der Hanse; urspr. nur einmastig, später zwei- oder dreimastig und mit Vor- und Achterkastell für Bewaffnung. Das Ruderblatt war erstmals am Hintersteven angebracht; Tragfähigkeit zw. 100 und 300 t.

Kognak ['kɔɲak] *der,* umgangssprachlich für Weinbrand. (→Cognac)

Kognaten [lat.], im röm. und dt. Recht die Blutsverwandten. Die Verwandtschaft beruht auf der gemeinsamen Abstammung von einem Mann oder einer Frau; Ggs.: Agnaten.

Kognition [lat. »das Erkennen«, »Kennenlernen«] *die,* Sammelbez. für alle Prozesse und Strukturen, die mit dem Wahrnehmen und Erkennen zusammenhängen.

Eugen Kogon

Kogon, Eugen, Publizist und Politikwissenschaftler, *München 2. 2. 1903, †Falkenstein (heute zu Königstein im Taunus) 24. 12. 1987; als Gegner des Nationalsozialismus 1939–45 im KZ, gründete 1946 die »Frankfurter Hefte« und gab sie seitdem auch heraus. 1949–53 war er der erste Präs. der Europa-Union in Dtl.; 1951–68 Prof. für Politikwiss. an der TH Darmstadt. – *Weiteres Werk:* Der SS-Staat. Das System der dt. Konzentrationslager (1946).

kohärent [lat.], zusammenhängend.

kohärente Einheit, →Einheitensystem.

kohärente Optik (Kohärenzoptik), Teilgebiet der modernen Optik, das sich mit der lichtopt. Abbildung durch zeitlich und räumlich kohärente Strahlungsfelder beschäftigt.

Kohärenz [lat.] *die, Physik:* das Vorliegen zeitlich unveränderl. Beziehungen zw. den Phasen sich überlagernder Wellenzüge, allg. zw. (den Zufallsgrößen von) beliebigen stochast. Prozessen; Ggs.: **Inkohärenz.** Kohärenz ist die Voraussetzung für →Interferenz. Im Ggs. zum natürl. Licht, das inkohärent ist, sind nur Strahlenbündel, die vom selben Flächenelement einer Lichtquelle ausgehen (bzw. von zwei →Lasern derselben Art) kohärent.

Kohärenzlänge, der größte Lichtwegunterschied zweier Strahlenbündel, bei dem noch →Interferenz beobachtbar ist; sie kann bei Lasern mehrere Meter betragen.

Kohäsion [lat.] *die,* Zusammenhalt der Atome und Moleküle *eines* Stoffes durch zwischenmolekulare Anziehungskräfte **(K.-Kräfte);** das Aneinanderhaften versch. Stoffe beruht dagegen auf →Adhäsion. Die K. bewirkt die Zerreißfestigkeit der Festkörper und die Oberflächenspannung bei Flüssigkeiten.

Kohäsionsfonds [-fɔ̃], 1993 von der EU geschaffenes strukturpolit. Instrument zur Förderung des wirtsch. und sozialen Zusammenhalts in der Gemeinschaft.

Kohelet [hebr.] *der,* Buch des A. T., →Prediger Salomo.

Kohima, Hptst. des ind. Bundesstaates Nagaland, 53100 Ew.; Marktort.

Kohinoor [kohi'nu:r, pers.] *der* (Koh-i-Nur), großer Diamant im brit. Kronschatz von 106 Karat.

Kohl [aus lat. caulis] (Brassica), Gattung der Kreuzblütler mit etwa 30 meist ein- oder zweijährigen Arten (v. a. im Mittelmeergebiet). Der K. i. e. S. ist der **Gemüse-K. (Garten-K.,** Brassica oleracea), eine zwei- oder mehrjährige (als Kulturform auch einjährige) Pflanze mit kräftigem Stiel, dicken Blättern und schwefelgelben (seltener weißen) Blüten in locker verzweigtem, traubigem Blütenstand. Der Gemüse-K. ist eine alte Kulturpflanze mit zahlr. Zuchtformen, die sich morphologisch in Blätter-K. (z. B. Grün-K.), Stamm-K. (z. B. K.rabi), Kopf-K. (z. B. Weiß-K.) und Infloreszenz-K. (z. B. Blumen-K.) unterscheiden lassen. Neben dem Gemüse-K. sind zahlr. andere K.arten in Kultur, so z. B. China-K., Raps, Rübsen.

Kohl, Helmut, Politiker (CDU), *Ludwigshafen 3. 4. 1930; studierte Geschichte, Rechts- und

Staatswiss.(en); 1959–76 MdL; setzte als MinPräs. von Rheinl.-Pf. (1969–76) eine Verwaltungsreform durch. 1969–73 war er stellv. Bundesvors. der CDU. Im Mai 1973 übernahm K. den Vorsitz der CDU auf Bundesebene (zuletzt 1996 wieder gewählt). Seit 1976 MdB, war er 1976–82 Vors. der CDU/CSU-Bundestagsfraktion, 1976 Kandidat von CDU und CSU für das Amt des Bundeskanzlers. Am 2. 10. 1982 wählte ihn der Bundestag im Zuge eines konstruktiven Misstrauensvotums gegen H. Schmidt (SPD) zum Bundeskanzler (durch die Wahlen von 1983 und 1987 bestätigt). Mit starkem Engagement setzte er sich für die Durchführung des NATO-Doppelbeschlusses ein.

Angesichts des polit. Umbruchs in der DDR Ende 1989 ergriff K. zielstrebig die Gelegenheit, die staatl. Einheit Dtl.s wieder herzustellen. Er schlug zunächst (Nov. 1989) einen (nicht befristeten) Zehn-Punkte-Stufenplan zu einer bundesstaatl. Vereinigung beider dt. Staaten vor, setzte sich jedoch bereits seit Ende Dez. 1989 mit Nachdruck für eine zügige Verwirklichung der Vereinigung der beiden dt. Staaten und ihre außenpolit. Absicherung ein. Seit dem 3. 10. 1990 der erste Bundeskanzler des wieder vereinigten Dtl.s, wurde K. nach den (gesamtdt.) Bundestagswahlen von Dez. 1990 und Okt. 1994 vom Bundestag im Amt bestätigt.

In seiner Regierungspolitik war K. bestrebt, den dt. Einigungsprozess in enger Abstimmung mit den europ. Partnern und den USA zu gestalten. Die von ihm geführte Koalitionsreg. (CDU/CSU und FDP) trug auch entscheidend zur internat. Stabilität und zur europ. Integration bei. Notwendig gewordene innenpolit. Reformen, insbes. zur Senkung der Arbeitslosigkeit, kamen dagegen nicht voran. Bei den Wahlen zum Bundestag am 27. 9. 1998 erhielten er und die CDU nicht die zur Weiterführung der Reg. erforderl. Stimmen. 1988 erhielt er zus. mit F. Mitterrand den Karlspreis für besondere Verdienste um die europ. Einigung.

📖 *Die dt. Kanzler. Von Bismarck bis K.*, hg. v. W. VON STERNBURG. *Neuausg. Frankfurt am Main 1994.* – BICKERICH, W.: *H. K. Kanzler der Einheit. Düsseldorf 1996.* – DREHER, K.: *H. K. Leben mit der Macht. Stuttgart 1998.*

Köhl, Hermann, Flieger, *Neu-Ulm 15. 4. 1888, †München 7. 10. 1938; führte am 12./13. 4. 1928 mit G. Freiherr von Hünefeld und James Fitzmaurice (*1898, †1965) den ersten Nonstopflug über den N-Atlantik in O-W-Richtung durch.

Helmut Kohl

Kohle, Gruppe von kohlenstoffreichen, festen Brennstoffen. I. e. S. die brennbaren Überreste von Pflanzen u. a. organ. Substanzen, die in langen geolog. Zeiträumen durch Inkohlung in braune bis schwarze Sedimentgesteine verwandelt wurden **(Mineral-K.)**; i. w. S. jeder brennbare, braun bis schwarz gefärbte, unter Luftabschluss entstandene Entgasungsrückstand, z. B. Holz-K. Nach der Art der organ. Ausgangsstoffe unterscheidet man bei den Mineral-K. die aus dem Lignin und der Cellulose von Pflanzen hervorgegangene **Humus-K.** von der aus Fetten und Eiweißstoffen des Faulschlamms entstandenen **Sapropel-** oder **Bitumen-K.** (z. B. Boghead-K., Blätter-K., Gagat und Kännel-K.). Entsprechend dem Inkohlungsgrad teilt man ein in →Braunkohle, →Steinkohle und →Anthrazit. – Die Gefügebestandteile der K., die Mazerale, sind bei der Stein-K. oft streifenartig angeordnet.

K. enthält im Wesentlichen die Elemente Kohlenstoff, Wasserstoff, Sauerstoff, Stickstoff und Schwefel. Braun-K. besteht zu 65–75 % aus Kohlenstoff, Stein-K. zu 75–91,5 %. Mit steigendem Inkohlungsgrad erhöht sich der Gehalt an Kohlenstoff, während der Gehalt an flüchtigen Bestandteilen, u. a. Wasserstoff, Sauerstoff (Gasflamm-K.: 35–40 %, Mager-K.: 10–14 %), abnimmt. – K.-Bildung gibt es bereits im Präkambrium **(Schungit)** sowie im Altpaläozoikum. Nach der Entwicklung der Landpflanzen ist ein erster Höhepunkt im Karbon und Perm zu verzeichnen. Im Mesozoikum gibt es nur lokale Vorkommen. Im Tertiär entstanden die großen Braunkohlenlagerstätten.

Wirtschaft: K. dient als Energieträger und Rohstoff. Größere Bedeutung erlangte sie um die Wende des 18./19. Jh. mit der Entwicklung der Eisenbahn und Dampfschifffahrt, der Einführung

Kohle: Zusammensetzung (deutsche Einteilung)

	Wassergehalt (frisch gefördert) in %	flüchtige Bestandteile in %	Kohlenstoff*) in %	Wasserstoff*) in %	Sauerstoff*) in %	Heizwert in kJ/kg
Weichbraunkohle	45-60	70-50	65-70	5-9	18-30	25 100-26 800
Hartbraunkohle	10-30	64-45	70-75	5-6	12-18	26 800-28 500
Flammkohle	4-7	45-40	75-82	5,8-6,0	>9,8	bis 32 850
Gasflammkohle	3-6	35-40	82-85	5,6-5,8	9,8-7,3	bis 33 900
Gaskohle	3-5	28-35	85-87	5,0-5,6	7,3-4,5	bis 35 000
Fettkohle	2-4	19-28	87-89	4,5-5,0	4,5-3,2	bis 35 400
Esskohle	2-4	14-19	89-90	4,0-4,5	3,2-2,8	35 400
Magerkohle	1-3	10-14	90-91,5	3,75-4,0	2,8-2,5	bis 35 600
Anthrazit	<2	6-10	>91,5	<3,75	<2,5	bis 36 000

*) in wasser- und aschefreier Substanz

Kohle: Förderung von Braunkohle (in Mio. t)				
Land	1985	1990	1992	1994
Deutschland	432,8[1]	348,4	241,7	207,1
Russland	153,4[2]	183,6[2]	123,5	115,4
USA	65,7	82,6	81,7	79,9
Polen	57,7	68,0	66,9	67,3
Tschechische Republik	98,6[3]	85,5[3]	68,1	59,6
Griechenland	35,9	49,8	52,3	54,0
Australien	38,4	46,2	50,7	48,6
Türkei	35,5	43,8	48,6	48,5
Welt	1239,9	1177,3	1026,3	949,5

[1] BRD und DDR zusammen. – [2] ehemalige Sowjetunion. – [3] ehemalige Tschechoslowakei

des Kokshochofens (um 1750) in Großbritannien, des Siemens-Martin-Ofens (1864) und des Thomas-Verfahrens (1879) in der Eisen- und Stahlgewinnung, mit der sich schnell ausweitenden Gaswirtschaft sowie dem Bau von Wärmekraftwerken (um 1900). Nach 1920 fand die K. als Rohstoff in der Chemie zunehmende Verwendung. Künftig wird die Bedeutung der K. wesentlich von der Entwicklung des Weltenergiebedarfs und der alternativen Energieträger abhängen. – Die Weltvorräte an gewinnbarer K. werden auf rund 5700 Mrd. SKE Braunkohle und rd. 780 Mrd. t SKE Steinkohle geschätzt.

📖 *Sedimente u. Sedimentgesteine, hg. v.* H. FÜCHTBAUER, *Stuttgart* [4]*1988.* – PAETZ, H. *u. a.: K. – ein Kapitel aus dem Tagebuch der Erde. Leipzig* [2]*1989.*

Kohle: Förderung von Steinkohle (in Mio. t)				
Land	1985	1990	1992	1994
China	872	1080	1116	1206
USA	736	861	823	858
Indien	150	202	238	252
Rep. Südafrika	173	176	174	196
Russland	494[1]	474[1]	193	194
Australien	158	159	175	174
Polen	192	148	132	133
Kasachstan	–	–	127	104
Ukraine	–	–	134	94
Deutschland	82[2]	70	66	54
Welt	3097	3501	3531	3568

[1] ehemalige Sowjetunion. – [2] alte Bundesländer

Kohlechemie, Teilgebiet der Chemie, das sich mit der Aufklärung der Struktur und Zusammensetzung der versch. Kohlen befasst. Zur K. gehören auch alle chem. Prozesse und Verfahren, bei denen Kohle der Ausgangsstoff ist und die der chem. »Veredlung« der Kohle dienen (→Kohleveredlung, →Kohlehydrierung) und sich mit der Weiterverarbeitung der dabei anfallenden Produkte befassen. Mit dem Ausbau der Petrochemie verlor die K. an Bedeutung. Es werden aber noch etwa 15% des Benzols, über 90% des Naphthalins, 25% des Rußes sowie praktisch das gesamte Anthracen und Chinolin aus Kohle hergestellt.

Kohle|entschwefelung, zusammenfassende Bez. für techn. Verfahren, die den Schwefelgehalt von Kohlen und damit die Emission von Schwefeldioxid bei der Verbrennung vermindern. Kohle enthält Schwefel organisch gebunden und als Pyrit (FeS_2). Die **mechanische K.** beruht auf der größeren Absetzgeschwindigkeit der Pyritpartikel, wenn fein gemahlene Kohle mit Wasser aufgeschlämmt oder mit Luft verwirbelt wird. Bei der **chemischen K.** wird das Pyrit z. B. mit Eisensulfatlösung herausgelöst, während es bei der **mikrobiellen K.** durch geeignete Mikroorganismen (z. B. Thiobacillus ferrooxidans) in lösl. Eisensulfat umgewandelt wird.

Kohlefasern (Graphitfasern), →Kohlenstofffasern.

Kohlehydrierung (Kohleverflüssigung), Verfahren zur Herstellung flüssiger Kohlenwasserstoffe aus Kohle und Wasserstoff. Man unterscheidet indirekte Verfahren, denen eine Kohlevergasung vorangeht (z. B. **Fischer-Tropsch-Verfahren**), und direkte Verfahren, z. B. das von F. Bergius 1913 erstmalig durchgeführte und von M. Pier bei der I. G. Farbenindustrie unter Verwendung von Katalysatoren zur techn. Reife entwickelte **Bergius-Pier-Verfahren (IG-Verfahren).** Dabei wurden Kohlen bei bis zu 460 °C und 700 bar mit Wasserstoff umgesetzt. Zw. 1927 und 1945 wurden in Dtl. zwölf Hydrierwerke betrieben. Nach 1945 war die K. wegen der niedrigen Rohölpreise unwirtschaftlich. Nach einigen besonders in Dtl. weiterentwickelten Konzepten wird fein gemahlene Kohle und ein Katalysator mit Mittel- und Schweröl oder anderen Rückständen aus der Petrochemie angemaischt und bei 475 °C und 300 bar mit Wasserstoff behandelt; auch diese Verfahren erwiesen sich jedoch als wirtschaftlich nicht konkurrenzfähig. K. wird heute noch in der Rep. Südafrika industriell betrieben.

Kohlekraftwerk, →Wärmekraftwerk.

Kohlendioxid, CO_2, das Anhydrid der →Kohlensäure, ungenau selbst Kohlensäure genannt; farbloses, nicht brennbares Gas von säuerl. Geschmack. Da seine Dichte etwa 1,5-mal so groß wie die der Luft ist, sammelt sich K. an vertieften Stellen in der Nähe seiner Entstehung (Erstickungsgefahr in Gärkellern; →Mofette). Bei −78,5 °C und Normaldruck geht K. unmittelbar in den festen Zustand über. Unter Druck kann es verflüssigt werden. Die krit. Temperatur des K. liegt bei 31,04 °C, der krit. Druck bei 73,83 bar. Stahlflaschen des Handels enthalten flüssiges K. unter einem Druck von rd. 57 bar bei 20 °C. Infolge des starken Wärmeverbrauchs bei der Verdunstung von flüssigem K. erstarrt ausströmendes, flüssiges

K. teilweise zu einer weißen Masse von festem K. **(Kohlensäureschnee).** Festes K. kommt in Blöcke gepresst als **Trockeneis** in den Handel und dient als Kühlmittel. K. ist in Wasser gut löslich, die Lösung reagiert schwach sauer infolge Bildung der eigentl. Kohlensäure.

K. kommt in der Luft (etwa 0,03 Vol.-%) und in vielen Mineralwässern vor. In gebundenem Zustand ist es als **Calcium-** und **Magnesiumcarbonat** weit verbreitet. Im Laboratorium erhält man K. durch Zersetzung von Carbonaten mit Säuren, technisch durch Verbrennen von Koks mit überschüssiger Luft oder als Nebenprodukt beim Kalkbrennen. K. wird verwendet zur Herstellung künstl. Mineralwässer, in der Kältetechnik, als Feuerlöschmittel, Inertgas, chem. Rohstoff. 4–5% K. in der Atemluft wirken betäubend, mit steigender Konzentration kommt es zu Kopfschmerzen, Schwindel, Krämpfen, Bewusstlosigkeit und Tod durch Ersticken.

K. ist Endprodukt der Verbrennung von Kohlenstoff und aller organ. Substanzen. Die grünen Pflanzen führen mittels Lichtenergie das K. der Luft in organ. Verbindungen über (→Assimilation), die als Nahrung im Tierkörper wieder abgebaut und in K. zurückverwandelt werden. Dieser natürl. Kreislauf des Kohlenstoffs wird in zunehmendem Maße infolge der steigenden Verbrennung fossiler Brennstoffe sowie durch die Abholzung großer Waldgebiete und die nachfolgende Oxidation der Humusschicht gestört und führt zu einer Erhöhung des K.-Gehalts der Atmosphäre. Die K.-Moleküle können Infrarotstrahlung absorbieren und in Wärme umwandeln; K. ist eines der wirksamsten Treibhausgase (→Treibhauseffekt). Die Bundesrep. Dtl. hat sich über die Klimarahmenkonvention hinaus verpflichtet, die K.-Emission bis zum Jahr 2005 um 25–30% zu reduzieren.

📖 *CO_2. Klimabedrohung oder Politik?, bearb. v.* F. BÖTTCHER *u.* H. METZNER. *Bern u.a. 1994.*

Kohlendisulfid, der →Schwefelkohlenstoff.

Kohlenhobel, *Bergbau:* Maschine zur schälenden Kohlegewinnung.

Kohlenhydrate (Kohlenstoffhydrate, Saccharide), in der Natur weit verbreitete Stoffklasse, zu der einfache Zucker (Monosaccharide), Di-, Tri-usw., allg. Oligo- und Polysaccharide gehören. Der Name ist darauf zurückzuführen, dass viele K. die Summenformel $C_n(H_2O)_m$ haben, d.h. formal Hydrate des Kohlenstoffs sind. K. sind jedoch chemisch mehrwertige Alkohole, bei denen eine primäre oder eine sekundäre Hydroxylgruppe zur Aldehydgruppe bzw. Ketogruppe oxidiert ist. Sie werden von Pflanzen durch Photosynthese aus Kohlendioxid und Wasser aufgebaut und v.a. in Form des **Reserve-K.** Stärke in Samen und Knollen (Getreide, Kartoffeln) abgelagert. Als Gerüstsubstanz der pflanzl. Zelle ist Cellulose das in der Natur am weitesten verbreitete K. In tier. (und menschl.) Zellen sind K. (Glucose und das Reserve-K. Glykogen) die wichtigsten Energieträger. 1 g K. liefert eine Energie von 17 kJ (= 4,1 kcal). Der Mensch benötigt mindestens 100–150 g K. täglich.

📖 LEHMANN, J.: *K. Chemie u. Biologie. Stuttgart* [2]*1996.*

Kohlenkalk, *Geologie:* kalkige Faszies des Unterkarbons in Mitteleuropa.

Kohlen|oxid (Kohlenmonoxid), CO, farb- und geruchloses, in Wasser kaum lösl., sehr giftiges Gas, das bei −191,5 °C flüssig und bei −204,0 °C fest wird. K. verbrennt mit bläul. Flamme zu Kohlendioxid (CO_2). Es entsteht bei der Verbrennung von Kohle bei unzureichender Luftzufuhr und ist auch in den Abgasen von Benzinmotoren (Ottomotoren) enthalten. Techn. Darstellung in Form von Generator- und Wassergas aus Ameisensäure und Schwefelsäure. K. ist Ausgangsprodukt vieler großtechn. organ. Synthesen. Reines K. dient in der Metallurgie als Reduktionsmittel und über die Carbonyle zur Gewinnung reiner Metalle.

Kohlen|oxidvergiftung (Kohlenmonoxidvergiftung), Gasvergiftung durch Einatmen von Kohlenoxid (CO); häufige Unfallursache im privaten Bereich (Leuchtgas, Auspuffgase) und in der Ind.; die Giftigkeit des CO beruht auf seiner gegenüber Sauerstoff 300-mal größeren Affinität zu Hämoglobin. Da das mit CO beladene Hämoglobin keinen Sauerstoff mehr transportieren kann, kommt es zum Sauerstoffmangel in den Geweben. Symptome sind Kopfschmerzen, Sehstörungen, Erbrechen, Schwindel, Steigerung der Puls- und Atemfrequenz, Bewusstlosigkeit. Der Tod tritt infolge Atemlähmung und Herzversagens ein.

Kohlensäure, H_2CO_3, schwache Säure, die in geringer Menge beim Auflösen von Kohlendioxid in Wasser entsteht: $CO_2 + H_2O \rightleftharpoons H_2CO_3$. K. ist rein nicht isolierbar. Als zweibasige Säure bildet K. **Hydrogencarbonate,** z.B. Natriumhydrogencarbonat, $NaHCO_3$ (Natron), und **Carbonate,** z.B. Natriumcarbonat, Na_2CO_3. Alle Carbonate außer denen der Alkalimetalle sind in Wasser schwer löslich; sie sind in der Natur weit verbreitet. Die Hydrogencarbonate sind meist leichter löslich und oft nur in Lösung beständig. – Ungenau verwendet man den Begriff K. auch für das Kohlendioxid.

Kohlensäurediamid, der →Harnstoff.

Kohlenstaub, staubförmig-feinkörnige Kohle, die beim Mahlen von Kohle entsteht und zur Befeuerung von Kohlekraftwerken dient. K.-Luft-Gemische sind durch eine heiße Flamme entzündbar **(K.-Explosion).** Der in Kohlengruben anfallende K. muss zur Vermeidung von Schlagwetterexplosionen (→Schlagwetter) abgesaugt oder gebunden werden.

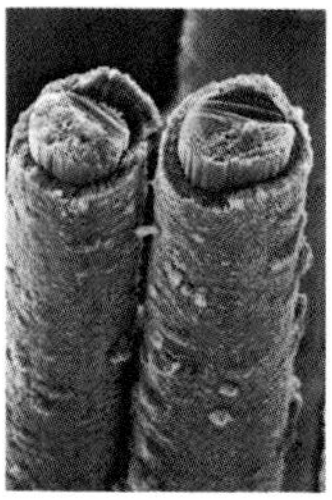

Kohlenstofffasern (von oben): unbeschichtete (400fache Vergrößerung) und metallbeschichtete Kohlenstofffasern (1 000fache Vergrößerung)

$CH_3-CH_2-CH_2-CH_3$

Alkan

$HC\equiv C-CH_3$

Alkin

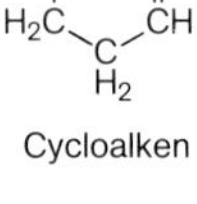

Cycloalken

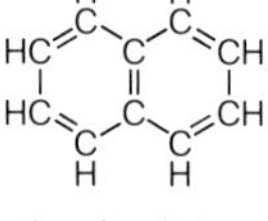

kondensierter Kohlenwasserstoff

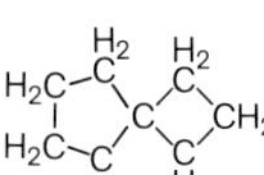

Spiro-Kohlenwasserstoff

Kohlenwasserstoffe

Kohlenstoff, chem. Symbol **C,** nichtmetall. Element aus der 4. Hauptgruppe des Periodensystems. Ordnungszahl 6, relative Atommasse 12,011, Dichte je nach Modifikation unterschiedlich, Schmelzpunkt >3550 °C, Siedepunkt 4827 °C. – Natürl. Isotope sind ^{12}C, ^{13}C und ^{14}C. Die Masse des Isotops ^{12}C, das 98,89 % des natürl. K. bildet, wird seit 1962 als Standard für die Festlegung von Atommassen verwendet. Das radioaktive ^{14}C wird zur Altersbestimmung benutzt (→Radiocarbonmethode). – K. tritt in drei Modifikationen auf, als hexagonaler →Graphit, kub. →Diamant und in Form von →Fullerenen. Diamant wandelt sich beim Erhitzen unter Luftabschluss auf 1650–1800 °C spontan in Graphit um, der umgekehrte Prozess ist nur bei hohen Drücken und Temperaturen durchführbar. **Ruß, Holzkohle, Koks** sind versch. Erscheinungsformen des K., zu Tier- oder Holzkohle →Aktivkohle. – K. ist chemisch reaktionsträge, setzt sich aber bei höherer Temperatur mit Wasserstoff, Sauerstoff und zahlr. Metallen um. Seine Fähigkeit, als einziges Element durch Ein- und Mehrfachbindungen mit sich selbst Ketten und Ringe von fast beliebiger Länge und Anordnung zu bilden, ist die Grundlage der organ. Chemie (→Kohlenstoffverbindungen). K. ist in Form der Carbonate ein wichtiger Bestandteil gesteinsbildender Minerale. Als →Kohlendioxid kommt K. im Wasser und in der Atmosphäre vor.

Kohlenstoffbrennen, gebräuchl., aber unwiss. Bez. für die Umwandlung von Kohlenstoff in schwerere Elemente im Zentrum massereicher Sterne in einer späten Phase der →Sternentwicklung bei Temperaturen um 500 Mio. Kelvin.

Kohlenstofffasern (Carbonfasern), anorgan. Fasern, die aus Polyacrylnitril, Celluloseacetat oder aus dem teerartigen Rückstand der Erdölraffination gewonnen werden. Die Faserherstellung erfolgt in drei Schritten: Überführen in eine unschmelzbare Form, unter Streckung, durch Luftoxidation bei 200–300 °C (Stabilisierung), Carbonisation unter Abspaltung flüchtiger Produkte bei 1200–1500 °C und schließlich Graphitisierung bei 2000–3000 °C. – Bei der Carbonisation entstehen hochfeste **(HF-K.)** und bei der Graphitisierung Hochmodul-K. **(HM-K.),** die gelegentlich auch als Graphitfasern bezeichnet werden. Zur Herstellung von carbonfaserverstärkten Kunststoffen (CFK) werden die K. noch einer (oxidativen) Oberflächenbehandlung unterzogen, um eine bessere Adhäsion zw. Faser und Kunststoff zu erhalten; zur Herstellung kompakter Teile werden die unbeschichteten K. mit Metallen beschichtet, gepresst und gesintert. K. sind hochfest, temperatur- und korrosionsbeständig, bes. zugfest (HF-K.) oder elastisch (HM-K.) und haben eine wesentlich geringere Dichte als Metalle. Sie finden u.a. Anwendung bei der Herstellung von Fahrzeugbauteilen, Sportgeräten, medizin. Implantatwerkstoffen und in der Elektronikindustrie.

Kohlenstoffkreislauf, die zykl. Umsetzung des Kohlenstoffs in der Biosphäre. – Der auf etwa 26×10^{15} t geschätzte Gesamtvorrat an Kohlenstoff auf der Erde liegt fast völlig in Form anorgan. Verbindungen vor, davon über 99 % in Sedimenten, (Carbonatgesteine), der Rest findet sich als gelöstes Kohlendioxid sowie in Form von Hydrogencarbonat- bzw. Carbonationen in Gewässern und als gasförmiges Kohlendioxid in der Atmosphäre. Der organ. gebundene Teil (0,05 %) ist zu 64 % in fossilen Lagerstätten (Torf, Kohle, Erdöl, Erdgas), zu 32 % in organ. Abfällen (Tier-, Pflanzenreste) zu finden. Der K. wird im Wesentlichen durch die Organismen in Gang gehalten. Ca. 6–7 % des in der Atmosphäre und im Oberflächenwasser vorhandenen Kohlendioxids werden jährlich von autotrophen Pflanzen photosynthetisch in organ. Verbindungen festgelegt; davon kehrt ein Drittel über die pflanzl. Atmung wieder in die Luft bzw. das Wasser zurück, während zwei Drittel in die Nahrungsketten der heterotrophen Organismen eintreten, in deren Ablauf alle Kohlenstoffverbindungen über Atmung, Gärung und Verwesung wieder zu →Kohlendioxid um- und freigesetzt werden.

Kohlenstoffmethode (C-14-Methode), die →Radiocarbonmethode.

Kohlenstoff-Stickstoff-Zyklus, der →Bethe-Weizsäcker-Zyklus.

Kohlenstoffverbindungen, chem. Verbindungen des Kohlenstoffs, gekennzeichnet v.a. durch die Verknüpfung von Kohlenstoffatomen miteinander, wie sie in den Grundgerüsten der organ. Verbindungen vorliegt. Die Kohlenstoffatome sind durch Einfachbindungen **(gesättigte K.)** oder durch Doppel- und Dreifachbindungen **(ungesättigte K.)** zu einem stabilen Kohlenstoffgerüst verknüpft. Die derart aufgebauten Kohlenstoffgerüste besitzen »freie Valenzen« zur Bindung anderer Elemente, im einfachsten Fall von Wasserstoff (→Kohlenwasserstoffe). Die riesige Zahl der K., die die aller anderen chem. Verbindungen weit übersteigt, wird dadurch ermöglicht, dass außer Wasserstoff beliebige andere Atome oder Atomgruppen als **funktionelle Gruppen** den Gerüsten der K. angeheftet sein können. Durch →Isomerie vervielfachen sich Strukturmöglichkeiten bei K. Bes. wichtige K. sind →Kohlenwasserstoffe, →Kohlenhydrate, →Fette, →Proteine, →Aromaten. Anorgan. K. sind →Carbide, →Kohlenoxid, →Kohlendioxid, →Kohlensäure.

Kohlenwasserstoffe, chem. Verbindungen, die nur aus Kohlenstoff (C) und Wasserstoff (H) aufgebaut sind. In den K. sind Kohlenstoffatome durch kovalente Bindungen zu geraden oder verzweigten Ketten **(azykl.** oder **aliphat. K.)** oder Ringen **(zykl. K.)** miteinander verbunden. Die **Alkane** sind gesättigte azykl. K. (d.h. mit Einfachbindung). Azykl. K. mit Doppel- oder Dreifachbindung werden als **Alkene** bzw. **Alkine** bezeichnet. Gesättigte zykl. K. heißen analog **Cycloalkane,** solche mit Doppelbindung **Cycloalkene.** Sie ähneln in ihren Eigenschaften den aliphat. K. und werden deshalb auch **alizykl.** (= **ali**phatisch-**zyk**lisch) **K.** genannt. Zykl. K., die sich vom Benzol ableiten, werden als Aromaten bezeichnet. **Polyzykl. K.** enthalten mehrere Ringsysteme. Sind mindestens zwei weitgehend ungesättigte Ringe über mindestens zwei gemeinsame C-Atome miteinander verbunden, spricht man von **kondensierten polyzykl. K.** Bei verbrückten polyzykl. K. haben mindestens zwei gesättigte Ringe wenigstens zwei gemeinsame C-Atome. In **Spiro-K.** sind zwei Ringe über ein einziges C-Atom miteinander verbunden.

K. mit bis zu vier C-Atomen sind bei Raumtemperatur und Atmosphärendruck Gase. Mit steigender C-Zahl bilden K. zunächst leicht bewegl., dann ölige Flüssigkeiten und schließlich Feststoffe. Alle K. lassen sich zu Kohlendioxid und Wasser verbrennen. – K. sind Bestandteile von Erdgas, Erdöl und Steinkohlenteer. Bestimmte K. kommen auch im Pflanzen- (z.B. Terpene) und Tierreich (z.B. Steroide) vor. – Synthetisch lassen sich K. durch →Kohlehydrierung herstellen. – K. spielen als Bestandteile von Kraftstoffen, Heizölen, Lösungsmitteln sowie als chem. Rohstoffe (→Petrochemie) eine große Rolle.

Kohlepapier, meist einseitig mit einer farbabgebenden Schicht (urspr. nur Kohlenruß mit einem Bindemittel) beschichtetes dünnes Papier, das als Zwischenlegepapier bei Schreibarbeiten die Anfertigung von Kopien gleichzeitig mit dem Original ermöglicht. Heute vielfach durch **Reaktionsdurchschreibpapier (Selbstdurchschreibpapier)** ersetzt, bei dem sich keine äußerlich sichtbare Farbschicht auf der Papieroberfläche befindet. Die zum Durchschreiben notwendigen Farben sind vielmehr in einer als Funktionsstrich bezeichneten Beschichtung als farbstoffgefüllte Kunstharzbläschen eingeschlossen, die bei Druckeinwirkung partiell aufplatzen und auf den versch. Durchschlagblättern Farbreaktionen hervorrufen.

Kohlepfennig, eine 1974 eingeführte Ausgleichsabgabe auf den Stromverbrauch, die von den Elektrizitätsversorgungsunternehmen (EVU) zu entrichten war und von ihnen an die Verbraucher weitergegeben wurde. Der K. diente dazu, den Einsatz der im Vergleich zu importierten Energieträgern teureren dt. Steinkohle finanziell zu fördern. Mit Beschluss vom 11. 10. 1994 hat das Bundesverfassungsgericht den K. als verfassungswidrige Sonderabgabe gewertet, sodass er seit 1996 nicht mehr erhoben wird. Die Kohlesubventionierung muss seither aus allgemeinen Haushaltsmitteln bestritten werden. Im Zusammenhang mit dem Auslaufen des **»Jahrhundertvertrags«** (Vereinbarung zw. den Bergwerksunternehmen und den dt. EVU über die Verwendung einer vereinbarten Menge einheim. Steinkohle zur Energieerzeugung) wurde 1994 festgelegt, die Subventionierung der Verstromung dt. Steinkohle auf 7,5 Mrd. DM 1996 bzw. jährlich 7 Mrd. DM (1997 bis 2000) zu begrenzen.

Köhler, 1) Kohlenbrenner, →Köhlerei.

2) (Pollachius virens), zu den Dorschartigen gehörender, über 1 m langer Raubfisch der nordatlant. Küsten und der Nordsee; kommt als Seelachs in den Handel, frisch oder geräuchert und gefärbt wird er als Lachsersatz verwendet.

Georges Köhler

Köhler, 1) Georges Jean Franz, Immunologe, *München 17. 4. 1946, †Freiburg im Breisgau 1. 3. 1995; seit 1984 ebd. am Max-Planck-Institut tätig. K. revolutionierte die theoret. und angewandte Immunforschung mit den von ihm erstmals hergestellten monoklonalen Antikörpern. Hierfür erhielt er 1984 mit N. K. Jerne und C. Milstein den Nobelpreis für Physiologie oder Medizin.

2) Wolfgang, Psychologe, *Reval 21. 1. 1887, †Lebanon (N. H.) 11. 6. 1967; emigrierte 1935 in die USA; gehört mit seinen gestaltpsycholog. Arbeiten zu den Hauptvertretern der Berliner Schule.

Werke: Intelligenzprüfungen an Anthropoiden (1917); Die phys. Gestalten in Ruhe und im stationären Zustand (1920); Psycholog. Probleme (1929).

Köhlerei, handwerkl. Form der Holzkohleherstellung. Lufttrockenes Holz von 1–2 m Länge wird um einen aus Stangen errichteten Feuerschacht **(Quandel)** dicht gesetzt und mit einer luftdichten, feuerfesten Decke aus lehmiger Erde, Moos, Laub und grünem Rasen bedeckt. Angezündet wird der fertige **Meiler** im Quandel, der mit leicht brennbarem Material locker angefüllt ist. Er muss zum Einsetzen des Kohlungsprozesses eine Temperatur von 300–350 °C besitzen. Durch Steuerung der Luftzufuhr kann vermieden werden, dass er erlischt oder verbrennt. Die Ausbeute beträgt für die meisten verwendeten Holzarten um 20–25 Gew.-%, bezogen auf trockenes Holz.

Kohl|eule (Mamestra brassicae, Barathra brassicae), Eulenschmetterling, dessen Raupe an Kohlpflanzen frisst **(Herzwurm).** BILD S. 404

Kohleveredlung, alle Prozesse zur Wertsteigerung der geförderten Kohle. Mechan. und physikal. Verfahren umfassen die Methoden der Kohleaufbereitung; therm. Verfahren sind die Schwelung und die Verkokung; chem. Verfahren sind die Aufarbeitung von Kohlewertstoffen (Rohteer, Rohbenzol), die →Kohlehydrierung und die

→Kohlevergasung. Auch die Umwandlung in höherwertige Energie bzw. in gasförmige Brenn- und Heizstoffe sind K.-Verfahren.

Kohleverflüssigung, die →Kohlehydrierung.

Kohleule: Schmetterling (Körperlänge 26–29 mm) und Raupe (Größe etwa 4 cm)

Kohlevergasung, Umsetzung der organ. Kohlesubstanz mit Vergasungsmitteln wie Sauerstoff, Luft, Wasserdampf u.a. zu Brenn- und Synthesegasen. Wichtige Vergasungsreaktionen sind:

1)	$C + {}^1\!/_2 O_2 \rightleftharpoons CO$	exotherm
2)	$C + H_2O \rightleftharpoons CO + H_2$	endotherm
3)	$C + 2H_2 \rightleftharpoons CH_4$	exotherm
	C = Kohlenstoff	H = Wasserstoff
	O = Sauerstoff	CH_4 = Methan

Für die K. sind Mindesttemperaturen von etwa 700 °C (Braunkohle) und 900 °C (Steinkohle) erforderlich, die bei der **autothermen K.** durch die exotherme Reaktion 1) erreicht werden. Höhere Gasausbeuten können ohne Sauerstoffzufuhr erzielt werden, wenn die für Reaktion 2) erforderl. Energie von außen zugeführt wird **(allotherme K.).** Seit 1930 wurde Synthesegas für die Ammoniaksynthese durch Vergasung von feinkörniger Kohle mit Sauerstoff und Dampf in der Wirbelschicht hergestellt (Winkler-Verfahren). Bei der Lurgi-Druckvergasung von stückiger Kohle begünstigt der erhöhte Druck (10–30 bar) die Methanbildung und führt zu einem Gas mit höherem Brennwert. Die Vergasung von Kohle in der Lagerstätte wird als →Untertagevergasung bezeichnet.

Kohlfliegen (Phorbia), Gattung der Blumenfliegen, deren weiße Maden **(Kohlmaden)** Kohlarten u.a. Kreuzblütler befallen und Wurzeln sowie Stängel zerstören.

Kohlgrub, →Bad Kohlgrub.

Kohlhase, Hans, Kaufmann, † (gerädert) Berlin 22. 3. 1540; geriet 1532 wegen zweier Pferde in Streit mit dem sächs. Junker G. von Zaschwitz und erließ, da er sein Recht nicht fand, 1534 einen Fehdebrief gegen ihn und ganz Kursachsen. Als er sich auch gegen seine märk. Landsleute wendete, wurde er nach Berlin gelockt und zum Tode verurteilt. – Novelle von H. von Kleist (»Michael Kohlhaas«, 1810).

Kohlhernie [lat. hernia »Eingeweidebruch«], durch den Pilz Plasmodiphora brassicae an Kohl u.a. Kreuzblütlern hervorgerufene kropfartige Wurzelverdickungen (»Kropfkrankheit«, »Knotensucht«); die Pflanzen kümmern und welken.

Kohlrabi: Grüne und violette Sorte

Friedrich Kohlrausch

Kohlmeise, Singvogel, →Meisen.

Kohlrabi [von italien. cavoli rape, zu cavolo »Kohl« und rapa »Rübe«] (Oberrübe, Brassica oleracea var. gongylodes), Kulturform des Gemüsekohls (→Kohl), bei der durch kräftige Verdickung der Sprossachse (oberirdisch) apfelgroße, fleischige Knollen entstehen.

Kohlrausch, **1)** Eduard, Strafrechtslehrer, * Darmstadt 4. 2. 1874, † Berlin 22. 1. 1948; bemühte sich um eine Strafrechtsreform im Sinne seines Lehrers F. von Liszt; Mitherausgeber eines Standardkommentars zum StGB.

2) Friedrich Wilhelm Georg, Physiker, * Rinteln (Weser) 14. 10. 1840, † Marburg 17. 1. 1910; 1895–1905 Präs. der Physikalisch-Techn. Reichsanstalt in Berlin-Charlottenburg. K. untersuchte das Leitvermögen der Elektrolyte, fand das nach ihm benannte Gesetz von der unabhängigen Wanderung der Ionen, entwickelte neue elektr. und magnet. Messinstrumente und führte Präzisionsbestimmungen der elektromagnet. Grundgrößen aus. Sein »Leitfaden der prakt. Physik« (1870; 24. Aufl. ab 1996) gilt noch heute als das Standardwerk für experimentelle Methoden der Physik.

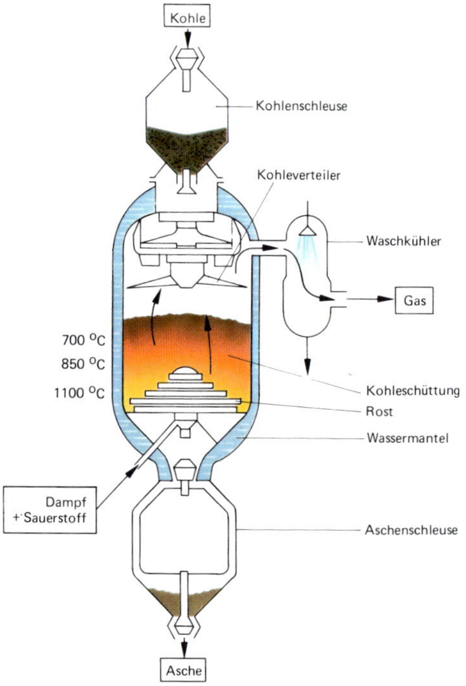

Kohlevergasung: Schema eines Lurgi-Druckvergasers; die Beschickung mit stückiger Kohle erfolgt über die Kohlenschleuse und den Kohlenverteiler; das als Reaktionsprodukt entstehende Gas wird im Waschkühler zunächst von einem Großteil des Schwefeldioxids befreit; der Wassermantel dient der Kühlung des Druckvergasers

Kohlrös|chen (Nigritella), Gattung der Orchideen mit zwei Arten in Gebirgen N- und Mitteleuropas; bis 20 cm hohe Pflanzen auf Bergwiesen mit fast kugeligem, schwarzrotem oder hellrosa Blütenstand (**Schwarzes K.,** Nigritella nigra) oder mit eiförmigem bis zylindr., leuchtend rotem Blütenstand (**Rotes K.,** Nigritella rubra). Beide Arten sind geschützt.

Kohlrübe (Dotsche, Erdkohlrabi, Steckrübe, Wruke, Brassica napus var. napobrassica), aus Wildkohl entstandene Gemüse- und Futterpflanze mit fleischig verdickter essbarer Rübe.

Kohlrübenblattwespe (Rübenblattwespe, Athalia rosae), 6–9 mm lange, rotgelb gefärbte Blattwespe; die Larven **(Afterraupen)** fressen an Raps, Rübsen, Kohlrüben und Senf.

Kohlrüssler (Kohlgallenrüssler, Ceuthorrhynchus pleurostigma), Rüsselkäfer, dessen Larven am Wurzelhals von Kohlgewächsen Gallen hervorrufen.

Kohlsaat, der →Raps.

Kohlschnake (Tipula oleracea), Art der Schnaken mit sehr langen Beinen, deren Larve bes. an Klee, Gras, Getreide und Gemüse schädlich wird, indem sie Blätter und Sprosse abbeißt und an den Wurzeln nagt.

Kohlwanze (Eurydema oleraceum), 5–7 mm lange Schildwanze; metallisch grün oder blau mit gelben oder roten Flecken, saugt an Kohl.

Kohlwanze
(Länge 5-7 mm)

Kohlweißlinge, Arten der Weißlinge, deren Raupen an Kreuzblütlern wie Kohlrüben, Raps und Senf schädlich werden können. Wichtigste Arten: der **Große K.** (Pieris brassicae) mit etwa 6 cm Spannweite und der **Kleine K.** (Pieris rapae) mit etwa 4–4,5 cm Spannweite.

Kohorte [lat. cohors »Schar«, »Gefolge«] *die,* altröm. Truppeneinheit: 1) der 10. Teil einer Legion. 2) Einheit der stadtröm. Truppen (cohortes urbanae), der Feuerwehr Roms (cohortes vigilum) und der Prätorianer (cohortes praetoriae). 3) Infanterie-Hilfstruppen in der röm. Kaiserzeit (500 oder 1000 Mann).

Kohout ['kɔhɔu̯t], Pavel, tschech. Schriftsteller, *Prag 20. 7. 1928; einfallsreicher Bühnengestalter und Experimentator; seine Stücke behandeln aktuelle Probleme, oft Familienleben und Liebe (»So eine Liebe«, Dr., 1958; »August, August, August«, Dr., 1967; »Armer Mörder«, Dr., 1972; »Maria kämpft mit den Engeln«, Dr., 1981); schreibt auch Romane (»Die Henkerin«, 1978; »Wo der Hund begraben liegt«, 1987; »Ich schneie«, 1991). Als Wortführer des »Prager Frühlings« wurde er 1968 aus der KPC ausgeschlossen (Publikationsverbot); Initiator der »Charta 77«; lebte nach der Ausbürgerung (1979) in Wien (1980 österr. Staatsbürger).

Pavel Kohout

Kohoutek-Komet ['kɔhɔutɛk-], von L. Kohoutek (*1935) 1973 entdeckter langperiod. Komet mit einer Umlaufzeit von 75000 Jahren. Er war der erste von einer Raumstation (Skylab) beobachtete Komet.

Koine [grch. »die gemeinsame (Sprache)«] *die,* 1) die als Verkehrssprache dienende →griechische Sprache im Zeitalter des Hellenismus.

2) durch Einebnung von Dialektunterschieden entstandene Sprache.

Ko|inzidenz [lat.] *die,* Zusammenfallen zweier Ereignisse, Zusammentreffen (→Coincidentia Oppositorum).

Ko|inzidenzmessung, ein in der Hochenergie- und Kernphysik übl. Verfahren, Teilchen- oder Gammastrahlen, die einen definierten zeitl. Abstand voneinander haben, zu registrieren sowie auch die Bahnen, Geschwindigkeiten und Reichweiten von Teilchen zu bestimmen. Dabei spricht ein Zählgerät nur dann an, wenn zwei oder mehrere Detektoren innerhalb eines festen Zeitintervalls einen Impuls liefern. Die lineare Anordnung von zwei Detektoren mit Koinzidenzschaltung, von denen der erste einen teilchenspezif. Energieverlust und der zweite die Gesamtenergie misst, wird **Zählerteleskop** gen. Mit der K. können Zeitdifferenzen bis zu 10^{-11} s aufgelöst werden.

Koitus [lat.] *der,* der →Geschlechtsverkehr.

Koivisto, Mauno, finn. Politiker, *Turku 25. 11. 1923; Mitgl. der Sozialdemokrat. Partei, 1966–67 und 1972 Finanzmin., 1968–82 Generaldirektor der Bank von Finnland, 1968–70 und 1979–82 Min.-Präs., war 1981–82 amtierendes Staatsoberhaupt und 1982–94 als Nachfolger U. K. Kekkonens Staatspräs. (1988 Wiederwahl). Nach dem Zerfall der UdSSR setzte K. die Politik der guten Nachbarschaft nunmehr zu Russland fort, förderte zugleich die stärkere Hinwendung zu europ. Institutionen (1995 Beitritt Finnlands zur EU).

Mauno Koivisto

Kojève [kɔʒɛːv], Alexandre, eigtl. A. Koschewnikow, frz. Philosoph russ. Abstammung, *Moskau 1902, †Paris Mai 1968; seit 1933 am Collège de France in Paris, wirkte er mit seinen Interpretationen der Philosophie Hegels nachhaltig auf J.-P. Sartre, M. Merleau-Ponty und die moderne frz. Philosophie ein.

Kojiki [-dʒi-, japan. »Aufzeichnung alter Begebenheiten«], Geschichtswerk, kompiliert 712 n. Chr. von Ō no Yasumaro (†723); erstes japan. Sprachdenkmal; überliefert Mythologie und Geschichte bis zum Jahr 628, als frühe Quelle des Shintō von Bedeutung.

Kojote [aztek.] *der* (Coyote), →Präriewolf.

Kok, Willem (Wim), niederländ. Politiker, *Bergambacht (Prov. Südholland) 29. 9. 1938; Wirtschaftsberater, schloss sich der Sozialdemokratie an, stand 1973–85 an der Spitze der niederländ. Gewerkschaftsbewegung, 1979–82 des Europ. Gewerkschaftsbundes; seit 1994 Ministerpräsident.

Willem Kok

Kokarde: Hoheitszeichen an Militärflugzeugen

Kokain *das* (Cocain), aus den Blättern des Kokastrauchs gewonnenes oder halbsynthetisch hergestelltes Tropanalkaloid (chemisch der Benzoesäureester des Methylecgonins, $C_{17}H_{21}NO_4$). K. ist eines der gefährlichsten und verbreitetsten Rauschgifte. Es besitzt eine zentral stimulierende, lokalanästhet. und gefäßzusammenziehende (sympathikuserregende) Wirkung. K. unterliegt dem Betäubungsmittel-Ges., da seine wiederholte missbräuchl. Anwendung aufgrund seiner euphorisierenden sowie ängstliche Spannungszustände, Hunger und Müdigkeit mildernden Wirkung zur psych. Abhängigkeit (**Kokainismus;** mit raschem Abbau der Persönlichkeitsstruktur) führt. Überhöhte Dosierung führt zu akuten tox. Erscheinungen (Pupillenerweiterung, Herzbeschleunigung, Blutdruckanstieg, zentralnervöse Erregung).

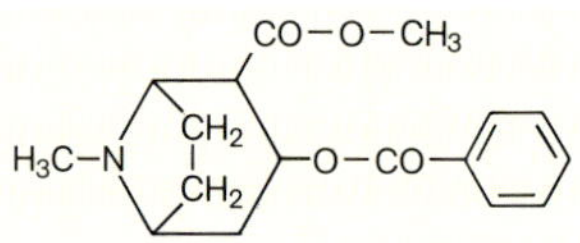

Kokain: Strukturformel

Kokand, Stadt in Usbekistan, im Ferganabecken, 176 000 Ew.; Baumwollverarbeitung, chem., Nahrungsmittelind. – 1732 entstanden, Hptst. des Khanats K., das 1876 an Russland fiel.

Kokarde [frz.] *die,* rundes oder rosettenförmiges Abzeichen an Hut oder Mütze von Uniformen; in Frankreich im 18. Jh. beim Heer eingeführt, in Dtl. seit 1806 in den jeweiligen Landesfarben; wurde auch von Polizei, Zoll, Eisenbahn, Post u. a. Institutionen übernommen. In der K. Dtl. bildet Schwarz die Mitte, Gold den äußeren Ring. K. werden vielfach auch die oft kreisförmigen Hoheitszeichen von Militärflugzeugen genannt.

Kokardenblume (Gaillardia), in Amerika heim. Korbblütlergattung; Kräuter oder Stauden mit lang gestielten, meist großen, gelben oder roten Blütenköpfen; Randblüten meist zungenförmig, als Gartenblumen kultiviert.

Kokarzinogene [grch.], Substanzen, die selbst nicht Krebs erregend wirken (z. B. Phenole), jedoch die Wirkung von Kanzerogenen verstärken (sog. Promotoren).

Kokastrauch (Koka, Coca, Erythroxylum coca), Storchschnabelgewächs in den subandinen Gebieten Perus und Boliviens, auch in Indien und auf Java kultiviert; immergrüner Strauch mit kleinen, gelbl. oder grünlich weißen Blüten und kleinen, ovalen, →Kokain enthaltenden Blättern. – Der Genuss von Kokablättern als leistungssteigerndes, Hunger und Durst linderndes Mittel ist bei den südamerikan. Indianern sehr verbreitet, die daraus unter Zusatz von Pflanzenasche, Kalk und Wasser Kügelchen kneten, aus denen beim Kauen das Kokain langsam freigesetzt wird.

Kolabaum: Blühender Zweig, darunter Samen (links) und Frucht

Kokel *die* (rumän. Târnava), linker Nebenfluss der Maros in Rumänien, rd. 20 km lang; entsteht aus dem Zusammenfluss der **Großen K.** (rumän. Târnava Mare, 223 km) mit der **Kleinen K.** (rumän. Târnava Miča, 183 km). Beide Flüsse entspringen im Harghitagebirge, O-Karpaten, und durchqueren Siebenbürgen in westl. Richtung.

Kokerei, techn. Anlage zur therm. Zersetzung von Kohle unter Luftabschluss **(Verkokung).** Bei niedrigen Temperaturen (um 500 °C) spricht man von **Schwelung.** Große Bedeutung für die Herstellung von Hochofenkoks hat die **Hochtemperaturverkokung** (bei 1 000 °C). Produkte der K. sind →Koks und K.-Gas, ein v. a. aus Wasserstoff, Methan, Stick- und Kohlenstoff bestehendes Gas, das für Heizzwecke verwendet werden kann.

Kokille [frz.] *die,* metall. Gussform. (→Gießverfahren)

Kokken [grch.], Kugelbakterien. (→Bakterien)

Kökkenmöddinger, →Kjökkenmöddinger.

Koko, Abk. für **K**ommerzielle **K**oordinierung. (→Schalck-Golodkowski)

Kokon [kɔˈkɔ̃, frz.] *der,* Gespinsthülle (oft mit Fremdkörpern wie Erde, Holzspäne u. a.), mit der sich viele Insektenlarven beim Verpuppen umgeben **(Puppen-K.),** auch Gespinst- oder Sekrethülle **(Ei-K.)** zum Schutz der Eigelege (z. B. bei Spinnen, Regenwürmern).

Kokoschka [kɔˈkɔʃka, ˈkɔkɔʃka], Oskar, österr. Maler, Grafiker, Dichter, *Pöchlarn (Bez. Melk) 1. 3. 1886, †Villeneuve (Kt. Waadt) 22. 2. 1980; studierte in Wien, wo er mit Bildnissen und Illustrationen, z. T. zu eigenen Dichtungen, hervortrat, 1919–23 Prof. an der Kunstakademie in Dresden, nach zahlr. Reisen ab 1933 in Wien, 1934 Übersiedlung nach Prag, 1938 Emigration nach London, lebte seit 1953 am Genfer See. K., dessen Werke 1937 als »entartet« aus öffentl. Sammlungen in Dtl. entfernt wurden, gehörte zu den führenden Künstlern des dt. Expressionismus. In seiner von leidenschaftl. Unruhe bewegten Kunst wirkt das österr. Barock fort; er schuf Porträts, Landschafts- und Städtebilder von suggestiv gesteigertem Ausdruck. Seine Dichtung ist getragen von ekstat. Ausbrüchen und bildkräftiger Fantasie.

📖 *K. Leben u. Werk in Daten u. Bildern, hg. v.* N. Werner. *Frankfurt am Main u. a. 1991.*

Kokosfaser (Coir), Fruchtfaser aus der Umhüllung der Kokosnuss, fäulnis- und scheuerfest, wird zu Matten, Seilen u. Ä. verarbeitet.

Kokosfett, weißes bis gelbl. Fett, das durch Auspressen des Fleisches der Kokosnuss (Kopra) gewonnen wird; schmilzt bei 20–23 °C, dient zur Speisefett-, Seifen- und Kosmetikaherstellung.

Kokos|insel (span. Isla de Cocos), Insel im Pazifik, zw. Galápagosinseln und Costa Rica, 24 km², unbewohnt; zu Costa Rica gehörig.

Kokos|inseln (engl. Cocos Islands, Keelinginseln), zwei Atolle mit 27 kleinen Koralleninseln im Ind. Ozean, 14 km² groß, (1993) 600 Ew.; Kokospalmenpflanzungen, Flughafen; die Insel North Keeling (120 ha) ist Nationalpark. – Die K., 1609 vom engl. Seefahrer W. Keeling entdeckt, wurden 1857 britisch, seit 1955 unter australischer Verwaltung.

Kokospalme [span.] (Cocos), Fiederpalmengattung mit der einzigen Art K. (Cocos nucifera), durch Kultur im trop. Küstenbereich weit verbreitet. Der bis 30 m hohe Stamm ist durch Blattnarben geringelt. Die Fruchthülle der **Kokosnuss** besteht aus einem trockenhäutigen äußeren Epikarp, einem faserigen, dicken Mesokarp und einem inneren harten Endokarp mit nur einem Samen (Steinkern). Die Samenschale ist sehr dünn; ansonsten besteht der Samen zum überwiegenden Teil aus Endosperm und einem winzigen, unterhalb einer der drei (dünnwandigen) Keimporen des steinharten Endokarps gelegenen Embryo. Das eßbare Endosperm ist in eine feste, ölreiche Phase **(Kopra)** und eine flüssige Phase **(Kokosmilch)** gegliedert. Die Fasern der Fruchtwand werden zur Herstellung von Seilen und Matten verwendet, Endknospen und Blätter als **Palmkohl** gegessen; der nach Abschneiden des Blütenstandes austretende Saft ergibt vergoren **Palmwein.** (→Kokosfaser, →Kokosfett)

Koks [engl.], schwarzer oder grauer, fester Rückstand der Schwelung **(Schwel-K.)** oder Verkokung von Stein- und Braunkohle, Erdölrückständen **(Petrol-K.)** u.a.; **Hochofen-K.** wird meist durch Hochtemperaturverkokung in Kokereien gewonnen. **Gießerei-K.** dient als Brennstoff zum Schmelzen von Roheisen im Kupolofen, sog. **EM-K.** elektrometallurg. Zwecken.

Kokospalme: äußere Fruchthülle (oben), Steinkern und Steinkernhälfte einer Kokosnuss

Koktschetaw (kasach. Kökschetau), Hptst. des Gebiets K., Kasachstan, 144 000 Ew.; Porzellanfabrik, Apparatebau, Bekleidungsindustrie.

Kokura, ehem. Burgstadt in Japan, →Kitakyūshū.

Oskar Kokoschka: »Prag, Moldauhafen« (1936; Wien, Österreichische Galerie im Belvedere)

Kokzidi|en, parasit. →Sporentierchen; meist im Darmepithel; Erreger der **Kokzidiose,** einer Infektionskrankheit der Jungtiere (Küken, Kaninchen, Kälber und Lämmer); schädigen die Darmschleimhaut, rufen blutige Durchfälle hervor.

Oskar Kokoschka

Kol., Abk. für →**Kol**osserbrief (N. T.).

Kola, Halbinsel zw. Weißem Meer und Barentssee, Russland, von Taiga, in höheren Lagen von Tundra bedeckt, rd. 100 000 km². Im N steile Murmanküste, im W das **Chibinygebirge (Chibinen,** bis 1 191 m ü. M.); bed. Lagerstätten von Nephelin und Apatit, die bei Kirowsk und Nikel abgebaut werden; Holzwirtschaft, Ren-, Pelztierzucht, Wasserkraftwerke, Gezeiten-, nördlich von Kandalakscha Kernkraftwerk; Haupthafen ist Murmansk (ganzjährig eisfrei). – Seit 1970 Forschungsbohrung zur Erkundung der tieferen Erdkruste (bis über 12 000 m Tiefe).

Kolabaum [westafrikan. kola, kolo] (Colabaum, Kolanussbaum, Cola), Gattung der Sterkuliengewächse im trop. Afrika; 6–20 m hohe Bäume. Mehrere Arten werden im Sudan, im trop. Amerika und trop. Asien zur Gewinnung der Samen kultiviert, deren Keimling **(Kolanuss)** bis 3% →Koffein, bis 0,1% Theobromin, etwa 40% Stärke und 4% Gerbstoffe enthält und als Nahrungsmittel bzw. zur Herstellung von Erfrischungsgetränken verwendet wird.

Leszek Kołakowski

Kołakowski, Leszek, poln. Philosoph, *Radom 23. 10. 1927; 1953–68 Prof. in Warschau, seit 1970 in Oxford. K. behauptete, gegen die kommunist. Theorie – insbesondere den Stalinismus – gewendet, in seiner Philosophie des moral. Bewusstseins die Existenz einer autonomen Welt der Werte; auch die revolutionäre Praxis müsse sich an ihnen messen lassen. – Friedenspreis des Börsenvereins des Dt. Buchhandels 1977.

Werke: Der Mensch ohne Alternative (1960); Traktat über die Sterblichkeit der Vernunft (1967); Zweifel an der Methode (1977); Die Hauptströmungen des Marxismus. Entstehung, Entwicklung, Zerfall. 3 Bde. (1976–78); Falls es keinen Gott gibt (1982).

Annette Kolb

Kolář ['kɔla:rʃ], Jiří, tschech. Schriftsteller und bildender Künstler, *Protivín (Südböhm. Gebiet) 24. 9. 1914; seit 1979 in Paris; bed. Vertreter der experimentellen Dichtung, u. a. Figurengedichte (Dichterporträts), »Rollagen« (in Streifen geschnittene und neu zusammengesetzte Drucke), Glaskästen mit Gegenständen (»Knotengedichte«), lesbare Collagen (»Dny v roce« [Tage im Jahr], 1945; »Das sprechende Bild. Poeme, Collagen, Poeme«), mit Zeitungsfetzen beklebte Gegenstände.

Kolar Gold Fields ['kəʊlɑ: 'gəʊld 'fi:ldz], Stadt im ind. Bundesstaat Karnataka, auf dem Dekhan, 144 000 Ew.; früher bed. Goldgewinnung.

Kolạrowgrad, 1950–65 Name der bulgar. Stadt → Schumen.

Kọlas, Jakub, eigtl. Konstantin Michailowitsch Mizkewitsch, weißruss. Schriftsteller, *Akintschizy (Gebiet Minsk) 3. 11. 1882, †Minsk 13. 8. 1956; Mitbegründer der weißruss. Literatursprache, behandelt in Lyrik und Prosa (»Am Scheidewege«, Trilogie 1923–54) folklorist. Themen, auch soziale Probleme.

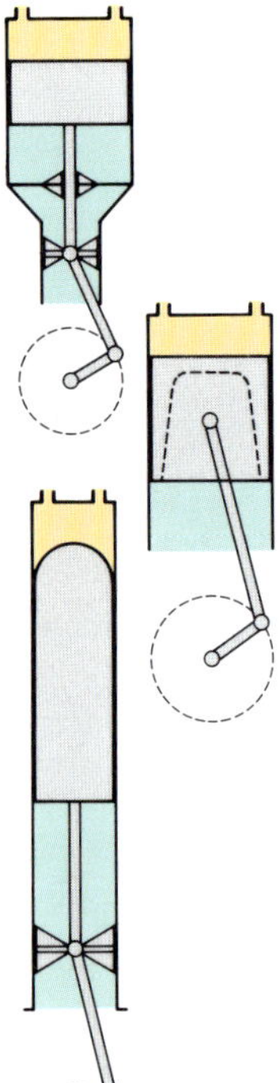

Kolben 3) (von oben): Scheibenkolben eines Kurbelantriebs, Tauchkolben für einen Verbrennungsmotor und Tauchkolben einer Pumpe

Kọlb, Annette, Schriftstellerin, *München 3. 2. 1870, †ebd. 3. 12. 1967; dt.-frz. Herkunft, emigrierte 1933 nach Paris, 1940 in die USA, 1945 Rückkehr nach Europa; äußerte sich als Essayistin (»13 Briefe einer Deutsch-Französin«, 1916), Biographin (u. a. »Mozart«, 1937) und Übersetzerin zu Zeiterscheinungen und kulturellen Themen; zeitlebens war sie um einen Ausgleich mit Frankreich bemüht. In ihren oft autobiograph. Romanen schildert sie Frauenschicksale (»Das Exemplar«, 1913; »Die Last«, 1918; »Daphne Herbst«, 1928; »Die Schaukel«, 1934); Erinnerungen: Memento (1960).

Kọlbe, 1) Georg, Bildhauer, *Waldheim 15. 4. 1877, †Berlin 20. 11. 1947; ging nach seiner Ausbildung als Maler 1897 nach Paris, dann nach Rom (1898–1901), wo er sich unter dem Einfluss von L. Tuaillon und A. Gaul der Bildhauerei zuwandte, lebte seit 1904 meist in Berlin, schuf in Auseinandersetzung mit A. Rodin v. a. Bronzeplastiken, daneben Bildnisse weibl. und männl. Aktfiguren. Das Georg-K.-Museum in Berlin, 1949/50 in seinem Atelierhaus eingerichtet (1996 Erweiterungsbau), betreut seinen Nachlass und zeigt eine Auswahl seiner Plastiken (u. a. »Adagio«, 1923; »Befreiter«, 1945) und Aktzeichnungen.

2) Maximilian Maria, eigtl. Rajmund K., poln. Franziskanerkonventuale, *Zduńska Wola 7. 1. 1894, †(ermordet) Auschwitz 14. 8. 1941; wurde 1941 wegen Hilfeleistung für Flüchtlinge (darunter viele Juden) verhaftet und ins KZ Auschwitz gebracht. Er bewahrte den Familienvater F. Gajowniczek vor dem Tod, indem er sich erbot, für ihn zu sterben. – Heiliger, Tag: 14. 8.

📖 Frossard, A.: *Die Leidenschaft des Maksymilian K. Eine Biographie. A. d. Frz. Stuttgart 1988.*

3) Uwe, Schriftsteller, *Berlin (Ost) 17. 12. 1957; debütierte mit dem Gedichtband »Hineingeboren« (1980); es folgten formenreiche Gedichte mit sich vorschnellem Verständnis verschließenden Bildern, die Suche nach Herkunft thematisieren (»Abschiede«, 1981; »Bornholm II«, 1986; »Vaterlandkanal. Ein Fahrtenbuch«, 1990).

Kolben [verwandt mit Keule], **1)** *Botanik:* ährig-dickachsiger Blüten- und Fruchtstand, z. B. beim Mais.

2) *Chemie:* unterschiedlich geformtes, hitzebeständiges Reaktionsgefäß aus Geräteglas.

3) *Maschinenbau:* im Zylinder der **K.-Maschinen** oszillierendes (Hubkolbenmaschinen) oder sich drehendes (Kreiskolbenmaschinen) Bauteil, das die Volumenveränderung des Arbeitsraums bewirkt. Bei den K.-Kraftmaschinen (Verbrennungsmotor, Dampfmaschine u. a.) wird vom Gas oder Dampf bei der Expansion Arbeit am K. geleistet und die Kraft des Arbeitsmediums auf das Pleuel übertragen und in Bewegungsenergie umgewandelt. Im Ggs. dazu leistet der K. beim Kompressor oder bei der Pumpe (K.-Arbeitsmaschinen) Arbeit am Gas oder einer Flüssigkeit. **Scheiben-K.** sind meist an der K.-Stange starr befestigt, die mittels Kreuzkopf geführt ist, z. B. für Dampfmaschinen. **Tauch-K.** sind am Pleuel gelenkig befestigt, z. B. für Verbrennungskraftmaschinen und Pumpen (ohne K.-Ringe als **Plungerkolben**).

4) *Waffentechnik:* das verdickte Ende des Schafts bei Gewehren (Anschlagkolben).

Kolbenmaschinen, Maschinen, die mittels volumenveränderl. Räume Gase oder Flüssigkeiten ansaugen, verdichten (bei Gasen) und ausschieben. Die Volumenänderung erfolgt durch → Kolben.

Kolbenpalme (Carludovica), Gattung der Scheibenblumengewächse im tropischen Amerika (mehr als 30 Arten), mit kolbenförmigen Blüten- und Fruchtständen. Die fächerpalmenähnl. **Panamapalme** (Carludovica palmata) liefert Blattstreifen für Panamahüte.

Kolbenwasserkäfer (Hydrophilinae), fast weltweit verbreitete Familie 1–50 mm langer Käfer; Fühler kolbenförmig; leben meist im Wasser. Viele Arten betreiben Brutfürsorge. So spinnt z. B. das Weibchen des **Großen K.** (Hydrous piceus) seine Eier in einen Gespinstkokon (Eierkokon) mit einem senkrechten Luftschlot ein. Der Große K. steht unter Naturschutz.

Kolberg, Stadt in Polen, →Kołobrzeg.

Kolbermoor, Stadt im Landkr. Rosenheim, Oberbayern, an der Mangfall, 16 600 Ew.; Textilind., Apparatebau, Werkzeugfabrik. – 1863 entstanden, seit 1963 Stadt.

Kolchis *die,* fruchtbare Anschwemmungsebene am unteren Rioni, östlich des Schwarzen Meeres, Georgien; einst stark versumpft, heute Anbaugebiet für Tee, Zitrusfrüchte, Maulbeerbäume. – Im grch. Mythos Heimat der Medea.

Kolchos [Kw., russ. »Kollektivwirtschaft«] *der* (Kolchose), genossenschaftlich organisierter landwirtsch. Großbetrieb (im Ggs. zum →Sowchos) in der ehem. UdSSR. Nach 1917 auf der Grundlage der Freiwilligkeit entstanden, seit 1929 durch (Zwangs-)Kollektivierung bäuerl. Einzelwirtschaften, in deren Folge Millionen von Bauern vertrieben wurden und umkamen (→Kulak). Der staatseigene Boden wurde den K. zur Nutzung gegen Pflichtablieferungen zu staatlich fixierten Preisen überlassen, Überschüsse zu freien Preisen auf den sog. Kolchosmärkten verkauft. Das im Rahmen der Reformpolitik M. Gorbatschows 1988 verabschiedete Genossenschafts-Ges. schrieb erste Veränderungen fest, z.B. Voraussetzungen für Bildung freier landwirtsch. Genossenschaften, vertragl. Beziehungen der K. zur Ind. u.a. Abnehmern, private Hofwirtschaft, Pacht von Land, Maschinen und Gebäuden innerhalb und außerhalb der K. – Die russ. Reg. fasste 1992 auf der Grundlage eines Präsidentenerlasses einen Beschluss über die Reorganisation von K. und Sowchosen (u.a. Schritte zur Privatisierung von Boden und Immobilien, private, kollektive u.a. Formen der Bodennutzung, aber auch Pflichtablieferungen zur Sicherung der Lebensmittelversorgung).

Kolding ['kɔlenj], Hafenstadt an der O-Küste Jütlands, Dänemark, 59 600 Ew.; Viehexportmarkt, Schlachtbetriebe; Nahrungsmittel-, Möbel- u.a. Ind. – Burg **Koldinghus** (1248 ff., Museum). – Stadtrecht 1321.

Koleopteren [grch.], die →Käfer.

Kolgujew, russ. Insel in der Barentssee, 3 200 km²; Tundra; Erdölförderung; Rentierzucht der Nenzen; Seevögelkolonien.

Kolhapur ['kəʊləpʊə], Stadt im Bundesstaat Maharashtra, Indien, in den W-Ghats, 405 100 Ew. Univ. (gegr. 1962); Zucker-, Textilind., Maschinenbau.

Kolhörster, Werner, Physiker, *Schwiebus (heute Świebodzin) 28. 12. 1887, †München 5. 8. 1946; entdeckte 1913 unabhängig von V. F. Hess die kosm. Strahlung und wies deren Korpuskularcharakter nach; entwickelte mit W. Bothe die Methode der Koinzidenzmessung.

Kolibakterium (Escherichia coli), zur Gattung Escherichia gehörendes gramnegatives (→Gramfärbung), bewegl., sporenloses Stäbchen. Die Kolibakterien gehören zur normalen Darmflora; es kommen auch pathogene Vertreter (Krankheitserreger) vor, die z.B. Enteritis, Eiterungen u.a. auslösen; Indikator für Fäkalverunreinigungen von Trinkwasser (Kolititer) und Nahrungsmitteln.

Kolibris [karib. »leuchtende Fläche«] (Trochilidae), Familie meist farbenprächtiger Vögel Amerikas mit nur zum Sitzen geeigneten Füßen und z.T. an die Nektarentnahme aus Blütenröhren (gleichzeitig Blütenbestäubung) angepassten Schnäbeln; z.B. Helmkolibri (Oxypogon guerinii), Adlerkolibri (Eutoxeres aquila), Topaskolibri (Topaza pella). K. können mit den Flügeln sehr schnell schlagen (bis 80 Schläge pro Sekunde) und im Schwirrflug sowohl vor- wie rückwärts, auf- und abwärts fliegen und auch an einer Stelle verharren. Kleinste Vogelart ist die nur knapp 6 cm (einschl. 1,5 cm Schnabel) lange und weniger als 2 g schwere **Hummelelfe** (Chaetocerus bombus) aus Kuba.

Kolibris (von oben): Helmkolibri, Hummelelfe und Topaskolibri (alle Abbildungen etwa in der Hälfte der natürlichen Größe)

Kolik ['ko:lik, ko'li:k; grch.] *die,* krampfartige, sehr schmerzhafte Kontraktionen eines Hohlorgans (z.B. Gallen-, Nieren-, Darm-K.); oft mit Schweißausbruch und Erbrechen verbunden.

Kolín ['kɔli:n] (dt. Kolin), Stadt im Mittelböhm. Gebiet, Tschech. Rep., an der Elbe, 31 800 Ew.; Fachschulen; Elektro-, chem., Nahrungsmittelind., Maschinenbau, Erdölraffinerie, Elbhafen. – Gotische Sankt-Bartholomäuskirche (1261 ff.), am Marktplatz barocke Bürgerhäuser und Rathaus (1887) der Neurenaissance. – 1261 erstmals erwähnt. – Im Siebenjährigen Krieg besiegten die Österreicher am 18. 6. 1757 bei K. die Preußen (Rückzug Friedrichs d. Gr. aus Böhmen).

Kolitis [grch.] *die* (Colitis), →Darmentzündung.

Kolk [dän. kulk »Rachen«] *der* (Strudeltopf), *Geomorphologie:* durch die Wirkung von im Wasser wirbelnden Steinen und Sandkörnern **(Evorsion)** entstandene Vertiefung **(Auskolkung)** bes. im engen Flussbett, unterhalb von Wasserfällen, an Steilküsten, Gletschersohlen (Gletschermühlen) und hinter Brückenpfeilern.

Kolkrabe (Corvus corax), bis 64 cm langer und 1,2 kg schwerer Rabenvogel, der sein Nest in unzugängl. Felsen oder auf hohen Bäumen baut; in weiten Teilen Dtl.s ausgerottet, nach der Roten Liste »gefährdet«. Vogel mit guter Lernfähigkeit. BILD S. 410

kollabieren [lat. collabi »niedersinken«], einen →Kollaps erleiden.

Kollaboration [frz.-lat.] *die,* Bez. für die Zusammenarbeit mit dem Kriegsgegner des eigenen Landes; 1940 in Frankreich entstandener Begriff für die polit. Zusammenarbeit mit der dt. Besatzungsmacht. Mit dem Einzug der provisor. Regie-

Ján Kollár (zeitgenössischer Holzstich)

rung in Paris (Aug. 1944) wurden in Frankreich die **Kollaborateure,** d. h. Politiker, Offiziere, Journalisten, die der Zusammenarbeit mit der dt. Besatzungsmacht beschuldigt wurden, vor Militär- oder Sondergerichte gestellt und zu schweren Strafen verurteilt, v. a. P. Pétain und P. Laval.

Nach der Befreiung von der dt. Besatzungsmacht wurden auch in anderen Ländern, u. a. in Belgien, den Niederlanden, in Norwegen, der Tschechoslowakei, in Polen und der UdSSR Personen der K. beschuldigt und zum Tod oder zu schweren Freiheitsstrafen verurteilt. Unmittelbar nach Abzug der dt. Truppen wurden viele der K. verdächtigte Menschen ohne Verfahren getötet.

📖 Brender, R.: *K. in Frankreich im Zweiten Weltkrieg. München 1992.*

Kollage [-ˈlaʒə, frz.], Klebebild, → Collage.

Kollagene [grch.], langfaserige, hochmolekulare Skleroproteine des Stütz- und Bindegewebes (Haut, Knorpel, Sehnen, Knochen), die bis zu 25 % des Gesamtproteins des menschl. und tier. Körpers ausmachen; Ausgangsstoff für Leim und Gelatine.

Kolkrabe (Größe bis 64 cm)

Kollaps [lat., vgl. kollabieren] *der, Medizin:* **Kreislauf-K.,** rasch einsetzende und kurz dauernde Kreislaufregulationsstörung, bei der die Ausgleichsmöglichkeiten des Organismus nicht mehr ausreichen, um eine genügende Durchblutung der lebenswichtigen Organe zu gewährleisten; hervorgerufen z. B. durch Verletzung, Blutung, Herzinfarkt. Der akute Blutmangel im Gehirn führt hierbei zur Ohnmacht. Vorzeichen sind meist Gesichtsblässe, kalter Schweiß, Schwindelgefühl und Gliedmaßenzittern. Beim **orthostat. K.** kommt es durch abruptes Aufstehen oder nach längerem Stehen zum Absinken des Blutes in die Bein- und Beckenvenen mit Blutdruckabfall.

Behandlung: Tieflagerung des Kopfes, Gefäßreizung (mit kaltem Wasser), Anwendung kreislaufanregender Mittel.

Kollár [-laːr], Ján, slowak. Dichter und Gelehrter, * Mošovce (bei Nove Mesto nad Váhom, Westslowak. Gebiet) 29. 7. 1793, † Wien 24. 1. 1852; Begründer des romant. Panslawismus; Sonettzyklus »Slávy dcera« (1824), wiss. Werke und Volksliedersammlung.

kollateral [lat.], seitlich; auf der gleichen Körperseite befindlich; seitlich angeordnet.

Kollateralkreislauf (Umgehungskreislauf), Blutversorgung eines Organs oder Körperteils über Nebengefäße bei Verschluss des Hauptgefäßes, z. B. durch Embolie, Thrombose.

Kollath, Werner, Hygieniker und Bakteriologe, * Gollnow 11. 6. 1892, † Porza (Kt. Tessin) 19. 11. 1970; gilt als Begründer der modernen Vollwerternährungslehre.

Kollation [lat. collatio, »Zusammenbringen«, »Vergleichung«] *die, Erbrecht:* die → Ausgleichungspflicht.

Kollationieren, 1) *Buchbinderei:* Kontrolle der Druckbogen auf Vollständigkeit und richtige Reihenfolge vor der Weiterverarbeitung.

2) *graf. Gewerbe:* Bez. für die vergleichende Prüfung eines gedruckten (gesetzten) Textes mit dem Manuskript auf Richtigkeit.

Kolle, 1) Kurt, Psychiater, * Kimberley (Südafrika) 7. 2. 1898, † München 21. 11. 1975, Sohn von 2); ab 1952 Prof. in München; verfasste neben einem »Lb. der Psychiatrie« (1939) bed., anthropologisch ausgerichtete Arbeiten auf dem Gebiet der Psychopathologie.

2) Wilhelm, Hygieniker, * Lerbach (heute zu Osterode am Harz) 2. 11. 1868, † Wiesbaden 10. 5. 1935, Vater von 1); Schüler von Robert Koch; entwickelte die Choleraschutzimpfung und verbesserte die Salvarsantherapie.

Kölleda, Stadt im Landkr. Sömmerda, Thür., 6400 Ew.; elektrotechn. Ind., Heilpflanzenanbau. – Klosterkirche St. Johannis des ehem. Zisterzienserinnenklosters (um 1300), Pfarrkirche St. Wiperti (um 1720–40, im Kern spätgotisch). – Seit 1392 Stadt.

Kolleg [lat.] *das,* **1)** akadem. Vorlesung.

2) Institut zur Erlangung der Hochschulreife, Vollzeitschule; Voraussetzung sind Realschulabschluss oder eine abgeschlossene Berufsausbildung oder mehrjährige Berufserfahrung; Eignungsprüfung; Berufstätigkeit während des Kollegbesuchs ist nicht zulässig; entspricht der Oberstufe im → zweiten Bildungsweg.

Kollegialgericht, → Kollegialprinzip.

Kollegialität *die, kath. Kirchenrecht:* ein auf dem 2. Vatikan. Konzil formuliertes Prinzip der Kirchenverf. Es verpflichtet die Bischöfe, die Einheit der Kirche zu bewahren und den Papst bei ihrer Leitung zu unterstützen. Wichtig ist dabei die Bischofssynode. (→ katholische Kirche)

Kollegialprinzip, Verankerung von Entscheidungskompetenzen bei mehrköpfigen, untereinander nicht weisungsgebundenen Gremien; in der Gerichtsorganisation vorherrschend **(Kollegialgericht),** in der öffentl. Verw. vereinzelt anzutreffen.

Kollegschule, Schulart in NRW, die in einem Bildungsgang sowohl berufl. Abschlüsse wie auch das Abitur der allgemeinbildenden gymnasialen Oberstufe vergibt; der Schüler kann beide Abschlüsse (heute meist zeitversetzt) erwerben.

Kollektiv [lat.] *das,* **1)** *allg.:* Gruppe, Team.

2) *Politik:* von ideolog. Grundsätzen im Sinne des →Kollektivismus getragene Produktions- und Arbeitsgemeinschaft; Arbeitsgruppe in sozialist. Ind.betrieben oder landwirtschaftl. Kolchosen (Arbeitskollektiv).

Kollektivbewusstsein, soziologischer Begriff (É. Durkheim), für die allen Mitgl. derselben Gesellschaft gemeinsamen Glaubensvorstellungen und Gefühle.

kollektive Sicherheit, →Sicherheitspolitik.

kollektives Unbewusstes, nach C. G. Jung der allen Menschen gemeinsame Teil des →Unbewussten, dessen Inhalte durch **Archetypen** (Urbilder) strukturiert werden.

Kollektivgesellschaft, Personengesellschaft des schweizer. Rechts, die großenteils der dt. OHG entspricht (Art. 552ff. OR).

Kollektivierung, Form der Vergesellschaftung von Privateigentum an Produktionsmitteln in kommunist. Staaten, bes. Überführung von privatem landwirtsch. Eigentum in einen kollektiven landwirtsch. Betrieb mit gemeinsamer Bewirtschaftung (→Landwirtschaftliche Produktionsgenossenschaft, →Kolchos) sowie Zusammenschluss von Handwerksbetrieben in Produktionsgenossenschaften.

Kollektivismus *der,* eine Gesellschaftslehre, die auf zwei Grundsätzen aufbaut: 1) Das gesellschaftl. Ganze habe seins-, sinn- und wertmäßig den Vorrang vor dem Individuum. 2) Das Denken und Handeln des Individuums sei ausschließlich vom Kollektiv (Gesellschaft, Gruppe, Staat, Partei) her zu bestimmen. Damit wird der K. zum Ggs. des →Individualismus. Vertreten wird der K. v.a. in einigen Strömungen des Kommunismus, aber auch in nationalist. und faschist. Bewegungen.

Kollektivmodell, ein →Kernmodell.

Kollektivschuld, der gegenüber einer bestimmten Gruppe oder Gesamtheit erhobene Schuldvorwurf wegen unmoral. oder verbrecher. Handlungen Einzelner oder einer größeren oder repräsentativen Anzahl von Angehörigen dieser Gruppe oder Gesamtheit ohne Rücksicht darauf, ob auch die Übrigen sich durch Mitwirkung, Billigung oder Duldung individuell schuldig gemacht haben. So diente die Vorstellung der K. im MA. zur Begründung der Judenpogrome, die als christliche Vergeltungsaktionen an den »Mördern Jesu Christi« angesehen wurden. – Die Annahme einer K. ist mit einer aufgeklärten Moral nicht vereinbar, die nur eine persönl. Verantwortung und dementsprechend nur einen individuellen Schuldvorwurf anerkennt; so insbesondere im heutigen Strafrecht (→Schuld). Der im und nach dem 2. Weltkrieg erhobene Vorwurf einer K. des dt. Volkes für die Verbrechen des Nationalsozialismus ist umstritten geblieben. Dies gilt bereits für die grundsätzl. Frage, ob es überhaupt die K. eines Volkes geben kann. – Im »Stuttgarter Schuldbekenntnis« von 1945 drückte die EKD eine gemeinsame, rechtlich aber nicht einklagbare Verantwortung für das im nat.-soz. Dtl. geschehene Unrecht aus (ohne das Wort K. zu verwenden).

Kollektivum [lat.] *das, Sprachwissenschaft:* im Singular stehende Sammel-Bez. für eine Reihe gleichartiger Gegenstände, Lebewesen oder Sachverhalte, z.B. Gebirge, Herde, Wirtschaft, Volk.

Kollektivvertrag, 1) *Arbeitsrecht:* Bestimmungen, die für eine Vielzahl von Arbeitsverhältnissen gelten, z.B. →Tarifvertrag und →Betriebsvereinbarung.

2) *Völkerrecht:* ein internat. Vertrag mit mehr als zwei Vertragschließenden zur Schaffung internat. Rechts. Die Satzung (Verf.) einer internat. Organisation ist stets ein Kollektivvertrag.

Kollektor [lat.] *der,* **1)** *Elektronik:* häufig verwendete Kurzbez. für **K.-Anschluss, K.-Elektrode** oder **K.-Zone** eines bipolaren →Transistors. Der K. sammelt in seiner Sperrschicht zur Basis die vom Emitter injizierten Ladungsträger.

2) *Elektrotechnik:* (Kommutator, Polwender, Stromwender) ein mechan. Schalter zur Umkehrung der Stromrichtung in Stromkreisen, i.e.S. ein zylindr. Konstruktionselement in Stromwendermaschinen. Der K. ist hierbei aus voneinander isolierten und mit der Ankerwicklung verbundenen Kupferlamellen zusammengesetzt und bewirkt mit den auf seiner Oberfläche schleifenden Bürsten eine period. Umschaltung und Frequenzwandlung des zu- oder abgeführten elektr. Stroms.

3) *Optik:* eine Sammellinse.

4) *Physik:* →Solarkollektor.

Kollektorschaltung, eine der drei Grundschaltungen des bipolaren →Transistors, mit dem Kollektor als gemeinsamer Bezugselektrode für Eingang und Ausgang der Schaltung. Die K. besitzt einen sehr großen Eingangswiderstand und einen sehr kleinen Ausgangswiderstand, hohe Stromverstärkung und eine Spannungsverstärkung von ungefähr 1. Da das Emitterpotenzial dem Basispotenzial nachfolgt, wird die K. auch als Emitterfolger bezeichnet.

Alfred Kolleritsch

Kollenchym [grch.] *das,* dehnungs- und wachstumsfähiges pflanzl. Festigungsgewebe aus lebenden Zellen, deren Wände teilweise verdickt sind.

Koller [mhd. kollier, gollier, von frz. collier, zu lat. collum »Hals«] (Goller), *Mode:* 1) in der weibl. Oberbekleidung des 15./16. Jh. Schulterkragen oder unter der Brust endende ärmellose Kurzjacke; 2) aus der Soldatenkleidung in die zivile Männerkleidung des 16./17. Jh. übernommenes Lederwams, zuerst ärmellos, später auch langärmelig; 3) Schulterpasse an Jacken und Mänteln.

Kolleritsch, Alfred, österr. Schriftsteller, *Brunnsee (heute zu Eichfeld, Bez. Radkersburg) 16. 2. 1931; Gründungsmitgl. der Grazer Künstlervereinigung »Forum Stadtpark«; bes. als Hg. der Literaturzeitschrift »manuskripte« und Förderer junger Talente bedeutend. In seinem lyr. (»Einübung in das Vermeidbare«, Ged., 1978; »Absturz ins Glück«, Ged., 1983; »Augenlust«, Ged., 1986) und erzähler. Werk (»Die grüne Seite«, R., 1974; »Allemann«, R., 1989) gestaltet er die Suche nach individuellen Freiräumen und geistigen Modellen zum Verständnis der Welt.

Kollhoff, Hans, Architekt, *Lobenstein 18. 9. 1946; setzt in seinen Wohnanlagen die eigene, der klass. Moderne verpflichtete Formensprache in Beziehung zu einem urbanen Umfeld, das weitgehend von einer traditionalist. Architektur bestimmt wird (Rathaus von Spandau, Berlin, 1988; Kindertagesstätte in Frankfurt am Main, 1988–94; Wohnhaus am Luisenplatz in Berlin-Charlottenburg, 1982–88).

Kollier [kɔlˈje, frz.] *das* (Collier), Halsschmuck.

kolligative Eigenschaften, Stoffeigenschaften (bes. von Lösungsmitteln in einer Lösung), die durch die Zahl, nicht aber die Natur der gelösten Moleküle festgelegt werden, wie Dampfdruck(erniedrigung), Siedepunkt(erhöhung), Gefrierpunkt(erniedrigung) und osmot. Druck. Mittels der k. E. lässt sich die Molmasse der gelösten Substanz bestimmen. Ggs.: konstitutive Eigenschaften.

René Kollo

Kollimator [lat.] *der,* ein Gerät, das parallele Strahlen erzeugt. Bei Licht oder Teilchenstrahlung nicht zu hoher Energie wird die Strahlungsquelle oder eine als solche wirkende enge Blende (Spalt, Lochblende) in den Brennpunkt einer opt. bzw. elektronenopt. Sammellinse gebracht, die sie ins Unendliche abbildet, sodass die Strahlen das Objektiv parallel verlassen. In der Optik werden K. in Spektralapparaten und für Justierzwecke in Verbindung mit Zielfernrohren benutzt. Bei Röntgen- und energiereicher Teilchenstrahlung, für die es keine Linsensysteme gibt, werden durch hintereinander koaxial aufgestellte Blenden die divergenten Strahlenanteile absorbiert, was zu starken Intensitätsverlusten führt.

Walter Kollo

Kollisionsnormen [lat.], →internationales Privatrecht.

Kollo, 1) René, Sänger (Tenor), *Berlin 20. 11. 1937, Enkel von 2); tritt bes. als Wagner-Interpret hervor, aber auch in Operettenpartien. Inszenierte 1986 in Darmstadt R. Wagners »Parsifal«; 1996/97 Intendant des Berliner Metropol-Theaters.

2) Walter, eigtl. Kollodziepski, Operettenkomponist, *Neidenburg (heute Nidzica) 28. 1. 1878, †Berlin 30. 9. 1940, Großvater von 1); schrieb Schlager und Operetten: »Wie einst im Mai« (1913; darin »Es war in Schöneberg«); »Der Juxbaron« (1913; darin »Kleine Mädchen müssen schlafen gehn«); »Die Frau ohne Kuß« (1924; darin »Das ist der Frühling von Berlin«).

Kollodium [grch.-lat.] *das* (Collodium), zähflüssige Lösung von **K.-Wolle** (niedrig nitriertes Cellulosenitrat) in einem Alkohol-Äther-Gemisch; wird u. a. verwendet zum Verschluss kleiner Wunden, zur Lack- und Filmfabrikation.

Kolloide [grch.-lat.] (kolloiddisperse oder kolloidale Systeme), fein verteilte Stoffe, →Dispersionen mit Teilchen aus etwa 10^3–10^9 Atomen, deren Größe (Durchmesser von 10^{-5} bis 10^{-7} cm oder 100 bis 1 nm) gerade unterhalb der lichtmikroskop. Sichtbarkeit bleibt und deutlich über den Molekülabmessungen von niedrigmolekularen Stoffen liegt; Licht wird jedoch gestreut (→Tyndall-Effekt). Dispersionsmittel und disperse Phase können in K. fest, flüssig oder gasförmig sein. Ist die disperse Phase relativ frei beweglich, so spricht man von einem **Sol,** sind die einzelnen Teilchen dagegen netzartig miteinander verbunden und daher nur schwer gegeneinander zu verschieben, so liegt ein **Gel** vor. Übergänge zw. den beiden Zuständen verlaufen in manchen Fällen reversibel

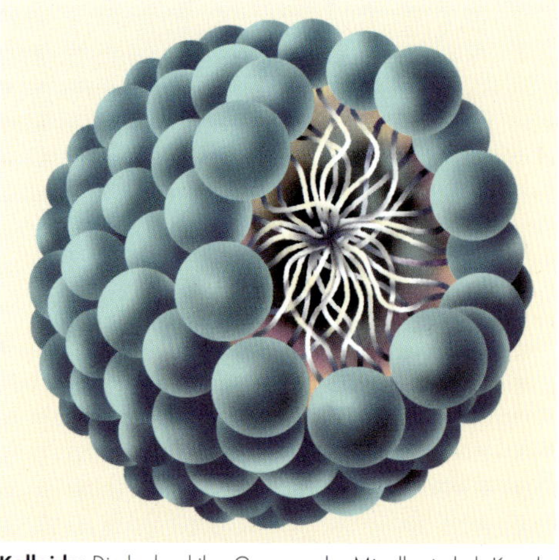

Kolloide: Die hydrophilen Gruppen der Mizelle sind als Kugeln eingezeichnet, die hydrophoben Kohlenwasserstoff-Ketten reichen wie bewegliche Wurzeln in das Innere der Mizelle

(z. B. Abkühlen oder Erhitzen von Sülze), in anderen lässt sich eine Gelierung nicht mehr ohne weiteres rückgängig machen (z. B. Vernetzung von Polymeren). Kolloidal verteilte Stoffe können bei genügender Größe mit einem Ultra- oder Elektronenmikroskop direkt beobachtet werden; zur indirekten Analyse dienen bes. Streulicht-, Sedimentations- und osmot. Messungen.

Man unterscheidet zw. Dispersions-, Assoziations- und Molekül-K.: **Dispersions-K.** entstehen durch geeignete Zerteilung (K.-Mühle, elektr. Zerstäubung, chem. Fällung) der zu dispergierenden Substanzen. Diese K. sind instabil und werden nur durch Solvatation, gleichsinnige elektr. Aufladung oder **Schutz-K.** (z. B. ein geeignetes Molekül- oder Assoziations-K.) daran gehindert, in echte Lösungen überzugehen. **Assoziations-K.** entstehen durch Zusammenlagern von Molekülen zu größeren Aggregaten **(Mizellen)**; das Auftreten derartiger Molekülklumpen stellt häufig eine Folge großer Polaritätsunterschiede innerhalb des assoziierenden Teilchens dar. **Molekül-K.** sind in ihrer Größe bereits durch ihre makromolekulare Struktur (→Makromoleküle) weitgehend festgelegt, z. B. Eiweißstoffe, Polysaccharide, Kautschuk.

K. sind von großer prakt. Bedeutung (Emulgatoren, Waschmittel, Polymere, Katalysatoren, Farbstoffe, fotograf. Schichten u. a.). In der Biologie und Medizin spielen sie eine entscheidende Rolle, da sich alle Lebensvorgänge in der kolloiden Phase abspielen. – Begründer der **Kolloidchemie** war der brit. Chemiker T. Graham.

Kollontai, Alexandra Michailowna, russ. Theoretikerin und Politikerin, *Sankt Petersburg 31. 3. 1872, †Moskau 9. 3. 1952; schloss sich 1915 den Bolschewisten an; im ersten Kabinett Lenins Volkskommissarin für das soziale Wohl; später Botschafterin in Norwegen, Mexiko und Schweden. – Beeinflusst von A. Bebel und den →Suffragetten, analysierte K. das Verhältnis von Feminismus und Sozialismus: Der Kommunismus könne nur gelingen, wenn ein grundlegender Wandel im Geschlechterverhältnis stattfände.

Kollusion [lat.] *die, Recht:* das unerlaubte, zum Schadensersatz verpflichtende Zusammenwirken mehrerer zum Nachteil eines Dritten, z. B. regelwidrige Absprachen des Vertreters mit einem Geschäftspartner zulasten des Vertretenen.

Kollwitz, Käthe, geb. Schmidt, Grafikerin, Bildhauerin, *Königsberg (Pr) 8. 7. 1867, †Moritzburg (bei Dresden) 22. 4. 1945; 1919–33 Prof. an der Preuß. Akademie der Künste, schuf v. a. Zeichnungen und graf. Folgen, die von tiefem menschl. Mitgefühl und sozialem Engagement für das Proletariat geprägt sind. Radierzyklen (»Ein Weberaufstand«, 1897/98), Holzschnittzyklen (»Der Krieg«, 1922/23); auch – von E. Barlach beeinflusste – bildhauer. Arbeiten, u. a. Gefallenenmal (Vater- und Mutterfigur) bei Diksmuide (Modelle 1924–31, in Granit 1932; 1954 Kopie für Sankt Alban, Köln). 1993 wurde die vierfach vergrößerte Skulptur »Mutter mit totem Sohn« in der Neuen Wache in Berlin als Mahnmal (»Den Opfern von Krieg und Gewaltherrschaft«) aufgestellt.

📖 KLEBERGER, I.: *K. K. München* [4]*1990.* – *K. K., Meisterwerke, Text v.* W. TIMM. *München 1992.* – *K. K., Meisterwerke der Zeichnung, hg. v.* H. FISCHER, *Ausst.-Kat. K.-K.-Museum Köln 1995.*

Käthe Kollwitz: Der Weberauszug, Radierung aus dem Zyklus »Ein Weberaufstand« (1897/98)

Kolmar, Gertrud, eigtl. Chodziesner, Schriftstellerin, *Berlin 10. 12. 1894, †Auschwitz 1943 (?); als Jüdin verschleppt und verschollen; schrieb visionäre Naturlyrik und Gedichte über histor. Themen in bildhafter, dunkler Sprache; auch volksliedhafte Töne (»Gedichte«, 1917; »Preuß. Wappen«, 1934; »Welten«, hg. 1947); »Eine Mutter« (Erz., hg. 1965); »Susanna« (Erz., hg. 1993).

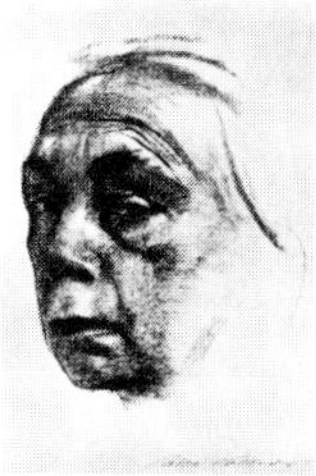

Käthe Kollwitz (Selbstporträt, Lithographie, 1924)

Kolmogorow, Andrei Nikolajewitsch, sowjet. Mathematiker, *Tambow 25. 4. 1903, †Moskau 20. 11. 1987; zählt zu den bedeutendsten Mathematikern des 20. Jh., förderte die intuitionist. Logik und begründete mit der von ihm gefundenen Axiomatik des Wahrscheinlichkeitsbegriffs (»K.-Axiome«, 1933) die moderne mathemat. Theorie der Wahrscheinlichkeit.

Köln, 1) RegBez. in NRW, 7365 km^2, (1996) 4,2 Mio. Ew.; umfasst die kreisfreien Städte Aachen, Bonn, Köln, Leverkusen und die Kreise Aachen, Düren, Erftkreis, Euskirchen, Heinsberg, Oberberg. Kreis, Rheinisch-Berg. Kreis, Rhein-Sieg-Kreis.

Gertrud Kolmar

2) kreisfreie Stadt und Verw.sitz von 1), NRW, in der →Kölner Bucht, zu beiden Seiten des Rheins, 964 400 Ew.; Sitz eines Erzbischofs und bed. kulturelles Zentrum; Univ., Dt. Sporthochschule, Hochschule für Musik, FH für Bibliotheks- und Dokumentationswesen, FH des Bundes für öffentl. Verw.; Forschungsinstitute: Max-Planck-

Institute für Hirnforschung und für Züchtungsforschung, Dt. Forschungsanstalt für Luft- und Raumfahrt. Bundeswehrstandort (u.a. Heeres- und Luftwaffenamt, Luftwaffenführungskommando, Luftwaffenunterstützungskommando). Bundesamt für Verfassungsschutz, Bundesverwaltungsamt, Bundesvermögensamt, Bundesamt für den Zivildienst, Bundesanstalt für den Güterfernverkehr, Bundesstelle für Außenhandelsinformationen, Bundeszentrale für gesundheitl. Aufklärung; Westdt. Rundfunk, Deutschlandfunk, Dt. Welle; Dt. Städtetag, Städtetag NRW, Internat. Handelskammer, Bundesärztekammer, Bundesnotarkammer, Bundesverband der Dt. Ind., Bundesvereinigung der Dt. Arbeitgeberverbände, Gesamtverband der Versicherungswirtschaft, Hauptgemeinschaft des Dt. Einzelhandels, Dt. Industrie-Inst. u.a. sowie viele diplomat. und konsular. Vertretungen des Auslands. – Kulturelle Einrichtungen: Wallraf-Richartz-Museum und Museum Ludwig, Römisch-German. Museum, Rautenstrauch-Joest-Museum für Völkerkunde, Museum für Ostasiat. Kunst, Schnütgen-Museum, Kölner Stadtmuseum, Museum für angewandte Kunst, Erzbischöfl. Diözesanmuseum, Josef-Haubrich-Kunsthalle (nur für Ausstellungen), zahlreiche Kunstgalerien; Oper, mehrere Theater, Puppenspiele, zoolog. und botan. Garten; Sternwarte. Bed. Ind.- und Handelszentrum mit Waren- und Produktionsbörse sowie Fachmessen (Messegelände in Deutz). Ind.: Fahrzeug-, Maschinenbau, elektrotechn., chem., pharmazeut., Textil-, Bekleidungs-, Bau-, Nahrungsmittelind., Mineralölverarbeitung, Druckereien, Verlage. – Bed. Verkehrskreuz: 8 Brücken über den Rhein, Bahn- und Straßenknotenpunkt, U-Bahn (seit 1985; 50 km), bed. Binnenhafen, internat. Flughafen K.-Bonn in der Wahner Heide.

Köln 2)
Stadtwappen

Bauten: Vom röm. K. sind u.a. Teile der röm. Stadtmauer (um 50 n.Chr.), Reste der Wasserleitung, das Praetorium (50–180 n.Chr.; unter dem Neuen Rathaus) erhalten. Die im 2. Weltkrieg zerstörten Kirchen sind wiederhergestellt, u.a. der →Kölner Dom, Groß St. Martin (um 1150–1250), Cäcilienkirche (roman. Pfeilerbasilika 1130–60; seit 1956 Schnütgen-Museum), St. Aposteln (Pfeilerbasilika; 11.–13. Jh.), St. Maria im Kapitol (über dem röm. Kapitolstempel; 1065 geweiht), St. Gereon (spätröm. Kern, 11.–12. Jh.), St. Pantaleon (953–980, mit otton. Westwerk). Von den zahlr. bed. Profanbauten wurden u.a. restauriert: das Alte Rathaus (1360, Rathausturm 1407–14), der Außenbau des →Gürzenich (1441–47), das roman. Overstolzenhaus (um 1225–30); Stadttore (12./13. Jh.). Moderne Architektur u.a.: Messebauten (1925–28) von A. Abel, Verwaltungsgebäude Klöckner-Humboldt-Deutz (1961–64) von H. Hentrich und H. Petschnigg, Museen und Philharmonie östlich des Doms (1982–86) von P. Busmann und G. Haberer.

Geschichte: 38 v.Chr. siedelte Agrippa am linken Rheinufer die german. Ubier an **(Oppidum Ubiorum),** 50 n.Chr. wurde die Ubierstadt erweitert, befestigt und zur röm. Kolonie **(Colonia Claudia Ara Agrippinensium,** kurz **Colonia Agrippinensis,** später nur: **Colonia)** erhoben; im 4. Jh. Bischofssitz (seit 795 Erzbistum). Mitte des 5. Jh. wurde K. als letzte röm. Festung am Rhein fränkisch und Hauptstadt der ripuar. Franken. Während der Stadtherrschaft des Erzbischofs 953–1288 kam es zu schweren Auseinandersetzungen mit den Bürgern; ab 1288 Reichsstadt. Aufgrund enger Handelsverbindungen mit England wurde K. noch vor Entstehung der Hanse wichtigstes Mitgl. einer Kaufmannsvereinigung in London. 1370/96 verdrängten die Zünfte das Patriziat aus seiner beherrschenden Stellung in der städt. Selbstverwaltung. Die Univ. (1388 gegr., 1798 aufgehoben, 1919 wieder eröffnet) wurde als erste dt. Univ. auf Initiative eines städt. Rats gegründet. 1801 kam K., seit 1794 frz. besetzt, an Frankreich, 1815 an Preußen (Rheinprovinz). Bed. wirtsch. Aufschwung während der Industrialisierung im 19. Jh. 1888 wurde Deutz eingemeindet, 1910 Kalk (seit 1881

Köln

Auf einer Reise nach Frankreich, Flandern und ins Rheinland besuchte der italienische Humanist und Dichter Francesco Petrarca auch Köln:

»Cöln nahm mich auf, die agrippinische Colonie am linken Rheinufer, berühmt durch seine Lage und seinen Strom, berühmt durch seine Bevölkerung. Erstaunlich diese Gesittung im Barbarenlande, die Schönheit der Stadt, die gesetzte Haltung der Männer, das schmucke Benehmen der Frauen!«

Köln

Das Hänneschen-Theater ist ein Stockfigurentheater in Köln, das 1802 von Johann Christoph Winters gegründet wurde. Seine Hauptfiguren sind Hänneschen, Bärbelchen, Manes, Besteva, Mariezebell, Tünnes und Schäl. In den Stücken wird vorwiegend kölnischer Dialekt gesprochen. Typisch ist die große Zahl eingesetzter Figuren, beispielsweise bei Straßenszenen oder Prozessionen. Die Figuren stehen auf rund 2 Meter hohen Standstangen (»Faulenzer«) und werden von unten durch einfache Drehbewegung (»Schlenkern«) geführt; nur der rechte Arm wird mit einer Handstange bewegt. Im 19. Jahrhundert wurde das Hänneschen-Theater in Familientradition betrieben, nach 1840 unter anderen von der Familie Millowitsch. Seit 1926 lebt das im kölnischen Brauchtum fest verwurzelte Hänneschen-Theater als »Puppenspiele der Stadt Köln« inmitten der Kölner Altstadt weiter.

Stadt), 1914 Mülheim (seit 1322 Stadt). Im 2. Weltkrieg schwere Bombenschäden; 1946 zu NRW.

📖 *K. 2 Jahrtausende Kunst, Geschichte u. Kultur. Köln* [3]*1993.* – WOLFF, G.: *Das römisch-german. K. Köln* [4]*1993.* – *Kleine illustrierte Gesch. der Stadt K., hg. von* C. DIETMAR *u. a.* [8]*1996.* – SCHÄFKE, W.: *K.s roman. Kirchen. Köln 1996.*

3) Erzbistum und ehem. geistl. Kurfürstentum, eines der ältesten Bistümer (erster Bischof seit 313/314: Maternus) auf dem Boden des späteren Hl. Röm. Reiches, 795 Erzbistum. Ein schmaler linksrhein. Landstreifen bildete seit der 2. Hälfte des 10. Jh. die territoriale Grundlage des Erzstifts (Kur-K.). Seit 1031 war der Erzbischof Erzkanzler für Italien (Grundlage der späteren Kurwürde). Für die Reichspolitik bed. Erzbischöfe (bis 1288 Herrschaft über die Stadt K.) waren u. a. Pilgrim (1021–36) und Anno II. (1056–75). Der Versuch des Erzbischofs Gebhard zu Waldburg, K. in ein weltl. prot. Kurfürstentum umzuwandeln, löste 1582 den **Köln. Krieg** aus, in dem er unterlag. 1801 annektierte Frankreich den linksrhein. Teil des Erzstifts, der rechtsrhein. wurde 1803 säkularisiert. – Zur heutigen Kirchenprovinz K. gehören seit 1821 die Bistümer Münster und Trier, seit 1929 Aachen, Limburg und Osnabrück, seit 1957 Essen.

Köln – Entwicklung im Mittelalter

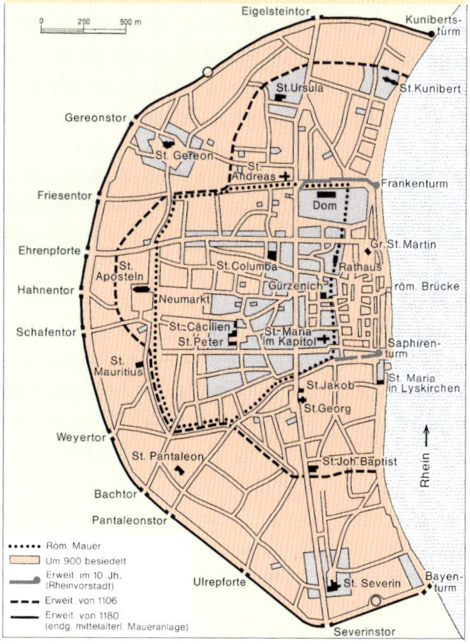

Kölner Bucht, der innere Teil der Niederrhein. Bucht zw. dem Horst der Ville und dem Berg. Land, eines der großen Senkungsfelder, die im Tertiär in die dt. Mittelgebirgsschwelle eingebrochen sind; fruchtbarer Löss- und Lehmboden, Acker- und Gartenbau, Braunkohlenbergbau.

Köln 2): Blick über den Rhein auf den Dom und die aus dem 12./13. Jh. stammende Kirche Groß Sankt Martin (links)

Kölner Dom, St. Peter und Maria, die größte got. Kirche Dtl.s, seit 1248 errichtete fünfschiffige Basilika mit dreischiffigem Querhaus, Umgangschor und Kapellenkranz. Baumeister: Meister Gerardus, Meister Arnold, unter dessen Sohn Johannes 1322 Chorweihe. Um 1400 wurde der Südturm zwei Geschosse, im 14.–16. Jh. Langhaus und Querhaus etwa 15–18 m hochgeführt, aber erst 1842–80 nach urspr. Plan vollendet, ebenso die Fassade. Der 1944 schwer beschädigte Bau wurde wiederhergestellt, wobei Fundamente älterer Anlagen aus röm., karoling. und roman. Zeit gefunden wurden. Bed. Ausstattung: Chorgestühl, Chorpfeilerfiguren und Hochaltar (um 1320); Dreikönigsschrein (um 1200; → Drei Könige) und Königsfenster (um 1315–20); Gerokreuz (um 970); Mailänder Madonna (um 1290); »Kölner Dombild« von Stefan Lochner (um 1440) sowie bed. Grabmäler; Schatzkammer. UNESCO-Weltkulturerbe. BILD S. 416

📖 *Der K. D., bearb. v.* W. SCHNEIDER, *hg. v.* K. LIEDTKE. *Hamburg 1991.*

Kölner Malerschule, Schule der seit etwa 1300 bis ins 16. Jh. in Köln und Umkreis wirkenden Maler, deren Werke einheitl. Stilmerkmale wie Detailfreudigkeit, behutsame Gestaltung der Gesichter, Engel als häufiges Motiv aufweisen. Bekannteste Vertreter: der Anfang des 15. Jh. tätige »Meister der hl. Veronika« und Stefan Lochner sowie mehrere in der 2. Hälfte des 15. Jh. unter niederländ. Einfluss malende Künstler: »Meister der Georgslegende«, »Meister der Verherrlichung Mariä«, »Meister des Marienlebens«, »Meister des Bartholomäusaltars«, ein »Jüngerer Meister der hl. Sippe« und der »Meister der Ursulalegende«.

Kölner Wirren (Kölner Kirchenstreit), die Auseinandersetzungen zw. dem preuß. Staat und der kath. Kirche 1836–41 über die Frage der Mischehen und den Hermesianismus (→Hermes). Die K. W. erlebten ihren Höhepunkt 1837 in der Verhaftung des Erzbischofs →Droste zu Vischering. In ihrer Folge führten sie zur Festigung des polit. Katholizismus in Deutschland.

Kölner Dom: Das fünfschiffige gotische Langhaus mit Chor wurde 1322 vollendet

Kölnischwasser, das →Eau de Cologne.

Kołobrzeg [kɔˈu̯ɔbʒɛk] (dt. Kolberg), Hafenstadt in der Wwschaft Koszalin (Köslin), Polen, an der Mündung der Persante in die Ostsee, 43 000 Ew.; Fischverarbeitung, elektrotechn., Süßwarenind.; Seebad und Kurort (Solquellen und Moor). – Ehem. got. Kollegiatskirche (14. Jh.). – K. erhielt 1255 lüb. Stadtrecht; seit 1284 Hansestadt; fiel 1648 von Pommern an Brandenburg; 1807 verteidigten Gneisenau und Nettelbeck die Stadt 6 Monate erfolgreich gegen die Franzosen; kam 1945 an Polen.

Kolokasile *die,* die Pflanzengattung →Taro.

Koloman (Colomannus), irischer Palästinapilger, † (erhängt) Stockerau (bei Wien) 17. 7. 1012; bis 1663 Landespatron Österreichs. Heiliger, Tag: 13. 10.

Kolomna, Stadt im Gebiet Moskau, Russland, an der Mündung der Moskwa in die Oka (Hafen), 159 000 Ew.; Diesellokomotiv-, Maschinenbau. – Kreml (16. Jh.), Kathedrale (urspr. 14. Jh., 1672 umgestaltet).

Kolon [grch.] *das,* **1)** *Biologie:* →Darm.

2) *Interpunktion:* Doppelpunkt (→Satzzeichen, Übersicht).

Kolonat *das* (lat. Colonatus), eine in der späten röm. Kaiserzeit verbreitete Form der Grundhörigkeit, die sich zunächst auf den kaiserl. Domänen, dann auch auf dem privaten Großgrundbesitz findet. Häufig wurden Kriegsgefangene, bes. Germanen, als **Kolonen** angesiedelt (persönlich frei, dinglich unfrei, erblich an die Scholle gebunden und zu Abgaben verpflichtet).

Kolonialismus *der,* die in enger Verbindung mit dem →Imperialismus stehenden Bemühungen v. a. europ. Staaten seit dem 15. Jh., durch Erwerb von →Kolonien neue Rohstoffquellen zu erschließen, Absatzmärkte und Siedlungsmöglichkeiten zu schaffen sowie ihre Machtstellung abzusichern. Oft war der K. mit dem Gedanken der christl. Mission oder zivilisatorisch-humanitärer Hilfe verbunden. Seit der Erschütterung der europ. Staatenwelt und Japans im 2. Weltkrieg setzte weltweit die →Entkolonialisierung ein. Bei direktem polit. Machtverlust konnten die früheren Kolonialmächte sowie die USA ihre wirtschaftl. Vormachtstellung in der Dritten Welt jedoch weitgehend behaupten (→Neokolonialismus).

Geschichte: Im Zeitalter der Entdeckungen (15./16. Jh.) errichteten die damals führenden Seemächte, Portugal und Spanien, Kolonien in Gebieten außerhalb Europas. Mit der militär. Sicherung, der verkehrsmäßigen Erschließung, der wirtschaftl. Beherrschung und der rechtl. Anbindung an die Kolonialmacht entwickelten sich – meist unter Anwendung politisch-militär. Gewalt – seit dem 16. Jh. die großen Kolonialreiche; dabei entstanden vielfach europ. Siedlungskolonien (bes. in Amerika und Australien), in denen die Ur-Bev. ausgerottet oder gesellschaftlich isoliert wurde. Mit der staatl. Verselbstständigung von Siedlungskolonien enstanden Ende des 18. und Anfang des 19. Jh. neue Staaten bes. auf dem amerikan. Kontinent. Damit setzte eine erste Gegenbewegung ein, die sich im Bereich der europ. Siedlungskolonien während des 19. und beginnenden 20. Jh. fortsetzte. In der Zeit des Imperialismus beteiligten sich neben Spanien, Portugal, Großbritannien, den Niederlanden und Frankreich auch Belgien, das Dt. Reich, Italien, Japan, Russland und die USA am »Wettlauf« um die Aufteilung der Welt.

🕮 *Fischer-Weltgeschichte, Bd. 29: Die Kolonialreiche seit dem 18. Jh., hg. v.* D. K. Fieldhouse. *A. d. Engl. Frankfurt am Main 85.–87. Tsd. 1987.* – Osterhammel, J.: *K. Geschichte – Formen – Folgen. München 1995.* – Reinhard, W.: *Kleine Geschichte des K. Stuttgart 1996.*

Kolonialstil, Architekturstil in den Kolonialländern, der mit geringem zeitl. Abstand der Stilentwicklung des kolonisierenden Landes folgte; zwei Hauptgruppen: renaissancistisch-manierist. bzw. barocker Stil in den spanisch- oder portugiesischsprachigen Ländern und der vorwiegend klassizist. Stil der englischsprachigen Länder.

Kolonie [lat. colonus »Feldbauer«] *die,* **1)** *Biologie:* die Vergesellschaftung von Einzelorganismen der gleichen Art zu einer Lebensform höherer Ordnung unter teilweiser oder völliger Aufgabe der Individualität (z. B. Korallenstock). Als K. bezeichnet man auch die zeitlich begrenzten Ansammlungen von Vögeln zur Brut und Aufzucht der Nachkommen **(Brut-K.),** ferner manche Familienstaaten von Insekten, z. B. von Ameisen.

2) *Geschichte:* die von europ. Staaten in der Neuzeit erworbenen auswärtigen, meist überseeischen Besitzungen.

Typen von Kolonien: **Siedlungs-K.** dienten der Aufnahme von Auswanderern aus dem Mutterland, wobei entweder die Siedler die einheim. Bev. fast ganz verdrängten (Nordamerika) oder als herrschende Schicht den Hauptteil des Wirtschaftsertrags und der polit. Macht in Anspruch nahmen (z. B. Spanisch- und Portugiesisch-Amerika, Französisch-Algerien). Eine Vermischung mit Einheimischen wurde meist abgelehnt. Rassentrennung wurde noch bis 1993 in Südafrika durchgeführt (→Apartheid). **Wirtschafts-K.** wurden erworben, um Reichtümer in das Mutterland zu überführen (z. B. Gold aus Spanisch-Amerika), das Mutterland mit Rohstoffen für seine Ind. zu versorgen (z. B. Baumwolle aus Ägypten) und um Absatzmärkte und günstige Investitionsbedingungen für Kapital aus dem Mutterland zu sichern (z. B. Indien im 19. Jh.). **Militär-K.** wurden aus strateg. Gründen angestrebt, bis 1945 vor allem Flottenstützpunkte (z. B. Malta, Gibraltar). **Straf-K.** dienten der Unterbringung von Sträflingen (New South Wales, Cayenne, Neukaledonien).

Geschichte: Schon Phöniker, Griechen, Römer, Chinesen, Araber, Türken u. a. verfolgten eine Politik kolonialer Ausdehnung. Von weltgeschichtl. Bedeutung wurde die neuzeitl. Kolonisation der europ. See- und Handelsmächte, die mit der Entdeckung Amerikas (1492) und der Auffindung des Seewegs nach Ostindien (1498) einsetzte. In vielfältiger Rivalität untereinander schufen sich seit 1500 Portugal, Spanien, Frankreich, die Niederlande und Großbritannien Kolonialreiche; dabei gewannen im 19. Jh. Frankreich und v. a. Großbritannien (→Britisches Reich und Commonwealth) eine herausragende Stellung. Erst spät (2. Hälfte des 19. Jh.) traten Belgien, das Dt. Reich und Italien in den Kreis der Kolonialmächte.

Die Tendenz der kolonisierten Völker zur Zusammenarbeit mit den Kolonialmächten fand Ausdruck in der Übernahme von Funktionen im Verw.- und Wirtschaftsbereich sowie in der Annahme von Kulturimpulsen. Dabei entstand eine neue Bildungselite. Widerstand gegen die Kolonialmächte äußerte sich oft in Aufständen, im 20. Jh. auch im passiven Widerstand (M. Gandhi). Versuche revolutionärer Umstürze zielten im 20. Jh. nicht nur auf die Beseitigung der Kolonialherrschaft, sondern auch auf die Umgestaltung der Gesellschaft im Sinne moderner Ideologien. Im Zuge der →Entkolonialisierung sind die K. meist in unabhängige Staaten umgewandelt worden.

Kolonisation *die,* **1)** die →innere Kolonisation.

2) die Besiedlung und die Erschließung fremder Gebiete (äußere K.; →Kolonie).

Kolonnade [frz.] *die, Baukunst:* Säulengang mit geradem Gebälk im Unterschied zur →Arkade.

Kolonne [frz. »Säule«] *die,* **1)** *allg.:* geordnete Formation.

2) *chem. Technik:* Trennungssäule bei der Destillation oder Extraktion.

Kolophonium [nach der altgrch. Stadt Kolophon] *das,* hellgelbes bis rubinrotes Naturharz; gewonnen als Rückstand der Destillation von Terpentinöl aus Kiefernbalsam, durch Extraktion aus Kiefernwurzelstöcken sowie aus Tallöl. K. besteht v. a. aus Abietinsäure; Verwendung zur Herstellung von Klebstoffen, Lacken und als Bogenharz für Streichinstrumente.

Koloratur [italien.] *die,* reiche Auszierung der Gesangstimme mit Figurenwerk und Läufen, die zusammenhängend auf einer Textsilbe ausgeführt werden, bes. bei Arien **(K.-Arie),** wobei die Verzierungen teils vom Komponisten vorgeschrieben, teils vom Sänger improvisiert werden. Zum K.-Singen eignen sich bes. Sopranstimmen (K.-Sopran, z. B. Königin der Nacht in W. A. Mozarts »Zauberflöte«).

Kolorimetrie [lat. »Farbmessung«] *die,* **1)** *Astronomie:* die Bestimmung der Farbenindizes (→Farbenindex) von Sternen.

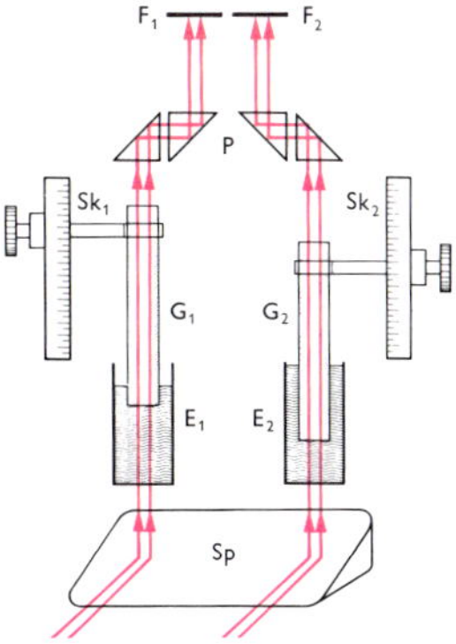

Kolorimetrie 2): Schema eines Eintauchkolorimeters; die Einstellung der gleichen Helligkeit auf den beleuchteten Flächen F_1 und F_2 erfolgt durch Veränderung der Eintauchtiefe der Glasstäbe G_1 und G_2 in den mit Lösungen gefüllten Eintauchbechern E_1 und E_2; der Spiegel Sp und die Prismen P dienen zur Umlenkung der Lichtstrahlen; Sk_1 und Sk_2 sind Messskalen

2) *Chemie:* Verfahren der analyt. Chemie zur Konzentrationsbestimmung von farbigen gelösten Stoffen durch Vergleich der Absorption oder Extinktion von Licht beim Durchtritt durch die zu analysierende Lösung zur Absorption (Extinktion) einer gleichartigen Lösung bekannter Konzentration. Der Vergleich ist mit visuellen (z. B. Eintauchkolorimeter) oder lichtelektr. (photometr.) Methoden möglich, wobei nicht immer streng zw. K. und → Photometrie unterschieden wird.

Kolosseum: Das Innere des Amphitheaters mit der 6–7 m tiefen Unterkellerung

Kolorịsmus [lat.] *der,* Malweise, bei der die Eigenwertigkeit der Farbwirkung als opt. und ästhet. Gestaltungsmittel bestimmend wird.

Kolorịt [italien.] *das,* **1)** *Malerei:* Farbgebung.

2) *Musik:* Klangfarbe.

Kolossallordnung, *Baukunst:* zwei oder mehrere Geschosse einer Fassade übergreifende Säulenordnung; entwickelt im Manierismus, wurde die K. bes. im Barock zum häufigsten Gliederungsmittel an Kirchen- und Palastfassaden.

Adolf Kolping

Kolọsserbrief, Abk. **Kol.,** im N.T. ein Paulus zugeschriebener, wohl aber von einem seiner Schüler zw. 90 und 100 verfasster Brief an die christl. Gemeinde von Kolossai (Kleinasien). Durch den Einfluss jüd. oder gnost. Vorstellungen auf die Gemeinde veranlasst, betont er den Triumph Jesu Christi als des alleinigen Erlösers über jede Herrschaft und Gewalt.

Kolossẹum [mlat. nach dem damals dort noch erhaltenen Koloss des Nero] *das* (italien. Colosseo, Coliseo), das größte Amphitheater Roms und der antiken Welt, unter Vespasian begonnen und, noch unvollendet, von ihm 79 n. Chr. und nochmals von Titus 80 n. Chr. eingeweiht; ein viergeschossiger ellipt. Bau (Längsachse: 188 m, Höhe: 48,5 m) mit etwa 48 000 Sitz- und 4 000–5 000 Stehplätzen. Gladiatorenkämpfe fanden zuletzt im Jahr 405, Tierhetzen bis Mitte des 6. Jh. statt. Im 12. Jh. in die Burg der Frangipani einbezogen, diente es lange als Festung, später als Steinbruch, bis es 1749 als Märtyrerstätte geweiht wurde.

Kolpingwerk

Kolọss von Rhọdos, von Charos von Lindos um 300 v. Chr. in Bronze gegossene, etwa 32 m hohe Statue des Sonnengottes (Helios) am Hafen von Rhodos, 227 n. Chr. durch Erdbeben umgestürzt und zerstört; gilt als eines der sieben Weltwunder.

Kolọstrum [lat.] *das* (Erstmilch, Vormilch), vor und in den ersten Tagen nach der Geburt abgesonderte Milch; unterscheidet sich von der normalen Muttermilch durch höheren Gehalt an Proteinen und Vitaminen. Bei Säugetieren auch **Biestmilch** genannt.

Kolozsvár ['koloʒva:r], ungar. Name der rumän. Stadt → Klausenburg.

Kọlping, Adolf, kath. Theologe, * Kerpen 8. 12. 1813, † Köln 4. 12. 1865; Schuhmachergeselle, seit 1845 Priester; entwickelte aus dem 1846 von J. G. Breuer in Elberfeld gegründeten »Kath. Gesellenverein« das → Kolpingwerk; 1991 selig gesprochen, Fest: 4. 12.

Kọlpingwerk, von A. → Kolping gegründete internat. Bildungs- und Aktionsgemeinschaft kath. Laien. Ziel des K., das früher nur Handwerksgesellen betreute (heute alle Ausbildungsberufe), ist es, den Mitgl. soziale, berufl., mus. und polit. Bildung zu bieten; rd. 360 000 Mitgl. in über 30 Ländern.

Kolportage [-'ta:ʒə, frz. colportage »Hausierhandel«] *die,* literarisch minderwertige Schrift, z. B. ein K.-Roman; im übertragenen Sinn: Verbreitung von ungesicherten, falschen Informationen, Gerüchten.

Kolposkopie [grch.] *die,* Untersuchung der Scheidenschleimhaut des Gebärmutterhalses mit dem **Kolposkop,** einem binokularen Vergrößerungsapparat (10- bis 30fach) mit Beleuchtungsvorrichtung zur Erkennung krankhafter Gewebsveränderungen (Krebsfrüherkennung); meist verbunden mit einer zytolog. Untersuchung (Abstrich).

Kọlsch [rhein. kölsch »kölnisch«] *das,* obergäriges, kohlensäurearmes Kölner Weißbier; schon 1414 ausgeschenkt.

Koltschạk, Alexander Wassiljewitsch, russ. Admiral, * Sankt Petersburg 16. 11. 1874, † (erschossen) Irkutsk 7. 2. 1920; befehligte 1916/17 die Schwarzmeerflotte; bildete 1918 in Sibirien eine antibolschewist. Armee und beherrschte als Diktator (Reichsverweser) zeitweise von Omsk aus das fernöstl. Russland. Seine Truppen wurden schließlich von der Roten Armee besiegt.

kolumbianische Literatur, → lateinamerikanische Literaturen.

Kolụmbilen (amtlich span. República de Colombia; dt. Rep. K.), Staat im NW Südamerikas, grenzt im W an den Pazifik, im NW an Panama,

Kolumbien

Fläche: 1 138 914 km²
Einwohner: (1995) 35,1 Mio. Ew.
Hauptstadt: Bogotá (Santafé de B.)
Verwaltungsgliederung: 32 Dep. und der Hauptstadtdistrikt
Amtssprache: Spanisch
Nationalfeiertag: 20. 7.
Währung: 1 Kolumbian. Peso (kol$) = 100 Centavos (c, cvs)
Zeitzone: MEZ –6 Std.

im N an das Karib. Meer, im NO und O an Venezuela, im SO an Brasilien, im S an Peru und Ecuador. Zu K. gehören auch die rd. 200 km vor der Küste Nicaraguas liegenden Inseln Isla de San Andrés, Isla de Providencia und Cayos de Albuquerque, die zus. ein Dep. bilden, sowie die 2 km² große unbewohnte Pazifikinsel Malpelo.

Staat und Recht: Nach der Verf. vom 4. 7. 1991 ist K. eine präsidiale Rep. Staatsoberhaupt und Reg.chef ist der für vier Jahre direkt gewählte Präs. (Wiederwahl nicht möglich); seine Vollmachten wurden durch das neue Grundgesetz eingeschränkt. Die Legislative liegt beim Zweikammerparlament, bestehend aus Senat (102 Mitgl., davon zwei indian. Einheimische) und Abg.haus (163 Abg., davon fünf für ethn. Minderheiten und zwei für Auslandskolumbianer reserviert), jeweils für vier Jahre gewählt. Einflussreichste Parteien: Liberale Partei (PL), Sozial-Konservative Partei (PSC), Nat. Rettungsbewegung (MSN), Neue Demokrat. Kraft (NFD), Demokrat. Allianz (ADM-19).

Kolumbien

Landesnatur: Kernraum des Staates sind die Anden, die sich im S (Gebirgsknoten: Nudo de Pasto) in drei Gebirgsketten teilen: in die Ostkordillere (Nevado del Cocuy, 5 493 m ü. M.) mit ausgedehnten Hochbecken (u. a. Sabana de Bogotá) in 2 500–2 800 m ü. M., die Zentralkordillere mit jungen, z. T. tätigen Vulkanen (Nevado del Huila, 5 500 m ü. M., Nevado del Tolima, 5 215 m ü. M., Nevado del →Ruiz, 5 200 m ü. M.) und die Westkordillere (Cumbal, 4 790 m ü. M.). Den tiefen Talfurchen zw. den Gebirgszügen folgen die Hauptströme (Río Magdalena, Río Cauca, Río Atrato) zum Karib. Meer. Den O und SO K.s nehmen Tiefländer ein, mit Feuchtsavannen (Llanos) im N, trop. Regenwald im S. Aus dem Tiefland an der karib. Küste erhebt sich der isolierte Gebirgsstock der Sierra Nevada de Santa Marta mit der höchsten Erhebung des Landes (Pico Cristóbal Colón, 5 775 m ü. M.); im N des pazif. Küstentieflands die Küstenkordillere (bis 1 810 m ü. M.). Das Klima ist tropisch; wesentl. Temperaturunterschiede ergeben sich durch die Höhenstufung (→Tierra); Schneegrenze bei 4 600–4 800 m ü. M. Hohe Niederschläge erhalten die pazif. Küstenebene, die W-Abdachung der Kordilleren und das südöstl. Tiefland; bes. trocken das nordöstl. Küstentiefland. Die Bev. lebt v. a. in der Tierra fría (etwa 2 000–2 800 m ü. M.).

Bevölkerung: Überwiegend Mischlinge (über 50 % Mestizen, fast 20 % Mulatten), 20 % Weiße, 5 % Schwarze (v. a. im pazif. Küstentiefland), weniger als 2 % Indianer (v. a. Península de Guajira, östl. und pazif. Tiefland, Westkordillere). K. ist nach Brasilien, Mexiko und Argentinien das bevölkerungsreichste Land Lateinamerikas. Am dichtesten besiedelt sind die Hochbecken und Gebirgstäler; 23 % der Bev. leben in und um Bogotá; die Tiefländer im O sind fast menschenleer (auf 58 % der Landesfläche nur rd. 4 % der Bev.). 60 % der Bev. leben in Städten (31 Großstädte, 4 Millionenstädte), oft

Staatswappen

CO

Internationales Kfz-Kennzeichen

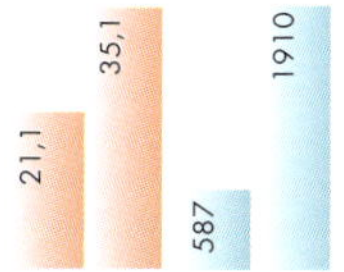

1970 1995 Bevölkerung (in Mio.)
1970 1995 Bruttosozialprodukt je Ew. (in US-$)

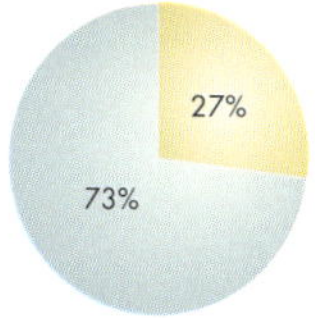

Bevölkerungsverteilung 1995

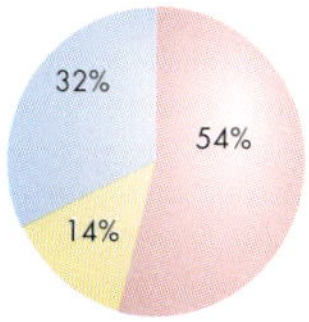

Bruttoinlandsprodukt 1993

Kolumbien: Berglandschaft der Zentralkordillere

über 50% der Bewohner in inner- und randstädt. Elendsvierteln (Tugurios). – Es besteht allg. Schulpflicht vom 7. bis 11. Lebensjahr bei unentgeltl. Unterricht. 235 Hochschuleinrichtungen, die größten Univ. sind in Bogotá und Medellín. Analphabetenquote rd. 12%. – Über 90% der Bev. sind Katholiken.

Wirtschaft, Verkehr: Trotz fortgeschrittener Industrialisierung ist die Landwirtschaft noch dominierend und beschäftigt über 25% aller Erwerbstätigen. Etwa 44% der Gesamtfläche werden landwirtschaftlich genutzt. Wichtigstes Markterzeugnis ist Kaffee, der in Höhen zw. 600 und 1600 m ü. M. v. a. in Klein- und Kleinstbetrieben angebaut wird; rd. 85% der Ernte werden exportiert. K. erzeugt 10–15% der Weltproduktion und steht damit hinter Brasilien an 2. Stelle. Neben Kaffee bauen die Kleinbetriebe Kartoffeln, Getreide, Hülsenfrüchte, Obst und Gemüse zur Selbstversorgung an, während in Mittel- und Großbetrieben Baumwolle, Zuckerrohr, Bananen, Tabak, Reis und seit 1974 Schnittblumen für den Export produziert werden. Große Bedeutung hat die illegale Produktion und der Handel mit Marihuana und Kokain (v. a. aus peruan. und bolivian. Rohmaterial), deren Umsatz wahrscheinlich den Wert der legalen Exporte K.s übertrifft. Nach Schätzungen werden jährlich 4–5 Mrd. US-$ Gewinn erzielt, von dem etwa die Hälfte ins Land zurückfließt und investiert wird. Die Kokainkartelle von Medellín und Cali haben großen Einfluss in Wirtschaft, Politik und Verw. gewonnen. Neben bed. Erdöl- und Erdgaslagerstätten besitzt K. die größten Steinkohlevorkommen Lateinamerikas (bes. auf der Halbinsel La Guajira, Abbau v. a. für den Export). Weiterhin wichtig sind die Vorkommen an Edelmetallen (Gold, Silber, Platin), Smaragden (90% der Weltförderung), Eisen-, Nickel-, Kupfererzen und Steinsalz. Die Ind. wurde nach dem 2. Weltkrieg ausgebaut und weist seit Jahren eine wachsende Produktion auf. Hauptindustriezweige sind die Nahrungsmittel-, Textil- und chem. Ind.; Wachstumsind. sind u. a. die Gummi-, Papier-, petrochem., elektrotechn. Ind. sowie der Maschinen- und Fahrzeugbau. Der Fremdenverkehr (jährlich bis zu über 1 Mio. Auslandsgäste, davon die meisten aus Venezuela, Ecuador und den USA) bringt hohe Deviseneinnahmen. Hauptanziehungspunkte sind die Karibikküste (einschl. Isla San Andrés), die präkolumb. Stätten im Hochland und Cartagena. Exportiert werden v. a. Kaffee, Erdöl und -produkte, Kohle, Bananen, Blumen. Haupthandelspartner sind die USA, Venezuela und Dtl. – Wegen der geograph. Bedingungen hat der Luftverkehr große Bedeutung. Die Eisenbahn verfügt über Strecken von 3154 km, von denen aber nur etwa 60% tatsächlich befahren werden. Straßenlänge: 130000 km (nur z. T. befestigt), z. T. als Carretera Panamericana. Wichtigste Binnenwasserstraße ist der Río Magdalena (rd. 1500 km schiffbar). Wichtigste Seehäfen sind Buenaventura (rd. 50% aller Ein- und Ausfuhren) am Pazifik, Barranquilla, Cartagena und Santa Marta sowie Puerto Bolívar (Kohle) an der Karibik. Wichtigste Fluggesellschaft: Avianca (gegr. 1919, zweitälteste der Erde); daneben mehrere für den nat. Verkehr; internat. Flughäfen in Bogotá, Medellín, Cali, Barranquilla, Cartagena und auf der Isla San Andrés.

Geschichte: Die Küste K.s wurde 1499 durch A. de Hojeda und A. Vespucci entdeckt. 1536–39 unterwarf G. Jiménez de Quesada die kleinen Reiche der → Muisca und begründete das Generalkapitanat Neugranada. Es wurde 1739 ein Vizekönigreich, das die heutigen Staaten K., Ecuador, Panama und Venezuela umfasste. Das Land lieferte v. a. Gold nach Spanien. Die span. Herrschaft wurde im Unabhängigkeitskampf 1810–19 unter der Führung S. Bolívars beseitigt; er gründete die Rep. Groß-K. (etwa identisch mit Neugranada). 1829/30 zerfiel dieser Staat in die Republik K., Ecuador und Venezuela. Nach der Präsidentschaft F. Santanders (1833–37) folgten Jahrzehnte der Instabilität und der Kämpfe um eine zentralist. oder föderalist. Staatsform. 1886 wurde durch eine Verf. der Einheitsstaat wieder hergestellt, doch mündeten Spannungen zw. Liberalen und Konservativen in einen Bürgerkrieg (1899–1901). Da K. den Bau des Panamakanals ablehnte, erklärte die Prov. Panama 1903 auf Drängen der USA ihre Unabhängigkeit. Nach jahrzehntelanger konservativer Herrschaft übernahmen 1930 die Liberalen die Reg. Sie leiteten wirtsch. und soziale Reformen ein, aber die Spaltung der Partei brachte den Konservativen 1946 die Macht zurück. Die sozialen Konflikte eskalierten 1948 in einen Bürgerkrieg, der bis 1958 200000 Opfer forderte. Nach einem Militärputsch einigten sich im Dez. 1957 Liberale und Konservative in einer »Nat. Front« (FTN), die die Macht paritätisch verteilte; die Präs. wurden im Wechsel gestellt. 1974 löste sich die FTN auf; bei den ersten freien Präsidentschaftswahlen siegte der Liberale A. López Michelsen. Die weiterhin ungelösten wirtsch. und sozialen Probleme führten ab 1975 wieder zu Unruhen, die durch spektakuläre Aktionen der Stadtguerilla und harte Polizeigewalt verstärkt wurden. Der 1982 zum Präs. gewählte Konservative B. Betancur Cuartas drängte den Einfluss des Militärs vorübergehend zurück. Seine Suche nach einem Ausgleich mit den Guerillaorganisationen scheiterte. Zunehmend war auch die internat. Drogenmafia in die Auseinandersetzungen verwickelt. Der liberale Präs. V. Barco (1986–90) bekämpfte sie zwar, auch mithilfe der USA, doch eskalierte der Terror im Präsidentschaftswahlkampf 1989/90, bei dem drei Kandidaten ermordet wurden. Präs. C. Gaviria Trujillo (PL; 1990–94) und sein Nachfoler, E. Samper Pisano (PL; seit 1994), bemühten sich, das Land zu befrieden (Wiedereingliederung ehem. Guerilleros) und verstärkten den Kampf gegen die Drogenkartelle. Die neue Verf., die eine umfangreiche Justizreform einschließt, sollte die Voraussetzungen dafür schaffen, doch ist das öffentl. Leben immer noch von brutalen Auseinandersetzungen zw. Guerilla, Drogenkartellen und Staatsgewalt gekennzeichnet. Der Vorwurf gegenüber Präs. Samper Pisano, von Spenden eines Drogenkartells für seinen Wahlkampf gewusst zu haben, stürzte den Staat 1996 innenpolitisch in eine schwere Krise und belastete die Beziehungen zu den USA.

📖 König, H.-J.: *Aus dem Weg zur Nation. Nationalismus im Prozeß der Staats- u. Nationbildung Neu-Granadas 1750–1856. Stuttgart 1988.* – Bruyn de Osa, V.: *Die trüben Wasser des Amazonas. Das Schicksal der kolumbian. Indios im Regenwald. Berlin 1992.* – Pearce, J.: *K. Im Innern des Labyrinths. A. d. Engl. Stuttgart 1992.* – Mansilla, H. C. F.: *Ursachen u. Folgen polit. Gewalt in K. u. Peru. Frankfurt am Main 1993. – Polit. Gewalt in K. Mythos u. Wirklichkeit, hg. v. Amnesty Internat. A. d. Engl. Bonn 1994.* – Dilger, G.: *K. München 1996.* – Lessmann, R.: *Drogenökonomie u. internat. Politik. Die Auswirkungen der Antidrogen-Politik der USA auf Bolivien u. K. Frankfurt am Main 1996. – K. heute. Politik, Wirtschaft, Kultur, hg. v. W. Altmann u. a. Frankfurt am Main 1997.*

Kolumbus (Columbus), Christoph, italien. Cristoforo Colombo, span. Cristóbal Colón, genues. Seefahrer in span. Diensten, * Genua zw. 25. 8. und 31. 10. 1451, † Valladolid 20. 5. 1506; wollte, bestärkt durch den Florentiner Astronomen P. Toscanelli, Indien auf dem Westweg über den Atlant. Ozean erreichen. Da die portugies. Krone 1484 die Unterstützung verwehrte, wandte sich K. nach Spanien, wo es ihm aber erst am 17. 4. 1492 gelang, mit den span. Herrschern Isabella und Ferdinand II.

Christoph Kolumbus

Kolumbus äußerte sich mit Blick auf die Heilige Schrift folgendermaßen über den Anteil von Wasser und Land an der Erde:

»Und die Welt ist klein: Das Trockene an ihr macht sechs Teile aus, nur der siebte (Teil) ist mit Wasser bedeckt. Die Erfahrung hat dies bewiesen, und ich habe in anderen Briefen, ausgeschmückt mit Stellen aus der Heiligen Schrift, davon berichtet, gleichzeitig mit dem Hinweis auf den Ort des irdischen Paradieses, was die Heilige Kirche billigt ...«

einen Vertrag zu schließen. Zu seiner **1. Reise** (3. 8. 1492–15. 3. 1493) brach K. als Großadmiral und Vizekönig der zu entdeckenden Länder mit den Karavellen »Santa Maria«, »Pinta« und »Niña« von Palos aus auf und erreichte am 12. 10. 1492 eine von den Einheimischen Guanahani genannte Bahamainsel (vielleicht San Salvador); er entdeckte am 27. 10. Kuba, am 6. 12. Hispaniola, wo er eine Niederlassung gründete. Auf seiner **2. Reise** (25. 9. 1493–11. 6. 1496) mit 17 Schiffen und etwa 1500 Mann fand K. im Nov. 1493 die Kleinen Antillen und Puerto Rico, im Mai 1494 Jamaika. 1496 kehrte er wegen Missstimmung unter den Siedlern auf Hispaniola und unter seinen Begleitern nach Europa zurück. Während seiner **3. Reise** (30. 5. 1498–25. 11. 1500) mit sechs Schiffen entdeckte K. das südamerikan. Festland an der Orinocomündung und die Insel Trinidad; aufgrund von Anschuldigungen der Siedler wurde er durch den 1500 von der Krone entsandten F. Bobadilla in Ketten nach Spanien gebracht, konnte sich dort aber rechtfertigen. Mit vier Schiffen trat er seine **4. Reise** (11. 5. 1502–7. 11. 1504) an, auf der er bei Honduras das mittelamerikan. Festland erreichte und vergeblich eine Durchfahrt nach dem Meer im W suchte; er musste umkehren, erlitt an der Küste Jamaikas Schiffbruch und traf schließlich 1504 krank in Spanien ein. – K. starb in dem Glauben,

Christoph Kolumbus (Ausschnitt aus einem Gemälde von Sebastiano del Piombo, um 1519; New York, Metropolitan Museum of Art)

Christoph Kolumbus

*Im 19. Jahrhundert beantragte eine Gruppe französischer Katholiken beim Heiligen Stuhl, den »Entdecker« Amerikas heilig zu sprechen, denn schließlich hatte er der Christenheit eine Menge neuer Schäfchen zugeführt. Doch nach längerer Prüfung der Sachlage sah sich Papst Pius IX. (*1792, †1878) gezwungen, den Antrag abzulehnen. Er tat dies mitnichten wegen der allgemeinen Gräueltaten an der Urbevölkerung der Neuen Welt während ihrer Entdeckung. Ausschlaggebend war vielmehr, dass Kolumbus nach dem Tode seiner ersten Frau bis zu seinem Ende mit Beatriz Enriquez de Harana in »wilder Ehe« gelebt hatte.*

den westl. Seefahrtsweg nach Indien gefunden zu haben (daher die Namen »Westind. Inseln«, »Indianer«). Obwohl K. nicht als erster Seefahrer Amerika erreicht hatte (vor ihm u.a. die Wikinger unter Leif Eriksson um 1000), gilt er doch als der eigentl. Entdecker dieses Kontinents, dessen Erschließung und Eroberung durch europ. Mächte (zunächst Spanien und Portugal) er einleitete. Seine Reisen erbrachten zahlr. neue geograph. Kenntnisse und standen am Beginn des »Zeitalters der großen Entdeckungen«. Seit 1899 liegt K. in Sevilla begraben.

🕮 Dreyer-Eimbke: *K. Frankfurt am Main 1991.* – Madariaga, S. de: *K. Leben, Taten u. Zeit des Mannes, der mit seiner Entdeckung die Welt veränderte. A.d. Span. Sonderausg. Bern u.a. 1992.* – Venzke, A.: *C.K. mit Selbstzeugnissen u. Bilddokumenten. Reinbek ²1992.*

Kolumne [lat. »Säule«] *die,* **1)** *Buchdruck:* der auf die richtige Seitenhöhe umbrochene Schriftsatz, die Seite einer Druckform.

2) *Presse:* kurzer Meinungsartikel vom Umfang einer Druckspalte, der regelmäßig unter gleichbleibender Überschrift, an gleicher Stelle in der Zeitung oder Zeitschrift erscheint.

Kolumnist *der,* Verfasser einer Kolumne.

Koluren [grch.], *Astronomie:* zwei durch die Himmelspole gelegte Großkreise. Die **Solstitial-K.** geht durch die Sonnenwendepunkte, die **Äquinoktial-K.** durch die Äquinoktialpunkte.

Kolyma *die,* Fluss in NO-Sibirien, Russland, 2129 km lang, entspringt mit zwei Quellflüssen im Tscherskijgebirge, mündet in die Ostsibir. See (Nordpolarmeer); auf 2000 km schiffbar. Am Oberlauf Wasserkraftwerk (3500 MW) und Goldfelder.

kom... [lat. »zusammen«], Nebenform von →kon... vor Wörtern, die mit b, p oder m beginnen: z.B. *Kommentar.*

Koma [grch. »tiefer Schlaf«] *das,* länger dauernde, tiefe Bewusstlosigkeit ohne Reaktion auf Weckreize, bei massiven Stoffwechselstörungen (Diabetes, Urämie u.a.), Vergiftungen (z.B. durch Schlafmittel, Alkohol), Gehirnblutungen oder z.B. Hirntumoren.

Koma [grch. kómē »Haar«] *die,* **1)** *Astronomie:* die leuchtende Hülle um den Kern eines →Kometen.

2) *Optik:* →Abbildungsfehler.

Komanen, Nomadenvolk, →Kumanen.

Komantschen, Indianer, →Comanchen.

Komárno (dt. Komorn), Stadt und Donauhafen im Westslowak. Gebiet, Slowakei, an der Mündung der Waagdonau in die Donau, 37200 Ew.; Großmühlen, Werft; Umschlagplatz, durch Straßen- und Eisenbahnbrücke mit Komárom, Ungarn, verbunden. – Bis 1920 ungar.; die ehem. Festung K. verteidigte sich im ungar. Freiheitskampf 1848/49 erfolgreich gegen Österreich.

Komárom (dt. Komorn), ungar. Stadt an der Donau, 19000 Ew.; Leinen- und Hanfind.; Thermalbad; Donauhafen. – Bis 1920 ein Außenbez. der damals ungar. Stadt Komárno auf dem gegenüberliegenden Donauufer.

Kombattanten [frz., zu combattre »kämpfen«], die nach Völkerrecht zur Durchführung von Kampfhandlungen in internat. bewaffneten Konflikten allein berechtigte Personengruppe. Nach der Haager Landkriegsordnung zählen dazu neben den Streitkräften auch die zur »kämpfenden Bev.« gehörenden Personen, die die Vorschriften des Kriegsrechts einhalten.

Kombinat [lat.] *das,* in der DDR u.a. ehemals sozialist. Ländern Zusammenschluss von Erzeugungsstätten versch. Produktionsstufen.

Kombination [lat.] *die,* **1)** *allg.:* Verknüpfung, Zusammenfügung, Verbindung,

2) *Mathematik:* →Kombinatorik.

3) *Sport:* 1) in Sportspielen das Zusammenwirken der Spieler, 2) die Verbindung mehrerer Übungen zu einer Gesamtübung, im Kunstturnen der Auf-

Die Reisen des Kolumbus

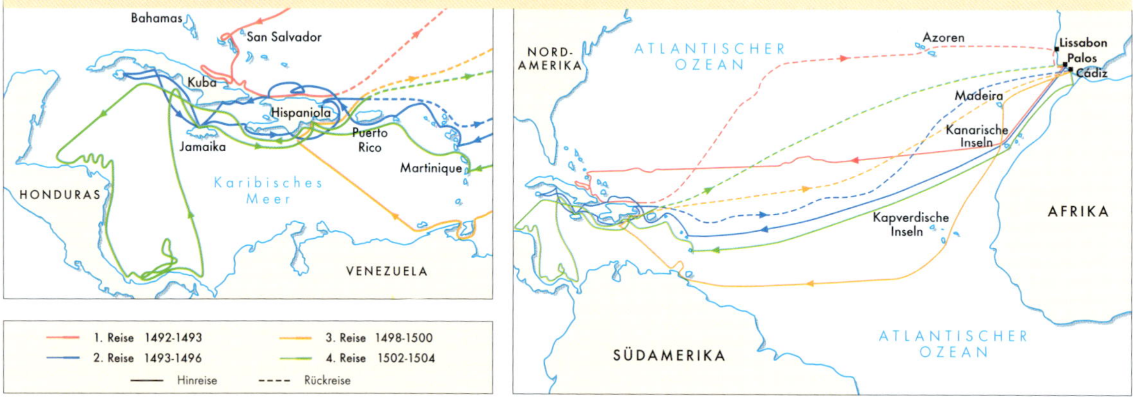

bau einer Übung, 3) aus mehreren Disziplinen bestehender Wettkampf, im Skisport →alpine Kombination, →nordische Kombination, 4) im Pferdesport zwei oder drei einzeln nacheinander zu springende Hindernisse, die als Einzelhindernis gewertet werden, 5) die Addition der Wertungen aus mehreren Disziplinen einer Sportart zu einer Gesamtwertung.

Kombinationsfrequenzen (Mischfrequenzen), *Nachrichtentechnik:* Summen- und Differenzfrequenzen, die bei der Mischung von zwei oder mehr Schwingungen versch. Frequenzen oder deren Oberwellen auftreten.

Kombinations|töne, Wahrnehmung zusätzlich auftretender Töne beim Zusammenklingen zweier Töne der Frequenzen f_1 und f_2 mit annähernd gleicher und nicht zu geringer Intensität. Für die Frequenzen f von K. gilt die Beziehung $f = mf_1 + nf_2$; dabei sind m und n kleine ganze Zahlen. Man unterscheidet **Summationstöne** $(f_1 + f_2)$ und **Differenztöne** $(f_1 - f_2)$.

Kombinatorik [lat.] *die,* Teilgebiet der Mathematik, in dem u.a. die Anzahl der versch. mögl. Anordnungen der Elemente einer Menge oder die Anzahl von mögl. neuen Mengen, die mithilfe der Elemente einer Ausgangsmenge gebildet werden können, untersucht wird. Die K. berührt v.a. die Wahrscheinlichkeitsrechnung und die Zahlentheorie. – Jede Zusammenstellung von $k \leqq n$ Elementen a_i einer n-elementigen Menge $A = \{a_1, a_2, \ldots, a_n\}$ nennt man eine **Auswahl.** In der elementaren K. gibt es folgende Grundtypen der Auswahl: 1) **Permutationen** sind die mögl. Anordnungen aller Elemente einer endl. Menge A, d.h. die mögl. Verteilungen dieser n Elemente auf n Plätze, also die umkehrbar eindeutigen Abbildungen von A auf sich. Dafür gibt es $n!$ (→Fakultät) Möglichkeiten, z.B. für $A = \{1, 2, 3\}$ $3!$ mögl. Permutationen: 123, 132, 213, 231, 312, 321. – 2) **Kombinationen ohne Wiederholungen** von n Elementen zur k-ten Klasse sind die mögl. Teilmengen von A mit k Elementen, d.h. die mögl. Verteilungen der n Elemente auf k Plätze ohne Berücksichtigung der Reihenfolge. Es gibt

$$\binom{n}{k} = \frac{n(n-1)\ldots n(n-k+1)}{1 \cdot 2 \cdot \ldots \cdot k} = \frac{n!}{k!(n-k)!}$$

(→Binomialkoeffizient) solcher Kombinationen, z.B. für $A = \{1, 2, 3\}$ und $k = 2$ die Kombinationen 12, 13, 23. Bei **Kombinationen mit Wiederholungen** darf ein Element bei der Verteilung auf die k Plätze mehrmals auftreten. – 3) **Variationen mit Wiederholungen** von n Elementen zur k-ten Klasse sind geordnete k-Tupel, also mit Berücksichtigung der Reihenfolge, gebildet mit den Elementen des k-fachen kartes. Produkts A^k von A. Es gibt n^k solche Variationen. Z. B.: $A = \{1, 2, 3\}$, $k = 2$, dann gibt es die Variationen 11, 12, 13, 21, 22, 23, 31, 32, 33. Bei **Variationen ohne Wiederholungen** tritt ein Element jeweils nur einmal auf.

kombinierter Verkehr: Ein Sattelanhänger (Trailer) wird am Gleisanschluss auf das Eisenbahndrehgestell geschoben; das Straßenlaufwerk wird auf der Bahnfahrt mitgeführt

kombinierter Verkehr (kombinierter Ladungsverkehr, Abk. KLV), Güterverkehrsart, bei der innerhalb einer Transportkette das Transportgefäß bei Wechsel des Transportmittels (z.B. vom Schiff auf die Bahn, von der Bahn auf Lkw) beibehalten wird. Als Transportgefäße dienen Container, Großpaletten, auswechselbare Sattelauflieger oder ganze Transportfahrzeuge. Varianten des KLV sind der unbegleitete **Huckepackverkehr,** bei dem Sattelauflieger, Container, Wechselbehälter usw. auf speziellen Schienenfahrzeugen transportiert werden; bei der sog. **rollenden Landstraße** werden komplette Lkws verladen und von den Fahrern begleitet. Eine Verkürzung der Umschlagzeiten bietet der **bimodale Verkehr,** bei dem Lkw-Sattelauflieger (Trailer) ohne Hebekräne und Rangiermaschinen direkt auf Eisenbahndrehgestelle geschoben und zu Zügen zusammengestellt werden. In Dtl. befindet sich der erste »Trailerport« in München, der fahrplanmäßige Verkehr von »Trailerzügen« zw. München und Verona wurde im Juni 1995 aufgenommen.

Komburg (Comburg), ehem. Benediktinerkloster bei Schwäbisch Hall, Bad.-Württ.; befestigte Klosterburg auf einem Bergvorsprung über dem Kocher; gegr. um 1079 durch Umwandlung einer Burg, Blütezeit im 12. Jh.; 1488 wurde K. Chorherrenstift; roman. Kirchenbau (Türme erhalten), im 18. Jh. barock erneuert; Erhardskapelle (frühes 13. Jh.).

Kombüse [niederdt.], seemänn. Bez. für die Schiffsküche.

Komedonen [lat. »Fresser«, »Schlemmer«], die →Mitesser.

Kometen [zu grch. kómē »Haar«, eigtl. »die Behaarten«] (Haarsterne, Schweifsterne), meteorartige Körper, die sich meist in sehr exzentr. Ellipsenbahnen um die Sonne bewegen. Nur wenige K. sind dem freien Auge sichtbar; die meisten erreichen nur Helligkeiten von 6^m bis 16^m (→Größenklassen) und sind als teleskop. K. nur mit Fernrohren zu sehen. Durchschnittlich alle 5 Jahre taucht ein solcher K. auf, sog. Riesen-K. etwa zweimal alle 100 Jahre. Der vorerst letzte spektakuläre Komet war im Frühjahr 1997 der →Hale-Bopp.

Kometen*) (Auswahl)

Kometenname	kleinster Erdabstand in Mio. km	Datum
Halley (374)	13,2	1. April 374
Halley (607)	13,4	19. April 607
Halley (837)	5,0	10. April 837
Halley (1066)	15,6	23. April 1066
Temple-Tuttle (1366)	3,4	26. Oktober 1366
C/1481 B1	1,4	20. Februar 1491
D/1770	2,6	1. Juli 1770
Giacobini-Zinner	149	20. Dezember 1900
Ikeya-Seki	145	21. Oktober 1965
Kohoutek	120	15. Januar 1974
West	119	29. Februar 1976
IRAS-Araki-Alcock	4,7	11. Mai 1983
Halley (1986)	62,8	11. April 1986
Hyakutake	15,2	25. März 1996
Hale-Bopp	197	23. März 1997

*) mit dem bloßen Auge wahrzunehmende Planeten am Himmel

Man unterscheidet bei K. den Kern und die Koma, die zus. den **Kopf** bilden, sowie den Schweif. Der **Kern** besteht aus einer Ansammlung von Staub, Steinen, Eisen-Nickel-Meteoriten, Eis, gefrorenen Gasen (Ammoniak, Methan, Kohlenmonoxid, Dicyan) u.a. mit einer Gesamtmasse von etwa 10^{11} bis 10^{17} kg. Die größten Kerne haben einen Durchmesser bis zu 100 km, die kleinsten von nur wenigen km. Bei Annäherung an die Sonne finden als Folge der intensiven Bestrahlung Ausbrüche leuchtender Gasmassen statt, die sich als **Koma** um den Kern legen (Durchmesser von etwa 20000 km bis zu mehreren Mio. km). Die Koma liefert meist 90% des Lichts, da die Atome und Moleküle durch das Sonnenlicht zur Resonanzfluoreszenz angeregt werden. Ihre Helligkeit unterliegt plötzl. Schwankungen, die mit den Sonnenflecken zusammenhängen. Die Dichte in der Koma dürfte etwa 10^4 bis 10^6 Moleküle je cm^3 sein. – Nur wenige K. entwickeln einen Schweif. Die Schweife werden hauptsächlich durch Wechselwirkung des →Sonnenwindes und des Strahlungsdrucks der Sonne mit der vom Kern entweichenden Materie (Gas, Staub) gebildet. Man unterscheidet den lang gestreckten aus Plasma bestehenden **Ionen-** oder **Plasmaschweif,** der infolge des Sonnenwindes immer von der Sonne abgewandt ist, und den gekrümmten **Staubschweif.** Die Dichte im Schweif ist so gering, dass selbst bei einer Berührung mit der Erde nichts von ihm zu spüren ist. Die großen K. haben Schweife von $3 \cdot 10^8$ km, die meisten K. aber nur von höchstens 10^6 bis 10^7 km Länge; die Gestalt des Schweifs wird vom interplanetaren Magnetfeld beeinflusst.

Wenige K. kehren als **period. K.** (Umlaufzeiten kleiner als 200 Jahre) nach bestimmter Zeit in Sonnennähe zurück. **Langperiod. K.** haben Umlaufzeiten zw. 10^2 und 10^7 Jahren, **kurzperiod. K.** (Umlaufzeiten weniger als 15 Jahre) zeigen bei jeder Wiederkehr Zerfallserscheinungen und eine geringere Helligkeit. Man nimmt an, dass diese K. infolge planetarer Störungen (v.a. durch große Planeten wie Jupiter) aus langperiod. K. hervorgegangen sind. Manche K. lösen sich in mehrere Teile auf (→Biela-Komet), die als Meteorschauer in Erscheinung treten. – Der Halleysche K. ist mit einer Periode von 76,08 Jahren der hellste K., der **Enckesche K.** hat mit 3,31 Jahren die kürzeste Periode.

📖 BRANDT, J. C. u. CHAPMAN, R. D.: *Rendezvous im Weltraum. Die Erforschung der K. A. d. Engl. Basel u. a. 1994.* – MÖHLMANN, D.: *K. Himmelskörper aus den Anfängen des Sonnensystems. München 1997.*

Komi [Eigenbez.] (früher Syrjänen), ein eine finnougr. Sprache sprechendes Volk in der Rep. K.

Kometen

Was hat man in ihnen nicht alles sehen wollen: Weil nach Cäsars Tod ein leuchtender Komet auftauchte, hielt man sie fortan für Todesboten berühmter Zeitgenossen. Da mit ihrem Auftauchen gelegentlich auch gute Weinernten zusammenfielen, deutete man sie als Vorzeichen großer Jahrgänge. Und der berühmteste von ihnen, der Halleysche Komet, ruft seit mehr als zweitausend Jahren die düstersten Propheten auf den Plan. Seit 240 vor unserer Zeit nämlich hat ihn die Menschheit regelmäßig beobachtet, wenn er alle 75 bis 79 Jahre auf seiner weiten Bahn zur Sonne zurückkehrte – und kaum eine Katastrophe, Not oder Pestilenz, die ihm oder seinesgleichen dabei noch nicht angedichtet worden ist.

Seit der Antike sind nämlich ungefähr 1200 Kometenerscheinungen überliefert, verursacht von rund 800 verschiedenen Kometen. Doch damit ist ihr Vorrat nicht erschöpft: Jedes Jahr entdecken die Forscher etwa 20 weitere, und die Wissenschaft weiß von rund einer Billion Kometen, die draußen am Rande des Sonnensystems herumschwirren. Klumpen aus einem Gemisch von Eis, Steinen und Staub, treten sie erst bei Annäherung an die Sonne aus der Schwärze des Alls. Dann entfalten sie ihren leuchtenden Schweif im Sonnenlicht, manchmal Hunderte Millionen Kilometer lang, eine Fahne aus Gasen und Staub.

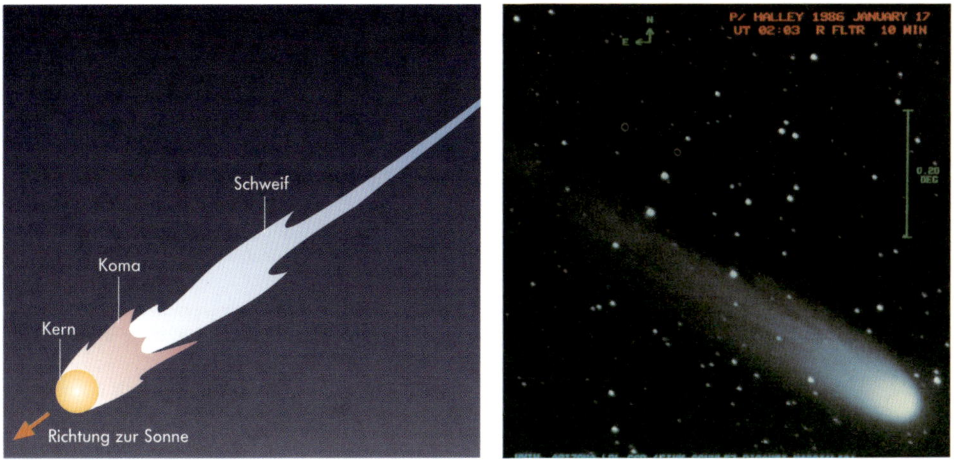

Kometen (von links): Schema eines voll entwickelten Kometen und der Komet Halley, aufgenommen mit dem 1,5 m-Spiegelteleskop der Universität von Arizona

der Russ. Föderation, im Westsibir. Tiefland und auf der Halbinsel Kola; zus. 345 000 K., davon 84,5 % in der Rep. K. Die K. betreiben Ackerbau, Viehzucht (in der Tundra Rentiere), Pelztierjagd und Fischfang. Verwandt sind die 152 000 K.-Permjaken (im Autonomen Kreis der K.-Permjaken). Die K. sind seit dem 14. Jh. orthodoxe Christen.

Kọmi, Teilrep. der Russ. Föderation, im äußersten NO Europas, 415 900 km², (1995) 1,20 Mio. Ew. (1989: 23 % Komi, 58 % Russen, ferner Ukrainer, Weißrussen, Tataren u. a.); Hptst.: Syktywkar. Wald-, seen- und sumpfreiche, im O vom Ural begrenzte Ebene, im W vom Timanrücken durchzogen, im N Tundra. Bergbau (Steinkohle, Erdöl, Erdgas, Bauxit), Holzwirtschaft. Im S Rinder-, Schweinezucht und Getreideanbau, im N Rentierzucht. Von der Petschorabahn durchzogen. Seit 1921 autonomes Gebiet, seit 1936 ASSR, seit 1992 Teilrepublik.

Kọmik [grch. kōmikós »possenhaft«, »lächerlich«] *die,* eine der Tragik entgegengesetzte Form des übertreibenden Kontrastierens, die Wahrnehmung widersprüchl. Prinzipien als ein belustigender, aber auch befremdender Eindruck, wobei es sich aber um ungleichwertige Prinzipien handelt, sodass die Spannung in Lachen gelöst werden kann.

Kominfọrm *das,* Kw. für **Kom**munistisches **Inform**ationsbüro (eigtl. Informationsbüro der kommunistischen und Arbeiterparteien), bestand 1947–56; Sitz: 1947–48 Belgrad, 1948–56 Bukarest; umfasste nach dem Ausschluss der KP →Jugoslawiens (1948) die kommunist. Parteien Bulgariens, Frankreichs, Italiens, Polens, der UdSSR, der Tschechoslowakei, Rumäniens und Ungarns. Das K. diente von Anfang an der UdSSR als Hilfsorgan ihrer Außenpolitik.

Komintẹrn *die,* Kw. für **Kom**munistische (III.) **Intern**ationale, gegr. im März 1919 in Moskau auf Anregung Lenins als Vereinigung aller kommunist. Parteien, verstand sich als Vollstreckerin des Kommunist. Manifests und der Ersten Internationale, stand in scharfem Ggs. zur (II.) »Sozialist. Internationale«. Die K. lenkte die Politik der Gliedparteien hauptsächlich durch ihr ständiges Organ, das Exekutivkomitee (EKKI), koordinierte sie auch organisatorisch nach einheitl. Grundsätzen und verfolgte als Endziel die Weltrevolution. Seit Mitte der 1920er-Jahre geriet die K. ganz in den Machtkampf zw. Stalin und seinen Gegnern innerhalb der KPdSU. Im Zuge dieser Entwicklung wurde die K. ein Instrument der Außenpolitik Stalins. Während des 2. Weltkrieges ließ dieser die K. im Mai 1943 als Konzession an die mit der UdSSR verbündeten Westmächte auflösen.

📖 *Aufstieg u. Zerfall der K., hg. v.* T. Bergmann *u.* M. Kessler. *Mainz 1992.* – Vatlin, A. J.: *Die K. 1919–1929. Histor. Studien. Mainz 1993.*

Kọmi-Permjạken, Autonọmer Kreis der, VerwBez. im Gebiet Perm, Russ. Föderation, 32 900 km², (1994) 160 300 Ew. (1989: 60 % Komi-Permjaken, 36 % Russen), Verw.zentrum: Kudymkar. Flachhügelige, vermoorte Niederung an der oberen Kama, zu $^4/_5$ bewaldet. Getreide-, Flachsanbau, Vieh-, im N Pelztierzucht; Holzverarbeitung. – Gegr. 1925.

kọmische Persọn (lustige Figur), Theaterfigur, die der Erheiterung des Publikums dient; sie relativiert als antithet. Parallelfigur zum Helden das Bühnengeschehen und durchbricht die Bühnenillusion durch direkte Anrede der Zuschauer. Nach den improvisierten k. P. im antiken →Mimus, den Bauerntölpeln der Fastnachtsspiele, den Narren in Shakespeares Stücken kam es bei den wandernden

komische Person: Pickelhering (oben) und Hanswurst

Schauspielertruppen des 16. und 17. Jh. zur Bildung von festen kom. Typen, die in vielen Ländern Eingang fanden: Figuren der →Commedia dell'Arte, Clown und der Pickelhering der engl. Bühne. In Wien schuf um 1700 A. Stranitzky die Figur des Hanswursts. Die k. P. lebte später als »Staberl« und »Kasper« weiter, in England als »Punch«, in Italien als »Pulcinella«, in Frankreich als »Polichinelle« und »Guignol«. Die k. P. ist seit dem 18. Jh. eine Hauptfigur des Volksstücks, bes. aber des Puppentheaters und, als Clown und dummer August, des Zirkus. Entsprechende kom. Figuren sind tschech. Kašpárek, russ. Petruschka, türk. Karagös.

komisches Epos, epische Behandlung kom. Ereignisse. Nach Parodien der »Ilias« in der →Batrachomyomachie, der höf. Epen in H. Wittenweilers »Der Ring«, nach der romantisch-iron. Darstellung des Helden in Ariostos »Orlando furioso« (1516–21, erweitert 1532) begründete A. Tassoni (»Der geraubte Eimer«, 1622) die Tradition des **heroisch-kom. Epos.** Im 18. Jh. erschienen u.a. »Der Lockenraub« (1712) von A. Pope, scherzhafte dt. Heldengedichte wie »Der Renommiste« (1744) von J. F. W. Zachariae, Travestien wie A. Blumauers »Äneis« (1782), grotesk-kom. Knittelversgedichte von K. A. Kortum (»Die Jobsiade«, 1799), kom. Verserzählungen von C. M. Wieland. Im 19. Jh.: u.a. K. Immermanns »Tulifäntchen« (1830), die kom. Bildgeschichten von W. Busch.

Komitat [lat.] *das,* bis 1949 Bez. für einen ungar. Verwaltungsbezirk.

Komitilen [lat.], im antiken Rom Versammlungen der röm. Bürger mit Stimmrecht zu Beamtenwahl, Erlass von Gesetzen, Beschlussfassung über Krieg und Frieden, Entscheidung von Strafklagen.

Komma [grch.] *das,* **1)** *Interpunktion:* Beistrich →Satzzeichen, ÜBERSICHT.

2) *Musik:* Differenz zw. zwei annähernd gleich großen Intervallen, z.B. der Überschuss von zwölf reinen Quinten über sieben Oktaven, das **pythagoreische K.,** oder der Überschuss des großen Ganztons über dem kleinen, das **syntonische** oder **didymische Komma.**

Kommafalter, →Dickkopffalter.

Kommandeur [-'dø:r] *der,* Führer eines militär. Verbandes vom Bataillon an aufwärts, auch Leiter militär. Schulen.

Kommandeurlinseln [-'dø:r-] (russ. Komandorskije ostrowa), russ. Inselgruppe 200 km östlich von Kamtschatka, 1848 km², vulkan. Ursprungs; besteht aus der **Beringinsel** (1660 km²; bis 751 m ü.M.) und den Inseln Medny, Toporkow und Ari Kamen; Strauch- und Moostundra, Schutzgebiet für Seerobben und -löwen.

Kommanditgesellschaft, Abk. **KG,** Form einer Handelsges. (Personenges.), bei der mindestens ein Gesellschafter persönlich mit seinem ganzen Vermögen haftet **(persönlich haftender Gesellschafter, Komplementär),** der andere Teil nur mit einer bestimmten, aus dem Handelsregister ersichtl. Vermögenseinlage **(Kommanditist,** *schweizer.:* **Kommanditär).** Komplementär kann auch eine AG oder eine GmbH (GmbH & Co.) sein, womit eine Haftungsbeschränkung aller Beteiligten erreicht wird. Der Kommanditist ist zu Geschäftsführung und Vertretung der KG nur bei entsprechender Vereinbarung berechtigt; er muss nur bei außergewöhnl. Geschäften gefragt werden, nimmt an Gewinn und, bis zur Höhe der Einlage, am Verlust teil (§§161 ff. HGB). Die **KG auf Aktien** (Abk. **KGaA**) ist eine Ges. mit eigener Rechtsfähigkeit, bei der die Kommanditisten mit Einlagen auf das in Aktien zerlegte Grundkapital beteiligt sind (§§278 ff. Aktiengesetz). – Die *österr.* KG entspricht der deutschen; in der *Schweiz* ist die KG in Art. 594 ff. OR ähnlich geregelt, als Komplementäre sind nur natürl. Personen zugelassen.

Kommando [italien.] *das,* **1)** *Datenverarbeitung:* ein →Befehl.

2) *Militärwesen:* 1) ein Befehl, der in Dienstvorschriften für bestimmte Tätigkeiten wörtlich festgelegt ist; 2) eine zu einem bestimmten Zweck zusammengestellte Abteilung (Wach-, Begleit-K.); 3) Bez. für bestimmte Stäbe, z.B. Verteidigungsbezirkskommando, Heeresführungskommando.

Kommandobrücke (kurz Brücke), auf Schiffen hoch gelegenes Aufbaudeck mit allen Steuer- und Navigationseinrichtungen.

Kommaschildlaus (Lepidosaphes ulmi), fast weltweit verbreitete, bes. an Obstbäumen schädl. Schildlausart; Weibchen mit kommaförmigem Schild.

Kommende [lat.] *die,* **1)** *kirchl. Rechtsgeschichte:* kirchl. →Pfründe, deren Inhaber die Einkünfte bezieht, aber von den Amtspflichten befreit ist.

2) *Ritterorden:* Komturei (→Komtur).

Kommensalismus [lat.] *der,* Zusammenleben zweier Organismen, wobei sich der eine **(Kommensale)** vom Nahrungsüberschuss des anderen ernährt, seinen Wirt aber nicht oder unwesentlich schädigt.

kommensurabel [lat.], **1)** *allg.:* mit gleichem Maß messbar, vergleichbar.

2) *Mathematik:* Zwei Zahlen heißen k., wenn sie ganzzahlige Vielfache einer dritten Zahl sind; zwei beliebige rationale Brüche sind k.; Ggs.: inkommensurabel.

Kommensurabilität [lat.] *die,* Bez. für die Umlaufzeiten zweier Körper des Sonnensystems, wenn sich ihr Verhältnis durch kleine ganze Zahlen ausdrücken lässt. Sie bewirkt starke gegenseitige Bahnstörungen durch Resonanz.

kommensurable Observable, *Quantentheorie:* ein Paar von Observablen, für das keine →Unschärferelation gilt, d.h., das prinzipiell gleichzeitig genau gemessen werden kann.

Kommentar [lat.] *der,* **1)** *Literaturwissenschaft:* sprachl. und sachl. Erläuterungen zu einem Text.

2) *Publizistik:* Meinungsbeitrag in Presse, Rundfunk und Fernsehen. Als subjektiv wertende Beurteilung ist der K. eine Form der Kritik und wird allg. durch Art. 5 des GG und bes. von den Pressegesetzen der dt. Bundesländer geschützt.

3) *Recht:* fortlaufende Erläuterung (Kommentierung) der einzelnen Sätze eines Gesetzes in der Form einer die Tatbestandsmerkmale und Rechtsfolgen zergliedernd behandelnden Interpretation. Rechtsgeschichtlich →Glossatoren.

Kommentatoren [lat.], →Postglossatoren.

Kommerell, Max, Literaturwissenschaftler und Schriftsteller, *Münsingen 25. 2. 1902, †Marburg 25. 7. 1944; gehörte zeitweise zum George-Kreis, hatte wesentl. Anteil an der Entwicklung der modernen Textinterpretation (»Geist und Buchstabe in der Dichtung«, Essays, 1940; »Gedanken über Gedichte«, 1943); schrieb selbst Lyrik, Stücke, Erzählungen (»Der Lampenschirm aus drei Taschentüchern«, 1940); auch Übersetzer (Calderón, Michelangelo).

Kommern, Ortsteil von →Mechernich.

Kommers [zu Kommerz] *der,* student. Trinkgelage.

Kommersbuch, student. Liederbuch, älteste Samml. von 1781.

Kommerz [zu lat. commercium »Handel und Verkehr«] *der,* heute meist abwertend für Wirtschaft, Handel und Geschäftsverkehr.

Kommerzialisierung *die,* meist abschätzig gebrauchte Bez. für die Unterordnung ideeller, meist kultureller Werte unter wirtsch. Interessen.

Kommerzi|enrat, Ehrentitel, im Dt. Reich bis 1919 an Persönlichkeiten der Wirtschaft verliehen; in Österreich noch heute **Kommerzialrat.**

Kommissar [lat.] *der* (Kommissär), eine im Auftrag des Staates oder einer Gemeinde tätige Person; auch Amtsbez. (z.B. Polizei-K.). Vielfach heißen K. die Beamten, die vom Staat zur Ausübung der Staatsaufsicht über bestimmte Einrichtungen eingesetzt oder zur vorübergehenden (kommissar.) Verw. einer Selbstverwaltungskörperschaft bestellt werden. In Revolutions- und Krisenzeiten wurden häufig **polit. K.** mit Sonderaufträgen bestellt. In Dtl. können Beauftragte **(Bundes-K.)** im Rahmen der Bundesaufsicht zu obersten Landesbehörden entsandt werden (Art. 84 GG). Im Dt. Reich gab es 1918–33 **Reichs-K.** für bestimmte Aufgaben (z.B. für Osthilfe, für Preisüberwachung), im nat.-soz. Dtl. 1933–45 als oberste Reichsbehörden (z.B. in den besetzten Gebieten nach 1939). In der UdSSR hießen 1917–46 die Minister **Volkskommissare.** In der Bundesrep. Dtl. bestellten die Westmächte zw. 1949 und 1955 **Hohe K.** zur Ausübung ihrer Kontrollbefugnisse; mit gleicher Bez. amtier(t)en besondere Beauftragte des Völkerbundes und der Vereinten Nationen.

Kommissarbefehl, vom Oberkommando der Wehrmacht (OKW) auf Weisung Hitlers erlassener Befehl vom 6. 6. 1941, der in Vorbereitung des dt. Überfalls auf die UdSSR die (völkerrechtswidrige) Erschießung aller gefangen genommenen polit. Kommissare der Roten Armee anordnete. Der K., der v.a. von den →Einsatzgruppen durchgeführt wurde, bezog jedoch auch die Wehrmacht in die nat.-soz. Vernichtungspolitik ein.

kommissarisch, vorübergehend, in Vertretung (ein Amt verwaltend).

kommissarische Vernehmung, im Strafprozess die Vernehmung von Zeugen und Sachverständigen außerhalb der Hauptverhandlung durch einen ersuchten oder beauftragten Richter, wenn dem Erscheinen vor Gericht für längere oder ungewisse Zeit Krankheit oder andere Hindernisse entgegenstehen (§§ 223, 224 StPO). Ähnl. Regelungen enthalten in *Österreich* §156 StPO, in der *Schweiz* Art. 164 Ges. über die Bundesstrafrechtspflege. – Eine k.V. kann auch im Zivilprozess stattfinden (§§361ff. ZPO). →Rechtshilfe

Max Kommerell

Kommission [lat.] *die,* **1)** *allg.:* zu einem bestimmten Zweck gebildeter Ausschuss.

2) *Recht:* (Kommissionsgeschäft) Rechtsgeschäft, durch das ein Kaufmann (der **Kommissionär**) es übernimmt, Waren oder Wertpapiere im eigenen Namen, aber für Rechnung (d.h. im Auftrag) eines anderen (des **Kommittenten**) einzukaufen oder zu verkaufen (§§383ff. HGB). Vertragspartner des Ausführungsgeschäfts (also mit einem Dritten) ist der Kommissionär als Käufer oder Verkäufer. Der Kommissionär hat Anspruch auf Provision und Aufwendungsersatz, ggf. ein Pfandrecht an den Waren für seine Ansprüche, der Kommittent Auskunfts- und Herausgabeansprüche. – In *Österreich* gelten §§383ff. HGB, in der *Schweiz* Art. 425ff. OR, wobei hier der Kommissionär nicht Kaufmann zu sein braucht.

Kommissionsbuchhandel, Zweig des Buchhandels, der zur Vereinfachung des Geschäftsverkehrs zw. Buchhandlung (Sortimentsbuchhandel) und Verlag vermittelt. Der buchhändler. Kommissionär handelt im Auftrag, im Namen und für Rechnung seiner Kommittenten.

Kommode [frz.], niedriges Schrankmöbel mit Schubladen, aus der Truhe entwickelt und seit etwa 1700 in Gebrauch. BILD S. 428

Kommodore [italien.] *der,* **1)** *Luftwaffe:* Kommandeur eines Geschwaders.

2) *Marine:* Kapitän zur See in Admiralsstellung; in der Handelsmarine Ehrentitel für ältere verdiente Kapitäne.

kommunal [lat.], eine Gemeinde oder einen Gemeindeverband betreffend.

Kommunal|abgaben, Gesamtheit der Abgaben und Steuern, die aufgrund eigener Finanzhoheit von den Gemeinden erhoben werden (→Gemeindefinanzen, →Gemeindesteuern).

Kommode aus dem niederrheinischen Gebiet (um 1710; München, Bayerisches Nationalmuseum)

Kommunal|anleihe, →Kommunalkredit.

kommunale Betriebe, die wirtschaftl. Unternehmen der Gemeinden und Kreise, die im Unterschied zu den nichtwirtschaftl. Unternehmen und Einrichtungen einen Ertrag für den Haushalt der Gemeinde erwirtschaften sollen. Nach der Rechtsform unterscheidet man **öffentlich-rechtliche k. B.** (Regiebetriebe, Eigenbetriebe und rechtlich selbstständige Anstalten mit eigener Rechtspersönlichkeit wie Sparkassen) sowie **privatrechtliche k. B.** mit eigener Rechtspersönlichkeit und beschränkter Haftung der Kommunen (als AG oder GmbH gegr.), bei alleiniger Trägerschaft der Gemeinde auch kommunale Eigengesellschaften genannt. Hinzu kommen die i. d. R. von kommunalen Gebietskörperschaften getragenen Zweckverbände.

kommunale Gebietsreform, →Verwaltungsreform.

kommunale Spitzenverbände, Zusammenschlüsse von Gemeinden und Landkreisen zur Auswertung von Erfahrungen und zur Vertretung gemeinsamer Interessen. In Dtl. bilden der **Dt. Städtetag** (gegr. 1905, Sitz: Köln), der **Dt. Städte- und Gemeindebund** (Sitz: Düsseldorf) und der **Dt. Landkreistag** (Sitz: Bonn) die Bundesvereinigung der kommunalen Spitzenverbände.

Kommunalkredit, an Gemeinden und Gemeindeverbände gewährter Kredit. Kurzfristige K. werden v. a. von Sparkassen und Landesbanken bereitgestellt. Mittel- und langfristige K. **(Kommunaldarlehen)** zur Finanzierung öffentl. Investitionen werden bei Hypothekenbanken und Realkreditinstituten oder direkt am Kapitalmarkt durch Emission von Schuldverschreibungen **(Kommunalanleihen)** aufgenommen.

Kommunal|obligation, von privaten Hypothekenbanken und öffentlich-rechtl. Kreditinstituten ausgegebene Teilschuldverschreibung zur Refinanzierung von Darlehen an öffentl. Körperschaften sowie kommunal verbürgter Kredite an Dritte. K. werden an der Börse notiert.

Kommunalpolitik, Sammelbegriff für polit. Handeln, das sich auf die öffentl. Angelegenheiten in Gemeinde, Stadt, Bezirk, Kreis oder Distrikt richtet, also auf eine kommunale Gebietskörperschaft, die mit begrenzter Eigenverantwortung (z. B. in der Bauleitplanung, der Wirtschaftsförderung, im Umweltschutz und im Personennahverkehr) tätig wird und zugleich zu einem übergreifenden Gemeinwesen gehört. Die gesellschaftl. Bedeutung der K. ist in den meisten europ. Industriestaaten während der letzten Jahrzehnte stark gewachsen, ihr polit. Gewicht wird jedoch oft durch übergeordnete Gesetzgebung auf nat. und übernat. Ebene eingeschränkt. In vielen parlamentar. Demokratien, z. B. in der Schweiz, in Österreich, in den Niederlanden und in der Bundesrep. Dtl. gilt heute die kommunale Ebene als Sockel des demokrat. Staates. Formen und Verfahren der K. werden überwiegend geprägt durch die staatlich gegebenen Kommunalverfassungen.

📖 *K. Polit. Handeln in den Gemeinden, hg. v.* R. Roth *u. a. Opladen 1994.*

Kommunalverband Ruhr, →Ruhrgebiet.

Kommunalverwaltung, →Selbstverwaltung, →Gemeinde.

Kommunalwahlen, Wahlen der Volksvertretungen in den Gemeinden und Kreisen. Das Kommunalwahlrecht ist durch Landesgesetze geregelt (aktives Wahlrecht: Deutsche ab vollendetem 18. Lebensjahr, die eine Mindestzeit im Wahlgebiet wohnen; passives Wahlrecht: die aktiv Wahlberechtigten, z. T. erst ab vollendetem 21. Lebensjahr). Seit Ende 1992 sind nach Art. 28 Abs. 1 Satz 2 GG bei K. auch Personen, die die Staatsangehörigkeit eines Mitgliedstaates der EG besitzen, wahlberechtigt und wählbar.

Kommunarde *der,* →Kommune 3).

Kommunarsk, Stadt in der Ukraine, →Altschewsk.

Kommune [lat. communis »gemeinsam«] *die,* **1)** Gemeinde.

2) der mittelalterl. Stadtstaat in Italien mit republikan. Verfassung.

3) (Commune de Paris), der Pariser Stadtrat von Juli 1789 bis 1795 und von Ende März 1871 bis Ende Mai 1871. Am 15. 3. 1871 führten nationaler Widerstand gegen den Vorfrieden mit Dtl. und die Opposition der republikan. Pariser gegen die monarchisch gesinnte Nationalversammlung und die Reg. Thiers zum Aufstand. Der von den **Kommunarden** gewählte Gemeinderat erstrebte überwiegend bürgerlich-radikale Ziele (Trennung von Staat und Kirche, Erlass von Mietschulden, Stundung von Wechseln). Die K. wurde durch Regierungstruppen der Nationalversammlung in Versailles unter Mac-Mahon in blutigen Straßenkämpfen niedergeworfen. Während der »blutigen Woche« bis zum 28. 5. 1871 starben mindestens 20000 Menschen. Bis 1875 folgten zahllose Prozesse (26 Hinrichtungen) und Deportationen. – Die Interpretation des Aufstands als eines planmäßigen Versuchs sozialist. Revolution, wie sie K. Marx am 30. 5. 1871 vor der 1. Internationale gab, bestimmte weitgehend das spätere Bild der Kommune.

📖 HAUPT, H.-G. *u.* HAUSEN, K.: *Die Pariser K. Erfolg u. Scheitern einer Revolution. Frankfurt am Main 1979.*

4) Lebens- und Wohngemeinschaft, die bürgerl. Eigentums-, Leistungs- und Moralvorstellungen ablehnt.

Kommunikation [lat. »Unterredung«, »Mitteilung«] *die,* der Prozess des Zeichenaustausches zw. Menschen (Human-K.), Tieren (animal. K.), innerhalb lebender Organismen (Bio-K.) wie auch innerhalb oder zw. techn. Systemen (techn. K., Maschinen-K.). Bei menschl. K. handelt es sich um einen wechselseitig stattfindenden Prozess der Bedeutungsvermittlung, um Interaktion. Als intentional gesteuerter Übertragungsvorgang erfolgt K. zw. Personen oder Personengruppen **(interpersonale K.),** zw. Mitgl. von Organisationen, Institutionen und Verbänden **(Gruppen-K.)** oder durch die Zwischenschaltung eines techn. Verbreitungsmittels **(mediengebundene K.);** Letztere wird auch als →Massenkommunikation bezeichnet. Elemente des K.-Aktes sind Sender (Kommunikator, Quelle der Information), Empfänger (Adressat, Rezipient), Code (Sprache, Druck, Bild, Ton; Zeichenvorrat, Sprachschicht), Kanal (phys. Übertragungsweg, z.B. Sprache, Schallwellen, Schrift), Kontext (situationale Bestimmungsmomente eines K.-Ereignisses) und Inhalt (Gegenstand der K.). Zum K.-Prozess gehören Verschlüsselung (Encodierung), Übermittlung (Signalisierung) und Entschlüsselung (Decodierung, Interpretation).

📖 *Kommunikationstheorien. Ein Textbuch zur Einführung, hg. v.* R. BURKART *u.* W. HÖMBERG. *Wien 1992.* – METTLER VON MEIBOM, B.: *K. in der Mediengesellschaft. Tendenzen, Gefährdungen, Orientierungen. Berlin 1994.* – BURKART, R.: *Kommunikationswissenschaft. Grundlagen u. Problemfelder. Wien u.a. ²1995.* – HÖFLICH, J. R.: *Technisch vermittelte interpersonale K. Opladen 1996.*

Kommunion [lat. »Gemeinschaft«] *die,* in der kath. Kirche die Teilnahme an der Feier der →Eucharistie. Voraussetzung der K. ist die Taufe. Erstmals zur K. zugelassen **(Erst-K.)** werden Kinder etwa ab dem 7. Lebensjahr.

Kommuniqué [-myni'ke, frz. »Mitteilung«] *das* (Communiqué), amtl. Verlautbarung, Mitteilung.

Kommunismus [lat. communis »gemeinsam«] *der,* um 1840 in Frankreich entstandener politisch-ideolog. Begriff in mehreren Bedeutungen: 1. Bez. für gesellschaftstheoret. Utopien, die auf der Idee der sozialen Gleichheit und Freiheit aller Gesellschaftsmitglieder auf der Basis von Gemeineigentum und kollektiver Problemlösung beruhen; 2. alle ökonom. und polit. Lehren mit dem Ziel der Errichtung einer herrschaftsfreien und klassenlosen Gesellschaft, die sich wesentlich auf die Theorien von K. Marx, F. Engels und W. I. Lenin stützen; 3. polit. Parteien, Bewegungen und Herrschaftssysteme mit dem Ziel, derartige Lehren in die Praxis umzusetzen. Historisch ist eine eindeutige Abgrenzung zum →Sozialismus nicht immer möglich.

Vorläufer und Frühformen: Elemente kommunist. Ideen finden sich in antiken Staats- und Gesellschaftstheorien (Platon, Vertreter der Stoa), in den Ideen und dem Zusammenleben der christl. Urkirche, in mittelalterl. Sekten (radikale Teile der Bettelorden, Albigenser), bei T. Müntzer, in utop. Staatsromanen der Neuzeit (u.a. T. Morus, T. Campanella) sowie im Gefolge der Frz. Revolution (v.a. F. N. Babeuf, L. A. Blanqui, C. Fourier, R. Owen, E. Cabet). Um eine wiss. (ökonom., polit. und philosoph.) Begründung des K. war M. Hess bemüht.

Entwicklung von Marx bis Lenin: Fast alle kommunist. Bewegungen ab der zweiten Hälfte des 19. Jh. waren wesentlich vom →Marxismus beeinflusst. K. Marx, der gemeinsam mit F. Engels das 1848 erschienene »Kommunist. Manifest« verfasste, betrachtete den K. als reale Bewegung, die unter Überwindung der bürgerl. Gesellschaft einen Zustand der freien Selbstentfaltung des Menschen ermöglichen sollte. Notwendig sei dazu der revolutionäre Sieg des Proletariats im Klassenkampf mit der Bourgeoisie, um durch Beseitigung des Privateigentums an Produktionsmitteln und Aufhebung aller Klassen die Emanzipation des Menschen von sämtl. ökonom., polit., sozialen und religiösen Zwängen zu bewirken. Auch die so unmittelbar auf den Kapitalismus folgende Gesellschaftsformation bezeichnete Marx als K., den er in eine »niedere« Phase der Verteilung nach Leistung und eine »höhere« Phase der Verteilung nach Bedürfnissen unterteilte. Dieses Prinzip wurde in der UdSSR und in den nach ihrem Gesellschaftsmodell geformten Staaten übernommen und die erste Phase als Sozialismus, die zweite als K. bezeichnet.

Die in der 2. Hälfte des 19. Jh. entstandenen Parteien der Arbeiterbewegung in West- und Mitteleuropa waren (unter Beibehaltung einer grundsätzl. Kritik an der damaligen Gesellschaftsordnung) gezwungen, aufgrund der drängenden tagespolit. Aufgaben einer reformist. Praxis innerhalb des gegebenen staatl. Rahmens den Vorrang vor der unmittelbaren Forderung nach einer sozialistisch-kommunist. Gesellschaftsordnung zu geben. V.a. E. Bernstein forderte eine Revision der Lehren von Marx und Engels. Der →Revisionismus wurde 1921 theoret. Grundlage des größten Teils der Sozialdemokratie.

Marxismus-Leninismus: Diese Entwicklung in der Sozialdemokratie wurde v.a. von W. I. Lenin bekämpft, demzufolge der Kapitalismus in die Phase des →Imperialismus eingetreten sei. Notwendig sei eine »Partei neuen Typs«, die, nach dem Prinzip des →demokratischen Zentralismus organisiert, als kommunist. Avantgarde das Klassenbewusstsein in die Arbeiterklasse hineintragen und diese politisch führen müsse. Seit Lenin, unter dessen Führung mit der Oktoberrevolution 1917 in Russland das erste kommunist. Herrschaftssystem errichtet wurde, kennzeichnen dieses (in versch. Spielarten) i.d.R. folgende Merkmale: 1. der Marxismus-Leninismus als verpflichtende Weltanschauung; 2. eine auf der Vergesellschaftung bzw. Verstaatlichung aller Produktionsmittel fußende Wirtschafts- und Sozialordnung, die (meist) zentral gelenkt und geplant wird; 3. eine Herrschaftsform mit einer leninist. Partei als entscheidendem Machtträger in Form der Diktatur des Proletariats.

Entwicklung nach 1917: Bestimmend war die Tatsache, dass die Sowjetunion lange Zeit das einzige (selbstständige) kommunistisch regierte Land blieb. Die unter dem Eindruck der russ. Oktoberrevolution gebildeten kommunist. Parteien anderer Staaten (z.B. die →Kommunistische Partei Deutschlands) verloren bis Mitte der 1920er-Jahre ihre Unabhängigkeit an die zunehmend von der KPdSU beherrschte →Komintern. In der Sowjetunion selbst entstand die Diktatur Stalins (→Stalinismus), die das Bild des K. historisch entscheidend geprägt hat.

Entwicklung seit 1945: In der Folge des 2. Weltkrieges gewann die UdSSR die von der Roten Armee besetzten Gebiete Ost-, Südost- und Mitteleuropas als Einflussbereich. Zunächst waren die dortigen Staaten um einen eigenen nat. Weg zum Sozialismus auf der Basis von Volksfrontbündnissen bemüht. Spätestens nach der (meist) zwangsweisen Vereinigung der sozialdemokrat. mit den kommunist. Parteien in zahlr. dieser Länder erfolgte der Aufbau des Sozialismus jedoch nach sowjet. Modell. Demokratisierungsversuche nach dem Tode Stalins (1956; Polen, Ungarn) und in der Folgezeit (1968, ČSSR) wurden niedergeschlagen. Allerdings entzogen sich v.a. Jugoslawien (1948) und China (1963) dem Einfluss der Sowjetunion und versuchten einen nat. Weg zum K. Auch die kommunist. Parteien Westeuropas betonten ab Mitte der 1960er-Jahre zunehmend ihre Eigenständigkeit gegenüber Moskau und entwickelten neue polit. Konzepte (Eurokommunismus, Reformkommunismus). – Das ökonom. System der kommunistisch regierten Staaten Europas erwies sich als nicht effizient. Durch eine streng zentralisierte staatl. Kommandowirtschaft und dogmat. Leitung aller gesellschaftl. Prozesse wurden außerdem Initiativen jeder Art unterdrückt. Die Nichtgewährung demokrat. Grundrechte und der Versuch, den Einfluss der kommunist. Parteien und ihrer Ideologie in allen Lebensbereichen durchzusetzen, führten zu einer fortschreitenden Abkehr vieler Menschen vom kommunist. System und zu einem Rückzug in die Privatsphäre. Jedoch entstanden trotz der auf dem Informationsmonopol des Staates beruhenden, zielgerichteten ideolog. Beeinflussung der Bev. und dem rücksichtslosen, teilweise unmenschl. Vorgehen der Geheimdienste in allen kommunistisch regierten Staaten Bürgerrechtsbewegungen, deren Kampf um Freiheit und Menschenrechte v.a. von der Gewerkschaftsbewegung (Polen) und kirchl. Gruppen (DDR) getragen wurde, die sich aber auch eigenständig profilieren konnten (ČSSR, Ungarn). Zusätzlich motivierende Impulse erhielt diese Entwicklung seit Mitte der 1970er-Jahre durch die Ergebnisse der →KSZE sowie v.a. seit Mitte der 1980er-Jahre durch die Reformbestrebungen innerhalb der →Kommunistischen Partei der Sowjetunion unter M. S. Gorbatschow. Seit Ende der 1980er-Jahre wurden die bisher herrschenden kommunist. Parteien Mittel- und Südosteuropas von ihren Machtpositionen verdrängt oder mussten ihre Alleinherrschaft aufgeben.

Der Zerfall des kommunist. Weltsystems diskreditierte die gesellschaftstheoret. Idee des K. erheblich. V.a. die kommunist. Parteien Westeuropas (Frankreich, Italien, Spanien) sind um eine innerparteil. Demokratisierung und Neubestimmung ihrer polit. Ziele (z.B. Verzicht auf die Diktatur des Proletariats; Änderung des Parteinamens) bemüht. Auch der Versuch, kommunistische Herrschaftssysteme in Ländern der Dritten Welt zu installieren, kann als gescheitert angesehen werden (u.a. Äthiopien, Moçambique). Nach dem Zusammenbruch der kommunist. Herrschaftssysteme in Mittel-, Ost- und Südosteuropa (1989–91) bestehen kommunistisch geführte Gesellschaftssysteme v.a. noch in der VR China (→China, Geschichte, →Kommunistische Partei Chinas), in Nord-Korea, Vietnam und Kuba.

Im geistes- und sozialwiss. Bereich sind sowohl die kommunist. Utopie einer gerechten Gesellschaft als auch der Marxismus (mit seinem Anspruch, dieser Utopie eine philosophisch-wiss. Grundlage zu geben) in der Diskussion.

📖 *Geschichtl. Grundbegriffe, hg. v.* O. BRUNNER *u. a., 7 Bde. u. 2 Register-Bde. Stuttgart* [1–4]*1972–97, teilw. Nachdr.* – HOFMANN, W.: *Ideengeschichte der sozialen Bewegung des 19. u. 20. Jh. Berlin u. a.* [6]*1979.* – ENGELS, F.: *Die Entwicklung des Sozialismus von der Utopie zur Wissenschaft. Berlin (Ost)* [24]*1988.* – VATLIN, A. J.: *Die Komintern 1919–1929. Histor. Studien. Mainz 1993.* – GLAESSNER, G.-J.: *K. – Totalitarismus – Demokratie. Studien zu einer säkularen Auseinandersetzung. Frankfurt am Main u. a. 1995.* – HOBSBAWM, E. J.: *Das Zeitalter der Extreme. Weltgeschichte des 20. Jh. A. d. Engl. München u. a. 1995.* – FURET, F.: *Das Ende der Illusion. Der K. im 20. Jh. A. d. Frz. München u. a. 1996.*

Kommunismus, Pik (bis 1962 Pik Stalin), Berg im Pamir, Tadschikistan, 7495 m ü. M., höchster Berg des Landes; Erstbesteigung 1933.

Kommunistische Partei Chinas [- ç-], Abk. **KPCh,** polit. Partei, gegr. 1921 unter maßgebl. Mitwirkung der Komintern, arbeitete eng mit der Kuomintang (KMT) zusammen, baute nach der blutigen Beendigung dieser Zusammenarbeit durch den Oberbefehlshaber der KMT-Streitkräfte Chiang Kai-shek (1927) unter Führung von Mao Zedong in der Prov. Jiangxi ein Rätesystem nach sowjet. Muster auf. Von den Truppen Chiang Kai-sheks bedrängt, zogen die Kommunisten auf dem →Langen Marsch (1934–35) von S- nach N-China und schufen sich in der Prov. Shaanxi (im Bereich von Yan'an) ein neues Herrschaftsgebiet. Nach dem Ende des 2. Weltkrieges in Asien eroberten die Truppen der KPCh 1947–49 ganz China. Unter Führung Mao Zedongs errichtete die KPCh 1949 die VR China (→China).

Kommunistische Partei der Sowjetunion, Abk. **KPdSU,** 1917/18–91 Staats- und Reg.partei in Sowjetrussland bzw. der UdSSR; hervorgegangen aus der 1898 gegründeten Sozialdemokrat. Arbeiterpartei Russlands (SDAPR), die sich 1903 in **Menschewiki** und die von Lenin geführten **Bolschewiki** (B) spaltete. Letztere konstituierten sich 1912 formell als selbstständige Partei unter der Bez. SDAPR (B). In der →Oktoberrevolution 1917 übernahmen die Bolschewiki nach einem bewaffneten Aufstand die Macht, die sie nach Ausschaltung ihrer Bündnispartner (linke Sozialrevolutionäre) ab März 1918 allein innehatten und in einem blutigen Bürgerkrieg sowie im Kampf gegen eine ausländ. Intervention (1918–21) behaupten konnten. Innenpolit. Gegner wurden in den folgenden Jahren auch mit terrorist. Mitteln ausgeschaltet. 1918 nannte sich die Partei in **Kommunist. Partei Russlands,** KPR (B), um. Nach dem Tode Lenins (1924) gelang es Stalin, der bereits seit 1922 Gen.-Sekr. war, seine innerparteil. Rivalen L. D. Trotzki, L. B. Kamenew, G. J. Sinowjew und N. I. Bucharin nach und nach auszuschalten und später zu liquidieren (Schauprozesse und Hinrichtungen). Die alte Führungsschicht der – 1925 in **KPdSU (B)** umbenannten – Partei wurde in der »Großen Säuberung« (1935–39; →Tschistka) durch Stalin stark dezimiert. Unter ihm wurde die KPdSU (B) zum Instrument der persönl. Diktatur Stalins (→Stalinismus). Das von Lenin entwickelte Prinzip des demokrat. Zentralismus und der Grundsatz der kollektiven Führung waren außer Kraft gesetzt. Nach Stalins Tod (1953) verurteilte der 20. Parteitag 1956 unter dem neuen Ersten Sekr. N. S. Chruschtschow die Herrschaftsmethoden Stalins ebenso wie den Kult um seine Person (→Entstalinisierung), die Parteiführung leitete eine Kurskorrektur ein. Die KPdSU (1952 Streichung des Zusatzes »B«) wurde wieder der eigtl. polit. Machtträger. Die von Chruschtschow gegenüber dem Westen verfolgte Politik der »friedl. Koexistenz« führte zum polit. Bruch mit der KP Chinas und zu einer rd. drei Jahrzehnte währenden Rivalität innerhalb der kommunist. Weltbewegung. Nach Chruschtschows Sturz 1964 wurde eine kollektive Leitung eingeführt, in der jedoch L. I. Breschnew (bis 1982) eine große Machtfülle auf seine Person vereinigen konnte. Seine Nachfolger waren J. W. Andropow (1982–84) und K. U. Tschernenko (1984–85).

Ohne die polit. Führungsrolle der KPdSU infrage zu stellen, leiteten Reformkräfte um Gen.-Sekr. M. S. Gorbatschow (seit 1985) mit der Politik von »Glasnost« und »Perestroika« in der 2. Hälfte der 1980er-Jahre einen grundlegenden staatlich-gesellschaftl. Umbau ein, der auch die Partei erfasste. Eine immer größer werdende wirtsch. Misere, das Aufbrechen jahrzehntelang aufgestauter Nationalitätenkonflikte, das Autonomiestreben bes. der balt. Staaten und Verselbstständigungstendenzen nat. Parteiorganisationen (z. B. in Litauen) riefen eine tiefe innenpolit. Krise hervor und bewirkten zunehmende Kritik der Radikalreformer wie auch orth. Kräfte in der KPdSU am polit. Kurs Gorbatschows. Gegen starken innerparteil. Widerstand setzte dieser im Febr. 1990 den Verzicht auf das verfassungsrechtlich abgesicherte Machtmonopol der KPdSU durch. Der Prestige- und Machtverlust der KPdSU äußerte sich in einem starken Rückgang der Mitgl. der KPdSU.

Um dem Zerfall der KPdSU entgegenzuwirken, unterbreitete Gorbatschow 1991 den Entwurf eines neuen Parteiprogramms, der sich an Prinzipien der Sozialdemokratie orientierte und die Umwandlung der KPdSU von einer »Partei der Arbeiterklasse« in eine Partei »aller arbeitenden Menschen« vorsah. Dennoch kam es zu organisator. Abspaltungen von der KPdSU (u.a. Gründung der »Demokrat. Partei der Kommunisten Russlands«).

Nach dem gescheiterten Putschversuch orthodoxer kommunist. Partei- und Staatsfunktionäre im Aug. 1991 wurde die Tätigkeit der KPdSU auf dem gesamten Staatsgebiet der UdSSR untersagt und ihr Vermögen in Staatseigentum übergeführt. Gorbatschow trat am 24. 8. 1991 als Gen.-Sekr. zurück. In einer Reihe von Unionsrepubliken, die zumeist bereits ihre Unabhängigkeit erklärt hatten, wurden die bisher der KPdSU eingegliederten nat. KP-Organisationen verboten (u.a. Ukraine, Georgien, Russland), in anderen formierten sie sich unter neuem Namen (Usbekistan) oder lösten sich selbst auf (z.B. in Aserbaidschan). Im Sept. 1991 erfolgte auch die Selbstauflösung des kommunist. Jugendverbandes →Komsomol. Nach einem Prozess um das von Präs. Jelzin erlassene Verbot der KPdSU und der KP Russlands entschied das russ. Verfassungsgericht im Nov. 1992, dass zwar das Verbot der Führungsstrukturen verfassungskonform sei, nicht aber das der Grundorganisationen. Daraufhin begannen sich die russ. KP-Nachfolgeorganisationen neu zu formieren. 1993 konstituierte sich unter Führung von G. A. Sjuganow die Kommunist. Partei der Russ. Föderation (KPRF), die bei den Parlamentswahlen von 1995 stärkste Partei wurde.

📖 *Histor. Lexikon der Sowjetunion 1917/22 bis 1991, hg. v.* H.-J. TORKE. *München 1993.* – SIMON, G. *u.* SIMON, N.: *Verfall u. Untergang des sowjet. Imperiums. München 1993.*

Kommunistische Partei Deutschlands, Abk. **KPD,** polit. Partei, gegr. am 30. 12. 1918/1. 1. 1919 durch Zusammenschluss von Spartakusbund und Bremer Linksradikalen, bald danach durch den Tod von F. Mehring und die Ermordung von R. Luxemburg, K. Liebknecht und L. Jogiches geschwächt. Die unter Führung der KPD errichteten lokalen Räterepubliken (München, Bremen) scheiterten ebenso wie von ihr initiierte Aufstände (Berlin 1919 und 1920, Ruhrgebiet 1920, Mittel-Dtl. und Vogtland 1921, Hamburg 1923). Ende 1920 wurde die KPD durch die Vereinigung mit dem linken Flügel der USPD zur Massenpartei. Der mit der USPD zur KPD gekommene E. Thälmann übernahm 1925 nach z.T. erbitterten Fraktionskämpfen (u.a. gegen R. Fischer) die Führung der Partei. In den folgenden Jahren erfolgte die Durchsetzung von Theorie und Praxis des Bolschewismus in der KPD (»Bolschewisierung«). Bis 1932 konnte sie, v.a. in der Weltwirtschaftskrise, Mitglieder- und Wählerzahl stark erhöhen. Im Rahmen einer »ultralinken Taktik«, die für die Jahre der Wirtschafts- und Staatskrise in Dtl. maßgebend blieb, wurden die Sozialdemokraten 1928 als »Sozialfaschisten« zum Hauptfeind erklärt. Damit wurde bewusst eine gemeinsame Handlungsbasis der KPD mit der SPD zur Abwehr des Nationalsozialismus verhindert. Nach dem Reichstagsbrand (27. 2. 1933) von der sich formierenden nat.-soz. Diktatur verfolgt, ging die KPD in den Untergrund; ihre Funktionäre wurden verhaftet (u.a. E. Thälmann), viele ihrer Mitgl. verloren ihr Leben im Widerstand gegen Hitler. Von den ins Exil gegangenen kamen viele im Span. Bürgerkrieg (in den internat. Brigaden) um, andere fielen den stalinist. Säuberungen in der UdSSR, die auch die Komintern erfassten, zum Opfer. Die bis in die 1930er-Jahre in der KPD vorherrschende »Sozialfaschismustheorie« wurde – v.a. nach dem 7. Kongress der Komintern (1935) – zugunsten der Volksfrontpolitik aufgegeben. Im Moskauer Exil gewann W. Ulbricht immer stärkeren Einfluss in der Führung der Partei. Nach dem Ende des 2. Weltkrieges sofort wieder aufgebaut, war die KPD zunächst an den Länderregierungen beteiligt. In der sowjet. Besatzungszone betrieb sie, gestützt auf die SMAD, den Zusammenschluss mit der SPD zur →Sozialistischen Einheitspartei Deutschlands (SED) als allein herrschende Führungspartei in der späteren DDR. In der Bundesrep. Dtl. verlor die KPD nach 1949 an Bedeutung; nach ihrem Verbot am 17. 8. 1956 setzte sie ihre Tätigkeit illegal bis 1968 (Gründung der DKP) fort.

📖 WEBER, H.: *Von Rosa Luxemburg zu Walter Ulbricht. Hannover* ^{3}*1961.* – *Die Gründung der KPD, hg. v.* H. WEBER. *Berlin 1993.*

Kommunistisches Manifest, polit. Flugschrift, im Auftrag des »Bundes der Kommunisten« in London 1847/48 von K. Marx und F. Engels verfasst, ist die erste zusammenfassende Darstellung der marxist. Lehre (→Marxismus).

Kommunitarismus [zu engl. community »Gemeinschaft«, »Gemeinwesen«] *der, Politikwissenschaft* und *Soziologie:* Bez. für Theorieansätze, die die Bedeutung des Begriffs »Gemeinschaft« bei der Analyse moderner Gesellschaften hervorheben. In den USA aus der Kritik am Liberalismus erstmals entwickelt, betont der K. die Einbettung von Individuen, Rechten, Normen und Institutionen in Gemeinschaften versch. Art, von der Familie bis zur polit. oder kulturellen Gemeinschaft. Innerhalb der Soziologie findet sich der K. als Kritik an der fortschreitenden Individualisierung moderner pluralist. Gesellschaften, v.a. an dem damit einhergehenden Gemeinschaftsverlust und der Entwertung traditioneller und zugleich solidar. Lebensformen. Die seit Mitte der 1980er-Jahre in den USA von A. Etzioni ins Leben gerufene polit. Bewegung sieht sich als parteiübergreifenden Versuch, Gemeinsinn und Verantwortung des Einzelnen für die Gemeinschaft zu fördern und bes. das »Übermaß« individueller Rechtsansprüche an den Staat zu reduzieren.

📖 *K. in der Diskussion. Eine streitbare Einführung, hg. v.* C. Zahlmann. *Neuausg. Berlin 1994. – K., hg. v.* A. Honneth. *Frankfurt am Main ³1995.*

Kommunitäten [lat.], die kath. Orden und Kongregationen vergleichbaren evang. Bruder- und Schwesternschaften (→Bruderschaft).

kommunizieren [lat.], **1)** *allg.:* in Verbindung stehen; sich verständigen.

2) *kath. Kirche:* die →Kommunion empfangen.

kommunizierende Röhren, oben offene, unten miteinander verbundene Röhren oder Gefäße; eine Flüssigkeit steht unabhängig von der Gefäßform überall gleich hoch (Abweichungen können Folge der →Kapillarität sein). Auf dieser Erscheinung beruhen die Wasserstandsmesser und artes. →Brunnen.

Kommutation [lat.] *die, Astronomie:* Winkel zw. den beiden von der Sonne nach der Erde und einem anderen Planeten gezogenen Linien.

kommutativ, umstellbar, vertauschbar.

Kommutativgesetz, mathemat. Gesetz: Eine Verknüpfung ($\circ$) von zwei Elementen a und b einer Menge heißt **kommutativ,** wenn $a \circ b = b \circ a$; so sind z.B. für beliebige Zahlen Addition und Multiplikation kommutativ, Subtraktion und Division dagegen nicht.

Kommutator [lat.] *der,* **1)** *Elektrotechnik:* der →Kollektor.

2) *Physik:* die aus zwei Operatoren F und G gebildete Größe $[F,G] = FG - GF$; gibt insbesondere in der Quantentheorie die Vertauschungsrelation zweier i. Allg. nicht vertauschbarer Größen an.

Komnenen, byzantin. Kaiserhaus aus kleinasiat. Militäradel, herrschte 1057–59 und 1081–1185 in Konstantinopel, 1204–1461 in Trapezunt. Unter den K. von Konstantinopel erlebten Kunst und Literatur eine Blütezeit.

Komödile [grch. kōmōdía »Gesang bei einem frohen Gelage«] *die,* neben der Tragödie die wichtigste Gattung des europ. Dramas. Die K. entstand aus dem Zusammenwirken verbaler Komik und vorliterarischer mimet. Spieltraditionen (Pantomime, Tanz).

Geschichte: K. sind seit 486 v.Chr. in Athen als Teil der staatl. Dionysosfeiern bezeugt. Berühmt wurden die polem. K. des Aristophanes, der die Missstände seiner Zeit kritisierte. Die mittlere und neue attische K. wurde dagegen allmählich zur Konversations-K. (Menander). Die röm. K. blieb weitgehend an der neuen attischen K. orientiert (Livius Andronicus, Plautus, Terenz). Im europ. MA. war die antike K.-Tradition (bis auf Terenz) unterbrochen; stattdessen entwickelten die nat. Kulturen volkstüml. K.-Traditionen wie die frz. Sottien, die niederländ. Kluchten und die dt. Fastnachtsspiele. Die italien. Renaissance belebte am Ende des 15. Jh. wieder die antike Tradition; ihre Form wurde von der Renaissancepoetik fixiert, der zufolge für die K. neben der Akteinteilung die Befolgung der drei Einheiten (→Drama), der Ständeklausel und der Genera dicendi (niederer, mittlerer und hoher Stil) verbindlich wurden. Daneben entwickelte sich in der Commedia dell'Arte die volkstüml. Stegreiftradition weiter. Die Rezeption der Renaissance-K. verlief bis zum 18. Jh. in den einzelnen Nationalstaaten unterschiedlich: In England entstand als neuer Typ die romant. K., die bei Shakespeare ihren Höhepunkt fand, daneben die in antiker Tradition stehende Comedy of Humours (eine Art Typen-K., die menschl. Schwächen satirisch bloßstellt, Verfasser u.a. B. Jonson) und die die gesellschaftl. Sitten der neu entstehenden Bürgerschicht kommentierende und karikierende Comedy of Manners (J. Dryden u.a.). In Spanien entwickelte sich aufgrund der religionspolit. Situation (Gegenreformation) das unpolitisch-unsatir. Mantel- und Degenstück (Lope de Vega, P. Calderón de la Barca u.a.). Frankreich stand unter italien. und span. Einfluss, wobei der Typus der Charakter-K. verfeinert wurde (Molière). Erst im 18. Jh., im Gefolge der Aufklärung, erfuhr die K. eine gesamteurop. Ausprägung und nahm Züge einer bürgerlichen didakt. Tugendlehre an. In Dtl. wurden die frz. und engl. Vorbilder diskutiert und mit G. E. Lessings »Minna von Barnhelm« (1767) die erste bedeutende dt. K. geschaffen; ähnlich bed. waren nur noch H. von Kleist, F. Raimund und J. N. Nestroy. Im 19. Jh. wurde die Konversations-K. wieder beliebt, bes. in Österreich, gleichzeitig entwickelte sich die soziale K. (Junges Deutschland; N. Gogol, A. N. Ostrowski, A. P. Tschechow; G. Hauptmann, C. Zuckmayer) bis zur Tragi-K. (C. Sternheim, F. Wedekind). In der Gegenwart zeigt die K. v.a. die absurde, groteske Widerspiegelung der Wirklichkeit (A. Jarry, S. Beckett, H. Pinter, A. L. Kopit, E. Ionesco, J. Audiberti, F. Dürrenmatt), andererseits entstand das fantast., existenzielle oder philosoph. Problemstück (E. Rostand, L. Pirandello, F. García Lorca, J. Giraudoux, J. Anouilh, W. B. Yeats). Die polit. K. entstand in Russland um 1920 (W. P. Katajew, M. A. Bulgakow, W. W. Majakowski), in den USA ist sie u.a. mit G. S. Kaufman, in Großbritannien mit P. Ustinov, H. Brenton repräsentiert; in Dtl. vertritt u.a. R. Hochhuth diesen Typus. Die Funktion der K. wird in der Gegenwart immer mehr vom Konversationsstück übernommen.

📖 Prang, H.: *Geschichte des Lustspiels von der Antike bis zur Gegenwart. Stuttgart 1968. – Die röm. K.: Plautus u. Terenz, hg. v.* E. Lefèvre. *Darmstadt 1973. – Die dt. K. vom Mittelalter bis zur Gegenwart,*

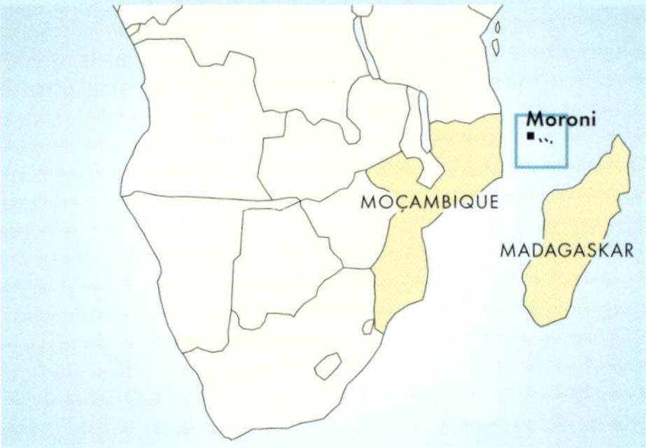

Komoren

Fläche: 1 862 km^2
Einwohner: (1995) 653 000
Hauptstadt: Moroni
Amtssprachen: Arabisch, Französisch
Nationalfeiertag: 6. 7.
Währung: 1 K.-Franc (FC) = 100 Centimes
Zeitzone: MEZ +2 Std.

Staatswappen

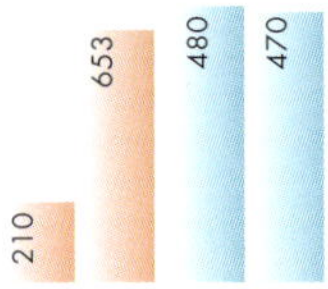

Bevölkerung (in Tausend) Bruttosozialprodukt je Ew. (in US-$)

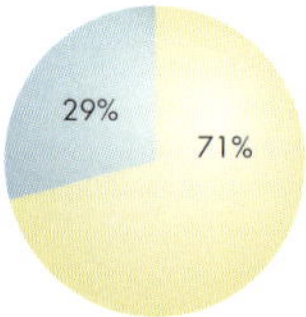

Bevölkerungsverteilung 1993

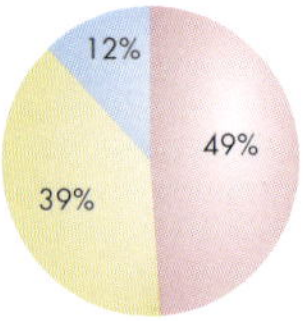

Bruttoinlandsprodukt 1993

hg. v. W. Hinck. *Düsseldorf 1977. – Zwischen Satire u. Utopie. Zur Komiktheorie u. zur Geschichte der europ. K., bearb. v.* R. Grimm *u.* W. Hinck. *Frankfurt am Main 1982.* – Greiner, B.: *Die K. Eine theatral. Sendung: Grundlagen u. Interpretationen. Tübingen 1992. – Dt. Komödien vom Barock bis zur Gegenwart, hg. v.* W. Freund. *München* ^{2}*1995.*

Kom Ombo, Stadt in Ägypten, nördlich von Assuan am Ostufer des Nils, 30 000 Ew.; Zentrum eines Bewässerungsgebietes (Baumwolle, Getreide, Zuckerrohr), in das 45 000 Nubier vor dem Aufstau des Nassersees umgesiedelt wurden. – Zur Ptolemäerzeit (2. und 1. Jh. v. Chr.) strategischer Ausgangspunkt nach Nubien und Äthiopien; aus dieser Zeit stammt ein Doppeltempel am Nil, geweiht dem krokodilköpfigen Gott Sobek und dem falkenköpfigen Gott Horus; reicher Reliefschmuck an Wänden und Säulenschäften.

Komondor *der,* ungar. Hirtenhund mit zu »Schnüren« verfilzendem, zottigem weißen Fell.

Komoren, Inselgruppe im Ind. Ozean an der Ostküste Afrikas, umfasst die frz. Insel →Mayotte sowie drei weitere Hauptinseln, die mit den zahlr. Nebeninseln den Staat →Komoren bilden. Die gebirgigen Hauptinseln sind vulkan. Ursprungs, höchster Berg ist der noch tätige Vulkan Kartala (2 360 m ü. M.) auf Njazidja. In höheren Lagen dichter Regenwald. Das Klima ist tropisch und regenreich (Regenzeit November–April).

Komoren (amtlich arab. Djumhurijjat al-Kumur al-Ittihadijja, amtlich frz. République Fédérale Islamique des Comores; dt. Islam. Bundesrepublik [der] K.), Inselstaat im Ind. Ozean zw. Madagaskar und der Ostküste Afrikas, umfasst die Inseln Njazidja (frz. Grande Comore; 1148 km^2), Nzwani (frz. Anjouan; 424 km^2), Mwali (frz. Mohélie; 290 km^2) und zahlr. kleinere Inseln.

Staat und Recht: Die Verf. von 1978 wurde durch eine am 20. 10. 1996 per Referendum gebilligte neue Verf. abgelöst. Danach sind die K. eine islam., föderalist. Rep. mit Präsidialsystem. Staatsoberhaupt und oberster Inhaber der Exekutive ist der für sechs Jahre direkt gewählte Präs. Er ernennt das Kabinett unter Vorsitz des MinPräs. Die Legislative liegt bei der Bundesversammlung (42 Abg., für fünf Jahre gewählt). Parteien: Nat. Versammlung für Entwicklung (RND), die (islam.) Nationale Gerechtigkeitsfront (FNJ), 14 Oppositionsparteien sind im Forum für die nat. Wiedergutmachung (frz. »Redressement«, FRN) zusammengeschlossen.

Landesnatur: →Komoren, Inselgruppe.

Komoren: Der Kratersee Lac Salé auf Nzwani mit dem Indischen Ozean im Hintergrund

Bevölkerung: Die Bev. setzt sich aus afrikan., indisch-indones. und arab. Einwanderern zusammen. Die Araber sind führend in der Politik, die Inder im Handel. Die meisten Ew. sind Muslime; der sunnit. Islam ist Staatsreligion. Größte Stadt ist die Hptst. Moroni (22 000 Ew.), Hauptort von Nzwani ist Mutsamudu (14 000 Ew.), der von Mwali ist Fomboni (7 000 Ew.). Es besteht achtjährige Schulpflicht; Analphabetenquote rd. 45 %; drei pädagog. Institute zur Lehrerausbildung, das Hochschulstudium wird meist in Frankreich absolviert.

Wirtschaft, Verkehr: Fast 80 % der Bev. leben von der Landwirtschaft; zur Eigenversorgung dienen der Anbau von Maniok, Süßkartoffeln, Reis, Mais und Bananen sowie die Fischerei (v. a. Thunfisch); auf Plantagen werden für den Export v. a. Parfümpflanzen (Ylang-Ylang-Bäume), Vanille, Kokospalmen (Kopragewinnung), Gewürznelken, Kakao, Pfeffer und Sisal angebaut. Die Ind. ist wenig entwickelt, überwiegend Verarbeitung landwirtsch. Produkte. Hauptanziehungspunkte des Tourismus sind die Badestrände und Tauchmöglichkeiten. Wichtigste Exportgüter sind Vanille, äther. Öle, Kopra, Gewürznelken; importiert werden u.a. Nahrungsmittel, Kfz, Erdölprodukte, Konsumgüter. Wichtigste Handelspartner: Frankreich, die USA und die Rep. Südafrika. – Das Straßennetz umfasst 750 km; Haupthäfen: Moroni und Mutsamudu; internat. Flughafen Moroni-Hahaya auf Njazidja.

Geschichte: Die K. gehörten seit dem 10. Jh. zum Bereich der arabisch geprägten Suahelikultur. Um 1591 wurden die K. wohl erstmals von einem Europäer besucht. Mayotte wurde 1843, die übrigen K. wurden 1886 frz. Protektorat, 1912 frz. Kolonie, die 1914 Madagaskar unterstellt wurde. 1946 erhielten die K. den Status eines frz. Überseeterritoriums (seit 1961 mit beschränkter innerer Autonomie). Nachdem bei einer Volksabstimmung im Dez. 1974 sich die Bev. insgesamt mit 94,6% der Stimmen für die Unabhängigkeit entschieden hatte, erklärte der Reg.chef A. A. Abderemane am 6. 7. 1975 die Unabhängigkeit der K. Die Insel →Mayotte, deren Bev. bei der Abstimmung die Unabhängigkeit abgelehnt hatte, stellte sich unter frz. Schutz. Diese Sonderstellung wird von den UN und der OAU nicht anerkannt.

Ab Aug. 1975 als Staatspräs. von innenpolit. Gegnern aus dem Amt gedrängt, übernahm Abderemane nach einem Putsch im Mai 1978 auf der Basis der Verf. von 1978 wieder das Amt des Staatspräs. Gestützt auf die Einheitspartei »Udzima« errichtete er zu Beginn der 1980er-Jahre ein autoritäres Reg.system. Nach der Ermordung Abderemanes (1989) wurde Said Mohammed Djohar Staatspräs. (1990 durch Wahl bestätigt). Im Okt. 1995 schlug eine frz. Interventionstruppe einen Putschversuch nieder. Im März 1995 wählte die Bev. M. Taki Abdoulkarim zum neuen Staatspräsidenten. Auf den Inseln Nzwani und Mwali zeigen sich Abspaltungstendenzen.

📖 JESKE, J.: *Die K. Hamburg 1987.*

Komorn, 1) Stadt in der Slowakei, →Komárno.

2) Stadt in Ungarn, →Komárom.

Komotau (tschech. Chomutov), Stadt im Nordböhm. Gebiet, Tschech. Rep., am Fuß des Erzgebirges, 52500 Ew.; Hüttenwerk, chem. Ind.; neben Brüx ein Zentrum des nordböhm. Braunkohlenreviers. – Bed. Baudenkmäler vom MA. bis zum Barock; am Marktplatz Bürgerhäuser des 16. bis 19. Jh. mit Laubengängen. – Im 11. Jh. Ansiedlung von Deutschen, 1252–1416 zum Dt. Orden, seit Ende des 14. Jh. Stadt.

Komotini, Hptst. des grch. Nomos Rhodope, am S-Fuß des Rhodopegebirges, in W-Thrakien,

Kom Ombo: Säulenhalle des aus ptolemäischer Zeit (2./1. Jh. v. Chr.) stammenden Doppeltempels

37500 Ew.; orth. Bischofssitz; Univ. (1973); archäolog. Museum; Tabak-, Nahrungsmittel- und Textilindustrie.

Kompander *der,* Kw. aus **Kom**pressor und Ex**pander,** *Elektroakustik:* elektron. Baugruppe zur Rauschunterdrückung (→Rauschunterdrückungssysteme) bei der Signalübertragung durch Dynamikkompression und anschließende Dynamikexpansion.

Kompanie [frz.] *die,* **1)** →Compagnie, →Handelskompanien.

2) in den meisten Streitkräften Bez. für die kleinste takt. Einheit; **K.-Chef** ist ein Hauptmann oder Major.

Komparation [lat.] *die,* **1)** *allg.:* Vergleichen.

2) *Grammatik:* Steigerung, die dreistufigen Formabwandlungen des Adjektivs, mit denen sich verschiedene Grade eines Merkmals kennzeichnen lassen: **Positiv** (Grundstufe: *lang, gut*), **Komparativ** (Mehr-, Höherstufe: *länger, besser*), **Superlativ** (Meist-, Höchststufe: *am längsten, am besten*).

Komparatistik [lat.] *die,* →vergleichende Literaturwissenschaft und →vergleichende Sprachwissenschaft.

Komotau: Bürgerhäuser mit Laubengängen aus dem 16. bis 19. Jh. und Mariensäule am Marktplatz

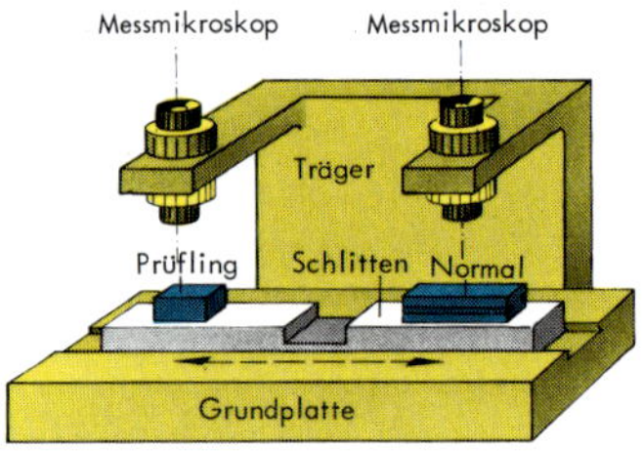

Komparator 3): Schema des Longitudinalkomparators

komparative Kosten, von D. Ricardo in die Außenwirtschaftstheorie eingeführter Begriff, mit dem die Produktionskosten eines Gutes A im Verhältnis zu den Produktionskosten eines Gutes B ausgedrückt werden. Maßgeblich sind nicht die absoluten, sondern die relativen Kostenunterschiede. Die **Theorie der k. K.** liefert den klass. Erklärungsansatz für das Entstehen von Außenhandel: Ein Land kann auch dann aus dem internat. Handel Vorteile ziehen, wenn es bei der Produktion aller Güter dem Ausland gegenüber absolute Kostennachteile aufweist. Das Land muss sich dazu auf die Produktion derjenigen Güter spezialisieren, bei denen es vergleichsweise Kostenvorteile besitzt, und diese ausführen. Umgekehrt muss es die Güter importieren, bei denen es komparative Kostennachteile aufweist. Dies setzt allerdings Freihandel voraus.

Komparator [lat.] *der,* **1)** *Astronomie:* Gerät zum Vergleichen (Positionen, Helligkeiten u.a.) zweier zeitlich nicht identischer fotograf. Aufnahmen des gleichen Sternfeldes.

2) *Elektrotechnik:* Schaltungsanordnung zum Vergleich zweier Größen. K. bestehen meist aus einem →Operationsverstärker mit nichtlinearen Gliedern zur symmetr. Begrenzung der Ausgangsgröße in der Rückführung.

3) *Längenmesstechnik:* Vorrichtung zur genauen Längenmessung, z.B. mechanisch-optisch durch Vergleich eines Prüflings mit einem Normal (Strichmaßstab). Der K. besteht dann aus zwei vertikal gerichteten, starr miteinander verbundenen Messmikroskopen und einem in einer Richtung verschiebbaren Aufnahmetisch (Schlitten). Prüfling und Normal liegen entweder parallel nebeneinander oder fluchtend hintereinander; der Mikroskopträger oder der Schlitten wird beim **Transversal-K.** senkrecht zur Längsrichtung des Normals verschoben, beim **Longitudinal-K.** in Längsrichtung. **Interferenz-K.,** deren Aufbau sich vom Michelson-Interferometer ableitet, nutzen die Interferenz von Lichtstrahlen v.a. zum Ausmessen und Vergleichen der Länge von Endmaßen.

Komparse [italien.] *der,* stummer Darsteller im Film, auch Nebenfigur. Auf der Bühne heißen die stummen Darsteller meist Statisten.

Kompartiment [lat.] *das, Zellbiologie:* durch eine einfache Elementarmembran oder durch Doppelmembran abgegrenzter Bezirk oder Reaktionsraum in einer Zelle. Die Membranen können Barrieren für bestimmte Substanzen sein. Größere K. mit besonderen Funktionen heißen →Zellorganellen.

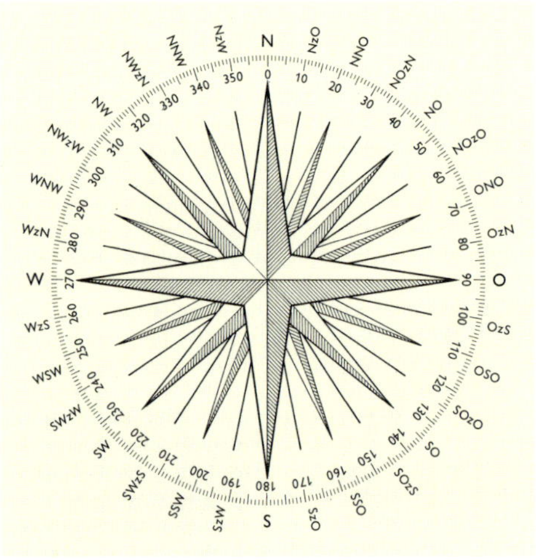

Kompass: Kompassrose mit der von N über O und S nach W verlaufenden Gradeinteilung (0 bis 360°); die vier Quadranten sind in jeweils acht Striche unterteilt (z.B. für den Quadranten zwischen N und O: N, NzO [= Nord zu Ost], NNO, NOzN, NO, NOzO, ONO, OzN)

Kompass [italien., zu compassare »ringsum abschreiten«, »abmessen«] *der,* Instrument zur Bestimmung der Himmelsrichtung, wobei v.a. Magnet-K. und Kreisel-K. von Bedeutung sind. Der **Magnet-K.** beruht auf der vom →Erdmagnetismus ausgehenden, auf einen Magneten ausgeübten Richtkraft, die die Magnetnadel fast überall auf der Erde (ausgenommen sind die Polargebiete) in den magnet. Meridian, d.h. in die magnet. N-S-Richtung, einstellt. Da die magnet. Pole nicht mit den geograph. Polen übereinstimmen, zeigen K. eine örtlich versch. Abweichung von der N-S-Richtung, die Missweisung (→Deklination). Bei kleineren K. spielt die auf einer feinen Spitze **(Pinne)** sitzende Nadel über der **K.-Rose,** einer mit Markierungen für die Himmelsrichtungen und einer Skala für weitere Unterteilungen des Vollkreises versehenen runden Scheibe. Bei größeren K. sind meist mehrere Magnetnadeln (stabförmige Dauermagnete) an der Unterseite der K.-Rose angebracht, die sich, auf einer Pinne drehend, selbst in den magnet. Meridian einstellt. Dem empfindl. **Trocken-K.** steht der **Schwimm-K. (Fluid-K.)** gegenüber, der bes. in der See- und Luftfahrt verwendet wird. Bei diesem liegt die Rose innerhalb des K.-Kessels als Schwimmkörper, der in einem Wasser-Alkohol-Gemisch mit nur geringem Auflagedruck auf der Pinne ruht. **Steuer-K.** werden zum Kurshalten, **Peil-K.** zur Ortsbestimmung

Kompasspflanzen: Die Blätter des Kompasslattichs können als Salat zubereitet werden

verwendet. Auf Schiffen wird oft an magnetisch günstiger Stelle ein **Regel-K. (Mutter-K.)** aufgestellt, der die vom Schiffsmagnetismus stärker beeinflussten **Tochter-K.** an den Steuer- und Peilstellen überwacht. Die Fehler von Magnet-K. sind jedoch infolge der unbekannten magnet. Störungen so groß, dass sie mittlerweile nicht mehr als primäres Navigationsgerät verwendet werden, sondern nur noch als Reservegeräte. – Der **Kreisel-K.** nutzt die Erdrotation zum Aufsuchen der N-Richtung. Ein mit etwa 20000 U/min rotierender axialsymmetr. Kreiselkörper ist so aufgehängt, dass seine Drehachse in die Horizontalebene gezwungen wird. Aufgrund der Kreiselgesetze versucht die Drehachse, sich parallel zur Erdrotationsachse zu stellen. Während die Horizontalebene infolge der Erddrehung ihre Lage im Raum verändert, sucht der Kreisel die Lage seiner Drehachse beizubehalten; da aber die Drehachse z.B. durch ein Pendelgewicht in der Horizontalebene gehalten wird, kann sie sich nur in Richtung des geograph. Meridians (Längenkreis) einstellen. Da der Kreisel-K. im Gegensatz zum Magnet-K. vom Magnetfeld der Erde unabhängig ist, entfallen magnet. Störungen. Die einwandfreie Funktion des Kreisel-K. wird oft mit einem Magnet-K. kontrolliert; so müssen Schiffe mit einem Kreisel-K. mindestens auch einen Magnet-K. besitzen.

📖 LINKE, W.: *Orientierung mit Karte, K. GPS.* *Herford* [8]*1966.*

Kompasspflanzen, Pflanzen, die ihre Blattspreite zum Schutz gegen zu starke Erwärmung oder Verdunstung (fast) senkrecht zu den einfallenden Sonnenstrahlen stellen (Profilstellung), z.B. der Kompasslattich, Eukalyptusarten.

Kompatibilität *die,* **1)** *allg.:* Vereinbarkeit.

2) *Datenverarbeitung:* die Austauschbarkeit oder Verknüpfbarkeit von Geräten, Datenträgern, Daten und Programmen ohne bes. Maßnahmen (→aufwärtskompatibel).

3) *Medizin:* Verträglichkeit von transfundiertem Blut oder transplantiertem Gewebe mit dem Blut bzw. dem Gewebe des Empfängers.

4) *Nachrichtentechnik:* Übereinstimmung wesentl. Parameter zweier Systeme, um diese miteinander verträglich zu machen (z.B. die Möglichkeit, Farbfernsehsendungen auch mit Schwarzweißgeräten zu empfangen).

Kompendium [lat.] *das,* **1)** kurzes Lehrbuch, Abriss.

2) *Fotografie:* Vorrichtung (Sonnenblende), die verhindert, dass seitlich Licht (Streulicht) auf das Objektiv fotograf. Kameras fällt; K. dienen ferner zur Fassung und Halterung von Filtern, Softscheiben, Masken u.ä. Einrichtungen.

Kompensation [lat.] *die,* **1)** *allg.:* Ausgleich.

2) *Bankwesen:* Ausgleich von Effektenkommissionsaufträgen durch die Bank als Kommissionär. Überschießende Salden werden als Aufträge über die Börse abgewickelt. Seit 1968 sind die Banken laut den allg. Geschäftsbedingungen verpflichtet, Kundenaufträge generell über die Börse auszuführen.

3) *Medizin:* Ausgleichsbestrebungen des Körpers (→Dekompensation).

4) *Physik, Technik:* (Kompensationsmethode) Messverfahren, bei dem einer zu messenden Größe eine gleich große, aber entgegengerichtete überlagert wird. Die entgegengerichtete Größe wird einer Hilfsenergiequelle entnommen, deren Einstellstufen das Auflösungsvermögen der Messanordnung bestimmen. Die Gleichheit der beiden Größen **(Nullabgleich)** wird durch Nullanzeige eines hochempfindl. Messgeräts **(Nullinstrument)** angezeigt. Im abgeglichenen Zustand wird der Messgröße keine Energie entzogen. Die K. ist v.a. zur genauen Bestimmung der Leerlaufspannung von hochohmigen Spannungsquellen geeignet. Mit der Entwicklung sehr genauer und sehr hochohmiger elektron. Messgeräte (z.B. Digitalvoltmeter) sinkt jedoch ihre Bedeutung.

5) *Psychologie:* der Ausgleich von Minderwertigkeiten, →Individualpsychologie.

6) *Strafrecht:* Strafmilderung oder Absehen von Strafe bei wechselseitigem Verschulden; für einen oder beide Täter möglich, wenn Beleidigungen

Kompass (von links): Magnetkompass mit einer Tischsonnenuhr (um 1900) und kardanisch aufgehängter Schwimmkompass eines Segelschiffs

oder leichte Körperverletzungen auf der Stelle erwidert wurden (§§ 199, 233 StGB). Im *Zivilrecht* der Schadensausgleich in Geld, auch die Aufrechnung.

Kompensationsgeschäft (Gegenseitigkeitsgeschäft, Kopplungsgeschäft), Vereinbarung, bei der ein Import- mit einem Exportgeschäft gekoppelt ist. K. umfassen i.d.R. zwei getrennte Verträge, die unabhängig voneinander abgewickelt und in konvertibler Währung erfüllt werden. Die Grundform des K. ist das **Parallelgeschäft (Gegengeschäft),** bei dem sich der Exporteur verpflichtet, Waren oder Dienstleistungen im Wert eines bestimmten Prozentsatzes des Liefervertrages aus dem Partnerland zu importieren und ggf. in Drittländer zu exportieren, wobei Import- und Exportvertrag vollkommen unabhängig voneinander sind. Beim **Rückkaufgeschäft** liefert der eine Partner Maschinen und Anlagen, deren Wert er ganz oder teilweise aus oft über Jahre dauernder Lieferung von damit erstellten Produkten zurückerhält. Erfolgt der Warenaustausch ohne Transfer von Zahlungsmitteln, d.h., wenn die zwischenstaatl. Wertübertragung nur in Form von Gütern (Dienstleistungen) erfolgt, liegt ein **Tauschgeschäft (Bartergeschäft)** vor.

Kompensationstheorie, Lehre, nach der die Verbilligung bestimmter Güter durch die techn. Entwicklung eine Mehrnachfrage nach anderen Gütern auslöst und damit zur Wiedereinstellung der durch Maschineneinsatz und Rationalisierung frei gewordenen Arbeitskräfte führt.

Kompensator [lat.] *der,* **1)** *Elektrotechnik:* Messgerät zur Spannungsbestimmung (meist Gleichspannung) mittels der Kompensationsmethode (→Kompensation).

2) *Optik:* Vorrichtung für kristall- und polarisationsopt. Untersuchungen, z.B. zur Messung oder zum Ausgleich von Gangunterschieden. Zur Messung eines durch Doppelbrechung hervorgerufenen konstanten Gangunterschieds verwendet man u.a. das Lambda-Viertel-Plättchen als K.; veränderl. Gangunterschiede werden z.B. mit **Babinet-** und **Babinet-Soleil-K.** erzeugt, die elliptisch polarisiertes Licht in linear polarisiertes umwandeln. Sie dienen u.a. zur Bestimmung opt. Konstanten, z.B. von Absorptionsindizes. Die **soleilsche Doppelplatte** zur Kompensation der Drehung der Polarisationsebene des Lichts in einer zu untersuchenden optisch aktiven Substanz besteht aus einer rechtsdrehenden planparallelen Quarzplatte und zwei linksdrehenden Quarzkeilen, deren Wirkungen sich in der Nullstellung aufheben.

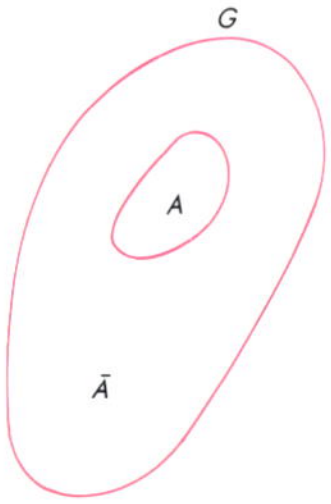

Komplement 4): Ā ist die Komplementärmenge zu A in Bezug auf G

Kompetenz [lat.] *die,* **1)** *allg.:* Zuständigkeit, Befugnis.

2) *Staatsrecht:* (Kompetenz-Kompetenz) in einem Bundesstaat die Befugnis des Gesamtstaates, seine eigene Zuständigkeit durch Verf.änderung zulasten der Gliedstaaten zu erweitern. Allerdings darf in Dtl. nach Art. 79 Abs. 3 GG durch Verf.änderung die bundesstaatl. Struktur nicht aufgehoben werden. (→Zuständigkeit)

Kompetenzkonflikt, Zuständigkeitsstreit zw. zwei Staatsorganen, bes. Gerichten, die sich beide in derselben Sache für zuständig **(positiver K.)** oder nicht zuständig **(negativer K.)** halten. Seit 1991 entscheidet das Gericht des zulässigen Rechtsweges den Konflikt unter allen in Betracht kommenden rechtl. Gesichtspunkten (§§ 17 f. Gerichtsverfassungs-Ges.). Ein Gericht kann für andere Gerichte bindend seine Zuständigkeit oder die Zuständigkeit eines anderen Gerichts erklären.

Kompilation [zu lat. »plündern«] *die,* Zusammenstellung von Textausschnitten aus anderen Schriften; auch abwertend für ein Werk, in dem Stoffe und Episoden aus älteren Quellen nur oberflächlich verbunden sind.

Kompilieren [lat.] *das, Datenverarbeitung:* das Übersetzen eines Quellprogramms mithilfe eines →Compilers.

komplanar [lat.], in der gleichen Ebene liegend.

Komplement [lat.] *das,* **1)** *bildungssprachlich für:* Ergänzung, Ergänzungsstück.

2) *Datenverarbeitung:* das K. einer Zahl dient der Darstellung ihres negativen Werts. Bei Dualzahlen unterscheidet man zw. **Einer-K.** und **Zweier-K.** Das Einer-K. einer Zahl erhält man, indem diese Zahl von der nächstgrößeren nur aus den Ziffern 1 bestehenden Zahl subtrahiert wird; das Zweier-K. erhält man durch Addition von 1 auf das Einer-K. Das K. wird in Digitalrechnern zur Durchführung der Subtraktion verwendet, dabei wird zuerst das K. des Subtrahenden gebildet und dieses dann zum Minuenden addiert.

3) *Medizin:* das im Blutserum und auf Zelloberflächen vorkommende funktionelle System hochmolekularer Proteine, das bei der Infektabwehr und Beseitigung körperfremder Stoffe unter oder ohne Mitwirkung von Antikörpern eine entscheidende Bedeutung besitzt. Das K. wird v.a. spezifisch durch Antigen-Antikörper-Komplexe aktiviert, unspezifisch durch versch. Kofaktoren. Die biolog. Wirkung besteht in einer Aktivierung des Immunsystems, Zytolyse (Auflösung von Fremdzellen) und Förderung der →Phagozytose durch Anlagerung an Fremdkörper (z.B. Bakterien).

4) *Mengenlehre:* **Komplementärmenge,** das K. einer Teilmenge A von einer Grundmenge G ist die Differenz $G - A$, d.h. die Menge aller Elemente von G, die nicht zu A gehören (häufig auch mit $\bar{A}$, mit »A quer«, bezeichnet).

Komplementär [lat.] *der,* →Kommanditgesellschaft.

Komplementärfarben (Ergänzungsfarben), Farben (Farbvalenz), die eine gegebene zu Weiß ergänzen.

Komplementarität *die,* **1)** *Physik:* von N. Bohr 1928 in die Quantenmechanik eingeführtes Prinzip zur Charakterisierung sich in einem Experiment gegenseitig ausschließender **(komplementärer)** physikal. Größen wie Ort und Impuls (heisenbergsche →Unschärferelation) und Erscheinungsformen mikrophysikal. Systeme (Lichtquanten, Elementarteilchen, Atome), z.B. der →Dualismus von Welle und Teilchen. Die K. ergibt sich aus der Notwendigkeit, zur Beschreibung mikrophysikal. Systeme in der klass. Physik gebildete und nicht miteinander zu vereinbarende Begriffe heranziehen zu müssen.

2) *Psychologie:* das Aufeinanderbezogensein von äußerem Verhalten oder körperl. Vorgängen und der subjektiven Erlebniswelt. Die Annahme einer solchen K. ist bes. fruchtbar in der →Psychosomatik und Psychophysiologie. Unter **K.-Diagnostik** und **K.-Therapie** sind psycholog. und körperl. Diagnostik oder Psycho- und Somatotherapie unter dem Gesichtspunkt der wechselseitigen Ergänzung zu verstehen.

3) *Volkswirtschaftslehre:* Ergänzungsverhältnis zweier Güter, die sich gegenseitig notwendig ergänzen (→Gut).

Komplementärmenge, *Mengenlehre:* →Komplement.

Komplementbindungsreaktion, Abk. **KBR,** serolog. Methode zum Nachweis eines unbekannten Antigens oder Antikörpers, in deren Verlauf das zugesetzte →Komplement (falls eine Antigen-Antikörper-Reaktion im System I zustande kommt) gebunden wird, was am Verhalten eines zweiten, hämolyt. Antigen-Antikörper-Systems (System II oder Testsystem) abgelesen werden kann; Anwendung z.B. bei Syphilis oder Viruserkrankungen.

Komplementwinkel (Komplementärwinkel), der Winkel, der einen vorgegebenen Winkel zu 90° ergänzt.

Komplet [lat.] *die* (Completorium), die letzte Gebetszeit (Nachtgebet) des kirchl. →Stundengebets.

Komplex [lat.] *der,* **1)** *allg.:* ein Ganzes, dessen Teile vielfältig miteinander verknüpft sind.

2) *Chemie:* →Komplexverbindungen.

3) *Psychologie:* die Verbindung einer Mehrheit von Sinneseindrücken und Vorstellungen zu einem Ganzen. In der Psychoanalyse bedeutet K. einen »affektmächtigen Gedanken- und Interessenkreis« (S. Freud), der oft unbewusst (verdrängt) ist und in Träumen, Fehlleistungen, Neurosen, Zwangsvorstellungen weiterwirkt (z.B. der Ödipus-K. oder der Minderwertigkeits-K.).

Komplexbildner, chem. Verbindungen, die zur Bildung von Komplexverbindungen (i.e.S. von →Chelaten) befähigt sind. Als Bestandteile von Waschmitteln verhindern K. z.B. die Kalkabscheidung an Waschmaschinenteilen und auf der Wäsche.

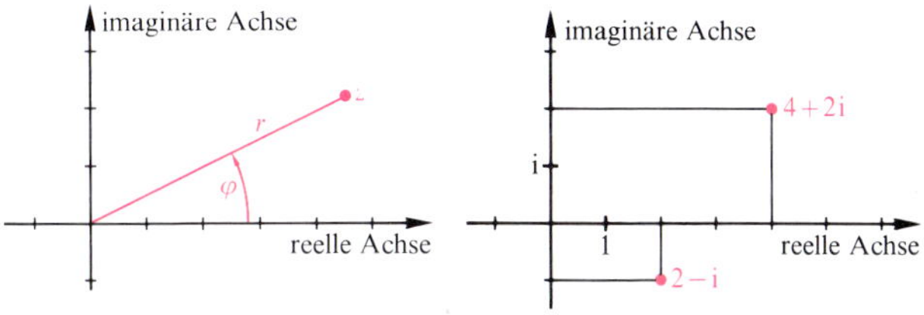

komplexe Zahl (von links): Darstellung einer komplexen Zahl z und Darstellung der komplexen Zahlen $z = 4+2i$ und $Z = 2-i$ in der gaußschen Zahlenebene

komplexe Zahl, Zahl der Form $z = a + ib$ mit reellen Zahlen a und b sowie der **imaginären Einheit** $i^2 = -1$ bzw. $i = \sqrt{-1}$. Man bezeichnet a als **Realteil** ($a = \operatorname{Re} z$) und b als **Imaginärteil** ($b = \operatorname{Im} z$) der k. Z.; stimmen Real- und Imaginärteil zweier k. Z. überein, so sind sie gleich. Für $b = 0$ ist z reell, im Falle $a = 0$ liegt eine (rein) **imaginäre Zahl** vor. Eine von $0\,(= 0 + 0 \cdot i)$ verschiedene komplexe Zahl z kann man durch ihre Entfernung r vom Koordinatenursprung und den Winkel φ zw. der Verbindungsstrecke zum Koordinatenursprung und der positiven reellen Achse (in einem kartesischen Koordinatensystem) angeben. Als **konjugiert k. Z.** zu z bezeichnet man die k. Z. $\bar{z} = a - ib$. – Für die als Paare (a, b) reeller Zahlen definierten k. Z. sind folgende Verknüpfungen festgelegt:

$$(a, b) \pm (a', b') = (a \pm a', b \pm b')$$
$$(a, b) \cdot (a', b') = (aa' - bb', ab' + a'b)$$
$$(a, b) : (a', b') = \left(\frac{aa' + bb'}{a'^2 + b'^2}, \frac{a'b - ab'}{a'^2 + b'^2}\right)$$

Die reellen Zahlen selbst lassen sich in die Menge dieser Paare einbetten als die Menge der Paare $(a, 0)$. Bezeichnet $i =: (0, 1)$ die imaginäre Einheit, so lässt sich jedes Paar in der Form $(a, b) = (a, 0) + (0, 1)(b, 0) = a + ib = z$ schreiben.

Mithilfe eines kartes. Koordinatensystems wird z durch den Punkt (a, b) dargestellt. In dieser Darstellung heißt die Menge der k. Z. (Zeichen $\mathbb{C}$) auch **gaußsche Zahlenebene** oder **komplexe Ebene,** wobei die x-Achse die **reelle,** die y-Achse (mit i als Einheit) die **imaginäre Achse** bezeichnet. Der euklid. Abstand $\|z\| = \sqrt{a^2 + b^2}$ von (a, b) zum Nullpunkt heißt **Betrag** von z, der Winkel $\varphi = \arg z$ (im Bogenmaß) zw. der x-Achse und dem Strahl vom Ursprung durch (a, b) heißt **Argument** von z. In Polarkoordinaten schreibt man

$$z = a + ib = r(\cos\varphi + i \sin\varphi) = re^{i\varphi}$$

Kompositkapitell

Komtur 2) (von oben): Komturkreuz des Sankt-Alexander-Ordens (Königreich Bulgarien) und des Menelik-II.-Ordens (Kaiserreich Äthiopien)

(eulersche Darstellung); dabei ist $r = \|z\|$ und $\varphi = \arctan(b/a)$.

Die Menge der k. Z. ℂ bildet mit der Addition und Multiplikation einen Körper, der den Körper der reellen Zahlen ℝ umfasst und in dem jede algebraische Gleichung eine Lösung besitzt. – Die Einbettung der reellen Zahlen in den Körper ℂ der k. Z. ist ein Beispiel für einen Isomorphismus: Der reellen Zahl *a* entspricht im komplexen Bereich die k. Z. $(a, 0)$. Ein **hyperkomplexes System,** auch als **K-Algebra** bezeichnet, ist eine Weiterentwicklung der k. Z. Anstelle der Basiselemente 1 und i treten dabei endlich viele Basiselemente $\beta_1, \beta_2, \ldots \beta_w$ anstelle der reellen Zahlen *a* und *b* als Koeffizienten treten Elemente $a_1, a_2, \ldots a_n$ aus einem beliebigen Körper *K*. Für die Ausdrücke $a_1 \cdot \beta_1 + \ldots + a_n \cdot \beta_n$ (Elemente des hyperkomplexen Systems, im einfachsten Fall **hyperkomplexe Zahlen**), die sich in nahe liegender Weise (koeffizientenweise) addieren lassen, kann man wieder eine Multiplikation erklären. Ist diese assoziativ, spricht man von einem hyperkomplexen System (→Quaternionen). ℂ kann aufgefasst werden als ein hyperkomplexes System über ℝ.

Komplexitätstheorie, Forschungsbereich der Mathematik, in dem u. a. untersucht wird, ob es zu bekannten Berechnungsverfahren »bessere« Algorithmen gibt, die das gleiche Problem mit weniger oder mit einfacheren Rechenschritten lösen.

Komplexometrie [lat.-grch.] *die* (Chelatometrie), Verfahren der Maßanalyse, bei der das zu bestimmende Ion mit einem Komplexbildner zu einem Chelatkomplex titriert wird. Die Endpunktbestimmung wird mithilfe von Farbindikatoren durchgeführt.

Komplexverbindungen (Komplexe), *Chemie:* Verbindungen höherer Ordnung, die durch Zusammenschluss von Molekülen entstehen, im Ggs. zu Verbindungen 1. Ordnung, die aus Atomen gebildet werden. K. sind die anorgan. und metallorgan. →Koordinationsverbindungen sowie (im eigentl. Sinn) die zahlreichen organ. Molekülverbindungen, u. a. Charge-Transfer-Komplexe, Chelate und Sandwichverbindungen. Vielfach werden die Begriffe K. und Koordinationsverbindungen gleichgesetzt. – Mit der Darstellung und Untersuchung von K. befasst sich die **Komplexchemie**.

Komplott [frz.] *das,* Verschwörung; die Verabredung mehrerer zur gemeinsamen Begehung eines Verbrechens wird wie der Versuch bestraft (§ 30 StGB).

Komponente [lat.] *die,* **1)** *allg.:* Bestandteil eines Ganzen, z. B. eines Stoffgemisches.

2) *Mathematik:* Die Komponenten eines →Vektors $\boldsymbol{a} = (a_x, a_y, a_z)$ sind in einem kartes. Koordinatensystem die senkrechten Projektionen $\boldsymbol{a}_x$, $\boldsymbol{a}_y$, $\boldsymbol{a}_z$ auf die Koordinatenachsen.

Kompositen [lat.], die Pflanzenfamilie →Korbblütler.

Komposition [lat.] *die,* **1)** *bildende Kunst:* Bildgefüge, Formaufbau von Kunstwerken (bes. Gemälde, Zeichnung, Grafik, Relief); die Elemente der K. (Proportion, Perspektive, Fläche, Kontur, Symmetrie, Reihung, Isokephalie, Farbe, Licht) vermitteln die Vorstellung vom Ganzen in einer erkennbaren Gesetzmäßigkeit (Stil) als K.-Prinzip; in der Architektur der Grund- und Aufriss. Von Gesamt-K. spricht man, wenn mehrere Bauten durch Beziehung aufeinander, durch Straßenzüge oder Plätze in einen Wirkungszusammenhang gebracht sind.

2) *Musik:* die Tonsetzkunst, die Schöpfung eines musikal. Kunstwerks; das Tonstück selbst, bes. sein musikal. Aufbau.

Kompositkapitell, *Architektur:* die röm. Sonderform des korinth. Kapitells: die Voluten sind wie die ionischen gebildet und diagonal gestellt. (→Säulenordnung)

Kompositum [lat. »Zusammensetzung«] *das,* zusammengesetzes Wort, z. B. »Haustür«.

Kompost [frz. aus mittellat.] *der,* aus tier. und pflanzl. Abfällen (z. B. Kleintiermist, Laub, Gemüseabfälle) erzeugtes Verrottungsprodukt. Die Abfälle werden einer aeroben (mit ausreichender Luftzufuhr erfolgenden) Umsetzung überlassen. Dabei werden die organ. Substanzen weitgehend ab- und umgebaut und mit Humin- und Nährstoffen angereicherte Endprodukte erzielt. Nach wenigen Monaten ist die Rotte so weit fortgeschritten, dass der K. umgesetzt werden kann; nach etwa zwei Jahren ist der K. genügend gesetzt, um als krümeliges Bodenverbesserungsmittel im Gartenbau verwendet zu werden. Im zunehmenden Maße werden die organ. Bestandteile des Hausmülls (Biomüll) getrennt gesammelt und der Kompostierung zugeführt.

Kompresse [lat.] *die,* Mullauflage zur Wundabdeckung; auch feuchter Umschlag.

Kompressibilität [lat.] *die,* Formelzeichen κ, Eigenschaft der Körper, unter allseitigem Druck ihr Volumen zu verkleinern; gemessen durch den negativen Quotienten, der aus der relativen Volumenänderung und der Druckänderung gebildet wird, SI-Einheit Pa^{-1}. Für feste Körper und Flüssigkeiten ist die K. sehr klein, während sie für Gase sehr große Werte annimmt.

Kompression [lat.] *die,* **1)** *Medizin:* mechan. Abdrücken eines (blutenden) Gefäßes.

2) *Physik* und *Technik:* →Verdichtung.

Kompressionsmodul, bei der elast. Kompression von Festkörpern der Kehrwert der →Kompressibilität.

Kompressionswellen, die schnellen longitudinalen Erdbebenwellen.

Kompressor *der, Technik:* ein →Verdichter.

Konarak: Haupthalle und Tempelturm des Sonnentempels aus dem 13. Jahrhundert

Komptabilität [frz.] *die,* Rechnungsführung, Verantwortlichkeit für die Rechnungslegung, bes. im Staat und in anderen öffentl. Gemeinwesen, im Sinne einer entsprechenden Verpflichtung der für die Finanzen Verantwortlichen gegenüber den Volksvertretungen.

Komptantgeschäft [kõ'tã-], →Kassageschäft.

Komsomol *der,* russ. Kw. für Leninscher Kommunist. Allunions-Jugendverband, 1918–91 in der Sowjetunion die kommunist. Jugendorganisation für die 14- bis 28-Jährigen; die Nachwuchsorganisation der KPdSU hatte die Aufgabe, die Jugend im Sinne der herrschenden marxistisch-leninist. Maximen zu erziehen. Der K. umfasste 1988 etwa 40 Mio. Mitglieder. Er betreute auch die kommunist. Pionierorganisation »W. I. Lenin« (für Kinder von 10 bis 15 Jahren).

Komsomolsk am Amur (russ. K.-na-Amure), Stadt in der Region Chabarowsk, im Fernen Osten Russlands, am unteren Amur, 318600 Ew.; TH, Kunstmuseum; Hochseehafen am östl. Endpunkt der Baikal-Amur-Magistrale; Stahlwerk, Werft, Maschinen-, Motorenbau, Erdölraffinerie, Holzindustrie; Flughafen. – Die Stadt wurde ab 1932 vom Komsomol erbaut.

Komtesse [kɔ̃'tɛs] *die,* eingedeutscht für Comtesse (→Comte).

Komtur [lat.] *der,* **1)** bei den Ritterorden (Dt. Orden, Johanniter, Templer) der Verwalter einer **Komturei (Kommende)** als deren kleinster Verwaltungseinheit. Mehrere Komtureien bilden eine →Ballei.

2) (Kommandeur), in den neueren Verdienstorden meist der Inhaber der mittleren von fünf Klassen (Ordenszeichen am Hals).

Kön., Abk. für →**Kön**ige, Bücher der K.

kon... [lat.] (con...), zusammen..., mit...

Konarak (Konarka), Dorf 30 km nordöstlich von Puri im ind. Bundesstaat Orissa; Reste eines Sonnentempels, »Schwarze Pagode«, aus dem 13. Jh. (UNESCO-Weltkulturerbe). Stilistisch veranschaulicht der Tempel den Höhepunkt der nachklass. Tempelarchitektur Orissas.

Konarski, Stanisław, eigtl. Hieronim Franciszek K., poln. Aufklärer und Reformer, *Żarczyce 30. 9. 1700, †Warschau 3. 8. 1773; trat 1718 in den Piaristenorden ein, als dessen Provinzial für Polen er die Schulen reformierte (u.a. Einführung des Französischunterrichts).

Konche [grch.-lat. »Muschel«] *die,* halbrunde Apsis, die von einer Halbkugel überwölbt ist; auch nur dieses (einer Muschel vergleichbare) Gewölbe selbst, v.a. in frühchristl. und mittelalterl. Kirchen.

Konchoide [grch.] *die,* eine ebene Kurve *K,* die aus einer gegebenen Kurve *C* dadurch entsteht, dass der Radiusvektor von einem festen Punkt 0 zu jedem Punkt *P* von *C* um eine feste Länge *c* verändert wird. Ist *C* eine Gerade, dann wird *K* die **K. des Nikomedes** (etwa 200 v. Chr.), die von ihm zur Würfelverdoppelung (→delisches Problem) und →Dreiteilung des Winkels verwendet wurde. Die Gleichung der K. in rechtwinkligen Koordinaten lautet: $(x^2+y^2)(x-a)^2-c^2x^2=0$.

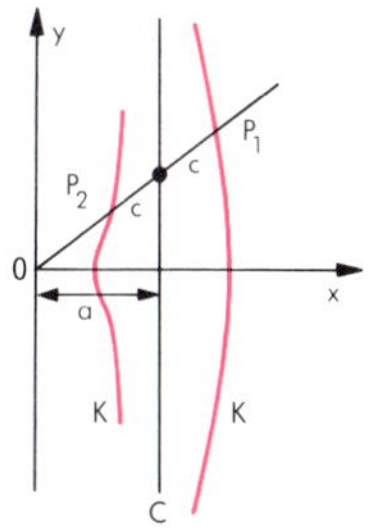

Konchoide des Nikomedes

Konchylie [grch.] *die,* Schale der Weichtiere.

Kond (Kondh, Khond, Khand, Eigen-Bez. Kui), bäuerl. Volksgruppe mit dravid. Sprache (Kui) im Bergland von Orissa, im östl. Vorderindien.

Konde, dicht besiedelte Agrarlandschaft in SW-Tansania, nördlich des Njassasees, überragt vom Rungwe (2961 m ü. M.); Anbau von Kaffee, Tee, Mais, Reis, Bananen u.a.; bewohnt von den K., einem Bantuvolk (→Nyakyusa).

Kondensation [lat.] *die,* **1)** *Chemie:* Reaktion, bei der durch Vereinigung von zwei Molekülen unter Austritt von einfachen Molekülen wie Wasser oder Alkoholen ein größeres Molekül gebildet wird. Wiederholte K. unter Bildung von Molekülketten wird als **Poly-K.** bezeichnet und spielt bei der Herstellung von Kunststoffen eine große Rolle.

2) *Physik:* der Übergang eines Stoffes aus dem gasförmigen in den flüssigen oder (bei sublimierenden Stoffen) in den festen Zustand beim Überschreiten der Sättigungsdichte seines Dampfes infolge Abkühlung oder Druckerhöhung. Die bei der K. entstehende Flüssigkeit heißt **Kondensat.** Die frei werdende Wärme **(K.-Wärme, K.-Enthalpie)** ist gleich der Verdampfungs- oder Sublimationswärme, die Temperatur, bei der die gasförmige und die flüssige oder feste Phase im Gleichgewicht stehen **(K.-Temperatur, K.-Punkt),** stimmt bei konstantem Druck mit der Siedetemperatur überein. Ist keine entsprechende flüssige oder feste Phase vorhanden, so kann **K.-Verzug** auftreten, dem man durch Zuführen von kleinen Fremdkörpern (Staub, Ionen u.a.), sog. **K.-Kernen,** entgegenwirken kann.

Kondensator *der,* **1)** *Elektrotechnik:* passives elektr. oder elektron. Bauelement zum kurzzeitigen Speichern von elektr. Ladung bzw. Energie; K. bestehen im Prinzip aus zwei durch ein →Dielektrikum voneinander getrennten, meist flächenhaften metall. Leitern und werden durch die in Farad (F) angegebene elektr. Kapazität C gekennzeichnet. Bei Anlegen einer Gleichspannung U zw. den getrennten Leitern wird auf diesen jeweils eine entgegengesetzt gleich große elektr. Ladung vom Betrag $Q = C \cdot U$ bzw. im elektr. Feld zw. ihnen die elektr. Energie $E_{el} = {}^1/_2 C \cdot U^2$ gespeichert. Jeder K. wirkt gegenüber Gleichstrom wie ein unendlich großer Widerstand, d.h., er unterbricht einen Gleichstromkreis praktisch vollständig. Bei Anlegen einer Wechselspannung U fließt jedoch ein Verschiebungsstrom durch das Dielektrikum, d.h., der K. hat einen endl. kapazitiven →Wechselstromwiderstand, dessen Größe mit wachsender Frequenz abnimmt.

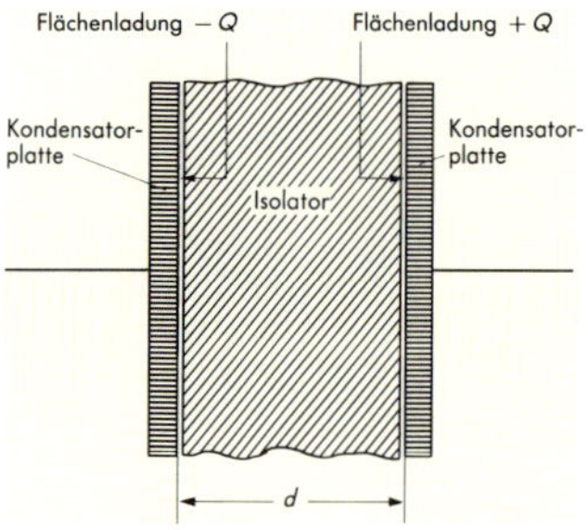

Kondensator 1): Schema eines Plattenkondensators mit Dielektrikum (Isolator)

Die einfachste K.-Form, der **Platten-K.**, besteht aus zwei mit metall. Zuleitungen versehenen, i. Allg. gleich großen Metallplatten mit z.B. Luft als dazwischenliegendem Dielektrikum (Isolator). Legt man an die beiden Platten eine Spannung U, so sammelt sich auf der einen Platte eine der angelegten Spannung proportionale Ladung $+Q$, auf der anderen $-Q$ an. Die Kapazität ergibt sich zu $C = \varepsilon_0 \varepsilon_r A/d$, wobei ε_r die relative Dielektrizitätskonstante des Dielektrikums, ε_0 die elektr. Feldkonstante, A die Plattenfläche und d den Plattenabstand bedeutet. Zw. beiden Platten bildet sich ein homogenes elektr. Feld aus, in dem die Feldlinien senkrecht zu den Platten verlaufen. – K. dienen v.a. in der Hochfrequenztechnik als Bestandteile von Schwingkreisen sowie zu Trenn-, Koppel-, Entstör- und Glättungszwecken; als **Arbeits-K.** finden sie in vielen Bauarten z.B. zur kapazitiven Erwärmung oder Trocknung sowie in der Starkstromtechnik v.a. zur Verbesserung des Leistungsfaktors und zur Blindleistungskompensation Anwendung.

Papier-K. mit imprägniertem Papier (K.-Papier) oder **Kunststoff-K. (Folien-K.)** mit einer Kunststofffolie – z.B. aus Polypropylen (Kennbuchstaben KP), Polystyrol (KS), Polyester (KT) – als Dielektrikum werden, um eine große Kapazität zu erreichen, mit zwei dünnen Metallfolien (erster Kennbuchstabe M, z.B. MKS) aufgewickelt und in Becher oder Rohre eingesetzt, die mit Wachs, Öl oder Kunstharz vergossen sind. Zur Verringerung des Volumens kann der Metallbelag als dünne Schicht auf das Dielektrikum aufgebracht werden **(Metallpapier-K.).** Im **Keramik-K.** wird als Dielektrikum eine keram. Masse (z.B. Bariumtitanat) mit hoher →Dielektrizitätskonstante verwendet, auf die der Elektrodenwerkstoff aufgedampft und anschließend aufgebrannt wird (Ausführung z.B. als Keramik-Flach-K. oder

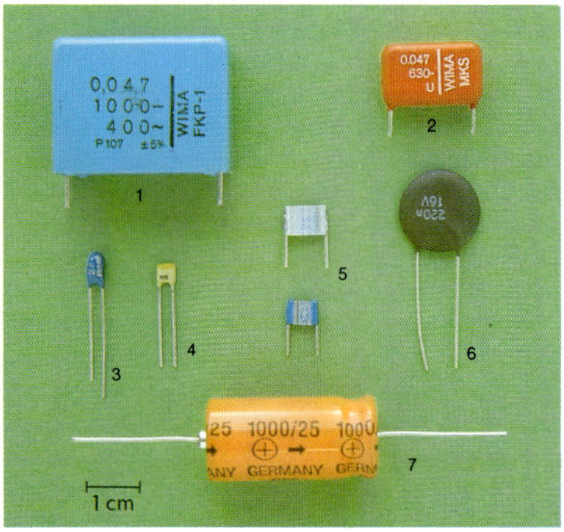

Kondensator 1): 1 Kunststoffkondensator (KP), 2 Kunststoffkondensator (MKS), 3 Tantal-Elektrolyt-Kondensator, 4 Keramik-Flachkondensator, 5 Kunststoffkondensator (MKT), 6 Keramik-Scheibenkondensator, 7 Elektrolytkondensator mit Aluminiumgehäuse

Keramik-Scheiben-K.). Die Wirkungsweise des **Elektrolyt-K.** (Kw. Elko) beruht darauf, dass manche Metalle, z.B. Aluminium, Titan, Tantal, als Anode in einer Säurelösung beim Anlegen einer Spannung so oxidiert werden, dass die Oxidschicht isoliert und als Dielektrikum wirkt. Die Dicke des Dielektrikums hängt von der angelegten Spannung (Formierspannung) ab. Für den K. wird ein Elektrolyt verwendet, der die Oxidschicht nicht angreift. Die beiden »Platten« werden durch den Elektrolyten und die Metallanode gebildet. Da die Kapazität dem Plattenabstand umgekehrt proportional ist, erreicht man mit dem Elektrolyt-K. sehr hohe Kapazitäten. Elektrolyt-K. mit Tantalanode **(Tantal-Elektrolyt-K.)** besitzen bei sehr kleinem Volumen hohe Kapazitäten. Elektrolyt-K. werden mit nassem Elektrolyt und mit trockenem Elektrolyt hergestellt. K. mit nassem Elektrolyt werden beim Durchschlag nicht unbrauchbar und regenerieren sich selbst.

2) *Energietechnik:* 1) Vorrichtung in Dampfkraftanlagen zum Niederschlagen (Abscheiden) des austretenden Abdampfs. Im **Oberflächen-K.** wird der Dampf an von Kühlmittel durchflossenen Rohrleitungen kondensiert; das Kondensat wird zum Speisewasser zurückgeführt. Beim **Einspritz-K. (Misch-K.)** für Kolbendampfmaschinen wird der Dampf durch direkt eingespritztes, fein vernebeltes Wasser niedergeschlagen. 2) **Verflüssiger,** ein Wärmetauscher bei Kältemaschinen, in dem der verdichtete Kältemitteldampf unter Wärmeabgabe an Kühlwasser oder Kühlluft verflüssigt wird.

kondensierte Ringe, aus einfachen Ringverbindungen aufgebaute Moleküle (z.B. Anthracen aus Benzol).

Kondensor [zu lat. condensare »verdichten«] *der, Optik:* sammelndes System zur Ausleuchtung eines zu beobachtenden Objekts (z.B. Dia, mikroskopisches Präparat). Der K. soll das von einer Lichtquelle ausgehende Licht möglichst vollständig erfassen und so lenken, dass es ohne Verluste das Objekt und das abbildende System passiert und in die Auffangebene (z.B. Projektionswand, Netzhaut) gelangt.

Kondensstreifen, weiße, streifenförmige Gebilde aus Wassertröpfchen oder Eiskristallen, die sich durch Kondensation von Wasserdampf in den Flugzeugabgasen bilden, wenn die Luft in Flughöhe genügend feucht und kalt ist.

Kondenswasser, Flüssigkeit, die sich aus ihrer Dampfphase unterhalb des →Taupunkts durch Kondensation bildet.

Konditionalismus [lat.] *der,* erkenntnistheoret. Lehre, die die Wirklichkeit als Bedingungszusammenhang auffasst: Erkenntnis komme nur durch die Erfassung der Gesamtheit der Bedingungen zustande. Der K. ersetzt den Begriff der Ursache durch den der Reihe der Bedingungen.

Konditionalsatz, Bedingungssatz (ÜBERSICHT Syntax).

Konditionierung [lat.] *die, Psychologie:* die (bes. experimentelle) Ausbildung eines →bedingten Reflexes; durch wiederholte Koppelung eines urspr. neutralen Reizes mit einem reflexauslösenden löst der vorher neutrale Reiz schließlich den Reflex aus.

Konditionsgut, *Buchhandel:* Ware, die der Sortimenter bei Nichtverkauf nach einer vereinbarten Frist an den Verlag zurücksenden kann (Remittenden) oder die er für eine weitere Frist unberechnet am Lager behält (Disponenden).

Konditionstraining [-tre-, -trɛ-], Übungen zur Entwicklung von Kraft, Ausdauer und Schnelligkeit, von körperl. Leistungsfähigkeit insgesamt.

Kondom [vielleicht nach einem engl. Arzt Condom oder Conton, 18. Jh.] *das* oder *der* (Condom, Präservativ), dünne Hülle aus vulkanisiertem Gummi für das männl. Glied zur →Empfängnisverhütung und zum Schutz gegen Geschlechtskrankheiten sowie Aids. – BILD Empfängnisverhütung

Kondominium [lat.] *das* (Kondominat), →Condominium.

Kondor [Ketschua] *der,* Bez. für zwei heute zu den Störchen gestellte Arten. Der **Anden-K.** (Vultur gryphus) ist mit bis 3,25 m Flügelspannweite neben den Straußen der größte Vogel; Aasfresser. Der kleinere **Kaliforn. K.** (Gymnogyps californianus) lebt nur noch in geringer Zahl in den südkaliforn. Küstengebieten.

Kondor: Andenkondor

Kondraschin, Kirill Petrowitsch, russ. Dirigent, *Moskau 6. 3. 1914, †Amsterdam 8. 3. 1981; 1960–76 Chefdirigent der Moskauer Philharmonie; emigrierte 1978 nach Westeuropa, war seit 1979 ständiger Dirigent des Concertgebouworkest Amsterdam.

Kirill Kondraschin

Kondratjew (Kondratieff), Nikolai Dmitrijewitsch, russ. Volkswirtschaftler, *1892, †(als polit. Häftling) 1931; Gründer und 1920–28 Direktor des Konjunkturinstituts in Moskau; stellte den ersten Fünfjahresplan für die sowjet. Landwirtschaft auf; wurde 1930 nach Sibirien verbannt. Sein wichtigster Beitrag zur Wirtschaftsgeschichte war die Entdeckung langfristiger, von J. A. Schumpeter später nach ihm benannter Konjunkturwellen **(Kondratieff-Zyklen).**

Konduktanz [lat.] *die, Elektrotechnik:* der Wirkleitwert (→Widerstand, →Wechselstromwiderstand) eines von Wechselstrom durchflossenen Stromkreises; reelle Komponente der Admittanz; Zeichen G, SI-Einheit Siemens (S).

Konduktometrie [lat.] *die,* das Verfolgen chem. Reaktionsabläufe in Lösungen durch Messen der

Leitfähigkeit, die sich mit der Konzentration freier Ionen ändert.

Konduktor [lat.] *der, Medizin:* selbst gesunder Überträger einer erbl. Krankheitsanlage, die beim anderen Geschlecht auftritt (z. B. der Bluterkrankheit, an der nur Männer erkranken, während Frauen als K. wirken).

Kondylom [grch.] *das* (Feigwarze), nässende Hautwucherung mit zerklüfteter Oberfläche, die an Geschlechtsteilen und in der Aftergegend auftritt; **spitzes K.** (bei Entzündungen, Ausfluss, Tripper, Wurmbefall, Diabetes; hervorgerufen durch das Warzenvirus); **breites K.** (beetartig, infektiös, im Sekundärstadium der Syphilis).

Konfektion [frz.] *die,* serienmäßig hergestellte Kleidung (Fertigkleidung) und ihre Herstellung, im Unterschied zur Maßschneiderei.

Konferenz [lat.] *die,* Sitzung, Beratung, Tagung.

Konferenz Europäischer Kirchen, Abk. **KEK,** 1959 in Nyborg (Dänemark) gegründete ökumen. Organisation evang., anglikan., orth. und altkath. Kirchen aus Europa. Sitz: Genf; 120 Mitgliedskirchen aus allen europ. Staaten. Die kath. Kirche arbeitet eng mit der KEK zusammen. Die Schwerpunkte »Gerechtigkeit, Frieden und Bewahrung der Schöpfung« bestimmen die Arbeit.

Konferenzschaltung, Sammelschaltung bei Hörfunk und Fernsehen sowie in Fernsprech- und Fernschreibanlagen, bei der die Teilnehmer miteinander verbunden sind und jeder einzelne mit allen übrigen sprechen bzw. sie anschreiben kann. Nach vorheriger Anmeldung sind in Dtl. K. mit bis zu 15 Fernsprechteilnehmern (weltweit) möglich.

Konferenz über Sicherheit und Zusammenarbeit in Europa, →KSZE.

Konferenz über Vertrauensbildung und Abrüstung in Europa, Abk. **KVAE,** Tagung aller Staaten der →KSZE vom 17. 1. 1984 bis zum 19. 9. 1986 in Stockholm, als deren Ergebnis am 1. 1. 1987 eine Schlussakte mit folgenden sicherheitspolit. Bestimmungen im Bereich konventioneller Rüstung in Kraft trat: Recht auf gegenseitige Inspektionen; gestaffelte Zeiträume für die Ankündigung sämtl. militär. Aktivitäten und Manöver mit mehr als 300 Panzern und 13 000 Soldaten (Luftlande- und amphib. Truppen ab 3 000 Soldaten); Einladung zu Manövern, wenn mindestens 17 000 Soldaten (bei amphib. Aktivitäten und Luftlandeoperationen 5 000 Soldaten) daran teilnehmen. Die polit. Bedeutung lag in der erstmaligen Teilnahme der nicht paktgebundenen europ. Staaten an Beratungen über Sicherheit und Abrüstung in Europa.

Konfession [lat.] *die,* Gemeinschaft der in einem →Bekenntnis Verbundenen.

Konfessionalismus *der,* Bekenntnistreue.

Konfessionsschule (Bekenntnisschule), eine Schule, in der die Konfession über den Religionsunterricht hinaus eine maßgebl. Rolle spielt; meist als Privatschule.

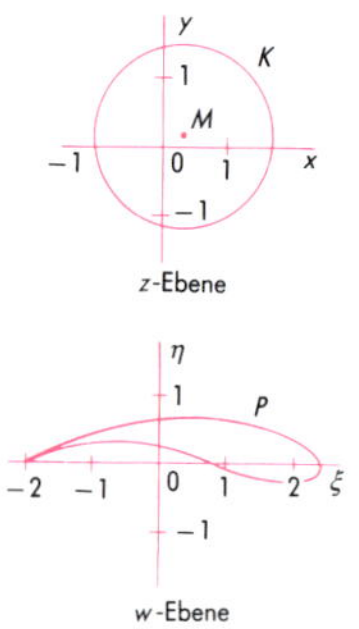

konforme Abbildung

Konfiguration [lat.] *die,* **1)** *allg.:* Gestaltung, Anordnung, Zusammenstellung.

2) *Chemie:* räuml. Anordnung von Atomen oder Atomgruppen in einem Molekül ohne Berücksichtigung der versch. Atomanordnungen, die sich voneinander nur durch Rotationen um Einfachbindungen unterscheiden.

Konfirmation [lat. »Befestigung«, »Bestätigung«] *die,* in den evang. Kirchen die feierl. Aufnahme junger Christen (i. d. R. im Alter von 14 Jahren) als Mitgl. der christl. Gemeinde mit allen Rechten und Pflichten. Die K. erfolgt nach vorangegangener Unterweisung (Konfirmandenunterricht) im Rahmen eines Gottesdienstes. Ihrem Selbstverständnis nach ist sie individueller Bekenntnisakt des **Konfirmanden** zu seiner Taufe.

Konfiskation [lat.] *die,* Beschlagnahme, bes. die entschädigungslose Entziehung des Eigentums einzelner oder bestimmter Gruppen, häufig unter dem Vorwurf oder Vorwand staats- oder sozialschädl. Verhaltens der Betroffenen. In Dtl. ist die K. mit dem Eigentumsschutz (Art. 14 GG) nicht zu vereinbaren, kann aber ausnahmsweise bei Missbrauch des Eigentums zu verfassungsfeindl. Zwecken (Art. 18 GG) oder im Strafprozess (→ Einziehung) zulässig sein. Keine K. ist die →Enteignung.

Konflikt [lat. »Widerstreit«] *der,* alle Auseinandersetzungen, die von sozialen Gruppierungen zur Veränderung oder Beibehaltung der Gegebenheiten geführt werden (Generations-K., Geschlechter-K., Klassen-K. u. a.). K. werden in sozialen Verbänden jeder Art oft als allgegenwärtig angesehen. I. w. S. das Aufeinandertreffen einander entgegengesetzter Interessen, Intentionen oder Motivationen; auch innerer Widerstreit von Motiven.

Konfliktforschung, →Friedensforschung.

Konfluenz [lat.] *die,* Zusammenfluss, bes. bei Gletschern; Ggs.: Diffluenz.

Konföderation [lat.] *die,* eine auf Dauer angelegte völkerrechtl. Staatenverbindung mit gemeinsamen Organen und Institutionen, bes. für gemeinsame Außen- und Verteidigungspolitik. Die verbundenen Staaten bleiben dabei Subjekte des Völkerrechts, während die K. keine oder nur eine begrenzte Völkerrechtssubjektivität besitzt. Bisher waren K. stets nur von kurzer Dauer und führten entweder zum Zusammenschluss im Bundesstaat (USA, Schweiz) oder zur Auflösung (Rheinbund).

Konföderierte Staaten von Amerika, 1860/61–65 Bund der 11 von den USA abgefallenen Südstaaten, der im →Sezessionskrieg den bei der Union verbliebenen Nordstaaten unterlag. Der Reg.sitz war Richmond (Va.), Präs. J. Davis.

konform [lat.], übereinstimmend, gleichförmig.

Konformation [lat.] (Konstellation) *die, Chemie:* die räuml. Anordnungsmöglichkeiten der Atome oder Atomgruppen eines Moleküls, erzeugt durch Rotation um Einfachbindungen. Die Moleküle in den versch. K. werden als **K.-Isomere (Konformere, Rotationsisomere)** bezeichnet.

konforme Abbildung (winkeltreue Abbildung), Abbildung eines Gebietes G der komplexen Ebene auf ein anderes, bei der der Umlaufsinn einer Figur und die Schnittwinkel zweier beliebiger Kurven der Größe nach erhalten bleiben. Die durch die komplexe differenzierbare Funktion $w = f(z)$ vermittelte Abbildung ist konform für alle Punkte z aus G, in denen $f'(z) \neq 0$ ist. In der Strömungslehre ist z.B. die k. A. durch die Funktion $w = z + 1/z$, von Bedeutung, wobei $z = z + iy$ die Variable der einen, $w = \zeta + i\eta$ die der anderen Ebene ist. Durch diese Abbildung verwandelt sich der Kreis K mit dem Mittelpunkt M in der z-Ebene in das Tragflügelprofil P in der w-Ebene. Die Berechnung der Strömung um das Tragflügelprofil lässt sich damit auf das leichter zu lösende Problem der Strömung um den Kreis zurückführen.

Konformismus [lat.] *der,* Anpassungsbereitschaft an die vorherrschende Meinung; angepasstes Verhalten in der Gesellschaft (→Masse).

Konformisten, →Conformists.

Konfrontation [lat.] *die,* Gegenüberstellung einander widersprechender Personen, Meinungen oder Sachverhalte; Auseinandersetzung.

Konfusion [lat.] *die,* **1)** *allg.:* Verwirrung.

2) *Zivilrecht:* Vereinigung von Gläubiger und Schuldner in einer Person, z.B. wenn ein Schuldner seinen Gläubiger beerbt.

Konfuzianismus *der,* die auf Konfuzius zurückgehende, neben Daoismus und Buddhismus einflussreichste philosoph. Richtung in China und O-Asien; war in China seit der Han-Dynastie (206 v.Chr.–220 n.Chr.) bis zum Ende des Kaisertums (1912) verbindl. Staatsdoktrin. Der K. ist prakt., moral. Philosophie, zentrales Anliegen ist die Einbettung des Einzelnen in Familie, Staat und Moral im Sinne der chines. Tradition. Die »Fünf Beziehungen« zw. Fürst und Staatsdiener, Vater und Sohn, Mann und Frau, älterem und jüngerem Bruder, Freund und Freund werden durch die Tugenden der Menschenliebe, der Gerechtigkeit und Ehrerbietung bestimmt. Pietät bildet die Grundlage für das Familienleben wie für den Staat. Sie äußert sich in der Hochhaltung des Ererbten, der Riten, der Musik und der literar. Bildung und erstreckt sich über den Tod hinaus (Ahnenverehrung). Aus Verschmelzung einheim. und buddhist. Elemente entstand der **Neo-K.** der Song-Zeit (960–1279). Die Staatsethik war aristokratisch.

Konfuzius (latinisiert aus K'ung-fu-tzu, Kong fuzi »Meister K'ung«), eigtl. Kong Qiu, chines. Philosoph, *Qufu 551 v.Chr., †ebd. 479 v.Chr.; war Beamter, wurde verbannt und kehrte im Alter in seine Heimat zurück. K. versuchte, das mythologisch-religiöse Wertsystem des chines. Feudalreiches im Sinne einer moral. Erneuerung des Staates zu restaurieren (→Konfuzianismus).

📖 Roetz, H.: *K. München 1995.*

Konfuzius

Die Geburt des Konfuzius; nach der von Wang Jia im 4. Jahrhundert n. Chr. verfassten Erzählsammlung »Shi yi ji«:

»Konfuzius wurde ... 551 v. Chr. ... geboren. In der Nacht stiegen zwei blaue Drachen vom Himmel und kamen in das Gemach von Zhengzai (der Mutter des Konfuzius). Sie gebar ihn aufgrund eines Traumes. Zwei weibliche Gottheiten kamen vom Himmel und brachten duftenden Tau, mit dem sie Zhengzai badeten. Der Himmelsgott schickte göttliche Musiker, die sich außerhalb des Gemachs aufstellten. Vom Firmament kam eine Stimme, die sagte, dass der Himmel die Geburt eines weisen Kindes veranlasst habe. Aus diesem Grund unterschieden sich die Klänge der Flöten und großen Glocken von allen anderen auf der Welt.

Überdies versammelten sich fünf alte Herren in Zhengzais Hof; es waren die (personifizierten) Essenzen der fünf Planeten (Venus, Jupiter, Merkur, Mars, Saturn).«

kongenital [lat.], *Medizin:* →angeboren.

Konglomerat [lat.] *das,* **1)** *allg.:* Zusammenballung, Gemisch.

2) *Geologie:* aus Geröllen bestehendes, durch kalkige, kieselige, tonige u.a. Bindemittel verkittetes Sedimentgestein.

3) *Wirtschaft:* →Mischkonzern.

Kongo *der* (Zaire), zweitgrößter, wasserreichster Strom Afrikas, 4374 km lang, Einzugsgebiet 3,69 Mio. km²; entspringt als Lualaba im Mitumbagebirge, durchbricht die südöstl. Randschwelle des K.-Beckens (Stromschnellen), heißt ab den Stanleyfällen (Boyomafällen) bei Kisangani K., durchfließt als breiter Flachlandstrom das **K.-Becken,**

Konfuzius

Weniger wegen seiner philosophischen Tiefe als vielmehr wegen seines vorbildlichen Lebens und der Wertschätzung, die er der Bildung für den Menschen beimaß, wurde Konfuzius als der Erste unter den Lehrern geehrt. Seiner Biographie nach ging er aus einer Beziehung hervor, die sein Vater, der bis dahin keinen würdigen Sohn als Stammhalter besaß, erst in hohem Alter einging. Seine Mutter betete vor dem Hügel Ni um einen Sohn.

Außergewöhnlich waren die Gesichtszüge des Konfuzius bei seiner Geburt: Seine Stirn war nach innen gewölbt und glich der Form des Hügels. Sein persönlicher Name lautete daher »Qiu« (= Hügel). Sein Mannesname »Zhongni« weist auf den Namen des Berges hin.

Der Name »Konfuzius« ist eine Latinisierung der Ehrenbezeichnung »Kong fuzi« (= Meister Kong).

Kongo, Republik

Fläche: 342 000 km²
Einwohner: (1995) 2,59 Mio.
Hauptstadt: Brazzaville
Verwaltungsgliederung: 9 Regionen und der Hauptstadtbezirk
Amtssprache: Französisch
Nationalfeiertag: 15. 8.
Währung: 1 CFA-Franc = 100 Centimes (c)
Zeitzone: MEZ

wird zum Stanley Pool (Malebo Pool) gestaut, durchbricht die Niederguineaschwelle in über 32 Stromschnellen und Wasserfällen (Livingstone- oder Ingafälle; Kraftwerke am Lualaba und bei Inga) und mündet unterhalb von Matadi in den Atlant. Ozean. Die Schiffbarkeit des K. beginnt bei Bukama; nicht schiffbare Stromabschnitte (Stromschnellen) werden durch Eisenbahnlinien umgangen. Mit seinen Nebenflüssen (u.a. von rechts: Lukuga, Aruwimi, Ubangi, Sanga, von links: Lomami, Busira, Kasai) rd. 13 000 km Wasserstraßen. Der K. ist von der Mündung des Ubangi bis in das erste Drittel der Livingstonefälle Grenzfluss zw. der Demokrat. Rep. Kongo und der Rep. Kongo, unterhalb von Matadi zw. der Demokrat. Rep. Kongo und Angola.

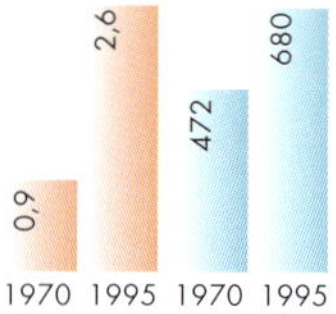

Bevölkerung (in Mio.)
Bruttosozialprodukt je Ew. (in US-$)

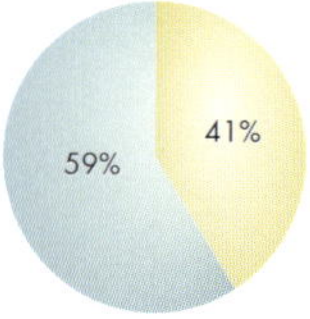

Stadt
Land
Bevölkerungsverteilung 1995

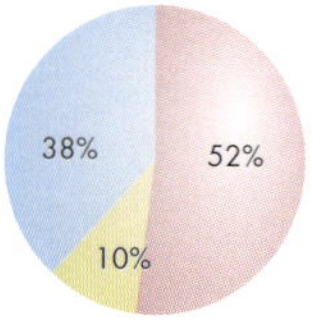

Industrie
Landwirtschaft
Dienstleistung
Bruttoinlandsprodukt 1995

Kongo (amtlich frz. République du Congo; dt. Rep. K.), Staat in Zentralafrika, grenzt im N an Kamerun und die Zentralafrikan. Republik, im O und S an die Demokrat. Rep. K., im S an Cabinda (Angola), im SW an den Atlantik, im W an Gabun.

Staat und Recht: Nach der Verf. vom 15. 3. 1992 ist K. eine präsidiale Rep. mit Mehrparteiensystem. Staatsoberhaupt ist der für fünf Jahre direkt gewählte Präs., Exekutivorgan die Reg. unter Vorsitz des vom Präs. ernannten Premiermin. Die Legislative liegt beim Zweikammerparlament, bestehend aus Senat (Vertretungsorgan der Regionen, für sechs Jahre gewählt) und Nationalversammlung (Legislaturperiode fünf Jahre). Einflussreichste Parteien sind: Panafrikanische Union für eine soziale Demokratie (UPADS), Bewegung für Demokratie und vollständige Entwicklung (MCDDI), Kongoles. Partei der Arbeit (PCT), Sammlungsbewegung für Demokratie und sozialen Fortschritt (RDPS).

Landesnatur: K. liegt im äußersten NW des Kongobeckens und hat im SW Anteil an der Niederguineaschwelle (im Bergland von Mayombe bis 930 m ü.M.). Im NO, am unteren Ubangi und Sanga, finden sich ausgedehnte Sumpfgebiete. Es herrscht äquatoriales Regenklima mit zwei Regenzeiten (Jan. bis Mai und Okt. bis Mitte Dez.; Jahresniederschläge 1 400–1 900 mm, an der Küste weniger). Im N und weiten Teilen des Hochlandes trop. Regenwald; an der Küste Mangrovenvegetation, an die sich Feuchtsavanne anschließt.

Bevölkerung: Sie besteht fast ausschl. aus Bantuvölkern (51,5% Kongo, 17,3% Teke, 11,5% Mboshi u.a.). In den Wald- und Sumpfgebieten des NO leben Pygmäen (1,5%). Etwa 58% der Bev. wohnen in Städten. – Das Schulsystem ist nach frz. Vorbild organisiert; allg. Schulpflicht besteht vom 6. bis 16. Lebensjahr; Univ. in Brazzaville (gegr. 1972); Analphabetenquote etwa 25%. – Die Mehrheit der Bev. sind Christen; ferner Anhänger afrikan. Naturreligionen, nur wenige Muslime.

Wirtschaft, Verkehr: Bestimmend für die Wirtschaft sind seit den 80er-Jahren Erdölförderung, -verarbeitung und -export (rd. 80% der Exporterlöse). Bedeutung hat weiterhin die Forstwirtschaft (über 60% Waldfläche); die küstennahen Bestände sind fast erschöpft, daher Holzertrag, -verarbeitung und -export (Okume- und Limbaholz) stark rückläufig. Nur 1% des Landes dient dem Ackerbau. Von Landwirtschaft und Fischerei leben fast 60% der Bev.; für Eigenversorgung v.a. Anbau von Maniok, Mais, Erdnüssen, Jamswurzel, Kochbananen; für den Export geringe Mengen Kaffee, Kakao, Zuckerrohr; unbed. Viehhaltung. Die landwirtsch. Erzeugung reicht nicht für die Ernährung der Stadtbev., daher ist Import von Reis und Mais notwendig. Vorkommen von Kalisalzen, Eisen-, Kupfererz, Gold, Phosphat, Bauxit u.a. Bodenschätzen werden bisher kaum genutzt. Wichtigste Industrien sind neben Erdölverarbeitung Nahrungsmittel-, Textil-, Zement- und chem. Ind. sowie Holzverarbeitung; Wirtschaftszentrum ist Pointe-Noire. Haupthandelspartner sind Frankreich, die USA, Belgien, Italien. – K. ist ein wichtiges Transitland für die Nachbarstaaten. Das Straßennetz umfasst 12 700 km (550 km asphaltiert), das Eisenbahnnetz 1 152 km, das Wasserstraßennetz 5 000 km; internat. Flughäfen Pointe-Noire und Brazzaville.

Kongo, Demokratische Republik

Fläche: 2 344 885 km²
Einwohner: (1995) 43,9 Mio.
Hauptstadt: Kinshasa
Verwaltungsgliederung: 10 Regionen und die autonome Hauptstadt
Amtssprache: Französisch
Nationalfeiertag: 30. 6.
Währung: 1 Kongo-Franc (FC) = 100 Centimes
Zeitzone: OEZ und MEZ

Geschichte: Das Gebiet nördl. der Kongomündung gehörte im 15./16. Jh. zum Königreich →Kongo. Die Küste, an der seit 1766 frz. Missionare tätig waren, war bis ins beginnende 19. Jh. bevorzugtes Sklavenhandelsgebiet. 1880–85 brachte P. Savorgnan de Brazza durch Abschluss von Protektoratsverträgen das Gebiet der heutigen Republik K. in frz. Besitz, der durch die →Kongokonferenz 1885 bestätigt wurde. 1891 wurde K. selbstständige Kolonie, 1910 mit Gabun, Ubangi-Schari (heute Zentralafrikan. Republik) und Tschad zur Kolonialföderation Französisch-Äquatorialafrika (bis 1946) mit Sitz in Brazzaville vereinigt. 1911 trat Frankreich weite Teile seiner Kongokolonie an Dtl. ab (1916 wieder frz.). K. wurde 1946 frz. Überseeterritorium, 1958 autonome Republik innerhalb der Frz. Gemeinschaft, am 15. 8. 1960 unabhängige Republik (K. [Brazzaville]). Das autoritäre Regime des ersten Präs. F. Youlou wurde im Aug. 1963 gestürzt. Der neue Präs. A. Massamba-Débat errichtete 1964 ein Einparteiensystem, das eine sozialist. Gesellschaft schaffen sollte. Im Sept. 1968 wurde der Präs. von linksradikalen Kräften unter Führung von M. Ngouabi (Staatspräs. 1969–77) gestürzt. 1977 fiel Ngouabi einem Putschversuch zum Opfer, neuer Staatschef wurde nach innenpolit. Auseinandersetzungen 1979 D. Sassou-Nguesso. Die Einheitspartei (PCT) stimmte im Dez. 1990 der Bildung eines Mehrparteiensystems zu und gab damit ihr Machtmonopol auf. Im Juni 1991 beschloss die Nationalversammlung den staatl. Umbau und die Durchführung demokrat. Reformen. Bei den ersten freien Präsidentschaftswahlen siegte 1992 P. Lissouba, Vors. der UPADS. Seit den Parlamentswahlen von 1993, bei denen die UPADS stärkste Partei wurde, verfügen die wichtigsten Parteien vor dem Hintergrund einer von der Regierung geplanten Armeereform über bewaffnete Gruppen, die sich erstmals 1993/1994 schwere Kämpfe v. a. in Brazzaville lieferten. In einem blutigen Bürgerkrieg (1997) setzten sich die Milizen (»Cobras«) des ehem. Staatspräs. Sasson-Nguesso gegen die des amtierenden Staatschefs Lissouba (»Zulus«) durch. Sasson-Nguesso wurde erneut Staatschef.

🕮 Schamp, E. W.: *Industrialisierung in Äquatorialafrika. München 1978.* – Wirz, A.: *Krieg in Afrika. Die nachkolonialen Konflikte in Nigeria, Sudan, Tschad u. Kongo. Wiesbaden 1982.* – Baveka, B.: *Agricongo u. die Problematik der Selbstversorgung mit Nahrungsmitteln. Diss. Leipzig 1995.*

Wappenzeichen

RCB

Internationales Kfz-Kennzeichen

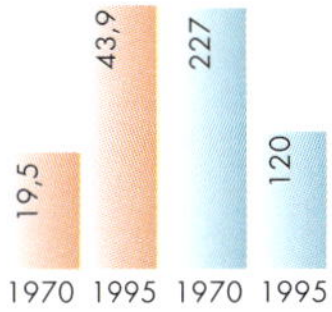

Bevölkerung (in Mio.) Bruttosozialprodukt je Ew. (in US-$)

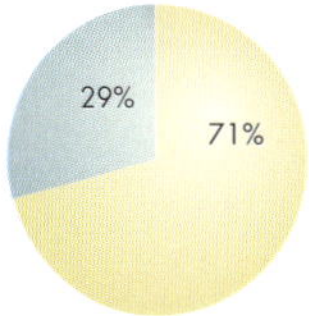

Stadt
Land
Bevölkerungsverteilung 1995

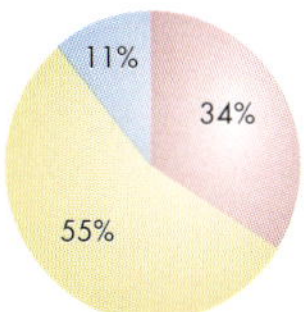

Industrie
Landwirtschaft
Dienstleistung
Bruttoinlandsprodukt 1993

Kongo (amtlich frz. République Démocratique du Congo; dt. Demokrat. Rep. K.; 1971–97 Zaire), Staat in Zentralafrika, grenzt im N an die Zentralafrikan. Rep. und Sudan, im O an Uganda, Ruanda, Burundi und Tansania, im SO und S an Sambia, im SW an Angola, im W an den Atlantik und die Exklave Cabinda (Angola) sowie an Kongo.

Staat und Recht: Nach dem Umsturz vom Mai 1997 wurden der bis dahin Zaire genannte Staat durch Verlautbarung der neuen Machthaber in Demokrat. Rep. K. umbenannt, die provisor. Verf. von 1996 suspendiert und durch ein 15 Punkte umfassendes Dekret Kabilas ersetzt, das diesem als Chef des Staates, der Reg. und als Oberbefehlshaber der Streitkräfte eine überragende Stellung zuweist. Polit. Parteien sind verboten.

Landesnatur: K. umfasst den größten Teil des Kongobeckens und seine Randschwellen (bis 1000 m ü. M.). Im O reicht es bis in den Zentralafrikan. Graben mit seinen Randgebirgen und Seen; höchste Erhebungen an der W-Flanke des Grabens mit den Virungavulkanen und dem Ruwenzori (5119 m ü. M.). Im W hat K. mit 40 km langer Küste Anteil am Atlantik. Das Klima ist tropisch, immerfeucht im N und im Zentrum (Hauptniederschläge im Frühjahr und Herbst), wechselfeucht im S (Regenzeit Nov. bis April); Jahresniederschläge im Zentrum bis über 2000 mm, im S 1200–1400, im O und an der Küste bis unter 1000 mm; vorherrschend immergrüner Regenwald, der nach N und S in Feuchtsavanne, im SO in Trockensavanne übergeht.

Bevölkerung: Sie besteht aus einer Vielzahl von Ethnien: über 70% Bantuvölker (v. a. Luba,

Kongo, Mongo), knapp 20% Sudanvölker, ferner Niloten, Hamiten und Hima (im O), im Regenwald Pygmäen. Neben Bantusprachen wird auch Suaheli als Verkehrssprache verwendet. 29% der Bev. wohnen in Städten. – Allg. Schulpflicht besteht vom 7. bis 12. Lebensjahr; Analphabetenquote rd. 28%; Univ. in Kinshasa, Lubumbashi, Kisangani. – Rd. 90% der Bev. sind Christen (die Hälfte kath.), 1% Muslime, ferner Anhänger von Naturreligionen.

Wirtschaft, Verkehr: Trotz reicher Bodenschätze ist die Demokrat. Rep. K. eines der wirtsch. schwächsten Länder der Erde. Haupterwerbszweig ist die Landwirtschaft (2/3 der Bev. leben davon). Zur Eigenversorgung werden meist im Wanderhackbau mit Brandrodung v.a. Mais, Reis, Maniok, Kochbananen, Süßkartoffeln, Zuckerrohr angebaut; in Plantagenwirtschaften für den Export Kaffee, Tabak, Tee, Kakao, Kautschuk, Zuckerrohr, Ölpalmen. Wichtig ist die Fischerei. Trotz großer Waldbestände (rd. 75% der Landesfläche, 6% der Weltbestände) ist der Holzexport gering. Größte Bedeutung hat der Bergbau (Schwerpunkt in der Region Shaba); gefördert werden Kupfererz, Diamanten (bei Ind.diamanten an 2. Stelle der Weltproduktion), Steinkohle, Zinn-, Kobalt-, Zink-, Mangan-, Uran- u.a. Erze, Silber, Gold, Erdöl u.a.; Hütten- und chem. Ind. sind auf Shaba konzentriert; Nahrungsmittel-, Textil-, Holz- u.a. Ind. um Kinshasa und Kisangani. Die großen Wasserkraftreserven werden erst z.T. genutzt, v.a. durch die Inga-Kraftwerke am unteren Kongo. Hauptausfuhrgüter sind mit 80% die Bergbauprodukte (Kupfer, Diamanten, Erdöl, Kobalt, Gold); ferner Kaffee u.a. agrar. Erzeugnisse. Haupthandelspartner sind Belgien, Frankreich, Dtl. und die USA. – Wichtigste Verkehrsträger sind die Eisenbahn (5138 km Streckennetz; Umgehung der nicht befahrbaren Flussstrecken) und die Binnenschifffahrt (14000 km schiffbare Flussabschnitte); das Straßennetz umfasst 147000 km (etwa 2500 km asphaltiert). Wichtigster Seehafen: Matadi (160 km vor der Kongomündung); internat. Flughäfen Kinshasa, Lubumbashi, Bukavu, Goma, Kisangani.

Geschichte: Staatenbildungen reichen bis ins 6. Jh. zurück. Im 13. Jh. entstand das Kongoreich, das im 16. Jh. seine größte Ausdehnung erreichte. 1482 landete der Portugiese D. Cão. Im 19. Jh. erforschte D. Livingstone die östl. Regionen, den Kongo befuhr erstmals H. M. Stanley, und von Gabun her drang P. Savorgnan de Brazza in das Kongobecken vor. Im Auftrag Leopolds II. von Belgien erwarb Stanley 1881–85 weite Teile des Kongobeckens durch Protektoratsverträge. Der so geschaffene »Unabhängige Kongostaat« wurde dem belg. König Leopold II. auf der Kongokonferenz als persönl. Besitz bestätigt. 1908 verkaufte Leopold II. den Kongo an den belg. Staat, der ihn als Kolonie **Belgisch-Kongo** übernahm.

Als die seit 1953 entstandenen polit. Parteien, so die Alliance de Bakongo (ABAKO), seit 1960 Alliance Congolaise, unter Führung von J. Kasavubu und die von P. Lumumba geleitete Kongoles. Nationalbewegung (MNC) die sofortige Autonomie ihres Landes forderten, entließ Belgien seine Kolonien überstürzt in eine unvorbereitete Unabhängigkeit. Am 30. 6. 1960 wurde die **Demokrat. Rep. Kongo** ausgerufen (zur Unterscheidung von der Rep. Kongo [Brazzaville] bis 1966 auch Kongo [Léopoldville], danach bis zur Umbenennung in Zaire 1971 Kongo [Kinshasa] genannt); Kasavubu

Demokratische Republik Kongo (von links): Patrice Lumumba (1960) und Mobutu Sese-Seko (1975)

wurde Staatspräs., Lumumba MinPräs. Die seit 1958/59 andauernden Unruhen spitzten sich weiter zu und führten zu Bürgerkrieg und wirtsch. Chaos (Kongokrise); die damalige Prov. Katanga (heute Shaba) machte sich unter Führung des Prov.gouverneurs M. K. Tshombé selbstständig. Nach einem Militärputsch übernahm Mobutu Sese-Seko die Macht; er ließ 1960 Lumumba verhaften und nach Katanga abschieben; dabei kam Lumumba auf bis heute nicht geklärte Weise zu Tode. 1960 griffen die UN im Kongo ein und beendeten 1963 gewaltsam die Autonomie Katangas. Die Wahlen von 1965 gewann die Sammlungsbewegung Tshombés; im Okt. 1965 wurde Tshombé von Staatspräs. Kasavubu entlassen. Daraufhin übernahm Mobutu Sese-Seko mit der Armee die Macht, ernannte sich zum Staatspräs., gründete die Staatspartei MPR und leitete Anfang der 1970er-Jahre einen Afrikanisierungsprozess ein (u.a. teilweise Verstaatlichung ausländ. Konzerne). Den Staat und den namengebenden Fluss seines Landes ließ er in »Zaire« umbenennen. Von Angola aus kam es 1977 und 1978 zu Invasionen in die Prov. Shaba durch Truppen der Kongoles. Nat. Befreiungsfront, die den Sturz des autoritär herrschenden Mobutu Sese-Seko zum Ziel hatten, jedoch mit ausländ. Hilfe nach schweren Kämpfen zurückgeschlagen werden konnten.

Unter internat. Druck verkündete Mobutu Sese-Seko, der sich innenpolitisch zugleich mit einer wachsenden Opposition konfrontiert sah, 1990 das Ende der Einparteienherrschaft, widersetzte sich jedoch tatsächlich grundlegenden Reformen. 1991 trat zum ersten Male eine alle polit. Kräfte umfassende Nationalkonferenz zusammen und bildete 1992 eine Übergangsreg. unter dem Oppositionspolitiker E. Tshisékédi wa Mulumba als MinPräs. (1992–94), die jedoch von Mobutu Sese-Seko nicht anerkannt wurde. Das von diesem installierte Parlament ernannte eine konkurrierende Reg. unter F. Birindwa (1993–94). Nachdem dieses Parlament mit der Nationalkonferenz 1994 zum »Hohen Rat der Republik« vereinigt worden war, bildete L. Kengo wa Dondo 1994 eine Übergangsreg., die sowohl vom Präs. als auch von den gemäßigten Teilen der Opposition anerkannt wurde. 1995 verlängerte der Hohe Rat im Einvernehmen mit dem Staatspräs. die seit 1990 andauernde Übergangsperiode bis 1997.

Neben der persönl. Diktatur Mobutu Sese-Sekos, der Korruption und den immer zahlreicher werdenden Übergriffen der Sicherheitskräfte (bes. der Armee) destabilisierten Sezessionsbewegungen v.a. im S (Prov. Shaba) und O (Prov. Kivu) den Gesamtstaat. Seit dem blutigen Bürgerkrieg in →Ruanda (1994) ergoss sich ein Flüchtlingsstrom (u.a. 1,2 Mio. ruand. Hutu) in den östl. Teil des Landes, in die Regionen N-Kivu (Goma) und S-Kivu (Bukavu). Unter dem Druck der kongoles. Zentral-Reg., aber zunehmend infolge bürgerkriegsähnl. Kämpfe und einer sich ausbreitenden Hungersnot kehrten 1996 etwa 600000 Hutu v.a. mithilfe zahlreicher »Nicht-Regierungs-Oganisationen« (NGO) in ihre Heimat zurück. Ausgehend von dem Versuch kongoles. Reg.truppen, den zum Tutsi-Volk gehörenden Stamm der Banyamulenge zu vertreiben, entwickelte sich Ende 1996 unter Führung von L.-D. Kabila in O-Zaire ein Aufstand, der im Mai 1997 zum Sturz Mobutu Sese-Sekos und seines polit. Systems unter Umbenennung Zaires in »Demokrat. Republik K.« führte. Am 29.5.1997 übernahm Kabila offiziell als Staatspräs. die Führung des Landes.

📖 Schümer, M.: *Zaire u. der Westen. Bonn 1984.* – Körner, P.: *Zaïre. Verschuldungskrise u. IWF-Intervention in einer afrikan. Kleptokratie. Hamburg 1988.* – Kacza, T.: *Die K.-Krise 1960–1965. Pfaffenweiler 1990.* – Kuhn, B.: *Mehrparteiensystem u. Opposition in Zaïre. Polit. Pluralismus in einer afrikan. Diktatur. Münster 1992.* – Leslie, W. J.: *Zaire. Continuity and political change in an oppressive state. Boulder, Colo., 1993.* – Descalo, S. *u.a.: Historical dictionary of Congo. Neuausg. Lanham 1996.*

Kongo, 1) ehem. Königreich in Afrika; das Kerngebiet erstreckte sich südlich des unteren Kongo zw. Atlantikküste und Kuango, im S etwa bis Luanda. 1482 entdeckte der Portugiese Diego Cão K., dessen König Alfons I. (1507–43) sich um eine Modernisierung und Christianisierung seines Reiches bemühte. Das lose Staatswesen zerfiel durch Übergriffe (Sklavenhandel) der Portugiesen und Angriffe anderer, afrikan. Völker; der letzte König regierte (nur noch nominell) 1770–86.

Kongo

*Der Kapuzinermönch Giovanni Antonio Cavazzi (*1620, †1692) schildert in seiner Reisebeschreibung einen Opferpriester des alten Kongo-Reiches:*

»Unter den vielen Gangaza [= Priester] ist auch der oberste Opferpriester zu nennen. Als Zeichen seines teuflischen Amtes trägt er Weiberkleidung und wird daher allgemein als »Große Mutter« bezeichnet. Über die Schulter hat er ein Tierfell geworfen, von den Lenden hängen Glöckchen herunter ... Das Gesicht ist mitunter mit Mehl bestäubt, auch bemalt er seinen Körper mit den verschiedensten Farben. Er verteilt Gürtel, die zu abergläubischen Handlungen dienen. Im Verlauf eines besondren Opfers tötet dieser Oberpriester eine Schlange, einen Hahn und einen Hund ...«

2) (Bakongo), Bantuvolk am unteren Kongo, in der Demokrat. Rep. Kongo, Rep. Kongo und Angola; überwiegend Waldlandpflanzer; staatstragendes Volk des ehem. Königreichs Kongo; über 7 Mio., überwiegend Christen.

Kongo (Brazzaville) [-braza'vɪl], frühere Bez. für die Republik →Kongo.

Kongo (Kinshasa) [-kɪn'ʃa:za], frühere Bez. für die Demokratische Republik →Kongo.

Kongokonferenz, auf belg. Veranlassung von Bismarck nach Berlin einberufene Konferenz von 14 Mächten (5. 11. 1884–26. 2. 1885). Ihr Ergebnis wurde in der **Kongoakte** niedergelegt: Neutralisierung des Kongobeckens, Handels- und Schifffahrtsfreiheit auf dem Kongo, Verbot des Sklavenhandels, Anerkennung des »Unabhängigen Kongostaates« als Eigentum König Leopolds II., Bestätigung des frz. Besitzes des Protektorats Congo (heute Rep. Kongo). Die K. verhinderte ein brit. Kolonialmonopol.

Kongorot, Azofarbstoff aus der Gruppe der Benzidinfarbstoffe; dient als Indikator (Umschlag von Rotorange nach Blauviolett bei pH 5,2 bis 3,0).

Kongregation [lat. »Vereinigung«] *die,* 1) der Zusammenschluss mehrerer Klöster eines Ordens zu einem Klosterverband **(monast. K.)**; 2) eine Ordensgemeinschaft mit öffentl. Gelübden **(religiöse K.)**; 3) eine religiöse Laienvereinigung ohne öffentl. Gelübde (z. B. →Marianische Kongregationen).

Kongregationalismus *der,* aus dem engl. Puritanismus hervorgegangene, theologisch dem Kalvinismus verpflichtete religiöse Bewegung. Im Ggs. zur Kirche von England ist der K. vom Staat unabhängig und lehnt eine episkopale oder presbyteriale Kirchen-Verf. ab. Maßgebl. Strukturelement ist die Einzelgemeinde (engl. congregation). Allein Jesus Christus wird als »Bischof« anerkannt; im Sinne eines strengen Biblizismus gilt »Gottes Wort« als höchste Norm. (→Independenten)

Kongress [lat.] *der,* **1)** *allg.:* Zusammenkunft, bes. von Bevollmächtigten, auch mehrerer Staaten.

2) *Staatsrecht:* in den USA das aus Senat und Repräsentantenhaus bestehende Gesetzgebungsorgan des Bundes.

Kongressbibliothek, →Library of Congress.

Kongresspartei, →Indian National Congress.

Kongresspolen, das durch den Wiener Kongress 1815 aus dem Herzogtum Warschau geschaffene Königreich Polen, das in Personalunion mit Russland vereinigt war; verlor nach dem Aufstand 1830/31 seine Eigenverwaltung.

kongruent [lat.], **1)** *allg.:* in allen Punkten übereinstimmend, völlig gleich; Ggs.: inkongruent.

2) *Geometrie:* zwei Figuren heißen k. oder **deckungsgleich** (Zeichen ≅), wenn sie in Größe und Gestalt übereinstimmen und sich durch eine Bewegung **(Kongruenzabbildung)** ineinander überführen lassen. Die Kongruenz ist eine strengere Form der →Ähnlichkeit).

Kongruenz *die, Grammatik:* Übereinstimmung von syntaktisch zusammengehörigen Satzteilen in Person, Numerus, Genus und Kasus.

Kongsberg ['kɔŋsbær], Stadt im Verw.gebiet (Fylke) Buskerud, S-Norwegen, 21 500 Ew.; staatl. Münze, Bergbau- und kulturhistor. Museum; Waffen- und Munitionsfabrik; 1624–1957 Silbererzbergbau (Besucherstollen).

Konidi|en [grch.] (Exosporen), ungeschlechtlich gebildete Verbreitungsorgane niederer Pilze.

Koniferen [lat.], →Nadelhölzer.

Koniferen|öle, aus Nadeln, Zweigen und Zapfen versch. Nadelhölzer durch Wasserdampfdestillation gewonnene, farblose, balsamisch riechende äther. Öle; in der Parfümerie und Pharmazie verwendet.

König, 1) *Spiel:* 1) Spielkarte des frz. Blatts mit hohem Wert; entspricht dem Ober des dt. Blatts; 2) Hauptfigur beim Schach.

2) *Staatsrecht:* nach dem Kaiser der Träger der höchsten monarch. Würde. Das Königtum als staatsrechtl. Institution gab es zu allen Zeiten, z. B. in den altgrch. Stadtstaaten und im Rom der Frühzeit. Bei den Germanen traten zu den Herrschervorstellungen vom Volkskönigtum (Wahl unter den Mitgliedern einer sich oft durch Abstammung von den Göttern legitimierenden K.-Sippe durch die Volksversammlung) und Heerkönigtum seit dem Fränk. Reich (Königtum der Merowinger und Karolinger) der antik-röm. Amtsgedanke und die christl. Vorstellung vom Gottesgnadentum hinzu, d. h. Gebundensein an die überlieferten Volksgesetze und die Zustimmung der Großen bei eigener Gesetzgebungs-, Besteuerungs-, Gerichts- und Heeresgewalt sowie Kirchenhoheit, oberste Instanz der Friedenswahrung.

Im Unterschied zur dynast. Erbfolge in Frankreich und England blieb das Königtum im Regnum Teutonicum/Hl. Röm. Reich wie in der german. Frühzeit bis 1806 formal ein Wahlkönigtum, eingeengt durch die →Designation und das →Geblütsrecht. Seit dem 13. Jh. (zuerst Lothar III. von Supplinburg) setzte sich der Grundsatz der völlig freien Wahl ohne Rücksicht auf erbl. Vorrechte durch, bis das Haus Habsburg von Friedrich III. (1440–93) an tatsächlich – mit Unterbrechung 1742–45 – im erbl. Besitz des K.-Titels blieb, wenn auch in Form der K.-Wahl. Wahlberechtigt waren zunächst alle anwesenden weltl. und geistl. Reichsfürsten, seit dem Interregnum nur die →Kurfürsten (1356 in der Goldenen Bulle verankert). Die Wahl fand seit 1152 fast ausnahmslos in Frankfurt am Main statt, die Krönung bis 1531 in Aachen, seitdem auch in Frankfurt. Seit Otto I., d. Gr., (962) führten die K. im (später so gen.) Hl. Röm. Reich (fälschlich →Deutscher König) den Titel eines »Röm. Kaisers«, sobald sie in Rom vom Papst gekrönt waren; seit 1508 und 1556 nannten sie sich ohne päpstl. Krönung stets Kaiser (»Erwählter Röm. Kaiser«). Der noch zu Lebzeiten eines Kaisers gewählte Nachfolger hieß seit dem 11. Jh. »Röm. K.«. (→deutsche Geschichte, ÜBERSICHT). – Von den dt. Landesfürsten nahmen 1701 die Kurfürsten von Brandenburg für das Herzogtum Preußen (außerhalb des Reichs) den K.-Titel an; Napoleon I. erhob 1806 die Kurfürsten von Bayern, Württemberg, Sachsen zu K.; auf dem Wiener Kongress wurde 1815 Hannover als K.-Reich anerkannt.

📖 HÖFER, M.: *Die Kaiser u. Könige der Deutschen. München u. a. 1994.*

König, 1) Leo Freiherr von, Maler, *Braunschweig 28. 2. 1871, †Tutzing 19. 4. 1944; malte, vom Spätimpressionismus ausgehend, v. a. Porträts (E. Barlach, E. Nolde, K. Kollwitz u. a.).

2) René, Soziologe, *Magdeburg 5. 7. 1906, †Köln 21. 3. 1992; war 1949–74 Prof. in Köln. Schwerpunkte seiner Arbeit waren Grundfragen der soziolog. Theorie und Methodologie sowie die empir. Sozialforschung; beeinflusste durch seine Werke wesentlich die Soziologie in Dtl.; Verfasser u. a. von »Materialien zur Soziologie der Familie« (1946), »Soziologie heute« (1949), »Soziolog. Orientierungen« (1965), »Handbuch der empir. Sozialforschung« (2 Bde., 1962–69; Hg.), »Soziologie in Dtl. Begründer, Verfechter, Verächter« (1987).

König, Bad, →Bad König.

Könige, Bücher der, Abk. **Kön.,** zwei Bücher des A. T., in denen die Geschichte des Königtums in Israel (und Juda) vom Tod Davids (965/64 v. Chr.) bis zur Rehabilitierung Jojachins (561 v. Chr.) dargestellt wird.

Königgrätz (tschech. Hradec Králové), Bezirks-Hptst. des Ostböhm. Gebiets, Tschech. Rep., an der Mündung der Adler in die Elbe; 86 300 Ew.; kath. Bischofssitz; Hochschulen für Medizin und Pharmazie; Anlagenbau, chem., Nahrungs- und Genussmittelind., Klavierfabrik. – Der Ring mit der got. Kathedrale (1307 ff.), dem Weißen Turm (1574–85; 68 m hoch), der ehem. Jesuitenkirche (1654–66) und der Mariensäule (1714–16) hat noch altertüml. Gepräge. – Um 1255 Stadt; 1766–89 Ausbau zur (1893 geschleiften) Festung. – In der Schlacht bei K. (bes. in Frankreich und Großbritannien nach dem nordwestlich von K. gelegenen Ort Sadowa genannt) siegten im →Deutschen Krieg 1866 am 3. 7. die Preußen unter Generalstabschef von Moltke über die Österreicher und Sachsen unter L. A. von Benedek.

Königin, 1) *Biologie:* (Weisel) das fruchtbare Weibchen bei Staaten bildenden Insekten (Bienen, Hummeln, Ameisen).

2) *Staatsrecht:* Herrscherin in einem Königreich mit auch weibl. Erbfolge oder Gattin eines Königs.

Königin der Nacht

Königin der Nacht (Selenicereus grandiflorus), in Mittel- und Südamerika beheimatetes Kaktusgewächs mit schlangenförmigem, kletterndem Stamm und bis 30 cm langen duftenden weißgelben Blüten, die nur eine Nacht blühen.

Königinhofer Handschrift, die von V. Hanka 1817 angeblich in Königinhof an der Elbe (heute Dvůr Králové nad Labem, bei Königgrätz) aufgefundene Handschrift aus dem 13. Jh. mit alttschech. Gedichten; wurde wie die auch von ihm »entdeckte« **Grünberger Handschrift** aus dem 9./10. Jh. als Fälschung erkannt. Beide Dokumente gelten jedoch heute als bed. literar. und politisch-nationalistische Mystifikationen des beginnenden 19. Jh., die einen starken Einfluss auf die tschech. Nationalbewegung ausgeübt haben.

Königgrätz
Stadtwappen

König Rother, mittelhochdt. Epos, →Rother.

Königgrätz

Rache für Sadowa!

Die berühmte Schlacht von Königgrätz (tschechisch: Hradec Králové) wird in Frankreich und Großbritannien nach dem nahe gelegenen Ort Sadowa benannt. In dieser Schlacht wurde am 3. 7. 1866 die österreichisch-sächsische Armee von den preußischen Truppen vernichtend geschlagen. Frankreich, das aus dem Machtkampf zwischen Preußen und Österreich Nutzen ziehen wollte und seine Hoffnung auf eine Niederlage Preußens gesetzt hatte, war zutiefst enttäuscht. Das Vergeltungsstreben der Franzosen nach diesem Sieg Preußens fand Ausdruck in dem Schlachtruf »Rache für Sadowa!« (französisch »Revanche de Sadowa«), der damals und in der Folgezeit überall bekannt war.

Königs|au (dän. Kongeå), 65 km langer Fluss in Jütland, Dänemark, mündet in die Nordsee; 1864–1920 Grenze zw. Dänemark und Schleswig-Holstein.

Königsberg, 1) Königsberg (Pr) (seit 1946 russ. Kaliningrad), Hptst. des Gebiets Kaliningrad

Königsberg 1): Die Ruine des im 2. Weltkrieg zerstörten Doms aus dem 14. Jahrhundert

Königsberg 1) Stadtwappen

(eine russ. Exklave zw. Litauen und Polen), beiderseits des Pregels, 7 km vor dessen Mündung in das Frische Haff, 410 700 Ew.; Univ. (1967 wieder gegr.), Hochschule für Fischereiwirtschaft, Seefahrtschule; Bernsteinmuseum; Schauspielhaus, Fernsehsender; Fischverarbeitung, Schiff-, Maschinenbau, Waggonfabrik, Zellulose-, Papier-, Holzind.; Hafen (durch den Königsberger Seekanal mit dem Vorhafen Pillau [heute Baltisk] verbunden), Marine- und Fischereihafen. Fährverbindung mit Mukran auf Rügen. – 1944/45 wurde die Innenstadt mit den meisten histor. Bauten zerstört. Die Ruinen des Schlosses (begonnen 1287–92) und der Steindammer Kirche St. Nikolaus (13.–14. Jh.) wurden abgetragen. Die Ruine des Doms (1325–1572) wurde gesichert, ebenso die der Altstädter Pfarrkirche (erbaut 1838–45 nach Entwurf von K. F. Schinkel). Unzerstört blieben die Pfarrkirche Juditten (14. Jh.) und Teile des Speicherviertels. In den ursprüngl. Formen wieder aufgebaut wurde die 1844–62 im Neurenaissancestil nach Entwurf von A. Stüler errichtete Neue Universität. – Die Burg K. wurde 1255 vom Dt. Orden erbaut und zu Ehren König Ottokars II. von Böhmen benannt. Im Schutz der Burg entstanden die drei Städte Altstadt K., Löbenicht und Kneiphof (alle Culm. Stadtrecht; seit 1340 Mitgl. der Hanse), die 1724 zu einer Stadtgemeinde vereinigt wurden. Nach dem Verlust der Marienburg (1457) Sitz der Hochmeister und 1525–1618 der Herzöge von Preußen. 1544 gründete Herzog Albrecht die Albertus-Univ. (1945 aufgelöst); durch sie wurde K. zu einem Zentrum des geistigen Lebens (1755–96 lehrte I. Kant an der Univ.). 1701 und 1861 war K. Krönungsstadt der preuß. Könige. Bis 1945 Hptst. der Provinz Ostpreußen; kam im Mai 1945 zur UdSSR, 1947/48 Aussiedlung der dt. Bevölkerung.

Helga Königsdorf

📖 SCHARLOFF, W.: *Koenigsberg – damals u. heute. Bilder aus einer verbotenen Stadt. Leer 1982.* – GAUSE, F.: *Die Geschichte der Stadt K. in Preußen, 3 Bde. Köln u. a.* $^{2-3}$*1996.*

2) Königsberg (Neumark), Stadt in Polen, → Chojna.

Königsboten (mlat. Missi dominici), im Fränk. Reich Beamte, die der König mit außerordentl. Vollmachten aussandte **(Sendgrafen).**

Königsbrunn, Stadt im Landkr. Augsburg, Bayern, 515 m ü. M., auf dem Lechfeld, 25 600 Ew.; Maschinen- und Werkzeugbau, elektron. und elektrotechn. Ind., Kartonagenfabrik. – Seit 1967 Stadt.

Königsdorf, Helga, Schriftstellerin, * Gera 13. 7. 1938; bekannt durch in knapper, oft sarkast. Sprache geschriebene Erzählungen (»Meine ungehörigen Träume«, 1978; »Der Lauf der Dinge«, 1982). Fragen nach eth. Werten, Moral und Verantwortlichkeit bestimmten u. a. die Erzählungen »Respektloser Umgang« (1986) sowie den Briefroman »Ungelegener Befund« (1990), »1989 oder Ein Moment der Schönheit« (Prosa, 1990); auch Lyrik.

Königsfarn, → Rispenfarn.

Königsfelden, ehem. Doppelkloster der Franziskaner (1310–1528) bei Brugg im Kt. Aargau, Schweiz, als habsburg. Grablege gestiftet; die Kirche (begonnen 1310), eine dreischiffige Basilika mit Flachdecke, verfügt über einen bed. Gemäldezyklus in den Fenstern des Chors (1325–30).

Königsfelden: Glasfenster mit der Darstellung der Vogelpredigt des heiligen Franz von Assisi im Chor der mittelalterlichen Kirche

Königsfeld im Schwarzwald, Gemeinde im Schwarzwald-Baar-Kreis, Bad.-Württ., 763 m ü. M., im östl. Hochschwarzwald, 6 000 Ew.; heilklimat. und Kneippkurort. – Königsfeld wurde

1807 von Herrnhutern gegr.; Einrichtungen der Brüdergemeine.

Königsfisch (Gotteslachs, Lampris guttatus), einzige Art der Glanzfische, bis 2 m lang, auffallend bunt; v. a. im Atlantik und Pazifik.

Königsfriede, 387/386 v. Chr. zw. Sparta (unter Antalkidas) und dem pers. Großkönig Artaxerxes II. geschlossener Friede. In diesem Frieden wurden die Griechen Kleinasiens der pers. Herrschaft unterstellt, dafür erlangte Sparta die Hegemonie über Griechenland.

Königshofen i. Grabfeld, Bad, →Bad Königshofen i. Grabfeld.

Königshütte, Stadt in Polen, →Chorzów.

Königskerze (Wollblume, Verbascum), Gattung der Rachenblütler in Eurasien und im Mittelmeerraum; meist wollig behaarte zweijährige Kräuter mit traubigen oder rispigen Blütenständen. In Mitteleuropa u. a. die häufig auf Schuttplätzen und an Wegrändern vorkommende, bis 2 m hohe **Großblütige K.** (Verbascum densiflorum) mit großen, leuchtend gelben Blüten.

Königskrone, 1) *Geschichte:* zu den Insignien gehörendes Herrschaftszeichen des Königs; im MA. ein mit Edelsteinen besetzter, oben mit vier Blattornamenten verzierter Goldreif, seit dem 16. Jh. meist mit Bügeln als Zeichen der »Souveränität« geschlossen. Moderne K. haben acht Bügel, auf deren Scheitelpunkt in christl. Monarchien ein Reichsapfel ruht. Ältere K. (Stephanskrone von Ungarn, Wenzelskrone von Böhmen) sind abweichend gestaltet. (→Reichskleinodien)

2) *Heraldik:* Wappenzeichen der königl. Würde: Krone mit fünf sichtbaren Blattornamenten und Bügeln.

Königslutter am Elm, Stadt im Landkreis Helmstedt, Ndsachs., 16 800 Ew.; Steinmetzschule; Zucker-, Papierind., Herstellung von Zigarren und Kühltechnik. – Die roman. Stiftskirche St. Peter und Paul (Kaiserdom) des ehem. Benediktinerklosters, 1135 von Kaiser Lothar III. von Supplinburg gegr., ist Grabstätte des Kaisers, seiner Gemahlin Richenza und seines Schwiegersohnes Heinrich des Stolzen. Pfarrkirche St. Sebastian und Fabian (im Kern 12. Jh.); um den Marktplatz Fachwerkhäuser (17.–18. Jh.). – Seit Anfang des 15. Jh. Stadtrecht.

Königsmarck (Königsmark), altmärk. Adelsgeschlecht, urkundlich zuerst 1225 genannt. Die in Mecklenburg und Altpreußen ansässige Linie erhielt 1817 die preuß., ein anderer Zweig 1651 die schwed. Grafenwürde. Bed. Vertreter: **1)** Maria Aurora Gräfin von, *Stade 8. 5. 1662, †Quedlinburg 16. 2. 1728, Schwester von 2); Geliebte Georgs I. von Hannover, dann Augusts II., des Starken, von Sachsen-Polen, Mutter von Moritz von Sachsen; seit 1700 Pröpstin des Stifts Quedlinburg.

2) Philipp Christoph Graf von, *14. 3. 1665, †(ermordet?) 11. 7. 1694, Bruder von 1); Abenteurer, Geliebter der Prinzessin Sophie Dorothea von Hannover (→Sophie). Als sein Verhältnis und die verabredete Flucht offenbar wurden, verschwand er spurlos im Schloss zu Hannover.

Königskerze: Großblütige Königskerze (Höhe bis 2 m)

Königspalme (Roystonea regia), auf Kuba heim., bis 25 m hohe Fiederpalme mit in der Mitte verdicktem Stamm; trop. Zierbaum.

Königsschlange, →Boaschlangen.

Königssee, See in den Berchtesgadener Alpen zw. der 2 000 m hohen Ostwand des Watzmanns im W und dem Hagengebirge im O, 603 m ü. M., bis 189 m tief, 5,2 km² groß; Abfluss durch die Königsseer Ache zur Salzach. Auf dem Schwemmkegel des Eisbaches liegt die Wallfahrtskirche St. Bartholomä (Neubau 1697) und ein Jagdschloss (1708–09). BILD S. 454

Königsstuhl, im Hl. Röm. Reich Versammlungsort der Kurfürsten zur Beratung über Reichsangelegenheiten. Der alte K. bei Rhens am Rhein ist ein durch Kaiser Karl IV. 1376 aufgeführter achteckiger Bau, 1794 von den Franzosen zerstört, 1843 wiederhergestellt, 1929 auf eine Höhe westlich von Rhens übertragen.

Königsstuhl, Kreidefelsen der Stubbenkammer auf der Insel Rügen, 121 m ü. M.

Königstein, 1) Königstein im Taunus, Stadt im Hochtaunuskr., Hessen, 362 m ü. M., am SO-Abfall des Taunus, 15 300 Ew.; heilklimat. Kurort; Museum. – Überragt von den Ruinen der 1215 erstmals genannten, im 16. Jh. zur Festung ausgebauten Burg (1796 gesprengt). – Stadtrecht seit 1313.

Königssee: Blick über den See mit der Wallfahrtskirche Sankt Bartholomä (1697) auf die Ostwand des Watzmanns

2) **Königstein/Sächs. Schweiz,** Stadt im Landkreis Sächsische Schweiz, Sachsen, im Elbtal, unterhalb des Königsteins (Sandsteintafelberg, 360 m ü.M.), 3000 Ew.; Papier- und Holzind. – Auf dem Königstein die Festung K. (erbaut 16.–18. Jh., z.T. Museum; bekanntester Gefangener: J. F. →Böttger). – K. entstand im 13. Jh. (1379 bezeugt).

Königstein 2): Blick von der Festung Königstein nach Süden in ein Seitental der Elbe

Königstiger, →Tiger.

Königstuhl, 1) Berg am Abbruch des südl. Odenwalds zur Oberrheinebene, oberhalb von Heidelberg, 566 m ü.M.; Aussichtsberg mit Fernsehturm und Landessternwarte sowie Max-Planck-Inst. für Astronomie; Bergbahn.

2) (Karlnock), 2336 m hoher Gipfel der Gurktaler Alpen, Österreich, im Dreiländereck Salzburg, Kärnten, Steiermark.

Königswasser, Mischung von konzentrierter Salz- und Salpetersäure (3:1), die infolge Bildung von Nitrosylchlorid, NOCl, und freiem Chlor stark oxidierend wirkt. K. löst fast alle Metalle, auch Gold (»König der Metalle«).

Königswelle, *Maschinenbau:* senkrecht stehende Welle zur Übertragung einer Drehbewegung; bei Verbrennungsmotoren eine Welle zum Antrieb einer oben liegenden Nockenwelle; sie ist durch je ein Kegelradpaar mit der Nocken- und Kurbelwelle verbunden.

Königswinter, Stadt im Rhein-Sieg-Kreis, NRW, am rechten Rheinufer zu Füßen des Siebengebirges, 37200 Ew.; Siebengebirgsmuseum; Autozubehörind., Gerätebau; Weinbau und -handel, bed. Fremdenverkehr; Zahnradbahn zum Drachenfels. – Frühklassizist. Pfarrkirche, neugot. Schloss Drachenburg. Zu K. gehört →Heisterbach. – Stadt seit 1889.

Königs Wusterhausen, Stadt im Landkreis Dahme-Spreewald, Brandenburg, südöstlich von Berlin, an der Mündung des Nottekanals in die Dahme, 17800 Ew.; Großsendeanlage; Binnenhafen. – Jagdschloss (16.–18. Jh.). – 1375 erstmals erwähnt; 1935 Stadtrecht; war bis 1993 Kreisstadt.

Konimeter [zu grch. kónis »Staub«] *das,* Messgerät zum Feststellen des Staubgehaltes der Luft. Eine definierte Luftmenge wird über eine Düse an einer drehbaren Objektscheibe vorbeigesaugt, auf der sich der Staub niederschlägt und unter dem Mikroskop auf Anzahl und Größe der Staubteilchen ausgezählt wird.

Konin, Hptst. der Wwschaft K., Polen, an der Warthe, 82100 Ew.; Zentrum eines Braunkohlenreviers; Großkraftwerke und Aluminiumhütte.

Koniotomie [grch.] *die, Medizin:* operative Eröffnung des Kehlkopfs durch einen Querschnitt zw. Schild- und Ringknorpel; Noteingriff bei Erstickungsgefahr, meist mit nachfolgender →Tracheotomie.

Konisation [zu Konus] *die, Medizin:* Entnahme eines kegelförmigen Gewebestücks aus dem Gebärmutterhals zur histolog. Untersuchung und Klärung des Verdachts auf eine krebsige Epithelentartung.

konisch [grch.], kegelförmig.

Konitz ['kɔʊ-], Lee, amerikan. Jazzmusiker, *Chicago 13. 10. 1927; Altsaxophonist des Cool Jazz.

Köniz, Gemeinde im Kt. Bern, Schweiz, 37900 Ew.; Bundesämter für Landestopographie und für Messwesen, Eidgenöss. Forschungsanstalt für Agrikulturchemie und Umwelthygiene sowie für Milchwirtschaft; Metall verarbeitende, graf. und

Möbelindustrie.– Evang. Kirche, ehem. St. Peter und Paul, ein roman. Bau des 11.–13. Jh. mit bemalter Decke (1503) im Langhaus und Glasmalerei.

Konjugation [lat.] *die,* **1)** *Biologie:* Form der geschlechtl. Fortpflanzung bei Wimpertierchen, wobei sich vorübergehend zwei Partner zusammenlegen und über eine Zytoplasmabrücke Wanderkerne austauschen.– Bei Bakterien werden über einen fadenförmigen Zellanhang Teile des Chromosoms übertragen.

2) *Grammatik:* Flexion des Verbs (→Verb, ÜBERSICHT).

konjugiert, 1) *allg.:* zusammengehörend, einander verbunden.

2) *Chemie:* **konjugierte Doppelbindungen,** →Kohlenstoffverbindungen.

3) *Mathematik:* a) **k. komplex,** →komplexe Zahl; b) **konjugierter Durchmesser.** Die Mittelpunkte M der zu einem Durchmesser (d_1) eines Kegelschnitts parallelen Sehnen liegen wieder auf einem Durchmesser (d_2), dem zum ersten konjugierten Durchmesser des Kegelschnitts. Konjugierte Durchmesser einer Ellipse sind das affine Bild zweier rechtwinkliger Durchmesser eines Kreises.

4) *Optik:* **konjugierte Punkte,** die sich entsprechenden Punkte (Dingpunkt und Bildpunkt) einer Abbildung.

Konjunktion [lat.] *die,* **1)** *Astronomie:* (Gleichschein) eine Konstellation (→Aspekt), bei der die Sonne auf der Linie Erde–Planet steht, dieser also die gleiche ekliptikale Länge wie die Sonne hat. Bei den inneren Planeten Merkur und Venus unterscheidet man zw. **oberer K.** (Planet hinter der Sonne) und **unterer K.** (Planet zw. Erde und Sonne).

2) *Logik:* die Zusammensetzung zweier Aussagen durch den Junktor »und« (Zeichen ∧ oder &). Die neue Aussage $A \wedge B$ ist nur dann wahr, wenn A und B wahr sind.

3) *Sprachwissenschaft:* Bindewort; unflektierbares Wort, das der Verknüpfung von Wörtern, Wortgruppen und Sätzen dient, kann nebenordnenden (z. B. und, aber, nur) oder unterordnenden (z. B. als, da, dass) Sinn haben. Die unterordnenden K. leiten Nebensätze ein.

Konjunktiv [lat.] *der, Grammatik:* Möglichkeitsform; Modus des Verbs, der ein Geschehen oder ein Sein als erwünscht oder behauptet darstellt (z. B. »käme sie doch endlich!«, »er sah aus, als sei er sehr müde«). Der K. wird im Deutschen außerdem verwendet in der indirekten Rede (»er sagte, sie solle sofort nach Hause kommen«) und im →Irrealis. Häufig ist die reine K.-Form durch die Umschreibung mit würde plus Infinitiv ersetzt (»wenn ich Zeit hätte, würde ich das Buch lesen«, statt: »...läse ich«).

Konjunktiva [lat.] *die,* Bindehaut des →Auges.

Konjunktivitis *die,* →Bindehautentzündung.

Konjunktur [lat.] *die,* allg. Bez. für die Geschäftslage; in der Volkswirtschaftslehre durch zusammenwirkende Veränderungen bestimmter ökonom. Größen bedingte gesamtwirtschaftl. Nachfrage- und Produktionsschwankungen, die zu Veränderungen im Auslastungsgrad des gesamtwirtschaftl. Produktionspotenzials führen. Es wird von einem mehr oder weniger zykl. Verlauf, dem **K.-Zyklus,** ausgegangen, der nach J. A. Schumpeter aus den vier Phasen Erholung (heute Aufschwung, Wiederbelebung, Expansion), Prosperität (heute Hoch-K., Boom), Rezession (heute Abschwung, Entspannung) und Depression (heute Kontraktion, Rezession, Krise) besteht.

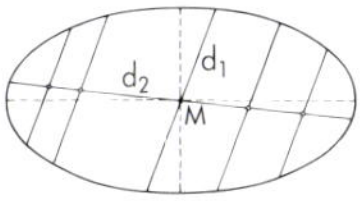

konjugiert 3): konjugierte Durchmesser

In der empir. K.-Forschung werden verschieden lange, jeweils nach ihrem Entdecker benannte K.-Zyklen unterschieden: 1) Kitchin-Wellen, kurze Wellen von etwa 40 Monaten; 2) Juglar-Wellen, mittlere Wellen von etwa sieben bis zehn Jahren; 3) Kondratieff-Wellen, lange Wellen von 50 bis 60 Jahren, die durch technolog. Entwicklungsschübe ausgelöst werden. Das gesamte Erscheinungsbild der wirtsch. Schwankungen kann man sich nach J. A. Schumpeter als Überlagerung der langen, mittleren und kurzen Wellen vorstellen. In Dtl. zeigen sich – gemessen an den jährl. Veränderungsraten des Bruttoinlandsprodukts (BIP) – K.-Zyklen, die einem sinkenden Trend folgen und sich bis auf Ausnahmen nicht in absoluten Rückgängen des BIP, sondern in zykl. Bewegungen seiner Wachstumsraten äußern.

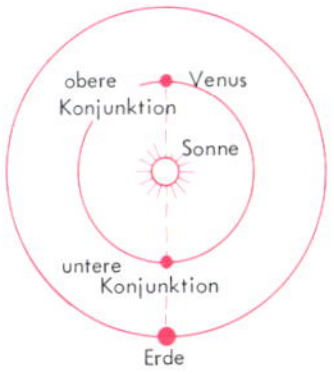

Konjunktion 1)

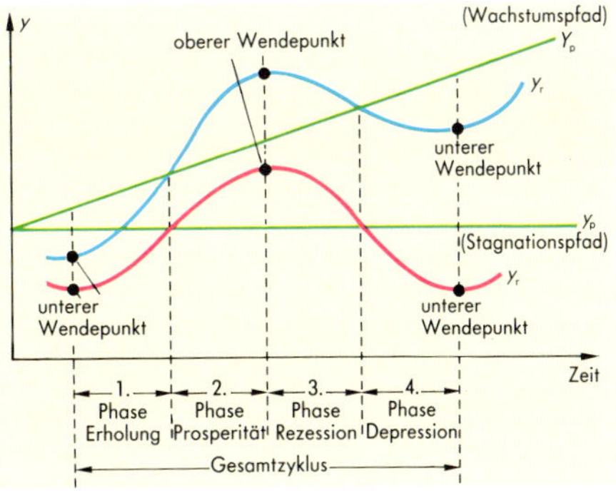

Konjunktur: Phasen des Konjunkturzyklus; y_r reales Sozialprodukt, y_p Produktionspotenzial

Die **K.-Theorie** untersucht Ursachen und Verläufe konjunktureller Bewegungen. Nach der klass. Nationalökonomie werden K.-Schwankungen u. a. vom techn. Fortschritt, von der Bevölkerungsentwicklung oder der wirtschaftl. Stimmungslage verursacht und über Preis-, Lohn- und Zinsmechanismus bis hin zu einem neuen gesamtwirtschaftl. Gleichgewicht verarbeitet. Nach der traditionellen K.-Theorie werden konjunkturelle Schwankungen aus dem marktwirtschaftl. System heraus verursacht, sei es, dass die Investitionen vorpreschen (Überinvestitionstheorie), dass die Gewinne begünstigt werden (Unterkonsumtionstheorie) oder dass das Geld- und Kreditsystem zur Destabilisierung beiträgt (monetäre K.-Theorie). K. Marx erklärt die K.-Zyklen mit dem Fall der Profitrate, dem die Kapitalisten durch eine Akkumulation zu begegnen suchen, die zu einer die Absatzmöglichkeiten übersteigenden Produktion führe. Nach Ansicht des Keynesianismus wird der K.-Zyklus von Schwankungen der effektiven Nachfrage verursacht. Wenn der Staat die gesamtwirtschaftl. Nachfrage nicht belebt, könne ein marktwirtschaftl. System in einem Unterbeschäftigungsgleichgewicht mit Arbeitslosigkeit verharren. Die modernen K.-Theorien haben die Analyse der Schwingungsprozesse theoretisch verfeinert und versuchen, den mikroökonom. Ansatz mit dem makroökonom., keynesianisch orientierten Ansatz zu verbinden. Wegen der Verbindung zu Prozessen wirtsch. Wachstums sind die Grenzen zur Wachstumstheorie fließend.

📖 KROMPHARDT, J.: *Wachstum u. K. Göttingen* [3]*1993.* – TICHY, T.: *K. Stilisierte Fakten, Theorie, Prognose. Berlin u. a.* [2]*1994.* – ASSENMACHER, W.: *Konjunkturtheorie. München u. a.* [7]*1995.* – ZINN, K.-G.: *K. u. Wachstum. Aachen 1995.* – *Konjunkturindikatoren, hg. v.* K. H. OPPENLÄNDER. *München u. a.* [2]*1996.*

Konjunkturpolitik, Gesamtheit der Maßnahmen der öffentl. Hand zur Beeinflussung der Konjunkturschwankungen im Hinblick auf eine Stabilisierung der wirtsch. Entwicklung im Sinne eines gesamtwirtschaftl. Gleichgewichts. Ziele und Mittel der K. sind in Dtl. v.a. im →Stabilitätsgesetz verankert. Ziele sind hoher Beschäftigungsstand, Stabilität des Preisniveaus und außenwirtschaftl. Gleichgewicht bei stetigem und angemessenem Wirtschaftswachstum im Rahmen der marktwirtschaftl. Ordnung (→magisches Vieleck). Die K. ist somit eng mit der Stabilitäts- und Wachstumspolitik verbunden. Das Instrumentarium der K., das ein Zusammenwirken von Geld-, Finanz-, Einkommens- und Währungspolitik sowie deren Trägern erfordert, wurde als nachfrageorientierte Strategie bes. unter dem Einfluss des →Keynesianismus entwickelt (Globalsteuerung, Fiskalpolitik). Schwierigkeiten für die keynesianisch geprägte, antizykl. K. ergeben sich aus mögl. Zielkonflikten (→Phillips-Kurve), aus Problemen beim Zusammenwirken von Entscheidungsträgern der K. (Staat, Notenbank, Tarifpartner), aus Wirkungsverzögerungen bei konjunkturpolit. Maßnahmen und aus den beschränkten Möglichkeiten einer autonomen K. bei internat. wirtschaftlichen Verflechtungen. Aus der Kritik am »konjunkturpolit. Aktionismus« der nachfrageorientierten Strategie wurden unter dem Einfluss des →Monetarismus Konzepte einer angebotsorientierten Wirtschaftspolitik entwickelt.

📖 TEICHMANN, U.: *Grundriß der K. München* [4]*1988.* – GLASTETTER, W.: *Konjunktur- u. Wachstumspolitik. Mannheim u. a. 1993.* – TICHY, G.: *K. Berlin u. a.* [3]*1995.*

konkav [lat.], *Optik:* hohl, nach innen gewölbt (insbesondere bei Linsen, Spiegeln); Ggs.: konvex.

Konklave [lat.] *das,* von der Außenwelt abgeschlossener Raum, in dem die Kardinäle zur Papstwahl zusammenkommen; auch Bez. für die Kardinalsversammlung zur Wahl sowie die Wahl.

konkludente Handlung, *Recht:* eine Handlung, aus der auf einen bestimmten Willen des Handelnden geschlossen wird; sie ersetzt die ausdrückl., wörtl. Erklärung des Willens.

Konklusion [lat.] *die,* Schlussfolgerung.

Konkordanz [lat. concordantia »Übereinstimmung«] *die,* **1)** *Biologie:* bei Zwillingen die Identität in Bezug auf bestimmte Merkmale.

2) *Buchwesen:* alphabet. Verzeichnis aller in einer Schrift vorkommenden Wörter **(Verbal-K.)** oder Sachen **(Real-K.)** mit Stellenangabe (→Bibelkonkordanz).

3) *Geologie:* gleichsinnige, ungestörte Lagerung jüngerer Schichten auf älteren; Ggs.: →Diskordanz.

4) *graph. Gewerbe:* typograph. Längenmaß von 4 Cicero = 48 typograph. Punkte.

5) *Sprachwissenschaft:* Übereinstimmung grammat. oder lexikal. Einheiten von Sprachen.

Konkordat [lat.] *das,* i.d.R. als völkerrechtl. bzw. völkerrechtsähnl. geltender Vertrag zw. der kath. Kirche und einem Staat; erstreckt sich v.a. auf folgende Sachbereiche: Gewährleistung der Religionsfreiheit, Kirchenfreiheit (freie kirchl. Ämterverleihung, Lehre, Verkündigung und Vermögensverwaltung), Religionsunterricht, theolog. Fakultäten, Eherecht, kirchl. Besteuerungsrecht, Mitwirkung in den Gremien des öffentlich-rechtl. Hörfunks und Fernsehens. – Evang. Kirche: →Kirchenvertrag.

Konkordienbuch [lat.], die 1580 veröffentlichte Samml. luth. →Bekenntnisschriften.

Konkordienformel [lat.], das zur Beilegung innerluther. Auseinandersetzungen verfasste einheitl. luth. Lehrbekenntnis von 1577; Bestandteil des Konkordienbuches (→Bekenntnisschriften). Die K. wurde zur Grundlage der luth. Orthodoxie.

konkret [lat.], gegenständlich, sinnlich wahrnehmbar, anschaulich; Ggs.: abstrakt.

konkrete Kunst (frz. Art concret), 1930 von T. van Doesburg vorgeschlagener Name für die bis dahin nur abstrakte Kunst genannte ungegenständl. Malerei und Plastik. Die Bez. soll hervorheben, dass die Gestaltung hier nicht von einem Abstraktionsvorgang ausgeht, sondern Linie, Fläche, Raum, Farbe ohne jede Assoziation als autonome künstler. Mittel eingesetzt werden.

konkrete Kunst: Theo van Doesburg, »Komposition« (1920; Privatbesitz)

konkrete Musik, Musik, die aus alltägl. Geräuschen (Straßen-, Industrielärm u.a.) und Klängen (Musikinstrumente, Vogelstimmen) besteht, die auf Tonband aufgenommen und auf elektron. Weg zu einer Komposition montiert werden. Vertreter sind u.a. O. Messiaen, P. Boulez, L. Ferrari.

konkrete Poesie (konkrete Dichtung), Bez. für die etwa 1950 unternommenen Versuche in der modernen Literatur, aus Buchstaben, Silben und Wörtern, also »konkretem« sprachl. Material, von traditionellen Zusammenhängen losgelöste Aussagen zu formulieren. Die Textelemente werden auf der Fläche nach visuellen und/oder semant. Gesichtspunkten grafisch angeordnet. Die Anfänge liegen im italien. Futurismus und dem literar. Dadaismus; Nebenform ist die akustische Dichtung (E. Jandl u.a.).

Konkretion [lat.] *die, Petrologie:* unregelmäßig rundliche, knollen-, trauben- oder linsenförmige Mineralausscheidung in Sedimentgesteinen, aus übersättigten Lösungen von innen nach außen gewachsen, durch Diagenese entstanden; z.B. Lösskindel, Feuerstein; Ggs.: → Sekretion.

Konkubinat [lat.] *das, veraltet* für eheähnl. Gemeinschaft ohne förml. Eheschließung.

Konkupiszenz [lat.] *die,* in der christl. Theologie die Neigung des Menschen zur Sünde (dem Bösen) als Folge seiner Abkehr von Gott.

Konkurrenz [von lat. concurrere »gemeinsam nach einem Ziel laufen«] *die,* **1)** *Strafrecht:* Verletzung mehrerer Strafgesetze durch eine oder mehrere Handlungen derselben Person (→ Gesetzeskonkurrenz, → Idealkonkurrenz, → Realkonkurrenz).

2) *Wirtschaft:* → Wettbewerb.

Konkurrenzklausel, → Wettbewerbsverbot.

Konkurrenzsozialismus, → sozialistische Marktwirtschaft.

konkurrierende Gesetzgebung, in einem Bundesstaat der Bereich der Gesetzgebung, für den der Gesamtstaat und die Gliedstaaten nebeneinander zuständig sind. Die Gliedstaaten haben Befugnis zur k. G. nur, wenn und soweit der Gesamtstaat von seiner Kompetenz nicht Gebrauch gemacht hat. In Dtl. sind die Gegenstände der k. G. in Art. 74 und 74a GG aufgezählt. Der Bund darf von dieser Befugnis nur Gebrauch machen, wenn eine Angelegenheit durch die Länder nicht wirksam geregelt werden kann, wenn die Regelung durch ein Land die Interessen anderer Länder beeinträchtigen könnte oder wenn eine bundeseinheitl. Regelung zur Wahrung der Rechts- und Wirtschaftseinheit erforderlich ist. – Auch in *Österreich* besteht in einigen Bereichen die k. G. der Länder. In der *Schweiz* fällt die Mehrzahl der Gesetzgebungsmaterien in die k. G. von Bund und Kantonen.

Konkurs [lat. »Zusammenkunft« (der Gläubiger)] *der,* Generalzwangsvollstreckung in das gesamte Vermögen des wirtschaftlich zusammengebrochenen Schuldners **(Gemeinschuldner),** zur gleichmäßigen, anteilmäßigen Befriedigung aller K.-Gläubiger. Diese erfolgt durch Verwertung des gesamten pfändbaren Schuldnervermögens **(K.-Masse).** Der K. und das **K.-Verfahren** sind für die

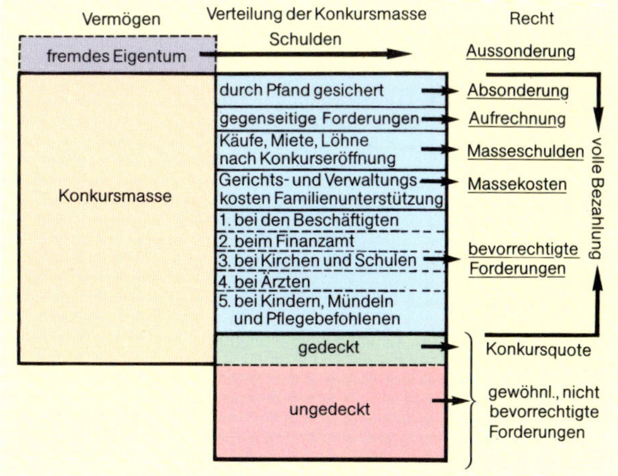

Konkurs: Verteilung der Konkursmasse beim Konkursverfahren

alten Bundesländer in der K.-Ordnung (KO) vom 10. 2. 1877 geregelt. Danach erfolgt die **K.-Eröffnung** auf Antrag des Schuldners oder eines Gläubigers nach Prüfung der gesetzl. Voraussetzungen durch das Amtsgericht, bei dem der Schuldner seinen allg. Gerichtsstand hat **(K.-Gericht),** beim Anschluss-K. (→Vergleichsverfahren) durch das K.-Gericht selbst. Sachl. Voraussetzung jedes K. ist ein **K.-Grund,** das ist i. d. R. Zahlungsunfähigkeit des Schuldners, bei jurist. Personen auch bei einem Nachlass nur Überschuldung. Das K.-Verfahren wird eröffnet, wenn die K.-Masse mindestens die Kosten des Verfahrens deckt, andernfalls die Eröffnung abgelehnt wird. Diese sog. Massekosten gehen allen anderen Verbindlichkeiten vor. Der vom K.-Gericht ernannte **K.-Verwalter** hat das K.-Verfahren durchzuführen, d. h. die K.-Masse zu verwalten und zu verwerten. Damit verliert der Gemeinschuldner jedwede Verfügungsbefugnis über sein vom K. erfasstes Vermögen; auch nach Durchführung des K.-Verfahrens haftet er weiter für die nicht befriedigten Forderungen. Zur Verwaltung der K.-Masse gehört u. a. die Befugnis, für die K.-Masse Prozesse zu führen, Forderungen einzutreiben, laufende Geschäfte weiter zu führen u. Ä. Der K.-Verwalter wird durch die **Gläubigerversammlung,** oft auch einen **Gläubigerausschuss** unterstützt und überwacht. Jeder K.-Gläubiger hat seine Forderung innerhalb der im Eröffnungsbeschluss bestimmten Frist beim K.-Gericht anzumelden. Dort werden sämtl. Forderungen in die **K.-Tabelle** eingetragen. Wer ein Pfand- oder Zurückbehaltungsrecht in Bezug auf einzelne Gegenstände der K.-Masse hat, kann →abgesonderte Befriedigung verlangen. Fremde Gegenstände (z. B. unter Eigentumsvorbehalt gelieferte) sind auszusondern. Nachdem die angemeldeten Forderungen in einem **Prüfungstermin** nach Betrag und Vorrecht geprüft worden sind, erfolgt, soweit die Masse flüssig gemacht ist, die Verteilung des Erlöses (**Abschlags-, Schluss-** und unter Umständen **Nachtragsverteilung**) an die Gläubiger in Höhe eines nach ihren Forderungen bemessenen Anteils; dabei ist allerdings eine Rangfolge zu beachten: Zunächst werden die Forderungen der **bevorrechtigten Gläubiger** (Lohnforderungen, Betriebsrenten, Sozialversicherungsbeiträge, Sozialplanansprüche, Steuerschulden, Forderungen von Kindern des Gemeinschuldners u. a.) befriedigt. Nach Schlussverteilung oder Zustandekommen eines →Zwangsvergleichs wird der K. durch Beschluss des K.-Gerichts aufgehoben. Arbeitnehmer erhalten, soweit sie noch Entgeltansprüche haben, bei K. des Arbeitgebers für die drei letzten Monate vor K.-Eröffnung auf Antrag **K.-Ausfallgeld** vom Arbeitsamt. – Rechtsgrundlage für den K. in den neuen Bundesländern ist die an das bundesdt. Recht angepasste Gesamtvollstreckungsordnung i. d. F. v. 23. 5. 1991.

Reform des K.-Rechts: Die am 1. 1. 1999 in Kraft tretende **Insolvenzordnung** vom 5. 10. 1994 erleichtert die Eröffnung des dann in Dtl. einheitl. Insolvenzverfahrens durch Ergänzung der Eröffnungsgründe und Erschwerung der Eröffnungsablehnung mangels Masse, Zuständigkeitskonzentration auf ein bestimmtes Amtsgericht und Erweiterung der Insolvenzfähigkeit auf nicht rechtsfähige Gesellschaften. Die im Eröffnungsverfahren zulässigen Sicherungsmaßnahmen sind detailliert geregelt und dem vorläufigen Insolvenzverwalter übertragen, der auch mit der Prüfung von Sanierungschancen beauftragt werden kann. Die umfangreichen Neuerungen im eröffneten Verfahren betreffen v. a. die Erweiterung der Insolvenzmasse durch Einbeziehung des Neuerwerbs des Schuldners, die Abschaffung der bisherigen Vorrechte bestimmter Gläubiger, die stärkere Einbeziehung der Sicherungsgläubiger in das Verfahren mit Kostenbeteiligung sowie die deutl. Verschärfung der Anfechtung massekürzender Rechtshandlungen. Bei Insolvenz natürl. Personen führt die Insolvenzordnung zur Beseitigung der bisherigen Weiterhaftung eine Option auf Restschuldbefreiung ein, wenn der redl. Schuldner für einen Zeitraum von sieben Jahren den pfändbaren Teil seiner Einkünfte an einen Treuhänder abtritt, der daraus die Insolvenzgläubiger anteilig befriedigt. Für Kleinverbraucher ist ein besonderes Verbraucherinsolvenzverfahren vorgesehen.

In *Österreich* (K.-Ordnung von 1914) und in der *Schweiz* (Bundes-Ges. über die Schuldbetreibung und den K. von 1889, SchKG, revidiert am 16. 12. 1994, Revision in Kraft seit 1. 1. 1997) gelten ähnl. Grundsätze wie im dt. Recht.

📖 STÜRNER, R.: *Zwangsvollstreckungs-, Konkurs- u. Vergleichsrecht, begr. v.* A. SCHÖNKE, *2 Bde. Heidelberg [12]1990–95. – Hb. der Insolvenzverwaltung, hg. v.* H. MOHRBUTTER. *Köln u. a. [7]1996.*

Konkurs|anfechtung, die Anfechtung von Rechtshandlungen des Gemeinschuldners vor Konkurseröffnung, durch die Konkursgläubiger benachteiligt worden sind (§§ 29 ff. KO). Die K. durch den Konkursverwalter soll verhindern, dass Teile des Vermögens des Gemeinschuldners vor oder nach Zahlungseinstellung zu anderen Zwecken als zur gemeinsamen Befriedigung der Konkursgläubiger verwendet werden. Von der K. zu unterscheiden ist die Gläubigeranfechtung.

Konkursstraftaten, im Interesse einer ordnungsgemäßen Durchführung des Konkursverfahrens unter Strafe gestellte Taten (§§ 283–283 d StGB): 1) →Bankrott; 2) Verletzung der Buchführungspflicht; 3) die Gewährung einer Sicherheit oder Befriedigung an einen Gläubiger, die diesem nicht oder so nicht zusteht, in Kenntnis der eigenen Zahlungsunfähigkeit **(Gläubigerbegünstigung);** 4) das Beiseiteschaffen oder Verheimlichen von Vermögensteilen, die zur Konkursmasse gehören würden, zugunsten des von Zahlungsunfähigkeit Bedrohten **(Schuldnerbegünstigung).**

Konnex [lat.] *der,* Zusammenhang, Verbindung, auch persönl. Kontakt. Im *bürgerl. Recht* ist **Konnexität** der natürl. wirtschaftl. Zusammenhang wechselseitiger Ansprüche; Voraussetzung für die Ausübung des Zurückbehaltungsrechts.

Konnivenz [lat.] *die, Strafrecht:* Verleitung eines Untergebenen zu einem Amtsdelikt oder wissentl. Duldung eines solchen durch den Vorgesetzten; nach §357 StGB strafbar.

Konnossement [italien.-frz.] *das,* Wertpapier des Seefrachtverkehrsrechts; eine Beurkundung des Frachtvertrages, zugleich Empfangsbestätigung des Verfrachters und Versprechen der Ablieferung des Frachtgutes an den legitimierten Inhaber der Urkunde (§§642ff. HGB). Das K. trägt meist die Orderklausel; schon vor Empfang der Güter kann der Empfänger durch →Indossament und Übergabe des K. über die Ladung verfügen, womit der Erwerber des K. Eigentümer des Gutes wird.

Konoe [-oe], Fumimaro, Fürst, japan. Politiker, *Tokio 12. 10. 1891, †(Selbstmord) ebd. 16. 12. 1945; 1933–37 Präs. des Oberhauses, 1939–40 des Geheimen Staatsrats, 1937–39 und 1940–41 MinPräs., verfolgte eine expansive Außenpolitik (Krieg gegen China seit 1937). In seiner Amtszeit wurde Japan 1940 Mitgl. des →Dreimächtepaktes. In der ersten Nachkriegsregierung 1945 war K. stellv. MinPräs.; beging unter dem Vorwurf, Kriegsverbrechen begangen zu haben, Selbstmord.

Konopnicka [-'nitska], Maria, poln. Schriftstellerin, *Suwałki 23. 5. 1842, †Lemberg 8. 10. 1910; behandelte in ihren Werken, bes. Lyrik, gesellschaftskrit. Themen, u.a. Probleme der Bauern und das Schicksal poln. Emigranten.

Konquistadoren [kɔŋkis-, span.], die span. und portugies. Eroberer Mittel- und Südamerikas im 16. Jh. (u.a. H. Cortez, F. Pizarro), die auf ihren Expeditionen die indian. Reiche (z.B. der Azteken und Inka) unterwarfen.

Konrad, Herrscher:

Hl. Röm. Reich (Ostfränk. Reich): **1) K. I.,** König (911–18), Herzog der Franken (seit 906), †21. 12. 918; Konradiner, wurde nach dem Aussterben der ostfränk. Karolinger von den Stämmen der Franken, Sachsen, Bayern und Schwaben gewählt. Im vergebl. Kampf gegen die Stammesherzöge stützte er sich auf die Bischöfe. Vor seinem Tod schlug er seinen Hauptgegner, Herzog Heinrich von Sachsen, zum Nachfolger vor (Heinrich I.).

Hl. Röm. Reich: **2) K. II.,** der Salier, König (1024–39), *um 990, †Utrecht 4. 6. 1039; wurde 1024 auf Betreiben des Mainzer Erzbischofs zum König gewählt, 1026 zum König der Langobarden (Italien) und 1027 in Rom zum Kaiser gekrönt. 1028 erreichte er die Wahl seines Sohns Heinrich (III.) zum Röm. König (Sicherung der sal. Herrschaft). Er festigte die Verbindung Italiens mit Dtl., betrieb eine erfolgreiche Grenzpolitik gegenüber Polen und Ungarn und wurde aufgrund der von Heinrich II. geschlossenen Erbverträge und der verwandtschaftl. Beziehungen der Kaiserin →Gisela 1033 zum König von Burgund gewählt. – K. wurde in dem von ihm als Grablege gegründeten Speyerer Dom beigesetzt.

3) K. III., König (1138–52), *1093, †Bamberg 15. 2. 1152; Staufer, 1127 als Gegenkönig gegen Kaiser Lothar III. (von Supplinburg) aufgestellt, aber erst 1138 nach dessen Tod (irregulär) zum König gewählt. Die Ächtung Heinrichs X., des Stolzen, Herzog von Bayern und Sachsen, begründete den welfisch-stauf. Gegensatz. Auf Drängen Bernhards von Clairvaux unternahm er den erfolglosen 2. Kreuzzug (1147–49). Innenpolitisch prägten Auseinandersetzungen mit den Welfen seine Reg.zeit. Dennoch erweiterte er das Hausgut und baute die Reichsverw. aus. Unter Hintansetzung seines eigenen Sohnes schlug er Friedrich (I.) Barbarossa zum Nachfolger vor.

Konoe Fumimaro

4) K. IV., König (1250–54), als K. III. Herzog von Schwaben (seit 1235), *Andria in Apulien 25. (26.?) 4. 1228, †bei Lavello 21. 5. 1254; Sohn Kaiser Friedrichs II., wurde bereits 1237 zum König gewählt, konnte sich gegen die Gegenkönige nur schwer behaupten. 1251 ging er nach Italien, um sein sizilian. Erbreich zu retten; Vater von →Konradin.

Köln: **5) K. von Hochstaden,** Erzbischof und Kurfürst (1238–61), *um 1205, †Köln 18. 9. 1261; zunächst Anhänger Kaiser Friedrichs II., betrieb er seit 1239 maßgebend die Wahl der stauferfeindl. Gegenkönige Heinrich Raspe und Wilhelm von Holland, später die Richards von Cornwall, den er 1257 in Aachen krönte; legte 1248 den Grundstein zum Kölner Dom.

Schwaben: **6) K. von Rothenburg,** Herzog (1191–96), *um 1170, †(erschlagen) Durlach (heute Karlsruhe) 15. 8. 1196; 4. Sohn Kaiser Friedrich I. Barbarossas. K. setzte seine Macht und seine militär. Fähigkeiten zur Unterstützung der Herrschaft seines Bruders, Kaiser Heinrichs VI., ein.

György Konrád

Konrád ['konra:d], György, ungar. Schriftsteller, *Debrecen 2. 4. 1933; war nach dem Philosophiestudium u.a. als Beamter im Jugendschutz tätig. Aufgrund der dabei gesammelten Erfahrungen schrieb er seinen ersten Roman »Der Besucher« (1969), in dem er in pointierter Formulierung Reflexionen über die Antinomien des menschl. Daseins anstellt. In den folgenden essayistisch durchwirkten Romanen konzentrieren sich seine geistvoll-analyt. Betrachtungen auf soziale und polit. Probleme, v.a. auf die der kommunistisch be-

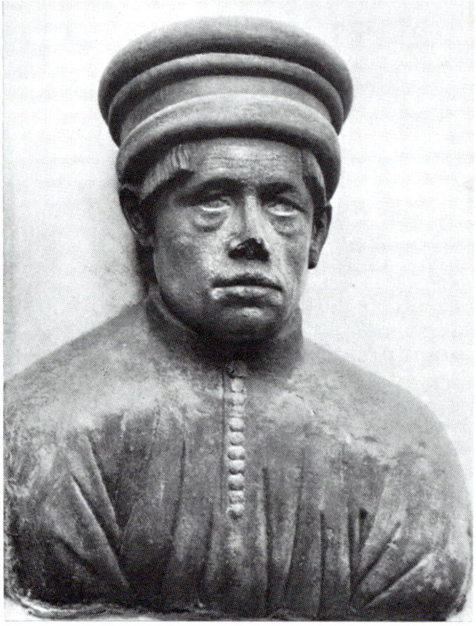

Konrad von Einbeck: Selbstbildnis aus Stein (um 1420) in der Moritzkirche in Halle (Saale)

herrschten Gesellschaften. Er schrieb ferner u.a. »Der Komplize« (1980, R.), »Geisterfest« (1989, R., dt. 1986), »Melinda und Dragoman« (1989, R.), »Steinuhr« (1995, R.) sowie Essays (»Die Intelligenz auf dem Wege zur Klassenmacht«, 1978). 1991 erhielt K. den Friedenspreis des Dt. Buchhandels; seit 1997 ist K. Präs. der dt. Akad. der Künste.

Konrad-Adenauer-Preis, in mehreren Sparten vergebener, mit je 10 000 DM dotierter Preis, der heute i.d.R. alle zwei Jahre von der 1966 in München gegr. **Deutschland-Stiftung e.V.** jeweils an eine Persönlichkeit aus Wissenschaft, Literatur und Publizistik sowie Politik (**Konrad-Adenauer-Freiheitspreis;** seit 1979) für ein »Lebenswerk aus vorwiegend konservativer und christl. Sicht« verliehen wird.

Konrad-Adenauer-Stiftung e.V., polit. Stiftung, Sitz: Sankt Augustin, gegr. 1964, eng mit den Prinzipien der christlich-demokrat. Bewegung verbunden, verfolgt gemeinnützige Zwecke und sieht sich v.a. dem außenpolit. Werk Adenauers verpflichtet (Arbeit in sieben Instituten).

Konrad der Pfaffe, mittelhochdt. Dichter des 12. Jh.; von ihm stammt die erste dt. Übersetzung des → Rolandsliedes.

Konradin (italien. Corradino), eigtl. Konrad, Herzog von Schwaben, Sohn König Konrads IV., * Burg Wolfstein (bei Landshut) 25. 3. 1252, † Neapel 29. 10. 1268; letzter Staufer; als Papst Alexander IV. nach dem Tod König Manfreds 1266 das stauf. Königreich Sizilien an Karl von Anjou verlieh, zog K. 1267 nach Italien, um seine Ansprüche durchzusetzen, wurde aber 1268 bei Tagliacozzo gefangen genommen und im gleichen Jahr in Neapel enthauptet.

Konrad von Einbeck, Baumeister und Bildhauer, * Einbeck um 1360, † um 1428; vermutlich in der Bauhütte P. Parlers in Prag ausgebildet. Ab 1388 war er für die Moritzkirche in Halle (Saale) tätig, deren Bauplanung wahrscheinlich von ihm stammt und für die er auch Plastiken schuf: hl. Moritz, 1411; Schmerzensmann, 1416; trauernde Maria, kurz nach 1416; Christus an der Martersäule, 1419. Eine Büste im nördl. Nebenchor ist wohl ein Selbstbildnis (um 1420).

Konrad von Soest [-zo:st], Maler, * Dortmund (?) um 1370, † ebd. nach 1422; ab 1395 in Dortmund tätig, beeinflusst von der burgund. Malerei, entwickelte er sich zu einem bed. Vertreter des → schönen Stils. Seine bed. Arbeiten sind der Altar der Stadtkirche in Bad Wildungen (1403) und sein letztes bekanntes Werk, der Marienaltar der Dortmunder Marienkirche (um 1420, stark beschnitten in einen Barockrahmen eingepasst).

Konrad von Würzburg, mittelhochdt. Dichter bürgerl. Herkunft, * Würzburg um 1230, † Basel 31. 8. 1287; als höf. Epigone der stauf. Dichtung verpflichtet, beherrschte er virtuos die überkommenen Stilmittel. Sein Vorbild war Gottfried von Straßburg. Überliefert sind neben Lyrik und Epen Versnovellen, wie »Die Herzmaere«, »Der Welt

Konrad von Würzburg: Seite aus dem Epos »Trojanerkrieg« in einer Papierhandschrift (Mitte 15. Jh.; Berlin, Deutsche Staatsbibliothek)

Lohn«, weiter die im manierist., →geblümten Stil geschriebene Marienpreisung »Die goldene Schmiede«, die stroph. Allegorien »Klage der Kunst« und »Das Turnier von Nantes«, welches seine Vorliebe für die →Heroldsdichtung zeigt. Unvollendet hinterließ er das histor. Epos »Trojanerkrieg«.

📖 BRANDT, R.: *K. von W. Darmstadt 1987.*

Konsalik, Heinz G., Schriftsteller, *Köln 28. 5. 1921; abenteuerliche Unterhaltungsromane (»Der Arzt von Stalingrad«, 1956; »Strafbataillon 999«, 1959; »Westwind aus Kasachstan«, 1992).

Konsekration [lat.] *die,* **1)** *Geschichte:* in der röm. Rep. der Akt, in dem der Staat einen Gegenstand oder einen Ort den Göttern zum Eigentum überwies, in der Kaiserzeit auch die Vergöttlichung des verstorbenen Kaisers.

2) *kath. Kirche:* Bez. für die liturgisch vollzogene Weihe von Personen; in der Eucharistiefeier die Brot und Wein wandelnde Weihehandlung (→Wandlung).

konsekutiv [lat.], abgeleitet, folgernd.

Konsekutivsatz (Folgesatz), Teilsatz, der eine Folge oder Wirkung des im anderen Teilsatz genannten Geschehens ausdrückt (→Syntax, ÜBERSICHT).

Konservatismus, der →Konservativismus.

konservativ [von lat. conservare »bewahren«], **1)** *allg.:* am Hergebrachten hängend, festhaltend (bes. im polit. Leben).

2) *Medizin:* bewahrend, v.a. bezogen auf erhaltende (z.B. medikamentöse) Behandlungsmaßnahmen im Unterschied zum operativen Eingriff.

3) *Physik:* Bez. für abgeschlossene mechan. Systeme **(konservative Systeme),** in denen nur Potenzialkräfte (**konservative Kräfte;** →Kraft) wirken und deren Gesamtenergie zeitlich konstant bleibt. Nichtkonservative Systeme, Kräfte u.a. heißen dissipativ.

Konservative und Unionistische Partei (engl. Conservative and Unionist Party), brit. Partei, 1832 aus den Tories hervorgegangen, bezeichnet sich seit ihrem Zusammenschluss mit den liberalen Unionisten (1912) als K.u.U.P. Unter Sir Robert Peel dehnte sie ihre Basis von den Landbesitzern auf die Mittelklasse aus. Nach zwei Ministerien Peel (1834–35 und 1841–46) mit bedeutenden Reformen baute B. Disraeli in der Opposition die zentrale und lokale Parteiorganisation auf und suchte, den Konservativen mit dem Konzept der »Tory-Demokratie« (verbunden mit imperialist. Bestrebungen) eine breite Anhängerschaft zu sichern. Nach dem ersten Höhepunkt der Macht z.Z. des 2. Ministeriums B. Disraeli (1874–80) war die konservative Partei im Bündnis mit den liberalen Unionisten 1885–1905 fast ununterbrochen an der Regierung, führte eine bedeutende Sozialgesetzgebung durch, betrieb eine koloniale Expansionspolitik und gab schließlich in der Entente cordiale die Splendid Isolation auf. 1915 trat sie in das Kriegskoalitionskabinett H. H. Asquith ein. In der Zwischenkriegszeit (Premiermin.: A. B. Law 1922/23; S. Baldwin 1923, 1924–29, 1935–37; A. N. Chamberlain 1937–40) vertrat die K.u.U. P. außenpolitisch zunächst den Abschluss der →Locarnoverträge, später die Politik des →Appeasement, gegen die sich jüngere Politiker wie W. Churchill, R. A. Eden und H. Macmillan wandten. Im Koalitionskabinett des 2. Weltkriegs stärkste polit. Kraft, verlor die Partei trotz des außerordentl. Prestiges von Churchill (Premiermin. 1940–45) und des militär. Sieges die Wahlen von 1945 und blieb bis 1951 in der Opposition. Seit dem 2. Kabinett Churchill (1951–55) machte sie Sozialisierungsmaßnahmen der Labour Party in der Eisenindustrie und im Transportwesen rückgängig. Premiermin. Eden (1955–57) scheiterte an der Sueskrise; Macmillan (1957–63) erreichte eine wirtsch. Erholung. E. R. G. Heath, der 1965 die Parteiführung übernahm und nach dem Wahlsieg von 1970 Premiermin. wurde, vollzog den Eintritt in die EG. Unter M. H. Thatcher, seiner Nachfolgerin als Parteivors. (1975–90) und Premiermin. (1979–90), suchte die Partei stärker die von der Labour Party geprägten wohlfahrtsstaatl. Strukturen im Sinne einer marktwirtschaftlich orientierten Leistungsgesellschaft zu verändern. Unter der Führung von Premiermin. J. Major (ab 1990) bei den Unterhauswahlen von 1992 zunächst erfolgreich, verlor die Partei vor dem Hintergrund zunehmender Kritik an der Wirtschafts- und Finanzpolitik der Regierung seit 1993 immer stärker an Ansehen bei der Bev., zugleich sah sie sich in innerparteil. Auseinandersetzungen über die Europapolitik der Regierung verstrickt. Nach der schweren Niederlage bei den Unterhauswahlen vom Mai 1997 und dem Rücktritt Majors als Parteiführer und Premiermin. wählte die konservative Unterhausfraktion W. Hague zum Oppositionsführer und zum neuen Parteivorsitzenden.

Konservativismus [lat.] *der* (Konservatismus), eine geistige, soziale und polit. Haltung, die überkommene Ordnungen wertmäßig bejaht und grundsätzlich zu erhalten strebt. Der K. lehnt Neuerungen nicht schlechthin ab, verlangt aber von jedem, der sie fordert, den Beweis ihrer Notwendigkeit. Staat, Gesellschaft und Kultur gelten ihm als geschichtlich gewordene, organisch sich entwickelnde Gebilde. Allen Einrichtungen, die Kontinuität, Identität und Sicherheit verbürgen, misst er hohe Bedeutung zu. Er verwirft sowohl den →Individualismus wie den →Kollektivismus. Politisch hat sich der K. meist erst in der Gegenwehr gegen progressive, insbesondere liberale, demokrat. und radikale Bewegungen zu grundsätzl. Stellungnahme und zu eigenen Parteibildungen verfestigt, bes. in Zeiten der Revolution und danach. In Abwehr der Ideen der Frz. Revolution vertrat E. Burke das historisch gewachsene Recht gegen die Willkür der Mehrheitsherrschaft. Der frz. Traditionalismus (L. G. A. de Bonald, J. M. de Maistre) entwickelte eine rationalist. Rechtfertigung der altständ. Ordnung, des legitimen Königtums und der kirchl. Autorität. Die Romantik begründete den K. durch die Lehre vom organ. Charakter und vom naturhaften Wachstum geistiger und gesellschaftl. Gebilde, bes. des Staats und des Rechts (F. Gentz, Adam Heinrich Müller, histor. Rechtsschule, F. C. von Savigny). Eine eigene theoret. Grundlegung des K. gab K. L. von Haller in seiner Lehre vom »Patrimonialstaat«. Ihrer polit. Auswirkung nach wurden der frz. Traditionalismus wie die polit. Romantik in Dtl. zu Verbündeten der Restauration gegen den Liberalismus; oft lieferten sie der altständisch-feudalen Reaktion (L. von der Marwitz) und dem monarch. Legitimitätsprinzip (Metternich, Heilige Allianz) die geistigen Waffen. Die Staatslehre F. J. Stahls bedeutete die Zusammenfassung aller Gedanken des alten K. und ihre Überleitung zur Idee der konstitutionellen Monarchie. – Das Erstarken der Arbeiterbewegung und die Gefahr der sozialen Revolution seit 1848 riefen ein Bündnis zw. dem K., der sich nun zum nat. Einheitsstaat und zur Verfassungsidee bekannte, und dem gemäßigten Liberalismus, soziologisch zw. dem Großgrundbesitz und dem großbürgerl. Unternehmertum, hervor, während der Gegensatz zum Liberalismus stark blieb. Eine breitere Grundlage schuf sich der K. als Vertretung der landwirtsch. Interessen (Bund der Landwirte) sowie im Mittelstand. In den meisten Ländern wurde er zu einem wesentl. Vertreter des Machtstaatsgedankens. Im Ggs. zum brit. K., der Demokratisierung und Sozialstaat aktiv förderte, war der dt. K. durch seine Fehlanpassung an die Ind.gesellschaft gekennzeichnet und belastet. Massenwirkung und Integration suchte er u. a. durch völk., antisemit. und antikapitalist. Strömungen. Nach 1918 konnte die DNVP, vielfach an extremem Nationalismus, an Republikfeindschaft und vorfaschist. Ideologie orientiert, den K. nicht wieder beleben, trug jedoch entscheidend dazu bei, dem revolutionär-totalitären Nationalsozialismus in den dt. Führungsschichten den Boden zu bereiten. Die seit 1945 sich nicht nur in der Bundesrep. Dtl. formierenden konservativen Strömungen waren Ausdruck der Suche nach Stabilität und Wiederherstellung gesicherter Sozialverhältnisse, trugen damit aber auch Züge der Restauration. In der Studentenbewegung der 1960er-Jahre standen konservative und progressist. Ideologiefragmente nebeneinander. Stark von konservativem Denken ist die ökolog. Bewegung der 1970er-Jahre (Bewahrung der natürl. Umwelt) und andererseits die neue Rechte geprägt.

📖 Maerker, P.: *K. – wieder modern? Studien zu einer philosoph. Grundlegung des konservativen Denkens. Bonn 1993.* – Grossheim, M.: *Ökologie oder Technokratie? Der K. in der Moderne. Berlin 1995.*

Konservator [lat.] *der,* Berufsbez. für einen beamteten Mitarbeiter in der Denkmalpflege oder im Museumsdienst, dem die Erhaltung und Pflege von Kunstwerken, Bauten und naturwiss. Sammlungen untersteht.

Konservatorium [lat.] *das,* Ausbildungsstätte für alle Zweige der Musik, meist unter städt. oder privater Leitung. An den K. können staatlich anerkannte Diplome erworben werden. K. mit Hochschulrang heißen in Dtl. und in Österreich meist **Hochschulen für Musik,** in der Schweiz K., Musikhochschule oder -akademie. – In den im 16. Jh. in Italien entstandenen K. wurden v. a. musikalisch begabte Waisenkinder zu Musikern erzogen; bed. K. entstanden im 19. Jh. (Paris, Prag, Wien, Leipzig, Berlin, Sankt Petersburg).

Konserve [zu lat. conservare »erhalten«, »bewahren«] *die,* durch geeignete Behandlung (→Konservierung) und Verpackung vor dem Verderben geschütztes Lebens- oder Genussmittel. Man unterscheidet **Voll-K.** (mindestens 2 Jahre haltbar), **Halb-K. (Präserven)** (durch Zusatz u. a. von →Konservierungsmitteln beschränkt haltbar) sowie **Dreiviertel-K.** (bei Lagerung bis max. 20 °C bis zu 12 Monate haltbar).

Konservierung [lat.] *die,* **1)** Maßnahmen, um verderbl. Stoffe in ihrem gegenwärtigen Zustand zu erhalten oder vor Verderb durch chem., physikal. und/oder biolog. Einflüsse zu bewahren. In der Lebensmitteltechnologie werden zur Frischhaltung chem. und physikal. K.-Verfahren angewendet. – Bei **chemischen K.-Verfahren** (Einsalzen, →Pökeln, →Räuchern, Einlegen, Einzuckern und Einsäuern/Säuern) werden dem Lebensmittel Substanzen zugesetzt, die eine konservierende Wirkung haben. Die Zugabe von Konservierungsmitteln, die das Wachstum von Mikroorganismen v. a. durch Einwirken auf die Zellmembranen und Enzymsysteme hemmen, ist in der Bundesrep. Dtl. gesetzl. geregelt; ihr Gehalt muss auf Verpackungen, Speisekarten u. Ä. angegeben werden. – **Physikal. K.-Verfahren** nutzen v. a. den Einfluss der Temperatur zur Haltbarmachung. Hierzu gehören Kühlung, →Pasteurisieren und →Sterilisation. Weitere spezielle K.-Verfahren sind Eindicken (Konzentrieren), Trocknen (insbesondere Zerstäubungstrocknung), Vakuumerzeugung und Hochdruckverfahren. Zur K. von Lebensmitteln durch Bestrahlung →Lebensmittelbestrahlung.

2) *Kunstwissenschaft:* die Erhaltung und Sicherung eines bestimmten Zustandes eines Kunstwerkes, Bau- oder Bodendenkmals im Museum und durch die →Denkmalpflege. (→Restaurierung)

Konservierungsmittel (Konservierungsstoffe), der Konservierung von Natur- und Industrieprodukten dienende Stoffe, die je nach Warengruppe sehr unterschiedl. Aufgaben haben, z. B. sollen Textilien vor Befall und Zerstörung durch Mikroorganismen und/oder Insekten geschützt werden; Anstrichmittel, Lacke, Holzschutzmittel enthalten fungizide Wirkstoffe, Kosmetika und Reinigungsmittel Desinfektionsmittel. – Besondere Bedeutung haben K. in der Lebensmittelind. Als K. für Lebensmittel i. w. S. werden solche Substanzen verstanden, die diesen zugesetzt werden, um qualitätsmindernde Veränderungen zu verhüten (Antioxidantien, Schutzkolloide, Stabilisatoren u. a.). Dagegen sind K. i. e. S. nur Substanzen, die den mikrobiellen Verderb von Lebensmitteln verhüten. Von diesen sind in der Bundesrep. Dtl. nach der Zusatzstoff-Zulassungs-VO nur zugelassen: Ameisen-, Sorbin- und Benzoesäure, die Salze der gen. Säuren sowie p-Hydroxybenzoesäureester (→PHB-Ester). Sie dürfen nur bestimmten Lebensmitteln bis zu einer vorgeschriebenen Höchstmenge zugesetzt werden; der Zusatz muss kenntlich gemacht sein. Zur Konservierung von Zitrusfrüchten dürfen Biphenyl (Diphenyl) und o-Phenylphenol (Orthophenylphenol), für Bananen auch Thiabendazol verwendet werden. Nicht rechtl. definierte K. sind Schwefeldioxid (schweflige Säure; zugelassen bei der Wein- und Trockenobstherstellung) und Nitritpökelsalz. – Die Zusatzstoff-Zulassungs-VO führt in einer Positivliste alle Lebensmittel auf, die mit K. versetzt werden dürfen, gleichzeitig auch die mengenmäßige Begrenzung in mg pro kg Lebensmittel.

Konsignation [lat.] *die,* spezielle Form des Kommissionsgeschäfts im internat. Handel. Der ausländ. Auftraggeber **(Konsignant)** bleibt so lange Eigentümer der **K.-Ware,** bis der inländ. Beauftragte **(Konsignatar)** nach Verkauf den Erlös unter Abzug einer Provision an ihn abgeführt hat.

Konsistenz [lat.] *die,* **1)** *allg.:* äußere Beschaffenheit eines Stoffes und sein Verhalten gegen Formänderungen.

2) *Logik:* Widerspruchsfreiheit eines axiomat. Systems. (→Axiom)

3) *Statistik:* Eigenschaft einer Schätzfunktion; diese heißt konsistent, wenn ihre Schätzwerte bei wachsender Beobachtungsanzahl mit gegen null strebender Wahrscheinlichkeit vom »wahren« Wert abweichen.

Konsistorium [lat.] *das,* **1)** in den *evang. Kirchen* die nach der Reformation geschaffenen Vollzugsorgane des landesherrl. →Kirchenregiments. Seit dessen Aufhebung nach dem 1. Weltkrieg sind die K. landeskirchl. oberste Verw.behörden (Landeskirchenamt, Oberkirchenrat, Landeskirchenrat).

2) in der *kath. Kirche* die durch den Papst einberufene und unter seinem Vorsitz tagende (Voll-)Versammlung der Kardinäle in Rom.

Konsole: Konsolen unter einem Balkon

Konskription [lat.] *die,* bedingte Wehrpflicht, die noch Loskauf oder Stellvertretung zuließ; im 19. Jh. durch die allg. Wehrpflicht ersetzt.

Konsole [frz.] *die,* aus der Wand vorkragendes Auflager aus Stein (Kragstein), Holz, Stahl oder Beton zur Unterstützung von Bauteilen und als Standort für Statuen (Tragstein).

Konsolidation [lat.] *die,* **1)** *allg.:* Ausgleich, Sicherung, Festigung.

2) *Finanzwirtschaft:* →Konsolidierung.

3) *Recht:* Das Zusammenfallen eines Rechts an einer Sache (z. B. Pfandrecht) mit dem Eigentumsrecht bei derselben Person. Bei bewegl. Sachen erlischt das Recht, nicht bei Grundstücksrechten.

Konservierung

*Nachdem der Franzose Nicolas Appert (*1749, †1841) festgestellt hatte, dass die Erhitzung von Nahrungsmitteln in geschlossenen Behältern den Gärungsvorgang verhindert, begann er mit dem Verkauf von Lebensmitteln in Flaschen (Fleisch, Milch, Gemüse, Obst usw.). Das Marineministerium prüfte 1804 seine Produkte. Proben wurden nach Brest gesandt und erst drei Monate später verzehrt. Das Ergebnis war positiv. Im Bericht des Marinepräfekten stand, die Bohnen und Erbsen hätten, gleich ob mit oder ohne Fleisch zubereitet, ihre Frische und ihren Geschmack bewahrt. 1810 machte Appert sein Verfahren bekannt und erhielt vom Innenministerium dafür einen bereits 1795 ausgesetzten Preis von 12 000 französischen Francs. Im gleichen Jahr erschien sein »Buch für alle Haushalte, oder die Kunst, alle tierischen und pflanzlichen Stoffe über mehrere Jahre zu konservieren«, das in mehrere Sprachen übersetzt wurde. Da die Flaschen zerbrechlich waren, begann man in England schon ab 1810, zinnbeschichtete, eiserne Dosen zu verwenden. Der Nachteil dieser Dosen, die manchmal schwerer als die in ihnen enthaltene Nahrung waren, bestand darin, dass man sie nur mit großer Mühe und unter Zuhilfenahme von Messern, Bajonetten oder Hammer und Meißel öffnen konnte. Das erste Patent auf einen Dosenöffner wurde erst 1858 an den Amerikaner Ezra Warner erteilt.*

konsolidierte Bilanz (Konzernbilanz), Bez. für die Zusammenfassung der Jahresabschlüsse der einzelnen Gesellschaften eines Konzerns zu einem Abschluss des Gesamtunternehmens in der Weise, dass die Vermögens-, Finanz- und Ertragslage des Konzerns als wirtschaftl. Einheit durch Ausschaltung der wirtschaftl. Beziehungen innerhalb des Konzerns (Konsolidierung) dargestellt wird.

Konsolidierung [lat.] *die,* in der Unternehmensfinanzierung die Umwandlung kurzfristiger

Konstantin I., der Große
(Fragment einer Statue, um 330 n. Chr.; Rom, Nationalbibliothek)

Schulden in langfristige Schulden oder Eigenkapital; beim öffentl. Kredit auch unter der Bez. **Konsolidation** die Umwandlung von schwebenden Schulden in längerfristige (fundierte) Anleihen sowie die Zusammenfassung mehrerer älterer Anleihen mit unterschiedl. Zins- und Rückzahlungsbedingungen zu einer einheitl. Gesamtanleihe mit meist günstigeren Bedingungen (z.B. niedrigerem Zinsfuß); beim öffentl. Haushalt als **Haushalts-K.** alle finanzpolit. Maßnahmen zum Abbau eines Defizits durch Veränderungen der öffentl. Ausgaben und Einnahmen in Höhe und Struktur.

Konsonant [lat.] *der* (Mitlaut), →Laut.

Konsonanz [lat. »Zusammenklang«] *die, Musik:* Klangeinheit aus zwei oder mehr Tönen, die, im Ggs. zu der nach Auflösung drängenden →Dissonanz, so ineinander verschmelzen, dass ihr Zusammenklang vom Ohr als ausgeglichen und spannungslos empfunden wird. Die Einteilung der Intervalle in K. und Dissonanzen hat sich im Laufe der Musikgeschichte geändert. Seit Beginn der abendländ. Mehrstimmigkeit wurden Einklang, Quinte und Oktave als K. betrachtet, während Quarte, Terz und Sexte zeitweise als Dissonanzen angesehen wurden. Als konsonant gelten heute neben den Intervallen Einklang, Oktave, Quinte, Terz, Sexte auch die Akkorde Dreiklang und Sextakkord. Die Schwingungszahlen konsonanter Töne stehen im Verhältnis kleiner ganzer Zahlen (Oktave 1:2, Quinte 2:3, Quarte 3:4, große Terz 4:5 usw.). Die Beurteilung konsonanter Klänge geht vom Gehör aus, ist somit subjektiv.

Konsortium [lat.] *das,* Gelegenheitsgesellschaft, i.d.R. vorübergehende Vereinigung (meist Ges. des bürgerl. Rechts) von rechtlich und wirtsch. selbstständig bleibenden Unternehmen zur gemeinsamen Durchführung eines größeren Geschäfts **(Konsortialgeschäft),** um die Kapitalbasis zu erhöhen und das Risiko zu verteilen. Beispiele sind das Industrie-K. als Arbeitsgemeinschaft (ARGE) zur Durchführung von Bauprojekten oder das Banken-K. zur Durchführung umfangreicher Kredit- oder Wertpapiergeschäfte.

konstant [lat.], beständig, fest, unveränderlich; Ggs.: inkonstant.

Konstantan [lat.] *das,* Legierung aus 57% Kupfer und 41% Nickel, 1% Eisen und 1% Mangan mit nahezu temperaturunabhängigem ohmschen Widerstand. Verwendung für elektr. Messwiderstände und Thermoelemente.

Konstante [lat.] *die,* **1)** *Logik, Mathematik:* Symbol mit einer festen, unveränderl. Bedeutung (im Ggs. zur Variablen); z.B. π.

2) *Physik:* die als unveränderbar angesehenen universellen Größen (→physikalische Konstanten) und die nur bei gegebenen Bedingungen unveränderl. Materialgrößen (→Stoffkonstante).

Konstantin, Herrscher:

Römisches Reich: **1) K. I.,** der Große (lat. Flavius Valerius Constantinus), Kaiser (306–337), *Naissus (heute Niš) 27. 2. 272 oder 273 (oder um 280?), †bei Nikomedia 22. 5. 337; Sohn des Constantius I. Chlorus; besiegte 312 seinen Gegner Maxentius an der Milvischen Brücke, 324 Licinius bei Adrianopel und Chrysopolis und wurde Alleinherrscher. K. begünstigte das Christentum (Toleranzedikt von Mailand, 313) und bahnte damit dessen Entwicklung zur Staatsreligion an (Sonntagsheiligung, Kirchenbauten, Gerichtshoheit für die Bischöfe). Zur Schlichtung des Arian. Streits berief er 325 das Konzil von Nicaea ein, an dessen Entscheidungen er wesentlich mitwirkte. 330 verlegte er den Kaisersitz von Rom nach Byzanz (Konstantinopel), das zur zweiten Hauptstadt des Reiches ausgebaut wurde. K. vollendete die Neugestaltung der inneren Ordnung des Röm. Reiches (Fortführung der Heeres- und Verw.reform Diokletians). Er sicherte die Reichsgrenzen gegen Franken, Alemannen, Goten und Sarmaten. Vor seinem Tod ließ er sich von Bischof Eusebius taufen. Trotz der Hinrichtung seines ältesten Sohnes Crispus und seiner Gattin →Fausta, feiert die christl. Überlieferung K. als Vorbild des wahren Herrschers. Er gehört zu den Heiligen der armen., grch. und russ. Kirche; Tag: 21. 5. – Nach K.s Tod wurde das Reich unter seinen Söhnen Konstantin II., Constantius II. und Constans aufgeteilt.

📖 BLECKMANN, B.: *K. der Große.* Reinbek *1996.* – CLAUSS, M.: *K. der Große u. seine Zeit.* München *1996.*

Byzantinisches Reich: **2) K. VII., Porphyrogennetos,** Kaiser (913–59), *Konstantinopel 905, †ebd. 9. 11. 959; besiegte 943 die Araber; vielseitiger Schriftsteller und Künstler.

Konstantinopel

Kritobulos von Imbros berichtet über die Einnahme Konstantinopels durch Mehmed II. 1453:

»Danach zog der Sultan in die Polis ein und betrachtete eingehend ihre Größe und Lage, ihre Pracht und Herrlichkeit, die große Zahl, Größe und Schönheit ihrer Kirchen und öffentlichen Gebäude, ihre Einzel- und Gemeinschaftshäuser, die luxuriöse Anlage der Häuser der Vornehmen, außerdem die Lage des Hafens und der Werften und dass die Stadt in jeder Hinsicht mit allem Nötigen ausgestattet und von der Natur begünstigt war, kurz ihre gesamte Einrichtung und ihren Schmuck. Er sah aber auch die große Zahl der Umgekommenen, die Verlassenheit der Häuser und die völlige Zerstörung und Vernichtung der Stadt. Und jäh überkam ihn Mitleid und nicht geringe Reue wegen ihrer Zerstörung und Plünderung, und er vergoss Tränen, seufzte laut und schmerzlich und rief: ›Welch eine Stadt haben wir der Plünderung und Verwüstung ausgeliefert!‹ So schmerzte es ihn in der Seele.«

3) K. XI., Palaiologos, auch **Dragases,** letzter byzantin. Kaiser (1449–53), *Konstantinopel 7. 2. 1404, † ebd. 29. 5. 1453; fiel im Kampf gegen die eindringenden Türken.

Griechenland: **4) K. I.,** König (1913–17, 1920–22), *Athen 2. 8. 1868, † Palermo 11. 1. 1923; Sohn König Georgs, versuchte im 1. Weltkrieg neutral zu bleiben; am 11. 6. 1917 von E. Venizelos und der Entente gestürzt, am 19. 12. 1920 durch Volksabstimmung wieder gewählt; verzichtete am 27. 9. 1922 auf den Thron.

5) K. II., König (1964–73), *Psychiko (bei Athen) 2. 6. 1940; Sohn Pauls I., seit 1964 ⚭ mit Prinzessin Anne-Marie von Dänemark; musste nach einem gescheiterten Gegenputsch (13. 12. 1967) gegen die seit April 1967 herrschende Militärregierung ins Exil gehen. Im Juni 1973 erklärte ihn die Junta für abgesetzt.

Konstantinische Schenkung (lat. Donatio Constantini), im 15. Jh. als Fälschung erkannte Urkunde, nach der Konstantin d. Gr. den Vorrang Roms über alle Kirchen anerkennt und dem Papst die Herrschaft über Rom und alle abendländ. Prov. zugesteht; zw. 750 und 850 entstanden, diente in den Auseinandersetzungen mit dem Kaisertum zur Legitimierung päpstl. Herrschafts- und Besitzansprüche (→ Kirchenstaat).

Konstantinopel, seit 330 n. Chr. Name von → Byzanz, das von Konstantin d. Gr. unter Verleihung des Namens K. zur neuen Hptst. des Röm. Reichs erhoben wurde. – 395 Hptst. des Byzantin. Reichs. Justinian I. festigte die Orthodoxie in K. endgültig (Bau der → Hagia Sophia) und verhalf dem Patriarchen der Stadt zum 2. Rang in der Kirche nach dem Bischof von Alt-Rom. 1204 im 4. Kreuzzug erobert, 1261 von den Byzantinern unter Michael VIII. wieder genommen, am 29. 5. 1453 (nach fast 100-jähriger Bedrohung) von den Türken erobert; bis 1918 Hptst. des Osman. Reiches. 1918–23 von den Alliierten besetzt. (→ Istanbul)

Konstantinopel, Konzile von, → ökumenisches Konzil.

Konstantinsbogen, dreitoriger Triumphbogen in Rom, gestiftet von Senat und Volk anlässlich des Sieges Konstantins d. Gr. über Maxentius, 315 vollendet.

Konstanz, 1) Landkr. im RegBez. Freiburg, Bad.-Württ., 818 km², (1996) 258 700 Ew.

2) Krst. von 1) in Bad.-Württ., Große Krst., am Bodensee, auf der den Obersee vom Untersee trennenden Landbrücke, 70 000 Ew.; Univ., FH, Inst. für Limnologie (Bodenseeforschung) und für Kommunikations-Design, Bodensee-Akademie der Friedrich-Naumann-Stiftung; Archäolog. Landesmuseum, Bodensee-Naturmuseum, Rosgarten-, Hus-Museum, Bibliotheken, Theater, Spielbank; Betriebe der Datenverarbeitung und Elektrotechnik, chem. Ind., Druckgewerbe; bed. Fremdenverkehr (4 Zollübergänge in die Schweiz). Zum Stadtgebiet gehört die Insel → Mainau.

An die Blütezeit der Stadt im MA. erinnern u. a.: Münster (1089 geweiht, später verändert) mit Krypta aus dem 10. Jh., der »Schnegg« (Treppenspindel, 1438) und der Mauritiusrotunde (926) und Hl. Grab (um 1280); ehem. Dominikanerkloster (1236–1785; hier lebte der Mystiker Seuse); »Kaufhaus« am Hafen (1388; Konzilgebäude); Rathaus (1589–94); Zunfthäuser aus dem 14.–16. Jh. An der Stelle der Verbrennung des J. Hus (1415) steht der Husenstein.

Konstantinopel - Rekonstruktion des spätantiken Stadtplans

Konstantinsbogen: Der Triumphbogen in Rom wurde 315 n. Chr. vollendet

Konstanz 2): Das 1388 erbaute »Kaufhaus« am Hafen war 1414–18 Tagungsort des Konstanzer Konzils

Konstanz 2)
Stadtwappen

Geschichte: Schon in kelt. Zeit besiedelt; um 300 röm. Kastell **(Constantia),** vor 600 (bis 1821) Bischofssitz. Im **Frieden von K.** (25. 6. 1183) bestätigte Kaiser Friedrich I. Barbarossa den lombard. Städten ihre Selbstverwaltung. 1192–1548 Reichsstadt. 1414–18 →Konstanzer Konzil. 1430 paritätische Verteilung der Sitze im Rat zw. Zünften und Patriziat; 1548–1806 vorderösterr. Landstadt; 1806 an Baden. – Das ehem. **Bistum,** gegr. um 600, wurde 1803 säkularisiert, 1821 zugunsten des Erzbistums Freiburg i. Br. aufgehoben.

📖 *Gesch. der Stadt K. 6 Bde. Konstanz 1989–96.*

Konstanza, rumän. Hafenstadt, →Constanța.

Konstanze, röm.-dt. Kaiserin, Erbin des normann. Königreichs Sizilien, *1154, †Palermo 27. 11. 1198; ⚭ seit 1186 mit dem Staufer Heinrich VI., Mutter Kaiser Friedrichs II. Nach Heinrichs Tod (1197) ließ sie ihren Sohn unter Verzicht auf die dt. Königskrone zum König von Sizilien krönen und bestimmte Papst Innozenz III. zum Vormund.

Konstanzer Konzil

Eine große internationale Konferenz, wie sie das Konzil von Konstanz darstellte, hatte natürlich auch wirtschaftliche Auswirkungen, die Ulrich Richental in seiner Chronik des Konzils u. a. wie folgt beschrieb: »Während dieser Zeit schlugen die fremden Handwerker ihre Werkstätten auf, und zwar auf dem unteren Hof die Krämer, Gürtler, Schuhmacher und Bader. Sie stellten Buden und Zelte auf und machten dort auch die Wirte. Das Gleiche geschah auch noch auf dem oberen Hof und auf dem Platz vor dem Zeughaus. Die Metzger hielten dort allerlei Fleischspeisen und allerlei Wildbret feil. Vor St. Stephan auf dem Barfüßerkirchhof und drin im Kreuzgang saßen Krämer und Schreiber und bauten sich ihre Buden, hielten auch nachts selbst Wache, und überall, wo nur irgendein Winkel zu finden war, bauten sie ihre Häuser. Die Wirte, ehrliche und unehrliche, erhielten Wohnung in der Vorstadt Stadelhofen, oder wo sie sonst unterkommen konnten, angewiesen.«

Konstanzer Konzil, das 16. allg. (ökumen.) Konzil 1414–18 in Konstanz; beendete das große abendländ. Schisma (→Reformkonzilien); verurteilte J. Hus und ließ ihn als Ketzer verbrennen.

Konstellation [lat.] *die,* **1)** *allg.:* Gesamtheit und Gruppierung der Faktoren, die für eine Situation oder einen Vorgang bedeutsam sind.

2) *Astronomie:* Stellung der Himmelskörper zueinander (→Aspekte); in der Astrologie wird auch die Anordnung der Sterne zu Sternbildern als K. (Aspekt) bezeichnet.

3) *Chemie:* die →Konformation.

Konstituante [lat.-frz.] *die,* →Constituante.

Konstituenten|analyse (engl. Immediate constituent analysis, IC-Analyse), *Sprachwissenschaft:* Methode zur Ermittlung und Beschreibung der Konstituenten, d. h. von syntaktisch zusammengehörenden Teilen von Sätzen sowie der hierarch. Abhängigkeitsverhältnisse der Konstituenten untereinander. Die im amerikan. Strukturalismus entwickelte K. geht von der Teilbarkeit eines Satzes in die unmittelbaren Konstituenten Subjekt und Prädikat aus, wobei das Subjekt syntaktisch der Kategorie Nominalphrase (NP), das Prädikat der Kategorie Verbalphrase (VP) angehört. VP wiederum kann geteilt werden in Verb (V), mögl. Objekte (NP), Präpositionalphrasen (PP) u. a. Die Konstituentenstruktur eines Satzes kann danach in ihrem hierarch. Aufbau und mit Angabe der syntakt. Kategorien in einem Stammbaum (Stemma) dargestellt werden.

konstituieren [lat.], bilden, gründen.

Konstitution [lat.] *die,* **1)** *Anthropologie:* die vorwiegend erbbedingte körperlich-seelisch-geistige Struktur des Menschen, sein phys. Erscheinungs-, Funktions- und Leistungsgefüge (Habitus), verbunden damit sein Charakter, Temperament, Verhalten sowie die Neigung zu bestimmten Krankheiten und Belastungen. (→Konstitutionstypen)

2) *Chemie:* die für jede chem. Verbindung charakterist. Anordnung der Atome und Atomgruppen im Molekül sowie die zw. ihnen bestehenden Bindungen. (→Struktur)

3) *Recht:* Verfassung, Verfassungsurkunde.

Konstitutionalismus *der* (konstitutionelles System), i. w. S. eine Herrschaftsform, bei der die Staatsgewalt im Rahmen einer Verf. (Konstitution) oder grundlegender Gesetze ausgeübt wird. Die Berufung jener, die die Staatsgewalt ausüben, ihre Amtsbefugnisse und die Dauer ihres Amtes werden in der Verf. festgelegt; meist ist die Staatsgewalt an bestimmte Grundrechte des Bürgers gebunden. I. e. S. bezeichnet der Begriff K. die Reg.form der konstitutionellen Monarchie und der Präsidialdemokratie. Sie wird unterschieden vom Parlamentarismus, der Reg.form der parlamentar. Demokratie. Der K. wurde in Anlehnung an die Machtstellung des engl. Parlaments von den Staatsrechtlern des 18. Jh. (J. Locke, Montesquieu) theoretisch entwickelt (→Gewaltenteilung). Zuerst in England 1689 (»Bill of Rights«), in den USA 1787/88 (Bundesverf.), in Frankreich 1789 (Revolution) verwirklicht, wurde der K. zum polit. Hauptziel des älteren Liberalismus.

konstitutionell, 1) *allg.:* anlagebedingt, die Konstitution betreffend.

2) *Recht:* an die Verfassung gebunden.

Konstitutionstypen (Körperbautypen), von E. Kretschmer unterschiedene Menschentypen: 1) **leptosomer (asthen.) Typ:** schmal aufgeschossen, mager, mit flachem Brustkorb und langen, schlanken Gliedern. 2) **athlet. Typ:** grober Knochenbau mit kräftiger Muskulatur, breiten Schultern, breitem Brustkorb, 3) **pykn. Typ:** mittelgroß, gedrungen, gewölbter Brustkorb, Neigung zum Fettansatz, kurzer Hals, breites Gesicht, 4) **dysplast. Typ:** Sammelbegriff für eine Reihe von kleineren Körperbauvarianten. Kretschmer verband die morpholog. mit psych. u. a. Merkmalen.

konstitutiv [lat.], *bildungssprachlich:* festsetzend, bestimmend, grundlegend; wesentlich.

konstitutive Eigenschaften, Stoffeigenschaften, die durch die →Konstitution festgelegt werden, u. a. die chem. Reaktionen, aber auch physikal. Eigenschaften wie Refraktion, Spektrum, Dipolmoment und andere intensive Größen. Ggs.: kolligative Eigenschaften.

konstitutive Wirkung, die rechtsbegründende, rechtsaufhebende oder rechtsgestaltende Wirkung einer Handlung, z. B. die Verleihung der Staatsbürgerschaft. Ggs.: deklarator. Wirkung.

Konstruktion [lat.] *die,* 1) *Geometrie:* die zeichner. Lösung einer Aufgabe, bei der aus vorgegebenen Elementen (z. B. Geraden, Kurven, Ebenen) unter Verwendung bestimmter K.-Mittel, bes. Zirkel und Lineal, geometr. Figuren hergeleitet werden. K.-Aufgaben sind die →Dreiteilung des Winkels, das →delische Problem und die →Quadratur des Kreises.

2) *Technik:* Bauart eines techn. Erzeugnisses (Maschine, Anlage, Bauteil, Baugruppe, Gebäude); auch sein techn. Entwurf (Idee, K.-Zeichnung). Die **K.-Lehre** ist bestrebt, aus allen an das Erzeugnis gestellten, sich z. T. auch widersprechenden Forderungen eine geeignete Lösung zu finden, die v. a. die Erfüllung der techn. Aufgabe (Funktionalität), Wirtschaftlichkeit und Sicherheit für Mensch und Umwelt gewährleisten muss.

konstruktiv, aufbauend, sinnvoll fördernd.

Konstruktivismus *der,* 1) *Kunst:* um 1913/14 in Russland entstandene Richtung der modernen Kunst, die auf dem Bekenntnis zur modernen Technik und der Beschränkung auf einfache geometr. Formen beruht. Formale Voraussetzungen lagen im Kubismus, Futurismus und Kubofuturismus. Initiatoren waren W. Tatlin, A. Rodtschenko, El Lissitzky, seit 1917 auch die Brüder N. Gabo und A. Pevsner. Aus versch. neuartigen Materialien entwickelte Tatlin ab 1913 »Kontra-Reliefs«, für die er die Bez. »konstruktiv« verwendete. Durch die Oktoberrevolution verstärkte sich ein Ggs., der von Anfang an im K. enthalten war: Während Tatlin u. a. die Kunst utilitaristisch für Architektur, Design, Typographie, Bühnenbilder und Mode nutzen und zur Revolution der Gesellschaft einsetzen wollte, entzog K. Malewitsch sich mit seinem →Suprematismus der gesellschaftl. Funktionalisierung von Kunst zugunsten ihrer reinen Formbestimmung (»Schwarzes Viereck auf weißem Grund«, 1913). Mit beiden Richtungen war der K. 1917–22 die offizielle Kunst der Russ. Revolution, doch seit 1922 emigrierten führende Konstruktivisten unter dem Druck der polit. Verhältnisse in den Westen. Der K. beeinflusste nachhaltig →Bauhaus, →Stijl sowie →kinetische Kunst, →konkrete Kunst und →Op-Art.

📖 *K. u. Buchkunst, bearb. v.* L. LANG. *Leipzig 1990. – Konstruktive Konzepte. Eine Geschichte der konstruktiven Kunst vom Kubismus bis heute, bearb. v.* W. ROTZLER. *Zürich* [3]*1995.*

Konstruktivismus 1): Wladimir Tatlin, »Kontra-Relief« (1916; Moskau, Tretjakow-Galerie)

2) *Philosophie, Wissenschaftstheorie:* Auffassungen, die die Konstitutionsleistung des Subjekts im Erkenntnisprozess in den Vordergrund stellen (Ggs.: Empirismus). Denken, Reden und Handeln sollen rekonstruiert, d. h. hinsichtlich ihrer Gültig-

keit begriffen werden. Dies gilt bes. für den Aufbau der Wissenschaftssprache, wobei die (alltägl.) Lebenswelt als unhintergehbarer Ausgangspunkt betrachtet wird. In der Rekonstruktion der vorwiss. Basis der Wiss. liegen Ergebnisse v.a. in der Geometrie und Physik (»Protophysik«) vor. – Die von Systemtheorie, Psychologie und Biologie beeinflussten Ansätze des radikalen K. liefern ganzheitl. Wissenschaftsmodelle und haben u.a. in Psychologie, Biologie, Soziologie, Kunst-, Sprach- und Literaturwiss. Eingang gefunden.

📖 *K. Geschichte u. Anwendung, hg. v.* G. Rusch *u.* Siegfried J. Schmidt. *Frankfurt am Main 1992. – Einführung in den K., mit Beiträgen v.* H. von Förster *u.a. München ³1997.*

Konsul [lat.] *der,* **1)** *Geschichte:* in der altröm. Rep. Titel der beiden obersten Beamten; das Konsulat war zuerst nur den Patriziern, seit 367 v.Chr. auch den Plebejern zugänglich. Die K. wurden auf ein Jahr gewählt. In der Kaiserzeit verloren sie ihre Macht und behielten nur bestimmte Ehrenrechte. K. waren in Frankreich die drei höchsten Staatsbeamten während des Konsulats (frz. Regierungssystem 1799–1804). Erster K. war Napoleon Bonaparte.

2) *Völkerrecht:* der ständige Vertreter eines Staats in einem anderen zur Wahrnehmung der Interessen seines Staats auf den Gebieten des Handels, des Verkehrs und der Wirtschaft sowie in Visa- und Einwanderungsangelegenheiten auch gegenüber Personen, die nicht Staatsangehörige des Entsendestaates sind. Im Ggs. zu den diplomat. Vertretern obliegen den K. keine polit. Aufgaben im Rahmen des diplomat. Verkehrs (→Diplomat). Rechtsgrundlage für den konsular. Verkehr sind das Wiener Abkommen vom 24. 4. 1963 über konsular. Beziehungen sowie die Konsular-Ges. der Staaten. Die **Berufs-K.** sind Beamte, die **Wahl-K.** oder **Honorar-K.** ehrenamtlich tätige Personen, die nicht Angehörige des Entsendestaates sein müssen. Nach der Amtsstufe werden **General-K., K., Vize-K.** und **Konsularagenten** unterschieden. – Zur Ausübung seines Amts bedarf der K. des →Exequaturs des Empfangsstaats. K. genießen eine den Diplomaten angenäherte →Exterritorialität.

Konsultation [lat.] *die,* Beratung, Befragung (z.B. eines Arzts, Rechtsanwalts); im Völkerrecht die gemeinsame Beratung der Vertreter zweier oder mehrerer Staaten zur Beilegung von Streitigkeiten oder zur Festlegung einer gemeinschaftl. Politik.

Konsultativpakt, Vereinbarung mehrerer Staaten, bestimmte außenpolit. Entscheidungen erst nach gemeinsamer Beratung zu treffen.

Konsum [lat.] *der,* allg. der Verbrauch von Sachgütern und Dienstleistungen zur unmittelbaren Bedürfnisbefriedigung, i.e.S. die Einkommensverwendung der privaten Haushalte zum Kauf von K.-Gütern **(privater K., privater Verbrauch).** Die mikroökonom. K.-Theorie untersucht die Bedingungen für den optimalen Verbrauchsplan eines privaten Haushalts (→Haushaltstheorie), die makroökonom. K.-Theorie fragt nach den Bestimmungsgründen der K.-Ausgaben in einer Volkswirtschaft, die betriebswirtsch. Konsumentenforschung versucht, das Verhalten des Menschen als Käufer und Verwender von K.-Gütern zu erklären (Konsumentenverhalten). Die Abhängigkeit des wertmäßigen K. vom Einkommen, aber auch von anderen Variablen (z.B. Vermögen, Preisniveau) kann als mathemat. Funktion **(K.-Funktion)** ausgedrückt werden. Das Verhältnis zw. K. und Einkommen ist die durchschnittl. **K.-Quote;** im Allg. nimmt mit steigendem Einkommen der Anteil der K.-Ausgaben am Einkommen ab.

Die zentrale Bedeutung des K. im Modell der Marktwirtschaft ergibt sich daraus, dass die Nachfrage der privaten Haushalte nach K.-Gütern die Produktion und somit auch die Investitionen der Unternehmen bestimmt **(Konsumentensouveränität).**

📖 Luckenbach, H.: *Theorie des Haushalts. Göttingen 1975. – K., hg. v.* K. E. Becker. *Frankfurt am Main u.a. 1992.* – Kroeber-Riel, W.: *Konsumentenverhalten. München ⁵1992.* – Knobloch, U.: *Theorie u. Ethik des K. Bern u.a. 1994.* – Bänsch, A.: *Käuferverhalten. München u.a. ⁶1995.*

Konsumentenkredit, Bankkredit zum Kauf von Konsumgütern, meist als Ratenkredit oder Überziehungskredit gewährt. Der K. hat i.d.R. ein Volumen von bis zu 50000 DM (Kleinkredit) und eine Laufzeit von bis zu 72 Monaten. Die Kreditkosten sind vergleichsweise hoch. Wegen der Bedeutung des K. für die private Nachfrage und der damit verbundenen konjunkturpolit. Wirkung sind die Banken verpflichtet, die Höhe der K. vierteljährlich der Dt. Bundesbank zu melden. (→Verbraucherkreditgesetz)

Konsumgenossenschaften (Konsumvereine, Verbrauchergenossenschaften), Vereine, die ihren Mitgl. (seit 1954 auch Nichtmitgl.) durch gemeinsamen Großeinkauf, ggf. auch durch eigene Fertigung, preisgünstige Konsumgüter beschaffen. Grundlegend für die Entwicklung der K. waren in England die Ideen von R. Owen und W. King (→Genossenschaft). In Dtl. entstanden um 1850 als Vorläufer Sparvereine sowie Marken- oder Rabattkonsumvereine, später Vereinigungen, die sich seit etwa 1900 zu Zentralverbänden zusammenschlossen; nach 1933 wurde die Tätigkeit der K. unterbunden. In der Bundesrep. Dtl. haben sich 1974 viele K. unter dem Dach der →»co op«-Gruppe zusammengeschlossen. Nach deren Konkurs sind die verbliebenen K. im Bundesverband dt. K. (Sitz:

Hamburg) organisiert. – In *Österreich* schlossen sich die regionalen K. 1978 zum »Konsum Österreich« zusammen; wegen Zahlungsunfähigkeit musste sich das Unternehmen 1995 aus dem Lebensmitteleinzelhandel zurückziehen. In der *Schweiz* bildeten die K. das Unternehmen »Coop Schweiz« (bis 1969 Verband schweizer. Konsumvereine; Sitz: Basel).

Konsumgesellschaft, eine moderne Ind.gesellschaft, in der wesentl. soziale Beziehungen durch den Konsum bestimmt werden. Die K. ist gekennzeichnet durch relativ hohe Massenkaufkraft und materiellen Wohlstand breiter Bev.kreise (Wohlstandsgesellschaft), Massenproduktion relativ preisgünstiger und leicht beschaffbarer Verbrauchs- und Gebrauchsgüter, auf den Erwerb von Einkommen und damit auch Konsumchancen ausgerichtete ökonom. Orientierung der Bürger sowie z.T. durch Prestigekonsum. Die absatzorientierten Bemühungen der Konsumgüterind., kurzlebige Produkte anzubieten, eine Wegwerfmentalität zu propagieren sowie durch raschen Wechsel mod. Formen und techn. Ausstattung der Güter Sättigungstendenzen entgegenzuwirken und neue Bedürfnisse zu wecken, machten die Problematik eines vorwiegend auf Konsum orientierten Verhaltens deutlich. In neuerer Zeit spielen verstärkt Veränderungen bei den Bedürfnissen hin zu mehr Dienstleistungen sowie die Berücksichtigung ökolog. Aspekte eine Rolle.

Konsumgüter, Güter, die der Bedürfnisbefriedigung der Konsumenten dienen; unterteilt in →Gebrauchsgüter und →Verbrauchsgüter.

Konsumpolitik, →Verbraucherpolitik.

Konsumtion [lat. consumptio »Aufzehrung«] *die,* **1)** *allg.:* Verbrauch von Wirtschaftsgütern.

2) *Strafrecht:* eine Form der Gesetzeskonkurrenz, bei der eine Haupttat den Unrechts- und Schuldgehalt einer Begleittat mit enthält und letztere daher nicht selbstständig bestraft wird.

Kontakt [lat.] *der,* **1)** *allg.:* Berührung, Fühlungnahme.

2) *Chemie:* →Katalyse.

3) *Elektrotechnik:* Verbindung elektrisch leitender Teile, durch die absichtlich (z.B. Lichtschalter) oder unabsichtlich (z.B. Kurzschluss) ein elektr. Stromkreis geschlossen wird. I.w.S. werden auch die zur Herstellung der Verbindung vorgesehenen Schaltstücke als K. bezeichnet. Der Kontakt kann durch bloße Berührung (z.B. **Schleif-, Roll-K.**), durch mechan. Verbindung **(Schraub-, Steck-, Feder-, Klemm-K.)** oder durch eine feste materielle Verbindung **(Löt-, Schweiß-K.)** hergestellt werden. Zu den K.-Werkstoffen gehören v.a. aufgrund ihrer guten elektr. Leitfähigkeit und Korrosionsbeständigkeit Gold, Silber und Silberlegierungen.

4) *Psychologie, Soziologie:* das gegenseitige In-Beziehung-Treten zweier oder mehrerer Individuen, ihre Interaktion. »K.-Fähigkeit« bezieht sich darauf, inwieweit eine Person zur K.-Aufnahme fähig ist. K.-Schwäche ist meist durch emotionale Hemmungen bedingt und entsteht aus Entwicklungsstörungen. Bei K.-Störung ist die normale menschl. Individualentwicklung infrage gestellt.

Kontaktbestrahlung, eine Form der externen Strahlentherapie mit umschlossenen radioaktiven Strahlern, die in der unmittelbaren Nähe des Krankheitsherdes an- oder in diesen eingebracht werden (z.B. bei Gebärmutterkrebs).

Kontaktgesteine, →Kontaktmetamorphose.

Kontaktgifte, *Pflanzen-* und *Vorratsschutz:* **Berührungsgifte,** Bez. für Gifte, die bei Berührung schädigend wirken, z.B. bestimmte Herbizide oder Insektizide.

Kontaktlinsen (Haftschalen), dünne, durchsichtige Kunststoffschalen, die anstelle einer Brille getragen werden können. **Harte K.** bestehen aus Polymethylmethacrylat, **weiche K.** aus Hydroxyäthylmethacrylat oder Silikonkautschuk. Neuere Entwicklungen zeichnen sich v.a. durch ihren hohen Wassergehalt (70% und mehr) und ihre große Sauerstoffdurchlässigkeit aus, wodurch eine längere Tragezeit ermöglicht wird. Die heute vorwiegend verwendeten **Korneallinsen (Pupillenlinsen)** werden so auf das Auge gesetzt, dass sie auf einem Tränenfilm über der Hornhaut schwimmen.

Kontaktmetamorphose, meist ohne Druckeinwirkung (statisch) verlaufende Umwandlung von Gesteinen (Entstehung von **Kontaktgesteinen**) am Kontakt mit aufdringenden magmat. Schmelzen. Man unterscheidet rein therm. K. (isochem. K.: **Thermo-** oder **Pyrometamorphose**) und K. mit Stoffzufuhr durch heiße Dämpfe, z.B. Fluorwasserstoff, Bortrioxid (allochem. K.: **Kontaktpneumatolyse, -metasomatose**). Im Einwirkungsbereich des Magmenkörpers **(Kontakthof, -aureole)** werden die Nebengesteine in Abhängigkeit vom Temperaturgefälle versch. stark umgewandelt, wobei zonenweise bestimmte neue Minerale (**Kontaktminerale,** z.B. in Kontaktschiefern) und Gesteinsgefüge entstehen.

Kontaktschiefer, tonige Sedimente von hohem Diagenese- oder geringem Metamorphosegrad, die bei Kontakt zu Tiefengesteinskörpern auffällige Rekristallisationserscheinungen zeigen. Hierzu gehören **Fleckschiefer** (mit fleckenartiger Anreicherung neu gebildeter Minerale, v.a. Andalusit und Cordierit), **Fruchtschiefer** (mit getreidekornähnl. Einsprenglingen), **Knotenschiefer** (mit knotenförmigen Einsprenglingen) und **Garbenschiefer** (mit stängeligen, garbenähnlich geformten Einsprenglingen).

Kontaktspannung, →Berührungsspannung.

Kontaktsperre, Unterbrechung jeder Verbindung eines Straf- oder Untersuchungsgefangenen mit anderen Gefangenen und der Außenwelt einschl. des schriftl. oder mündl. Verkehrs mit dem Verteidiger (§§31–38 des Einführungs-Ges. zum Gerichtsverfassungs-Ges., eingefügt durch Ges. 30. 9. 1977 z.Z. zugespitzter Terrorismusbedrohung). Die K. kann gegenüber Gefangenen angeordnet werden, die wegen terrorist. Straftaten (§129a StGB) inhaftiert sind, wenn dies zur Abwehr einer gegenwärtigen Gefahr für Leben, Leib oder Freiheit einer Person erforderlich ist. Anordnungsbefugt sind die Landes-Reg. und, länderübergreifend, der Bundesjustiz-Min.; Kontrollinstanzen sind OLG und BGH.

Kontaktverfahren, →Schwefelsäure.

Kontamination [lat.] *die,* **1)** *Kerntechnik:* Verunreinigung durch radioaktive Stoffe.

2) *Sprachwissenschaft:* Form der Wortbildung, bei der zwei sprachl. Einheiten (Teile von Wörtern) aufeinander einwirken, z.B. »Stagflation« (aus »Stagnation« und »Inflation«).

3) *Umweltschutz:* die Verschmutzung von Räumen, Gegenständen, Boden, Wasser, Luft, Lebensmitteln u.a. durch Schadstoffe (z.B. Mikroorganismen, Abgase, radioaktive Stoffe).

Alfons Kontarsky

Kontarsky [-ki], **1)** Alfons, Pianist, *Iserlohn 9.10.1932, Bruder von 2); wurde 1983 Prof. am Mozarteum in Salzburg; tritt allein oder im Duo mit seinem Bruder Aloys auf (v.a. Werke der Neuen Musik).

Aloys Kontarsky

2) Aloys, Pianist, *Iserlohn 14. 5. 1931, Bruder von 1); wurde bekannt als Duopartner seines Bruders Alfons sowie des Violoncellisten S. Palm; war Solist bei Uraufführungen zahlr. Werke zeitgenöss. Musik.

Kontemplation [lat.] *die,* **1)** *allg.:* konzentriert-beschaul. Nachdenken (→Meditation).

2) *Philosophie, Religionswissenschaft:* a) urspr. die Beobachtung des Himmels durch die Auguren; in der Antike die geistige Schau (grch. theoria) der Welt; b) in der →Mystik versch. Religionen das Sichversenken und meditative Nachdenken über die religiöse Wahrheit, die Schau Gottes oder des Göttlichen; c) in der christl. Mystik das innere →Gebet als Weg der Gotteserkenntnis und -schau.

kontemporär [lat.], zeitgenössisch.

Kontenance [kɔ̃tə'nãs, frz.] (Contenance) *die,* Fassung, Haltung.

Kontenplan, *Betriebswirtschaftslehre:* systemat. Verzeichnis aller Konten der Buchführung eines Unternehmens, um eine einheitl. Behandlung aller anfallenden Buchungen sowie Zeit- und Betriebsvergleiche zu ermöglichen. Die Grundlage für den K. bildet der **Kontenrahmen** als allg. Ordnungsgefüge für Gruppierungen von Konten.

konter... [frz.], →kontra...

Konterbande [frz.] *die,* →Banngut 2).

kontern [frz.-lat.], **1)** *allg.:* schlagfertig antworten; Gegenmaßnahmen ergreifen.

2) *Fotografie:* eine seitenverkehrte Kopie herstellen.

3) *Sport:* einen wirkungsvollen, schnellen Gegenangriff aus einer betonten Defensivhaltung heraus starten.

Konterrevolution (Gegenrevolution), der Versuch polit. Kräfte, die Ergebnisse einer Revolution rückgängig zu machen; urspr. für die Gegner der Frz. Revolution geprägt.

Kontertanz [frz. aus engl.], →Contredanse.

Kontext [lat.], Zusammenhang, Umfeld.

Kontinent [lat. »zusammenhängend«] *der,* große, geschlossene Festlandmasse einschl. des Schelfs; i.e.S. →Erdteil.

kontinental, zum Festland gehörig, ihm eigentümlich; binnenländisch.

Kontinentales Tiefbohrprogramm, Abk. **KTB,** wiss. Bohrprojekt der Bundesreg. bei Windischeschenbach in der Oberpfalz. Durch die auf der »Erbendorfer Linie«, einer Art geolog. »Schweißnaht« zw. der Moldanub. (im S) und der Saxothuring. Zone (im N) des →Variskischen Gebirges, angesetzte Bohrung sollen v.a. der Aufbau und die physikal. und chem. Zustandsbedingungen der Erdkruste, die gesteins- und gebirgsbildenden Prozesse, die Mechanismen von Erdbeben, die Erdwärme und die Bildung von Lagerstätten erforscht werden. Nach einer Vorbohrung (September 1987 bis April 1989) mit einer Endtiefe von 4000m wurde seit 1990 die Hauptbohrung durchgeführt. Sie erreichte im Oktober 1994 die Endtiefe von 9101m. Das Bohrloch wird weiterhin für zusätzl. geophysikal., geochem. u.a. Untersuchungen genutzt. Ähnl. Bohrungen werden u.a. von Russland auf der Halbinsel Kola (seit 1970, zurzeit bei 12266m) und im Ural (seit 1985, zurzeit bei 6000m), in Frankreich (Pariser Becken) und in den USA (San Andreas Fault, Calif.) betrieben. Sie stehen im Zusammenhang mit dem Projekt →Geotraverse. Die tiefste kommerzielle Bohrung, in Oklahoma (USA), erreichte 9674m, in Europa, bei Zistersdorf (NÖ), 8553m.

Kontinentalschollen, nach der Lehre der →Isostasie die aus leichteren Gesteinen aufgebauten Erdkrustenteile, einschl. der Schelfmeere.

Kontinentalsperre, die Blockade des europ. Festlands, die Napoleon I. 1806 gegen Großbritannien verhängte; Großbritannien hinderte seinerseits seit 1807 neutrale Schiffe am Anlaufen frz. Häfen. Die brit. Wirtschaft wurde schwer geschädigt, ohne dass sich die Friedensbereitschaft erhöhte. Auf dem Festland konnten sich wegen der Ausschaltung der brit. Konkurrenz einige Ind.-zweige (Textil-, Rübenzuckerind.) gut entwickeln, jedoch überwogen die negativen Folgen, z.B. in Ost-Dtl., das auf den brit. Markt für Getreide angewiesen war. Russlands Widerstand (seit 1810) gegen die K. trug zum Kriegsausbruch 1812 bei.

Kontinentalverschiebung, Bez. für die v.a. von A. Wegener (seit 1912) und dem Amerikaner F. B. Taylor (1910) unabhängig voneinander angenommene, sehr langsame Horizontaldrift (Epeirophorese) der aus relativ leichtem Material aufgebauten Erdkrustenteile, der sog. Kontinentaltafeln, auf dem schweren plast. Untergrund, insbesondere das Auseinanderdriften des amerikan. Doppelkontinents und der Alten Welt (relative Westdrift der Neuen gegenüber der Alten Welt), die zur Entstehung des Atlant. Ozeans geführt hat, und das Auseinanderstreben von Afrika, Antarktika, Australien und Indien. Die Theorie der K. geht von einem großen Urozean (Urpazifik) und einem großen zusammenhängenden Urkontinent (Pangäa) aus, der bis ins Jungpaläozoikum oder bis zum Mesozoikum bestanden haben soll und zunächst in zwei Teile zerbrach, aus denen einerseits Nordamerika und Eurasien und andererseits Südamerika, Afrika, Antarktika, Australien und Indien entstanden, die seitdem in versch. Richtungen auseinander bzw. aufeinander zu driften; dabei sollen sich z.B. die Faltengebirge an der W-Küste Amerikas durch Stau gebildet und Indien sich auf die euras. Scholle aufgeschoben haben. Die Ursache für das Zerreißen der Kontinente bzw. Kontinentaltafeln und der Antrieb für ihre Driftbewegung, deren Geschwindigkeit einige cm pro Jahr beträgt, wird allerdings nicht mehr in einer besonderen Polfluchtkraft, in der Gezeitenreibung u.a. gesucht, sondern in Bewegungen des Erdmantels (v.a. Konvektionsströmungen in ihm) und damit in der Öffnung und Erweiterung der Ozeane (→Seafloor-Spreading). In den Mittelozean. Rücken quillt Materie des Erdmantels auf, u.a. an den Hot Spots, und erstarrt (unter Ausrichtung ihrer Magnetisierung parallel zum jeweiligen Erdmagnetfeld); auf der dadurch entstehenden Erhöhung gleitet die ozean. Erdkruste wie auf einer schiefen Ebene ab, wobei sie z.B. Afrika und Südamerika vor sich her schiebt oder an den Rändern des Pazifiks unter die Kontinente geschoben wird. (→Plattentektonik)

📖 HOHL, R.: *Wandernde Kontinente. Leipzig* ^{2}*1987.* – SCHWARZBACH, M.: *Alfred Wegener u. die Drift der Kontinente. Stuttgart* ^{2}*1989.*

Kontingent [lat.] *das,* **1)** *Militärwesen:* vertraglich oder gesetzlich festgelegter Beitrag an Truppen, den das Mitgl. eines Bundesstaates oder Staa-

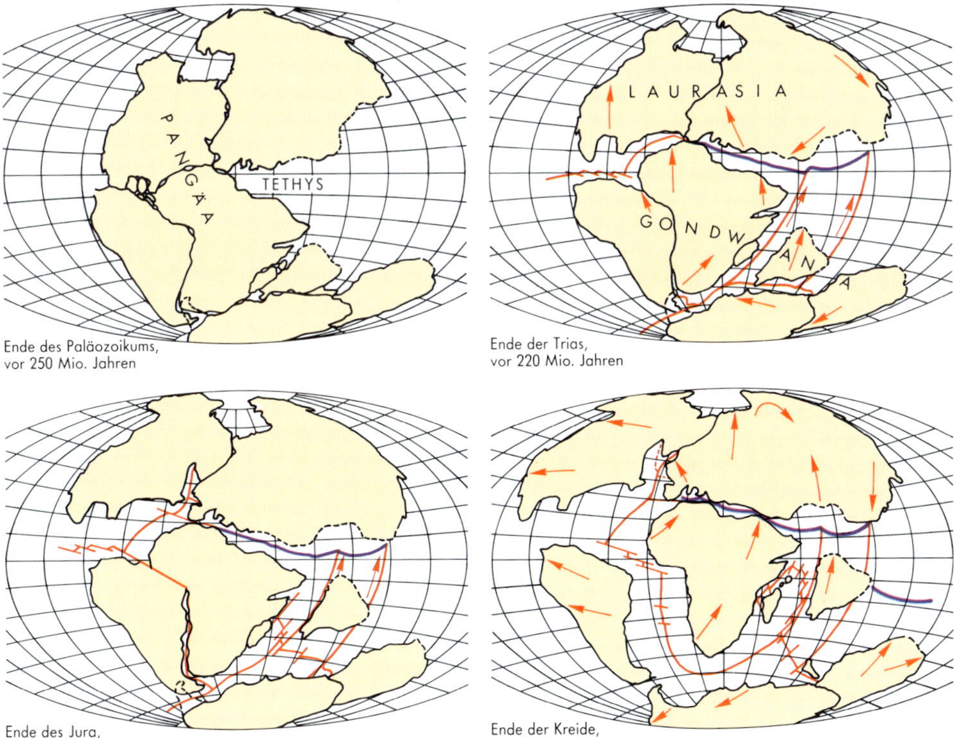

Ende des Paläozoikums, vor 250 Mio. Jahren

Ende der Trias, vor 220 Mio. Jahren

Ende des Jura, vor 150 Mio. Jahren

Ende der Kreide, vor 65 Mio. Jahren

Kontinentalverschiebung: Lage der Kontinente im Laufe der Erdgeschichte (rote Linien: mittelozeanische Rücken- und Querbrüche; violette Linien: Subduktionszonen) tenbundes, einer Ländergemeinschaft (z. B. im Rahmen einer internat. Friedenstruppe im Auftrag der UNO) oder eines Militärbündnisses im Frieden ständig bereitzuhalten oder im Einsatzfall zu stellen hat.

2) *Wirtschaft:* begrenzte Menge, bes. der Anteil an Waren, Leistungen oder Rechten; bei der öffentl. Bewirtschaftung von Waren das Bezugs- oder Bearbeitungsrecht (→Rationierung); im Außenhandel die nach Menge, Wert und Herkunftsland bestimmte Befugnis zum Import **(Einfuhr-K.)** oder Export **(Ausfuhr-K.)** als Ausnahme von einem Import- bzw. Exportverbot. Solche **Kontingentierungen** können sich auch auf Finanztransaktionen beziehen, als Handelshemmnisse widersprechen sie dem Freihandel.

Kontinuität [lat.] *die,* **1)** *allg.:* Stetigkeit, Zusammenhang.

2) *Geschichtsphilosophie:* Begriff, unter dem die Frage erörtert wird, ob neue Perioden als bloße Umprägungen der Überlieferung oder als ein Untergang dessen anzusehen sind, was die Eigenart einer Kultur bis dahin ausgemacht hat.

3) *Philosophie:* der ununterbrochene, lückenlose Zusammenhang von Einheiten, Größen, Vorgängen, Mengen. Ein Gesetz der K., wonach die Natur nirgends Sprünge macht (»natura non facit saltus«), formulierte G. W. Leibniz. Die moderne Physik kennt jedoch Sprunghaftigkeit des Naturgeschehens (→Quantentheorie).

4) *Völkerrecht:* Fortbestehen der rechtl. Identität eines Staates. Änderungen der Verf. und des Gebietsstandes (z. B. durch Revolution, Krieg) durchbrechen die K. nicht, sofern nicht ein Zerfall in mehrere Nachfolgestaaten (Dismembration) eintritt oder eine Neugründung stattfindet, die mit einem vollständigen Wandel der polit. und gesellschaftl. Lebensgrundlagen des Volkes einhergeht; in diesen beiden Fällen spricht man von **Diskontinuität.** Für Dtl. wird seit der Gründung des Norddt. Bundes (1867) von einer K. ausgegangen.

Kontinuitätsgleichung, mathemat. Formulierung eines Erhaltungssatzes für eine physikal. Größe; demnach ist die zeitliche Abnahme dieser Größe in einem Volumen gleich dem Strom der Größe durch die Oberfläche des Volumens. Die K. spielt eine Rolle z. B. in der Strömungslehre.

Kontinuum [lat.] *das,* **1)** *allg.:* das lückenlos Zusammenhängende, Stetige.

2) *Mathematik:* a) in der Mengenlehre die Menge $\mathbb{R}$ der reellen Zahlen, ein Intervall von $\mathbb{R}$ oder jede zu $\mathbb{R}$ gleich mächtige Menge. Die **K.-Hypothese** (C. Cantor, 1878) ist die aus den Axiomen der Mengenlehre nicht beweisbare Vermutung: Es gibt keine überabzählbare Menge, deren Mächtigkeit kleiner als die der reellen Zahlen ist. b) in der Topologie nichtleere, zusammenhängende, kompakte Menge.

3) *Physik:* den Raum zusammenhängend erfüllende Materieverteilung. Trotz Vernachlässigung der atomist. Struktur der Materie liefert die **Physik der Kontinua** bei makrophysikal. Anwendungen befriedigende Ergebnisse, z. B. in der Strömungslehre, einem Teilgebiet der K.-Mechanik.

Konto [italien. »Rechnung«] *das,* in der Buchführung zweiseitige Verrechnungsform zur art- und wertmäßigen Erfassung von Geschäftsvorfällen mit einer Soll- und Habenseite. Unterschieden werden Personenkonten (→Kontokorrent) und Sachkonten. Letztere werden unterteilt in Bestands- und Erfolgskonten. **Bestandskonten** weisen bestandsmäßige Änderungen einzelner Vermögens- oder Kapitalteile (Eigen- und Fremdkapital) aus (z. B. Kassen-K., Bank-K.); bei **Aktivkonten** (Konten der Aktivseite der Bilanz) stehen Anfangsbestand und Zugänge im Soll (linke Kontenspalte), Abgänge und Endbestand im Haben (rechte Kontenspalte), bei **Passivkonten** entsprechend seitenvertauscht. **Erfolgskonten** sind Unterkonten des Eigenkapital-K. und weisen Aufwendungen und Erträge aus. Bestandskonten werden über die Bilanz, Erfolgskonten über die Gewinn-und-Verlust-Rechnung abgeschlossen. – Im Bankwesen ist das K. die für den Kunden geführte Rechnung **(Bank-K.)** über Zahlungsein- und -ausgänge (Geldkonten wie Giro- oder Kontokorrent-, Termin-, Währungskonten) oder über Bestandsveränderungen (Depotkonten). Das Bank-K. ist i. d. R. ein Kontokorrent.

Kontokorrent [italien. »laufende Rechnung«] *das,* Geschäftsverbindung, bei der die beiderseitigen Ansprüche und Verbindlichkeiten in Form eines **K.-Kontos** in Rechnung gestellt werden und in regelmäßigen Zeitabschnitten der Saldo festgestellt wird. Die einzelnen Forderungen werden nicht für sich allein geltend gemacht, sondern durch Feststellung des Saldos getilgt, der als neue Forderung an ihre Stelle tritt. In der Buchführung umfasst das K. den Bereich der Personenkonten, die Konten der Kunden (Debitoren) und der Lieferanten (Kreditoren). Geläufig ist das K. aus dem Bankgeschäft. Bei diesem **K.-Geschäft** kann der Kunde über sein Guthaben auf dem entsprechenden Konto (Giro- oder K.-Konto) verfügen und erhält nötigenfalls von der Bank Kredit **(K.-Kredit).** Veränderungen des Kontostandes werden dem Kunden auf Kontoauszügen mitgeteilt (Angabe der Buchungen und des Saldos).

Kontor [von frz. comptoir »Zahltisch«] *das,* veraltet für Büro; Handelsniederlassung im Ausland.

kontra..., contra..., konter... [lat.], gegen..., wider...

Kontrabass (volkstümlich Bassgeige, kurz Bass, italien. Violone), das größte und tiefste Streichinstrument, steht in der äußeren Form seines Schallkörpers noch den alten Violen nahe. Der K. ist meist mit vier Saiten bezogen, die in Quarten gestimmt sind ($_1$E, $_1$A, D, G). Um die Töne unterhalb des $_1$E spielen zu können, verlängert man entweder die E-Saite mit der sog. C-Maschine, einem Klappenmechanismus, oder nimmt eine fünfte, in $_1$C gestimmte Saite oder verwendet eine andere Stimmung. Der K. entstand Ende des 16. Jh. als Bassinstrument der Gamben-(Violen-)Familie.

Kontradiktion [lat.] *die,* Widerspruch; *Logik:* → Gegensatz.

kontradiktorisches Verfahren, gerichtl. Verfahren mit gegensätzl. Anträgen der Parteien und streitiger (mündl.) Verhandlung, das mit einem kontradiktor. (streitigen) Urteil abgeschlossen wird.

Kontrafagott, Holzblasinstrument, das eine Oktave tiefer als das → Fagott erklingt.

Kontrafaktur [lat.], seit dem MA. nachweisbare Umtexturierung beliebter, meist weltl. Melodien für neue, meist geistl. Liedertexte (z. B. das Kirchenlied »O Welt, ich muss dich lassen« auf die Melodie des Liedes »Innsbruck, ich muss dich lassen«).

Kontrahent [lat.] *der,* **1)** Vertragspartner.

2) Gegner (in geistiger Auseinandersetzung, im Sport).

kontrahieren [lat.], **1)** sich zusammenziehen.

2) *Rechtswissenschaft:* vereinbaren.

Kontrahierungszwang, gesetzl. Verpflichtung zum Abschluss eines Vertrags aus sozialem oder öffentl. Interesse, besteht v. a. für öffentl. und private Verkehrs- (z. B. Taxifahrer) und Versorgungsunternehmen (bes. Strom- und Wasserwerke); bed. als → Anschluss- und Benutzungszwang und bei der → Beförderungspflicht.

Kontra|indikation, die → Gegenanzeige.

Kontrakt [lat.] *der,* **1)** *allg.:* der Vertrag.

2) *Börsenwesen:* Vertrag mit standardisierten Vereinbarungen, der an der Börse gehandelt wird; v. a. üblich bei → Termingeschäften.

Kontraktion [lat.] *die,* **1)** *Physiologie:* Zusammenziehung, z. B. von Muskeln oder muskulären Hohlorganen.

2) *Sprache:* Zusammenziehung zweier oder mehrerer Vokale aus mehreren Silben zu einer Silbe.

3) *Wirtschaft:* → Konjunktur.

Kontraktionstheorie (Schrumpfungstheorie), geotekton. Hypothese, nach der die tekton. Bewegungen der Erdkruste auf Volumenminderung der Erdkugel infolge Wärmeabgabe oder gravitativer Verdichtung des Erdinnern zurückzuführen sind.

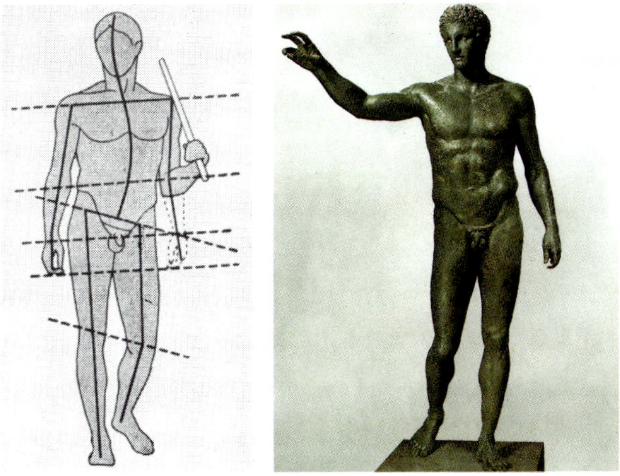

Kontrapost: Schema der Körperachsen einer klassischen griechischen Plastik; rechts daneben der »Ephebe von Antikythera« (um 340 v. Chr.; Athen, Archäologisches Nationalmuseum)

Kontraktur [lat.] *die,* **1)** Fehlstellung unter Verkürzung eines Gelenks.

2) dauernde Verkürzung und Schrumpfung von Weichteilen (z. B. Narben-K. der Haut).

Kontraoktave, die Oktave $_1$C–$_1$H (→ Tonbezeichnung).

Kontrapost [italien.] *der, bildende Kunst:* Ausgleich der tragenden und lastenden, der ruhenden und treibenden Kräfte in einer Figur, so im Ggs. von Stand- und Schwung- oder Spielbein; Beispiele sind die grch. Skulpturen aus hochklass. Zeit; die Renaissance nahm den K. wieder auf.

Kontrapunkt [lat. »(Note) gegen Note«], die Kunst, mehrere Stimmen in einer Komposition selbstständig zu führen, v. a. die Kunst, zu einer gegebenen Melodie, dem »Cantus firmus« (→ Cantus), melodisch selbstständige Gegenstimmen zu erfinden. Auch die Gegenstimmen selbst werden K. genannt. K. bedeutet die Entfaltung melod. Linien (→ Polyphonie), während die Harmonielehre den Zusammenklang der Akkorde in den Vordergrund rückt.

Man unterscheidet **einfachen K.** und **doppelten (mehrfachen) K.** Beim doppelten K. können die einzelnen Stimmen miteinander vertauscht, die Oberstimme kann also z. B. zur Unterstimme, der Bass zur Mittelstimme werden. Ein Hauptmittel des K. ist die melod. Nachahmung; die strengsten und geschlossensten Kunstformen sind Kanon und Fuge. – Höhepunkte erreichte der kontrapunkt. Stil im 15. und 16. Jh., dem Zeitalter der Niederländer und der klassisch-italien. Vokalpolyphonie, und im Werk J. S. Bachs. Die 1. Epoche fand ihre Vollendung im Werk von G. Palestrina (»Palestrinastil«) und seiner Zeitgenossen. J. S. Bach hat die Kompositionsart des K. zu einem Höhepunkt (instrumental reinste Verwirklichung in der Fuge) und zum Abschluss gebracht. In der Musik des 20. Jh. hat eine bestimmte Satztechnik unter der Bez. **linearer K.** einige Bedeutung erlangt.

Kontrapunkt

konträr [lat.], entgegengesetzt, gegenteilig, z. B. »gut« und »böse«; *Logik:* → Gegensatz.

Kontrasignatur, die → Gegenzeichnung.

Kontraspiel, in Kartenspielen wie Tarock, Skat, Bridge Verdoppelung der Gewinn- oder Verlustprämie, indem die Gegenpartei **kontriert** (»Kontra« ansagt), weil sie den Gewinn des Spielenden bezweifelt. Die Prämie kann noch einmal verdoppelt werden, wenn der Spielende siegessicher ist und »Re(kontra)« ansagt.

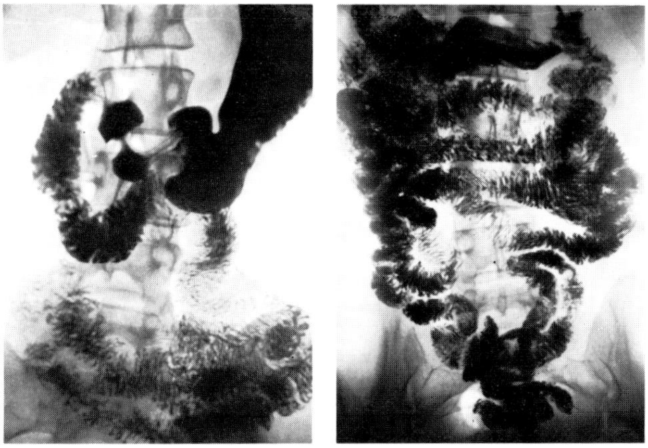

Kontrastmittel: röntgenologische Darstellung von Magen und Zwölffingerdarm sowie des Dünndarms (rechts) mithilfe eines Kontrastmittels

Kontrast [frz.] *der,* **1)** *allg.:* starker Gegensatz, auffallender Unterschied.

2) *Fotografie:* Verhältnis zw. hellstem und dunkelstem Wert eines Aufnahmeobjekts (Fernsicht ohne Vordergrund 1:10; offene Landschaft 1:30; Porträt bis 1:100; Landschaft mit dunklem Vordergrund etwa 1:1000; Gegenlichtaufnahmen 1:10000 und mehr).

3) *Optik:* photometrisch bewertetes Maß für räuml. oder zeitl. Helligkeits- und Farbunterschiede. Der **photometr. Helligkeits-K.** ist der relative Leuchtdichteunterschied $(L_1-L_2)/L_2$ oder $(L_1-L_2)/L_1$ zw. zwei leuchtenden Stellen des Gesichtsfeldes mit den Leuchtdichten L_1 bzw. L_2. Mitunter wird der K. auch durch das absolute Verhältnis L_1/L_2 festgelegt. Der **photometr. Farb-K.** ist analog definiert; die jeweiligen Leuchtdichten sind jedoch mit einem farbabhängigen Faktor zu multiplizieren. – Der **physiolog. K.** ist die Verstärkung der Farbempfindung und des Helligkeitseindruckes, wenn die zugehörigen Lichtreize versch. Intensität oder Farbe haben und auf die Netzhautstellen des Auges gleichzeitig **(Simultan-K.)** oder kurz nacheinander **(Sukzessiv-K.)** einwirken.

Kontrastmittel, zur Röntgenuntersuchung verwendete Stoffe, die Röntgenstrahlen aufgrund ihrer Atommasse und Dichte im Vergleich zum umgebenden Körpergewebe stärker (**positive K.,** Jodverbindungen oder Bariumsulfat) oder geringer schwächen (**negative K.,** Luft, Sauerstoff, Edelgase) und dadurch einen Kontrast geben.

Kontra|subjekt [lat.], *Musik:* in der → Fuge die stets (bzw. häufig) mit dem Thema auftretende Gegenstimme; sie setzt mit dem → Comes ein.

Kontrazeption [lat.] *die,* → Empfängnisverhütung.

Kontribution [lat.] *die,* **1)** urspr. Bez. für jede Steuer, seit dem 15. Jh. für die zu militärischen Zwecken verwendete direkte Steuer und die Grundsteuer.

2) Zwangsauflage in besetzten Gebieten in Kriegszeiten **(Kriegs-K.),** nach der Haager Landkriegsordnung nur zur Deckung von Besatzungskosten, nicht als Strafe zulässig.

Kontrolle [frz.] *die,* **1)** *allg.:* Überwachung, Nachprüfung, Aufsicht.

2) *Soziologie:* diejenigen Prozesse und Einflussnahmen in einer Gruppe oder Ges., die bei einem Mitgl. erwünschtes Verhalten im Sinne bestehender Normen und Regeln bewirken bzw. abweichendes Verhalten verhindern sollen.

3) *Wirtschaft:* **betriebl. K.,** Vergleich zw. geplanten und realisierten Größen sowie Analyse der Abweichungsursachen; findet im Ggs. zur Prüfung

(Revision) meist prozessbegleitend statt (z.B. **Qualitäts-K.**). (→Controlling)

Kontrollkommission, 1) der alliierte Ausschuss zur Überwachung der Entmilitarisierung der Mittelmächte (1919–27).

2) Sowjetische K., Abk. **SKK,** →Sowjetische Militär-Administration in Deutschland.

Kontrollmitteilungen, schriftl. Feststellungen der Finanzverw., bes. im Rahmen einer Außenprüfung, die für die Besteuerung dritter Personen von Bedeutung sein können. Sie werden den für diese Dritten zuständigen Finanzbehörden zur Auswertung überlassen.

Kontrollrat, Alliierter, Organ der Siegermächte des 2. Weltkrieges in Dtl., durch das die USA, die UdSSR, Großbritannien und Frankreich die oberste Reg.gewalt in Dtl. ausübten, Sitz: Berlin; eingerichtet durch das Potsdamer Abkommen vom 2. 8. 1945 gemäß des Londoner Abkommens über die Kontrolleinrichtungen in Dtl. vom 14. 11. 1944 und der Berliner Viermächte-Erklärung vom 5. 6. 1945. Der K. bestand aus den Oberbefehlshabern der vier Besatzungsmächte und erließ Gesetze, Befehle, Direktiven u.a. für alle Besatzungszonen in Dtl. Vor dem Hintergrund des beginnenden Ost-West-Konfliktes verließ der UdSSR-Vertreter am 20. 3. 1948 den K., der danach nicht mehr zusammentrat.

Kontrollturm (engl. Tower), →Flughafen.

Kontrolluhr, Zeiterfassungsgeräte zur Überwachung von Arbeits-, Park- oder Fahrzeiten u.ä., bei denen Anfang und Ende des zu erfassenden Zeitabschnitts mechanisch oder elektronisch angezeigt und/oder mit geeigneten Datenträgern erfasst und gespeichert werden.

Kontroverstheologie [lat.-grch.], Bez. für die interkonfessionellen theolog. Auseinandersetzungen über die als kirchentrennend angesehenen Lehraussagen mit dem Ziel, die eigene Position argumentativ zu unterstützen; diente nach der Reformation der konfessionellen Selbstbehauptung; versteht sich heute im ökumen. Dialog jedoch als Weg der krit. Überprüfung und ggf. Überwindung der Lehrunterschiede.

Kontur [frz.] *die,* Umriss, Umrisslinie.

Konturenflug (Terrainfolgeflug), Flug militär. Luftfahrzeuge mit geringem und möglichst gleich bleibendem Bodenabstand, um die Kontur der Bodenoberfläche (Bodenerhebungen und -senken) als Schutz gegen eine vorzeitige Entdeckung und gegen Beschuss zu nutzen.

Kontusion [lat.] *die, Medizin:* die →Quetschung.

Konus [lat.] *der,* kegel(stumpf)förmiger Körper, meist Maschinenteil.

Konvaleszenz [lat.] *die,* das Gültigwerden von (schwebend) unwirksamen Rechtsgeschäften durch Wegfall des Gültigkeitshindernisses.

Konvektion [lat. »Zusammenbringen«] *die,* Mitführung, bes. die Übertragung von Energie, oder der Transport elektr. Ladung durch kleinste Teilchen in einer Strömung. Diese kann als Ausgleichsvorgang, z.B. durch Temperatur- oder Dichteunterschiede in Gasen oder Flüssigkeiten, von selbst entstehen **(freie K.)** oder aufgrund eines äußeren Antriebs, z.B. durch eine Pumpe, erzeugt werden **(erzwungene K.).** – Astrophysikalisch bedeutsam sind die K.-Strömungen im Innern der Sterne, z.B. in der Sonne. Durch K. werden der Energietransport und der Aufbau der Sterne wesentlich mitbestimmt. – In der Meteorologie vertikale Luftbewegung, d.h. Aufsteigen erwärmter Luft bei gleichzeitigem Absinken kälterer Luft in der Umgebung.

Konvektor [lat.] *der,* Heizkörper aus Rippenrohren mit vorderer Verkleidung. Die Raumluft tritt an einer unteren Öffnung der Verkleidung ein, erwärmt sich und strömt oben ab. (→Heizung)

Konvent [lat.] *der,* **1)** im revolutionären Frankreich 1792–95 die Volksvertretung, deren Ausschüsse, v.a. der →Wohlfahrtsausschuss die Exekutivgewalt innehatte.

2) in den USA Bez. für die Parteikongresse, auf denen die Delegierten der Einzelstaaten und Territorien die Kandidaten für die Ämter des Präs. und des Vizepräs. wählen.

3) *Kirchenrecht:* in der kath. Kirche die Versammlung aller stimmberechtigten Mitgl. eines Klosters oder die Bez. für das Kloster selbst; in den evang. Kirchen die regelmäßige Zusammenkunft von Pfarrern auf Kreis- oder Landesebene.

4) *student. Verbindungswesen:* →Convent.

Konvention [lat.] *die,* **1)** *Soziologie:* Umgangs- oder Verhaltensregel, die allg. den gesellschaftl. Erwartungen entspricht, deren Nichteinhaltung aber nur relativ schwache negative Sanktionen (Missbilligung, Prestigeentzug) bewirkt.

2) *Völkerrecht:* Übereinkunft, multilateraler Vertrag, durch den völkerrechtl. Regelungen mit Geltung für die Signatarstaaten geschaffen werden.

Konventionalismus *der,* **1)** in der *Sprachphilosophie* die Theorie, wonach Zeichen und Wörter ihre Bedeutung allein durch Konvention erlangen.

2) in der *Wissenschaftstheorie* die Auffassung, dass die Sätze einer exakten Wiss. (z.B. Physik, Geometrie, Arithmetik) nicht die Natur beschreiben noch auf Beobachtungen beruhen, sondern auf vereinbarten Festsetzungen von Fundamentalsätzen aufbauen, ausgewählt nach Einfachheit, Zweckmäßigkeit, Brauchbarkeit.

Konventionalstrafe, →Vertragsstrafe.

konventionelle Waffen, alle Waffen außer den →ABC-Waffen.

Konventionen von Lomé, →Lomé-Abkommen.

Konvention über das Verbot der Entwicklung, Herstellung und Lagerung bakteriologischer (biologischer) Waffen und Toxinwaffen (B-Waffen-Abkommen), abgeschlossen am 10. 4. 1972 durch die USA, die UdSSR und Großbritannien, in Kraft getreten am 26. 3. 1975, beinhaltet das Verbot von biolog. und Toxinwaffen sowie die Forderung, Bestände zu vernichten. Auf der Überprüfungskonferenz 1986 in Genf wurden Kontrollmaßnahmen vereinbart, jedoch besteht bislang keine direkte Möglichkeit, die Einhaltung der K. zu überwachen. Die K. steht allen Staaten zum Beitritt offen.

Konvention über das Verbot der Entwicklung, Herstellung und Lagerung chemischer Waffen, → C-Waffen-Abkommen.

Konvention über das Verbot der Verwendung umweltverändernder Techniken zu militärischen Zwecken (Umweltkriegsübereinkommen), abgeschlossen (von 33 Staaten) am 18. 5. 1977, in Kraft getreten am 5. 10. 1978, verbietet den militär. Einsatz von Techniken, die Umweltveränderungen der Erde, u. a. der Atmosphäre sowie der Tier- und Pflanzenwelt auslösen können.

Konvention über die Verhütung und Bestrafung des Völkermords, → Völkermord.

Konvention zum Schutz der biologischen Vielfalt, auf der UN-Konferenz über Umwelt und Entwicklung 1992 in Rio de Janeiro verabschiedetes internat. Übereinkommen (in Kraft seit Dezember 1993) zum Schutz der biolog. Vielfalt (Biodiversität). Es soll die Vielfältigkeit von Arten und die genet. Vielfalt innerhalb einzelner Arten (einschl. der Sorten- und Rassenvielfalt von Nutztieren und Nutzpflanzen) wie auch die unterschiedl. Ökosysteme schützen. Ein Verlust der biolog. Vielfalt kann die stabilisierende und schützende Wirkung der Biosphäre auf Boden, Wasser, Atmosphäre und Klima beeinträchtigen. Verringerte Bodenfruchtbarkeit, Erosion und Überschwemmungen können die Folge sein. Die biolog. Vielfalt liefert die Rohstoffe und das genet. Material für die gesamte landwirtschaftl. Produktion, da z. B. viele Hochleistungssorten der Einkreuzung wilder Sorten bedürfen, um Resistenzen gegen Schädlinge und Krankheiten zu erwerben. Der Erhalt der biolog. Vielfalt ist somit für die Ernährung der Weltbevölkerung dringend notwendig.

Konvention zum Schutz der Menschenrechte und Grundfreiheiten, → Menschenrechte.

Konvergenz [lat.] *die,* **1)** *allg.:* Annäherung, Übereinstimmung.

2) *Biologie:* unter ähnl. Umweltbedingungen, stammesgeschichtlich aber unabhängig voneinander entstandene weitgehende Ähnlichkeit bestimmter Organismengruppen, z. B. Ähnlichkeit der Körperform von Fischen und wasserlebenden Säugetieren (Delphine, Wale).

3) *Geomorphologie:* die Übereinstimmung von Oberflächenformen, die in unterschiedl. Klimazonen in ähnl. oder gleicher Weise entstehen.

4) *Mathematik:* Eigenschaft von unendl. Folgen oder Reihen von Zahlen oder von Funktionenfolgen oder -reihen, einem Grenzwert zuzustreben (zu konvergieren). Existiert kein solcher Grenzwert, so ist die Folge, Reihe u. a. divergent.

5) *Optik:* das Zusammenlaufen von Strahlenbündeln, z. B. paralleler Lichtstrahlen hinter einer Sammellinse.

6) *Sinnesphysiologie:* gleichsinnige Einwärtsbewegung der Augen bei Fixierung von Gegenständen im Nahbereich mit gleichzeitiger Pupillenverengung und entsprechender Akkommodation. Die K. dient der Verschmelzung der Sinneseindrücke beim beidäugigen Sehen. Unzureichende K. ruft beim Nahsehen u. a. Auswärtsschielen oder gekreuzte Doppelbilder hervor.

Konvergenzkriteri|en, → Europäische Wirtschafts- und Währungsunion.

Konvergenztheorie, in der 2. Hälfte des 20. Jh. entstandene Theorie (Hauptvertreter: P. A. Sorokin, J. K. Galbraith, J. Tinbergen), nach der ökonom. und sozialstrukturelle Tendenzen in Industriegesellschaften trotz gegensätzlicher polit. und wirtsch. Systeme zu einer Angleichung (Konvergenz) von Plan- und Marktwirtschaften führen.

Konversationslexikon, urspr. allgemein verständl. Sachwörterbuch in alphabet. Folge, im 19. Jh. Bez. für eine allg. → Enzyklopädie.

Konversationsstück (Gesellschaftsstück), Lustspielform seit dem 19. Jh., bei der die geistreiche oder spritzig-unverbindliche Unterhaltung im Vordergrund steht. Typ. Vertreter: O. Wilde, H. Bahr, z. T. H. von Hofmannsthal. (→ Komödie)

Konversion [lat.] *die,* **1)** Übertritt von einer Konfession zu einer anderen.

2) *Börsenwesen:* (Konvertierung) Umwandlung einer Anleihe in eine neue **(K.-Anleihe)** mit anderen Zins- und Tilgungsmodalitäten zwecks Anpassung an veränderte Kapitalmarktverhältnisse.

3) *Kerntechnik:* in einem Kernreaktor die Umwandlung einer brütbaren in eine spaltbare Substanz durch Neutroneneinfang (→ Brüten).

4) *Psychologie:* die Umsetzung seel. Erregung in körperl. Symptome, z. B. funktionelle Sehstörung durch den Wunsch, eine bestimmte Situation (einschließlich ihrer Anforderungen) nicht wahrnehmen zu müssen; wird nach S. Freud zu den psych. Abwehrmechanismen gerechnet.

5) *Wirtschaft:* Umstellung des Produktionsprogramms eines Unternehmens auf andere Güter, v.a. von militär. Gütern auf zivile Güter (→Rüstungskonversion).

Konvẹrter [engl. »Umwandler«] *der,* **1)** *Elektronik:* Gerät oder elektron. Baugruppe zur Umformung hochfrequenter Signale der einen Frequenz in solche einer anderen Frequenz; in der Fernsehtechnik ein mit eigenem Netzanschluss ausgestattetes Gerät, das bei älteren Fernsehempfängern die Umformung von UHF-Signalen in VHF-Signale ermöglicht.

2) *Hüttentechnik:* kippbarer, früher birnen- oder tulpenförmiger metallurg. Schmelzofen mit feuerfester Auskleidung, in dem flüssiges Roheisen, Kupferstein u.a. Legierungen gefrischt werden, um Begleit- oder Verunreinigungselemente (z.B. Kohlenstoff, Silicium, Mangan, Phosphor bei der Stahlerzeugung oder Eisen, Schwefel, Arsen, Zink, Blei und Zinn bei der Kupfergewinnung) so weit wie nötig zu reduzieren. Der zum Frischen notwendige Sauerstoff wird entweder von oben über eine Lanze oder von unten durch einen Düsenboden zugeführt; erste, heute nicht mehr betriebene K.-Verfahren zur Stahlerzeugung sind das Bessemer-Verfahren und das Thomas-Verfahren. Das gegenwärtig bedeutendste K.-Verfahren ist das LD-Verfahren (Linz-Donawitzer-Verfahren), bei dem Stahl im LD-K. durch Aufblasen von reinem Sauerstoff hergestellt wird.

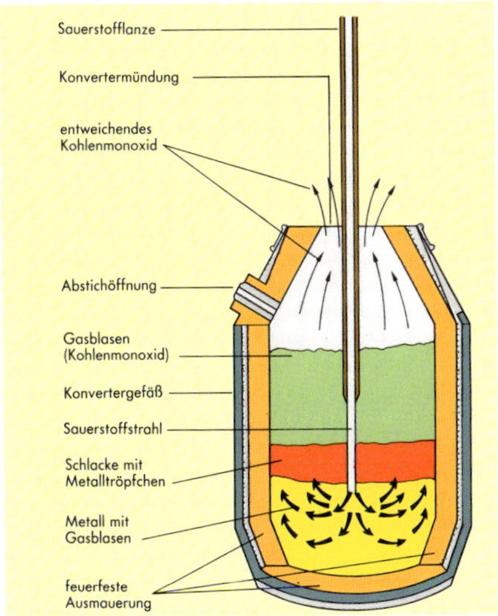

Konverter 2): schematische Darstellung eines LD-Konverters mit eingeblasenem Sauerstoffstrahl

3) *Kerntechnik:* Kernreaktor, der durch →Brüten weniger Spaltstoff erzeugt, als er verbraucht, z.B. Leichtwasser- oder Hochtemperaturreaktionen.

4) *Optik:* mehrlinsiges System negativer Brennweite, das zur Änderung des Abbildungsmaßstabes zw. Objektiv und Kamera gesetzt wird. Der K. verlängert die Brennweite eines opt. Systems und ersetzt so ein entsprechendes Teleobjektiv.

Konvertibilität *die* (Konvertierbarkeit), die Möglichkeit, eine Währung ohne Beschränkungen in eine andere umzutauschen **(volle K., frei konvertierbare Währungen)** im Ggs. zur Devisenbewirtschaftung. **Beschränkte K.** liegt vor, wenn der freie Umtausch nur auf bestimmte Personen oder Institutionen (Ausländer, ausländ. Zentralbanken), nur für bestimmte Zwecke (z.B. Zahlungen aus laufenden Transaktionen, Schuldendienste) oder nur auf bestimmte Währungen bezogen ist. Die K. der DM wurde am 29. 12. 1958 eingeführt. Freie K. ist eine wesentl. Voraussetzung für den freien internat. Güter- und Zahlungsverkehr.

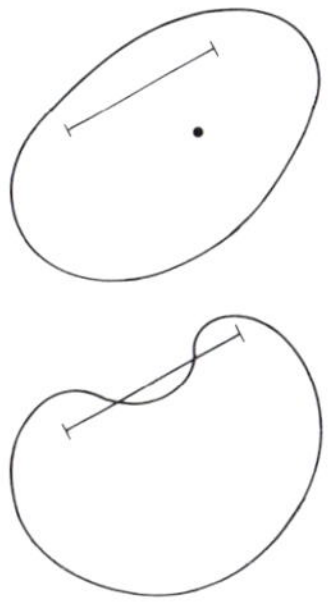

konvex 1): konvexe (oben) und nichtkonvexe Punktmenge

konvẹx [lat.], **1)** *Mathematik:* Eine Punktmenge heißt k., wenn sie zu je zwei Punkten auch deren Verbindungsstrecke enthält.

2) *Optik:* nach außen gewölbt (v.a. Linsen, Spiegel); Ggs.: konkav.

Konvịkt [lat.] *das,* i.d.R. von den Kirchen unterhaltenes Wohnheim für Theologiestudenten.

Konvoi [kɔnˈvɔi, ˈkɔnvɔi; frz.-engl., eigtl. »Geleit«] *der* (Convoi), Geleitzug; Verbandzug aus Handelsschiffen, der von Kriegsschiffen gegen Angriffe feindl. See- und Luftstreitkräfte gesichert wird; auch von Truppen begleitete Transportkolonne zu Land sowie allg. (zusammengehörende) Fahrzeugkolonne.

Konvulsion [lat.] *die, Medizin:* aus schnell aufeinander folgenden Muskelzuckungen bestehender Krampf (Schüttelkrampf) bei bestimmten Erkrankungen des Zentralnervensystems.

Konwịtschny, Franz, Dirigent, *Fulnek (bei Ostrau) 14. 8. 1901, †Belgrad 28. 7. 1962; war 1949–62 Gewandhauskapellmeister in Leipzig, 1953–55 Generalmusikdirektor der Staatsoper Dresden, seit 1955 der Dt. Staatsoper Berlin.

Franz Konwitschny

Kọnya, Hptst. der türk. Provinz K. in Inneranatolien, 1027 m ü.M., 509 200 Ew.; Univ., theolog. Hochschule, sechs Museen; Getreidehandel, Nahrungsmittel-, Papier- und Metallind., Teppichherstellung; Flughafen. – Zahlreiche Moscheen und Medresen, u.a. Alaeddin-Moschee (1155–1221), Büyük-Karatay-Medrese (1251/52, heute das Fayencenmuseum), İnce-Minare-Medrese (1258–79) u.a. Medresen des 13. Jh. Im Kloster Mewlana der »tanzenden Derwische« (heute islam. Museum) befindet sich das Mausoleum des islam. Mystikers Djalal od-Din Rumi (1274, das in die spätere Bausubstanz des 16. Jh. einbezogen ist). Aus osman. Zeit stammt die Selimiye-Moschee (16. Jh.). – Besteht seit 8. Jh. v. Chr.; in byzantin. Zeit **Ikonion;** um 1080 von den Seldschuken erobert, ab etwa 1134 Hauptstadt der Rum-Seldschuken; gehörte 1397–1402 und endgültig ab 1466/67 zum Osman. Reich. BILD S. 478

Konya: Das Kloster Mewlana wird seit 1927 als islamisches Museum genutzt

Kónya ['ko:njɔ], Sándor, Sänger (Tenor) ungar. Herkunft, *Sarkad (bei Gyula) 23. 9. 1923; debütierte 1951 in Bielefeld, wurde 1955 Mitgl. der Städt. Oper Berlin und trat 1961 erstmals an der Metropolitan Opera in New York auf. Er ist als Wagner-Sänger (u.a. Lohengrin bei den Bayreuther Festspielen) und als Interpret des italien. und frz. Fachs bekannt geworden.

Konz, Stadt im Landkreis Trier-Saarburg, Rheinl.-Pf., an der Mündung der Saar in die Mosel, 16900 Ew.; Volkskunde- und Freilichtmuseum; Textilind., Maschinenbau, Kunststoffverarbeitung; Weinbau; seit 1987 ist die Saar zw. Dillingen/Saar und K. für Schiffe bis 3320 t befahrbar. – In spätröm. Zeit lag auf dem Gebiet der heutigen Stadt ein Gutshof. Um 370 fand die Moselbrücke, die im MA. von großer strateg. Bedeutung war, erste Erwähnung. – Moderne Kirche über Resten einer röm. Kaiservilla. – Seit 1959 Stadt.

Konzentration [lat. »Zusammenballung«] *die,* **1)** *Chemie:* der Mengenanteil einer Komponente in einer Mischphase (Gasgemisch, Lösung, Mischkristall). Man unterscheidet **Massen-K. (Partialdichte)** m_i/V, **Volumen-K.** V_i/V und **Stoffmengen-K.** (früher Molarität) $c_i = n_i/V$, wobei m_i, V_i, n_i Masse, Volumen oder Molzahl eines Stoffes i (Stoffmenge) im Volumen V der Mischphase bedeuten. Neben diesen durch DIN genormten K.-Angaben sind die **Äquivalent-K.** (→Normalität) und folgende Gehaltsangaben gebräuchlich: **Volumenprozent,** Vol.-% = 100 · (Volumen des Stoffes i/Gesamtvolumen), **Massenprozent** (häufig unkorrekt als **Gewichtsprozent,** Gew.-%, bezeichnet), Massen-% = 100 · (Masse des Stoffes i/Gesamtmasse), **Molprozent,** Mol-% = 100 · Molenbruch = 100 · (Molzahl des Stoffes/Gesamtmolzahl). Ohne den Faktor 100 werden diese Größen als Volumen-, Massen- und Stoffmengengehalt bzw. -bruch bezeichnet (→pp-Einheiten).

2) *Psychologie:* aktive, interessenbedingte Aufmerksamkeit.

3) *Wirtschaft:* Ballung ökonom. Größen; wird v.a. untersucht bei Unternehmensgrößen (→Unternehmenskonzentration), bei der räuml. Verteilung z.B. von Produktionsstätten (→Ballungsgebiet) sowie bei der Verteilung von Einkommen und Vermögen (→Einkommensverteilung).

Konzentrationslager, Abk. **KZ, KL,** Massenlager, die Elemente des Arbeits-, Internierungs- und Kriegsgefangenenlagers sowie des Gefängnisses und Gettos vereinigen. Vorläufer waren südstaatl. Kriegsgefangenenlager im nordamerikan. Sezessionskrieg und im Burenkrieg von Lord Kitchener 1901 für die Zivilbev. eingerichtete Lager. – Im nat.-soz. Dtl. wurden nach der Notverordnung vom 28. 2. 1933 polit. Gegner (Kommunisten, Sozialdemokraten u.a.) ab März 1933 in polizeil. »Schutzhaft« genommen. Erste K. waren das von Himmler am 20. 3. 1933 bei Dachau errichtete K. und die SA- und SS-Lager um Berlin: Oranienburg und das Columbia-Gefängnis. 1934–37 wurden die K. der SA und die »wilden« Lager geschlossen. Die »staatl.« Lager (1937/38 Dachau, Sachsenhausen, Buchenwald, dann Groß-Rosen, Flossenbürg, Neuengamme, Ravensbrück [Frauen-KZ]; nach dem »Anschluss« Österreichs Mauthausen) unterstanden ab 1934 dem Inspekteur der K., der auch der Führer der bei den K. kasernierten SS-Wachverbände und SS-Totenkopfverbände war. Ab 1935 wurde nicht nur die Ausschaltung aller Regimegegner angestrebt, sondern auch aller Personengruppen, die aus ideolog. (Bibelforscher, Geistliche), rass. und nationalist. (Juden, Polen, Sinti und Roma, Emigranten) oder vorgeblich sozialen Gründen (»Arbeitsscheue«, »Gewohnheitsverbrecher«, Homosexuelle) zu »Volksschädlingen« deklariert wurden. Ab 1938 wurden die K. für den Zwangsarbeitseinsatz für Projekte der SS, später für die Rüstungsind. genutzt. Nach Kriegsbeginn wurde die Inspektion der K. dem neuen SS-Wirtschaftsverwaltungshauptamt (WVHA) eingegliedert; das Netz von Haupt- und Nebenlagern wurde zunehmend ausgebaut (Neuerrichtung von KZ u.a. in Bergen-Belsen, Nordhausen). 1944 bestanden 20 K. mit 165 angeschlossenen Arbeitslagern. Die Mehrzahl der seit Kriegsausbruch Neuinhaftierten waren Angehörige besetzter Länder (u.a. in den KZ Stutthoff, s'Hertogenbosch, Natzweiler, Theresienstadt, Auschwitz, Maidanek und Riga). Bis März 1942 stieg die Zahl der K.-Häftlinge auf 100 000, bis Jan. 1945 auf rd. 715 000, die von 40 000 SS-Leuten bewacht wurden. In den meisten K. wurden medizin., nahrungsmittelchem. und andere Versuche an Häftlingen durchgeführt. V.a. ab 1943 kam es zu Massenvernichtungen von körperlich und psychisch kranken Häftlingen, Polen und sowj. Kriegsgefangenen. Ab 1941 wurden zur sog. »Endlösung der Judenfrage« →Vernichtungslager eingerichtet: Dort und in den K. wurden bis 1945 mindestens zw. 5 und 6 Mio. jüd. und 500 000 nichtjüd. Häftlinge getötet. – In einer Reihe von Prozessen (→Nürnberger Prozesse) wurden nach dem 2. Weltkrieg Verantwortliche zur Rechenschaft gezogen. – In der SBZ bestanden 1945–50 in den K. Buchenwald und Sachsenhausen Sonderlager des NKWD für dt. Zivilpersonen (→Internierungslager). – K. wurden auch in der UdSSR (Zwangsarbeitslager; →GULAG) sowie von den Militärjunten in Griechenland (1967–74) und Chile (1973–89) eingerichtet, ebenso von Serben im Krieg in Bosnien 1992.

📖 KAMIŃSKI, A. J.: *K. 1896 bis heute. Geschichte, Funktion, Typologie. München 1990.* – SOFSKY, W.: *Die Ordnung des Terrors. Das K. Frankfurt am Main* ^{4}*1993.* – *Anatomie des SS-Staates, Beiträge v.* H. BUCHHEIM *u.a. Neuausg. München* ^{6}*1994.* – KOGON, E.: *Der SS-Staat. Das System der dt. K. Neuausg. München* ^{31}*1995.* – LANGBEIN, H.: *... nicht wie die Schafe zur Schlachtbank. Widerstand in den nat.-soz. K.n 1938–1945. Frankfurt am Main 22.–23. Tsd. 1995.*

konzentrieren [lat.], **1)** *allg.:* zusammenziehen, sammeln; sich (geistig) sammeln.

2) *Chemie:* eine Lösung durch teilweises Abdampfen oder Abdunsten des Lösungsmittels anreichern, eindicken bzw. sättigen.

konzentrisch, mit gemeinsamem Mittelpunkt, um einen gemeinsamen Mittelpunkt angeordnet.

Konzeption [lat.] *die,* **1)** Entwurf eines Werkes, schöpfer. Einfall; Gesamtbegriff.

2) *Medizin:* die →Empfängnis.

Konzeptions|optimum, das →Befruchtungsoptimum.

Konzeptionsverhütung, die →Empfängnisverhütung.

Konzeptismus *der* (Conceptismo), Stilrichtung der span. Literatur in der Barockzeit (F. Gómez de Quevedo y Villegas, B. Gracián y Morales), die spitzfindige Gedanken in überraschender Form auszudrücken sucht und sich dabei des Wortspiels, mehrdeutiger Gedankenfiguren, ungewöhnlicher Metaphern u.Ä. bedient.

Konzeptkunst, die →Conceptart.

Konzeptualismus [lat. conceptus »Gedanke«, »Begriff«] *der, Philosophie:* im Universalienstreit des MA. zw. Realismus und Nominalismus vermittelnde Lehre, dass die allgemeinen Begriffe weder Realität noch bloße Wörter seien, sondern das dem Seienden Gemeinsame zusammenfassen; v.a. von W. von Ockham vertreten.

Konzern [engl.] *der,* Zusammenfassung mehrerer rechtlich selbstständig bleibender Unternehmen zu einer wirtsch. Einheit unter einheitl. Leitung im Unterschied zur Fusion und zum Kartell. Die Ursachen der K.-Bildung sind vielfältig, z.B. Sicherung einer eigenen Rohstoff- oder Absatzbasis, Streben nach größeren techn. Einheiten im Interesse der Senkung der Produktionskosten, Diversifizierung, Ausweitung der Geschäftstätigkeit. Man unterscheidet u.a. **horizontale, vertikale** und **diagonale K.,** je nachdem, ob es sich um eine Zusammenfassung von Unternehmen der gleichen, aufeinander folgender oder versch. Produktionsstufen handelt; K. auf der Grundlage von Beteiligungsverhältnissen im Sinne einer Mehrheitbeteiligung einer Mutter- an einer Tochtergesellschaft **(fakt. K.)** oder auf vertragl. Basis durch einen Beherrschungsvertrag **(Vertrags-K.);** K., bei denen ein herrschendes Unternehmen einem oder mehreren abhängigen Unternehmen gegenübersteht **(Unterordnungs-K.),** und solche, bei denen die zusammengefassten Unternehmen einander gleichgeordnet sind **(Gleichordnungs-K.).** Das Aktienges. von 1965 versucht das Konzernrecht systematisch zu regeln; es schreibt u.a. die Aufstellung einer →konsolidierten Bilanz vor. Eine K.-Bildung, die eine marktbeherrschende Stellung schafft oder verstärkt, muss dem Bundeskartellamt angezeigt werden und unterliegt der Fusionskontrolle.

📖 LIEDTKE, R.: *Konzerne. Reinbek 1995.*

Konzert [italien.] *das,* **1)** eine auf das Zusammenwirken gegensätzl. Klanggruppen angelegte Komposition. Der Begriff kam mit der Mehrchörigkeit in Italien im 16. Jh. auf und bezeichnete zunächst das Gegeneinanderspielen versch. Klangkörper wie Singstimmen–Instrumente, Chor–Solisten oder Chor–Chor. Wegen des an sich konzertanten Verhältnisses von Sing- oder Instrumentalstimme zum Basso continuo wurde bald auch das solist. Musizieren im Generalbass Concerto genannt. Aus der Übertragung des Concertoprinzips auf die instrumentalen Gattungen Kanzone, Sonate und Sinfonia entstanden Ende des 17. Jh. das **Solo-K.** für ein einziges Soloinstrument und Orchester und das **Concerto grosso,** bei dem eine kleine, solistisch besetzte Streichergruppe (Concertino) einer chorisch besetzten (Tutti, Ripieno) gegenübersteht. A. Vivaldi entwickelte den für das Concerto grosso wie das Solo-K. verbindlich werdenden K.-Typus. Dieser besteht aus einem getragenen Mittelsatz und zwei schnellen Ecksätzen. Vivaldis K.-Form wurde u.a. auch von J. S. Bach übernommen. Solo-K. wurden im Barock hauptsächlich für Violine und Violoncello komponiert. Erste K. für Tasteninstrumente schufen J. S. Bach und G. F. Händel. Im Laufe des 18. Jh. wurde die zunächst in der Orchester- und Klaviermusik ausgebildete Sonatensatzform auf das K. übertragen. Das Solo-K. wurde durch Mozart eine Hauptgattung der Wiener Klassik. An Beethovens sinfon. Klavier-K. und sein Violin-K. knüpften R. Schumann und Brahms an; daneben wurde im 19. Jh. das Virtuosen-K. für Klavier (F. Mendelssohn Bartholdy, F. Chopin, F. Liszt, C. Saint-Saëns, S. W. Rachmaninow u.a.) und für Violine (N. Paganini, L. Spohr, M. Bruch u.a.) bes. gepflegt. Im 20. Jh. schufen bed. K. für Violine A. Berg, K. Penderecki, für Klavier F. Busoni, M. Reger, A. I. Chatschaturjan; beide Instrumente bedachten u.a. I. Strawinsky, P. Hindemith, A. Schönberg, S. Prokofjew, B. Bartók, H. W. Henze, A. Schnittke.

📖 KÜSTER, K.: *Das K. Form u. Forum der Virtuosität. Kassel 1993.*

2) Musikaufführung. Die ersten öffentl. K. veranstalteten die 1725 gegr. Concerts spirituels in Paris.

konzertant, konzertmäßig, z.B. die konzertante Aufführung einer Oper.

konzertierte Aktion, nach § 3 Stabilitätsgesetz das aufeinander abgestimmte Verhalten von Gebietskörperschaften (Bund, Länder) und Tarifpartnern (Gewerkschaften, Arbeitgeberverbände) zur Erreichung der gesamtwirtsch. Ziele Preisstabilität, hoher Beschäftigungsstand, außenwirtsch. Gleichgewicht sowie stetiges und angemessenes Wirtschaftswachstum; zugleich auch Bez. für das 1967 eingerichtete, seit Ende der 1970er-Jahre nicht mehr einberufene Gesprächsforum als Instrument der Globalsteuerung. Seit 1989 besteht die **Konzertierte Aktion im Gesundheitswesen** als Beratungsgremium mit Vertretern der an der gesundheitl. Versorgung der Bev. beteiligten Gruppen (z.B. Krankenkassen, Ärzte, Apotheker).

Konzertmeister, der 1. Geiger eines Orchesters, der das Einstimmen leitet, solistisch wirkt und in den Proben zuweilen auch den Dirigenten vertritt. In Hofkapellen des 17.–19. Jh. war der K. der Leiter eines Instrumentalensembles.

Konzertzeichner, *Börsenwesen:* Spekulant, der bei der Neuemission Wertpapiere zeichnet, um diese möglichst bald mit Gewinn wieder zu verkaufen; oft zeichnet der K. mehr, als er zu erhalten wünscht, um bei Überzeichnung die erhoffte Menge zu bekommen (→Zeichnung).

Konzession [lat.] *die, Verwaltungsrecht:* personen- und/oder sachbezogene behördl. →Erlaubnis zum Betrieb eines nicht völlig erlaubnisfreien Gewerbes; von der Gewerbeordnung nur noch in Bezug auf die Erlaubnis zum Betrieb von Privatkliniken verwendet.

Konzessions|abgabe, vertragsmäßige, periodisch wiederkehrende Zahlung von Unternehmen für die Einräumung eines Nutzungsrechtes an öffentl. Eigentum, z.B. die K. an die Gemeinden für das Recht zur Benutzung öffentl. Straßen zum Verlegen von Versorgungsleitungen. Betreiber öffentl. Telefondienste können öffentl. Verkehrswege für ihre Leitungen unentgeltlich nutzen.

Konzessivsatz, Einräumungssatz; Teilsatz, der einen Einwand zu dem im anderen Teilsatz formulierten Sachverhalt geltend macht (ÜBERSICHT Syntax).

Konzil [lat.] *das* (grch. Synode), **1)** *allg.:* Zusammenkunft, Versammlung.

2) *christl. Kirchen:* die Versammlung von kirchl. Repräsentanten zur Beratung und Entscheidung (gesamt)kirchl. Angelegenheiten; in der kath. Kirche und in den orth. Kirchen v.a. Bez. für die Versammlung der Bischöfe. Das kath. Kirchenrecht unterscheidet zw. den vom Papst einberufenen Universalkonzilen **(ökumen. K.)** und den mit Zustimmung des Papstes einberufenen Partikularkonzilen der Teilkirchen (= **Plenar-K.** für eine Kirchenregion [Bischofskonferenz]; **Provinzial-K.** für eine Kirchenprovinz). Die orth. Kirchen erkennen – im Ggs. zur kath. Kirche – nur die sieben K. des 4.–8. Jh. als ökumen. K. an (→ökumenisches Konzil).

📖 RIEMECK, R.: *Glaube, Dogma, Macht. Geschichte der Konzilien. Stuttgart 1985.*

Konziliarismus [lat.] *der,* die im MA. durch die kirchl. Rechtswiss. (Kanonistik) geprägte Auffassung, dass ein allg. (ökumen.) Konzil die höchste Instanz in der (kath.) Kirche ist, dessen Beschlüsse auch päpstl. Entscheidungen übergeordnet sind. Seinen Höhepunkt erlebte der K. auf den Konzilen von Konstanz (1414–18) und Basel (1431–49), wo der K. formell dekretiert wurde. Die Gegenposition (→Unfehlbarkeit und Jurisdiktionsprimat des Papstes) wurde durch das 1. Vatikan. Konzil (1869/70) beschlossen. Das 2. Vatikan. Konzil (1962–65) nahm Elemente des K. in die Kirchenverf. auf (→Episkopalismus).

J. RIZZI